Beck/dtv
Vahlens Großes Wirtschaftslexikon
in vier Bänden

Vahlens
Großes Wirtschaftslexikon

Band 3 · K–Q

Herausgegeben von

Prof. Dr. Erwin Dichtl

und

Prof. Dr. Otmar Issing

Verlag C.H. Beck
Deutscher Taschenbuch Verlag

© 1987 Verlag Franz Vahlen GmbH, München
Deutscher Taschenbuch Verlag GmbH & Co. KG, München
Redaktionelle Verantwortung: Verlag C.H.Beck, München
Graphiken: Hans Müller, München
Tabellen: Falkner GmbH, Inning/A.
Gesamtherstellung: C.H.Beck'sche Buchdruckerei, Nördlingen
ISBN 3 423 59006 8 (dtv)
ISBN 3 8006 1435 9 (C.H.Beck/Vahlen)

K

Kabeltext

→Kommunikationsdienst der Deutschen Bundespost, der sich im Planungsstadium befindet. Er kann mit jedem Fernsehapparat, der mit entsprechenden Zusatzgeräten ausgestattet ist, empfangen werden. Anders als →Bildschirmtext wird jedoch Kabeltext als breitbandiger Kommunikationsdienst geplant, wodurch der Zugriff auf Informationen weitaus schneller vonstatten gehen und wesentlich höherwertige Graphiken und sonstige Informationsqualität (Bewegtbilder) bereitgestellt werden können. Voraussetzung für die Verwirklichung des Kabeltextes ist ein breitbandiges Verteilnetz mit Rückkanälen, um den Dialogverkehr im Kabeltext zu ermöglichen (→Kommunikationsnetze).

A. P./W. K. R.

Kabotage

(Cabotage) ursprünglich Bezeichnung für die Küstenschiffahrt zwischen den französischen Atlantik- und Mittelmeerhäfen um das spanische Kap (= cabo) herum. In der Schiffahrt versteht man darunter allgemein die Fahrt zwischen den nationalen Häfen eines Landes, die in vielen Ländern der Schiffahrt unter eigener Flagge vorbehalten ist (Kabotagevorbehalt). Der Begriff hat insofern eine Erweiterung erfahren, als heute jeglicher Binnenverkehr auf Straßen, Flüssen und in der Luft zwischen Orten ein und desselben Landes als Kabotage bezeichnet wird, und zwar insb. im Hinblick auf die Möglichkeit, ausländische Verkehrsunternehmen von diesem Verkehr auszuschließen.

P. T.

Kaduzierung

Ein Aktionär einer AG, der seine Einlage auf die →Aktien, oder ein Gesellschafter einer GmbH, der seine Stammeinlage nicht rechtzeitig vollständig erbracht hat, kann nach erfolglosem Verstreichen einer gesetzten Nachfrist seiner Aktien oder seines Geschäftsanteils für verlustig erklärt werden (§§ 64 AktG, 21 GmbHG).

Käufermarkt

wird von den Nachfragern geprägt. Bei einem gegebenen Preis $\bar{p}$ ist die angebotene Menge x^A eines Gutes größer als die nachgefragte Menge x^N (Angebotsmengenüberhang: $x^A - x^N$; vgl. Abb.).

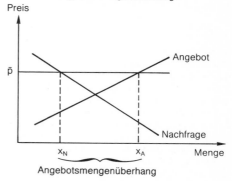

Angebotsmengenüberhang

Oder bei einer gegebenen Menge $\bar{x}$ eines Gutes übersteigt die Preisforderung p^A der Verkäufer das Preisangebot p^N der Käufer. Es kommt zu einem Angebotspreisüberhang im Umfange von $p^A - p^N$ (vgl. Abb.).

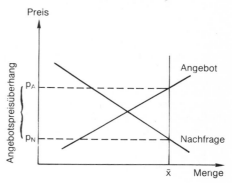

Angebotspreisüberhang

In beiden Situationen sind die Käufer gegenüber den Verkäufern in einer stärkeren Position; die Anpassung von Angebot und Nachfrage vollzieht sich über sinkende Preise. Käufermärkte sind meist ausgereifte, stagnierende Märkte (Gegenteil: →Verkäufermarkt). Die Herausbildung von Käufermärkten nach dem 2. Weltkrieg trug wesentlich zur Entstehung des →Marketing bei.

P. O.

Käuferverhalten →Konsumentenverhalten

Kaffeesteuer

eine dem Bund zufließende spezielle →Verbrauchsteuer (Aufkommen 1982: 1,5 Mrd.

DM). Steuerobjekt sind Rohkaffee, Röstkaffee, Kaffeeauszüge und -essenzen. Da Rohkaffee stets eingeführt wird, ist die Steuer als Einfuhrsteuer ausgestaltet. Steuerschuldner ist der Importeur. Die Kaffeesteuer ist eine → Mengensteuer mit nach Kaffeearten gestaffelten Steuersätzen (DM-Betrag je Kilogramm).

Kaldor-Hicks-Kriterium

von *Nicholas Kaldor* und *Richard Hicks* entwickeltes → Kompensationskriterium zur Ausweitung des Anwendungsbereiches der Paretianischen Wohlfahrtsökonomik. Nach diesem Kriterium können auch solche wirtschaftspolitischen Maßnahmen als wohlfahrtssteigernd angesehen werden, bei denen einzelne Bevölkerungsgruppen Verluste erleiden, sofern nur die Begünstigten dieser Maßnahme in der Lage sind, die Benachteiligten voll zu entschädigen, ohne hierdurch die gesamten erzielten Wohlfahrtsgewinne wieder einzubüßen. Hierbei ist für die Frage der Wohlfahrtswirkung nicht von Bedeutung, ob von der Möglichkeit der Kompensation tatsächlich auch Gebrauch gemacht wird. Es kommt nur auf die Möglichkeit der Kompensation an. Es muß nämlich damit gerechnet werden, daß ein Teil der durch eine wirtschaftspolitische Maßnahme ausgelösten Umverteilung politisch gewollt ist, so daß hier keine Kompensationen erwünscht sind. Ob jedoch eine Umverteilung erwünscht ist oder nicht, könne nur vom Politiker, nicht aber vom Wissenschaftler geklärt werden. Den Politikern müsse die Möglichkeit offenstehen, unerwünschte Umverteilungsprozesse durch Kompensationszahlungen auszugleichen. *Tibor Scitovsky* hat allerdings nachgewiesen (→ Scitovsky-Kriterium), daß bei Anwendung des Kaldor-Hicks-Kriteriums logische Widersprüche auftreten können. *B. K.*

Kalkulation

ermittelt als Kostenträgerstückrechnung (→ Kostenträgerrechnung) die Stückkosten der betrieblichen Leistungen nach den verschiedenen → Kalkulationsverfahren.

Nach dem Zeitpunkt der Durchführung der Kalkulation unterscheidet man:
- Vorkalkulation,
- Zwischenkalkulation,
- Nachkalkulation.

Vorkalkulationen werden vor der Leistungserstellung durchgeführt und dienen zur Beurteilung von Neuproduktionen, Zusatzaufträgen, Erweiterungsinvestitionen etc. Von *Plankalkulationen* unterscheiden sie sich dadurch, daß sie auf Basis überschlägig geschätzter Kosten jeweils für spezielle Zwecke durchgeführt werden, während Plankalkulationen auf Basis exakt geplanter Kosten systematischer Bestandteil einer → Plankostenrechnung sind.

Nachkalkulationen werden nach der Leistungserstellung durchgeführt; sie basieren auf Istkosten (→ Istkostenrechnung) und dienen insb. zur Erfolgskontrolle einzelner Aufträge bzw. zur Überprüfung der Plankalkulationen.

Zwischenkalkulationen können bei Kostenträgern mit langer Produktionsdauer (z. B. Schwermaschinenbau, Luftfahrtindustrie, etc.) für Bilanzierungs- und Dispositionszwecke erforderlich werden. Man kann sie interpretieren als eine Nachkalkulation für Halbfabrikate. *L. H.*

Kalkulationsaufschlag → Handelsspanne

Kalkulationssatz

wird im → Betriebsabrechnungsbogen (BAB) pro → Kostenstelle ermittelt und ist die Voraussetzung für die Durchführung der → Zuschlagskalkulation, dient aber darüber hinaus noch anderen kostenrechnerischen Zwecken:
- Kalkulationssätze stellen das Bindeglied zwischen → Kostenstellenrechnung und → Kostenträgerrechnung dar; denn mit ihrer Hilfe erfolgt die Verrechnung der Gemeinkosten auf die Kostenträger nach dem Verursachungsprinzip.
- Kalkulationssätze sind die Grundlage der → Kostenkontrolle; denn sie dienen der Ermittlung der Sollkosten für den Soll-Ist-Vergleich, indem man den Plankalkulationssatz mit der Istbezugsgröße multipliziert.
- Kalkulationssätze sind entweder schon selbst relevante Kosten oder dienen ihrer Errechnung.

Allgemein erhält man einen Kalkulationssatz aus folgender Grundbeziehung:

$$\text{Kalkulationssatz der Kostenstelle } j = \frac{\text{(Gemein-)Kosten der Stelle } j}{\text{Bezugsgröße der Stelle } j}$$

Sind die Kosten und Bezugsgrößen Ist-, Normal- oder Planwerte, dann erhält man Ist-, Normal- oder Plankalkulationssätze.

Sind die Kosten Voll- oder Grenzkosten, dann erhält man Voll- oder Grenzkalkulationssätze.

Sind die Bezugsgrößen Wert- oder Mengengrößen, dann erhält man Kalkulationssätze mit der Dimension DM/DM (%) oder DM/Mengeneinheit.

Das Hauptproblem bei der Bildung von

Kalkulationssätzen ist das Herausfinden der richtigen Bezugsgröße pro Kostenstelle, d.h. genauer Maßstäbe der Kostenverursachung. Dieses Problem mußte schon bei der Einteilung des Betriebs in →Kostenstellen gelöst werden; es tauchte wieder auf bei der verursachungsgemäßen →Gemeinkostenverteilung auf die Kostenstellen und bei der Durchführung der →innerbetrieblichen Leistungsverrechnung.

Häufig werden nicht nur eine, sondern mehrere Bezugsgrößen pro Kostenstelle ausgewählt. Dies wird immer dann erforderlich, wenn sich nicht alle Kosten proportional zu einer Bezugsgröße verhalten. Beispiele sind Fertigungsstellen mit Serienproduktion; denn hier stehen ein Teil der Kosten in Abhängigkeit von den Maschinenstunden (Ausführungsstunden) und ein anderer Teil in Abhängigkeit von den Rüststunden. Ein anderes Beispiel sind Materialläger, deren Kosten jeweils zum Teil vom Gewicht, vom Volumen oder vom Wert der lagernden Werkstoffe abhängen können.

Die „typischen" Bezugsgrößen und damit auch Kalkulationssätze seien für die wichtigsten Gruppen von Kostenstellen (→Kostenstellenplan) erläutert:

Die „Kalkulationssätze" der Stellen des *allgemeinen Bereichs* sind die innerbetrieblichen Verrechnungssätze (→innerbetriebliche Leistungsverrechnung, →Gleichungsverfahren). Der Quotient aus Kosten und Bezugsgrößen wird gewöhnlich bei Hauptkostenstellen „Kalkulationssatz" genannt und bei Hilfskostenstellen „Innerbetrieblicher Verrechnungssatz", obwohl grundsätzlich keine Unterschiede zwischen beiden Sätzen bestehen.

Im *Materialbereich* wird eine Abhängigkeit der Materialgemeinkosten vom Einzelmaterial unterstellt. Diese Relation, die natürlich dem Verursachungsprinzip nur unvollkommen gerecht werden kann, wird meistens differenziert in einen mengenabhängigen Teil (z.B. für die Manipulationsarbeiten im Lager) und einen wertabhängigen Teil (z.B. für Zinsen und Versicherungen), wobei außerdem noch nach Werkstoffarten unterschieden wird.

Im *Fertigungsbereich* sind verursachungsgerechte Beziehungen zwischen Gemeinkosten und Bezugsgrößen relativ gut herstellbar; dies spiegelt sich in der Vielzahl der im Fertigungsbereich verwandten verschiedenartigen Kalkulationssätze wider. Als typische Beispiele seien die Fertigungslöhne genannt, die man in lohnintensiven (handarbeitsintensiven) Stellen als Bezugsbasis wählt; in mechanisierten und automatisierten Abteilungen mit ver-

hältnismäßig kleinem Lohnkostenanteil an den Gesamtkosten verwendet man (als Mengenschlüssel) die Maschinenstunden (oder Stückzahlen oder Gewichte, etc.).

Im *Vertriebsbereich* ist das Verursachungsprinzip schlechter einzuhalten als im Fertigungsbereich. Als Bezugsgröße werden gewöhnlich die Herstellkosten der umgesetzten Produkte gewählt. In genauen Kostenrechnungen wird sehr weitgehend nach Verkaufsbereichen und vor allem Produktgruppen differenziert. So verursachen die einzelnen Produkte, die in unterschiedlichen Abteilungen verkaufsmäßig betreut werden, z.B. unterschiedliche Werbekosten, Lagerkosten, Verpackungs- und Versandkosten, etc.

Im *Verwaltungsbereich* kann man nur noch in ganz geringem Maße eine verursachungsgerechte Beziehung zwischen den Verwaltungskosten und betrieblichen Produkten finden. Als – auf dem Durchschnittsprinzip (→Kostenrechnungsprinzipien) basierende – „Hilfs-" Bezugsgröße wählt man die gesamten Herstellkosten (oder seltener die Fertigungskosten) oder aus Vereinfachungsgründen oft die Herstellkosten des Umsatzes, um die Verwaltungsgemeinkosten zusammen mit den Vertriebsgemeinkosten mit Hilfe eines einheitlichen „Vertriebs- und Verwaltungsgemeinkostenzuschlagssatzes" auf die betrieblichen Produkte zu verrechnen.

Die unterschiedliche Verwirklichung des obersten Grundsatzes der Kostenrechnung, die Anwendung des Verursachungsprinzips, schlägt sich in der Bildung von mehr oder weniger differenzierten Kalkulationssätzen für die einzelnen betrieblichen Teilbereiche nieder. Im Fertigungsbereich geht man z.T. bis auf die Kostenplätze (→Platzkostenrechnung) zurück, im allgemeinen Bereich, Material- und Vertriebsbereich bis auf die Kostenstellen – bei Differenzierung nach Material- und Produktarten etwas weiter –, und im Verwaltungsbereich endet die Bildung von Kalkulationssätzen i.d.R. schon beim Kostenbereich.

L. H.

Literatur: *Haberstock, L.*, Kostenrechnung I, Einführung, 7. Aufl., Hamburg 1985. *Haberstock, L.*, Kostenrechnung II, (Grenz-)Plankostenrechnung, 7. Aufl., Hamburg 1986. *Haberstock, L.*, Grundzüge der Kosten- und Erfolgsrechnung, 4. Aufl., München 1987.

Kalkulationsverfahren

Man unterscheidet als Hauptgruppen einmal die Divisionskalkulation und zum anderen die Zuschlagskalkulation jeweils in verschiedenen Varianten (vgl. Abb. auf S. 958 unten). (1) Die →*Divisionskalkulation* einschl. der

→ *Äquivalenzziffernkalkulation* sind dadurch gekennzeichnet, daß man stets die Gesamtkosten des Betriebes oder einzelner Betriebsbereiche ohne Differenzierung in → Einzel- und Gemeinkosten durch die hergestellten oder abgesetzten Stückzahlen dividiert. Die Durchführung einer → Kostenstellenrechnung (BAB) ist hierbei aus Kalkulationsgründen gewöhnlich nicht erforderlich; man wird allerdings aus Kostenkontrollgründen nicht darauf verzichten.

(2) Die → *Zuschlagskalkulation* ist dadurch gekennzeichnet, daß stets eine Trennung von Einzel- und Gemeinkosten vorgenommen wird. Während man die Einzelkosten den Leistungen direkt zurechnet, werden die Gemeinkosten mit Hilfe von → Kalkulationssätzen „zugeschlagen". Hierfür ist die Kostenstellenrechnung (BAB) unerläßliche Voraussetzung, denn sie liefert erst die Kalkulationssätze (→ Bezugsgrößenkalkulation).

(3) Die → *Kuppelkalkulation* gehört systematisch zu der Divisionskalkulation. Sie wird jedoch meistens als gesonderte Variante behandelt, weil sich ihr Anwendungsbereich, die Kuppelproduktionsprozesse, von dem der anderen Verfahren unterscheidet.

Alle Verfahren können grundsätzlich als Ist-, Normal- oder Plankalkulation (→ Kostenrechnungssysteme) und jeweils auf Voll- oder Teilkostenbasis durchgeführt werden. Für betriebswirtschaftliche Entscheidungsprobleme sind jedoch nur Kalkulationen auf Teilkosten-, insb. Grenzkostenbasis sinnvoll (→ Voll- und Teilkostenrechnung).

Die Bedeutung des „richtigen" Kalkulationsverfahrens für die Qualität unternehmenspolitischer Entscheidungen ist offensichtlich. Wenn auch die → Bezugsgrößenkalkulation auf Grenzkostenbasis mit weitgehender Differenzierung der Bezugsgrößen als das allgemeingültige Verfahren zu bezeichnen ist, so können doch die anderen Verfahren unter bestimmten Voraussetzungen gleichwertige Kalkulationsergebnisse liefern. Die Entscheidung für eines der Kalkulationsverfahren hängt (auch) vom Fertigungsverfahren ab (vgl. Abb.).   *L. H.*

Fertigungsverfahren	Kalkulationsverfahren
Massenfertigung (ein einheitliches Produkt)	ein- und mehrstufige Divisionskalkulationen
Sortenfertigung (mehrere artähnliche Produkte)	ein- und mehrstufige Äquivalenzziffernkalkulationen
Einzel- und Serienfertigung (mehrere verschiedenartige Produkte)	Zuschlagskalkulationen
Kuppelfertigung (mehrere gleichzeitig und zwangsläufig anfallende Produkte)	Kuppelkalkulationen

Literatur: *Haberstock, L.*, Kostenrechnung I, Einführung, 7. Aufl., Hamburg 1985. *Haberstock, L.*, Kostenrechnung II, (Grenz-)Plankostenrechnung, 7. Aufl., Hamburg 1986. *Haberstock, L.*, Grundzüge der Kosten- und Erfolgsrechnung, 4. Aufl., München 1987.

Systematik der Kalkulationsverfahren

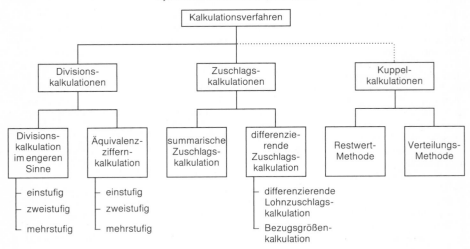

Kalkulationszinssatz

Um mit Hilfe einer dynamischen Investitionsrechnung (→ Investitionsrechnungen für private Investitionen) die Vorteilhaftigkeit eines
Investitionsprojektes feststellen zu können,
benötigt man den Kalkulationszinssatz als
Vergleichsmaßstab. Theoretisch ist der Kalkulationszinssatz ein für Finanzanlagen und
Kredite einheitlicher Kapitalmarktzinssatz, zu
dem jederzeit und in beliebiger Höhe Finanzinvestitionen getätigt und Kredite aufgenommen werden können. Unter dieser Voraussetzung und bei Vernachlässigung etwaiger unterschiedlicher Risiken ist eine Realinvestition
für den Investor immer dann vorteilhaft,
wenn ihre Verzinsung über dem Kalkulationszinssatz liegt. Verfügt der Investor in einem
solchen Fall über eigene Finanzmittel in ausreichendem Umfang, so ist es für ihn im Hinblick auf den Zinsertrag zweckmäßig, die
Realinvestition durchzuführen und auf eine
Finanzinvestition zu verzichten. Muß der Investor in dieser Situation einen Kredit aufnehmen, dann lohnt sich für ihn die Durchführung der Realinvestition ebenfalls, da ihm ein
(Netto-)Zinsertrag in Höhe der Differenz zwischen der Verzinsung der Realinvestition und
den Kreditzinsen zufließt.

In der Realität kann man nicht von der Existenz eines Kapitalmarktes der oben beschriebenen Art ausgehen. Es gibt vielmehr sowohl
Beschränkungen für die Mittelaufnahme als
auch differierende Zinssätze. Dies führt dazu,
daß letztlich jedes Unternehmen in Abhängigkeit von seinen spezifischen Investitions- und
Finanzierungsbedingungen einen individuellen Kalkulationszinssatz anzusetzen hat, dessen exakte Bestimmung jedoch kaum möglich
ist. Daher muß man sich bei Anwendung dynamischer Investitionsrechnungen in der Praxis mit einer näherungsweisen Ermittlung des
Kalkulationszinssatzes begnügen.

Als Näherungswerte für den Kalkulationszinssatz kommen in Betracht:

● Der Kapitalmarktzinssatz für langfristiges
Fremdkapital (Anleihezinssatz). Man unterstellt in diesem Fall, daß finanzielle Mittel zum Anleihezinssatz angelegt und aufgenommen werden können. Dies ist z.B.
dann vertretbar, wenn die für Investitionen
verfügbaren Eigenmittel durch lukrative
Realinvestitionsmöglichkeiten (= Realinvestitionen mit einer Verzinsung über dem
Anleihezinssatz) nicht ausgeschöpft werden.

● Der Durchschnittszinssatz des in der Unternehmung langfristig gebundenen Kapitals
(Kapitalkosten). Dabei wird unterstellt,
daß Einzelinvestitionen ebenso finanziert

werden wie die Unternehmung insgesamt.
Die Orientierung des Kalkulationszinssatzes an den Kapitalkosten empfiehlt sich
z.B. dann, wenn die Eigenmittel für Investitionen knapp sind (d.h. Investitionen müssen auch mit Fremdmitteln finanziert werden) und eine projektindividuelle Finanzierung nicht erfolgt.

In seiner primären Funktion dient der Kalkulationszinssatz als Indikator für die erzielbare Alternativ-Verzinsung. Sollen daneben
im Kalkulationszinssatz noch das Investitionsrisiko (→ Investitionsplanung bei Unsicherheit), die Besteuerung (→ Steuern in Investitionsrechnungen) oder die Geldentwertung
(→ Investitionsrechnung bei Inflation) berücksichtigt werden, so sind entsprechende
Modifikationen vorzunehmen.   *K. L.*

Literatur: Blohm, H./Lüder, K., Investition,
5. Aufl., München 1983, insb. S. 132 ff.

kalkulatorische Abschreibungen

Beträge, die in der Kostenrechnung als → kalkulatorische Kosten für den planmäßigen
(normalen) Werteverzehr an abnutzbaren Betriebsmitteln (Maschinen, Fahrzeuge, Betriebsgebäude usw.) verrechnet werden.

Während die → bilanziellen Abschreibungen handels- und steuerbilanzpolitischen Zielen dienen, besteht die Aufgabe der kalkulatorischen Abschreibungen darin, für jede Abrechnungsperiode, während der ein mehrpe-
riodig nutzbares und abnutzbares Betriebsmittel im Kombinationsprozeß eingesetzt ist,
den verursachungsgerechten Werteverzehr zu
ermitteln.

Auf die tatsächliche Wertminderung eines
Betriebsmittels, die es mit Hilfe der kalkulatorischen Abschreibung zu erfassen gilt, wirken
stets mehrere Ursachen ein. Eine Trennung
bzw. Quantifizierung der einzelnen Komponenten ist kaum möglich; man muß sich deshalb damit begnügen, den verursachungsgerechten Werteverzehr so gut wie möglich zu
schätzen.

Zur Berechnung (genauer: Schätzung) der
kalkulatorischen Abschreibung stehen mehrere Methoden zur Verfügung, nämlich die lineare, die degressive, die progressive und die
variable Abschreibung (→ bilanzielle Abschreibungen). Allen Methoden ist im Prinzip
gemeinsam, daß sie bei Kenntnis der Anschaffungskosten des Betriebsmittels, also bei
Kenntnis des Gesamtwertes des Nutzungsvorrates, eine Schätzung der Nutzungsdauer erfordern. Wie dann der Gesamtwert des Nutzungsvorrates auf die einzelnen Abrechnungs-
perioden der Nutzungsdauer verteilt wird, er-

gibt sich aufgrund der Beurteilung des Zusammenwirkens der verschiedenen Abschreibungsursachen und der danach zu wählenden Abschreibungsmethode.

Bei den bilanziellen Abschreibungen wird davon ausgegangen, daß der Gesamtnutzungsvorrat des Betriebsmittels zu den → Anschaffungskosten (Anschaffungspreis + Beschaffungsnebenkosten) bewertet wird. Dieses Vorgehen ist für die Handels- und Steuerbilanz gesetzlich vorgeschrieben, da in beiden der Grundsatz der nominellen → Kapitalerhaltung gilt. In der Kostenrechnung gilt dieser Grundsatz nicht; hier orientiert sich der Wertansatz grundsätzlich am Bewertungszweck. Sehr oft wird das Prinzip der → Substanzerhaltung angewandt: Es soll mit der Abschreibungsverrechnung gewährleistet werden, daß der Absatzmarkt in den Preisen mindestens jene Beträge zurückvergütet, die dazu ausreichen, das Betriebsmittel nach Ablauf der Nutzungsdauer wiederzubeschaffen.

Man kann also feststellen, daß für Substanzerhaltungszwecke eine Abschreibung auf der Basis der Anschaffungskosten (sog. nominelle Abschreibung) nur geeignet ist, wenn sich die Preise der Betriebsmittel relativ konstant verhalten. In Zeiten steigender (sinkender) Preise muß von den veränderten Wiederbeschaffungskosten abgeschrieben werden (sog. substantielle Abschreibung).

Nun lassen sich aber die (zukünftigen) Wiederbeschaffungskosten nur sehr schwer bestimmen, weil der Zeitpunkt der Wiederbeschaffung zu weit in der Zukunft liegt und/oder weil rascher technischer Fortschritt das vorhandene Betriebsmittel vom Markt verdrängt. In diesen Fällen wählt man dann die zweitbeste Lösung und geht von den Tagespreisen (sog. Zeitwertabschreibung) aus. Einzelne Verbände geben Tabellen mit Preisindizes bestimmter Betriebsmittel heraus, die zur Umrechnung der Anschaffungskosten auf die Tagespreise verwandt werden können. Sind auch die Tagespreise nicht zu ermitteln oder ist diese Ermittlung zu aufwendig, dann wählt man als drittbeste Lösung die Abschreibung von den Anschaffungskosten.

Abschließend sei die Frage diskutiert, welche der verschiedenen Abschreibungsmethoden nun für Zwecke der Kostenrechnung verwandt werden soll.

Allgemein läßt sich zunächst feststellen, daß jene Methode zu wählen ist, die den Wertminderungsverlauf, der sich als (komplizierte) Kombination mehrerer Abschreibungsursachen ergibt, am verursachungsgerechtesten wiedergibt.

Stellt man primär auf den Gebrauchs- und den Zeitverschleiß als die praktisch bedeutsamsten Abschreibungsursachen ab, so erscheint die *variable* Abschreibung als nahezu ideal für kostenrechnerische Zwecke. Sie genügt in hohem Maße der Grundforderung der Kostenrechnung, nämlich soviel Kosten wie möglich verursachungsgemäß als Einzelkosten den betrieblichen Leistungen zuzurechnen. Variable Abschreibungen, die nach der Inanspruchnahme (Nutzungsabgabe) berechnet werden, sind stets variable Kosten und meistens auch Einzelkosten. Leider sind die beiden Voraussetzungen für die Anwendung der variablen Abschreibung nur selten gegeben: Einmal muß der Gesamtnutzungsvorrat quantifiziert werden, und zum anderen muß die laufende Nutzungsentnahme pro Periode auch tatsächlich meßbar sein. Bei einem Kraftfahrzeug hat man den Kilometerzähler; wie aber soll man die Nutzungsentnahme z. B. bei einem stationären Kran messen?

Es bleibt also nichts anderes übrig, als in der Mehrzahl der Fälle auf eine der anderen Methoden zurückzugreifen. Sie sind dann als Sonderfälle der variablen Abschreibung aufzufassen, wenn man den Gesamtnutzungsvorrat als die Periodenzahl interpretiert, während der das Betriebsmittel Leistungen abgeben kann. Von diesem Vorrat wird in jeder Periode eine Einheit entnommen. Damit sind die Abschreibungen unabhängig von der jeweiligen Beschäftigungssituation und bei jeder der Methoden, mit Ausnahme der variablen, Fixkosten.

Die *progressive* Methode kann man wohl aus den Betrachtungen ausklammern; denn sie dürfte höchstens in jenen seltenen Fällen angewandt werden, in denen Grund zu der Annahme besteht, daß der Wertminderungsverlauf tatsächlich progressiv ist.

Zugunsten der *degressiven* Methoden wird angeführt, daß sie zusammen mit den Reparatur- und Instandhaltungskosten, die im Laufe der Nutzungszeit gewöhnlich steigen, einen relativ gleichmäßigen Verlauf der „Betriebsmittelkosten" ergeben. Das ebenfalls häufig anzutreffende Argument, die Restwerte bei der degressiven Abschreibung stimmten mit dem Verlauf des Liquidationserlöses recht gut überein, ist für kostenrechnerische Zwecke unerheblich, da es nicht die Bestimmung der Betriebsmittel ist, veräußert zu werden.

Die Praxis geht in den meisten Fällen (zu Recht) von der *linearen* Methode aus. Sie ist rechnerisch einfach und hat den Vorteil, die einzelnen Perioden mit gleichmäßigen Abschreibungsbeträgen zu belasten. Sie entspricht also dem in der Kostenrechnung mehrfach anzutreffenden „Egalisierungsgedanken", der sich auch mit Hilfe des Verursachungsprinzips begründen läßt. Die steigenden Reparatur- und Instandhaltungskosten müssen dann ebenfalls in gleichen Raten auf alle Perioden der Nutzung verteilt werden.

Auf *Kurt Rummel* geht das Verfahren der *gebrochenen* Abschreibung zurück, die einen Kompromiß zwischen der variablen und linearen Methode bildet, indem sie gleichzeitig den Gebrauchsverschleiß in Abhängigkeit von der Beschäftigung und den Zeitverschleiß in Abhängigkeit von der Nutzungsdauer erfaßt.

L. H.

Literatur: *Haberstock, L.,* Kostenrechnung I, Einführung, 7. Aufl., Hamburg 1985. *Haberstock, L.,* Kostenrechnung II, (Grenz-)Plankostenrechnung, 7. Aufl., Hamburg 1986. *Haberstock, L.,* Grundzüge der Kosten- und Erfolgsrechnung, 4. Aufl., München 1987.

kalkulatorische Kosten

→ Kosten, denen entweder kein → Aufwand (Zusatzkosten) oder Aufwand in anderer Höhe (Anderskosten) in der Finanzbuchhaltung gegenübersteht. Sie müssen verrechnet werden, damit – unbeeinträchtigt durch handels- und steuerrechtliche Vorschriften, die anderen Zwecken dienen – in der → Kostenrechnung der – „richtige" – Werteverzehr an Produktionsfaktoren berücksichtigt wird, der mit den Aufgaben der Kostenrechnung als Planungs- und Kontrollinstrument in der Hand der Unternehmensleitung korrespondiert.

Allen kalkulatorischen Kostenarten ist folgende buchungstechnische Verrechnung gemeinsam:
per Klasse 4 (Kosten)
an Klasse 2 (neutraler Aufwand und Ertrag
            bzw. Abgrenzungskosten).
Da ist es zunächst unerheblich, um welche Konten es sich hierbei im einzelnen handelt.

Die Kostenrechnung kann damit ab Klasse 4 mit den kalkulatorischen Kosten, d. h. mit dem betriebswirtschaftlich sinnvollen Werteverzehr, rechnen. Nach Verarbeitung und Auswertung der Zahlen in der → Kostenstellen- und → Kostenträgerrechnung finden sich die kalkulatorischen Kosten (im → Umsatzkostenverfahren insgesamt nach Kostenträgern gegliedert) auf der Soll-Seite des Betriebsergebniskontos wieder. Dieses Konto wird auf das Gewinn- und Verlust-Konto abgeschlossen. Die gleichzeitig in der Klasse 2 gegengebuchten „verrechneten kalkulatorischen Kosten" werden über das neutrale Ergebnis (Abgrenzungssammelkonto) ebenfalls auf das GuV-Konto abgeschlossen; sie finden sich dort auf der Haben-Seite. Im Ergebnis ist also

die Verbuchung der kalkulatorischen Kosten erfolgsneutral.

Die erfolgswirksame Verbuchung der Aufwendungen der Finanzbuchhaltung, die den kalkulatorischen Kosten entsprechen, erfolgt im Soll der Klasse 2. Die hier benötigten Konten sind z. B. bilanzielle Abschreibungen (23), Zinsaufwendungen (24), Haus- und Grundstücksaufwendungen (21), betriebliche außerordentliche Aufwendungen (25). Sie werden über das neutrale Ergebnis auf das GuV-Konto verbucht und führen dort, nachdem die kalkulatorischen Kosten durch die Gegenbuchung bereits kompensiert wurden, zum gewünschten Ergebnis, nämlich in der GuV-Rechnung nur die Aufwendungen (und Erträge) der Finanzbuchhaltung auszuweisen.

Üblicherweise werden folgende kalkulatorische Kostenarten unterschieden:
- → kalkulatorische Abschreibungen,
- → kalkulatorische Zinsen,
- → kalkulatorischer Unternehmerlohn,
- → kalkulatorische Miete,
- → kalkulatorische Wagnisse.   L. H.

Literatur: *Haberstock, L.,* Kostenrechnung I, Einführung, 7. Aufl., Hamburg 1985. *Haberstock, L.,* Kostenrechnung II, (Grenz-)Plankostenrechnung, 7. Aufl., Hamburg 1986. *Haberstock, L.,* Grundzüge der Kosten- und Erfolgsrechnung, 4. Aufl., München 1987.

kalkulatorische Miete

gehört zu den → kalkulatorischen Kosten und wird für betrieblich genutzte Räume verrechnet, für die jedoch in der Finanzbuchhaltung kein → Aufwand bzw. keine → Betriebsausgaben verbucht werden. Solche Fälle treten vor allem in Einzelunternehmungen und Personengesellschaften auf, weil hier aus steuerlichen Gründen für betrieblich genutzte Privaträume keine Mieten erfolgswirksam abgesetzt werden dürfen. In Ausnahmefällen sind kalkulatorische Mieten aber auch in Kapitalgesellschaften denkbar, wenn z. B. ein Gesellschafter seiner Gesellschaft Räume zur Verfügung stellt und dafür (i. d. R. steuerlich nicht zu empfehlen!) keine oder eine zu niedrige Miete erhält. Alle weiteren Überlegungen sind hier völlig analog denen beim → kalkulatorischen Unternehmerlohn.

Soweit allerdings für diese betrieblich genutzten (Privat-)Grundstücke schon → kalkulatorische Abschreibungen und → kalkulatorische Zinsen verrechnet werden, erübrigt sich eine kalkulatorische Miete.

Gelegentlich faßt man unter dem Begriff der kalkulatorischen Miete auch alle Raumkosten zusammen, gleichgültig ob eigene oder fremdgemietete Räume genutzt werden. Die tatsächlichen Aufwendungen werden dann, wie unter →kalkulatorische Kosten als Regel herausgestellt, in der Klasse 2 verbucht.

L. H.

kalkulatorische Wagnisse

Mit der unternehmerischen Tätigkeit sind bestimmte Risiken verbunden, die zu unvorhersehbarem Werteverzehr führen können. Bei diesen Risiken, auch Wagnisse genannt, unterscheidet man zunächst:

(1) das *allgemeine Unternehmerwagnis* (-risiko), das die Unternehmung als Ganzes betrifft. Hierunter zählt man z.B. Rückschläge in der gesamtwirtschaftlichen Entwicklung, Inflationen, technischen Fortschritt, plötzliche Nachfrageverschiebungen etc.

(2) Die *speziellen Einzelwagnisse* (betriebsbedingte Wagnisse), die direkt mit der betrieblichen Leistungserstellung verbunden sind und sich auf einzelne Tätigkeiten, Abteilungen oder Produkte der Unternehmung beziehen.

Während das allgemeine Unternehmerrisiko im Gewinn abgegolten werden soll und damit nicht kalkulierbar ist, berücksichtigt man in der →Kostenrechnung die speziellen Einzelwagnisse als betrieblich verursachten Werteverzehr mit der Verrechnung kalkulatorischer Wagnisse, soweit sie nicht durch Fremdversicherungen gedeckt sind. Die Einzelwagnisse der Kostenrechnung sind also mit den →Rückstellungen der (Handels- und Steuer-)-Bilanz verwandt.

Man gliedert die Einzelwagnisse in folgende Hauptgruppen:
- Beständewagnis,
- Fertigungswagnis,
- Entwicklungswagnis,
- Vertriebswagnis,
- sonstige Wagnisse.

Zum *Beständewagnis* zählt man Lagerverluste (bei Werkstoffen, Halb- und Fertigfabrikaten), die z.B. durch Schwund, Veralten, Preissenkungen und Güteminderungen auftreten.

Das *Fertigungswagnis* umfaßt u.a. Mehrkosten aufgrund von Arbeits- und Konstruktionsfehlern, Kosten für Gewährleistung, außergewöhnliche Schäden an Anlagegütern sowie Verrechnungsdifferenzen aufgrund von Fehleinschätzungen der Abschreibungsbeträge.

Zum *Entwicklungswagnis* gehören die Kosten für fehlgeschlagene Forschungs- und Entwicklungsarbeiten.

Das *Vertriebswagnis* erstreckt sich z.B. auf Forderungsausfälle gegenüber Kunden und Währungsverluste.

Sonstige Wagnisse sind vor allem solche Risiken, die in der Eigenart des Betriebes bzw. der Branche liegen, z.B. Wagnisse aufgrund von Bergschäden, Schiffs- oder Flugzeugverluste, Risiken bei der Herstellung und Beförderung von Explosiv- und Giftstoffen, Risiken, die bei Montage- oder Abbrucharbeiten entstehen.

Als →kalkulatorische Kosten werden nur solche Wagnisse verrechnet, die nicht durch Fremdversicherungen abgedeckt sind, also nicht bereits über die Versicherungsprämien in die Kosten eingegangen sind. Ihre Berechnung als eine Art von Selbstversicherung, mit der ein langfristiger Ausgleich zwischen tatsächlichen Verlusten und kalkulatorischen Wagniskosten angestrebt wird, geschieht wie folgt:

Aufgrund wahrscheinlichkeitstheoretischer Überlegungen wird zunächst ein sog. Wagnissatz ermittelt. Dieser Satz ergibt sich als die Relation zwischen in der Vergangenheit tatsächlich eingetretenen Wagnisverlusten und einer Bezugsgröße, von der man annimmt, daß sie möglichst verursachungsgerecht mit den Wagnisverlusten in Beziehung steht. Als Zeitraum für diese Berechnung wählt man gewöhnlich fünf und in Sonderfällen auch zehn Jahre. Der Wagnissatz gibt also die durchschnittlichen Wagnisverluste der Vergangenheit pro Einheit der Bezugsgröße (als Wert- oder Mengengröße) an.

In der laufenden Abrechnungsperiode berechnet man nun die kalkulatorischen Wagniskosten, indem man den Wagnissatz mit der Ist- oder Planbezugsgröße (→Ist- bzw. Plankostenrechnung) multipliziert. Die tatsächlich eintretenden Wagnisverluste der laufenden Periode werden, wie unter →kalkulatorische Kosten allgemein beschrieben, über die Klasse 2 (als betriebliche außerordentliche Verluste) verrechnet.

L. H.

Literatur: *Haberstock, L.,* Kostenrechnung I, Einführung, 7. Aufl., Hamburg 1985.

kalkulatorische Zinsen

→kalkulatorische Kosten, deren Verrechnung als Kosten aus der Überlegung resultiert, daß das im Betrieb eingesetzte Kapital einen Werteverzehr darstellt; denn man könnte damit z.B. auf dem Kapitalmarkt Zinsen erzielen. In der Finanzbuchhaltung werden als Aufwand nur die tatsächlich gezahlten Zinsen (für Fremdkapital) verrechnet. In der Kostenrechnung dagegen müssen kalkulatorische Zinsen auf das gesamte betriebsnotwendige Kapital verrechnet werden, also auch auf das Eigenkapital. Dieses Eigenkapital verursacht zwar keine Zinszahlungen, verursacht aber einen

Nutzenentgang, nämlich die Zinsen, die der Kapitaleigner bei anderweitiger Anlage erzielen könnte. Die Betriebswirtschaftslehre spricht hier von sog. → Opportunitätskosten („Kosten" der entgangenen Gelegenheit = entgangener Gewinn).

Kalkulatorische Zinsen sind also nicht, um einem häufigen Mißverständnis vorzubeugen, nur die Zinsen auf das Eigenkapital, sondern die Zinsen auf das betriebsnotwendige Kapital, das auch das betriebsnotwendige Eigenkapital umfaßt. Anderenfalls wären die kalkulatorischen Zinsen Zusatzkosten und nicht Anderskosten.

Man ermittelt die kalkulatorischen Zinsen, indem man einen Zinssatz auf das für die betriebliche Tätigkeit erforderliche Kapital anwendet. Da man dieses betriebsnotwendige Kapital nicht ohne weiteres kennt, fragt man nach dem betriebsnotwendigen Vermögen, in dem das Kapital gebunden ist. Das betriebsnotwendige Vermögen kann jedoch nicht aus der Aktivseite der Handels- oder Steuerbilanz ersehen werden; denn es sind dort auch nicht betriebsnotwendige Vermögensteile aufgeführt und es sind die Bilanzpositionen nach den für die Kostenrechnung nicht maßgeblichen handels- und steuerrechtlichen Vorschriften bewertet.

Von den gesamten Vermögenswerten des Betriebes sind also alle nicht betriebsnotwendigen Teile auszuklammern, z.B. nicht oder landwirtschaftlich genutzte Grundstücke, Miethäuser, in denen keine Betriebsangehörigen wohnen, stillgelegte Betriebsabteilungen, Wertpapiere, mit denen keine unternehmenspolitischen Beteiligungsziele verfolgt werden, usw. Übrig bleiben die betriebsnotwendigen Teile des abnutzbaren und des nicht abnutzbaren Anlagevermögens sowie das betriebsnotwendige Umlaufvermögen.

Das betriebsnotwendige Umlaufvermögen ist dabei mit jenen Beträgen anzusetzen, die durchschnittlich während der Abrechnungsperiode gebunden sind. Für das Anlagevermögen verwendet man die kalkulatorischen Werte der Anlagenabrechnung.

Nach der Art des Wertansatzes für das abnutzbare Anlagevermögen lassen sich zwei Methoden der Berechnung der kalkulatorischen Zinsen unterscheiden: → Restwert- und Durchschnittswertverzinsung.

Auf das betriebsnotwendige Vermögen wird der kalkulatorische Zinssatz angewandt, um die kalkulatorischen Zinsen zu erhalten. Welcher Zinssatz der Rechnung zugrundegelegt werden soll, ist eine noch viel diskutierte Frage der Kostentheorie und der Kostenrechnung, die im Zusammenhang mit dem → Kal-

kulationszinssatz der → Investitionsrechnung steht. Eine Koppelung des anzuwendenden Zinssatzes an den langfristigen Kapitalmarktsatz wird für Zwecke der praktischen Rechnung im Regelfall zu vertreten sein.

Ein in der Literatur häufig zu findender Vorschlag bei der Berechnung der kalkulatorischen Zinsen lautet, vom betriebsnotwendigen Vermögen müsse noch das sog. Abzugskapital abgezogen werden, um das betriebsnotwendige Kapital zu erhalten. Unter dem Abzugskapital versteht man im Betrieb zinsfrei vorhandenes Fremdkapital, wie z.B. Kundenanzahlungen oder zinslose Kredite. Der vorgeschlagenen Berücksichtigung dieser Beträge kann mit *Wolfgang Lücke* nicht zugestimmt werden: „Wurde ursprünglich davon ausgegangen, daß kalkulatorische Zinsen zu berechnen seien, um bei völlig gleichartig strukturierten und organisierten Betrieben, die identische Güter erzeugen, unterschiedliche Kosten aus verschiedener Kapitalzusammensetzung auszuschalten, so wird durch den Ansatz von Abzugskapital wiederum der Finanzierungseinfluß in die Kostenrechnung hineingetragen. Konsequenterweise müßte auf den Ansatz von Abzugskapital verzichtet werden."   *L. H.*

Literatur: *Haberstock, L.*, Kostenrechnung I, Einführung, 7. Aufl., Hamburg 1985. *Lücke, W.*, Die kalkulatorischen Zinsen im betrieblichen Rechnungswesen, in: ZfB, 35. Jg. (1965), Ergänzungsheft, S. 3 ff., hier S. 10.

kalkulatorischer Unternehmerlohn

gehört zu denjenigen → kalkulatorischen Kosten, denen in der Finanzbuchhaltung kein Aufwand gegenübersteht (Zusatzkosten). In Kapitalgesellschaften wird als Entgelt für die dispositive Arbeitsleistung der Geschäfts- und Betriebsleitung ein Gehalt gezahlt. Dieses Gehalt verrechnet man in der Finanzbuchhaltung als Aufwand und in der Kostenrechnung als Kosten. In Personengesellschaften und Einzelunternehmungen dagegen darf (aus steuerrechtlichen Gründen) die Arbeitsleistung der Inhaber nicht durch ein Gehalt vergütet werden, sondern ist aus dem Gewinn zu decken. Aufwand entsteht also nicht. Dieses Ergebnis ist für die kostenrechnerischen Zielsetzungen unbefriedigend, da ja tatsächlich ein Verbrauch von Produktionsfaktoren stattfindet. Dieser Verbrauch wird deshalb mit Hilfe des kalkulatorischen Unternehmerlohns erfaßt.

Es sei aber noch hinzugefügt, daß ein kalkulatorischer Unternehmerlohn nicht nur von Einzelunternehmungen und Personengesellschaften verrechnet wird, sondern in Ausnahmefällen auch von Kapitalgesellschaften: Wenn der Gesellschafter einer Kapitalgesellschaft für seine Mitarbeit kein oder ein sehr niedriges Gehalt erhält und die Vergütung für seine Arbeitsleistung aus dem Gewinn entnimmt, dann gelten alle Ausführungen zum kalkulatorischen Unternehmerlohn auch für Kapitalgesellschaften.

Für die Ermittlung der Höhe des kalkulatorischen Unternehmerlohnes wird man sich i. d. R. nach dem durchschnittlichen Gehalt eines leitenden Angestellten in einer vergleichbaren Position in einem vergleichbaren Betrieb richten.

In besonderen Fällen kann jedoch auch hier der Opportunitätskostengedanke eine Rolle spielen; man fragt dann nach dem Gehalt, das der betreffende geschäftsführende Eigentümer selbst an anderer Stelle erhalten könnte. Abweichungen dieses „entgehenden" Gehaltes vom oben skizzierten Durchschnittsgehalt können für bestimmte (außergewöhnliche) Dispositionen, z.B. Schließung des Betriebs, in der einen wie der anderen Richtung ausschlaggebend sein. In der Literatur wird gern – nicht immer als Kuriosum erkennbar – die sog. Seifenformel zitiert. Hierbei handelt es sich um eine Formel zur Errechnung des kalkulatorischen Unternehmerlohnes, die 1940 in eine staatliche Kalkulationsvorschrift für die Preisregelung in der Seifen- und Waschmittelindustrie aufgenommen wurde:

Jährlicher
Unternehmerlohn $= 18 \sqrt{\text{Jahresumsatz}}$

Bei einem Umsatz von einer Million ergibt sich ein monatlicher Unternehmerlohn von 1500! Die Fragwürdigkeit eines derartigen schematischen Verfahrens wird klar, wenn man an Veränderungen des Lohn- und Gehaltsniveaus, an Strukturwandlungen und an zufällige Umsatzschwankungen denkt.   L. H.

Literatur: *Haberstock, L.*, Kostenrechnung I, Einführung, 7. Aufl., Hamburg 1985. *Haberstock, L.*, Grundzüge der Kosten- und Erfolgsrechnung, 4. Aufl., München 1987.

kalte Steuerprogression

gesetzlich nicht sanktionierte Progression der realen Steuerlast bei → Inflation. Da die progressiv ausgestaltete Lohn- und Einkommensteuer nach dem Nominalwertprinzip („Mark gleich Mark") am Nominaleinkommen ansetzt, geraten Steuerpflichtige bei gegebenem Steuertarif zunehmend in höhere Progressionsstufen, ohne daß sich ihre Realeinkommen entsprechend erhöht hätten. Da die Inflation selbst als reale Steuer aufzufassen ist (→ Inflationssteuer), erhebt der Staat im Zuge der kalten Steuerprogression gleichsam Steuern von der Steuer. Um solche Doppelbelastungen zu verhindern, müßte eine umfassende → Steuerindexierung praktiziert werden.
                                                    R. Ca.

Kaltmiete → Miete

Kameralismus

Ausdruck für die spezifische Form des → Merkantilismus in Deutschland. Ihm wird zugestanden, daß er eher der Verwaltung und der Wissenschaft zugeneigt war, während der Merkantilismus auf kommerzielle Gewinne gerichtet war. Im Kameralismus sei zudem sehr viel stärker das Wohl der Allgemeinheit angestrebt worden. Der Begriff der Polizei umfaßt mit den Bereichen Sicherheits- und Wohlstandspolizei alle Mittel, welche die gierende Gewalt anwendet, die bürgerliche Gesellschaft so zu ordnen und einzurichten, daß jeder einzelne und mit ihm das Ganze sicher, ruhig und bequem „seine irdische Glückseligkeit" erlangen kann – und (auch) wirklich erlangt.

Die Kameralisten verstanden sich einerseits als Diener der Fürsten, andererseits jedoch als Verkünder der „richtigen, wahren Aufklärung", welche dem Staat in der Steigerung des Wohlstandes, in der Verbreitung nützlicher Kenntnisse und in der „gründlichen Verbesserung der Sittlichkeit zwecks allgemeiner Glückseligkeit" seine Ziele setzt. Die Lehre von der Staatswirtschaft habe die Grundsätze zu formulieren, nach denen seitens des Staates „das Beglückungsgeschäft der Bevölkerung oder leidenden Menschheit am leichtesten und wohltätigsten" ausgeführt werden kann.

Joseph A. Schumpeter bezeichnet den Gegenstand ihrer Untersuchungen als „Wohlfahrtsstaat ... in seiner geschichtlichen Individualität und all seinen Aspekten". Gegenüber den Möglichkeiten des freien Unternehmertums bescheinigt *Schumpeter* ihnen zwar Abstand, aber keine Feindseligkeit in der Formulierung eines allgemeinen Grundsatzes, wonach alles, was Handel und Gewerbe benötigten, seien Freiheit und Sicherheit, und eine Bürokratie, die lenkt und unterstützt, soweit dies notwendig ist, die aber immer bereitwillig in den Hintergrund tritt, wo Lenkung und Unterstützung als überflüssig erscheinen.
                                                    H. G. K.

Literatur: *Bog, I.*, Der Merkantilismus in Deutschland, in: Jahrbücher für Nationalökonomie und Statistik, Vol. 173 (1961), S. 125 ff. *Krüsselberg, H. G.*, Politische Ökonomik in Vergangenheit und Gegenwart: Wirtschaftswissenschaft an der Philipps-Universität Marburg, in: *Giersch, H./Krüssel-*

berg, H. G. u. a., Weltwirtschaftsordnung und Wirtschaftswissenschaft, Stuttgart, New York 1978, S. 4 ff. *Schumpeter, J. A.*, Geschichte der ökonomischen Analyse, Göttingen 1965.

Kameralistik

gilt in historischer Sicht als Rechnungsstil der öffentlichen Verwaltung. Die Kameralistik, die von der camera (fürstliche Rechnungskammer) abgeleitet ist, weist grundsätzlich eine finanzwirtschaftliche Orientierung auf, d. h. sie knüpft an der Verbuchung kassenmäßiger Vorgänge an und ist um die Ermittlung finanzwirtschaftlicher Ergebnisse bemüht. Das kaufmännische Rechnungswesen dagegen hat zum Ziel, ein erfolgswirtschaftliches Ergebnis im Sinne eines Gewinnes oder Verlustes zu ermitteln. Die Besonderheit der Kameralistik besteht darin, daß der Aufbau der Konten mehrgliedrig ist, also z. B. Rest-, Ist- und Soll-Spalten aufweist und darauf angelegt ist, die rechnerische Erfassung und Kontrolle von Massenzahlungsvorgängen in öffentlichen Verwaltungen zu ermöglichen. Die Kameralistik hat sich über die Entwicklungsstufen der → Verwaltungs- und → Betriebskameralistik bis zur → erweiterten Kameralistik der Zielsetzung des kaufmännischen Rechnungswesens angenähert.

Obwohl über die Kameralistik vor allem in ihren neueren Formen prinzipiell die gleichen Kontroll- und Steuerungsinformationen wie bei der kaufmännischen Buchführung erlangt werden können, gestaltet sich die Informationsgewinnung beim kameralistischen Rechnungswesen umständlicher, vor allem weil kein geschlossenes doppeltes Buchungssystem existiert.

Das kameralistische Rechnungswesen in öffentlichen Verwaltungen bedarf der Ergänzung durch eine Vermögensrechnung. Die bei den kameralistischen Abrechnungsverfahren erfaßten Zahlungsströme sind zwar vermögenswirksam, doch werden wegen der an finanzwirtschaftlichen Zielen orientierten Gliederung die Auswirkungen auf Vermögen und Schulden nicht ausreichend ausgewiesen.

Die Einführung der Vermögensrechnung in öffentlichen Verwaltungen geht auf unterschiedliche rechtliche Grundlagen zurück, wie die Deutsche Gemeindeordnung oder die Bundeshaushaltsordnung, die eine unverbundene bzw. verbundene Vermögensrechnung vorsehen, was bislang zu einer uneinheitlichen Anwendung der Vermögensrechnung in der Praxis geführt hat.   **W. O.**

kameralistische Buchführung   → Buchführungssysteme, → Kameralistik

Kammerzieler

1495 auf Grundlage der Reichsmatrikel (→ Matrikularbeiträge) beschlossene Reichssteuer zur Finanzierung des Reichskammergerichts; sie blieb im Ergebnis unbefriedigend.

Kanal

1. dient bei der → elektronischen Datenverarbeitung zum Anschluß peripherer Geräte (→ Peripherie) an die → Zentraleinheit. Der Einsatz von Kanälen zielt darauf ab, den Informationsfluß innerhalb einer DV-Anlage durch selbständig arbeitende Untereinheiten zu verbessern. Ein Kanal ist ein Prozessor, der als unabhängige Funktionseinheit seine eigenen Kanalprogramme ausführt und seine E/A-Geräte selbständig steuert. Die Zentraleinheit wird dadurch von Steuerungsaufgaben entlastet, da der Kanalprozessor parallel zur Zentraleinheit arbeitet.

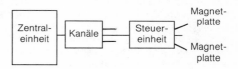

Um einen Kanal unabhängig von den anschließbaren Peripherieeinheiten gestalten zu können, werden diese über Steuereinheiten an diesen angekoppelt. Nach der Betriebsart unterscheidet man Selektorkanal und Multiplexkanal.

Die *Selektorkanäle* sind auf hohe Geschwindigkeiten ausgelegt. Die Übertragung der Daten zwischen Zentraleinheit und peripherem Gerät erfolgt hier ohne Unterbrechung, bis das gesamte Volumen abgearbeitet ist. Andere periphere Einheiten, die an diesem Selektorkanal angeschlossen sind, befinden sich dann in Wartestellung.

An *Multiplexkanäle* werden i. a. nur langsame Einheiten, wie → Drucker- und → Lochkartenleser, angeschlossen. Es können mehrere periphere Geräte gleichzeitig angesteuert werden, indem zeitlich nacheinander geringe Datenvolumina für jeweils ein Gerät übertragen werden. Wird jeweils ein → byte übertragen, so spricht man von Bytemultiplexkanal, bei mehreren bytes von Blockmultiplexkanal. Multiplexkanäle können teilweise auf Selektorkanalbetrieb umgeschaltet werden.

2. In der Verkehrswirtschaft: künstlich, evtl. unter Ausbau bestehender Wasserläufe, hergestellter Wasserweg. Verkehrswirtschaftlich bedeutsam sind schiffbare Kanäle, die in Binnen- und Seekanäle unterteilt werden. Dabei dienen Binnenkanäle der Verbindung zweier

Flußläufe bzw. der Korrektur eines Flußlaufes, aber auch der Anbindung von Städten oder Regionen an das Wasserstraßennetz mit Hilfe von Stichkanälen. Daneben erfüllen Binnenkanäle auch zahlreiche Nebenfunktionen (→Rhein-Main-Donau-Kanal).

Binnenkanäle werden entsprechend den Wasserstraßenklassen nach Tragfähigkeit (→Tonnage) in sieben Klassen (von 0 bis VI) eingeteilt, wobei in Klasse 0 die Tragfähigkeit von 50 bis 249 Tonnen reicht und auf Kanälen der Klasse VI Schiffe mit 3000 Tonnen und mehr verkehren können. Mit insgesamt 1440 km Länge (Stand 1980) halten die Kanäle einen Anteil von 32,3% der Binnenwasserstraßen in der Bundesrepublik Deutschland.

Seekanäle werden regelmäßig zur Verkürzung der Seewege gebaut (z.B. Suez-Kanal, Panama-Kanal) bzw. um Binnenseen oder Binnenmeere mit der offenen See, einem Weltmeer, zu verbinden (z.B. Große Seen – St. Lorenz Seeweg). Die Route Hamburg – Bombay via Suez-Kanal ist z.B. um 43% kürzer als der Weg um das Kap der Guten Hoffnung (Südafrika). Der bedeutendste deutsche Seekanal ist der Nord-Ostsee-Kanal, auf dem 1984 ein Güterverkehr von insgesamt 63,7 Mio. Tonnen abgewickelt wurde. *A. W. S./P. T.*

KANBAN-System

in Japan entwickeltes Instrument zur kostenminimalen Fertigung, dessen Grundlagen die beiden Aspekte Produktion-auf-Abruf und →Automation darstellen. Durch KANBAN-Systeme werden →Ablauforganisationen geschaffen, die die Zielkonflikte reduzieren und die Gesamtkosten minimieren. Die wichtigsten Elemente dieser Systeme sind:

- Schaffung selbststeuernder Regelkreise zwischen erzeugenden und verbrauchenden Bereichen,
- Implementierung des Hol-Prinzips für die jeweils nachfolgende Verbrauchsstufe,
- flexibler Personal- und Betriebsmitteleinsatz,
- Übertragung der kurzfristigen Steuerung an die ausführenden Mitarbeiter mit Hilfe eines speziellen Informationsträgers, der KANBAN-Karte.

Da das Hol-Prinzip mit möglichst einfachen organisatorischen Mitteln verwirklicht werden sollte, stellt ein KANBAN (zu deutsch „Karte" oder „Schild") den wichtigsten Informationsträger im System dar. Der Einsatz dieser KANBAN-Karten erfolgt jeweils zwischen einer bestimmten Materialquelle und der dazugehörigen Materialsenke, d.h. nur innerhalb des Regelkreises.

Infolge der Mehrstufigkeit von Fertigungsprozessen und der Mehrfachverwendung von Teilen läßt sich nach einer KANBAN-Einführung das gesamte Materialflußsystem als Netzwerk aus miteinander verknüpften Regelkreisen darstellen. Dabei sind die Produktions- bzw. Transportaktivitäten mit Hilfe der KANBAN-Karten in Form einer rückläufigen Informationskette und einer vorwärtslaufenden Materialflußkette verbunden.

Obwohl KANBAN-Systeme in erster Linie als betriebsinterne Steuerungssysteme entwickelt wurden, sind sie mittlerweile auch im zwischenbetrieblichen Bereich im Einsatz. *H.-G. K.*

Literatur: *Wildemann, H.* (Hrsg.), Flexible Werkstattsteuerung durch Integration von KANBAN-Prinzipien, München 1984.

Kannibalisierungseffekt →Sortimentsverbund

Kannkaufmann →Kaufmann

kanonische Analyse

(kanonische Korrelation) statistisches Verfahren der →multivariaten Analyse; kann als Erweiterung der →multiplen Regressionsanalyse aufgefaßt werden. Die kanonische Analyse dient zur Untersuchung von Interdependenzen, d.h. von gegenseitigen Abhängigkeiten zwischen zwei oder mehr Gruppen von metrisch skalierten Variablen (→Skala). Es wird also die Beziehung nicht nur zwischen einer einzigen abhängigen Variablen Y, sondern zwischen zwei oder mehr abhängigen Variablen Y_i und den erklärenden Variablen X_j untersucht. Zur praktischen Durchführung stehen in →statistischen Programmpaketen spezielle Prozeduren zur Verfügung, wie z.B. CANCORR im SPSS-X.

Literatur: *Carmone, F. J.*, Canonical Analyses in Marketing Research, in: *Sheth, J. N.* (Hrsg.), Multivariate Methods for Market and Survey Research, Chicago 1977, S. 97ff. *Seber, G. A. F.*, Multivariate Observations, New York u. a. 1984.

kanonisches Zinsverbot →Zinsverbot

Kapazität

Leistungsvermögen eines Kapitalgutes (z.B. einer Fertigungsanlage) oder einer wirtschaftlichen oder organisatorischen Einheit je Zeitabschnitt (z.B. Produktionsmenge). Man unterscheidet dabei zwischen Periodenkapazität und Totalkapazität (Leistungsvermögen während der gesamten Lebensdauer z.B. einer Anlage). Das Leistungsvermögen einer Kapazitätseinheit fällt um so höher aus, je größer die Zahl der → Produktionsfaktoren (Kapazitätsquerschnitt) einerseits und die mögliche → Arbeitsintensität der betrachteten Einheit andererseits sind. Kapazitätsbestimmend bzw. kapazitätsbildend sind die Art der Kombination elementarer produktiver Faktoren (z. B. Maschinen, Raum), bestimmte Kapitalarten bzw. die zeitliche Struktur von Einnahmen (z. B. bei Bankbetrieben und Versicherungsunternehmen) und die Organisationsstruktur (→ Kapazitätsgrenze). Die Quantifizierung von Kapazitäten hat weitreichende unternehmenspolitische Bedeutung, da der Zwang zur Auslastung automatisierter Kapazitäten immer mehr zunimmt (Existenz hoher → Fixkosten).

Kapazitätsabbau → Kapazitätslenkung

Kapazitätsauslastung

einer der arbeitsträgerorientierten sachlichen Inhalte der → Fertigungsziele. Als Kapazitätsauslastung eines Arbeitsträgers in bezug auf einen bestimmten Auftrag wird das Verhältnis der Summe aus Bearbeitungs- und Rüstzeiten zur gesamten Belegungszeit verstanden, wobei sich die Belegungszeit aus Bearbeitungs-, Rüst- und Leerzeit (Stillstandzeit, Brachzeit) des Arbeitsträgers vor Inangriffnahme des betrachteten Auftrags zusammensetzt. Die Kapazitätsauslastung bei mehreren Aufträgen ergibt sich durch Aggregation der entsprechenden Zeitsummen über alle Aufträge.

Kapazitätsbeschränkung

Instrument der Strukturanpassung oder -erhaltung. Die Kapazitätsbeschränkung kann zwischen den Marktbeteiligten vereinbart werden (z. B. Kapazitätsabbauplan als Erlaubnisvoraussetzung für ein → Strukturkrisenkartell). Praktisch bedeutsamer ist diese → Marktintervention jedoch als staatlich veranlaßte Schutzmaßnahme vor Substitutionskonkurrenz (z. B. Selbstbeschränkung der Mineralölindustrie zugunsten des Kohlebergbaus oder die Genehmigungspflicht und Kontingentierung des gewerblichen Güterfernverkehrs zugunsten der Bundesbahn).

Kapazitätseffekt

Einfluß einer positiven Nettoinvestition auf die Höhe der Produktionskapazität. Eine positive Nettoinvestition vergrößert den → Kapitalstock. Handelt es sich nicht um eine → Kapitalvertiefung, sondern um eine → Kapitalerweiterung, so steigt mit der Erweiterungsinvestition die Produktionskapazität. Der Kapazitätseffekt ist gleich dem Produkt aus der Nettoinvestition und der marginalen → Kapitalproduktivität bzw. gleich dem Quotienten aus der Nettoinvestition und dem marginalen → Kapitalkoeffizienten.

Kapazitätserweiterungseffekt → Finanzierung aus Abschreibungen

Kapazitätsgrenze

maximales Leistungsvermögen einer oder mehrerer Organisationseinheiten in einem Zeitabschnitt. Sie wird dann überschritten, wenn z. B. die → Kapazität einer Anlage nicht mehr ausreicht, um die gewünschte Menge zu produzieren.

Kapazitätskooperation

Abstimmung der Investitionsplanungen und -entscheidungen der Unternehmen mit oder ohne Vollzugsverbindlichkeit, um Kapazitätsungleichgewichte (insb. Überkapazitäten) in den jeweiligen Wirtschaftsbereichen zu vermeiden. Durch die Ex ante-Koordination als Unterform der → indikativen Investitionslenkung werden der Investitionswettbewerb abgeschwächt und die Wirkung eines Investitionskartells erzeugt. Die Kapazitätskooperation sieht nur eine Beteiligung der Unternehmen vor, die Gewerkschaften haben keine Mitwirkungsrechte.

Kapazitätskosten

von Umfang, Art und Wert der tatsächlich erbrachten Leistung unabhängige → Kosten; auch als → Bereitschaftskosten bezeichnet. Den Gegensatz dazu bilden Leistungskosten.

Kapazitätslenkung

Als Ansatzpunkt der → Industriestrukturpolitik strebt sie eine Anpassung der Erzeugungskapazitäten an Nachfrageveränderungen an. Privatwirtschaftliche Anpassungslösungen erfolgen in Form von freiwilligen Übereinkünften, durch Abwrackfonds mit Umlagenfinanzierung (→ Abwrackprämie) oder im Wege von → Unternehmungszusammenschlüssen. Zum Teil wird die behördliche Zulassung eines temporären Wettbewerbsschutzes von der Vorlage eines verbindlichen Kapazitätsabbauplans (→ Strukturkrisenkartell) abhängig gemacht.

Einzelbetriebliche Entscheidungen garantieren oft nicht die Optimalkapazität einer Industrie. Die Industriestrukturpolitik versucht daher, durch eine überbetriebliche Kapazitätslenkung – z. T. unter Beteiligung von → Branchenausschüssen oder Vermittlern (→ Moderatorenkonzepte) – im Kompromißweg und unter Beachtung von Nebenbedingungen einen Kapazitätsabbauplan zu erarbeiten. Staatliche Einflußnahme auf die Kapazitätsentscheidungen erfolgt meist über Finanzhilfen, die an bestimmte Auflagen (Personalabbau, Fusionen, Standortgarantien) gebunden sind.

Kapazitätsprogramme (z.B. → Mühlenkonvention) haben sich in der Vergangenheit sowohl von der Stillegungsbereitschaft der Unternehmen als auch von den tatsächlichen Kapazitätseffekten als wenig wirksam erwiesen. Anpassungshemmnisse liegen in der Produktionstechnik mit Unteilbarkeit, hohen Fixkosten und großen mindestoptimalen Betriebsgrößen. Vielfach sind nur eine intensitätsmäßige Anpassung mit Unterauslastung und steigenden Stückkosten oder eine Totalstillegung mit Standortaufgabe möglich. Personalfreisetzung ist durch die Verknüpfung von Mitbestimmung und Beschäftigungsentscheidungen erschwert. Der Personalabbau erfolgt vielfach nicht durch Entlassungen, sondern durch vorzeitige Pensionierung, durch mit Abfindungsprämien gefördertes freiwilliges Ausscheiden und durch betriebsinterne Versetzungen. Die z.T. großzügige Bemessung der → Sozialpläne bindet erhebliche Mittel, die der Umstrukturierung und den Innovationsanstrengungen entzogen werden.

Kapazitätsanpassungen durch Konzentration können den Wettbewerb einschränken, ohne daß dies immer durch überzeugende Rationalisierungsvorteile ausgeglichen würde. Die Monopolisierung in den Krisenbereichen verschlechtert die Wettbewerbsfähigkeit der weiterverarbeitenden Industrie. *H. Ba.*

Literatur: *Baum, H.,* Das Strukturkrisenkartell als Anpassungshilfe, in: wisu, 6.Jg. (1977), S. 518 ff. *Monopolkommission,* Zur Neuordnung der Stahlindustrie, Sondergutachten 13, Baden-Baden 1983.

kapazitätsorientierte variable Arbeitszeit (KAPOVAZ)

flexible Form der → Teilzeitbeschäftigung im Handel. Durch Umwandlung von Vollzeit- in Teilzeitarbeitsplätze wird versucht, das gesamte Arbeitsvolumen an die saisonal, wöchentlich und täglich schwankenden Kundenfrequenzen anzupassen. Die Optimierung der Personalanpassung wird durch den Einsatz elektronischer Datenkassen erleichtert, die die für die → Personalplanung notwendigen Daten (z.B. spezifizierte Umsatzzahlen) bereitstellen (→ scanning). Der Personaleinsatz erfolgt auf der Basis von Umsatzprognosen und Entscheidungen über den Soll-Umsatz je Beschäftigten. Umsatzprämien werden in manchen Fällen ergänzend eingesetzt, um die Bereitschaft der Mitarbeiter zum Arbeitseinsatz bei höherer Kundenfrequenz während zeitlicher Belastungsspitzen zu fördern.

Die leerkostenreduzierende Arbeitszeitflexibilisierung durch KAPOVAZ kann auf zwei Ebenen erfolgen:
- Flexibilisierung des gesamten Arbeitszeitvolumens durch eine Vielzahl verschiedener Arbeitsverträge hinsichtlich Lage und Dauer der Arbeitszeit,
- Flexibilisierung der individuellen Arbeitszeit durch → Abrufverträge, die die tägliche Lage und Dauer des Arbeitseinsatzes offenlassen. Dabei werden lediglich Wochen-, Monats- und Jahresarbeitszeiten fixiert.
I. F.

Literatur: *Beyer, H.-T.,* Betriebliche Arbeitszeitflexibilisierung zwischen Utopie und Realität, München 1986. *Rudolph, H.* u.a., Chancen und Risiken neuer Arbeitszeitsysteme, in: WSI-Mitteilungen, 4/1981, S. 204 ff.

Kapazitätsterminierung

(Terminfeinabstimmung) Teilaufgabe der → Fertigungssteuerung, wobei den in der Fertigungsplanung bestimmten Aufträgen und Teilarbeitsgängen Anfangs- und Endzeitpunkte der Bearbeitung zugeordnet werden, und zwar unter Beachtung bestehender Kapazitätsbeschränkungen, d.h. bei gleichzeitigem Kapazitätsabgleich. Dazu gehören auch Umterminierungen im Rahmen einer Störungsbeseitigung und Korrekturmaßnahmen zur Sicherung der Zielerreichung.

Kapital

(1) neben → Arbeit und → Boden der dritte volkswirtschaftliche → Produktionsfaktor. Das *Realkapital* (→ Sachvermögen) umfaßt die sachlichen Produktionsmittel, die im Produktionsprozeß eingesetzt werden. Der → Kapitalstock wird als Mengen- oder Wertgröße bestimmt (→ Kapitalaggregation).

Das *Geldkapital* umfaßt die finanziellen Mittel, die zur Erneuerung und Erweiterung des Kapitalstocks zur Verfügung stehen (→ Kapitalakkumulation).
(2) Bilanzmäßig wird das Kapital (unterteilt in → Eigenkapital und → Fremdkapital) als ausgewiesener Wert des Gesamtvermögens auf der Passivseite erfaßt.

Kapitalabfluß → Finanzierung

Kapitaländerung → Kapitalerhöhung, → Kapitalherabsetzung

Kapitalaggregation

Zusammenfassung der physischen Elemente des → Kapitalstocks zu einem makroökonomischen Aggregat. Bei Einsatz vieler Kapitalgüter ist die Kapitalaggregation nur über eine Bewertung der physischen Kapitalelemente möglich. In der theoretischen Analyse werden die Kapitalgüter mit ihren Gleichgewichtspreisen, in der empirischen Forschung mit ihren Anschaffungs- oder Wiederbeschaffungspreisen bewertet. Probleme der Kapitalaggregation standen im Mittelpunkt der → Cambridge-Kontroverse.

Kapitalakkumulation

von den Klassikern, *Karl Marx* und anderen Autoren verwendete Bezeichnung für den Vorgang der Kapitalbildung, der Vergrößerung des → Kapitalstocks im → Wachstumsprozeß.

Kapitalallokation

regionale und sektorale Aufteilung des gesamtwirtschaftlichen → Kapitalstocks. Je höher die → Wachstumsrate des Volkseinkommens und damit die des gesamtwirtschaftlichen Kapitalstocks, um so größer sind unter sonst gleichen Umständen der Anteil des Investitions-, um so kleiner der des Konsumgütersektors am gesamten Kapitalbestand und damit auch der sektorale Anteil an der gesamten Investition.

Kapitalanalyse

hat im Rahmen der → Bilanzanalyse die Aufgabe, das in der Bilanz ausgewiesene Kapital im Hinblick auf Zusammensetzung, Sicherheit und Fristigkeit zu untersuchen. Analyseziel ist dabei die Abschätzung von → Finanzierungsrisiken des Unternehmens. Für die Kapitalanalyse werden primär → Kennzahlen benutzt. Das Verhältnis der Finanzierungsquellen zueinander wird durch den Verschuldungsgrad wiedergegeben (→ Kapitalstrukturregeln):

$$\text{Eigenkapitalquote} = \frac{\text{Eigenkapital}}{\text{Gesamtkapital}}$$

$$\text{Verschuldungskoeffizient} = \frac{\text{Fremdkapital}}{\text{Eigenkapital}}$$

$$\text{Anspannungskoeffizient} = \frac{\text{Fremdkapital}}{\text{Gesamtkapital}}$$

Für keine der drei Kennzahlen lassen sich Normwerte angeben; allerdings können durch Vergleiche mit branchenüblichen Werten oder solchen aus der Vergangenheit Anhaltspunkte auf das Finanzierungsrisiko, aber auch auf entsprechende Renditechancen (→ Leverage-Effekt) gewonnen werden.

Bei börsennotierten Aktiengesellschaften lassen sich durch einen Vergleich des Bilanzkurses mit dem Börsenkurs zusätzliche Aussagen bezüglich Kapitalbeschaffungsmöglichkeiten und Finanzierungsstruktur ableiten. Der Bilanzkurs ist wie folgt definiert:

$$\text{Bilanzkurs} = \frac{\text{Eigenkapital} \times 100}{\text{gezeichnetes Kapital}}$$

Ein Vergleich mit dem i. d. R. wesentlich höheren Börsenkurs läßt erkennen, wie die Kapitalanleger die Ertragskraft des Unternehmens einschätzen.   *W. E.*

Literatur: *Coenenberg, A. G.,* Jahresabschluß und Jahresabschlußanalyse, 8. Aufl., Landsberg am Lech 1985. *Leffson, U.,* Bilanzanalyse, 3. Aufl., Stuttgart 1984. *Schult, E.,* Bilanzanalyse, 6. Aufl., Freiburg i. Br. 1986.

Kapitalangebot

Angebot von Geldkapital, von finanziellen Mitteln, die für Investitionszwecke zur Verfügung stehen. Direkte oder indirekte Quelle der Investitionsmittel ist die Ersparnis, der Nicht-Konsum von Einkommensteilen (→ Kapitaltheorie).

Kapitalanlage

(Geldanlage, Vermögensanlage) Verwendung von nicht konsumtiv benötigten Geldbeträgen unter dem Aspekt der Rentabilität bzw. Werterhaltung. Die Auswahl aus der Palette der Kapitalanlagemöglichkeiten, die von Wertpapieren über Immobilien, Edelmetalle bis hin zu Sachwerten reicht und weitgehend durch institutionelle und rechtliche Rahmenbedingungen geprägt wird, unterliegt letztlich dem individuellen Risiko-Ertrags-Kalkül jedes einzelnen Anlegers (→ Portfoliotheorie).   *D. S.*

Kapitalanlagebetrug

durch Täuschung über den Wert bestimmter Geldanlagen verursachte Vermögensschädigung mit dem Ziel der Bereicherung des Täters. Als Täter kommen vor allem unseriöse „Anlageberater" und Firmenleiter in Frage, die in betrügerischer Absicht → Kapitalerhöhungen vornehmen. Geschieht der Betrug bereits im Gründungsstadium von Unternehmen, liegt → Gründungsschwindel vor. Erscheinungsformen des Kapitalanlagebetrugs sind vor allem der Vertrieb von Mitunternehmeranteilen unter Vorspiegelung von Steuervorteilen, der Vertrieb wertloser Aktien oder Grundstücke (zumeist im Ausland) und die unseriöse Vermittlung von Warentermingeschäften.

Gemäß § 264 a StGB begeht Kapitalanlagebetrug, wer im Zusammenhang mit dem Vertrieb von Wertpapieren oder Anteilen an Unternehmen in Prospekten oder anderen Darstellungen unrichtige Angaben macht oder nachteilige Tatsachen verschweigt. Unrichtige Angaben über Umstände, die für die Bewertung der Wertpapiere oder Anteile erheblich sind, können nach § 88 BörsG strafbar sein, sofern mit ihnen eine Einwirkung auf den Börsen- oder Marktpreis bezweckt wird.

E. C.

Kapitalanlagegesellschaft

deutsche Investmentgesellschaft, die ausschließlich in der Rechtsform der AG oder GmbH die bei ihr eingelegten Gelder im eigenen Namen für gemeinschaftliche Rechnung der Anleger nach dem Grundsatz der Risikomischung in Wertpapieren oder Grundstücken anlegt. Über die sich für den Einleger ergebenden Rechte und Ansprüche wird von der Kapitalanlagegesellschaft ein Anteilsschein (Investmentzertifikat) ausgestellt.

Diese Anteilsscheine sind → Wertpapiere, die als Inhaberpapiere ausgestaltet sind oder auf den Namen des Anteilseigners lauten und somit durch Übergabe bzw. → Indossament jederzeit auf eine andere Person übertragen werden können bzw. gegen Rückgabe an die Gesellschaft ausbezahlt werden müssen. Hierbei verbriefen diese keinen Nennbetrag, sondern einen oder mehrere Anteile am Fondsvermögen. Dieses Fondsvermögen entsteht dadurch, daß die Kapitalanlagegesellschaft die mit dem Einlegerkapital finanzierten Wertpapiere einem vom Gesellschaftsvermögen getrennten Fonds zuführen muß. Hierbei ist es möglich, daß eine Kapitalanlagegesellschaft mehrere solcher Fonds verwaltet, die hinsichtlich ihrer Wertpapierstruktur divergieren. Diese Investmentfonds (Sondervermögen), die spezifischen Fondsbedingungen unterliegen, wie Fixierung auf spezielle Wertpapierarten, maximale Anteilssätze einzelner Papiere am Gesamtfonds etc., werden von einem durch die Kapitalanlagegesellschaft bestimmten Kreditinstitut in gesonderten Depots verwahrt. Mit der Verwaltung der Investmentfonds erfüllen die Kapitalanlagegesellschaften somit eine wichtige Funktion in der Unternehmensfinanzierung, indem sie bei Kapitalanlegern speziell kleinere Sparbeträge mobilisieren und diese über Aktien- bzw. Schuldverschreibungskauf kapitalsuchenden Unternehmen zuführen.

D. S.

Kapitalaufstockung → Kapitalerhöhung

Kapitalausfuhr → Kapitalexport

Kapitalbedarf

(Finanzbedarf) Die Beschaffung der zur Durchführung des betrieblichen Leistungsprozesses benötigten Produktionsfaktoren löst ebenso Zahlungsströme aus wie die Verwertung der Betriebsleistungen. Höhe und Termine dieser Aus- und Einzahlungen resultieren aus der an der unternehmerischen Zielsetzung orientierten Unternehmensplanung. Um den störungsfreien Ablauf des Betriebsprozesses im Sinne der jederzeitigen Erhaltung der Liquidität sicherzustellen, sind im Rahmen eines simultanen Planungsprozesses die Beträge zu ermitteln, die der Unternehmungsleitung zur Verfügung stehen müssen, um den fälligen Verpflichtungen jederzeit termingerecht und in vollem Umfang nachkommen zu können.

Einerseits ist in dem dabei aufzustellenden → Finanzplan also der von den verschiedenen betrieblichen Teilbereichen (Beschaffung, Lagerhaltung, Produktion, Absatz) induzierte Kapitalbedarf zu errechnen; andererseits kann aber der Finanzbereich wegen der begrenzten Kapitalbeschaffungsmöglichkeiten zum Engpaßsektor werden. In diesem Fall resultiert der Kapitalbedarf nicht aus den für die anderen betrieblichen Teilbereiche aufgestellten Teilplänen, sondern die Kapitalbeschaffungsmöglichkeiten beschränken die in den übrigen Teilbereichen realisierbaren Pläne.

H. Bi.

Literatur: *Fischer, O.*, Finanzwirtschaft der Unternehmung, Bd. 2, Düsseldorf 1982, S. 21 ff. *Wöhe, G./Bilstein, J.*, Grundlagen der Unternehmensfinanzierung, 4. Aufl., München 1986, S. 301 ff.

Kapitalbeschaffung → Finanzierung

Kapitalbeteiligung

Anlageform für den → Investivlohn und die Gewinnanteile der Arbeitnehmer an der betrieblichen → Gewinnbeteiligung. Die Kapitalbeteiligung kann direkt oder indirekt erfolgen. Bei der direkten Ausgestaltung ist der einzelne Arbeitnehmer unmittelbar mit dem Unternehmen, in dem er beschäftigt ist, kapitalmäßig verbunden. Bei der indirekten Ausgestaltung tritt zwischen das arbeitgebende Unternehmen und den Arbeitnehmer eine Bündelung der individuellen Beteiligungen oder sogar ein Organ als Kapitalverwaltungsgesellschaft.

(1) In der *direkten* Kapitalbeteiligung wird der Anlagebetrag des Arbeitnehmers in Fremdkapital oder Eigenkapital umgewandelt. Die Fremdkapitallösung erfolgt häufig über ein → Mitarbeiter-Darlehen; weniger oft über die Mitarbeiter-Schuldverschreibung, da deren Ausgabe nur emissionsfähigen Unternehmen möglich ist. Allerdings entsprechen diese Beteiligungsformen noch nicht ganz der

Zielsetzung der → Vermögenspolitik, breitere Bevölkerungskreise unmittelbar am → Produktivvermögen zu beteiligen.

Dieses Ziel wird erst durch die Eigenkapitalbeteiligung erreicht. Ihre Ausgestaltung hängt auch von der Rechtsform des Unternehmens ab. So steht das Instrument der → Belegschaftsaktie allein den Aktiengesellschaften zur Verfügung. Bei den übrigen Unternehmen, die eine Ertragsbeteiligung der Mitarbeiter praktizieren, findet man überwiegend die gesellschaftsrechtliche Beteiligungsform der (typischen) stillen Gesellschaft. Bei der stillen Beteiligung wird der Investivlohn bzw. Gewinnanteil des Arbeitnehmers in eine Vermögenseinlage umgewandelt, mit der dieser am laufenden Gewinn und Verlust beteiligt ist. Die Verlustbeteiligung kann ausgeschlossen werden. Der Arbeitnehmer ist nur kapitalmäßig beteiligt; an der Geschäftsführung wirkt er nicht mit. Diese Beteiligungsform wird vor allem im mittelständischen Bereich u. a. deshalb bevorzugt, weil sie organisatorisch den unterschiedlichen Gesellschaftsformen angliederbar ist und die Eigenkapitalbedienung im Gegensatz zu allen anderen Gesellschaftsformen steuerrechtlich als → Betriebsausgabe behandelt wird, so daß Zinsen und Gewinnanteile für das stille Mitarbeiterkapital den steuerpflichtigen Gewinn schmälern.

(2) Sind die am Gewinn beteiligten Arbeitnehmer in einem eingetragenen Verein oder auch einer Gesellschaft des bürgerlichen Rechts zusammengeschlossen und beteiligen sie sich auf diese Weise in ihrer (nicht rechtsfähigen) Gesamthandsgemeinschaft an dem Kapital des Unternehmens (Kapitalbündelung), vollzieht man den Übergang zur *indirekten* Kapitalbeteiligung. Die einheitliche Anlage kann alle Formen des Fremd- und Eigenkapitals annehmen.

Kennzeichnend für das indirekte Beteiligungsverfahren ist jedoch das Bestehen eines rechtsfähigen Vereins, oftmals einer GmbH, die sich an dem Unternehmen beteiligt, und an dem die Arbeitnehmer ihrerseits stille oder auch offene Gesellschafter werden. Fließen die Gewinnanteile der Arbeitnehmer in einen Belegschaftsfonds, der aus Gründen der Risikostreuung externe Unternehmensbeteiligungen wie Wertpapiere erwirbt und den Arbeitnehmern Fondsvermögensanteile gutschreibt, weist das Verfahren bereits Züge einer freiwilligen überbetrieblichen → Gewinnbeteiligung auf.   *J. Si.*

Literatur: *Guski, H.-J.*, Betriebliche Vermögensbeteiligung in der Bundesrepublik Deutschland, Köln 1977. *Haas, H. U.*, Kapitalbeteiligung der Arbeitnehmer, in: *Gaugler, E.* (Hrsg), HWP, Stuttgart 1975, Sp. 1089 ff. *Schanz, G.*, Mitarbeiterbeteiligung, Grundlagen, Befunde, Modelle, München 1985.

Kapitalbilanz

(Kapitalverkehrsbilanz) Teilbilanz der → Zahlungsbilanz, in der die in einer Periode neu begründeten Forderungen und Verbindlichkeiten (jeweils abzüglich Tilgungen) von Inländern gegenüber Ausländern einander gegenübergestellt werden. Veränderungen des Bestandes an Verbindlichkeiten werden auf der Aktivseite, Veränderungen des Forderungsbestandes auf der Passivseite ausgewiesen.

Eine Zunahme des Bestandes an Verbindlichkeiten bezeichnet man als → Kapitalimport, eine Erhöhung des Forderungsbestandes als → Kapitalexport. Die Verbuchung von Kapitalimporten auf der Aktivseite und die Verbuchung von Kapitalexporten auf der Passivseite entsprechen der grundlegenden Zahlungsbilanzkonvention, wonach Transaktionen, die zu Zahlungseingängen führen, auf der Aktivseite, und Transaktionen, die zu Zahlungsausgängen führen, auf der Passivseite auszuweisen sind.

Je nachdem, ob in der Kapitalbilanz auch die Veränderung bei den Forderungen und Verbindlichkeiten der Zentralbank gegenüber dem Ausland mit berücksichtigt wird, unterscheidet man zwischen der Kapitalbilanz im engeren und im weiteren Sinne.

In der Kapitalbilanz i. e. S. wird der Kapitalverkehr nach der beteiligten inländischen Wirtschaftseinheit in den privaten und den öffentlichen (ohne Zentralbank) Kapitalverkehr und nach der Fristigkeit in den langfristigen (1 Jahr und mehr) und den kurzfristigen (weniger als 1 Jahr) Kapitalverkehr unterteilt.

Die Kapitalbilanz i. w. S. setzt sich zusammen aus der Kapitalbilanz i. e. S. und der → Devisenbilanz, in der die Veränderungen der Forderungen und Verbindlichkeiten der Zentralbank gegenüber dem Ausland (einschl. Veränderungen des Goldbestandes) enthalten sind. Der Saldo der Kapitalbilanz i. w. S., der (mit umgekehrtem Vorzeichen) dem Saldo der → Leistungsbilanz i. w. S. entspricht, gibt die Änderung der Nettoauslandsposition (→ Auslandsposition) der Volkswirtschaft an.   *J. Kl.*

Literatur: *Adebahr, H.*, Währungstheorie und Währungspolitik, Außenwirtschaft, Bd. I, Berlin 1978.

Kapitalbindung   → Kapital-Vermögensstrukturregeln

Kapitaldeckungsverfahren

(Anwartschaftsdeckungsverfahren) Finanzierungsverfahren, das im Rahmen der → sozia-

len Sicherung, vor allem im Bereich der
→ Rentenversicherung angewendet wurde.
Bis 1957 war in der Rentenversicherung vorgeschrieben, Kapital im Umfang der entstehenden Anwartschaften anzusammeln. Diese
Vorschriften sind jedoch auch in der Vergangenheit nie über längere Zeiträume eingehalten worden.

Nach diesem Finanzierungsverfahren müßten die Einnahmen so angelegt werden, daß
die jeweils fällig werdenden Ansprüche der
Versicherten aus den angesammelten Kapita-
lien abgedeckt werden könnten. Die Praktizie-
rung eines solchen Verfahrens setzt eine über
einen langen Zeitraum hinweg stabile wirtschaftliche Situation und Versicherungsan-
sprüche, die nicht dynamisiert sind, voraus.
Das Fehlen der Voraussetzungen und der
Übergang zur → dynamischen Rente 1957
brachte die Ablösung dieses Finanzierungs-
verfahrens durch das → Umlageverfahren.

H. W.

Kapitaldienst

umfaßt die Zinsen und → die Tilgung für auf-
genommene Kredite.

Kapitaleinfuhr → Kapitalimport

Kapitaleinkommen → Vermögenseinkommen

Kapitaleinkünfte

Einkünfte aus Kapitalvermögen, sofern sie
nicht zu den → Gewinneinkünften oder den
Einkünften aus Vermietung und Verpachtung
gehören (§ 20 Abs. 3 EStG). Zu den Kapital-
einkünften zählen:

● Gewinnausschüttungen von → Kapitalgesellschaften sowie von Erwerbs- und Wirt-
schaftsgenossenschaften (vor Abzug der
→ Kapitalertragsteuer),

● Einnahmen aus (typischer) stiller Beteiligung und → partiarischen Darlehen,

● Zinsen aus Geldforderungen.

Bei der Ermittlung der Kapitaleinkünfte ist
gem. § 20 Abs. 4 EStG nach Abzug der
→ Werbungskosten ein Betrag von 300 DM
(bei Zusammenveranlagung: 600 DM) abzuziehen. Dieser Sparer-Freibetrag darf nicht zu
negativen Einkünften führen.

Kapitalerhaltung

ist eine der entscheidenden Voraussetzungen
für die ungestörte Fortführung des Betriebsprozesses. Zu unterscheiden sind die nominelle, d.h. in Geldeinheiten gemessene, und die
reale oder substantielle, d.h. in Gütereinhei-
ten gemessene Kapitalerhaltung. Letztere be-

zeichnet man auch als Substanzerhaltung. Unter der Annahme konstanter Beschaffungs-
und Absatzpreise stimmen beide Formen der
Kapitalerhaltung überein. Wenn also am Ende einer Periode aus dem betrieblichen Produktionsprozeß ebenso viele finanzielle Mittel
zur Verfügung stehen wie am Anfang der Periode, können die gleichen Mengen an Produktionsfaktoren wiederbeschafft werden, die
in der abgelaufenen Periode verbraucht wurden. In Zeiten steigender Preise sind von Periode zu Periode mehr Geldeinheiten zur Wiederbeschaffung der verbrauchten Produktionsfaktoren erforderlich. Die Substanzerhaltung bedingt also, daß nur die Mittel als Ge-
winnausschüttung und Steuerzahlung den Betrieb verlassen dürfen, die übrigbleiben, nachdem die zur Substanzerhaltung erforderlichen
Vermögenswerte finanziert sind. Für die
→ Handelsbilanz und die → Steuerbilanz ist
das Prinzip der nominellen Kapitalerhaltung
durch gesetzliche Bewertungsvorschriften fixiert. Da also bei Preissteigerungen die Substanzerhaltung nur über eine Rücklagenbil-
dung mittels bereits versteuerter Gewinne erfolgen kann, spricht man in diesem Zusammenhang auch von einer unberechtigten
→ Scheingewinnbesteuerung.   *F. J. L.*

Kapitalerhöhung

sämtliche Finanzierungsmaßnahmen zur Erhöhung des → Eigenkapitals eines Unternehmens. Die Kapitalerhöhung kann entweder
durch Zuführung neuen Eigenkapitals von
außen (z.B. Einlagen der Unternehmer oder
Mitunternehmer, Ausgabe junger Aktien, Erhöhung des Stammkapitals der GmbH) oder
durch → Selbstfinanzierung (Nichtentnahme
von Gewinnen bzw. Zuweisung von Gewinnen an offene Rücklagen) erfolgen. Eine Kapitalerhöhung kann sich auch in der Weise vollziehen, daß eine → Verschmelzung durch Aufnahme stattfindet, d.h. eine Gesellschaft eine
andere Gesellschaft aufnimmt, indem sie deren Vermögen gegen Gewährung von Gesell-
schaftsrechten übernimmt, oder daß eine ver-
schmelzende → Umwandlung vorgenommen
wird, d.h. eine Gesellschaft auf eine bereits
bestehende Gesellschaft umgewandelt wird.

Die Aufgabe einer Kapitalerhöhung ist
i.d.R. eine Verbesserung der Liquidität des
Betriebes, es sei denn, die Erhöhung vollzieht
sich durch Einbringung von Sacheinlagen. Da
durch eine Erhöhung des nominell gebundenen Eigenkapitals der Kapitalgesellschaften
bzw. der Kommanditeinlagen die Haftungs-
basis des Betriebes erweitert wird, nimmt
i.d.R. auch seine Kreditwürdigkeit zu, so daß

eine Kapitalerhöhung den Weg zur Aufnahme weiterer Fremdkapitals freimachen kann.

Eine Kapitalerhöhung wird immer dann erfolgen müssen, wenn ein Betrieb auf Grund einer guten Geschäftslage seine Kapazität erweitern will und folglich neue Mittel zur Finanzierung benötigt. Erhöhungen des Eigenkapitals können aber auch dazu dienen, Fremdkapital durch Eigenkapital zu ersetzen, so daß keine Erweiterung der Kapitalbasis, sondern nur eine Änderung in der Zusammensetzung des Kapitals eintritt (→ Umfinanzierung). Das ist insb. dann erforderlich, wenn infolge Kapitalmangels eine Finanzierung von Anlagen vorübergehend mit kurzfristigem Fremdkapital erfolgt ist, das unbedingt durch langfristiges Kapital abgelöst werden muß, wenn nicht schwere Schäden für den Betrieb eintreten sollen. Auch Rationalisierungsmaßnahmen, insb. Modernisierungsinvestitionen zur Berücksichtigung technischer Fortschritts, können Kapitalerhöhungen notwendig machen.

Bei → Aktiengesellschaften kann die Kapitalerhöhung auch andere als reine Finanzierungszwecke verfolgen, so z.B. wenn junge (neue) Aktien den Belegschaftsmitgliedern angeboten oder wenn durch die Erhöhung des Aktienkapitals bestehende Mehrheitsverhältnisse verändert oder die neuen fianziellen Mittel zum Erwerb von Beteiligungen verwendet werden sollen.

Bei → Personengesellschaften müssen, soweit der Gesellschaftsvertrag nichts anderes vorsieht, alle Gesellschafter der Kapitalerhöhung zustimmen, da sowohl durch zusätzliche Einlagen der bisherigen Gesellschafter als auch durch Aufnahme weiterer Gesellschafter eine Verschiebung der Anteilsverhältnisse eintreten kann. Neuen Gesellschaftern wird i.d.R. nicht die gesamte Einlage als Kapitalanteil zugeschrieben, sondern nur der Bruchteil, der unter Berücksichtigung der Beteiligung an den bereits vor ihrem Eintritt gebildeten stillen Rücklagen und Komponenten des → Firmenwertes wertmäßig der Einlage entspricht.

Bei der Aktiengesellschaft sind folgende Formen der Kapitalerhöhung zu unterscheiden:
(1) Die Kapitalerhöhung durch *Zufluß neuer Geldmittel* kann erfolgen als → Kapitalerhöhung gegen Einlagen (§§ 182–191 AktG), als → bedingte Kapitalerhöhung (§§ 192–201 AktG) oder als → genehmigtes Kapital (§§ 202–206 AktG).
(2) Die → Kapitalerhöhung *aus Gesellschaftsmitteln* (nominelle Kapitalerhöhung, §§ 207–220 AktG) vollzieht sich durch Umwandlung

von bisher als offenen Rücklagen ausgewiesenem Eigenkapital in Nennkapital. Buchmäßig gesehen erfolgt ein Passivtausch, die Rücklagen vermindern sich, das Nennkapital wird entsprechend erhöht (→ Umfinanzierung).

G. W.

Literatur: *Vorbaum, H.,* Finanzierung der Betriebe, 7. Aufl., Wiesbaden 1986. *Wöhe, G./Bilstein, J.,* Grundzüge der Unternehmensfinanzierung, 4. Aufl., München 1986, S. 68 ff.

Kapitalerhöhung aus Gesellschaftsmitteln

(nominelle Kapitalerhöhung) Erhöhung des Grundkapitals einer AG (§§ 207 ff. AktG) oder des Stammkapitals einer GmbH, die nicht durch Zuführung neuer Mittel, sondern durch Umbuchung von offenen Rücklagen auf das Grundkapitalkonto erfolgt. Durch diese Kapitalerhöhung ändert sich nicht die Höhe, sondern die Zusammensetzung des → Eigenkapitals, d.h. die Aufteilung des Eigenkapitals auf stimm- und dividendenberechtigtes Haftungskapital einerseits und → Rücklagen andererseits. Buchmäßig gesehen erfolgt ein Passivtausch, die Rücklagen vermindern sich, das Nominalkapital wird entsprechend größer (→ Umfinanzierung).

Bei der → Aktiengesellschaft erhalten die Aktionäre im Rahmen einer nominellen Kapitalerhöhung Zusatzaktien (Gratisaktien), bei der GmbH Zusatzanteile, und zwar im Verhältnis zu ihrer bisherigen Beteiligung. Die in Nominalkapital umgewandelten Rücklagen sind Gewinne, die in früheren Jahren nicht ausgeschüttet wurden, also den Anteilseignern zustehen. Folglich ist die Gewährung von Zusatzanteilen für die Gesellschafter kein vermögensmäßiger Vorteil. Durch die Reduzierung der Rücklagen und gleichzeitige Aufstockung des Aktienkapitals verschiebt sich das Verhältnis von Nominalkapital zu Rücklagen, durch das der Bilanzkurs bestimmt wird, zugunsten des Nominalkapitals, wodurch der Bilanzkurs sinkt. Das effektive Vermögen jedes Aktionärs ergibt sich aus dem Nominalwert seines Anteils, multipliziert mit dem Kurs. Durch eine Kapitalerhöhung aus Gesellschaftsmitteln erhöht sich die Anzahl der Aktien, der Kurs sinkt, aber das Produkt aus Nominalwert mal Kurs bleibt (theoretisch, wenn man von Einflüssen der Börse absieht) unverändert.

Die Kapitalerhöhung aus Gesellschaftsmitteln ist also ein Instrument, den Aktienkurs zu senken. Ist der Aktienkurs sehr hoch, so muß die Gesellschaft, wenn Sie eine bestimmte Realdividende gewähren will, eine sehr hohe Nominaldividende ausschütten. Soll z.B. eine Aktie zum Nennwert von 100 DM, deren

Kurswert 400 DM beträgt, eine Realdividende von 10% (= 40 DM) erbringen, so muß eine Nominaldividende von 40% des Nennwertes (= 40 DM) ausgeschüttet werden. Das kann aus „optischen" Gründen unerwünscht sein.

Hohe Aktienkurse haben außerdem den Nachteil, daß sie eine breite Streuung der Aktien im Publikum verhindern, da kleine Sparer den im Verhältnis zum Nennwert hohen Anschaffungspreis scheuen. Ist eine solche Streuung erwünscht, so kann sie durch eine nominelle Kapitalerhöhung ermöglicht werden.

Nach § 208 Abs. 1 AktG dürfen in Grundkapital nur Rücklagen umgewandelt werden, die in der letzten Jahresbilanz – wenn der Beschluß eine andere Bilanz zugrunde gelegt wird, auch in dieser Bilanz – als offene Rücklagen ausgewiesen werden. Diese Bestimmung soll verhindern, daß stille Rücklagen, die noch nicht versteuert sind, zur Aufstockung des Grundkapitals verwendet werden. Will der Betrieb stille Rücklagen in Nominalkapital umwandeln, so muß er sie zuvor über die Erfolgsrechnung auflösen, versteuern und als offene Rücklagen ausweisen. Grundsätzlich dürfen umgewandelt werden (§ 208 Abs. 1 AktG):

- Andere Gewinnrücklagen und deren Zuführungen in voller Höhe (wenn sie jedoch einem bestimmten Zweck dienen, nur, soweit es mit diesem vereinbar ist),
- die Kapitalrücklage und die gesetzliche Rücklage, soweit sie zusammen den zehnten oder den satzungsgemäß höheren Teil des bisherigen Grundkapitals übersteigen.

Rücklagen, denen in der Bilanz ein Verlust einschließlich eines Verlustvortrags gegenübersteht, dürfen nicht in Grundkapital überführt werden (§ 208 Abs. 2 AktG).

Die Kapitalerhöhung aus Gesellschaftsmitteln wird mit der Eintragung des Beschlusses über die Erhöhung des Grundkapitals wirksam. Die neuen Aktien gelten als voll eingezahlt (§ 211 AktG). Sie stehen den Aktionären im Verhältnis ihrer Anteile am bisherigen Grundkapital zu (§ 212 AktG). *G. W.*

Literatur: *Wöhe, G./Bilstein, J.,* Grundzüge der Unternehmensfinanzierung, 4. Aufl., München 1986, S. 82 ff.

Kapitalerhöhung gegen Einlagen

(ordentliche Kapitalerhöhung) vollzieht sich durch Ausgabe neuer (junger) Aktien (§§ 182 ff. AktG). Sie erfordert einen Beschluß der Hauptversammlung mit mindestens Dreiviertelmehrheit des bei der Beschlußfassung anwesenden Aktienkapitals. Sind mehrere Aktiengattungen vorhanden, so muß diese Mehrheit für jede Gattung getrennt erzielt werden. Solange das bisherige Grundkapital noch nicht voll eingezahlt ist, soll eine Kapitalerhöhung nicht durchgeführt werden; lediglich für Versicherungsgesellschaften kann die Satzung etwas anderes bestimmen (§ 182 Abs. 4 AktG). Der Beschluß über die Kapitalerhöhung und ihre Durchführung ist zur Eintragung in das Handelsregister anzumelden. Die Kapitalerhöhung wird wirksam, wenn ihre Durchführung eingetragen worden ist.

Den Aktionären steht grundsätzlich ein unentziehbares →Bezugsrecht auf die neuen Aktien entsprechend ihrem Anteil am bisherigen Grundkapital zu (§ 186 Abs. 1 AktG), um dem Aktionär die Aufrechterhaltung seiner bisherigen prozentualen Beteiligung (Besitzverhältnisse) zu ermöglichen. Ein Ausschluß des Bezugsrechts ist jedoch im Beschluß über die Kapitalerhöhung mit Dreiviertelmehrheit des bei der Beschlußfassung vertretenen Grundkapitals möglich (§ 186 Abs. 3 und 4 AktG), vorausgesetzt, die Ausschließung ist in der Tagesordnung der Hauptversammlung enthalten und mit dieser ordnungsgemäß bekannt gemacht worden (§ 124 Abs. 1 AktG). Ein Ausschluß ist z. B. bei einer Fusion oder zur Schaffung von →Belegschaftsaktien erforderlich. Nimmt die Gesellschaft eine andere Gesellschaft im Wege der →Verschmelzung auf, so müssen die Aktionäre der aufgenommenen Gesellschaft mit Aktien der aufnehmenden entschädigt werden. Die erforderlichen Aktien werden im Wege einer →bedingten Kapitalerhöhung beschafft. Eine „Verwässerung" (Wertminderung) der alten Aktien kann durch Festsetzung eines den beiden Unternehmenswerten entsprechenden Umtauschverhältnisses zwischen den Aktien der aufnehmenden und der aufgenommenen Gesellschaft verhindert werden.

Wird bei einer Kapitalerhöhung durch teilweisen Ausschluß des Bezugsrechts ein Teil der jungen Aktien der Gesellschaft überlassen, damit man sie Arbeitnehmern anbieten kann, so verschieben sich die bisherigen Besitzverhältnisse.

Kein Entzug des Bezugsrechts tritt ein, wenn der Ausschluß nur aus verwaltungstechnischen Gründen erfolgt. Die Gesellschaft kann die neuen Aktien unter Ausschluß des gesetzlichen Bezugsrechts einem →Bankenkonsortium übertragen, das sich verpflichtet, sie den alten Aktionären zu vorher vereinbarten Bedingungen anzubieten. Diese sog. Fremdemission hat den Vorteil, daß der Gesellschaft der Gegenwert der neuen Aktien sofort zur Verfügung steht, ein Vorteil freilich, den sich das Konsortium in „angemessener" Weise honorieren läßt. Den Liquiditätsvorteil erkauft sich die Gesellschaft durch einen nicht unbeachtlichen Vermögensnachteil. *G. W.*

Literatur: *Vormbaum, H.,* Finanzierung der Betriebe, 7. Aufl., Wiesbaden 1986. *Wöhe, G.,* Einführung in die Allgemeine Betriebswirtschaftslehre, 16. Aufl., München 1986, S. 792 ff.

Kapitalerhöhungsschwindel → Kapitalanlagebetrug

Kapitalertrag

1. Verzinsung des investierten Kapitals in Form von Gewinnen, Zinsen, Mieten, Pachten, Patent- und Lizenzgebühren.
2. Steuerobjekt der → Kapitalertragsteuer.

Kapitalertragsbilanz

Teilbilanz der → Dienstleistungsbilanz, die auf der Aktivseite die von Inländern empfangenen Erträge aus Auslandsvermögen und auf der Passivseite die an Ausländer gezahlten Erträge aus deren Inlandsvermögen ausweist. Zu diesen Erträgen gehören vor allem Einnahmen aus Zinsen, Dividenden und sonstigen Gewinnen, Miet- und Pachtzahlungen aus Grundbesitz sowie Erträge aus Patenten. Solche Zahlungen stellen das Entgelt für die durch den Faktor Kapital erbrachten Leistungen dar. Die internationalen Kapitalbewegungen selbst werden hingegen in der → Kapitalbilanz erfaßt. *J. Kl.*

Kapitalertragsteuer

besondere Erhebungsform der → Einkommensteuer (→ Quellensteuer). Der Kapitalertragsteuer (KapESt) unterliegen die Gewinnanteile (Dividenden) aus Aktien, Anteilen an Gesellschaften mit beschränkter Haftung und an Genossenschaften. Zinsen auf festverzinsliche Wertpapiere unterlagen bis vor kurzem dem Steuerabzug, sofern sie an Gebietsfremde ausgezahlt wurden (Kuponsteuer).
Die KapESt beträgt 25% (in Ausnahmefällen: 30%). → Steuerschuldner ist der Empfänger der Kapitalerträge, → Steuerzahler dagegen die auszahlende Stelle (i. d. R. Banken). Da die KapESt grundsätzlich keine persönlichen Verhältnisse des Steuerschuldners berücksichtigen kann, muß sie im Veranlagungsverfahren zur Einkommensteuer möglicherweise z. T. erstattet werden. Das Aufkommen der Steuer (1982: 4,7 Mrd. DM) fließt je zur Hälfte dem Bund und den Ländern zu (→ Gemeinschaftsteuer).

Kapitalerweiterung

(capital widening) Bei Konstanz der → Kapitalproduktivität läßt eine positive Nettoinvestition mit dem → Kapitalstock die Produktionskapazität steigen. Der → Kapazitätseffekt ist gleich dem Produkt aus der Erweiterungsinvestition und der konstanten Kapitalproduktivität bzw. gleich dem Quotienten aus der Erweiterungsinvestition und dem konstanten → Kapitalkoeffizienten.

Kapitalexport

(Kapitalausfuhr) in einzelwirtschaftlicher Sicht die Verlagerung von Kapital (Sachkapital und Finanzkapital) aus dem Inland ins Ausland. In gesamtwirtschaftlicher Sicht folgt daraus ein Nettokapitalexport der Volkswirtschaft, wenn in einer Periode die Summe der Vermögensansprüche des Inlandes gegenüber dem Ausland insgesamt ansteigt, neu begründete Forderungen also nicht durch Forderungsabgänge oder eine Zunahme von Verbindlichkeiten gegenüber dem Ausland kompensiert werden. Ein Nettokapitalexport ist also mit einer Zunahme der → Nettoauslandsaktiva der Volkswirtschaft verbunden. Aus dieser Abgrenzung folgt, daß ein Nettokapitalexport einer Volkswirtschaft insgesamt mit einem Überschuß der → Leistungsbilanz i. w. S. (Realtransfer von Gütern) untrennbar verbunden sein muß. Kapitalexporte werden statistisch in der → Kapitalbilanz i. w. S. ausgewiesen. *M. F.*

Kapitalflucht

Situation, in der es zu → Kapitalexport nicht primär aus Renditeüberlegungen, sondern aus Sicherheitsgründen kommt, weil die (freie) Verfügbarkeit über eine inländische Kapitalanlage aufgrund tatsächlicher oder erwarteter staatlicher Eingriffe für den Kapitalanleger nicht mehr sicher genug erscheint. Zu Kapitalflucht kommt es insb., wenn die → Konvertibilität der inländischen Währung durch → Kapitalverkehrskontrollen für Kapitalexporte eingeschränkt oder wenn sie im Rahmen einer → Devisenbewirtschaftung generell aufgehoben wird. Auch erwartete Enteignungsmaßnahmen größeren Umfangs können Unsicherheit hervorrufen und Ursache von Kapitalflucht sein.
Oftmals wird von Kapitalflucht auch gesprochen, wenn es aufgrund höherer steuerlicher Belastung des Kapitals oder seiner Erträge im Inland im Vergleich zum Ausland (→ Niedrigsteuerland) zu Kapitalexporten kommt. Solange nicht eine enteignungsgleiche oder enteignungsähnliche Besteuerung vor-

liegt, handelt es sich eigentlich nicht um Kapitalflucht, weil evtl. Kapitalexporte in diesem Fall – wie auch sonst – primär von Renditeüberlegungen bestimmt sind, wofür der steuerliche Belastungsvergleich im internationalen Rahmen ein (wesentlicher) Grund sein kann.

M. F.

Kapitalflußrechnung → Bewegungsbilanz

Kapitalfreisetzungseffekt

Problem der → Finanzierung aus Abschreibungen. Angenommen, ein Betrieb beschafft in fünf aufeinanderfolgenden Jahren je eine Maschine im Wert von 1000 DM mit einer Nutzungsdauer von 5 Jahren (vgl. Tab.). Bei linearer Abschreibung beträgt die Abschreibungsquote pro Maschine jährlich 200 DM. Unter der Annahme, daß die Finanzierung der ersten 5 Maschinen von außen erfolgt und die Abschreibungsgegenwerte einer Periode sofort wieder investiert werden, ergibt sich im fünften Jahr eine Gesamtkapazität (Periodenkapazität x Restnutzungsdauer der jeweils vorhandenen Maschinen) von 5000 DM, die dann trotz wachsender Periodenkapazität konstant bleibt. Verwendet man dagegen die Abschreibungsbeträge sofort mit zur Finanzierung der folgenden Maschinen, so ermäßigt sich der von außen aufzubringende Kapitalbedarf insgesamt um den freigesetzten Betrag; allerdings ist dann die Gesamtkapazität entsprechend geringer. Die Abschreibung beträgt am Ende des ersten Jahres für die erste Maschine 200 DM. Wird sie zur Finanzierung der zweiten Maschine mit verwendet, so sind nur noch 800 DM von außen zu beschaffen. Die Jahresabschreibungen am Ende des zweiten Jahres betragen 400 DM, folglich müssen zur Finanzierung der dritten Maschine nur noch 600 DM von außen beschafft werden usw. Insgesamt müssen also zur Finanzierung von außen nur 3000 DM aufgebracht werden.

G. W.

Kapitalgeber

alle Personen (Eigentümer, Lieferanten, Abnehmer, Arbeitnehmer oder andere Interessenten) und Institutionen (Banken, Versicherungen, Beteiligungsgesellschaften usw.), die der Unternehmung → Fremd- oder → Eigenkapital zur Verfügung stellen. Auch die öffentliche Hand kann mittels Steuerstundung, Darlehensgewährung, Subventionen und Bürgschaften als Kapitalgeber auftreten.

Kapitalgesellschaften

gesellschaftsrechtliche Ausprägung der → kapitalistischen Unternehmensverfassung, bei der – im Gegensatz zu den → Personengesellschaften – die persönliche und unbeschränkte Haftung für die Gesellschaftsschulden bei allen Gesellschaftern ausgeschlossen ist, so daß sich Ansprüche Dritter (aus Vertrag oder Gesetz) nur gegen das Gesellschaftsvermögen richten, und ferner der Bestand der Gesellschaft unabhängig vom Wechsel der Gesellschafter ist. Die Kapitalgesellschaft ist deshalb rechtlich als „juristische Person" konstruiert, hat also eigene Rechtsfähigkeit. Sie ist – prinzipiell ohne Rücksicht auf die als Gesellschafter fungierenden (natürlichen) Personen – selbständiger Träger von Rechten und Pflichten (Rechtssubjekt). Das Vermögen einer Kapitalgesellschaft ist somit viel stärker verselbständigt (vom Mitgliederbestand unabhängig) und dauerhaft auf einen gemeinsamen Zweck gerichtet als bei der Konstruktion der „Gesamthandsgemeinschaft" der Personengesellschaften. Kapitalgesellschaften sind also – trotz ihres Namens – wie Vereine rechtlich gesehen eigentlich Körperschaften und keine „Gesellschaften".

Die Eigenschaft der „juristischen Person" bewirkt, daß Kapitalgesellschaften auch dann bestehen bleiben, wenn nur noch ein Gesellschafter vorhanden ist (sog. Einmann-Gesellschaft). Da der „juristischen Person" die na-

Beispiel zum Kapitalfreisetzungseffekt

Jahr	Zahl der vorhandenen Maschinen	Anschaffungskosten je Maschine	Finanzierung		Periodenkapazität	Gesamtkapazität
			von außen	aus Abschreibungen		
1	1	1 000	1 000	–	200	1 000
2	2	1 000	800	200	400	1 800
3	3	1 000	600	400	600	2 400
4	4	1 000	400	600	800	2 800
5	5	1 000	200	800	1 000	3 000
6	5	1 000[1]	–	1 000	1 000	3 000
7 usw.	5	1 000	–	1 000	1 000	3 000

[1] Ersatzbeschaffung der Maschine aus Jahr 1

türliche Handlungsfähigkeit fehlt, muß die
Rechtsordnung ihr natürliche Personen zur
Verfügung stellen, die im Rahmen der gesetzlich und satzungsmäßig geregelten Organe für
die juristische Person handeln (Fremdorganschaft). Die natürliche Einheit von Eigentü-
merschaft (und Risiko) und Unternehmer-
funktion, wie sie z.B. für die →offene Handelsgesellschaft als Personengesellschaft typisch ist (Selbstorganschaft), fehlt hier: Die
Kapitalgesellschaft wird also (mit Ausnahme
der „Einmann"-Gesellschaft) vor allem durch
die Kapitalbeteiligung und nicht durch den
persönlichen Einsatz der Gesellschafter geprägt.

Zu den Kapitalgesellschaften gehören die
→Aktiengesellschaft und die →Gesellschaft
mit beschränkter Haftung.   *H. S.*

Literatur: *Kübler, F.,* Gesellschaftsrecht, 2. Aufl.,
Heidelberg 1986.

Kapitalherabsetzung

führt zur Rückzahlung von →Eigenkapital,
bei →Personengesellschaften durch Herabset-
zen der Einlagen oder Ausscheiden von Gesellschaftern (Auseinandersetzung), bei →Ka-
pitalgesellschaften durch Herabsetzung des
Nennkapitals. Die Rückzahlung kann in
Form von Geld oder Sachwerten erfolgen. Da
es bei Kapitalgesellschaften keine persönliche
Haftung der Anteilseigner geben kann, dienen
die gesetzlichen Vorschriften über die Kapitalherabsetzung in erster Linie dem Gläubigerschutz. Sie sollen verhindern, daß eine von
den Gläubigern nicht kontrollierbare Rückzahlung des Nennkapitals möglich ist.

Das Aktiengesetz unterscheidet drei Formen der Kapitalherabsetzung; diese erfordern
einen Beschluß der Hauptversammlung mit
qualifizierter Mehrheit.

● Bei der →ordentlichen Kapitalherabsetzung (§§ 222 ff. AktG) dürfen finanzielle
Mittel erst nach Beachtung strenger Gläu-
bigerschutzvorschriften (§ 225 AktG) zurückgezahlt werden.

● Bei der →vereinfachten Kapitalherabsetzung (→Sanierung, § 229 ff. AktG) erfolgt
keine Rückzahlung von Eigenkapital, sondern infolge von Vermögensverlusten wird
das Nennkapital durch Herabsetzung dem
verminderten Vermögen angepaßt.

● Die →Kapitalherabsetzung durch Einziehung von Aktien (§§ 237 ff. AktG) erfolgt
entweder nach Erwerb →eigener Aktien
durch die Gesellschaft oder zwangsweise.
                                        G. W.

Literatur: *Vormbaum, H.,* Finanzierung der Betriebe, 7. Aufl., Wiesbaden 1986. *Wöhe, G.,* Einfüh-

rung in die Allgemeine Betriebswirtschaftslehre,
16. Aufl., München 1986, S. 801 ff.

Kapitalherabsetzung durch Einziehung von Aktien

Hierbei sind zwei Fälle zu unterscheiden
(§ 237 ff. AktG):

● Erwerb von →eigenen Aktien durch eine
Gesellschaft,

● zwangsweise Einziehung von Aktien.

Ein Sonderfall ist der Rückkauf durch die
Gesellschaft unter pari zum Zwecke der Einziehung bei der →Sanierung. In diesem und
im Falle eines zwangsweisen Einziehens der
Aktien bei Rückzahlung des Kapitals, das nur
zulässig ist, wenn es in der ursprünglichen
Satzung oder durch eine Satzungsänderung
vor Übernahme oder Zeichnung der Aktien
angeordnet oder gestattet war, erfolgt die
Herabsetzung nach den Vorschriften über die
→ordentliche Kapitalherabsetzung, d.h. die
Bestimmungen zum Schutze der Gläubiger,
insb. die sechsmonatige Sperrfrist für die
Rückzahlung, sind einzuhalten. Werden dagegen Aktien, auf die der Nennbetrag oder der
höhere Ausgabebetrag voll geleistet ist, zu Lasten des Bilanzgewinns oder einer freien
Rücklage eingezogen oder werden sie der Gesellschaft unentgeltlich zur Verfügung gestellt,
so besteht keine Gefahr, daß die Gläubiger
benachteiligt werden, da kein Haftungskapital zurückgezahlt, sondern Gewinnteile verwendet bzw. überhaupt keine Mittel benötigt
werden. Deshalb brauchen die Vorschriften
über die ordentliche Kapitalherabsetzung
nicht befolgt zu werden (§ 237 Abs. 3 AktG).
Um den Gesamtnennbetrag der eingezogenen
Aktien ist die Kapitalrücklage zu erhöhen
(§ 237 Abs. 5 AktG). Durch die Einstellung in
die Kapitalrücklage wird verhindert, daß der
Bilanzgewinn und die freie Rücklage zusätzlich ausgeschüttet werden können.   *G. W.*

Literatur: *Gadow, W./Heinichen, E.* u.a., Aktiengesetz, Großkommentar, Bd. III, 3. Aufl., Berlin, New
York 1973, Erl. zu §§ 237–239.

Kapitalhilfe

Form der →Entwicklungshilfe, die unmittelbar an den Finanzströmen ansetzt und einseitige Transaktionen, deren Laufzeit im Extremfall unendlich ist, sowie langfristige Net-
tokapitalimporte der Entwicklungsländer umfaßt. Sie wird in erster Linie vergeben, um den
langfristigen Entwicklungsprozeß eines Landes zu beschleunigen, und versucht, Sach- und
Humankapitalengpässe zu beseitigen. Nach
Maßgabe ihrer Träger unterscheidet man
(1) *Öffentliche* Kapitalhilfe (durch staatliche

Organisationen): Wird die Hilfe mit Verwendungsauflagen verbunden bzw. ohne solche gewährt, so handelt es sich um eine → Projekthilfe bzw. um eine → Programmhilfe. Eine zweite Untergliederung läßt sich danach vornehmen, ob die Nehmerländer die Hilfe zum Kauf von Waren aus dem Geberland verwenden müssen (sog. → Lieferbindung) oder nicht. Drittens kann man zwischen → bilateraler Hilfe und → multilateraler Hilfe unterscheiden. Eine weitere Form der öffentlichen Kapitalhilfe besteht darin, daß → Sonderziehungsrechte – gemäß einer häufig vorgetragenen Forderung – im Rahmen des sog. → „link" zur Entwicklungsfinanzierung eingesetzt werden.

(2) *Private* Kapitalhilfe (durch Kirchen, private karitative Organisationen, private Unternehmen): Diese setzt i. d. R. unterhalb der Regierungsebene an und erreicht durch die Kooperation mit gesellschaftlichen Gruppen des Entwicklungslandes oft andere Bevölkerungsgruppen als die öffentliche Hilfe.

Bei der Gewährung von Kapitalhilfe ist zu beachten, daß die ökonomisch sinnvolle Verwendung der dadurch transferierten Ressourcen durch die → Absorptionskapazität einer Volkswirtschaft für Kapital begrenzt wird.

H.-R. H./H.-J. Te.

Kapitalimport

(Kapitaleinfuhr) aus einzelwirtschaftlicher Sicht die Verlagerung von Kapital (Sachkapital und Finanzkapital) aus dem Inland ins Ausland. Aus gesamtwirtschaftlicher Sicht folgt daraus ein Nettokapitalimport der Volkswirtschaft, wenn in einer Periode die Summe der vermögensmäßigen Verpflichtungen des Inlandes gegenüber dem Ausland insgesamt ansteigt, neu begründete Verbindlichkeiten also nicht durch einen gleichwertigen Rückgang der Verbindlichkeiten oder eine Zunahme der Forderungen gegenüber dem Ausland kompensiert werden. Ein Nettokapitalimport ist also mit einer Zunahme der Nettoauslandspassiva (Abnahme der → Nettoauslandsaktiva) der Volkswirtschaft verbunden. Aus dieser Abgrenzung folgt, daß ein Nettokapitalimport einer Volkswirtschaft insgesamt mit einem Defizit der → Leistungsbilanz i. w. S. (Realtransfer von Gütern) untrennbar verbunden sein muß. Kapitalimporte werden statistisch in der → Kapitalbilanz i. w. S. erfaßt.

M. F.

Kapitalintensität

Menge oder Wert des → Kapitalstocks je Arbeitseinheit, d. h. Kapitalausstattung je Arbeitsplatz bzw. Arbeitskraft. Die Kapitalintensität läßt sich auch als Quotient aus → Arbeitsproduktivität und → Kapitalproduktivität ausdrücken. Der Kehrwert der Kapitalintensität ist die → Arbeitsintensität.

Kapitalismus

vieldeutiger Begriff für die neuzeitlichen → Wirtschaftssysteme der dominierend auf dem Privateigentum an Produktivkapital beruhenden → Marktwirtschaft.

(1) Nach dem traditionellen Kapitalismusverständnis beherrschen die Interessen der Kapitaleigentümer die Institutionen und den Ablauf des Marktgeschehens und verhalten sich dabei unter dem Einfluß der Konkurrenz ungewollt so, daß sie selbst den Untergang ihres Systems herbeiführen. Die wichtigsten Exponenten dieser Ansicht von der paradoxen Wirkung der Konkurrenz und der transitorischen Existenz des Kapitalismus sind *Karl Marx,* *Werner Sombart* und *Joseph A. Schumpeter.*

Marx und die Vertreter des → Marxismus-Leninismus folgern aus der „kapitalistischen Produktionsweise" den zwangsläufigen Übergang vom Konkurrenz- zum → Monopolkapitalismus, dessen sozial unerträgliche Ergebnisse die ausgebeuteten Arbeiter dazu veranlassen, das kapitalistische System gewaltsam zu beseitigen.

Sombart unterscheidet in der historischen Abfolge der Kapitalismusentwicklung zunächst den Früh- oder Handelskapitalismus (15. bis Mitte 18. Jh.), den Hoch- oder Industriekapitalismus (ab 1760) und schließlich den Spät- oder Monopolkapitalismus (etwa ab 1880). Diese letzte Phase führt über umfassende nationale und internationale Vermachtungen und durch soziale Klassengegensätze zu einer Vorherrschaft des → Sozialismus, ohne daß die bis dahin entstandenen Wirtschaftsweisen (Eigenwirtschaft, Dorfwirtschaft, Handwerk, Kapitalismus) verschwinden.

Schumpeter sieht als nicht-marxistischer Sozialist das Ende des Kapitalismus dadurch kommen, daß sich im dynamischen Wettbewerb „Alt" gegen „Neu" die Großunternehmen mit der unaufhaltsamen Tendenz zur Entpersönlichung und Bürokratisierung des Fortschritts durchsetzen. So macht sich der → dynamische Unternehmer, dem die Errungenschaften des modernen Kapitalismus zu verdanken sind, in einem „Prozeß der schöpferischen Zerstörung" ungewollt selbst überflüssig und bahnt dem Sozialismus den Weg.

Die traditionelle Kapitalismussicht hält ernsthaften empirischen Tests nicht stand. Überall dort, wo → Gewerbefreiheit und

→ Freihandel eingeführt und durch staatliche Vorkehrungen gesichert worden sind, haben unternehmerische Kräfte ein Unternehmens-, Beschäftigungs- und Finanzsystem geschaffen, das ökonomisches Wachstum und eine Zunahme der Bevölkerung möglich gemacht und das Realeinkommen der breiten Schichten stärker gehoben hat als je zuvor. Zugleich haben die wechselseitigen Kontrollen des Unternehmens- und Finanzsystems die Wettbewerbschancen der Marktwirtschaft mit einer vielgestaltigen Unternehmensgrößenstruktur günstig beeinflußt.

(2) Exponenten der modernen Kapitalismusbetrachtung sind u. a. *Adolf A. Berle, Gardener C. Means, Richard M. Cyert* und *James C. March.* Nach ihrer Auffassung führen die Organisationsbedingungen der modernen Aktiengesellschaften, in denen das angestellte Management nicht über einen bedeutenden eigenen Anteilsbesitz verfügt, zu einem Verhalten der Manager, das weniger vom Gewinnziel der Eigentümer als vielmehr vom Streben nach einer autonomen Kontrolle über die Unternehmen durch internes, vor allem aber externes Unternehmenswachstum bestimmt ist. Im gleichen Maße wird der Eigentümerkapitalismus durch den Managerkapitalismus verdrängt (→ Managerherrschaft). Eine Prognose für die weitere Entwicklung wird damit nicht verknüpft.

Es läßt sich zeigen, daß die vorhandenen Tendenzen des Managerkapitalismus keineswegs zwangsläufig, sondern das Ergebnis einer revidierbaren aktienrechtlichen Benachteiligung der Anteilseigner, insb. in ihrem Dividendenbezugsrecht, und eines ebenfalls aktienrechtlich bedingten Vorrechts der Manager sind, mit Hilfe des Instituts der juristischen Person im Namen von Kapitalgesellschaften und für ihre Rechnung Anteils- und Stimmrechte an anderen Gesellschaften begründen und wirtschaftlich nutzen zu können. Dadurch werden die Entpersönlichung des Aktieneigentums begünstigt und die Konzentration durch Konzernierung erleichtert. *A. S.*

Literatur: *Bog, I.,* Kapitalismus, in: HDWW, Bd. 4, Stuttgart u. a. 1978, S. 418 ff. *Schüller, A.,* Property Rights, Theorie der Firma und wettbewerbliches Marktsystem, in: *Schüller, A.* (Hrsg.), Property Rights und ökonomische Theorie, München 1983, S. 145 ff.

kapitalistische Unternehmensverfassung

ist dadurch gekennzeichnet, daß alleine die Interessen der Kapitaleigner („Eigentümer der Produktionsmittel") die Unternehmenspolitik bestimmen sollen (→ Unternehmensverfassung). Handels- und Gesellschaftsrecht enthalten für → Personengesellschaften und → Kapitalgesellschaften die zum Interessenausgleich innerhalb des Eigentümerverbandes notwendigen Regelungen.

Gemäß ihrer Konstruktionslogik hat die kapitalistische Unternehmensverfassung streng privatrechtlichen Charakter; sie ist als ein „System von Verträgen" zu deuten, die der private Eigentümer(-verband) mit den für die Leistungserstellung benötigten Personen und den Abnehmern der Produkte und Dienstleistungen abschließt (Vertragsmodell der Unternehmung). Durch den Abschluß von → Arbeitsverträgen (§ 611 BGB) werden die Arbeitnehmer verpflichtet, für die Dauer der Verträge ihre Arbeitskraft gegen Entgelt zur Verfügung zu stellen und den Weisungen des Arbeitgebers Folge zu leisten (Direktionsbefugnis des Arbeitgebers). Für die Verteilung der produzierten Güter kennt das Recht als zentrales Instrument den → Kaufvertrag (§ 433 BGB). Mit seinem Abschluß verpflichtet sich der Verkäufer, die vereinbarte Ware zu übergeben und dem Käufer das Eigentum daran zu verschaffen; der Käufer ist verpflichtet, den vereinbarten Kaufpreis zu zahlen und die Ware abzunehmen. Das Vertragsmodell der Unternehmung geht also im Grundsatz davon aus, daß die Interessen von Arbeitnehmern und Konsumenten in einer Wettbewerbswirtschaft im Markt (und nicht im Rahmen der Unternehmensverfassung) berücksichtigt werden. Die in den Verträgen vereinbarten Tauschkonditionen haben deshalb auch eine Richtigkeitsgewähr in dem Sinne für sich, daß keiner der Vertragspartner übervorteilt wird (da sonst ein Vertrag nicht abgeschlossen worden wäre). Dem öffentlichen Interesse (→ Gemeinwohl) wird nach dieser Konstruktionslogik dadurch Genüge getan, daß bei Einhaltung bestimmter Regeln für den Marktverkehr (Wettbewerbsrecht, → Publizität etc.) mit dem Interessenausgleich zwischen den einzelnen Marktpartnern zugleich das Gemeinwohl erreicht wird; die Herrschaft des Eigentümers in der Unternehmung wird so als funktional für das Gemeinwohl und damit als „nicht-willkürlich" vorgestellt. Insofern wurzelt die kapitalistische Unternehmensverfassung letztlich in einem liberalen Wirtschafts- und Gesellschaftsmodell.

Die Entwicklung des → Arbeitsrechts, des Verbraucherschutzrechts (→ Verbraucherschutz), des Publizitätsrechts (→ Publizität) etc. in den letzten 100 Jahren hat allerdings deutlich gemacht, daß die fundamentale Annahme der liberalen Wirtschaftsordnung vom machtfreien Vollzug ökonomischer Tauschvorgänge und der daraus folgenden Richtigkeitsgewähr der Verträge korrekturbedürftig ist. Diese Entwicklungen des Rechts lassen sich als Bemühung verstehen, ungleiche Ausgangspositionen am Markt zu egalisieren und dem öffentlichen Interesse stärkere Geltung zu verschaffen. Sie korrigieren insoweit Grundvoraussetzungen der kapitalistischen Unternehmensverfassung, ohne sie in ihren Bausteinen „Eigentum" und „Vertrag" anzutasten; das tut erst die Mitbestimmungsgesetzgebung (→ Mitbestimmung), die deshalb auch (notwendigerweise) ein Fremdkörper im kapitalistischen Gesellschaftsrecht ist. *H. S.*

Literatur: *Steinmann, H./Gerum, E.*, Reform der Unternehmensverfassung, Köln u. a. 1978.

Kapitalkoeffizient

Der *durchschnittliche* Kapitalkoeffizient ist der Quotient aus Kapitaleinsatz und Produktmenge bzw. Produktionswert, der *marginale* Kapitalkoeffizient das Verhältnis der Veränderungen von Kapitaleinsatz und Produktmenge bzw. Produktionswert. Der Kapitalkoeffizient ist der Kehrwert der → Kapitalproduktivität.

Kapitalkonsolidierung

Verfahren zur Ausschaltung konzerninterner Kapitalverflechtungen. Der Beteiligungsbuchwert in der Bilanz eines Einzelunternehmens bringt den Anspruch an das → Eigenkapital (Reinvermögen) des Beteiligungsunternehmens zum Ausdruck. Die additive Zusammenfassung der Einzelbilanzen zu einer Konzernbilanz würde unweigerlich zu Doppelzählungen und damit zu einer aufgeblähten Konzernbilanz führen. Nach dem → Einheitsgrundsatz sind daher der Beteiligungsbuchwert und das anteilige Eigenkapital gegeneinander aufzurechnen. Die rechentechnische Abwicklung der Konsolidierung kann dabei nach verschiedenen Methoden erfolgen.

Bei der Vollkonsolidierung kommen die → deutsche Kapitalkonsolidierungsmethode und die → angelsächsische Kapitalkonsolidierungsmethode in Frage. Sie unterscheiden sich durch die Art der Abgrenzung des konsolidierungspflichtigen Kapitals (Gewinneinbezug bei der angelsächsischen Methode), des Ausweises von Gewinnrücklagen und der Behandlung eines konsolidierungstechnischen Restpostens, falls Beteiligungsbuchwert und anteiliges Kapital nicht übereinstimmen. Bei diesen Methoden ist der Anteil konzernfremder (Minderheits-)Gesellschafter am Kapital und Gewinn gesondert in der Konzernbilanz, und zwar als Ausgleichsposten für Anteile im Fremdbesitz (→ deutsche Kapitalkonsolidie-

rungsmethode) auszuweisen. Beträgt der Beteiligungsprozentsatz der Obergesellschaft mindestens 90% und sind die Anteile an dem anderen Unternehmen durch Hingabe eigener Anteile im Wege der Kapitalerhöhung erworben worden, kann die → Pooling of Interests-Methode angewendet werden, wobei eine vereinfachte Aufrechnung des Beteiligungsbuchwerts mit dem → gezeichneten Kapital erfolgt.

Ebenfalls zu den Vollkonsolidierungsverfahren zählt das → Equity-Accounting, bei dem zwar eine Kapitalaufrechnung erfolgt, in der Konzernbilanz allerdings nur ein fortgeschriebener Beteiligungsbuchwert zum Ansatz gelangt. Nicht mit dem Einheitsgrundsatz vereinbar ist das Verfahren der → Quotenkonsolidierung, bei der die Positionen der Einzelbilanzen der Konzernunternehmen nur anteilig in die Konsolidierung einbezogen werden. *W. E.*

Literatur: *Adler, H./Düring, W./Schmaltz, K.*, Rechnungslegung und Prüfung der Aktiengesellschaft, Bd. 3: Rechnungslegung im Konzern, 4. Aufl., Stuttgart 1972. *Busse von Colbe, W./Ordelheide, D.*, Konzernabschlüsse, 5. Aufl., Wiesbaden 1984. *v. Wysocki, K./Wohlgemuth, M.*, Konzernrechnungslegung, 3. Aufl., Tübingen, Düsseldorf 1986.

Kapitalkosten → Finanzierungskosten

Kapitallebensversicherung → Lebensversicherung

Kapitalmangel

Die Zahl der Arbeitsplätze ist in diesem Fall kleiner als die Zahl der Arbeitskräfte, die bei den gegebenen Lohnsätzen einen Arbeitsplatz suchen. Kapitalmangel-Arbeitslosigkeit ist durch eine Abweichung der Wachstumsraten von Arbeitsplätze- und Arbeitskräftezahl verursacht. Ursache des Kapitalmangels können eine in Hinsicht auf die Erfordernisse der Vollbeschäftigung zu hohe → Kapitalintensität der Produktion und/oder eine zu niedrige → Investitionsquote sein (→ Wachstumsgleichgewicht).

Kapitalmarkt

im Gegensatz zum → Geldmarkt, auf dem kurzfristige Finanzierungsmittel gehandelt werden, der Markt für mittel- und längerfristige Finanzierungsmittel. Im weitesten Sinne wird auf ihm Geld für langfristige Verschuldungen angeboten bzw. für die Bildung längerfristigen Geldvermögens nachgefragt. Er ist ein Teilmarkt des → Kreditmarktes.

Man unterscheidet einen organisierten und einen nicht organisierten Kapitalmarkt. Beim organisierten Kapitalmarkt werden an der Wertpapierbörse → Aktien und → Anleihen angeboten und nachgefragt, entweder als Neuemission (Primärmarkt) oder aus Beständen (Sekundärmarkt). Insbesondere der Sekundärmarkt erfüllt vor allem für Geschäftsbanken die wichtige Funktion, ein Umsteigen vom Kapitalmarkt auf den Geldmarkt zu ermöglichen.

Auf dem nicht organisierten Kapitalmarkt werden längerfristige Darlehen, Beteiligungen und Hypotheken direkt zwischen Anbietern und Nachfragern von Finanzierungsmitteln gehandelt oder indirekt unter Zwischenschaltung einer Geschäftsbank. Im → internationalen Kapitalverkehr erscheinen solche Anlagen am Kapitalmarkt zwischen In- und Ausländern als → Direktinvestitionen im Ausland und als öffentliche Kreditaufnahme im Ausland; internationale Portfolioinvestitionen sind dagegen dem organisierten (internationalen) Kapitalmarkt zuzurechnen. Eine Besonderheit stellt dabei der → Eurokapitalmarkt dar.

Kapitalmarkt

| organisiert (Wertpapierbörsen) |

● Primärmarkt (Neuemissionen)
 – Aktien
 – Anleihen
● Sekundärmarkt
 – Aktien
 – Anleihen

| nicht organisiert |

– Darlehen
– Beteiligungen
– Hypotheken

Aktien- und Anleiheemissionen unterliegen in der Bundesrepublik Deutschland einer Bonitätsprüfung der Emittenten. Die Börse ist nicht reglementiert, allerdings bestehen gewisse Möglichkeiten, über das → Außenwirtschaftsgesetz, in den internationalen Kapitalverkehr einzugreifen.

Auf dem Kapitalmarkt i.e.S. werden neben Aktien auch festverzinsliche Papiere (→ Kommunalobligationen, → Pfandbriefe, → Industrieobligationen in Form von → Gewinn- sowie → Options- und → Wandelschuldverschreibungen, nicht dagegen Zwangsanleihen des Staates) gehandelt. Die Tilgung der Anleihen erfolgt regelmäßig am Ende der Laufzeit, aber auch in Teilabschnitten während der Laufzeit. Durch Konversion kann der Nominalzinssatz einer Anleihe durch Streckung der Laufzeit oder Änderung des Rückzahlkurses reduziert werden.

Die Umlaufrendite der Kapitalmarktpapiere wird entscheidend vom Zins auf dem Geldmarkt beeinflußt. Ein Kapitalmarktgleichgewicht besteht deshalb auch nur dann, wenn der Geldmarkt im Gleichgewicht ist. Geschäftsbanken mit → freien Liquiditätsreserven werden bei ihren Anlageüberlegungen die günstigste Rendite zu realisieren versuchen. Deshalb steht die Umlaufrendite von Kapitalmarktpapieren im Zusammenhang mit dem Zinsniveau auf dem Geldmarkt.   *M.Bo.*

Literatur: *Bruns, G./Häuser, K.* (Hrsg.), Institutionen des deutschen Kapitalmarktes, Frankfurt a.M. 1982. *Grunwald, J.G.*, Die Ergiebigkeit des Kapitalmarktes unter besonderer Berücksichtigung des wechselnden Anlegerverhaltens im Konjunkturverlauf, Stuttgart 1979.

Kapitalmarktausschuß → zentraler Kapitalmarktausschuß

Kapitalmarktförderungsgesetz

Versuch der → Industriefinanzierungspolitik, die Erstarrung des Kapitalmarktes nach dem 2. Weltkrieg – bedingt durch die Zerstörung des Vertrauens in Wertpapieranlagen und die Dezimierung des Vermögens – zu lösen. Mit dem „Ersten Gesetz zur Förderung des Kapitalmarktes" vom 15.12.1952 (gültig bis 1954) wurden im Einkommensteuergesetz Vergünstigungen für den Erwerb von Wertpapieren sowie Befreiungen und Ermäßigungen von Steuern auf Erträge von festverzinslichen Wertpapieren eingeräumt; Aktien wurden in die Förderung nicht einbezogen. Vorteile hatten in erster Linie der Bund und die Länder, die mit Großemissionen zu günstigen Bedingungen an den Markt herantraten. Der Finanzierungseffekt für die Industrie war demgegenüber geringer. Zum Teil wurden auch nur Kapitalumschichtungen eingeleitet, ohne daß es zu wirklicher Kapitalneubildung kam.

H.Ba.

Kapitalmarktpolitik → Offenmarktpolitik

Kapitalmarkttheorie   → Modigliani-Miller-Theorem

Kapitalmarktzins → Zins

Kapitalmenge → Kapitalaggregation

Kapitalnachfrage

Nachfrage nach Geldkapital, also nach finanziellen Mitteln, die für Investitionszwecke zur Verfügung stehen (→ Kapitaltheorie).

Kapitalproduktivität

Die *durchschnittliche* Kapitalproduktivität ist die Produktmenge bzw. der Produktionswert je eingesetzter Kapitaleinheit, die *Grenzproduktivität* des Kapitals das Verhältnis der Veränderungen von Produktmenge bzw. Produktionswert und Kapitaleinsatz. Die Kapitalproduktivität ist der Kehrwert des → Kapitalkoeffizienten.

Kapitalrechnung

1. in der → Finanzstatistik neben der sog. laufenden Rechnung die zweite große Untergruppe des → öffentlichen Haushalts. Die Kapitalrechnung enthält die Ausgaben, denen investive Eigenschaften zugeschrieben werden, so z. B. die Sachinvestitionen, Vermögensübertragungen, Darlehensgewährung und den Erwerb von Beteiligungen; auf der Einnahmenseite werden die Verkäufe von Sachvermögen, Darlehensrückflüsse usw. verzeichnet.
2. nach der neueren → statischen Bilanzauffassung Syn. für → Bilanz.

Kapitalrentabilität

aus der → Rentabilitätsrechnung abgeleitete → Kennzahl, welche den Jahresgewinn einer Investition (bzw. eines Betriebes) zum Kapitaleinsatz ins Verhältnis setzt, weil das Kapital einen für die Erzielung des Erfolgs maßgebenden Beitrag leistet. Sie zeigt, in welcher Höhe sich das eingesetzte Kapital in der Abrechnungsperiode verzinst hat.

Je nach Abgrenzung der Begriffe Gewinn und Kapitaleinsatz lassen sich unterschiedliche Rentabilitätsgrößen unterscheiden:

(1) Gesamtkapitalrentabilität = (Gewinn + Fremdkapitalzinsen) × 100 : Gesamtkapital. Die Fremdkapitalzinsen sind deshalb zum Jahreserfolg hinzuzurechnen, weil sie den Ertrag des → Fremdkapitals darstellen, der aber als Aufwand zu einer Minderung des Jahreserfolgs führt.

(2) → Eigenkapitalrentabilität = Gewinn × 100 : Eigenkapital,

(3) Umsatzrentabilität = Gewinn × 100 : Umsatz;

(4) → Return on Investment.   K. L.

Literatur: Kußmaul, H., Kennzahlen und Kennzahlensysteme – ihre Möglichkeiten und Grenzen für die externe Analyse des Jahresabschlusses, in: Der Steuerberater, 1984, S. 151. *Wöhe, G.,* Einführung in die Allgemeine Betriebswirtschaftslehre, 16. Aufl., München 1986, S. 48.

Kapitalrückfluß-Rechnung → Amortisationsrechnung

Kapitalrücklagen → Rücklagen

Kapitalrückzahlung → Kapitalherabsetzung

Kapitalsammelstelle

Einrichtung am Finanzmarkt, die durch das Angebot von Kapitalanlagealternativen mehr oder weniger große Einlagen verschiedener Anleger bündelt und diese an Kunden in Form von Krediten vergibt oder selbst nach den Grundsätzen der Risikostreuung anlegt.

Diese Losgrößentransformation resultiert daraus, daß Investoren für die Finanzierung ihrer Investitionen hohe Kapitalbeträge benötigen, während die einzelnen privaten Anleger nur verhältnismäßig geringe Beträge zur Verfügung stellen wollen oder können. Durch die Zwischenschaltung von Finanzintermediären mit relativ niedrigen Transaktionskosten steigt die Wahrscheinlichkeit, bei unterschiedlichen Losgrößenvorstellungen einen Geschäftsabschluß erreichen zu können.

Kapitalsammelstellen sind Kreditinstitute, Versicherungsgesellschaften, Sozialversicherungsträger, Bausparkassen, Investmentgesellschaften und Kapitalbeteiligungsgesellschaften.

Eine Sonderstellung nimmt in diesem Zusammenhang die → Börse ein, da sie einen Markt darstellt, an dem sich Angebot und Nachfrage treffen, während die aufgezählten Finanzintermediäre durch aktives Handeln zwischen Anbietern und Nachfragern ihre Kapitalsammelfunktion ausüben.

Weitere Aufgaben solcher Einrichtungen am Finanzmarkt sind die Risiken-, die Fristen- und die Publizitätstransformation zwischen Kapitalanlegern und -nachfragern.

Kapitalstock

(Kapitalausstattung) Summe der als Mengen- oder Wertgröße bestimmten produzierten Produktionsmittel, die für Produktionszwecke zur Verfügung stehen (→ Anlagevermögen).

Kapitalstruktur → Kapitalstrukturregeln

Kapitalstrukturregeln

→ Finanzierungsregeln, die die Verwendung der finanziellen Mittel völlig unberücksichtigt lassen. Es geht ausschließlich um die Zusammensetzung des in Bilanzen ausgewiesenen Kapitals. Die Kapitalstruktur wird gewöhnlich durch Relationen von – die Rechtsstellung der Kapitalgeber berücksichtigenden – Postengruppen der Passivseite von Bilanzen untereinander oder zur Bilanzsumme ausgedrückt. Dementsprechend werden Kapitalstrukturregeln in verschiedener Weise formuliert, nämlich als:

- Mindestanteil des Eigenkapitals am Gesamtkapital (Eigenkapitalquote),
- Mindestrelation des Eigenkapitals zum Fremdkapital,
- Höchstanteil des Fremdkapitals am Eigenkapital (Verschuldungskoeffizient, Verschuldungsgrad).

Über die Quantifizierung dieser – bei Vorhandensein stiller Rücklagen allerdings zu Lasten des Eigenkapitals verzerrten – Regeln besteht in der (meist älteren) Literatur keine Einigkeit. Neben der Gleichheitsregel, wonach das bilanzierte Fremdkapital das bilanzierte Eigenkapital nicht übersteigen darf, wird vereinzelt auch gefordert, das bilanzierte Eigenkapital müsse 150%, das Doppelte oder gar das Dreifache des bilanzierten Fremdkapitals ausmachen. Allerdings weichen die heutigen Finanzierungsverhältnisse in der Praxis von diesen Forderungen erheblich ab.

Sieht man von der vordergründigen Argumentation ab, wonach die Eigentümer einer Unternehmung mindestens ebensoviel zur Finanzierung beitragen müssen wie die Gläubiger, so werden die Kapitalstrukturregeln grundsätzlich damit begründet, die finanzielle Lage der Unternehmung sei um so sicherer, je höher die Eigenkapitalquote sei; denn eine hohe Eigenkapitalquote

- gewährleiste eine weitgehende Unabhängigkeit von den Gläubigern,
- biete ceteris paribus die Möglichkeit, weiteres Fremdkapital aufzunehmen,
- ermögliche das Auffangen zukünftiger Verluste, die damit nicht auf die Fremdkapitalgeber durchschlagen,
- verringere ceteris paribus das Risiko, daß eine Unternehmung illiquide wird, weil unerwartet und unzeitgemäß Fremdkapital zurückgezogen wird; denn das Eigenkapital stehe den Unternehmungen langfristig zur Verfügung,
- verringere ceteris paribus die von der Erfolgssituation unabhängigen und insb. bei schlechtem Gang der Geschäfte belastenden Zins- und Tilgungsverpflichtungen; denn Eigenkapital führe nur im Gewinnfall zu Ausschüttungsansprüchen.

Es kann nicht bestritten werden, daß aufgrund der von Kreditgebern angewendeten Entscheidungskriterien u.U. erst bei einer bestimmten Eigenkapitalquote die Möglichkeit besteht, weiteres Fremdkapital aufzunehmen, – was dann allerdings die geforderte Eigenkapitalquote negativ beeinflußt. Es ist aber auch zu bedenken, daß Eigenkapital nur in bestimmten Fällen, d.h. bei geeigneter Rechts-

formwahl bzw. entsprechender Ausgestaltung des Gesellschaftsvertrages langfristig zur Verfügung steht, dies allerdings auch nur solange und in dem Umfang, wie es noch nicht durch Verluste aufgezehrt wurde. Außerdem ermöglicht die Auflösung offener Rücklagen auch in Verlustjahren Ausschüttungen an die Anteilseigner. Zudem wird wie auch bei den übrigen Finanzierungsregeln ausschließlich auf die Liquiditätserhaltung abgestellt. Es wird vernachlässigt, daß eine Erhöhung der →Eigenkapitalrentabilität durch Aufnahme zusätzlichen Fremdkapitals solange gelingt, wie die Gesamtkapitalrentabilität über dem Fremdkapitalzins liegt (→Leverage-Effekt). Unter der Zielsetzung der Maximierung der Eigenkapitalrentabilität geht von diesem Effekt also u.U. ein Anreiz zur Ausdehnung der Verschuldung aus, der allerdings durch das dann wachsende Gläubigerrisiko gebremst wird.

H. Bi.

Literatur: *Bieg, H.,* Finanzierungsregeln, in: WiSt, 12.Jg. (1983), S.491ff. *Wöhe, G./Bilstein, J.,* Grundzüge der Unternehmensfinanzierung, 4. Aufl., München 1986, S. 311ff.

kapitaltheoretische Bilanzauffassung

gehört zu den neueren →Bilanzauffassungen. Sie sieht den Hauptzweck der →Bilanz in der Gewinnermittlung, insb. in der Frage, welcher Gewinn einem Unternehmen unter ökonomischen Gesichtspunkten in jeder Periode entzogen werden kann (ökonomischer Gewinn). Dabei kommt der Aufrechterhaltung der zukünftigen wirtschaftlichen Leistungsfähigkeit (Erfolgskapitalerhaltung) zentrale Bedeutung zu.

Der ökonomische Gewinn ist der verteilungsfähige Betrag, der dem Unternehmen maximal entnommen werden kann, ohne dessen künftige Leistungsfähigkeit zu mindern. Maßgebliche Größe für die Ermittlung des ökonomischen Gewinns ist der →Ertragswert der Unternehmung, der sich durch Diskontierung der erwarteten Einzahlungsüberschüsse mit einem kapitalmarktadäquaten Zinsfuß ergibt. Die Verzinsung des Ertragswertes mit dem →Kalkulationszinssatz während der Abrechnungsperiode bzw. die Differenz des Ertragswertes am Ende und am Anfang der Periode entspricht dem ökonomischen Gewinn.

W. E.

Kapitaltheorie

systematische Analyse der Bedeutung des →Kapitals und der Kapitalbildung im Rahmen des marktwirtschaftlichen Prozesses. Kapitaltheoretische Positionen lassen sich am einfachsten mit Hilfe einer neoklassischen makroökonomischen Produktionsfunktion bestimmen. Ein solches Konstrukt verknüpft den gesamtwirtschaftlichen Kapital- und Arbeitseinsatz mit dem gesamtwirtschaftlichen Güterausstoß in der Weise, daß eine Erhöhung der → Kapitalintensität, des Kapital-Arbeits-Verhältnisses, die → Arbeitsproduktivität steigen und die → Kapitalproduktivität sinken läßt. Arbeits- und Kapitalproduktivität sind dabei als Quotienten aus Ausstoß- und Einsatzmengen bestimmt.

Ist die von den Produzenten gewählte Kapitalintensität positiv mit dem Lohnsatz, negativ mit dem Zinssatz verknüpft, so impliziert die Vollbeschäftigung einer gegebenen Kapital- und Arbeitsmenge eine bestimmte Höhe von Lohn- und Zinsniveau. Ist die Lohn-Zins-Relation zu hoch, so bleibt ein Teil der Arbeitsmenge, ist sie zu niedrig, so bleibt ein Teil der Kapitalmenge unbeschäftigt. Die Vollbeschäftigung beider Produktionsfaktoren impliziert eine bestimmte Kapital-Arbeit- und Lohn-Zins-Relation und damit bestimmte Einkommensquoten von Kapital und Arbeit. Wächst die verfügbare Arbeitsmenge von Periode zu Periode mit konstanter Rate, so muß die verfügbare Kapitalmenge mit der gleichen Rate wachsen, wenn die Vollbeschäftigung beider Produktionsfaktoren bei Konstanz der Einkommensquoten erhalten bleiben soll.

Eine positive Wachstumsrate der Kapitalmenge erfordert, daß ein Teil des Volkseinkommens gespart und investiert, also nicht konsumiert wird. Ist die Verwendung des Volkseinkommens, die Aufteilung auf Konsum und Ersparnis = Investition, von der Verteilung, der Aufteilung des Volkseinkommens auf Kapital- und Arbeitseinkommen abhängig, so erfordert die Erhaltung der Vollbeschäftigung beider Faktoren nicht nur eine bestimmte Verwendung, sondern auch eine bestimmte Verteilung des Volkseinkommens.

Die Bedeutung des Kapitals und der Kapitalbildung im Rahmen der Entstehung, Verwendung und Verteilung des Volkseinkommens wurde in einer ersten Annäherung mit Hilfe einer makroökonomischen → Produktionsfunktion erklärt, in der Kapitaleinsatz, Arbeitseinsatz und Güterausstoß Mengengrößen sind. Es wurde also die Homogenität des Kapital- und Arbeitseinsatzes einerseits, des Güterausstoßes andererseits angenommen. In Wirklichkeit sind aber die physischen Einsatz- und Ausstoßgrößen nicht homogen, sondern heterogen. Der Güterausstoß ebenso wie der Kapitaleinsatz bestehen aus vielen unterschiedlichen Gütern, und die physische Komposition des Güterausstoßes und des Kapitaleinsatzes ist nicht notwendig konstant.

In einer Viel-Güter-Welt lassen sich die physischen Einsatz- und Ausstoßgrößen nur über eine Bewertung zu makroökonomischen Aggregaten zusammenfassen. In der theoretischen Analyse kommen für eine solche Bewertung der Einsatz- und Ausstoßmengen allein die Gleichgewichtspreise in Frage. Der gesamtwirtschaftliche Kapitaleinsatz ist gleich der Summe der mit Gleichgewichtspreisen bewerteten Gütereinsatzmengen, der gesamtwirtschaftliche Güterausstoß, das reale Volkseinkommen, gleich der Summe der mit Gleichgewichtspreisen bewerteten Güterausstoßmengen. Entsprechend ist die gesamtwirtschaftliche Kapitalintensität das Verhältnis von wertmäßigem Kapital- und mengenmäßigem Arbeitseinsatz, die gesamtwirtschaftliche Arbeitsproduktivität gleich dem Verhältnis von wertmäßigem Güterausstoß und mengenmäßigem Arbeitseinsatz und die gesamtwirtschaftliche Kapitalproduktivität gleich dem Verhältnis von wertmäßigem Güterausstoß und wertmäßigem Kapitaleinsatz.

Mit den physischen Einsatz- und Ausstoßmengen einerseits, den Gleichgewichtspreisen andererseits existieren die makroökonomischen Aggregate, und damit stellt sich die Frage, ob sich die wertmäßigen Einsatz- und Ausstoßaggregate in einer makroökonomischen Produktionsfunktion derart ordnen lassen, daß mit steigender wertmäßiger Kapitalintensität die wertmäßige Arbeitsproduktivität steigt und die wertmäßige Kapitalproduktivität sinkt.

Diese Frage nach der Existenz einer makroökonomischen Produktionsfunktion in einer Viel-Güter-Welt wurde im Rahmen der → Cambridge-Kontroverse heftig diskutiert. Neoklassische Autoren behaupteten, die unter der Annahme der Ein-Gut-Welt formulierte Produktionsfunktion sei auch in der Analyse der Viel-Güter-Welt relevant. Dabei wird freilich konzediert, daß die makroökonomische Produktionsfunktion bei Heterogenität der Einsatz- und Ausstoßgrößen Wert- und nicht Mengenaggregate verknüpft. Dieser Auffassung hielten die Kritiker der neoklassischen Konzeption entgegen, daß die Kapital-, Arbeits- und Einkommensaggregate keineswegs die in der neoklassischen Produktionsfunktion beschriebenen Regelmäßigkeiten aufweisen müssen. Es sei sehr wohl denkbar, daß eine Erhöhung des Lohnsatzes, Senkung des Zinssatzes die Mengen- und Preisstrukturen so ändert, daß die wertmäßige Kapitalintensität nicht steigt, sondern sinkt (capital reversing).

Diese Kritik an der Konzeption der makroökonomischen Produktionsfunktion –

und damit an der neoklassischen Kapitalkonzeption – ist ungeachtet aller durch sie vermittelten Einsichten in die Struktur des Produktionsprozesses über das Ziel hinausgeschossen. Makroökonomische Produktionsfunktionen sind und bleiben ein brauchbares Mittel der Analyse gesamtwirtschaftlicher Zusammenhänge. Die kapitaltheoretische Kontroverse der letzten Jahrzehnte hat freilich deutlich gemacht, daß die makroökonomischen Aggregate nur unter Verwendung von Güterpreisen ermittelt werden können, in deren Bestimmung die Faktorpreise, also Lohnsatz und Zinssatz, eingehen.   *G. S.-R.*

Literatur: *Jaeger, K.,* Wachstumstheorie, Berlin 1980. *Rose, K.,* Grundlagen der Wachstumstheorie, 4. Aufl., Göttingen 1984.

Kapitalumschlagshäufigkeit → Return on Investment

Kapitalverflechtung → Kapitalkonsolidierung

Kapitalverkehr

Bezeichnung für ökonomische → Transaktionen, deren Objekte Finanzaktiva sind. Die Übertragung der Finanzaktiva stellt eine Gegenleistung entweder für einen Waren- oder Dienstleistungsstrom oder für die Änderung von Forderungen und Verbindlichkeiten dar bzw. sie erfolgt unentgeltlich. Der Kapitalverkehr mit dem Ausland wird als → internationaler Kapitalverkehr bezeichnet.

Kapitalverkehrsbilanz → Kapitalbilanz

Kapitalverkehrskontrollen

Mittel der → Devisenbewirtschaftung. Durch sie soll verhindert werden, daß von staatlichen Instanzen aus welchen Gründen auch immer nicht gebilligte → Kapitalexporte oder (selten) → Kapitalimporte stattfinden. Die Kontrolle der internationalen Kapitalbewegungen wird zumeist durch Verbote aller oder bestimmter Transaktionen oder aber durch eine Genehmigungspflicht für solche Transaktionen sichergestellt, die → Konvertibilität der Währung also entsprechend eingeschränkt. In der Bundesrepublik Deutschland gibt es derzeit keinerlei Kapitalverkehrskontrollen. Nach § 1 des → Außenwirtschaftsgesetzes (AWG) sind alle außenwirtschaftlichen Transaktionen grundsätzlich frei. Aufgrund der §§ 22–24 AWG können aber Kapitalverkehrskontrollen unter bestimmten Voraussetzungen eingeführt werden. Seit der Herstellung der vollständigen Konvertibilität für die D-Mark ist von dieser Möglichkeit aber nur

vorübergehend, Anfang der 70er Jahre, zur administrativen Abwehr unerwünschter Kapitalimporte (sog. → Devisenbannwirtschaft), nicht aber zur administrativen Gängelung der Kapitalexporte Gebrauch gemacht worden. In den meisten Ländern, insb. den sog. Entwicklungsländern, existieren hingegen umfangreiche Kapitalverkehrskontrollen.   *M. F.*

Kapitalverkehrsteuern → Gesellschaftsteuer, → Börsenumsatzsteuer

Kapitalvermögen

Wert der Sachgüter, die Leistungen im Rahmen von Konsum und Produktion erbringen. Man unterscheidet → Gebrauchsvermögen und sachliches → Produktivvermögen. Im weiteren Sinne zählt zum Kapitalvermögen auch das → Geldvermögen, genauer die Nettoposition.

Kapital-Vermögensstrukturregeln

Den horizontalen Kapital-Vermögensstrukturregeln (→ Goldene Finanzierungsregel, → Goldene Bilanzregel) ist gemeinsam, daß einzelne in der Bilanz ausgewiesene Vermögenspositionen bzw. Gruppen von Aktivpositionen zu bestimmten Passivpositionen der Bilanz bzw. Gruppen von Passivpositionen in Beziehung gesetzt werden. Über die Gruppenbildung entscheiden die Dauer der Kapitalbindung in den einzelnen Vermögenspositionen einerseits und die Dauer der Kapitalüberlassung durch die Geldgeber andererseits.

Die Liquidität soll nach diesem Konzept also offenbar nicht durch Abstimmung aller zukünftig in einer Unternehmung anfallenden Ein- und Auszahlungen gesichert werden (unternehmensbezogene Betrachtungsweise), sondern indem grundsätzlich bei jeder einzelnen Vermögensposition bzw. bei jeder Gruppe von Aktivpositionen Übereinstimmung besteht zwischen dem Zeitraum, für den das Kapital darin gebunden ist (Bindungsdauer), und dem Zeitraum, für den das zur Beschaffung benötigte Kapital bereitgestellt wird (Überlassungsdauer). Dieses Konzept der Fristenkongruenz stellt eine objektbezogene Betrachtungsweise dar.

Die ständige Zahlungsbereitschaft einer Unternehmung wird aber auch durch die Einhaltung der → Goldenen Finanzierungsregel bzw. der → Goldenen Bilanzregel in ihren verschiedenen Ausprägungen nicht gewährleistet.

(1) Auch wenn ein Vermögensgegenstand durch eine bestimmte Passivposition betragsgenau und fristenkongruent finanziert wurde,

gelingt eine Verzinsung und Tilgung des eingesetzten Kapitals nur, wenn die erforderlichen Beträge planmäßig, also in vollem Umfang und termingerecht, über den Leistungsprozeß zurückfließen. Eintretende Verluste, Zahlungsschwierigkeiten der Abnehmer oder Absatzprobleme können dies verhindern.

(2) Fristgerechte Freisetzung, Verzinsung und Tilgung des Kapitalbetrags reichen allerdings nur im Spezialfall eines einmaligen Kapitalbedarfs zur Sicherung der Liquidität aus. Die Aufrechterhaltung eines reibungslosen Ablaufs des Betriebsprozesses erfordert aber auch Reinvestitionen (wiederkehrender Kapitalbedarf). Die Verfechter der Kapital-Vermögensstrukturregeln nehmen deshalb stillschweigend an, daß die durch den Umsatzprozeß wieder verflüssigten und an die Kapitalgeber zurückzuzahlenden Mittel entweder prolongiert oder durch neues Kapital substituiert werden können. Ist diese Prämisse aber erfüllt, so ist Fristenkongruenz keine notwendige Voraussetzung für die Erhaltung der Liquidität. Ist sie nicht erfüllt, so erscheint der reibungslose Ablauf des Betriebsprozesses gefährdet.

Die objektbezogene Betrachtungsweise mit der Forderung nach Fristenkongruenz gewährleistet also die Erhaltung der Liquidität einer Unternehmung nicht. Hierfür ist eine unternehmungsbezogene Abstimmung aller erwarteten Ein- und Auszahlungen (→ Finanzplan) erforderlich.   *H. Bi.*

Literatur: *Bieg, H.,* Finanzierungsregeln, in: WiSt, 12. Jg. (1983), S. 491 ff. *Härle, D.,* Finanzierungsregeln und ihre Problematik, Wiesbaden 1961.

Kapitalvertiefung

(capital deepening) Der → Kapazitätseffekt einer Nettoinvestition ist in diesem Fall gleich Null. Die Erhöhung des → Kapitalstocks läßt die → Kapitalproduktivität sinken und die → Arbeitsproduktivität steigen. Die Nettoinvestition dient nicht der Erweiterung (→ Kapitalerweiterung), sondern der Verbesserung des Produktionsprozesses. Es entsteht kein Kapazitäts-, sondern ein Produktivitätseffekt.

Kapitalverwässerung → Bezugsrecht

Kapitalverwendung → Finanzierung

Kapitalwert → Kapitalwertrechnung

Kapitalwertrechnung

Der Kapitalwert einer Investition im Zeitpunkt t = 0 (Beginn des Planungszeitraums, hier gleich → Bezugszeitpunkt) ist definiert als → Barwert ihrer Nettozahlungen (Einzahlungen minus Auszahlungen) oder, was dasselbe ist, als Barwert ihrer → Rückflüsse zuzüglich dem Barwert ihres → Liquidationserlöses und abzüglich dem Barwert ihrer → Investitionsausgaben. Unter der Voraussetzung, daß alle mit einer Investition verbundenen Zahlungen in diskreten, äquidistanten Zeitpunkten t = 0, ... T (i. d. R. wird mit Jahresabständen gearbeitet) anfallen oder diesen entsprechend zugerechnet werden, gilt für den Kapitalwert C_o:

$$C_o = \sum_{t=0}^{T} (R_t - I_t) \cdot q^{-t} + L_T \cdot q^{-T}$$

$$= \sum_{t=0}^{T} N_t \cdot q^{-t}.$$

R_t Rückfluß zum Zeitpunkt t (gewöhnlich der Rückfluß des Jahres t)

I_t Investitionsausgaben zum Zeitpunkt t (gewöhnlich die Investitionsausgaben des Jahres t = 0)

L_T Liquidationserlös am Ende des Planungszeitraums (= Ende der Projektlebensdauer) T

N_t Nettozahlungen zum Zeitpunkt t (= Einzahlungen zum Zeitpunkt t minus Auszahlungen zum Zeitpunkt t)

$q^{-t} = (1 + i)^{-t}$ → Abzinsungsfaktor für die Zahlungen des Zeitpunktes t beim → Kalkulationszinssatz i.

Die Tabelle zeigt die Berechnung des Kapitalwerts einer Investition anhand eines Beispiels.

Ökonomisch betrachtet bringt der Kapitalwert die durch eine Investition bewirkte Erhöhung oder Verminderung des Geldvermögens bei gegebenem Verzinsungsanspruch in Höhe des → Kalkulationszinssatzes und wertmäßig bezogen auf den Beginn des Planungszeitraums zum Ausdruck. Ist der Kapitalwert positiv, dann verzinst sich das zu jedem Zahlungszeitpunkt noch gebundene Kapital zum Kalkulationszinssatz i, und darüber hinaus wird ein Geldvermögenszuwachs erwirtschaftet. Ist der Kapitalwert hingegen negativ, dann verzinst sich das zu jedem Zahlungszeitpunkt noch gebundene Kapital zu einem Zinssatz, der geringer ist als der Kalkulationszinssatz i. Bei gegebenem Verzinsungsanspruch von i vermindert sich dann das Geldvermögen.

Daraus folgt unmittelbar das Vorteilhaftigkeitskriterium der Kapitalwertmethode: Eine Investition ist absolut vorteilhaft, wenn ihr Kapitalwert nicht negativ ist. Dies ist beim gewählten Beispiel der Fall.

Die Beurteilung der relativen Vorteilhaftigkeit einer Investition gegenüber einer Alternative kann entweder anhand der Kapitalwerte

Berechnung des Kapitalwertes

Zahlungszeitpunkt t (Ende des jeweiligen Jahres) (1)	Investitions- ausgaben I$_t$ (Zeitwert) (2)	Rückfluß R$_t$ (Zeitwert) (3)	Abzinsungs- faktoren q^{-t} für i = 0,10 (4)	Netto- zahlungen (5) = (3) × (4) − (2) × (4)
0	100 000,−	−	1,0	−100 000,−
1	−	30 000,−	0,9091	27 273,−
2	−	40 000,−	0,8264	33 056,−
3	−	30 000,−	0,7513	22 539,−
4	−	20 000,−	0,6830	13 660,−
5	−	20 000,−	0,6209	12 418,−
Kapitalwert = Summe der Barwerte der jährlichen Nettozahlungen				+ 8 946,−

der beiden Investitionen oder anhand des Kapitalwertes der → Differenzinvestition erfolgen. Vergleichbar sind Investitionsalternativen anhand ihres Kapitalwertes auch bei unterschiedlichen Investitionsausgaben und unterschiedlicher Lebensdauer immer dann, wenn man voraussetzt, daß finanzielle Mittel in beliebiger Höhe zum Kalkulationszinssatz am Kapitalmarkt aufgenommen und angelegt werden können.   *K. L.*

Literatur: *Blohm, H./Lüder, K.*, Investition, 5. Aufl., München 1983, insb. S. 56 ff.

KAPOVAZ

Abk. für → kapazitätsorientierte variable Arbeitszeit.

Kappungsgrenze → Vergleichsmiete

Kardinalität → Nutzenmessung

Kargoversicherung → Transportversicherung

Karriereplanung

(Laufbahnplanung) Element in einer langfristigen Konzeption der → Personalentwicklung (→ Personalplanung). Auf der Basis von u. U. betriebsspezifischen Beförderungskriterien wie Leistung, Betriebszugehörigkeit (Senioritätsprinzip) und Konformität werden im Hinblick auf die antizipierte Bedarfssituation des Unternehmens zur Sicherung der Nachfolge befähigter Mitarbeiter und unter Berücksichtigung der Eignung und Entwicklungsbedürfnisse der Betroffenen die in der Zukunft zuzuordnenden Funktionsfelder geplant. Aus Unternehmenssicht steht dabei der Vorsorgegedanke im Vordergrund. Für die Mitarbeiter und die Unternehmensleitung erhöht sich die Transparenz über Aufstiegswege sowie Entwicklungsmöglichkeiten und -potentiale. Überdies führt eine offen angelegte Karriereplanung tendenziell zu erhöhter → Motivation und Leistungsbereitschaft. Die Erstellung

von Nachfolge- und Laufbahnplänen erfordert eine systematische → Personalbeurteilung.   *W. Ly.*

Kartell

Form der horizontalen Wettbewerbsbeschränkung. Kartelle entstehen durch Vertrag oder Beschluß von Unternehmen, die auf dem gleichen → relevanten Markt tätig sind. Ziel der Vereinbarung ist die Beschränkung des Wettbewerbs durch Verzicht auf den autonomen Gebrauch jener Aktionsparameter (Preis, Rabatte, Konditionen, u. a. m.), deren gemeinsame Handhabung durch den Kartellvertrag geregelt ist.

Die rechtliche und organisatorische Selbständigkeit der Kartellmitglieder bleibt dabei erhalten; diese geben aber freiwillig wirtschaftliche Handlungsfreiheit auf, um eine im Ergebnis ungewisse Koordinierung ihrer Aktivitäten über den Markt durch eine kontrollierbar und kalkulierbar werdende Verhaltensabstimmung durch Vertrag zu ersetzen.

Die Neigung zur Kartellbildung kann bei rechtlicher Zulässigkeit grundsätzlich für alle Märkte vermutet werden, auf denen Wettbewerb herrscht und auf denen sich folglich alle Anbieter bei unabgestimmtem Verhalten in ihrer Position bedroht sehen. Die Erfahrung lehrt jedoch, daß nicht alle Märkte gleich gute Möglichkeiten bieten, dieser Neigung mit Erfolg nachzugeben.

Zur Kartellbildung ermuntern niedrige Werte der → Preiselastizität und der → Einkommenselastizität der Nachfrage. Denn ein Kartellpreis verspricht gegenüber dem niedrigeren Preis bei Wettbewerb einen um so höheren Gewinn, je weniger elastisch die Nachfrage auf Preiserhöhungen reagiert. Werte der Einkommenselastitzität, die deutlich kleiner als Eins oder sogar negativ sind, deuten darauf hin, daß der betrachtete Markt seine → Expansionsphase bereits weitgehend durchmessen hat und in seine → Sättigungsphase oder in die dieser folgende Rückbildungsphase eingetreten ist: Die Nachfrage stagniert oder schrumpft. Die Behauptung, Kartelle seien „Kinder der Not", bestätigt sich auf solchen Märkten in dem Sinne, daß hier die Bereitschaft zur Kartellbildung größer ist als dort, wo eine kräftig wachsende Nachfrage allen die Möglichkeit bietet, ihren Umsatz zu steigern, das Umsatzwachstum einiger also nicht absolute Umsatzeinbußen anderer erfordert und zur Folge hat.

Die Möglichkeit der Kartellbildung wird um so günstiger sein,

- je geringer die Zahl der Anbieter,
- je ähnlicher ihre Kostenverläufe,
- je homogener ihr Produktionsprogramm,
- je höher die Markteintrittsbarrieren und
- je elastischer das Angebot, etwa durch die Möglichkeit des Rückgriffs auf ungenutzte Kapazitäten.

Je niedriger die Markteintrittsbarrieren eines kartellierten Marktes sind, desto größer ist die Wahrscheinlichkeit, daß das hohe Niveau der Kartellpreise Außenseiter anlockt, die diese unterbieten und dadurch das Zerbrechen des Kartells bewirken. Maßnahmen, die der Abwehr dieser Bedrohung dienen, werden als solche des äußeren Kartellzwanges bezeichnet:

- Mit den Lieferanten von Rohstoffen und anderen Vorleistungen werden Verträge abgeschlossen, die sie verpflichten, nur Mitglieder des Kartells zu beliefern. Auch auf den nachgelagerten Produktionsstufen werden derartige Exklusivverträge angestrebt.
- Treuerabatte und andere Vergünstigungen sollen gewährleisten, daß die Lieferanten und Abnehmer des Kartells die von ihnen eingegangenen Verpflichtungen einhalten.
- Für den Fall, daß Außenseiter beliefert oder ihnen Waren abgenommen werden, sind Sanktionen vorgesehen. Unbotmäßige Lieferanten werden von den Mitgliedern des Kartells boykottiert. Händler, die Produkte von Außenseitern vertreiben, werden nicht mehr beliefert.

Kartelle werden nicht nur durch Außenseiter, sondern auch dadurch bedroht, daß die getroffenen Vereinbarungen von den Mitgliedern selbst mißachtet und damit ökonomisch wirkungslos werden. Der Anreiz zu derartigen Verstößen ist groß, weil diese, solange sie unentdeckt bleiben, erhebliche Vorteile in Aussicht stellen. Wird etwa der abgesprochene Kartellpreis von einem besonders kostengünstig produzierenden Mitglied durch heimlich gewährte Preiskonzessionen unterboten, dann kann dieses dadurch seinen Marktanteil bei immer noch attraktivem Gewinn-Niveau zu

Lasten der übrigen Kartellteilnehmer vergrößern.

Vorkehrungen, die darauf abzielen, von derartigen Verstößen abzuhalten, begründen den sog. inneren Kartellzwang. Sie sind zumeist bereits im Kartellvertrag enthalten und bestehen vor allem in Sanktionen, die bei Vertragsbruch wirksam werden. Ist der Kartellvertrag rechtlich zulässig, können Verstöße gegen seine Bestimmungen mit Hilfe ordentlicher Gerichte geahndet, also etwa verhängte Konventionalstrafen eingeklagt werden. Wenn das geltende Wettbewerbsrecht Kartelle verbietet, müssen andere Formen der Sanktion Anwendung finden. Die Kartellmitglieder können versuchen, gegen Vertragsbrüchige aus ihrem Kreis einen → Boykott zu organisieren oder sie durch das Unterbieten ihrer Preise vom Markt zu verdrängen. Bleiben derartige Versuche erfolglos, zerfällt das Kartell. Auch die übrigen Kartellmitglieder müssen dann gegen die im Kartellvertrag getroffenen Vereinbarungen verstoßen, wollen sie nicht Gefahr laufen, durch das Festhalten am überhöhten Kartellpreis fortwährend Absatz einzubüßen.

Je nach Art der Aktionsparameter, deren Einsatz Gegenstand der getroffenen Vereinbarung ist, werden als Arten (Formen) des Kartells u. a. → Preis-, → Mengen-, → Konditionen- und Produktionskartell unterschieden. Auch ist vielfach der Versuch unternommen worden, nach dem Grad der bewirkten Wettbewerbsbeschränkung Kartelle niederer Ordnung (Beispiele: Konditionen-, Normen-, oder Typenkartelle) von wettbewerbspolitisch stärker Bedenken weckenden Kartellen höherer Ordnung (Beispiele: → Preiskartell; → Syndikat) abzugrenzen. Am Ziel der Kartellvereinbarung knüpfen Bezeichnungen wie → Strukturkrisen-, → Import- und → Exportkartell an.

Seit Inkrafttreten des → Gesetzes gegen Wettbewerbsbeschränkungen (GWB) am 1. 1. 1958 hat sich die Bedeutung der Kartelle als zuvor typische Form der Wettbewerbsbeschränkung mehr und mehr vermindert. Diese Entwicklung ist nicht nur auf das im GWB erstmals im deutschen Wettbewerbsrecht ausgesprochene grundsätzliche → Kartellverbot zurückzuführen; sie ergibt sich vielmehr auch als Folge der zunehmenden Internationalisierung der Märkte, der kurzen Fristigkeit einzelner → Produkt(lebens)zyklen, einer gewachsenen Bedeutung von → Produktdifferenzierung und → Diversifikation und des Übergangs von der funktionalen zur divisionalen → Organisationsstruktur in den Unternehmen. Auch kann das Kartellverbot dazu geführt haben, daß das Kartell vielfach durch andere Formen der Verhaltensabstimmung ersetzt worden ist – Strategien der Wettbewerbsbeschränkung, die wie das bewußte →Parallelverhalten wettbewerbsrechtlich gar nicht oder wie das formlos aufeinander →abgestimmte Verhalten nur selten erfolgreich geahndet werden können.   *H. B.*

Literatur: *Cox, H./Jens, U./Markert, K.* (Hrsg.), Handbuch des Wettbewerbs, München 1981. *Ritter, F.,* Einführung in das Wettbewerbs- und Kartellrecht, Heidelberg 1981.

Kartellamt →Bundeskartellamt

Kartellbehörden

die für die Überwachung der →Kartelle zuständigen Behörden (§§ 44 ff. GWB). Dies sind grundsätzlich das →Bundeskartellamt, daneben der Bundesminister für Wirtschaft und in den übrigen Fällen die nach Landesrecht zuständige oberste Landesbehörde. Ihre Befugnisse (Auskunfs-, Einsichts-, Prüfungsrecht) sind gesetzlich geregelt (§ 46 GWB).

Kartellgesetz →Gesetz gegen Wettbewerbsbeschränkungen

Kartellordnungswidrigkeit

Rechtsverstoß, der nach dem GWB mit Geldbuße geahndet werden kann. Kartellrechtswidrige Verhaltensweisen können auch Straftatbestände erfüllen (z.B. können ein →Submissionskartell Betrug, die Androhung einer Liefersperre Nötigung sein), sie werden aber selten als solche verfolgt. Das GWB enthält keine Straftatbestände.

Wird von den sog. Ungehorsamtatbeständen, die behördliche Auskunftsrechte und Anmeldepflichten schützen sollen (§ 39 GWB), und den Empfehlungsverboten (§ 38 Abs. 1 Ziff. 10–12 GWB) abgesehen, dann bleiben als wichtigste Kartellordnungswidrigkeiten die in § 38 Abs. 1 Nr. 1–9 GWB genannten übrig. Im einzelnen umfaßt der Sanktionskatalog (vgl. auch Tab. auf S. 990):

- Hinwegsetzen über die Unwirksamkeit oder Nichtigkeit eines Vertrags oder Beschlusses, der nach dem Gesetz unwirksam oder nichtig ist. Die Ordnungswidrigkeit liegt also nicht im Abschluß des Vertrags oder der Preisvereinbarung, sondern in der Ausführungshandlung.
- Hinwegsetzen über die Unwirksamkeit eines Vertrages oder Beschlusses, den die →Kartellbehörde durch unanfechtbar gewordene Verfügung für unwirksam erklärt hat (z.B. eine aufgehobene →Preisbindung).

- Verwerten von Sicherheiten ohne Erlaubnis. (Die Verwertung von Sicherheiten, die die Kartellmitglieder für den Fall der Verletzung eines erlaubten Kartellvertrags hinterlegt haben, bedarf der Zustimmung der Kartellbehörde.)
- Zuwiderhandlungen gegen bestimmte Verfügungen, einstweilige Anordnungen oder Auflagen der Kartellbehörde (z.B. Anordnungen im Rahmen der →Mißbrauchsaufsicht, einen beanstandeten Mißbrauch abzustellen).
- Unrichtige oder unvollständige Angaben zur Täuschung der Kartellbehörde (z.B. um eine Erlaubnis zu erschleichen oder um die Behörde zu veranlassen, der Anmeldung eines →Konditionen-, →Rabatt- oder →Spezialisierungskartells nicht zu widersprechen).
- Zuwiderhandlungen gegen gesetzliche Verbote (z.B. im Rahmen der →Zusammenschlußkontrolle, Verbot abgestimmter Verhaltensweisen, Boykott- und Diskriminierungsverbot).
- Zufügen eines wirtschaftlichen Nachteils gegenüber jemandem, der Verfügungen der Kartellbehörde beantragt oder von Rechten Gebrauch gemacht hat, die ihm nach § 13 GWB zustehen (fristlose Kündigung von wirksamen und Rücktritt von schwebend unwirksamen Kartellen).   *E. C.*

Literatur: *Immenga, V./Mestmäcker, E.-J.,* GWB, München 1981. *Emmerich, V.,* Kartellrecht, 4. Aufl., München 1982. *Fischötter, W.,* in: Gemeinschaftskommentar, 4. Aufl., Köln u.a., 6. Lieferung 1982.

Kartellrecht

Die 1946 unter der Leitung von *Walter Eucken* begonnenen Vorarbeiten für ein Kartellrecht führten 1951 zu einer Kabinettsvorlage eines →Gesetzes gegen Wettbewerbsbeschränkungen (GWB), das aber erst am 4. 7. 1957 verabschiedet werden konnte. Dieses Gesetz wurde in der Zwischenzeit mehrfach novelliert und wird häufig in einer Kurzformel als Kartellrecht oder Kartellgesetz bezeichnet.

Der Gesetzgeber entschloß sich für das sog. Verbotsprinzip, wonach →Kartelle gemäß § 1 Abs. 1 GWB grundsätzlich verboten sind (→Kartellverbot). Dieses Verbotsprinzip wird jedoch von einer Fülle von Ausnahmen begleitet, und zwar wirtschaftszweigbezogene (vgl. §§ 99, 100, 102 und 103 GWB; Verkehrswirtschaft, Landwirtschaft, Kreditinstitute, Versicherungen und Versorgungsunternehmen, Bausparkassen) und kartellartenbezogene, die ihrerseits in Anmeldekartelle, Wider-

Bußgeldverfahren vor dem Bundeskartellamt wegen Verdachts eines Verstoßes gegen Verbote des GWB und Untersagungsverfahren 1957/84

Grundlegende Bestimmung (GWB)	Zahl der Verfahren	Bußgeld festgesetzt	Verfahren eingestellt	abgegeben an andere Behörden
§ 1 (Kartellverträge)	4 118	578	3 263	246
§ 15 (Preisgestaltung, Geschäftsbedingungen)	465	11	427	20
§ 20 Abs. 1 (Lizenzverträge)	753	–	745	1
§ 21 (nicht geschützte Leistungen)	302	1	299	2
§ 24a Abs. 4 (Zusammenschlußvorhaben)	20	8	12	–
§ 25 Abs. 1 (abgestimmtes Verhalten)	36	7	27	2
§ 25 Abs. 2 + 3 (wettbewerbsbeschr. Maßnahmen)	402	23	327	52
§ 26 Abs. 1 (Liefer-, Bezugssperren)	294	14	228	49
§ 26 Abs. 2 (Diskriminierungsverbot)	1 593	–	1 419	152
§ 26 Abs. 3 (Vorzugsbedingungen)	29	–	29	–
	8 012	642	6 776	524

Quelle: Entwickelt aus Bericht des *Bundeskartellamtes* über seine Tätigkeit in den Jahren 1983/84, BT-Drucks. 10/3550, Bonn 1985, S. 132f.

spruchskartelle und Erlaubnis- (Genehmigungs-)kartelle untergliedert werden.   *K. K.*

Literatur: *Bunde, H. J.,* Wettbewerbs- und Kartellrecht, München, Wien 1980. *Emmerich, V.,* Kartellrecht, 4. Aufl., München 1982.

Kartellsenat → Kartellverfahren

Kartellverbot

Das am 1. 1. 1958 in Kraft getretene und seitdem mehrfach novellierte →Gesetz gegen Wettbewerbsbeschränkungen (GWB) unterwirft Kartelle in seinem § 1 grundsätzlich dem Verbotsprinzip: Verträge, die Unternehmen oder Vereinigungen von Unternehmen zu einem gemeinsamen Zweck schließen, und Beschlüsse von Vereinigungen von Unternehmen sind danach unwirksam, „soweit sie geeignet sind, die Erzeugung oder die Marktverhältnisse für den Verkehr mit Waren und gewerblichen Leistungen durch Beschränkungen des Wettbewerbs zu beeinflussen" (§ 1 GWB).

Die vom Gesetzgeber zur rechtlichen Ausgestaltung des damit ausgesprochenen Kartellverbots gewählten Formulierungen haben schon kurze Zeit nach dem Inkrafttreten des GWB unterschiedliche Interpretationen erfahren, die z.T. darauf abzielten, die Anwendbarkeit der Vorschrift durch enge Auslegung

Systematik des deutschen Kartellrechts

Der Verbotsgrundsatz des Kartellrechts (§ 1 GWB) wird durchbrochen durch

wirtschaftszweigbezogene Ausnahmen (§§ 99, 100, 102, 103 GWB)

kartellartenbezogene Ausnahmen

Anmeldekartelle

Widerspruchskartelle

Erlaubnis-(Genehmigungs-)kartelle

- Normen- und Typenkartelle (§ 5 Abs. 1 GWB)
- Kalkulationsverfahrenskartelle (§ 5 Abs. 4 GWB)
- Reine Exportkartelle (§ 6 Abs. 1 GWB)

- Konditionenkartelle (§ 2 GWB)
- Rabattkartelle (§ 3 GWB)
- Spezialisierungskartelle (§ 5a GWB)
- Kooperationskartelle (§ 5 b GWB)

- Strukturkrisenkartelle (§ 4 GWB)
- Rationalisierungskartelle (§ 5 Abs. 2 und 3 GWB)
- Exportkartelle mit Inlandsbindung (§ 6 Abs. 2 GWB)
- Importkartelle (§ 7 GWB)
- Sonderkartelle (§ 8 GWB)

möglichst zu begrenzen. Von besonderer Bedeutung waren dabei die Kontroverse, ob dem § 1 GWB die → Gegenstandstheorie oder die Folgetheorie zugrunde liege, und der Streit über die Frage, ob mit dieser Vorschrift auch das aufeinander → abgestimmte Verhalten erfaßt werden könne.

Für die Rechtsprechung ist die Diskussion um Gegenstands- und Folgetheorie dadurch weitgehend irrelevant geworden, daß sich hier mittlerweile die sog. Zwecktheorie durchgesetzt hat, die auch dann eine → Wettbewerbsbeschränkung annimmt, wenn diese zwar nicht Vertragsinhalt ist, wohl aber den gemeinsamen Zweck der Vertragsparteien bildet.

Bei Verzicht auf den Abschluß eines Kartellvertrages kann eine horizontale Verhaltensabstimmung auch dadurch erfolgen, daß den Unternehmen einer Branche etwa durch ihren Verband ein entsprechendes Verhalten als für alle vorteilhaft angeraten wird. Das GWB enthält deshalb ein grundsätzliches Empfehlungsverbot (§ 38 Abs. 11), von dem jedoch Ausnahmen für alle die Fälle eingeräumt werden, von denen der Gesetzgeber vermutete, daß Empfehlungen hier geeignet seien, den Wettbewerb zu fördern.

Die Strenge, mit der § 1 GWB Kartellverträge für unwirksam erklärt, wird nicht nur dadurch abgeschwächt, daß die im Gesetz enthaltenen Umgehungsverbote vielfach aufgelockert werden; auch vom Kartellverbot selbst gibt es eine Vielzahl von Ausnahmen (→ Kartellrecht). Die zahlreichen Ausnahmen, die das Kartellverbot des § 1 GWB in den §§ 2–8 dieses Gesetzes erfährt, schränken seine Gültigkeit stark ein. Nur für reine → Preiskartelle von Großunternehmen besteht nicht die Möglichkeit, durch eine dieser Ausnahmeregeln legitimiert zu werden.

Wettbewerbstheoretisch lassen sich gegen alle Kartellarten, die das GWB zuläßt oder deren Genehmigung es möglich macht, Bedenken erheben. Der grundlegende Einwand ist dabei stets der gleiche: Jedes Kartell bindet seine Mitglieder an eine ex ante festgelegte einheitliche Lösung. Es steht damit im Gegensatz zum Verfahren des marktwirtschaftlichen Wettbewerbs, durch das möglichst viele und möglichst unterschiedliche Alternativen am Markt auf ihre Brauchbarkeit überprüft werden sollen, um die besten Lösungen zu entdecken.

Besonders offenkundig wird die grundsätzliche Antinomie einer Koordinierung des Anbieterverhaltens durch Kartellbildung oder Kooperation und der Abstimmung der einzelnen Produktionspläne durch die Verbindung von Leistungswettbewerb und Marktpreisbildung im Falle der → Rationalisierungskartelle. Diese sollen Kostenersparnisse erbringen, die Leistungsfähigkeit der beteiligten Unternehmen steigern und dadurch zu einem besseren Marktergebnis führen. Hier wird also durch kollektives Handeln genau das angestrebt, was im Konzept der Marktwirtschaft als wesentliche gesamtwirtschaftliche Funktion eines wirksamen Wettbewerbs gilt.

Die wettbewerbliche Lösung scheint dabei dem Verfahren der Kartellierung bei vordergründiger Betrachtung unterlegen zu sein, weil sie unter Inkaufnahme von Faktorverschwendung durch Parallelanstrengungen erst am Ende eines Prozesses von „trial and error" jene Lösungen erreicht, die das Kartell möglicherweise schneller und zu geringeren Koordinierungskosten für alle durchsetzen kann. Eine derartige Vermutung ist jedoch nur zutreffend, wenn die jeweils beste Lösung bereits im vorhinein bekannt ist, so daß sie nur noch im Kartellvertrag konkretisiert und von allen Unternehmen angewendet werden muß. Auch muß diese Lösung ihre Attraktivität im Zeitablauf bewahren. Sie darf also nicht durch sich ändernde Konsumentenpräferenzen, durch Verschiebung der Faktorpreis-Relationen oder durch das Wirksamwerden von technischem Fortschritt obsolet werden. In der Realität sind alle diese Voraussetzungen erfahrungsgemäß zumeist nicht gegeben. *H. B.*

Literatur: *Emmerich, V.,* Kartellrecht, 4. Aufl., München 1982. *Rittner, F.,* Einführung in das Wettbewerbs- und Kartellrecht, Heidelberg 1981.

Kartellverfahren

Verfahren, das bei der Durchsetzung des → Gesetzes gegen Wettbewerbsbeschränkungen (GWB) anzuwenden ist (§§ 51 ff. GWB). Bevor die Kartellbehörden von Amts wegen oder auf Antrag das formelle Verwaltungsverfahren einleiten, können sie umfassende Auskunfts- und Prüfrechte in Anspruch nehmen (§ 46 GWB).

Das formelle Verwaltungsverfahren ist in Anlehnung an die Zivilprozeßordnung ausgestaltet (§ 54). Entscheidungen ergehen durch begründete Verfügungen (Beschlüsse), die von den Beschlußabteilungen gefaßt werden.

Verstöße gegen die Verbote des GWB gelten als Ordnungswidrigkeiten, die mit Bußgeldern belegt werden können. Voraussetzung dafür ist der Nachweis eines Verschuldens. Im Rahmen eines sog. objektiven Untersagungsverfahrens (§ 37 a Abs. 1 und 2) können die Kartellbehörden verbotene Verträge, Beschlüsse oder sonstige Handlungen auch untersagen, ohne Verschulden nachweisen zu müssen.

Gegen die von den Kartellbehörden erlassenen Verfügungen kann Beschwerde eingelegt werden. Erste Instanz sind die Kartellsenate der Oberlandesgerichte; von besonderer Bedeutung ist dabei das Kammergericht in Berlin. Die Beschwerde hat vielfach aufschiebende Wirkung; dadurch kann es zu Verzögerungen kommen, die die Effizienz der Wettbewerbspolitik mindern. Gegen die Entscheidung des Beschwerdegerichts ist unter bestimmten Voraussetzungen Rechtsbeschwerde beim Kartellsenat des Bundesgerichtshofs möglich.   *H. B.*

Literatur: *Emmerich, V.,* Kartellrecht, 4. Aufl., München 1982. *Bunde, H.-J.,* Wettbewerbs- und Kartellrecht, München, Wien 1980.

Kartellvertrag → Kartell

Kartellzwang → Kartell

Karussellgeschäft → Swappolitik

Kaskoversicherung → Transportversicherung, → Kraftfahrtversicherung

Kassageschäft

Geschäft an der → Börse, das „sofort", d. h. innerhalb einer Frist erfüllt werden muß, die üblicherweise zur Abwicklung ausreicht, an deutschen Börsen binnen zwei Tagen nach Geschäftsabschluß. Der dem Kassageschäft zugrunde liegende Kurs wird als → Kassakurs bezeichnet.

Kassakurs

Börsenkurs für → Kassageschäfte, im Gegensatz zum Kurs für → Termingeschäfte.

Kassamarkt

generell der Markt, auf dem zur gleichen Zeit der Kaufpreis gezahlt und die Ware übergeben werden (→ Kassageschäft); Gegensatz → Terminmarkt. Usancen bestimmen im einzelnen, was dabei unter der Bedingung „zur gleichen Zeit" zu verstehen ist; so werden etwa am → Devisenkassamarkt die Devisen dem Käufer erst am zweiten Tag nach Vertragsabschluß zur Verfügung gestellt.

Kassenärztliche Vereinigung

Körperschaft des öffentlichen Rechts zur Sicherstellung der kassenärztlichen Versorgung auf allen Gebieten und zu allen Zeiten gemäß den gesetzlichen und vertraglichen Erfordernissen und zur Wahrnehmung der Rechte der Kassenärzte, vor allem auf Vergütung, gegenüber den → Krankenkassen. In der Bundesrepublik bestehen neben der Bundesvereinigung mit Sitz in Köln 18 Vereinigungen der Länder. In ihnen sind alle Ärzte Pflichtmitglieder, die zur Behandlung sozialversicherter Patienten zugelassen oder an ihr beteiligt sind.   *W. G.*

Kassenhaltung

Halten von Geld durch Geldnachfrager. Die Theorie der Kassenhaltung erklärt die Bestimmungsgründe für die → Geldnachfrage von Wirtschaftssubjekten aus einzelnen Motiven. Es geht dabei um die Frage, warum Menschen überhaupt Geld verfügbar haben wollen. Würden sämtliche Ausgaben und Einnahmen der Wirtschaftssubjekte synchron erfolgen, brauchte niemand Geld z. B. als Zahlungsmittel zu halten; es gäbe dann keine Kassenhaltung. Sie folgt also zunächst aus dem asynchronen Verlauf von Zahlungseingängen und -ausgängen.

Mit dem Halten von Geld in der Kasse als Zahlungsmittel in Form der → Geldmenge M1 wird ein Teil des gesamten → Geldvermögens zinslos gehalten. Der Umfang dieser Kassenhaltung ist abhängig

- vom zeitlichen Abstand der Zahlungseingänge und -ausgänge,
- von der Höhe der bekannten (sichere Erwartungen) und möglicherweise (unsichere Erwartungen) eintretenden Zahlungen,
- von der Möglichkeit, Kredite aufnehmen zu können,
- vom Zins, auf den man durch Kassenhaltung anstelle einer ertragbringenden Anlage verzichtet (Opportunitätskosten), die jedoch andererseits auch Kosten und Mühen (Bankspesen und Zeit) erfordert.

Diese Bestimmungsgründe der Kassenhaltung entscheiden über die Aufteilung des Vermögens in Geld und andere, rentable Vermögensarten. Insofern ist die Kassenhaltungstheorie ein Teilaspekt einer umfangreicheren Theorie der Vermögenshaltung, der → Portfoliotheorie.

Die moderne Theorie der Geldnachfrage nahm ihren Ausgang mit *John Maynard Keynes,* der als Motive der Kassenhaltung nennt:
- Transaktionsmotiv (Halten von Geld für Umsatzzwecke und damit abhängig vom Transaktionsvolumen),
- Vorsichtsmotiv (Halten von Geld für Ereignisse, bei denen der Zeitpunkt und die Höhe der Belastung ungewiß sind, und das daher abhängig von einem Risikofaktor ist),
- Spekulationsmotiv (Halten von Geld in der Absicht, eine künftig günstigere Anlageal-

ternative als die gegenwärtig vorhandenen ausnutzen zu können, und das daher von der Renditeerwartung sowie dem Vermögensbestand abhängt).

Diese Kassenhaltungsmotive führen zu der theoretischen Dreiteilung der Geldhaltung in die Geldnachfrage für Transaktionszwecke (→ Transaktionskasse), die für die Absicherung gegenüber Risiken (Vorsichtskasse) und die für die Wahrnehmung von Chancen (→ Spekulationskasse); die Spekulationskasse ist integraler Bestandteil der von der → Portfoliotheorie erklärten Vermögenshaltung.

Die neuere Theorie der Postkeynesianer (→ Fiskalismus) und → Monetaristen trennt nicht mehr (so streng) zwischen diesen Einzelmotiven, was dazu führt, daß auch die keynesianische Transaktionskasse in eine portfoliotheoretische Argumentation eingeht, also in einen allgemeinen Ansatz der Vermögenshaltung. Die gesamte Kassenhaltung ist dann abhängig vom Transaktionsvolumen bzw. Volkseinkommen (→ Geldnachfrage), dem Zinssatz und dem gesamten sonstigen Vermögen.

Eine noch bestehende Kontroverse zwischen Monetaristen und Postkeynesianern richtet sich auf die Stärke des Einflusses der einzelnen Determinanten der Geldnachfrage. Die Stärke des Einflusses des Zinsniveaus auf die Geldnachfrage (Zinselastizität der Geldnachfrage) wird von Postkeynesianern höher eingeschätzt als von Monetaristen, für die Stärke des Einflusses von Einkommensänderungen (Einkommenselastizität der Geldnachfrage) gilt das Umgekehrte. Außerdem ist für Monetaristen die Stabilität der Geldnachfrage von entscheidender Bedeutung; hierbei geht es um die Frage, ob die funktionale Beziehung zwischen Geldnachfrage und ihren Argumenten (also den bestimmenden, unabhängigen Funktionsvariablen) im Zeitablauf gegeben (also nicht unbedingt konstant, sondern berechenbar) ist.   *M. Bo.*

Literatur: *Borchert, M.,* Geld und Kredit, Stuttgart 1982. *Jarchow, J.-J.,* Theorie und Politik des Geldes, I: Geldtheorie, 5. Aufl., Göttingen 1982.

Kassenhaltungsinflation → Inflation

Kassenhaltungskoeffizient   → Transaktionskasse, → Quantitätsgleichung

Kassenkredite

werden von der → Deutschen Bundesbank bestimmten öffentlichen Haushalten gewährt (→ Kassenverstärkungskredit), wobei diese nach § 20 Abs. 1 Nr. 1 BbkG in Form von

Buch- und Schatzwechselkrediten auf Konten der Bundesbank eingeräumt werden. Der Kreditplafond für die öffentlichen Haushalte beträgt für

- Bund   6 Mrd. DM,
- Bundesbahn   0,6 Mrd. DM,
- Bundespost   0,4 Mrd. DM,
- Ausgleichsfond   0,2 Mrd. DM.

Für die Bundesländer gilt bei den Flächenstaaten ein Plafond von 40 DM/Einwohner, bei den Stadtstaaten ein solcher von 80 DM/Einwohner.   *M. Bo.*

Kassenobligation → Schuldformen, → Offenmarktpolitik

Kassenverein   → Wertpapiersammelbank, → Depotgeschäft

Kassenverstärkungskredit

dient der Überbrückung vorübergehender Liquiditätsengpässe im öffentlichen Haushalt. Bund und Länder können solche Kredite bei der Bundesbank (→ Kassenkredite) aufnehmen, müssen dabei aber die Grenzen des § 20 Bundesbankgesetz beachten. Sollen die dort fixierten Beträge überschritten werden, muß auf kurzfristige Bankkredite oder sog. U-Schätze (→ Schuldformen) zurückgegriffen werden. Die Gemeinden nehmen solche Kredite bei ihren Hausbanken auf.

Katalogschauraum

in den USA entstandene Form des Einzelhandels, die Versandhauswerbung mit einer offenen Verkaufsstelle verbindet. Muster der Waren, für die mit Hilfe von Katalogen geworben wird, können von Interessenten in Ausstellungsräumen (Showrooms) besichtigt werden. Bei Kauf wird die Ware aus einem angegliederten Lager originalverpackt, i. d. R. gegen Barzahlung, ausgehändigt. Geführt werden in den USA vorzugsweise Waren guter Qualität, meist Markenartikel aus dem Hartwarenbereich, so Uhren, Schmuck, Lederwaren, optische Geräte und Elektrogeräte. Bei hoher Informationsintensität (teilweise auch Bedienung) wird ein vergleichsweise niedriger Verkaufspreis (Discountpreis) angestrebt.

Katalysator

Stoff, der eine Stoffumwandlung beeinflußt, ohne selbst dabei verändert zu werden. Die seit dem Jahre 1975 in den USA erstmals in großem Maßstab verwendeten Kraftfahrzeug-Katalysatoren bestehen aus Edelmetallen auf entsprechenden Trägern. Durch Einsatz von Katalysatoren können die Schadstoffe im Abgas um über 90% verringert werden. Ein Einsatz auf dem europäischen Markt ist erst dann in großem Umfang zu erwarten, wenn möglichst flächendeckend bleifreies Benzin zur Verfügung steht, da bei bleihaltigem Benzin die Wirkung des Katalysators beeinträchtigt oder zerstört wird. In der Bundesrepublik wird bleifreies Benzin in größerem Umfang seit Ende 1984 angeboten.

In den USA und in Japan sind heute alle Neufahrzeuge (PKW) mit Ottomotor mit Dreiwegkatalysatoren und Lambdasonden ausgerüstet. Die Herstellermehrkosten für das Katalysatorkonzept liegen zwischen 350 und 500 DM. Die Automobilhersteller geben Mehrpreise von 1500 bis 3000 DM an.

Der ursprüngliche Beschluß des Bundeskabinetts im Juli 1983, ab 1. 1. 1986 in der Bundesrepublik nur noch Benzin-Neufahrzeuge zuzulassen, die mit Katalysator bzw. entsprechend wirksamen Minderungseinrichtungen ausgerüstet sind, wurde vor allem aufgrund von Problemen mit der EG und mit den Automobilherstellern auf die Jahre 1986 bzw. 1989 verschoben. Allerdings erhalten seit Ende 1984 solche umweltfreundlichen Kraftfahrzeuge für mehrere Jahre Kraftfahrzeugsteuerbefreiung, während umweltunfreundlichere Kraftfahrzeuge seit Frühjahr 1985 höher besteuert werden. *L. W.*

Kathedersozialismus

(mißverständliche) Bezeichnung für jene Variante der → historischen Schule, die der →„sozialen Frage" besondere Aufmerksamkeit zuwandte und sich entschieden für Sozialreformen im Deutschen Reich einsetzte. Ihre Auffassungen waren von der Vorstellung geprägt, eine normative Sozialökonomie sei als eine das menschliche Wollen und Handeln beeinflussende Kulturwissenschaft notwendig. Wissenschaft müsse auch jene wirtschaftlichen und sozialen Lebenserscheinungen in ihrer Kulturbedeutung darlegen, für die eine moralische Einwirkung auf die Gegenwart und Zukunft Pflicht ist, wozu sie ihre Ideale der Ethik entnimmt. Diese Überzeugung ist der älteren wie der jüngeren deutschen historischen Schule gemeinsam.

Die induktive Methode und deren zeit- und wirklichkeitsnahe Ausrichtung auf akute Probleme der Gegenwart ließen einige ihrer Vertreter zu Sozialreformer werden. Ihr Engagement trieb sie zu praktischem Handeln, wobei ihnen sozialpolitische Betätigung wie auch die ihr zugrunde liegenden Wertungen als wissenschaftliche Leistungen erschienen. Bereits für *Bruno Hildebrand* wie für die sozialreformerisch jüngere historische Schule, die von *Gu-*

stav v. Schmoller geführt wurde, gab es keinen Zweifel an der Suprematie des menschlichen Willens. Das begründete ihren Gegensatz zum → Manchestertum mit seinem absoluten → Laissez faire und die Etikettierung der Auffassungen der Schmoller-Richtung als „Kathedersozialismus".

Nicht allein für das Werk *Adolph Wagners* und das *Schmollers* trifft das Urteil zu, sondern schon für die Arbeiten des bezüglich der Staatsauffassung republikanischer denkenden *Hildebrand:* Dem radikalen Verharren im Laissez faire und dem radikalen Streben nach Umsturz hielt der gesamte sog. Kathedersozialismus das selbständige Prinzip der Versöhnung von Ordnung und Freiheit entgegen. Gegen einen starren ökonomischen Konservatismus und gegen den Ruf nach sozialer Revolution stellt er das Prinzip der gesetzlichen, schrittweise betriebenen positiven Reform. Das war zugleich die Motivation für die Gründung des Vereins für Socialpolitik 1872.

Die Kathedersozialisten mußten mit der Vorstellung von der unabänderlichen Zwangsläufigkeit des wirtschaftlich-sozialen Geschehens brechen, um ihr sozialpolitisches Engagement rechtfertigen zu können. Die Wissenschaft tritt auf als sittliche Macht, als „wirksamstes Heilmittel gegen die sozialen Schäden der Gegenwart", indem sie als praktische Erfahrungswissenschaft zeitgerechte (relative) Lösungen aktueller Probleme zur Diskussion stellt. *H. G. K.*

Literatur: *Gehrig, H.,* Die Begründung des Prinzips der Sozialreform, Jena 1914. *Elster, L.,* Kathedersozialismus, in: Handwörterbuch der Staatswissenschaften, Bd. V, Jena 1923, S. 641. *Schmölders, G.,* Geschichte der Volkswirtschaftslehre, Reinbek bei Hamburg 1962.

katholische Soziallehre

entstand als Beitrag der katholischen Kirche in der 2. Hälfte des 19. Jh. zur Überwindung der → sozialen Frage und zur Schaffung einer gerechten, sozial-ethisch zu akzeptierenden Wirtschaftsordnung zwischen utilitaristischem → Liberalismus und radikalem → Sozialismus. Bedeutsam wurden die Arbeiten von *Franz Brandt, Josef v. Buß, Franz Hitze* und des Mainzer Bischofs *Frh. v. Ketteler* („Die Arbeiterfrage und das Christentum". 1864). Eine päpstliche Enzyclica von 1878 („Quod apostolici muneris") nahm erstmals offiziell zur sozialen Frage Stellung; die Enzyclica „Rerum novarum" von 1891 *(Leo XIII)* beeinflußte weitere Sozialreformen (z.B. die Arbeiterschutzgesetzgebung in Deutschland 1891). Der Ausbau der katholischen Soziallehre mit der Anerkennung von Selbsthilfeorganisationen (Gewerkschaften), Mindestlöhnen und Mitbestimmungsforderungen schwächt die Position der radikal-sozialistischen Arbeiterbewegung und stärkt die Verbindung der katholischen Kirche zur Arbeiterschaft. Im ökonomischen Bereich baut *Heinrich Pesch* den „Solidarismus" als Kernstück katholischer Soziallehre aus; Freiheit und Eigentum des einzelnen im liberalen Sinne werden anerkannt, aber in eine soziale Verpflichtung dem Ganzen gegenüber eingebunden.

H. Wi.

Literatur: *Klüber, F.,* Katholische Gesellschaftslehre, 1969.

Kauf → Kaufvertrag

Kaufabsicht → Neuproduktprognose

Kaufanteilsmethode → Marktpotential

Kaufentscheidung

auf den Erwerb von Waren und Dienstleistungen gerichtete Wahlhandlung.

In inhaltlicher Hinsicht kann es einmal um die Entscheidung zwischen Kauf oder Nichtkauf gehen. Solche „Kaufeintrittsentscheidungen" sind insb. für die Diffusion neuer Produkte bedeutsam (→ Diffusionsprozeß). Bei etablierten, häufig gekauften Produkten steht die Entscheidung für eine von mehreren substitutionalen Produktvarianten im Vordergrund (→ Markenwahl). Bei Konsumgütern kommt meist die Einkaufsstättenwahl hinzu, bei Investitionsgütern die Wahl gewisser Konditionen (z.B. Lieferfristen, Zahlungsbedingungen).

Hinsichtlich der Entscheidungsträger können Kaufentscheidungen das Ergebnis eines individuellen oder eines kollektiven Entscheidungsprozesses von Haushalten, Unternehmen oder sonstigen Organisationen sein (organisationales Beschaffungsverhalten).

(1) Die Art des dem Kauf vorgelagerten individuellen → Kaufentscheidungsprozesses variiert mit Produktart, Kauferfahrung, Kaufsituation und ähnlichen Faktoren.

- *Extensive* Kaufentscheidungen, typisch für neue Produkte, hochwertige Gebrauchsgüter und Produkte mit hohem → Involvement, sind überwiegend kognitiv gesteuert und kontrolliert (→ Informationsverarbeitung der Konsumenten). Der Verbraucher greift nicht nur auf intern gespeicherte Informationen zurück, sondern nimmt auch externe Marktinformationen auf. Er bewertet und verknüpft diese Informationen (z.B. über Produkteigenschaften, Preise,

Bezugsquellen) mit Hilfe von → Entscheidungsheuristiken. Ein in diesem Sinne extensiver Entscheidungsprozeß ist nur bei hinreichend starker → Aktivierung möglich.

- *Limitierte* Kaufentscheidungen basieren auf geringerer Aktivierung, weniger externen Informationen und vereinfachten Entscheidungsheuristiken.

- Bei *habituellen* Kaufentscheidungen, typisch für häufig gekaufte Verbrauchsgüter, ist die Aktivierung sehr gering, und der Entscheidungsprozeß verläuft routinehaft. Der Konsument kauft z.B. immer dieselbe Marke (→ Markentreue) oder nur Sonderangebote in einer Produktgruppe.

- *Impulsive* Kaufentscheidungen schließlich sind ebenfalls kaum kognitiv kontrolliert; der Konsument handelt aufgrund von Motiven (→ Motivation) und → Emotionen, die in der Kaufsituation durch entsprechende Reize aktiviert werden.

(2) Kaufentscheidungen in Organisationen sind das Ergebnis eines arbeitsteiligen Prozesses, der mehr oder weniger stark formalisiert abläuft (→ Beschaffungsorganisation, → Beschaffungshandbuch). Dieser ist dadurch charakterisiert, daß implizit bzw. explizit unterschiedliche Handlungsziele verfolgt werden. Zu den häufig nur vage definierten Organisationszielen treten die Abteilungs- und Gruppenziele sowie die individuellen Handlungsziele der Mitglieder des Entscheidungskollektivs. Die Gefahr von Ziel- oder Entscheidungskonflikten liegt auf der Hand.

Merkmale von Kaufentscheidungen in Organisationen sind:

- Mehrheit von Entscheidungspersonen (→ buying center),
- erheblicher Zeitbedarf,
- Abfolge zahlreicher vorbereitender Teilentscheidungen und -handlungen,
- Zustandekommen unter Beteiligung zusätzlicher Organisationen (sog. Drittparteien), wie z.B. Fachingenieuren und Banken.

Modelle zur Beschreibung und Erklärung von Kaufentscheidungen in Organisationen, die in den letzten Jahren entwickelt wurden, unterscheiden sich hinsichtlich des Umfangs der jeweils berücksichtigten Einflußfaktoren. Sie sind jedoch allesamt nicht in der Lage, die Realität angemessen abzubilden (→ Kaufklassen).

K. P. K./U. A.

Literatur: *Weinberg, P.,* Das Entscheidungsverhalten der Konsumenten, Paderborn u.a. 1981. *Arnold, U.,* Stategische Beschaffungspolitik, Frankfurt a.M., Bern 1982. *Robinson, P. J./Faris, G. W./Wind, Y.,* Industrial Buying and Creative Marketing, Boston 1967. *Sheth, J. N.,* Models of Buyer

Behavior, in: Journal of Marketing, Vol. 37 (Okt. 1973), S. 50 ff.

Kaufentscheidungsprozeß

besteht aus aktivierenden und kognitiven Teilprozessen, die sich gegenseitig in komplexer Weise beeinflussen. Aktivierende Prozesse (→ Aktivierung) wie Emotionalisierung und Motivierung liefern den zum Handeln nötigen Antrieb, kognitive Prozesse sind Vorgänge der → Informationsverarbeitung (der Konsumenten), die der Verhaltenssteuerung dienen.

Die Erforschung des Kaufentscheidungsprozesses steht noch am Anfang. Erste Versuche einer möglichst umfassenden Analyse mit Hilfe von → Strukturmodellen des Konsumentenverhaltens sind über das Stadium theoretischer Entwürfe nicht hinausgelangt. Empirische Erkenntnisfortschritte sind erst seit Mitte der 70er Jahre zu verzeichnen, als mit den sog. Prozeßverfolgungstechniken (→ Informationstafel, → Blickaufzeichnung, → lautes Denken) Methoden zur empirischen Beobachtung einzelner Aspekte der Informationsverarbeitung entwickelt und angewandt wurden. In dieser kognitiv orientierten Forschungsrichtung *(James Bettmann, Jacob Jacoby, Jerry Olson)* wird der Kaufentscheidungsprozeß ausschließlich als → Informationsverarbeitung angesehen, alle aktivierenden Elemente werden vernachlässigt.

Die meisten Untersuchungen stützen sich auf Laborexperimente, in denen multiattributive Entscheidungen zur → Markenwahl simuliert werden. Die Versuchspersonen müssen sich für eine von mehreren Marken entscheiden, wobei jede durch eine Menge von Attributen (Eigenschaften) wie Funktionsmerkmale, Preis und Packungsgröße beschrieben ist. Mit Hilfe der oben erwähnten Prozeßverfolgungstechniken können dann zur Erkenntnisse über die → Informationsaufnahme und, mit gewissen Vorbehalten, auch über die interne Informationsverarbeitung gewonnen werden.

Die bisherigen Ergebnisse dieser Forschung zeigen noch kein einheitliches Bild; einige allgemeingültige Befunde zeichnen sich aber ab. So scheinen Konsumenten nur einen geringen Teil der angebotenen Informationsmenge (20–30%) zu nutzen, wobei sie häufig sog. → Schlüsselinformationen (z.B. Preis, Markenname) bevorzugen. Die beobachteten Reihenfolgen, in denen die Informationseinheiten von den Konsumenten abgerufen werden, deuten darauf hin, daß sie eine große Vielfalt von → Entscheidungsheuristiken verwenden. Schließlich hat sich gezeigt, daß das Informationsverarbeitungsverhalten adaptiv ist: Mit

zunehmender Informationsmenge (Anzahl der Marken und Alternativen) steigen die Menge der aufgenommenen Informationen und die Verarbeitungsdauer, allerdings nur unterproportional. Gleichzeitig ist eine Tendenz zur Anpassung der Entscheidungsheuristiken zu beobachten: Mit der Informationsmenge wächst z.B. die Tendenz zu einer zweistufigen Informationsverarbeitung. Das deutet darauf hin, daß zuerst die Anzahl der Marken durch eine eliminierende Heuristik reduziert wird, und daß auf die verbleibenden dann eine vergleichend bewertende Heuristik angewendet wird. Insgesamt bestätigen die Befunde die These von der beschränkten → Informationsverarbeitungskapazität der Konsumenten.

K. P. K.

Literatur: *Bettman, J. R.*, An Information Processing Theory of Consumer Choice, Reading, Mass. u.a. 1979.

Kaufhaus

größerer Einzelhandelsbetrieb, der überwiegend im Wege der Bedienung Waren aus zwei oder mehr Branchen, davon wenigstens aus einer Branche in tiefer Gliederung, anbietet, ohne daß ein warenhausähnliches Sortiment, das eine Lebensmittelabteilung einschließen würde, vorliegt. Am stärksten verbreitet sind Kaufhäuser mit Textilien, Bekleidung und verwandten Bedarfsrichtungen.

Kaufintensität → Parfitt-Collins-Modell

Kaufklassen

→ Kaufentscheidungen in Organisationen können mit Hilfe der Merkmale
- Neuigkeitsgrad des Kaufobjektes,
- Existenz von Handlungsprogrammen und
- Berücksichtigung neuer Lösungsalternativen

charakterisiert werden. Dabei lassen sich drei Typen von Kaufentschlüssen unterscheiden:
(1) Beim *Erstkauf* haben die Entscheidungsträger (→ buying center) ein völlig neues Problem zu lösen. Dazu reicht das vorhandene Wissen nicht aus. Lösungsalternativen müssen gesucht und Entscheidungskriterien neu definiert werden. Die Entscheidungssituation ist schlecht strukturiert und löst einen großen Informationsbedarf aus.
(2) Beim *reinen Wiederholungskauf* werden Routineprogramme herangezogen. Der Informationsbedarf ist gering, die Entscheidungssituation ist wohlstrukturiert.
(3) Beim *modifizierten Wiederholungskauf* ist die Entscheidungssituation nicht vollständig neu, weicht jedoch von früheren Kaufent-

scheidungen ab. Zusätzliche Informationen müssen beschafft werden, neue Handlungsmöglichkeiten sind zu berücksichtigen.

Diese Typologie ist verschiedentlich erweitert worden; z.B. wurden im Hinblick auf den Kauf von Investitionsgütern die Merkmale „relativer Wert des Kaufobjektes" und „Ausmaß des hervorgerufenen organisationalen Wandels" vorgeschlagen.   *U. A.*

Kaufkraft

des Geldes gibt den realen Gegenwert jeder einzelnen Geldeinheit (Tauschwert des Geldes) auf dem Gütermarkt an, der sich aus dem Zusammentreffen von nominaler Güternachfrage Y^d und realem Güterangebot y^s ergibt. Da der in Mengeneinheiten gegenwärtig verfügbarer Güter ausgedrückte Realwert des Geldes um so niedriger (höher) ist, je höher (niedriger) jeder einzelne Güterpreis bzw. der Preisindex eines mengenmäßig fixierten Güterbündels ausfällt, steht die Kaufkraft des Geldes $1/P^I$ in einem reziproken Verhältnis zum jeweiligen Preisindex P^I.

Die als aktueller Tauschwert aufzufassende Kaufkraft des Geldes auf dem Gütermarkt ist streng genommen nicht zu verwechseln mit dem Marktwert des Geldes $1/P$, der sich schon vorweg beim Zusammentreffen von nominalem Geldangebot M^S und realer Geldnachfrage m^d auf dem Geldmarkt bildet und dem reziproken Wert des Preisniveaus P entspricht.

Wenn sich bei → Inflation erst das Preisniveau und dann auch diverse Preisindizes fortlaufend erhöhen, dann hinkt der Kaufkraftschwund (Tauschwertschwund) stets hinter dem Marktwertschwund des Geldes hinterher, weil sich die Stromgrößen auf dem Gütermarkt (und damit der Preisindex P^I) langsamer an monetäre Störungen anpassen als die Bestandsgrößen auf dem Geldmarkt (und damit das Preisniveau P). Im langfristigen Gleichgewicht auf Geld- und Gütermärkten stimmen jedoch beide Formen des Geldwertschwundes überein.   *R. Ca.*

Kaufkraftindizes → Marktpotential

Kaufkraftparitätentheorie

Theorie zur Erklärung von Wechselkursen und ihren Veränderungen in einer längerfristigen Perspektive (→ Wechselkurstheorie). Danach wird der Wechselkurs zweier Währungen auf Dauer durch die Entwicklung der → Kaufkraft in beiden Ländern bestimmt. Die Kaufkraft einer Währung wird generell durch den reziproken Wert des Preisniveaus gemes-

sen, so daß der Kaufkraftparitätenkurs als Ausdruck für den gleichgewichtigen Wechselkurs, an den sich der tatsächliche Wechselkurs an den Devisenmärkten auf Dauer anpassen wird, gleich dem Preisniveauverhältnis zwischen den betrachteten Ländern ist. Es existieren zwei grundlegende Versionen der Kaufkraftparitätentheorie: die *absolute* und die *komparative* Fassung. Während die absolute Fassung den augenblicklichen Stand des Wechselkurses zu bestimmen versucht, will die komparative Fassung Wechselkursveränderungen zwischen zwei Zeitpunkten erklären. Eine dritte Fassung der Kaufkraftparitätentheorie (die Kostenparitätenversion) würde an Stelle der Preisdaten Kostendaten (z.B. Lohnstückkosten) der betrachteten Länder verwenden.

Die treibende Kraft, die nach der Kaufkraftparitätentheorie den tatsächlichen Wechselkurs an den Kaufkraftparitätenkurs führt, ist die (vollkommene) internationale Güterarbitrage. Sie gewährleistet über den → internationalen Preiszusammenhang die Gleichheit der Güterpreise (ausgedrückt in gleicher Währung) in den Ländern, die durch Handel miteinander eng verbunden sind (Gesetz des einheitlichen Preises).

Die Kaufkraftparitätentheorie, von *Gustav Cassel* nach dem Ersten Weltkrieg erstmals unter diesem Namen vorgestellt, ist nicht unumstritten. Eine empirische Verifizierung stößt auf große statistisch-methodische Probleme, insb. hinsichtlich der Frage, welche Preisniveaus international miteinander verglichen werden sollen und ob bilaterale oder multilaterale Kaufkraftparitätsberechnungen angemessen sind. Die Kaufkraftparitätentheorie hat in der neueren Wechselkurstheorie zur Erklärung des Verhaltens flexibler Wechselkurse in den 70er Jahren eine Wiederbelebung erfahren. Sie wird dann oftmals unter der Bezeichnung des realen → Wechselkurses und seiner Bestimmungsfaktoren diskutiert.

Empirische Untersuchungen haben zu kontroversen Ergebnissen hinsichtlich der Gültigkeit der Kaufkraftparitätentheorie geführt. Während in der kurzen Frist und bei ausschließlich bilateralen Vergleichen die tatsächlichen Wechselkurse wegen der kurzfristig oft dominierenden internationalen Kapitalbewegungen (→ Finanzmarkttheorie) nicht selten erhebliche Abweichungen von dem Kaufkraftparitätenkurs aufweisen können, verringern sich die Divergenzen, wenn multilaterale Vergleiche und längere Beobachtungszeiträume gewählt werden. Bei internationalen Vergleichen zur Überprüfung der Kaufkraftparitätentheorie zwischen Ländern unterschiedlicher Einkommens- und Entwicklungsniveaus ist ferner zu beachten, daß es aufgrund des sog. Balassa-Effektes zu systematischen Divergenzen zwischen Kaufkraftparitätenkursen und den tatsächlichen Wechselkursen kommen kann. *M. D. Y.*

Literatur: *Officer, L. H.*, The Puchasing-Power-Parity Theory of Exchange Rates: A Review Article, in: International Monetary Fund Staff Papers, Bd. 23 (1976), S. 1 ff.

Kaufkraftschwund → Inflation

Kauf-Leasing-Entscheidung

Das sog. Finanzierungsleasing (→ Finance-Leasing-Vertrag) von Anlagen ist eine Alternative zum kreditfinanzierten Kauf (Kreditkauf). Entscheidend dafür, ob das Finanzierungsleasing gegenüber dem Kreditkauf überhaupt vorteilhaft sein kann, ist die steuerliche Anerkennung der Leasingraten als → Betriebsausgaben. Dafür hat der Bundesfinanzhof 1970 Leitsätze entwickelt, die durch den Leasingerlaß des Bundesfinanzministers von 1971 konkretisiert wurden. Wichtigste Voraussetzung für die steuerliche Anerkennung der Leasingraten als Betriebsausgaben ist demnach die Vereinbarung einer Grundmietzeit, die mindestens 40% und höchstens 90% der betriebsgewöhnlichen Nutzungsdauer des Anlagegegenstandes beträgt.

Ein Vorteilhaftigkeitsvergleich zwischen Finanzierungsleasing und Kreditkauf kann anhand der Barwerte derjenigen Auszahlungen erfolgen, die bei beiden Alternativen unterschiedlich hoch sind (→ Kapitalwertrechnung). In diesem Zusammenhang sind folgende Auszahlungen relevant:

- beim Leasing die Leasingraten nach Ertragsteuern,
- beim Kreditkauf die Zins- und Tilgungszahlungen an den Kreditgeber, die Ertragsteuerentlastung durch zusätzliche Abschreibun-

gen sowie ggf. eine zusätzliche Gewerbekapital- und Vermögensteuerbelastung.

Als Kalkulationszinssatz ist der Eigenkapitalkostensatz nach Steuern zu verwenden. Vorteilhaft ist diejenige Finanzierungsalternative, bei der der Barwert der Auszahlungen geringer ist. Beispiel:

Kreditkauf
Kredithöhe
(Anschaffungswert)   100 000,– DM
Tilgung   20 000,– DM p. a.
Zinsen   9%
Gewerbesteuer-Hebesatz   400%
Betriebsgewöhnliche Nutzungsdauer 5 Jahre.
Gewerbekapital- und Vermögensteuerwirkungen werden nicht berücksichtigt (vgl. Tab. unten).

Leasing (mit Mietverlängerungsoption)
Grundmietzeit 24 Monate, Leasingrate 56,68% des Anschaffungswerts p. a.
Verlängerungsmietzeit 36 Monate, Leasingrate 20% des Anschaffungswerts p. a. (vgl. Tab. auf S. 999).

Da der Barwert der Auszahlungen bei einem Kreditkauf um $58 116 - 41 488 = 16 628,–$ DM niedriger ist als bei Abschluß des Leasingvertrages, stellt die kreditfinanzierte Beschaffung der Anlage die vorteilhaftere Alternative dar. *K. L.*

Literatur: *Perridon, L./Steiner, M.*, Finanzwirtschaft der Unternehmung, 4. Aufl., München 1986, insbes. S. 273 ff.

Kaufmann

ist, wer ein Handelsgewerbe betreibt (§ 1 Abs. 1 HGB). Das sind:
(1) Personen, die ein sog. Grundhandelsgewerbe betreiben (Mußkaufmann; Geschäfte nach dem Katalog des § 1 Abs. 2 HGB: An- und Verkauf von Waren; Verarbeitung von Waren, sofern nicht Handwerk; Versicherungsgeschäfte; Bankgeschäfte; Beförde-

(1) Jahr	(2) Buchwert	(3) AfA	(4) Tilgung	(5) Kredit-höhe	(6) Zinsen	(7) Steuer-ent-lastung Gew. ESt 16,67% v. (3) + 0,5 (6)	(8) Steuer-ent-lastung KöSt 56% v. [(3) + (6) − (7)]	(9) Netto-auszah-lungen (Zeitwert) (4) + (6) −(7)−(8)	(10) Netto-auszah-lungen (Barwert) p = 5%
0	100 000,–	–	–	100 000,–	–	–	–	–	–
1	80 000,–	20 000,–	20 000,–	80 000,–	9 000,–	4 084,–	13 953,–	10 963,–	10 437,–
2	60 000,–	20 000,–	20 000,–	60 000,–	7 200,–	3 934,–	13 029,–	10 237,–	9 285,–
3	40 000,–	20 000,–	20 000,–	40 000,–	5 400,–	3 784,–	12 105,–	9 511,–	8 218,–
4	20 000,–	20 000,–	20 000,–	20 000,–	3 600,–	3 634,–	11 181,–	8 785,–	7 230,–
5	0,–	20 000,–	20 000,–	0,–	1 800,–	3 484,–	10 257,–	8 059,–	6 318,–
									41 488,–

(1) Jahr	(2) Leasingraten	(3) Steuerentlastung Gew. ESt 16,67% v. (2)	(4) Steuerentlastung KöSt 56% von (2) – (3)	(5) Netto-auszahlungen (Zeitwert) (2) – (3) – (4)	(6) Netto-auszahlungen (Barwert) p = 5%
1	58 680,–	9 782,–	27 383,–	21 515,–	20 482,–
2	58 680,–	9 782,–	27 383,–	21 515,–	19 514,–
3	20 000,–	3 334,–	9 333,–	7 333,–	6 336,–
4	20 000,–	3 334,–	9 333,–	7 333,–	6 035,–
5	20 000,–	3 334,–	9 333,–	7 333,–	5 749,–
					58 116,–

rungsgeschäfte; Kommissions-, Speditions- und Lagerhaltungsgeschäfte; Handelsvertreter- und Handelsmaklergeschäfte; Verlagsgeschäfte; Druckereigeschäfte).

(2) Gewerbetreibende, deren Unternehmen nach Art und Umfang einen kaufmännischen Geschäftsbetrieb erfordert (Sollkaufleute, § 2 HGB). Diese werden mit Eintragung in das →Handelsregister Kaufmann; es besteht Eintragungspflicht.

(3) Land- und forstwirtschaftliche Unternehmer, deren Geschäft nach Art und Umfang einen kaufmännischen Betrieb erfordert, wenn sie ins Handelsregister eingetragen sind; es besteht keine Eintragungspflicht (Kannkaufmann, § 3 Abs. 2 HGB).

(4) Alle Handelsgesellschaften oder Gesellschaften, die kraft Rechtsform Kaufmann sind, also →Offene Handelsgesellschaft, →Kommanditgesellschaft, →Aktiengesellschaft, →Gesellschaft mit beschränkter Haftung, →Kommanditgesellschaft auf Aktien, →eingetragene Genossenschaft (§ 6 HGB).

Für diese Gruppen gelten alle Vorschriften des HGB, sie führen eine Firma, sind im Handelsregister eingetragen, führen Handelsbücher und können →Prokura erteilen (Vollkaufmann). Eine Ausnahme sind Personen, die ein Grundhandelsgewerbe betreiben, das nach Art und Umfang keinen kaufmännischen Geschäftsbetrieb erfordert (Minderkaufmann, § 4 HGB). Diese sind in geringerem Umfang den Vorschriften des HGB unterstellt. Wer im Handelsregister als Kaufmann eingetragen ist, ohne die Voraussetzungen zu erfüllen, muß sich dennoch wie ein Kaufmann behandeln lassen (Scheinkaufmann, § 5 HGB). Im Rechtsverkehr unter Kaufleuten gelten in vielerlei Hinsicht strengere Anforderungen als im Verkehr zwischen sonstigen Personen.   *M. J.*

Literatur: *Klunzinger, E.,* Grundzüge des Handelsrechts, 3. Aufl., München 1985. *Schmidt, K.,* Handelsrecht, 2. Aufl., Köln 1983.

Kaufmotiv →Motivation, →Bedürfnishierarchie

Kaufoption →Optionsgeschäft

Kaufrisiko →subjektives Kaufrisiko

Kaufscheinhandel

liegt vor, wenn Hersteller- oder Handelsbetriebe Letztverbrauchern, die sich durch ein Ausweispapier (Kaufschein, Einkaufsberechtigungsschein u. a.) legitimieren, Waren zu scheinbaren oder wirklichen Vorzugspreisen anbieten. Der Ausweis wird den Verbrauchern durch eine Vermittlungsstelle oder durch die fraglichen Lieferanten selbst (Hersteller, Großhändler, Handwerker, Einzelhändler) ausgestellt.

Durch § 6b UWG ist die Zulässigkeit des Kaufscheinhandels stark eingeschränkt worden. Rechtskräftig sind Kaufscheine, die nur zu einem einmaligen Einkauf berechtigen und für jeden Einkauf einzeln ausgegeben werden. Damit ist weiterhin das sog. Unterkundengeschäft möglich, bei dem kleinere Einzelhandelsgeschäfte und Handwerker ihren Kunden Kaufscheine zur Verfügung stellen, wenn sich das eigene Angebot als nicht ausreichend erweist und den Betroffenen der Besuch des Lagers des Lieferanten (Großhändler, Hersteller) ermöglicht werden soll.

Kaufverbund →Sortimentverbund

Kaufverhalten →Konsumentenverhalten

Kaufvertrag

Vertrag, durch den sich der eine Teil (Verkäufer) zur Übereignung einer Sache (Sachkauf) oder Übertragung eines Rechts (Rechtskauf) verpflichtet und der andere Teil (Käufer) die Pflicht zur Zahlung des vereinbarten Preises übernimmt (§§ 433 ff. BGB). Der Kaufgegenstand kann nach individuellen Merkmalen (Stückkauf oder Spezieskauf) oder der Gattung nach (Gattungskauf) bestimmt sein. Sonderregeln gelten dabei für den Handelskauf (§§ 373 ff. HGB), also den Kauf unter Kaufleuten (→Kaufmann), den Versendungskauf (§ 447 BGB) und den Abzahlungskauf (Kauf

auf Raten; Gesetz betreffend die Abzahlungsgeschäfte vom 16. Mai 1894, RGBl. S. 450 mit Änderungen BGBl. 1969 I, S. 1541; 1974 I, S. 469, S. 1169; 1976 I, S. 3281). Bei Fehlerhaftigkeit der Kaufsache (→ Sachmangel) trifft den Verkäufer die Pflicht zur → Gewährleistung. Der Kaufvertrag kann grundsätzlich formlos abgeschlossen werden; der Kaufvertrag über ein → Grundstück bedarf der notariellen Beurkundung (§ 313 BGB).

M. J.

Literatur: *Bergerfurth, B./Menard, L.*, Das Kaufrecht, 3. Aufl., Freiburg i. Br. 1984. *Larenz, K.*, Lehrbuch des Schuldrechts, Bd. 2, Halbband 1, Besonderer Teil, 13. Aufl., München 1986, §§ 39 ff.

Kausalanalyse

Bei der Analyse der Beziehungen von Variablen (z. B. bei Modellen des → Konsumentenverhaltens) ist zu trennen zwischen kausalen und lediglich assoziativen Beziehungen. Unter einer *kausalen Beziehung* zweier Variablen versteht man eine Beziehung derart, daß die Veränderungen einer Variablen y durch die Veränderungen einer anderen Variablen x erklärt werden können, die Veränderung von x somit mit an Sicherheit grenzender Wahrscheinlichkeit die Ursache der Veränderung von y ist. Demgegenüber besteht eine *assoziative Beziehung* dann, wenn zwei Variablen gemeinsam (gleichgerichtet oder gegenläufig) variieren.

Die Kausalitätsvermutung bezüglich der Variablen x und y kann im allgemeinen nicht verworfen werden, wenn

- x und y kovariieren,
- x und y zeitlich asymmetrisch verknüpft sind,
- x und y nicht über Drittvariablen verbunden sind und
- eine theoretische Begründung für einen Zusammenhang zwischen x und y existiert.

Kausale Beziehungen sind somit stets auch assoziativ, während der Umkehrschluß nicht unbedingt zulässig ist. Eine Möglichkeit, die Kausalität von Beziehungen empirisch zu untersuchen, besteht im Testen einer Kausalhypothese durch ein → Experiment. Weil dabei jedoch verschiedene Restriktionen, wie die Beschränkung auf meist bivariate Variablenzusammenhänge und die Kosten aufwendiger Versuchsanordnungen, zu berücksichtigen und darüber hinaus Experimente bezüglich der (internen und externen) → Validität ihrer Ergebnisse kritisch zu betrachten sind, bleiben Anwendungen im Hinblick auf die Überprüfung von Kausalhypothesen umstritten.

Im Rahmen einer Kausalanalyse werden diese Probleme weitgehend umgangen. Leitgedanke ist die Aussonderung von Drittvariableneffekten auf die kausale Beziehung durch ein statistisches Verfahren. Die Input-Daten können dabei experimenteller wie auch nichtexperimenteller Natur sein; damit ist z. B. auch die Verwendung von Daten aus Zeitreihen- oder Panelerhebungen möglich. Im Rahmen der Kausalanalyse wird somit retrospektiv – im Gegensatz zum Experiment – versucht, über die Beziehungsstruktur von Variablen in einem Modell zu einer Kausalinterpretation zu gelangen. Um kausale Strukturen, die sich auf Hypothesen stützen, in einem Modell abbilden zu können, ist zweierlei erforderlich:

- graphische Darstellung des Strukturgefüges in einem Strukturdiagramm,
- Formulierung der Struktur in einem System linearer Strukturgleichungen (→ Strukturgleichungsmethoden).

Letzteres gestattet dann die Schätzung der Modellparameter mit Hilfe der erhobenen Daten mit dem Ziel, die zugrunde liegende Theorie und ihre Prämissen zu überprüfen sowie ein Maß für die Güte des Modells zu entwickeln. Als wichtige Verfahren der Kausalanalyse sind die → Regressionsanalyse und die → Pfadanalyse zu nennen. G. B.

Literatur: *Bagozzi, R. P.*, Causal Models in Marketing, New York 1980. *Hammann, P./Erichson, B.*, Marktforschung, 2. Aufl., Stuttgart, New York 1987. *Hildebrandt, L.*, Konfirmatorische Analysen von Modellen des Konsumentenverhaltens, Berlin 1983.

Kausalbeziehung → Kausalanalyse

kausale Prognoseverfahren

Methoden, die die Entwicklung der zu prognostizierenden Variablen (Zeitreihe) auf den Einfluß anderer, sog. exogener Variablen zurückführen, wobei sie die gefundene Kausalbeziehung zur Prognose ausnutzen.

Die Kausalbeziehung zwischen zwei oder mehreren Zeitreihen kann nicht mit statistischen Hilfsmitteln, sondern nur mit einer fachwissenschaftlichen Theorie festgestellt werden. So kann z. B. betriebswirtschaftlich bzw. verhaltenswissenschaftlich erklärt werden, daß eine Werbekampagne den Absatz eines beworbenen Produktes beeinflußt. Mit der statistischen → Korrelationsanalyse ermittelt man nur das quantitative Ausmaß dieses Einflusses.

Die wichtigsten kausalen Prognoseverfahren sind die → Indikator-Methode und vor allem die → multiple Regressionsanalyse, mit der versucht wird, aus dem Datenmaterial die

Regressionskoeffizienten b_i $(i = 0, 1, \ldots n)$ der Regressionsgleichung zu schätzen.

$$y_t = b_0 + b_1 x_{1t} + b_2 x_{2t} + \ldots + b_n x_{nt} + u_t$$
$$(t = 1, \ldots, T)$$

Dabei bedeuten:

y_t = Wert der zu prognostizierenden Zeitreihe zum Zeitpunkt t

x_{it} = Wert der i-ten kausalen Zeitreihe zum Zeitpunkt t

u_t = Störvariable zum Zeitpunkt t

Sind die Werte der kausalen Variablen für einen zukünftigen Zeitpunkt bekannt, so läßt sich mit Hilfe der Regressionsgleichung der entsprechende Wert von y prognostizieren.

K. W. H.

Kausalprinzip

1. Verknüpfung von Ursache und Wirkung. Das Kausalitätsprinzip besagt in seiner strengen Fassung, daß nichts ohne Grund, sondern ausschließlich mit Notwendigkeit geschieht. In dieser Form wurde es durch die Entdeckung des Indeterminismus der atomaren Vorgänge (Quantenmechanik) in Frage gestellt. Ohne Bindung an die strenge Fassung kommt der Kausalitätsvorstellung im Zusammenhang mit wissenschaftlichen → Erklärungen Bedeutung zu.

2. steht im System der → sozialen Sicherung dem → Finalprinzip als Gestaltungselement gegenüber. Vor allem der Bereich der → Sozialversicherung folgt dem Grundsatz der Kausalität. Einzelne Tatbestandsmerkmale (Alter, Invalidität, Krankheit, Unfall, Arbeitslosigkeit) geben Anlaß, einen bestimmten Sicherungsbedarf festzustellen und diesen Versicherungsbedarf durch die Ausbildung entsprechender Organisationen abzudecken.

Durch die Einbindung der Versicherten in eine → Pflichtversicherung, durch die Erzwingung von Leistungen (Beitragszwang), werden Gründe geschaffen, um beim Eintreten des Versicherungsfalles Leistungen erbringen zu können. Häufig ist dann der Umfang der Transferleistungen abhängig von diesen in der Vergangenheit erbrachten Gegenleistungen (Höhe der Beiträge, Dauer der Beitragsleistung; → Rentenformel). Häufig wurden aber auch die Sozialversicherungszweige mit finalen Gestaltungselementen modifiziert (z. B. die Umverteilung im Bereich der → gesetzlichen Krankenversicherung).

G. S./H. W.

Literatur: *Fenge, H.,* Kausal- und Finalprinzip im Recht der sozialen Sicherheit, in: BABl, 1970, S. 652.

Kaution

vertraglich verabredete Sicherheitsleistung.

Im Mietrecht sichert die sog. Mietkaution, die i. d. R. zu Beginn eines Mietverhältnisses vom Mieter aufgebracht werden muß, die Vertrags- und Ersatzansprüche des Vermieters. Die Mietkaution darf das Dreifache des monatlichen Mietzinses nicht übersteigen und ist nach Beendigung des Mietverhältnisses zurückzuzahlen, sofern keine Ansprüche des Vermieters bestehen. Die Kaution ist grundsätzlich vom Vermieter zu dem für Spareinlagen mit gesetzlicher Kündigungsfrist üblichen Zinssatz anzulegen, wobei die Zinsen dem Mieter zustehen (§ 550b BGB); doch ist eine abweichende Vereinbarung zulässig.

Kennedy-Runde

Von den USA 1962 durch den Trade Expansion Act initiierte und 1964–1967 in Genf durchgeführte multilaterale Zollsenkungsverhandlung im Rahmen des → Allgemeinen Zoll- und Handelsabkommens mit dem Ziel einer Annäherung an → Freihandel (zeitlich einzuordnen zwischen die Dillon-Runde 1960–1961 und die → Tokio-Runde 1973–1979).

Im Ergebnis führte die Kennedy-Runde für den Bereich industrieller Erzeugnisse (also unter Ausschluß des problematischen Agrarprotektionismus) zu einer durchschnittlichen Zollsenkung von 38%, verteilt auf einen Zeitraum von fünf Jahren. Dieser Zollabbau wurde zwar auch den Entwicklungsländern ohne Gegenleistungen gewährt, war aber für die Mehrzahl dieser Länder durch die Beschränkung auf Fertigwaren von geringer Bedeutung. Außer der im Zentrum stehenden Zollsenkung sind zwei weitere Resultate der Kennedy-Runde beachtenswert:

● Die USA willigten grundsätzlich in die Abschaffung des sog. American Selling-Price-Systems ein, das bei Importen chemischer Erzeugnisse den i. d. R. höheren US-Binnenmarktpreis zur Zollwertbemessung heranzog (tatsächliche Abschaffung allerdings erst am 1. 7. 1980 nach erneuten Verhandlungen).

● Im Rahmen eines Anti-Dumping-Kodex wurden die Präzisierung des → Dumping sowie die Erarbeitung von Regeln für → Antidumping-Zölle in Angriff genommen. Damit wurde die Aufmerksamkeit erstmals auf die komplexen Probleme → nicht-tarifärer Handelshemmnisse gelenkt, die später dann im Zentrum der → Tokio-Runde standen.

W. L.

Literatur: *Liebich, F. K.,* Die Kennedy-Runde, Freudenstadt 1968.

Kennzahlen

numerische Informationen, die die Struktur einer Unternehmung oder von Teilen davon sowie die sich in ihnen vollziehenden Prozesse und Veränderungen beschreiben. Durch sie sollen die in der Praxis (z.B. im betrieblichen Rechnungswesen) anfallenden großen und dementsprechend schlecht überschaubaren Datenmengen derart zu wenigen, aber aussagekräftigen Größen verdichtet werden, daß aus ihnen die Essenz der gesamten Datenflut abgelesen, dokumentiert und im Zeitablauf verfolgt werden kann.

Eine Systematisierung der betriebswirtschaftlichen Kennzahlen kann nach verschiedenen Kriterien vorgenommen werden. Einer ersten, nach statistisch-methodischen Gesichtspunkten vorgenommenen Unterteilung zufolge werden absolute Zahlen und Verhältniszahlen unterschieden. Absolute Zahlen können sein:

- Einzelzahlen (z.B. der Auftragseingang aus einem Verkaufsgebiet),
- Summenzahlen (z.B. Bilanzsumme),
- Differenzzahlen (z.B. Nettoumlaufvermögen) oder
- Mittelwerte (z.B. der durchschnittliche Auftragswert je Kunde).

Verhältniszahlen werden in Beziehungs-, Gliederungs- und →Indexzahlen unterteilt. Beziehungszahlen entstehen dadurch, daß man zwei sachlich verwandte Größen zueinander in Beziehung setzt, z.B.

$$\frac{\text{Umsatz des Betriebes}}{\text{Zahl der beschäftigten Personen}} = \frac{\text{Umsatz je}}{\text{beschäftigte Person.}}$$

Bei Gliederungszahlen wird eine statistische Teilmasse zu der jeweiligen Gesamtmasse in Beziehung gesetzt, z.B.

$$\frac{\text{Personalkosten}}{\text{Gesamtkosten}} = \frac{\text{Personalkostenanteil}}{\text{an den Gesamtkosten.}}$$

Bei Indexzahlen wird eine zwar gleichartige, aber zeitlich oder örtlich von einer Basismasse abweichende statistische Masse zu dieser in Beziehung gesetzt, z.B.

$$\frac{\text{Umsatz 1985}}{\text{Umsatz 1984}} \times 100 = \text{Umsatzindex 1985.}$$

Neben der Einteilung nach statistisch-methodischen Gesichtspunkten wird häufig eine Systematisierung nach den Strukturmerkmalen der Kennzahlen vorgenommen. Hierbei wird nach der inhaltlichen, quantitativen und zeitlichen Struktur der für die Kennzahlenbildung herangezogenen Größen differenziert.

Nach der inhaltlichen Struktur werden Mengen und Wertgrößen unterschieden. Durch geeignete Kombination lassen sich etwa folgende Formen ableiten.

(1) Mengengröße bzw. $\dfrac{\text{Mengengröße}}{\text{Mengengröße}}$,

(2) Wertgröße bzw. $\dfrac{\text{Wertgröße}}{\text{Wertgröße}}$,

(3) $\dfrac{\text{Wertgröße}}{\text{Mengengröße}}$,

(4) $\dfrac{\text{Mengengröße}}{\text{Wertgröße}}$.

Nach der quantitativen Struktur wird zwischen absoluten Zahlen und Verhältniszahlen jeweils als Gesamt- oder Teilgröße differenziert. Analog zu den oben skizzierten Kombinationen lassen sich ebenfalls vier Formen unterscheiden, nämlich eine absolute Zahl als Gesamt- oder Teilgröße sowie Verhältniszahlen als

$$\frac{\text{Gesamtgröße}}{\text{Gesamtgröße}}, \qquad \frac{\text{Teilgröße}}{\text{Teilgröße}}$$

$$\frac{\text{Teilgröße}}{\text{Gesamtgröße}} \quad \text{oder} \quad \frac{\text{Gesamtgröße}}{\text{Teilgröße}}.$$

Nach der zeitlichen Struktur schließlich lassen sich Zeitpunkt- und Zeitraumgrößen unterscheiden, so daß sich entsprechend der oben dargestellten Kombinationen wiederum vier Formen ergeben.

Der Schwerpunkt des innerbetrieblichen Einsatzes von Kennzahlen liegt in der retrospektiven Analyse des Betriebsgeschehens. Diese Aufgabe schließt sowohl die Auswertung periodisch erhobener Informationen als auch die laufende Kontrolle ein. Kennzahlen sollen der Unternehmensführung einen umfassenden Überblick über die Leistung des Unternehmens sowie seiner Teilbereiche geben; sie eignen sich bei schneller und zeitnaher Ermittlung hervorragend zur Früherkennung von positiven und negativen Entwicklungen. Die aus der laufenden Kontrolle gewonnenen Informationen dienen als Grundlage für die Erstellung bzw. Korrektur von Plänen.

Der Prozeß der Planung und Kontrolle erfolgt in der Praxis meist mit Hilfe eines Kennzahlensystems, das, hierarchisch aufgebaut, von Oberzielen stufenweise Unterziele ableitet. Durch eine solche Mittel-Zweck-Kette entstehen pyramidenförmig aufgebaute →Kennzahlensyteme. *E.M.*

Literatur: *Reichmann, Th.,* Controlling mit Kennzahlen, München 1985.

Kennzahlensystem

Zusammenfassung von voneinander abhängigen und einander ergänzenden →Kennzahlen. Es wird im Rahmen der Unternehmensführung für die Planung, Steuerung und Kontrolle eingesetzt. Einzelne Kennzahlen haben zwangsläufig den Nachteil, daß wichtige Zusammenhänge nur ungenügend erfaßt werden können.

Kennzahlensysteme überwinden den Nachteil der Informationsreduktion einzelner Kennzahlen, indem sie diese zusammenfassen und dadurch einen besseren Einblick in Unternehmungen oder Teile davon erlauben. Die einzelnen Kennzahlen sind dabei entweder miteinander rechentechnisch verknüpft (Rechensystem) oder sie stehen lediglich in einem bloßen Systematisierungszusammenhang zueinander (Ordnungssystem).

Bei der rechentechnischen Verknüpfung von Kennzahlen erfolgt entweder eine Zerlegung, eine Substitution oder eine Erweiterung einer einzelnen Kennzahl:

- Bei der Zerlegung werden Zähler, Nenner oder beide in einzelne Teilgrößen zerlegt. Beispiele: Umsatzaufspaltung nach Sortimentsteilen, Auftragseingang nach Inland/Ausland.
- Bei der Substitution werden Zähler, Nenner oder beide durch andere Größen ersetzt, ohne daß die Kennzahl wertmäßig verändert wird. Beispiel: Erklärung des Umsatzes durch das Produkt von Absatzmenge und Preis.
- Bei der Erweiterung wird die Ausgangskennzahl im Zähler und/oder Nenner erweitert. Beispiel: Die Umsatzrentabilität (Gewinn · 100 : Umsatz) wird multipliziert mit dem Kapitalumschlag (Umsatz : Kapital), so daß sich die bekannte Kennzahl →Return on Investment ergibt.

Auf diese Weise kann eine Ausgangskennzahl in mehreren Stufen jeweils in Unterkennzahlen zerlegt werden, so daß sich eine hierarchisch und pyramidenförmig gestaffelte Kennzahlenordnung ergibt.

Die zweite Form eines Kennzahlensystems weist keine rechentechnische Verknüpfung, sondern lediglich einen durch betriebswirtschaftliche Sachzusammenhänge sich ergebenden Zusammenhang auf. Ein solches Ordnungssystem hat den Vorteil, daß ein bestimmter Sachverhalt durch mehrere gleich- oder unter- bzw. übergeordnete Kennzahlen abgebildet und auf diese Weise von mehreren Seiten her erklärt werden kann.

Das wohl älteste und bekannteste Kennzahlensystem, auch als Grund- oder Basismodell eines Kennzahlensystems bezeichnet, verwendet Du Pont de Nemours and Company, Wilmington, Delaware, bereits seit 1919. Es hat die Form einer Pyramide mit der Spitzenkennzahl →Return on Investment (RoI). Die daraus abgeleiteten Kennzahlen enthalten Informationen über das Zustandekommen des RoI, die Leistungen der wichtigsten Unternehmensteile (weltweit) sowie über Abweichungen von geplanten Sollgrößen.

Das vom Zentralverband der Elektrotechnischen Industrie e. V., Frankfurt/Main, erstmalig im Jahre 1970 vorgestellte ZVEI-System ist ebenfalls als Kennzahlen-Pyramide konzipiert. Es vereinigt die Merkmale eines gemischten Rechen- und Ordnungssystems, wobei der Charakter eines Rechensystems eindeutig dominiert. Obwohl von einem Wirtschaftsfachverband entwickelt, ist dieses Kennzahlensystem branchenneutral und wird – ganz oder mit gewissen Abänderungen – von Unternehmungen der verschiedensten Wirtschaftszweige eingesetzt. Die hier gewählte Spitzenkennzahl →Eigenkapitalrentabilität ist in 74 Hauptkennzahlen untergliedert. Diese werden wiederum durch 66 Hilfskennzahlen erklärt. Eine derartige Strukturierung führt allerdings leicht zu inhaltsarmen Kategorien, so daß eine zweckgerichtete Auswahl der Informationen im Hinblick auf den betrieblichen Entscheidungsprozeß zwingend geboten erscheint.   E. M.

Literatur: *Staehle, W. H.,* Kennzahlen und Kennzahlensysteme als Mittel der Organisation und Führung von Unternehmen, Wiesbaden 1969.

Kernarbeitszeit → Kernzeit

Kernenergiewirtschaft

ist in der Bundesrepublik bislang ausschließlich auf den Bereich der →Elektrizitätswirtschaft konzentriert. Sie umfaßt die Unternehmen, die in der Kernenergieversorgung und -entsorgung tätig sind; lediglich in einem erweiterten Sinne sind hierzu auch die Hersteller kerntechnischer Anlagen (Kraftwerk- und -anlagenbauer) zu rechnen. Das unternehmerische Engagement in diesem Wirtschaftsbereich konzentriert sich auf die Elektrizitätsversorgungsunternehmen.

Die Kernenergie weist hohe Zuwachsraten auf; sie hat im 1. Halbjahr 1985 schon einen Anteil von gut 10% am Primärenergieverbrauch erreicht; der Anteil an der öffentlichen Stromerzeugung beträgt hierbei schon knapp 35% (1. Hj. 1985). Mit der Fertigstellung der im Bau befindlichen Anlagen wird der Anteil der Kernkraftwerke an der gesamten Stromerzeugungskapazität um 1990 mehr als ein Viertel betragen. Bei der aus (Fix-)Kostengründen geplanten überdurchschnittlichen Beschäftigung dieser Anlagen (Grundlastbereich) dürfte der Kernenergieanteil dann an der Stromproduktion insgesamt 35% bis 40% erreichen.

Die Brennstoffversorgung umfaßt die Natururanbeschaffung (weitgehend aus dem

Ausland, allerdings unter hoher Beteiligung deutscher Gesellschaften), die Anreicherung – derzeit noch zum überwiegenden Teil in ausländischen Anlagen (gemeinsam mit europäischen Partnerländern auch in der Bundesrepublik errichtete Anlagen werden aber wachsende Versorgungsanteile übernehmen) – sowie die Brennelementefabrikation, die nahezu ausschließlich im Inland erfolgt. Die laut Atomgesetz vorgeschriebene Entsorgung abgebrannter Brennelemente ist einem Gemeinschaftsunternehmen der deutschen Elektrizitätswirtschaft (Debeka: „Deutsche Gesellschaft für die Wiederaufbereitung von Kernbrennstoffen") übertragen worden. Die eigentliche Endlagerung von radioaktiven Abfällen wird unter wesentlichem Einfluß der Bundesregierung ab Mitte der 90er Jahre durchgeführt werden. Die Aufarbeitung von Kernbrennstoffen aus deutschen Reaktoren erfolgt bislang, abgesehen von einer kleinen Versuchsanlage, auf der Basis vertraglicher Vereinbarungen in Frankreich und Großbritannien. In der Bundesrepublik Deutschland steht die Entscheidung zum Bau einer eigenen Wiederaufarbeitungsanlage an, die etwa ab Mitte der 90er Jahre in Betrieb genommen werden könnte. Parallel hierzu wird jedoch auch, in jüngster Zeit sogar verstärkt, die Möglichkeit einer direkten Endlagerung abgebrannter Brennelemente untersucht.

Zwar müssen die Kernbrennstoffe größtenteils importiert werden, doch kann die Kernenergie trotzdem als quasi-heimische Energie angesehen werden, da bis auf die Natururanbeschaffung die übrigen Stufen des Kernbrennstoffkreislaufprozesses im Inland zur Verfügung gestellt werden können und ohnehin der bei weitem größte Teil (75%) der Stromerzeugungskosten auf Kapitalkosten entfällt. *J. Sch./Di. Sch.*

Literatur: *Michaelis, H.,* Handbuch der Kernenergie, München 1982.

Kerninformatik → Informatik

Kern-Lösung

in einem kooperativen n-Personen-Spiel (→ Spieltheorie) eine durch Absprachen und ggf. Ausgleichszahlungen zustande kommende Gewinnaufteilung, die folgende Gleichgewichtseigenschaften aufweist:

- *Individuelle Rationalität:* Jeder Spieler erhält mindestens soviel an Gewinn, wie er bei Verzicht auf jegliche Koalition als „Einzelkämpfer" erreichen könnte.
- *Kollektive Rationalität:* Die Summe der allen n Spielern insgesamt zugewiesenen Gewinne entspricht dem Maximalgewinn, den eine alle Spieler umfassende Koalition im günstigsten Fall erreichen könnte.
- *Gruppenrationalität:* Jede beliebige Teilmenge von zwei oder mehr Spielern erhält insgesamt mindestens so viel an Gewinn, wie sie sich bei einer Koalition untereinander, aber bei Verzicht auf jedwede weitere Kooperation mit den übrigen Spielern hätte sichern können.

Gelingt es, eine solche Gewinnverteilung zu erreichen, so besteht – ähnlich wie bei einer → Sattelpunkt-Lösung im Zwei-Personen-Nullsummenspiel – für keinen Spieler und keine Gruppe von Spielern die Möglichkeit, sich durch Abweichen von dieser Kern-Lösung auf eigene Faust einen höheren Gewinn zu sichern. Je nach der Struktur der charakteristischen Funktion (→ Spieltheorie) ist es möglich, daß ein Spiel mehrere Kern-Lösungen, genau eine oder aber auch gar keine Kern-Lösung aufweist.

Demgegenüber lassen sich immer sog. *Imputationen* finden, d.h. Gewinnverteilungen, die nur den Bedingungen der individuellen und der kollektiven Rationalität genügen. Solange eine Imputation allerdings nicht auch zugleich dem Prinzip der Gruppenrationalität gerecht wird, gibt es stets mindestens eine Teilmenge von Spielern, die sich im Falle einer gemeinsamen Koalition insgesamt und damit bei geeigneten Ausgleichszahlungen auch jeweils einzeln einen höheren Gewinn sichern können. Spiele, die keinen Kern aufweisen, besitzen daher keine stabile Lösung. *M. B.*

Kernspeicher

→ Hauptspeicher aus Eisenferrit-Kernen. Diese oder verwandte Techniken, wie z.B. Magnetdrahtspeicher, trifft man heute nur noch sehr vereinzelt, vorwiegend bei älteren EDV-Anlagen, an.

Kernzeit

(Fix-, Sperr-, Kommunikations-, Komplettbesetzungszeit) Zeitraum (Tag, Woche, Monat oder Jahr), während dessen im Rahmen der → gleitenden Arbeitszeit der Arbeitnehmer anwesend sein (Sprechzeiten, Schalterstunden, Materialausgabe usw.) bzw. sich für Besprechungen bereithalten sollte. Sie ist i.d.R. (doch nicht zwangsläufig) identisch mit der → Mindestarbeitszeit und beträgt gegenwärtig im allgemeinen sechs bis sieben Stunden pro Tag. Keine Pflicht zur Anwesenheit besteht dagegen während der Gleitzeit. Eine Ausnahme von der Pflicht zur Anwesenheit gilt, sofern Kernzeitgleiten erlaubt ist. Auch bei der →Mehrstellenarbeit gibt es eine Kernzeit.

Key-Account-Marketing →Kundengruppenmanagement

Keynes-Effekt

auf *John Maynard Keynes* zurückgehender Einfluß von Änderungen der nominellen Geldmenge und des Preisniveaus auf die gesamtwirtschaftliche Güternachfrage über Zinssatzvariationen. Aufgrund der Tatsache, daß sich in der keynesianischen Theorie der Zinssatz auf dem Geldmarkt bildet, führt eine Erhöhung der nominellen Geldmenge oder eine Reduktion des Preisniveaus zu einem Überschußangebot auf dem Geldmarkt und damit zu einer Zinssatzsenkung, die ihrerseits zu einer Zunahme der →Investitionsgüternachfrage und damit der →gesamtwirtschaftlichen Nachfrage führt. Der Keynes-Effekt wird unwirksam, wenn eine →Liquiditätsfalle existiert (vollkommen zinsunelastische Geldnachfrage) oder die Investitionsgüternachfrage zinsunelastisch ist. Im Gegensatz zu der indirekten Wirkung des Keynes-Effektes wirkt der →Pigou-Effekt direkt auf die Güternachfrage, da hier unterstellt wird, daß die →Konsumgüternachfrage direkt von der realen Geldmenge beeinflußt wird (→Vermögenseffekte).   *J. R.*

Literatur: *Richter, R./Schlieper, U./Friedmann, W.*, Makroökonomik, 4. Aufl., Berlin u. a. 1981.

keynesianische Arbeitslosigkeit →Unterbeschäftigungsgleichgewicht

Keynesianismus

aus dem Werk von *John Maynard Keynes* hervorgegangenes Lehrgebäude. Ausgangspunkt seiner Überlegungen bildet die langanhaltende und mit hoher Arbeitslosigkeit verbundene Depression der 1. Weltwirtschaftskrise, welche mit der überlieferten Theorie, die von einer Tendenz zum Gleichgewicht bei Vollbeschäftigung ausgeht, kaum zu erklären ist. *Keynes* versucht zu zeigen, daß die Selbstregulierungskräfte des Marktsystems nicht immer ausreichen, um das Vollbeschäftigungsgleichgewicht zu gewährleisten, daß also das →Say'sche Gesetz nicht gilt.

In methodischer Hinsicht wirkt *Keynes* vor allem dadurch bahnbrechend, daß er unter Verzicht auf das komplexe Geflecht der Totalanalyse walrasianischer Provenienz die ökonomischen Zusammenhänge durch Aggregation auf einige wenige Größen und Märkte (Güter-, Geld-, Wertpapier- und Arbeitsmarkt) reduziert und auf diese Weise zum Begründer der →Makroökonomik (einschl. der →Volkswirtschaftlichen Gesamtrechnung) wird.

Inhaltlich attackiert er vor allem den klassischen →Zinsmechanismus, der Sparen und Investieren ins Gleichgewicht bringt und somit das Say'sche Gesetz sichert. *Keynes* hingegen sieht das Sparen im wesentlichen durch das Volkseinkommen bestimmt, so daß sich letzteres und nicht primär der Zinssatz zu bewegen hat, wenn die Investitionsneigung variiert. Damit ist im Prinzip die Theorie des →Multiplikators etabliert. Bezüglich der Investitionen behält *Keynes* zwar die Hypothese der Zinsabhängigkeit bei, doch kommen auch hier von der überlieferten Theorie übersehene Phänomene ins Spiel, die er mit seiner →Liquiditätstheorie des Zinses zu erfassen sucht: Berücksichtigt die überlieferte Theorie lediglich das →Transaktionsmotiv (Einkommensabhängigkeit der →Geldnachfrage), so führt er zusätzlich das →Spekulationsmotiv ein, was auf die Zinsabhängigkeit der Kassenhaltung hinausläuft. Damit wird im Prinzip die sog. →Liquiditätsfalle möglich, welche eine durch die Geldpolitik intendierte Zinssatzsenkung vereitelt, so daß es zu der erhofften Anregung der Investitionstätigkeit nicht kommen kann. Da letztere ohnehin stark von psychologischen Faktoren abhängt, kann zudem die Zinselastizität der Investitionen im gegebenen Fall gering ausfallen.

Aufgrund dieser Schwachstellen in der Selbstregulierung der Märkte zieht *Keynes* den Schluß, daß die →gesamtwirtschaftliche Nachfrage als Summe von Konsum- und Investitionsgüternachfrage sich auf einem zu geringen Niveau stabilisieren kann, eine Situation (Gleichgewicht bei Unterbeschäftigung), die wegen der angedeuteten Insuffizienz der Geldpolitik nur mit Hilfe des Staates überwunden werden kann (→Fiskalpolitik). Dies gilt um so mehr, als nach *Keynes* die Beseitigung des Ungleichgewichts auf dem Arbeitsmarkt durch Senkung des Nominallohnsatzes nicht erwartet werden kann, da sich die Arbeitnehmer hiergegen sperren. Da sie jedoch seiner Auffassung nach der →Geldillusion unterliegen, werden sie die mit einer expansiven Geld- oder Fiskalpolitik unter Umständen einhergehenden Preissteigerungen und Reallohnsenkungen hinnehmen.

Da *Keynes* seine Darstellung komplex und nicht immer leicht durchschaubar gehalten hat, hängen die weitere Entwicklung und damit auch die Wirkung seiner Lehre stark von der jeweiligen Interpretation ab. Großen Einfluß hat insbesondere das Interpretationsschema von *John R. Hicks* (→ IS-LM-Modell) ausgeübt, das die oben nur skizzierten Zusammenhänge einer detaillierten Analyse zugänglich macht. Dieser Deutung der Keynesschen Lehre als Gleichgewichtstheorie haben später *Robert Clower* und *Axel Leijonhufvud* widersprochen (→ Ungleichgewichtstheorie).

Keynes hat überaus befruchtend auf die weitere Entwicklung der Wirtschaftstheorie gewirkt. Dies gilt nicht nur für die bereits genannten Gebiete Makroökonomik, Volkswirtschaftliche Gesamtrechnung und Ökonometrie, sondern auch in bezug auf spezifische Theoriegebiete, wo sich neue Fragestellungen und Lösungen auftun (Geldtheorie; Verbindung von Akzelerations- und Multiplikatorprinzip in der Konjunkturtheorie; Außenhandelsmultiplikator; Kaldorsche Verteilungstheorie; postkeynesianische Wachstumstheorie). In vielleicht noch stärkerem Maße hat der Ansatz von *Keynes* die Wirtschaftspolitik revolutioniert, indem er einen interventionistischen Wohlfahrtsstaat begünstigt hat.

Auf der anderen Seite ist der Keynesschen Lehre heftig widersprochen worden. Dies gilt einmal in Hinsicht auf die geldtheoretischen Grundlagen; so kommt es wegen des mit der keynesianischen Wirtschaftspolitik aufkommenden Inflationsproblems zur Entfaltung des → Monetarismus. Zum anderen entsteht als Reaktion auf die Überbetonung des Nachfrageaspektes eine angebotsorientierte Ökonomik. So gesehen ist die sog. neoklassische Synthese von Keynesianismus und → Neoklassik noch keineswegs abgeschlossen. *U. F.*

Literatur: *Bombach, G.* u. a. (Hrsg.), Keynesianismus I, II, III, IV, Berlin u. a. 1976 (Band I, II), 1981 (Band III), 1983 (Band IV). *Issing, O.* (Hrsg.), Geschichte der Nationalökonomie, München 1984.

Keynes-Plan

von *John Maynard Keynes* ausgearbeiteter Plan für die internationale Währungsordnung der Nachkriegszeit. Der erste Entwurf wurde am 8. 9. 1941 dem britischen Schatzamt übergeben; mehrere revidierte Fassungen bildeten zusammen mit dem → White-Plan die hauptsächliche Diskussionsgrundlage für die Vorverhandlungen zur Bretton-Woods-Konferenz.

Hauptelement des Plans war neben stabilen Wechselkursen und Freiheit der laufenden Transaktionen von → Devisenbewirtschaftung die Einführung eines multilateralen Clearing. Verbleibende Zahlungsbilanzsalden, welche in einer internationalen Recheneinheit Bancor ausgedrückt werden sollten, sollten innerhalb gewisser, für jedes Land festzulegender Grenzen kreditiert werden, wobei gegen den Aufbau sowohl übermäßiger Schuldner- als auch Gläubigerpositionen Sanktionen vorgesehen waren.

Der Gedanke einer ohne Beiträge der Mitglieder zu errichtenden Zahlungsunion und eines ohne den Einsatz von Primärreserven erfolgenden Clearing konnte sich jedoch gegenüber den im → White-Plan niedergelegten amerikanischen Vorstellungen nicht durchsetzen. *A. Ko.*

Kinderfreibetrag

Im Rahmen der → Familienbesteuerung werden Kinder bei der Ertragsbesteuerung der Eltern nach einem dualen System berücksichtigt, und zwar als Abzugsbeträge (Kinderfreibetrag) und als einkommensabhängige Zuschüsse (→ Kindergeld). Kinderbezogene Erleichterungen sind außerdem im Rahmen der außergewöhnlichen Belastungen vorgesehen (→ Ausbildungsfreibetrag). Sonderregelungen gelten für Alleinstehende mit Kindern (→ Haushaltsfreibetrag). 1986 wurde der allgemeine Kinderfreibetrag (§ 32 VI EStG) von 432 DM auf 2484 DM erhöht.

Kindergeld

staatlicher Einkommenstransfer (Sozialleistung) zur Entlastung von Personen, die für den Unterhalt von Kindern aufzukommen haben; seit 1975 Hauptelement des → Familienlastenausgleichs in der Bundesrepublik Deutschland. Es wird seitdem schon ab dem ersten Kind gewährt, für das seit 1975 monatlich DM 50 gezahlt werden. Die Beträge für weitere Kinder sind grundsätzlich höher, wurden indes seit 1975 mehrfach abgeändert.

Grundsätzlich sollte nach der Neuregelung des Familienlastenausgleichs 1975 das Kindergeld unabhängig vom Einkommen der Eltern gewährt werden; im Rahmen der Sparmaßnahmen beim Bundeshaushalt für 1983 wurde jedoch wieder eine Bemessung nach dem Einkommen der Empfänger beim Kindergeld für das zweite und jedes weitere Kind eingeführt. Bei höherem Einkommen wird das Kindergeld für das zweite Kind auf einen Sockelbetrag von 70 DM beschränkt (sonst 100 DM), für jedes weitere Kind auf einen Sockelbetrag von 140 DM (sonst 220 DM; Stand 1984). Kindergeld wird grundsätzlich für Kinder bis zum 16. Lebensjahr gewährt, darüber hinaus nur bei Weiterbestehen der Unterhaltspflicht des Empfängers bis zum 27. Lebensjahr, ausnahmsweise sogar noch etwas länger.

Das Kindergeld wird aus dem Bundeshaushalt finanziert und im Auftrag des Bundes von der → Bundesanstalt für Arbeit verwaltet. Die Arbeitsämter sind zuständig für Anträge und Auskünfte. *H. Sch*

Kindergeld – Empfänger und Ausgaben

	1974	1975	1982	1984
Empfänger, in Tsd. darunter:	2 457	7 333	6 704	6 433
Ausländer	320	881	773	687
Kinder, in Tsd. darunter:	5 196	14 065	11 593	10 812
Ausländer	793	1 980	1 693	1 462
Ausgaben in Mrd. DM	3,25	11,83	12,83	11,27

Quelle: Statistisches Taschenbuch 1985, hrsg. vom *Bundesminister für Arbeit und Sozialordnung*, Tab. 8.17.

King'sche Regel → Agrarpreisschwankungen

Kingston-Konferenz

Konferenz des → Interimausschusses des Gouverneursrates des → Internationalen Währungsfonds (IWF) in Kingston auf Jamaika im Januar 1976, anläßlich derer die sechste Erhöhung der Quoten und die zweite Änderung der IWF-Statuten beschlossen wurden, die im März 1978 nach Abschluß des Ratifizierungsverfahrens für alle Mitgliedsländer in Kraft treten konnten.

Die wesentlichen Punkte der Abkommensänderung sind bezüglich

(1) der → Wechselkurse: die Erlaubnis der freien Wahl des → Wechselkurssystems, was einer Legalisierung des → Floating und einer Abschaffung des Paritätssystems gleichkommt;

(2) der → Sonderziehungsrechte (SZR): Maßnahmen zur Erhöhung der Attraktivität der SZR als Reservemedium, um so ihre stärkere Verwendung herbeizuführen und sie an die Stelle des Goldes als zentralen Umrechnungsmaßstab zu setzen;

(3) des Goldes: Maßnahmen zur → Demonetisierung des Goldes;

(4) der Organisation des Fonds:

● die Schaffung von drei neuen Konten in der „Allgemeinen Abteilung" (früher: „Generalkonto"). Das „Allgemeine Konto" führt die bisherigen Transaktionen des IWF fort, das „Anlagekonto" enthält die langfristigen Kapitalanlagen des Fonds, und über das „Konto für Sonderverwendungen" regelt der IWF die Verwendung der Gewinne aus den → Goldauktionen;

● die Bereinigung der bisherigen Vielfalt bei den qualifizierten Mehrheitserfordernissen. Alle operativen Entscheidungen können demgemäß mit 70-prozentiger, Beschlüsse grundsätzlicher und politischer Art mit 85-prozentiger Mehrheit getroffen werden.

(5) der finanziellen Operationen des Fond:

● die Verpflichtung der IWF-Mitgliedstaaten, entsprechend ihrer Zahlungsbilanz- und Reserveposition die beim IWF eingezahlten Beiträge ihrer Währung bei Ziehungen auf Verlangen in frei verwendbare Währung zu konvertieren;

● die Vereinfachung der Rückzahlungsregelungen für IWF-Kredite, die sicherstellen sollen, daß die Inanspruchnahme der allgemeinen Mittel aus den Kredittranchen (für → Sonderfazilitäten gelten besondere Bedingungen) keinesfalls über die Zeit von fünf Jahren hinausgeht. *A. Ko.*

Kirchensteuer (KiSt)

durch die öffentlich-rechtlichen Religionsgemeinschaften erhobene Steuer gegenüber natürlichen Personen, die Mitglied in diesen Religionsgemeinschaften sind. Sie beruht auf staatlicher Ermächtigung (Art. 140 GG i. V. m. Art. 137 III Weimarer Reichsverfassung). Die Kirchensteuer wird nach Landesrecht als Zuschlag von 8–10% auf die → Einkommensteuer erhoben und wird gegen Erstattung der Erhebungskosten durch die Finanzbehörden eingezogen.

Die in einem Kalenderjahr gezahlte KiSt ist gem. § 10 I Nr. 4 EStG unbeschränkt abzugsfähige → Sonderausgabe, so daß der Prozentsatz der effektiven Kirchensteuerbelastung mit wachsendem Einkommen abnimmt.

Kitchin-Zyklus → Konjunkturzyklus

Kladde → Übertragungsbuchführung

Klage

Begehren einer Person (Kläger) nach Rechtsschutz gegen eine andere Person (Beklagter) vor einem Gericht. Je nach geltend gemachtem Anspruch liegt eine Leistungs-, Feststellungs- oder Gestaltungsklage vor. Bei der Klageerhebung des Staatsanwalts vor einem Strafgericht spricht man von Anklage. Die Klage muß in bestimmter Form (Bezeichnung der Parteien, des Gerichts und des Streitgegenstandes) erhoben werden. Über sie wird i. d. R. durch Urteil entschieden. Damit eine Klage Erfolg haben kann, müssen alle prozessualen (Sachurteils-)Voraussetzungen und alle materiellen Voraussetzungen des geltend gemachten Anspruchs gegeben sein.

Für Klagen auf verschiedenen Rechtsgebieten sind verschiedene Gerichtsbarkeiten vorgesehen (Zivilgerichtsbarkeit, → Arbeitsgerichtsbarkeit, → Finanzgerichtsbarkeit, → Sozialgerichtsbarkeit, Verwaltungsgerichtsbarkeit). *M. J.*

Klassifikationsverfahren

dienen der Einteilung von statistischen Gesamtheiten in Gruppen einander ähnlicher Objekte (→ Clusteranalyse).

Klassik

Als klassische Periode der Nationalökonomie bezeichnet man im allgemeinen eine Phase, die vom 18. Jh. bis zum Beginn der 70er Jahre des 19. Jh. reicht. Meist rechnet man zur Schule der Klassiker die englischen Nationalökonomen *Adam Smith, Thomas Robert Malthus, David Ricardo, John Stuart Mill,* den Franzosen *Jean Baptiste Say* und die Deutschen *Karl-Heinrich Rau, Friedrich von Hermann,* vornehmlich aber *Johann Heinrich von Thünen.*

Es besteht kein Zweifel daran, daß der klassischen Schule der Nationalökonomie das Verdienst zugesprochen werden muß, die Wirtschaftswissenschaft zum Rang einer selbständigen Disziplin mit eigenem Formalobjekt und eigener Methode erhoben zu haben. Gleichfalls ist es unbestritten, daß das Paradigma klassischen Denkens durch *Smith* geprägt wurde; er entwickelte die Grundsätze der neuen Lehre und deren Systematik.

Mit Recht wird darauf aufmerksam gemacht, daß die klassische Schule kein gleichförmiges und einheitliches Lehrgebäude darstelle. Ihre Einheitlichkeit und Gleichförmigkeit beschränke sich auf drei Elemente *(Goetz Briefs)*:
- die individualistische Verfassung der liberalen Wirtschaft, d.h. das Individuum entscheidet in freier Selbstbestimmung und wirtschaftlicher Selbstverantwortung,
- die Steuerung des Handelns von Individuen, welche dem Selbstinteresse folgen, durch Prozesse des Wettbewerbs, die für die Funktionsfähigkeit des Systems eine Voraussetzung darstellen, weil sie das Gesamtsystem im Gleichgewicht halten,
- den Staat als Ordnungs- und Schutzmacht eines Systems, das institutionell durch den Markt, funktionell durch Selbstinteresse und Konkurrenz integriert ist.

Unterschiede konstatiert *Briefs* im Hinblick auf die breite humanistische Grundlage im Werk von *Smith,* einen utilitaristischen Einschlag mit starker kirchlicher Prägung bei *Malthus,* die Zugehörigkeit zur Londoner Börsenwelt bei *Ricardo,* den Konflikt zwischen später bürgerlicher Aufklärung und sozial bestimmtem Humanismus bei *John Stuart Mill,* die logische und rationale Systematik bei *Say* und die lutheranisch religiöse Prägung *von Thünens.* Formale Unterschiede mit weitreichenden wirtschaftlichen Folgen (→ Liberalismus) zeigen sich zudem zwischen dem Systemkonzept bei *Smith* und der „reinen" Theorie bei *Ricardo,* der mit seiner Freihandelstheorie die wissenschaftliche Grundlage des sog. Manchester-Liberalismus schuf (→ Laissez faire).

Gleichwohl wirkt bis in die Gegenwart eher der systembildende Vorrang des Werkes von *Smith.* Unbestritten ist, daß *Smith* von einer theoretischen oder philosophischen Geschichtsbetrachtung ausging, als er seine Werke verfaßte. Diese Geschichtsbetrachtung, die der schottischen Aufklärung, war stark empirisch ausgerichtet und im wesentlichen kritisch gegenüber der dogmatischen Scholastik. Sie war getragen von einer umfassenden Systemidee. Die menschliche Gesellschaft erscheint als „eine große Maschine, deren regelmäßige und harmonische Bewegungen tausend angenehme Wirkungen hervorbringen".

Die Grundlegung der klassischen Ökonomik im Werk von *Smith* ist eine Zusammenfassung vorhandener Teilerkenntnisse über gesellschaftliche und ökonomische Tatbestände in einem System untereinander verbundener Prinzipien. Diese belegen die Übernahme des Wertsystems der Aufklärungsphilosophie: Vernunft, Toleranz, Respekt vor individueller Freiheit, Humanität und Hingabe an die Suche nach objektiver Wahrheit, soweit dies menschenmöglich ist.

Märkte dienen nicht als Mittel zur Erfüllung bestimmter Ziele. Sie sind eher institutionelle Verkörperung jener freiwilligen Austauschprozesse, in die sich Individuen mit ihren heterogenen Handlungskapazitäten begeben, um die Voraussetzungen für die Begründung kooperativer Arrangements zu schaffen, die allseitige Vorteile erwarten lassen. Die Institution des Marktes ist mehr als ein Tauschvorgang; sie schafft Anreize und Rahmenbedingungen zur Wohlstandssteigerung.

Ausdrücklich betont *Smith,* daß seine Studie über den „Wohlstand der Nationen" als Lehre für den Staatsmann, als Politische Ökonomik angelegt ist. Ungefähr zwei Fünftel seines ökonomischen Hauptwerks sind der Frage gewidmet, wie der Katalog öffentlicher Aufgaben in einem freien Gemeinwesen aussehen soll; er reicht von der Infrastruktur über das Geld- und Münzwesen bis zur Bildung und Gesundheit. *Smith* liefert kein Argument, das den Staat als entbehrlich erscheinen läßt; sein Strukturmuster einer Wirtschaftsordnung entspricht dem einer dualen Ordnung, einer Ordnung von Markt und Staat. Mit seinem Werk räumt *Smith* unmißverständlich den Vorwurf, die Wirtschaftswissenschaften vernachlässigten in ihren Analysen den institutionellen Rahmen, zumindest für die klassische Tradition aus.

Bei *Smith* geht es definitiv um die Entdeckung der materiellen und institutionellen Voraussetzungen für die Entfaltung von Wohlstand, um die Frage nach der Sozialordnung, die Glück bewirkt, indem sie Armut beseitigt. Ins Zentrum rückt hier die Frage nach den Quellen, nach den Fonds, die das Wohlfahrtspotential eines Volkes bestimmen. Die Antwort der Klassik lautet: Entscheidend sind der Aufbau und die dauerhafte Existenz produktiver Ressourcen – eine am öffentlichen Wohl interessierte erwerbsfähige Bevölkerung (Humanvermögen), ein anpassungsfähiger Bestand an („akkumuliertem") Produktivvermögen, Institutionen, die Sympathie, wechselseitigen Beistand, Regeln gerechten Verhaltens gewährleisten, und ein Staat, der sich selbst nicht absolut setzt (→ Merkantilismus, →Physiokratie), der sich dem Wohl seiner Bürger verpflichtet weiß.   *H. G. K.*

Literatur: *Briefs, G.,* Untersuchungen zur klassischen Nationalökonomie, Jena 1915. *Kaufmann, F. X./Krüsselberg, H. G.* (Hrsg.), Markt, Staat und Solidarität bei Adam Smith, Frankfurt a.M., New York 1984. *Recktenwald, H. C.,* Die Klassik der ökonomischen Wissenschaft, in: *Issing, O.* (Hrsg.), Geschichte der Nationalökonomie, München 1984, S. 49 ff.

Kleinbetrieb → Betriebsgrößenklassen

kleines Land

außenhandelstheoretische Länderklassifizierung, die sich auf den Anteil des → Außenhandels eines Landes am → Weltmarkt bezieht. Im Gegensatz zum → großen Land wird damit ein Bedingungskomplex erfaßt, der einerseits eine starke Abhängigkeit der betrachteten Volkswirtschaft von ausländischen Einflüssen begründet und andererseits spürbaren Einfluß nationaler wirtschaftspolitischer Maßnahmen auf ausländische ökonomische Daten ausschließt. Als weltmarkt- bzw. auslandsbestimmt und damit nationaler Beeinflussung entzogen gelten dabei z.B. Preise international gehandelter Güter, terms of trade (→ reales Austauschverhältnis), während z.B. Preise in-

ternational nicht gehandelter Güter, heimische Löhne oder Geldmenge als vornehmlich inlandsbestimmt gelten.

Die ökonomischen Bedingungen des kleinen Landes schließen eine Analyse wirtschaftlicher Prozesse ohne explizite Berücksichtigung äußerer Einflüsse aus. Realistisch ist dieser Bedingungsrahmen für die Nationalstaaten Europas, Afrikas, Mittel- und Südamerikas, Südostasiens, für Australien, Kanada und Japan.   *F. P. L.*

Kleinkredit → Konsumentenkredit

Kleinpreisgeschäft

aus dem →Einheitspreisgeschäft hervorgegangene Betriebsform des Einzelhandels, die Textil- und Hartwaren, oft auch Lebensmittel führt. Das Sortiment ist im Preisniveau nach oben begrenzt. Durch →Trading-up ergibt sich eine Tendenz zu sog. Junior Warenhäusern, bei denen nicht die Preishöhe, sondern eher die Sortimentsschranken aufgrund begrenzter Fläche das Differenzierungskriterium zum Vollwarenhaus darstellen.

Kleinste-Quadrate-Methode   → Regressionsanalyse

Klima

Gesamtheit der klimatischen Bedingungen, die im wesentlichen die Höhe und Verteilung der Niederschläge, die Temperatur sowie die Länge der Vegetationsperioden und der Arbeitszeitspannen umfassen.

In dem tropischen (subtropischen) Klima, das in vielen Entwicklungsländern vorherrscht, wird häufig eine Ursache der →Unterentwicklung gesehen. Jedoch haben die Träger der →Entwicklungspolitik die Möglichkeit, sich für solche Entwicklungsstrukturen zu entscheiden, die mit den klimatischen Rahmenbedingungen vereinbar sind.

Literatur: *Hemmer, H.-R.,* Wirtschaftsprobleme der Entwicklungsländer, München 1978.

Klumpenstichprobe → Stichprobenverfahren

Knappheit

besteht in der Diskrepanz zwischen jeweiligen menschlichen →Bedürfnissen und den zu ihrer Befriedigung verfügbaren Gütermengen. Kann das Bedürfnis nach einem bestimmten Gut vollständig, d.h. bis zur → Sättigung, befriedigt werden, spricht man von einem „freien" Gut (so war z.B. früher in vielen Gegenden Wasser ein freies Gut, heute gilt dies mit gewissen Einschränkungen noch für die

Luft). Die meisten Bedürfnisse können jedoch nicht vollständig befriedigt werden, da die Güter knapp sind und infolgedessen bewirtschaftet werden müssen, weshalb die knappen auch als wirtschaftliche Güter bezeichnet werden.

Ursprünglich freie Güter können zu wirtschaftlichen werden, wenn entweder die Bedürfnisse ständig zunehmen (steigende Ansprüche, Bevölkerungswachstum) oder die vorhandenen Bestände schrumpfen (erschöpfbare Ressourcen, Umweltverknappung). Da Güter im allgemeinen produziert werden müssen, überträgt sich die Knappheit der Güter auf die zu ihrer Herstellung notwendigen Produktionsfaktoren (Arbeitskraft, Boden, Kapital), die folglich ebenfalls bewirtschaftet werden müssen (wirtschaftliches Prinzip, →Rationalprinzip). Das durch →Kapitalakkumulation und →technischen Fortschritt ermöglichte Wachstum der Produktion hat bislang die Knappheit nicht durchgreifend reduzieren können, weil sich durch das Hinzutreten neuer Güter und Dienstleistungen auch die Bedürfnisse entsprechend vermehrt haben. *U. F.*

Knappheitsrente → Royalty

Knappschaftsversicherung

Zweig der →sozialen Sicherung im Bereich der →Sozialversicherung, bestehend aus der knappschaftlichen Kranken- und Rentenversicherung. Im wesentlichen sind darin Arbeitnehmer versichert, die gegen Entgelt in knappschaftlichen Betrieben beschäftigt sind, d.h. in Bergbauunternehmungen sowie in engem Zusammenhang damit stehenden Nebenbetrieben, aber z.T. auch in früher mit dem Bergbau verbunden gewesenen Hüttenwerken und Betrieben der Stahlindustrie.

Die Leistungen der Knappschaftsversicherung sind regelmäßig höher als in anderen Zweigen der Sozialversicherung und berufsspezifisch ausgeformt (besondere Betonung der Vorbeugung vor Berufskrankheiten). Den erhöhten Leistungen stehen erhöhte Beitragssätze gegenüber. Defizite gleicht ggf. der Bund aus.

Die erhöhten Leistungen in der knappschaftlichen Rentenversicherung sind vor allem der höhere Steigerungssatz bei der Rentenberechnung (→Rentenformel) und zusätzliche Rentenarten:

● Bergmannsrente (wegen verminderter bergmännischer Berufsfähigkeit oder wegen Vollendung des 50. Lebensjahres, wenn keine wirtschaftlich gleichwertige Arbeit mehr ausgeführt werden kann),

● Knappschaftsruhegeld,
● Knappschaftsausgleichsleistungen (Zusatzleistungen an Bergleute bei Vollendung des 55. Lebensjahres, die aus Rationalisierungsgründen ihren Arbeitsplatz verloren haben) sowie
● der Leistungszuschlag nach mindestens fünf Jahren ständiger Arbeit unter Tage.
H. W.

Knapsack-Problem

Standardmodelltyp der →kombinatorischen Optimierung (vgl. Beispiel zum →Branch and Bound). Aus den Elementen $j = 1, 2, \ldots, n$ ist eine solche Auswahl zu treffen, daß der Wert der →Zielfunktion

$$z = \sum_j c_j x_j$$

maximiert (bzw. minimiert) und die (einzige) →Restriktion

$$\sum_j a_j x_j \leq b$$

eingehalten werden. Dabei bedeuten die Variablenwerte $x_j = 1$ die Wahl, $x_j = 0$ die Nichtwahl des Elementes j.

Zur Bewertung der einzelnen Zweige in den →Entscheidungsbaumverfahren wird die 0-1-Bedingung der Variablen durch die Relaxation $0 \leq x_j \leq 1$ ersetzt.

Die Verfahren zur Lösung des Knapsack-Problems bilden die Grundlage für die Bewältigung einer Vielfalt von Auswahlproblemen der kombinatorischen Optimierung.

Die Bezeichnung dieses Modelltyps kommt von dem englischen Namen für „Rucksack" her, der eine Kapazität von b hat. Die für eine Wanderung gebrauchten Gegenstände j mögen einen Nutzen von c_j stiften, vom Raum des Rucksackes aber a_j beanspruchen. Für die Planungspraxis bedeutsam wird dieser Modelltyp immer dann, wenn eine Ressource (z.B. Finanzmittel) nur in begrenztem Ausmaß zur Verfügung steht und verschiedene diskrete Verwendungszwecke um dieses Mittel konkurrieren.

Zur Lösung des Knapsack-Problems stehen verschiedene →Entscheidungsbaumverfahren zur Verfügung, und zwar sowohl solche des →Branch and Bound, der →begrenzten Enumeration und der →dynamischen Optimierung als auch →heuristische Verfahren.
H. M.-M.

Koalitionsfreiheit

in Art. 9 III GG garantiertes Recht, zur Wahrung und Förderung der Arbeits- und Wirtschaftsbedingungen Vereinigungen zu bilden. Es steht sowohl einzelnen Arbeitnehmern und Arbeitgebern zu (*individuelle* Koalitionsfreiheit) als auch von diesen gebildeten Vereinigungen (*kollektive* Koalitionsfreiheit).

Die *positive* Koalitionsfreiheit umfaßt die Gründungs- und Betätigungsgarantie, darunter das Recht der Gewerkschaften, Mitglieder zu werben, die →Tarifautonomie und den →Arbeitskampf. Gegenläufige Abreden bzw. Maßnahmen sind nichtig bzw. rechtswidrig. Unter *negativer* Koalitionsfreiheit ist die Freiheit zu verstehen, einer Koalition fernzubleiben oder sie zu verlassen (→closed shop).

Koalitionstheorie

versteht eine Organisation (soziales System) als eine befristete Vereinigung aller an ihr partizipierenden Gruppen.

C. I. Barnard (1938) hat mit seinen Überlegungen über die Beitritts- und Beitragsentscheidungen von Organisationsteilnehmern aufgrund der vom System angebotenen Anreize den Ausgangspunkt der →Anreiz-Beitrags-Theorie geschaffen.

Koaxialkabel →Übertragungstechnik

Kölner Modell →Bauherrenmodell

Körperschaft des öffentlichen Rechts

ist im Gegensatz zur →öffentlich-rechtlichen Anstalt mitgliedschaftlich organisiert. Ein Beispiel für Körperschaften des öffentlichen Rechts sind →Sozialversicherungen.

Körperschaftsteuer (KSt)

belastet als →Ertragsteuer das Einkommen juristischer Personen. Sie steht Bund und Ländern zu gleichen Teilen zu und gehört mit einem jährlichen Aufkommen von 20–25 Mrd. DM zu den großen Steuern. Als steuerpflichtige Körperschaften gelten vor allem →Kapitalgesellschaften, →Genossenschaften, →Versicherungsvereine und gewerbliche Betriebe von juristischen Personen des öffentlichen Rechts (§ 1 I KStG). Von der Steuer befreit sind u. a. Bundesbahn und Bundespost. Unbeschränkte Steuerpflicht entsteht bei Sitz (§ 11 AO) oder Geschäftsleitung (§ 10 AO) der Körperschaft im Inland; sie erfaßt das gesamte →Welteinkommen. Ausländische Körperschaften müssen nur das Inlandseinkommen in der Bundesrepublik Deutschland versteuern. Zur Ermittlung des Einkommens ist grundsätzlich von den Bilanzierungs- und Bewertungsvorschriften des EStG auszugehen; ergänzend sind spezielle körperschaftsteuerrechtliche Rechenschritte zu beachten (z. B. bei →Organschaft).

Der Regelsteuersatz beträgt 56% (§ 23 I KStG); bei Verteilung des Gewinns ist der Steuertarif auf die Ausschüttungsbelastung von 36% herabzusetzen. Die Eigentümer müssen die ausgeschütteten Gewinne der ESt oder – bei Anteilen in der Hand von Körperschaften – der KSt unterwerfen. Die KSt der ausschüttenden Körperschaft stellt zwar eine eigenständige Steuer dieser juristischen Person dar, aber durch die Anrechnung auf die ESt oder KSt der Eigentümer erhält sie gleichzeitig den Charakter einer Vorauszahlung auf die Steuerschuld der Anteilseigner. Das →Anrechnungsverfahren (§§ 27–43 KStG) als Kernstück des deutschen Körperschaftsteuersystems erstreckt sich jedoch nicht auf ausländische Anteilseigner. Körperschaften können nur verwendbares, d. h. das Nennkapital übersteigendes Eigenkapital ausschütten. Dieses verwendbare Eigenkapital muß entsprechend der Belastung mit KSt (56%, 36%, 0%) gesondert ausgewiesen werden (→Eigenkapitalgliederung). Für Ausschüttungen gelten die höher belasteten Kapitalteile als zuerst verwendet.

Zu den Problembereichen der KSt zählen neben den komplizierten Ermittlungsrechnungen gegenwärtig vor allem folgende:

- Steuerfreies Einkommen der Körperschaften muß mit 36% Ausschüttungssteuer belastet werden, wenn es ausgekehrt werden soll.
- Das Körperschaftsteuersystem benachteiligt nicht anrechnungsberechtigte Anteilseigner. Dadurch ist es zur Überlassung von Fremd- statt Eigenkapital an Gesellschaften durch ihre ausländischen Gesellschafter gekommen. Auf diesem Finanzierungsweg kann die nicht anrechenbare KSt vermieden werden.   *W. H. W.*

Literatur: Herrmann, C./Heuer, G./Raupach, A., Kommentar zur Einkommensteuer und Körperschaftsteuer, Loseblattausgabe, 19. Aufl., Köln 1984. *Kläschen, K. D./Krüger, D.,* Körperschaftsteuergesetz mit einschlägigen Vorschriften des EStG und UmwStG, Kommentar, Loseblattausgabe, Bonn 1984. *Wöhe, G.,* Die Steuern des Unternehmens, 5. Aufl., München 1983.

Körperschaftsteuer-Gutschrift

Bei Ausschüttung des Bilanzgewinns (im Beispiel zum →Anrechnungsverfahren: 100) müssen →Kapitalgesellschaften im Ergebnis 36% Körperschaftsteuer zahlen. Dem Anteilseigner steht neben der auszahlbaren Dividende (Beispiel: 48) und der vorausgezahlten →Kapitalertragsteuer (Beispiel: 16) die Körperschaftsteuer-Gutschrift zu. Die Gutschrift beträgt $^{36}/_{64} = {}^{9}/_{16}$ der Bruttodividende (Beispiel: $^{9}/_{16} \times 64 = 36$). Sie zählt beim privaten

Anteilseigner zum Einkommen aus Kapitalvermögen (§ 20 I Nr. 3 in Verbindung mit § 36 II Nr. 3 EStG). Da der Betrag vom Unternehmen an das Finanzamt gezahlt worden ist, liegt aus der Sicht des Anteilseigners eine Vorauszahlung auf die persönliche Steuer vor.

W. H. W.

Körperschaftsteuerreform

Die → Körperschaftsteuer ist zum 1. 1. 1977 grundlegend reformiert worden. Das neue Körperschaftsteuersystem sieht die Vollanrechnung der Ausschüttungs-Körperschaftsteuer auf die Einkommen- oder Körperschaftsteuer des Anteilseigners vor (→ Brutto-Dividende). Damit wird die Mehrfachbesteuerung ausgeschütteter Gewinne vermieden. Mit der Entscheidung des Gesetzgebers für das → Anrechnungsverfahren wurden die alternativen Reformüberlegungen zur Teilhabersteuer, zum Dividenden-Abzugssystem und zur Unternehmungsteuer zurückgedrängt.

Die EG-Kommission hat 1975 einen Vorschlag zur Vereinheitlichung der europäischen Körperschaftsteuersysteme unterbreitet. Angesichts der erheblichen Unterschiede in der gegenwärtigen Besteuerung (Systeme ohne Anrechnung, mit Teil- und mit Vollanrechnung; einheitlicher und gespaltener Steuersatz für Thesaurierung und Ausschüttung) kann mit einer baldigen Einigung über eine einheitliche Besteuerung von Körperschaften in der EG nicht gerechnet werden. *W. H. W.*

Literatur: *Wöhe, G.,* Die Steuern des Unternehmens, 5. Aufl., München 1983.

Körperschaftsteuertarif

beträgt grundsätzlich 56% des zu versteuernden Einkommens der Körperschaft (§ 23 I KStG). Ausnahmen von diesem Regelsteuersatz bestehen nur für wenige Körperschaften (Tarif 50%) und die Entgelte aus Werbesendungen des ZDF (Tarif 8%). Außerdem können auch steuerfreie Einnahmen erzielt werden. Bei Ausschüttung des Gewinns muß die → Ausschüttungsbelastung von 36% hergestellt werden.

Körperschaftswald

Wald im Eigentum von Gemeinden, Zweckverbänden sowie sonstigen Körperschaften, Anstalten und Stiftungen des öffentlichen Rechts. Ausgenommen ist der Wald von Religionsgemeinschaften sowie von Rechtsverbänden, Haubergsgenossenschaften, Markgenossenschaften und Gehöferschaften (Gemeinschaftsforste), der dem → Privatwald zu-

gerechnet wird, soweit er nicht nach landesrechtlichen Vorschriften als Körperschaftswald angesehen wird. Die Zahl der Körperschaftswälder liegt bei etwa 12000; die Durchschnittsgröße beträgt 148 ha. *W. K.*

kognitive Dissonanz

Schlüsselbegriff einer von *Leon Festinger* entwickelten sozialpsychologischen Theorie zum menschlichen Entscheidungsverhalten. *Festinger* geht davon aus, daß der Mensch danach strebt, seine Kognitionen wie Werte, Einstellungen, Meinungen und Verhaltensweisen in einem harmonischen, „psycho"-logisch konsistenten Gleichgewicht zu halten. Eine kognitive Dissonanz liegt vor, wenn zwei oder mehr Kognitionen in einem subjektiv als bedeutsam empfundenen Widerspruch zueinander stehen. Als anschauliches Beispiel wird häufig das Wissen um den eigenen Zigarettenkonsum und die gesundheitlichen Gefahren des Rauchens angeführt. Da eine kognitive Dissonanz psychischen Stress verursacht, entsteht eine Tendenz zu ihrer Vermeidung und zum Abbau eingetretener Dissonanz. Daraus ergeben sich Konsequenzen für das Entscheidungsverhalten.

Die Theorie der kognitiven Dissonanz war eines der ersten verhaltenswissenschaftlichen Konzepte, das in den 60er und 70er Jahren Eingang in die Theorie des → Konsumentenverhaltens gefunden hat. Von den verschiedenen Arten der Dissonanz sind vor allem zwei zur Erklärung des Konsumentenverhaltens herangezogen worden: die Dissonanz durch Konfrontation mit Informationen, die zu vorhandenen Kognitionen konfliktär sind, und die „entscheidungsbedingte" Dissonanz. Erstere kann auftreten, wenn ein Konsument Informationen über die Vorzüge eines Produktes erhält, zu dem er eine negative → Einstellung hat. Solche Informationen, etwa aus der Werbung, werden durch selektive Informationsaufnahme gemieden oder verzerrt, z.B. durch Herabsetzung der Glaubwürdigkeit des Kommunikators. Die zweite Form der Dissonanz entsteht häufig nach → Kaufentscheidungen dadurch, daß i.d.R. Nachteile der gewählten Alternative in Kauf genommen werden müssen und auf die Vorteile der ausgeschlagenen Alternativen verzichtet wird. Diese „Nachkaufdissonanz" kann dazu führen, daß nach dem Kauf verstärkt Informationen gesucht werden, die die getroffene Entscheidung rechtfertigen.

Insgesamt haben sich die anfangs hochgesteckten Erwartungen hinsichtlich der Fruchtbarkeit der Theorie für die Konsumenten- und Marketingforschung nicht erfüllt. Dafür sind die zahlreichen komplexen Randbedingungen der Theorie, unzureichende Befunde über die Stärke dissonanzbedingter Effekte und nicht zuletzt Meßprobleme verantwortlich. *K. P. K.*

Literatur: *Raffée, H./Sauter, B./Silberer, G.,* Theorie der kognitiven Dissonanz und Konsumgüter-Marketing, Wiesbaden 1973.

Kohlenwirtschaft

umfaßt die Wirtschaftszweige der Volkswirtschaft, die sich mit der Förderung und der Umwandlung von Kohle in verkaufsfähige Produkte beschäftigt. Auch Import sowie Export und der zentrale Verkauf sind diesem Wirtschaftszweig zugeordnet. Wegen beträchtlicher technischer, ökonomischer und organisatorischer Unterschiede ist eine Trennung zwischen → Steinkohlen- und → Braunkohlenwirtschaft erforderlich.

Literatur: *Schmitt, D./Schulz, W.,* Renaissance der Kohle, in: *Schmitt, D.* (Hrsg.), Der Energiemarkt im Wandel – Zehn Jahre nach der Ölkrise, 2. Aufl., München 1985, S. 172ff.

Kokskohlenbeihilfe → Hüttenvertrag

Kolchose

kollektivwirtschaftliche, genossenschaftsähnliche Organisationsform (früher Artel) in der Landwirtschaft der Sowjetunion, im politökonomischen Verständnis „Schule des Kommunismus für die Bauernschaft" in der Übergangsphase des Sozialismus. Nach der Zwangskollektivierung der Landwirtschaft 1928 (→ sowjetisches Wirtschaftssystem), in deren Folge Millionen von Bauern umkamen, wurde 1935 ein erstes Musterstatut für die Kolchosen erlassen.

Gemäß dem 1969 modifizierten Musterstatut ist die Kolchose eine juristische Person mit Sondervermögen: Ihr sind Boden, Vieh und Inventar (staatseigen) zur eigenverantwortlichen Nutzung überlassen. Entsprechend „ständigen Hektarnormen" hat sie Pflichtablieferungen zu staatlich fixierten Preisen an staatliche Aufkauforganisationen zu leisten. Über das Plansoll hinaus erwirtschaftete Mengen kann sie zu höheren Festpreisen verkaufen.

Höchstes beschließendes Organ ist die Vollversammlung der Kolchosmitglieder, höchste Anweisungsgewalt haben der Kolchosvorsitzende, der Hauptbuchhalter und der Vorstand. Die Kolchosen verfügen über keinen organisatorischen Überbau auf Republik- und Unionsebene als Interessenvertretung. Nach dem Wortlaut des Statuts ist die Kolchose ein freiwilliger Zusammenschluß ihrer Mitglieder, tatsächlich bestimmen jedoch staatliche Lenkung der Arbeitskraft und politische Anweisungsmacht Beitritt und Mitgliedschaft. Die Rechtsstellung der Kolchosmitglieder weist deutlich auf die eines Arbeitnehmers hin, nicht auf die eines Genossen im Sinne der genossenschaftlichen Idee.

Ihre Entlohnung gehört zu den niedrigsten in der Sowjetunion. Eine Kompensation stellt der jedem Mitglied zur privaten Nutzung überlassene Boden – maximal 0,5 ha – dar. Auf dieser Hoflandwirtschaft (rd. 0,66% der gesamtstaatlichen Anbaufläche) werden zwischen 20 und 60% der gesamtstaatlichen Produktion einer Reihe landwirtschaftlicher Güter erzeugt.

1984 bestanden 26 200 Kolchosen, in denen 12,8 Mio. Mitglieder 169,1 Mio. ha bewirtschafteten (rd. 32% der Gesamtanbaufläche). Die durchschnittliche Bewirtschaftungsfläche beträgt 6400 ha. Anbaufläche, Zahl der Kolchosen und Mitgliederzahl nehmen seit über 20 Jahren ständig zugunsten der Staatsgüter (→ Sowchose) ab. Die Kolchosen, in den traditionellen Anbaugebieten dominierend, betreiben vor allem Ackerbau. *R. Pe.*

Literatur: *Brunner, G./Westen, K.,* Die sowjetische Kolchoseordnung, Stuttgart 1970.

Kollektiveigentum

Ausprägungsform der → Eigentumsordnung, bei der das → Eigentum der privaten Verfügung und Nutzung entzogen ist. Je nach Zuordnung der → Eigentumsrechte auf staatliche Organe, Gruppen und Kollektive oder die Gesamtheit der Gesellschaftsmitglieder besteht Kollektiveigentum als Staats-, Genossenschafts- oder Gesellschaftseigentum. Bei letzterem ist allerdings die Anwendung des Eigentumsbegriffs problematisch, weil Eigentum eine Zuordnung von Rechten zu einer unbestimmten Vielheit von Personen ausschließt.

Im Gegensatz zum → Privateigentum bestehen bei Kollektiveigentum konkrete objekt- und zweckgebundene Regeln. Sie bestimmen, welche Güter wem zuzuweisen, für welche Zwecke sie zu verwenden und wem die damit verbundenen Handlungsergebnisse zuzuordnen sind. Konkrete → Wirtschaftsordnungen mit Kollektiveigentum sind i.d.R. durch ein System der abgestuften Zuweisung der Eigentumsobjekte und Eigentumsträger gekennzeichnet. Während sich volkswirtschaftlich wichtige Ressourcen und Produktionsmittel im Eigentum des Staates befinden, können einfache Produktionsmittel Genossenschaftseigentum sein. Es besteht privates oder persönliches Eigentum lediglich an Gegenständen des persönlichen Ge- und Verbrauchs.

Gesellschaftseigentum existiert in konkreten Eigentumsordnungen nur als begriffliches Konzept; de facto ist es als Gruppeneigentum spezifiziert, wobei die → Verfügungs- und → Nutzungsrechte in begrenztem Umfang an Betriebe und Arbeitskollektive übertragen sind. *K.-H. H.*

Kollektivgut

ist dadurch gekennzeichnet, daß die produzierte Menge gleichzeitig von mehreren (im Extrem: von beliebig vielen) Wirtschaftssubjekten konsumiert werden kann. Der Konsum eines Individuums schließt den anderer nicht aus. Innerhalb der Kapazitätsgrenzen besteht Nicht-Rivalität im Konsum. Statt von Kollektivgütern wird auch von öffentlichen Gütern gesprochen im Gegensatz zu privaten → Gütern, bei denen Rivalität im Konsum besteht: Das Bier, das von einem Konsumenten getrunken wird, kann nicht mehr von einem zweiten verbraucht werden. Die Eigenschaft eines Kollektivgutes sei an folgenden Beispielen veranschaulicht: Bei einem ausgestrahlten Fernsehprogramm wird der Empfang für einen Zuschauer in keiner Weise beeinträchtigt, wenn weitere Fernsehgeräte eingeschaltet werden. Das Kollektivgut „Landesverteidigung" steht allen Bürgern eines Landes in gleicher Weise zur Verfügung. Der Leuchtturm bietet allen Schiffen, die einen Hafen anlaufen wollen, Orientierungshilfe.

In engem Zusammenhang mit dem Merkmal der Nicht-Rivalität im Konsum steht ein zweites: das Versagen des Ausschlußprinzips. Während von den Nutzungen privater Güter derjenige ausgeschlossen werden kann, der nicht bereit ist, den Marktpreis zu zahlen, funktioniert dieser Marktausschluß bei Kollektivgütern oft aus technischen Gründen nicht oder ist nur unter großen Schwierigkeiten durchzuführen. Der einzelne Bürger kommt auch dann in den Genuß dieser Güter, wenn er sich weigert, einen finanziellen Beitrag zu leisten. Dies trifft bei den genannten Beispielen Landesverteidigung und Leuchtturm zu, aber auch beim Fernsehen ist es nicht immer möglich, „Schwarzseher" zu ermitteln.

Wenngleich in den meisten Fällen Nicht-Rivalität und Versagen des Ausschlußprinzips zusammenfallen (→ spezifisch öffentliches Gut), gibt es auch Ausnahmen: An einer stark befahrenen Straßenkreuzung besteht Rivalität in der Nutzung, aber das Ausschlußprinzip kann wegen technischer Schwierigkeiten und zu hoher Kosten nicht praktiziert werden. Bei einer Sportveranstaltung besteht für die Zuschauer Nicht-Rivalität, aber das Ausschlußprinzip kann über die Erhebung von Eintrittsgeldern durchgesetzt werden.

Schließlich sind zwischen Kollektivgütern und privaten Gütern auch Mischformen, sog. Mischgüter, denkbar. Als Beispiel wird meist die Schutzimpfung genannt: Der einzelne Geimpfte erhält ein privates Gut, für das Rivalität im Konsum besteht und der Ausschluß durchgeführt werden kann. Mit zunehmender Zahl der Geimpften sinkt die Ansteckungsgefahr für die Nicht-Geimpften, sie erhalten ein Kollektivgut, für das der Marktausschluß nicht durchzuführen ist. In der folgenden Tab. sind die verschiedenen Arten von Gütern gegeneinander abgegrenzt.

Festzuhalten bleibt, daß allein die Eigenschaft der Nicht-Rivalität konstitutives Merkmal für ein Kollektivgut ist. Obwohl sich zeigen läßt, daß oft die Bereitstellung dieser Güter durch den Staat geboten ist (→ spezifisch öffentliches Gut), ist die staatliche Bereitstellung kein konstitutives Merkmal. Fernseh- und Rundfunkprogramme sind Kollektivgüter und werden – vor allem im Ausland – auch privat angeboten. *R. P.*

Literatur: *Musgrave, R. A.,* Finanztheorie, 2. Aufl., Tübingen 1969, S. 6 ff. *Sohmen, E.,* Allokationstheorie und Wirtschaftspolitik, Tübingen 1976, S. 283 ff.

Private Güter, Mischgüter und Kollektivgüter

Rivalität / Ausschlußprinzip	anwendbar	nicht anwendbar
Güter mit Rivalität im Konsum	Private Güter	
	Nahrungsmittel	Nutzung einer überfüllten Straßenkreuzung
Güter mit partieller Rivalität im Konsum	Mischgüter	
	Impfschutz für Geimpfte	Impfschutz für Nicht-Geimpfte
Güter mit Nicht-Rivalität im Konsum	Kollektivgüter (öffentliche Güter)	
	Sportveranstaltung	Landesverteidigung

Quelle: *Zimmermann, H./Henke, K.-D.,* Finanzwissenschaft, 4. Aufl., München 1985, S. 43.

Kollektivklage → Verbandsklage

Kollektivprinzip → Gemeinwohl

Kollusion → abgestimmtes Verhalten

Kolonialismus

auf Erwerb und Ausbau von (überseeischen) Besitzungen ausgerichtete Politik des Staates. Den Kolonien oblagen dabei im Interesse einer beschleunigten Entwicklung der kapitalistischen Industrienationen zwei Aufgaben:

● Lieferung von Rohstoffen/Nahrungsmitteln zur Aufrechterhaltung des Kapitalismus in den Industrieländern sowie
● Sicherstellung jener Märkte für industrielle Fertigprodukte, die erforderlich waren, um die im Zuge der Kapitalintensivierung ständig wachsenden Betriebsgrößen auszulasten.

Die koloniale Vergangenheit vieler Entwicklungsländer wird von manchen Autoren als eine Ursache der heutigen → Abhängigkeit der Dritten Welt von den Industrieländern betrachtet (→ Neoimperialismus).

Kolonialzeitalter

beginnt mit dem Zeitalter der Entdeckungen im frühen 16. Jh. und läßt zunächst Spanien und Portugal, dann Frankreich und England zu Weltmächten aufsteigen. Nutzung von Kolonien war zunächst Ausbeutung (Edelmetalle durch Spanier in Amerika), dann Plantagenwirtschaft zur Rohstoffversorgung des Mutterlandes (Aufbau der amerikanischen Sklavenwirtschaft), schließlich Handel und Schaffung von Siedlungsraum (Auswanderung im 19. Jh.).

Deutschland bleibt, von Versuchen der Welser, in Kuba, oder des Großen Kurfürsten, in Afrika Fuß zu fassen, abgesehen, von der kolonialen Besitznahme zunächst ausgeschlossen. Erst in den 1880er Jahren tritt es mit der Gewinnung afrikanischer „Schutzgebiete" in den Kreis der Kolonialmächte ein. Mit der Entlassung der Kolonien in die Selbständigkeit nach dem Zweiten Weltkrieg endet auch für die „klassischen" Kolonialmächte diese Periode.

kombinatorische Optimierung

wichtiges Teilgebiet der → mathematischen Optimierung und der → Planungsmathematik des → Operations Research. Es geht dabei im wesentlichen um die Zuordnung, Gruppierung, Reihung und/oder Auswahl von Elementen aus einer Menge gemäß folgenden vier Grundtypen:

(1) → *Zuordnungsprobleme:* Die Elemente einer bestimmten Elementemenge sollen einzelnen Plätzen zugeordnet werden, z. B. verschiedene Maschinen verschiedenen Standorten (→ Raumzuordnungsproblem).

(2) *Gruppierungsprobleme:* Zerlegung einer Elementemenge in Untermengen, z. B. Bildung von Wahlkreisen oder von Kundengruppen (→ Absatzplanungsmodelle).

(3) *Reihungsprobleme:* Anordnung von Elementen einer Elementemenge in einer Reihenfolge (→ Traveling Salesman Problem).

(4) *Auswahlprobleme:* Selektion einer Menge von Elementen aus einer umfassenden Elementemenge (→ Knapsack-Problem, → Set Covering Problem, → Set Partitioning Problem, → Set Packing Problem).

Die meisten in der realen Welt auftretenden kombinatorischen Probleme enthalten gleichzeitig Komponenten von verschiedenen dieser Grundtypen. Beispiele für kombinatorische Probleme sind:

● „Schulstundenproblem": Welcher Lehrer soll wann welche Klasse in welchem Fach unterrichten (Zuordnung, Gruppierung, Reihung)?
● → Maschinenbelegungsplanung: Wann soll welcher Auftrag auf welcher Maschine bearbeitet werden (Zuordnung, Gruppierung, Reihung)?
● → Fließbandabgleich: Welche Elementararbeiten sollen welchen Arbeitsplätzen zugeteilt werden (Zuordnung und Gruppierung)?
● Personaleinsatzplanung, z. B. für eine Flugverkehrsunternehmung: An welchem Kalendertag soll welcher Flugkapitän welchen Flug (von wo nach wo) auf welcher Maschine durchführen (Mehrfachzuordnung, Reihung, Auswahl)?
● Chip-Bestückung: Welche Bauelemente sollen an welcher x-Position und an welcher y-Position eines Chips untergebracht werden (mehrfache Zuordnung und Reihung)?

Die meisten Probleme der kombinatorischen Optimierung umfassen eine Zielsetzung (→ Zielfunktion) und ein Bündel an Bedingungen (→ Restriktionen). Fast alle diese Probleme lassen sich in Modellen der → ganzzahligen Optimierung formulieren.

Nur für wenige Problemtypen der kombinatorischen Optimierung sind effiziente Rechenverfahren verfügbar. Effizient nennt man solche Verfahren, deren Rechenaufwand polynomial mit der Problemgröße ansteigt. Diese Probleme werden als solche der „Klasse P" bezeichnet.

Für die Mehrzahl der Probleme der kombinatorischen Optimierung gibt es bisher nur solche → Entscheidungsbaumverfahren, bei denen der Rechenaufwand (mit Ausnahme der → heuristischen Verfahren) gewöhnlich exponentiell – also wesentlich steiler als polynomial – mit der Problemgröße ansteigt. Das gilt sowohl für eine direkte Anwendung dieser Verfahren als auch für den Umweg über Modelle der ganzzahligen Optimierung.

Für die Entscheidungsbaumverfahren liegen nur allgemeine Arbeitsprinzipien vor. Für jeden unterschiedlichen Problemtyp sind auf der Basis dieser Prinzipien spezifische Algorithmen zu entwickeln. Insofern besteht ein grundsätzlicher Unterschied zu anderen Teilbereichen der → mathematischen Optimierung, insb. zur → linearen Optimierung, wo generell anwendbare Rechenverfahren zur Verfügung stehen. *H. M.-M.*

Literatur: *Müller-Merbach, H.,* Operations Research, 3. Aufl., München 1973. *Lawler, Eugene L.,* Combinatorial Optimization: Networks and Matroids, New York 1976. *Hu, T. C.,* Combinatorial Algorithms, Reading, Mass. 1982.

kombinierte Anpassung

Verbindung von mindestens zwei isolierten → Anpassungsformen in der Produktion. Gebräuchlich sind vor allem eine Kombination von zeitlicher mit intensitätsmäßiger sowie eine Kombination von quantitativer mit zeitlicher Anpassung. Hierdurch soll eine möglichst kostengünstige Anpassung an Beschäftigungsänderungen erreicht werden.

Wenn die → Verbrauchsfunktion einen U-förmigen Verlauf aufweist, gibt es eine Intensität, bei der die Einsatzmengen an Verbrauchs-, Hilfs- sowie Betriebsstoffen und bei gegebenen Preisen die Kosten je Ausbringungseinheit minimal sind. Man ist daher bemüht, mit dieser Intensität zu fertigen. Demnach erscheint die Hypothese berechtigt, daß man bei einer Kombination von zeitlicher und intensitätsmäßiger Anpassung bis zur maximalen Einsatzzeit Beschäftigungserhöhungen durch zeitliche Anpassung vornimmt. Erst wenn die Möglichkeiten zur Ausdehnung der Einsatzzeit ausgeschöpft sind oder Preissteigerungen (z. B. Überstundenzuschläge) auftreten, wird man die Beschäftigung durch Erhöhung der Intensität ausweiten. Für die Kombination von zeitlicher und intensitätsmäßiger Anpassung erscheint somit häufig die Behauptung gerechtfertigt, daß beide Anpassungsformen nacheinander gewählt werden. Die Kostenfunktion steigt dann zuerst linear an und weist ab der Kapazitätsgrenze der Optimalintensität einen überproportionalen Verlauf auf (vgl. Abb.).

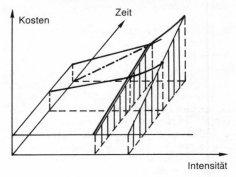

Kostenfunktion bei Kombination von zeitlicher und intensitätsmäßiger Anpassung

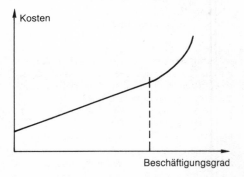

Da rein → quantitative Anpassungen nur die Wahl zwischen einzelnen Beschäftigungspunkten lassen, muß diese Anpassungsform i. d. R. mit einer anderen kombiniert werden. Wenn man die → Potentialfaktoren nach Möglichkeit mit ihrer kostengünstigsten Intensität einsetzen will, kombiniert man die quantitative mit der zeitlichen Anpassung und läßt die Intensität konstant. Dies bedeutet, daß zuerst ein Potentialfaktor eingesetzt wird, bis seine mögliche Einsatzzeit voll ausgelastet ist. Anschließend wird ein zweiter Potentialfaktor in Betrieb genommen, usw. Eine derartige sukzessive Steigerung der Einsatzzeiten der Potentialfaktoren (vgl. Abb. auf S. 1017) erscheint zumindest dann zweckmäßig, wenn die zuerst eingesetzten Potentialfaktoren kostengünstiger arbeiten. Durch die (Wieder-)Inbetriebnahme weiterer Potentialfaktoren (z. B. Lkw) entstehen im allgemeinen zusätzliche Fixkosten (z. B. Kfz-Steuer), was sich in einem Sprung der Kostenkurve niederschlägt. Bei rein quantitativer Anpassung ist die Steigung der Kostenfunktion während der zeitlichen Anpassung in allen Intervallen gleich. Dagegen nimmt sie bei selektiver Anpassung zu. *H.-U. K.*

Kostenfunktion bei Kombination von zeitlicher und
quantitativer Anpassung

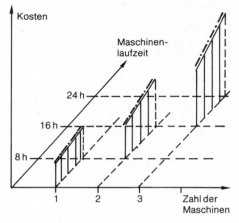

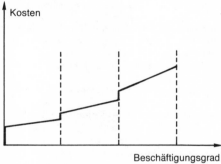

kombinierter Verkehr
generelle Bezeichnung für die Beförderung eines Ladegutes durch mehrere → Verkehrsmittel ohne Wechsel des Transportgefäßes. Für
die Lösung der ökonomischen Aufgabe, un-
unterbrochene multimodale → Transportket-
ten vom Produzenten (Versender) bis zum
Verbraucher (Empfänger) unter Einschluß der
Warendistribution zu bilden, bieten sich eine
Reihe technischer Möglichkeiten an.
Der → Containerverkehr wird z.Z. überwiegend mit Mittel- und Großcontainern betrieben, während der Kleincontainer an Bedeutung verliert. Bei Großcontainern wird
weiter unterteilt in Überseecontainer (sog.
ISO-Container), die von der International
Standardization Organization genormt sind,
und in Binnencontainer, die von der Deutschen Bundesbahn eingeführt wurden und
sich von den ISO-Containern (8' × 8') mit
2,50 m × 2,60 m Breite und Höhe nur unwesentlich unterscheiden. Durch (ISO-) genormte Eckbeschläge sind jedoch beide Systeme bezüglich der Umschlagseinrichtungen kompati-

bel. Die spezielle Abmessung des Binnencon-
tainers dient der besseren Raumausnutzung
bei Beladung mit europäischen Pool-Paletten
und Modulverpackungen (kleinere Verpak-
kungseinheiten, die in ihren Abmessungen so
ausgelegt sind, daß sie eine optimale – meist
95%ige Flächen- bzw. Raumausnutzung eines
größeren Transporthilfsmittels, z.B. Contai-
ners, gewährleisten).
Auch im Huckepack-Verkehr lassen sich
mehrere technische Varianten unterscheiden.
Neben der Beförderung kompletter Lastzüge
oder Sattellastzüge wird der kombinierte Verkehr mit Sattelanhängern und Wechselbehäl-
tern auf Spezialwaggons der Eisenbahn
durchgeführt. Dieser Art des kombinierten
Verkehrs liegt die Idee einer direkten Verbindung der weitmaschigen Verkehrsströme der
Bahn bei hoher Massenleistungsfähigkeit mit
der Flächenerschließung durch den Lastkraftwagen zugrunde. Weitere bedeutsame Systeme sind der Roll-on/Roll-of (RoRo-) und der
Lighter-Aboard-Ship- (LASH-)Verkehr. Die
Rolle des multimodalen Transportgefäßes
übernehmen entweder der Lkw (RoRo) oder
Leichter von bis zu 450 Tonnen (→ Contai-
nerschiffe).   *P. T.*

Kommanditaktionär   → Kommanditgesellschaft auf Aktien

Kommanditgesellschaft (KG)
→ Personengesellschaft, die – im Gegensatz
zur → Offenen Handelsgesellschaft (oHG) –
zwei Typen von Gesellschaftern kennt: die
vollhaftenden Komplementäre und die (nur
mit ihrer Kapitaleinlage haftenden) Kommanditisten. Sie ist eine Ausprägung der → kapitalistischen Unternehmensverfassung, so daß
sich alle Entscheidungsbefugnis, die in der
von der KG betriebenen Unternehmung zur
Ausübung kommt, von den Kapitaleignern
ableitet (Mitwirkung der Arbeitnehmer richtet sich nach → Betriebsverfassungsgesetz
1972). Allerdings sind die Kommanditisten
im gesetzlichen (abdingbaren) Regelfall von
der Geschäftsführung (Innenverhältnis der
Gesellschaft) und Vertretung der Gesellschaft
(nach außen) ausgeschlossen (§§ 164, 170
HGB). Für Kontrollzwecke hat der Komman-
ditist das Recht, eine Jahresbilanz zu verlangen und diese unter Büchereinsicht auf ihre
Richtigkeit zu überprüfen (§ 166 Abs. 1
HGB). Das Informationssystem der KG ist –
wie das der oHG – allein auf die Bedürfnisse
der Kapitaleigner zugeschnitten; für die große
KG greift allerdings die → Publizität nach
dem Publizitätsgesetz. Die Koordination der

Unternehmensführung zwischen den Komplementären erfolgt nach den Spielregeln der oHG (§ 161 Abs. 2 HGB).

Die wirtschaftliche Bedeutung der KG ist in den letzten Jahrzehnten ständig gewachsen. Im Gegensatz zur oHG ermöglicht die Zweiteilung der Gesellschaftertypen die Beteiligung einer größeren Zahl von Gesellschaftern und damit eine Verbreiterung der Eigenkapitalbasis. So spielt die „Publikums-KG" als Kapitalsammelstelle in der Praxis eine wichtige Rolle. Hier entwerfen mehrere Unternehmer-Gesellschafter ein Projekt (z. B. ein größeres Bauvorhaben zur Erzielung von Steuervorteilen bei → Abschreibungsgesellschaften) und gründen zu seiner Finanzierung eine KG, deren Kommanditanteile öffentlich angeboten werden. Problematisch für Kapitalanleger ist, daß diese Kommanditanteile praktisch nur mit großen Schwierigkeiten wieder veräußert werden können. *H. S.*

Literatur: *Kübler, F.,* Gesellschaftsrecht, 2. Aufl., Heidelberg 1986.

Kommanditgesellschaft auf Aktien (KGaA)

Mischform aus → Kommanditgesellschaft und → Aktiengesellschaft, nämlich → Kapitalgesellschaft mit eigener Rechtspersönlichkeit, bei der mindestens ein Gesellschafter den Gläubigern unbeschränkt haftet (persönlich haftender Gesellschafter) und die übrigen Gesellschafter an dem in → Aktien zerlegten Grundkapital beteiligt sind, ohne persönlich (d. h. über ihre Einlage hinaus) für Verbindlichkeiten der Gesellschaft zu haften (Kommanditaktionäre).

Soweit in den §§ 278 ff. AktG nichts anderes festgelegt ist, gelten für die KGaA die Vorschriften des AktG (§§ 1 ff. AktG). Die Kommanditgesellschaft auf Aktien ist als Kapitalgesellschaft eine juristische Person und steht somit der AG näher als der KG.

Allerdings bestimmt sich das Rechtsverhältnis der unbeschränkt haftenden Gesellschafter untereinander und gegenüber den Kommanditaktionären sowie gegenüber Dritten nach den Vorschriften des HGB über die KG (§§ 161 ff. HGB). Die Geschäftsführung steht nur den unbeschränkt haftenden Gesellschaftern zu, die praktisch die Funktion des Vorstandes der AG ausüben.

Kommanditist → Kommanditgesellschaft

Kommission

besonderes schuldrechtliches Handelsgeschäft (§§ 383 ff. HGB), bei dem es eine Person (Kommissionär) gewerbsmäßig gegen Entgelt übernimmt, Waren oder Wertpapiere für Rechnung eines anderen (Kommittent) im eigenen Namen zu kaufen (Einkaufskommission) oder zu verkaufen (Verkaufskommission). Der Kommissionsvertrag ist ein Geschäftsbesorgungsvertrag; er zieht ein Ausführungsgeschäft mit einem Dritten sowie ein Abwicklungsgeschäft des Kommissionärs mit dem Kommittenten nach sich.

Die Kommission hat im modernen Warenverkehr zunehmend an Bedeutung verloren und ist durch neuzeitlichere → Verkaufsorgane der Industrie und andere Formen des → Agenturhandels in den Hintergrund gedrängt worden. Eine gewisse Rolle spielt die Kommission noch beim Handel mit Kunstgegenständen, im Import- und Exportgeschäft sowie bei der sog. Effektenkommission. Hier treten die beteiligten Kreditinstitute i. d. R. als Kommissionäre auf; der Verkauf aus eigenen Wertpapierbeständen tritt also zurück.

Kommissionär → Kommission, → Agenturhandel, → Verkaufsorgane der Industrie

Kommissionsagent → Agenturhandel

Kommissionsvertrag → Kommission

Kommissionsvertrieb → Kommission, → Agenturhandel

Kommittent → Kommission

Kommunalabgaben

umfassen Steuern, → Gebühren und → Beiträge, die von Gemeinden (und Kreisen) auf der Grundlage landesrechtlicher Kommunalabgabengesetze erhoben werden. Im weiteren Sinne werden auch die Realsteuern, deren Aufkommen nach Art. 106 Abs. 6 GG den Gemeinden zusteht und die auf Grund besonderer Gesetze (Gewerbesteuer-, Grundsteuergesetz) von diesen erhoben werden, dazugerechnet. Nicht dazu zählen der Anteil an der Einkommensteuer, der den Gemeinden zufließt, sowie privatrechtliche Entgelte, die Benutzungsgebühren gleichkommen. Über die Kommunalabgaben verschaffen sich die Gemeinden einen erheblichen Teil der finanziellen Mittel, die sie zur Wahrnehmung ihrer vielfältigen Aufgaben benötigen. *E. Di.*

Kommunalanleihe

Schuldverschreibung (→ Anleihe), die von Städten, Gemeinden und Gemeindeverbänden am Kapitalmarkt begeben wird (stets genehmigungspflichtig im Gegensatz zu den Staatsanleihen). Als Sicherheit dienen Vermögen und Steuerkraft der Emittenten. Sie ist lombardfähig und mündelsicher. Die Kommunalanleihe ist direktes Finanzierungsinstrument im Gegensatz zum indirekten Finanzierungsinstrument der → Kommunalobligationen.

kommunale Investitionen → öffentliche Investitionen

Kommunalkredit

Kredit, bei dem die öffentlich-rechtliche Körperschaft selbst Kreditnehmer ist oder bei dem sie eine → Bürgschaft oder Garantie übernimmt.

Kommunalkreditinstitut

Kreditinstitut, bei dem der Schwerpunkt der Geschäftstätigkeit in der Ausgabe von → Kommunalobligationen und in der Gewährung von → Kommunalkrediten besteht.

Kommunalobligation

(Kommunalschuldverschreibung) Schuldverschreibung (→ Anleihe) von → Realkreditinstituten und öffentlich-rechtlichen Kreditanstalten. Die Mittel der Kommunalobligation werden als Kommunaldarlehen an Bund, Länder, Gemeinden und verschiedene öffentlich-rechtliche Körperschaften gewährt und dienen der Finanzierung öffentlicher Aufgaben. Die Emission und Deckung der Kommunalobligation wird in den gleichen Gesetzen geregelt wie die der → Pfandbriefe. Durch die Deckung der Kommunalobligationen mit Kommunaldarlehen, deren Verzinsung und Rückzahlung aus der Steuerkraft der Kommunen gewährleistet wird, gelten sie als ebenso sicher wie Pfandbriefe, obwohl im allgemeinen keine grundpfandrechtliche Sicherheit dahintersteht. Sie sind wie Pfandbriefe beliebte Wertpapiere als Sparanlageform.

Kommunalpolitik

die Regelung von Angelegenheiten der örtlichen Gemeinschaft in eigener Verantwortung, die sich vor allem in demokratisch, dezentral oder föderalistisch organisierten Staaten findet. Dies kann entweder dadurch geschehen, daß Kommunen eigene Ziele setzen und über den Mitteleinsatz zur Zielerreichung bestimmen, oder dadurch, daß sie entscheiden, mit welchen Instrumenten von außen vorgegebene Ziele der Wirtschafts- und Sozialpolitik erreicht werden sollen. Voraussetzung für die kommunalpolitische Trägerschaft ist ein gewisser Grad an Autonomie, der in zweierlei Hinsicht erfüllt sein muß: Die Kommunen müssen einmal die Macht und die Befugnis haben, getroffene Entscheidungen auch durchzusetzen (Gemeindeautonomie); und diese Gestaltungsmöglichkeiten dürfen nicht nur formal garantiert sein, sondern müssen über finanzielle Freiräume (finanzpolitische Autonomie: Entscheidung über Einnahmen und Ausgaben; → Finanzzuweisungen) auch faktisch gewährleistet sein.   *F. J. L.*

Kommunalschuldverschreibung → Kommunalobligation

Kommunalverwaltung

basiert auf dem Grundsatz der kommunalen Selbstverwaltung, die von der staatlichen Verwaltung (→ Bundes- und → Landesverwaltung) abgehobene dezentrale, eigenverantwortliche örtliche und regionale Verwaltungen umfaßt, die allerdings auch übertragene staatliche Aufgaben, wie z. B. das Meldewesen, wahrnehmen. Grundeinheit der kommunalen Selbstverwaltung ist die Gemeinde. Mehrere Gemeinden sind zu Kreisen zusammengefaßt. Nur die größeren Städte stehen außerhalb des Kreisverbandes, wobei dann die Orts- und Kreisstufe der Verwaltung vereinigt ist. Die Kommunalverwaltung ist gekennzeichnet durch das Zusammenspiel von ehrenamtlichen Elementen in Form der Gemeinde- und Kreisräte und von Berufsbeamten. Hauptverwaltungsbeamte, wie Bürgermeister und Beigeordnete, sind Wahlbeamte, die für eine bestimmte Zeit gewählt werden. Die Leitung der einzelnen Verwaltungszweige in der Gemeinde wird dann von Laufbahnbeamten übernommen, wie z. B. Allgemeine Verwaltung, Finanz-, Rechts-, Sicherheits-, Ordnungsverwaltung.

Kommunikation

Prozeß der Informationsübertragung zwischen zwei Stellen (→ Kommunikationsmodell). In enger Verbindung steht der Begriff → Interaktion, der oft synonym verwendet wird. Kommunikation ist von zentraler Bedeutung für die Gestaltung zwischenmenschlicher Beziehungen und somit auch für jedes wirtschaftliche Handeln. Die ökonomischen Prozesse erfolgen heute fast ausnahmslos arbeitsteilig. Sie erfordern somit → Koordination; dafür ist Informationsaustausch unter den Beteiligten, also Kommunikation, unerläßlich.

Für ein tiefergehendes Verständnis erscheint eine weitgefaßte Definition sinnvoll: Kommunikation ist objektbezogenes konkretes Handeln zwischen zwei oder mehreren Subjekten.

Der Objektbezug verweist auf den Gegenstand oder den Inhalt bzw. Bezugspunkt von Kommunikation.

Der Begriff konkretes Handeln macht deutlich, daß Kommunikation von Individuen zu einem bestimmten Zeitpunkt und in einem bestimmten Kontext (Situation) vollzogen wird. Zugleich beschreibt er die große Varietät in der Art und Weise (→ Kommunikationsform), wie → Information über das Kommunikationsobjekt zwischen den Beteiligten übermittelt wird. Darüber hinaus sind die verschiedenen Kommunikationsformen (z.B. Sprache, aber auch Schweigen) selbst wiederum Ausdrucksmittel für den Kommunikationsinhalt und beeinflussen das → Kommunikationsklima.

Als Kommunikationssubjekte gelten Personen oder Sachen, zwischen denen Kommunikation stattfindet. Im ersten Fall spricht man von menschlicher oder personeller Kommunikation, im zweiten von sachlicher oder technischer Kommunikation; ebenso ist als dritte Variante eine → Mensch/Maschine-Kommunikation möglich. Letztlich ist eine Sache als Kommunikationssubjekt nur Hilfsmittel für den Menschen im Kommunikationsprozeß.

Die kleinstmögliche Kommunikationsbeziehung stellt die Dyade, die Zweierbeziehung, dar. Sind in bezug auf ein Kommunikationsobjekt mehrere Personen am Kommunikationsvorgang beteiligt und stehen diese über einen längeren Zeitraum in Beziehung zueinander, so spricht man von → Gruppenkommunikation. Dyadische und Gruppenkommunikation werden unter → Individualkommunikation zusammengefaßt. Von → Massenkommunikation spricht man, wenn zumeist nur ein Sender mit einer Vielzahl potentieller Empfänger in Verbindung steht. Aus dieser quantitativen Einteilung der Kommunikationsteilnehmer resultieren unterschiedliche qualitative Anforderungen an verschiedene Arten von → Kommunikationsnetzen.

Als konkrete Handlung ist Kommunikation immer zweckorientiert. Der kommunikativ Handelnde strebt im weitesten Sinne danach, eine Reaktion beim Empfänger auszulösen. Die allgemeinste Form der Reaktion besteht in einem Verhalten des Empfängers, mit dem er zu erkennen gibt, er habe die Information wahrgenommen, das ist z.B. durch ein kontextbezogenes Schweigen möglich. Die Zweckorientierung von Kommunikation betrifft die Verständnisebene (Pragmatik) innerhalb der → Semiotik (Lehre von den Kommunikationszeichen); involviert ist damit stets eine zielgerichtete Nachricht. Ein Kommunikationsprozeß ist also nicht mit dem Erhalt der entsprechenden → Signale beim Empfänger abgeschlossen, vielmehr sind alle intrapersonellen Informationsverarbeitungsvorgänge von Bedeutung, dies insb. deshalb, weil das Erreichen der Kommunikationsabsicht sowohl von äußeren → Kommunikationsstörungen als auch von den internen Wahrnehmungs- und Informationsverarbeitungsmöglichkeiten des Empfängers abhängt. So erfordert z.B. die Übermittlung eines Kommunikationsinhaltes an verschiedene Empfänger dann unterschiedliche Kommunikationshandlungen, wenn sich die Betroffenen in ihrer Wahrnehmungs- und Informationsverarbeitungskapazität unterscheiden.

Kommunikation selbst kann über verschiedene → Kommunikationskanäle (Übermittlungswege) erfolgen, wobei moderne Formen der → Telekommunikation für → organisationale Kommunikation von zunehmender Bedeutung sind.

Die Unterscheidung der → Kommunikationsflußrichtung nach einseitiger – vom Sender zum Empfänger – und zweiseitiger Kommunikation – jeder Teilnehmer ist Sender und auch Empfänger – ist beim hier verwendeten Kommunikationsbegriff von geringerer Bedeutung; denn, wie hervorgehoben, bedarf jeder Kommunikationsvorgang einer → Rückkopplung, um vollständig durchgeführt zu sein.

Werden z.B. bei organisationaler Kommunikation nur einseitige Kommunikationskanäle eingerichtet, ist dafür zu sorgen, daß Rückkopplung auf einem anderen Kommunikationskanal möglich wird. Gleiches gilt im Bereich der Massenkommunikation. Hier wird Rückkopplung durch besondere Maßnahmen hergestellt, wie z.B. Verteilnetz mit Rückkanälen, aber auch Untersuchungen der Sehbeteiligung oder Leserbefragungen.

In Organisationen besteht nicht nur → formale Kommunikation, die als Gegenstand den Organisationszweck hat und nach vorgegebenen Regeln abläuft, sondern auch → informale Kommunikation, die ungeplant stattfindet und insb. den Individualzielen der Organisationsmitglieder dient. Sie sichert die Existenz der → informalen Organisation und dient der Motivation der Organisationsmitglieder sowie der Entwicklungsfähigkeit der Organisation. Die enge Wechselwirkung zwischen funktionsgerechten formalen und informalen Kommunikationssystemen für den Unternehmungserfolg wird hier deutlich. Dafür sind vor allem → Face-to-face-Kontakte unerläßlich, die in Form des persönlichen Gesprächs

nur als → synchrone Kommunikation stattfinden können. → Asynchrone Kommunikationsformen bedürfen sachlicher Hilfsmittel
und verschiedener → Kommunikationstechniken, die Speichermöglichkeit bieten. Sie sind
als Mensch/Maschine bzw. Mensch/Maschine/Mensch-Kommunikation anzutreffen.

A. P./W. K. R.

Literatur: *Drumm, H. J.*, Elemente und Strukturdeterminanten des informatorischen Kommunikationssystems industrieller Unternehmungen, Berlin
1969. *Meggle, G.*, Grundbegriffe der Kommunikation, Berlin, New York 1981. *Mertens, K.*, Kommunikation, Opladen 1977.

Kommunikationsanalyse

betrifft die umfassende Untersuchung der
→ Kommunikation in Organisationen, um
festzustellen, inwieweit die → Kommunikationsfunktionen erfüllt werden. Eine Kommunikationsanalyse sollte an allen Aspekten der
Kommunikation ansetzen: an Kommunikationsinhalten, -formen und -funktionen,
Kommunikationsbeziehungen und (technischen) Kommunikationskanälen. Für die Untersuchung der Kommunikationsbeziehungen
wurde das Analyseinstrumentarium des
→ communication audit entwickelt. Zu berücksichtigen ist, daß Kommunikationsinhalte nicht nur Sachinformationen betreffen,
sondern auch einen sozio-emotionalen Beziehungsaspekt aufweisen. Für die Übertragung
dieses Beziehungsaspektes eignen sich verschiedene → Kommunikationskanäle verschieden gut; sie benötigen ein unterschiedliches Maß an → Redundanz. Die Kommunikationsanalyse muß sich i. d. R. auf vielfältige → Erhebungstechniken stützen (→ Beobachtung, → Befragung, → Dokumentenanalyse, Expertengespräch).

Eine Kommunikationsanalyse ist nicht nur
Voraussetzung für eine → Reorganisation der
→ formalen Kommunikation einschl. der
technischen Ausstattungsaspekte (→ Kommunikationstechniken), sondern bezieht sich
auch auf die Effizienz des → informalen Kommunikationssystems. Liegen in diesem Bereich
→ Kommunikationsstörungen vor, so sollten
nicht Regeln vorgegeben, sondern Instrumente der → Organisationsentwicklung zur Verbesserung der Kommunikationsbeziehungen
eingesetzt werden. Nur wenn eine Kommunikationsanalyse ein weitgefaßtes Untersuchungsfeld abdeckt, kann mit Maßnahmen
zur Kommunikationsverbesserung eine Steigerung der Effizienz in Organisationen erwartet werden.

A. P./W. K. R.

Literatur: *Klingenberg, H.*, Organisatorische Kommunikationsanalysen als wesentlicher Bestandteil

der Einführung neuer Techniken der Bürokommunikation, Online 83, Tagungsbandkongress 1, Velbert 1983. *Anders, W.*, Die Gestaltung der organisatorischen Kommunikation, Diss., TU München
1986.

Kommunikationsdienste

als Bestandteil der → Telekommunikation eine bestimmte Form des Nachrichtenaustauschs auf der Grundlage von den Dienst definierenden und zwischen den Kommunikationspartnern anerkannten Standards, einer
vom Träger des zugehörigen → Kommunikationsnetzes garantierten Dienstgüte und eines
Teilnehmerverzeichnisses. Ist der Zugang zu
einem Kommunikationsdienst prinzipiell allen Interessenten offen, so spricht man von
öffentlichen Kommunikationsdiensten, die
häufig in staatlicher Verantwortung, abgesichert durch das → Postmonopol bzw. Fernmeldemonopol, betrieben werden. Aber auch
im privaten Bereich, z.B. innerhalb eines Unternehmens, gibt es Dienste. Die Öffentlichkeit ist hier auf die beteiligten Organisationsmitglieder beschränkt.

Die Standards der Kommunikationsdienste
werden in Standardisierungsorganisationen
der Vereinigungen von Trägern (wie z.B. ISO,
DIN, CCITT, CEPT) großenteils international vereinbart. Sie legen die technischen Übertragungsmodalitäten (physische → Medien,
→ Übertragungstechnik, Sende- und Empfangsprozedur) fest. Zu den Standards gehört
häufig auch der Zeichenvorrat im Sinne von
Alphabeten oder Sprachen, die zwingend für
die Kommunikation vorgeschrieben sind. Ferner konkretisiert sich die Verwirklichung der
Standards in aller Regel in bestimmten Eigenschaften der → Kommunikationsendgeräte
bzw. → Terminals.

Kommunikationsdienste umfassen sowohl
die üblichen Postdienste wie Brief- und Paketverkehr als auch die klassischen technischen
Kommunikationsdienste wie → Telefon,
→ Telex und Telegrammdienst. Hinzugekommen ist eine größere Zahl von öffentlichen
Kommunikationsdiensten, die sich der Möglichkeiten der → Kommunikationstechniken
bedienen. Beispiele dafür sind → Telex, → Telefax, → Bildschirmtext und Telebox (→ electronic mail).

Die Zulassung von Endgeräten zu öffentlichen Kommunikationsdiensten hängt in der
Bundesrepublik von der Genehmigung der
Deutschen Bundespost ab. Sie wird vom Zentralamt für Zulassungen durchgeführt, das die
Geräte der Hersteller auf ihre Verträglichkeit
mit einem öffentlichen Dienst (→ Kompatibilität) und ihre Betriebssicherheit überprüft

und mit einer Zulassungsnummer versieht. In anderen Ländern, in denen es im Fernmeldesektor kein Postmonopol gibt, werden öffentlich zugängliche Kommunikationsdienste auch von privaten Anbietern bereitgestellt, z.B. in Form von konkurrierenden privaten Telefongesellschaften, computergestützten Postsystemen sowie privaten Brief- und Paketdiensten.   *A. P./W. K. R.*

Literatur: *Picot, A./Anders, W.,* Telekommunikationsdienste für den Geschäftsbereich, in: WiSt, 12. Jg. (1983), S. 275 ff.

Kommunikationsendgeräte

Form von → Terminals; sie dienen der Verwirklichung von → Kommunikationsdiensten über → Kommunikationsnetze und sind somit wichtige Komponenten der → Telekommunikation. Kommunikationsendgeräte werden bei → Kommunikationsformen eingesetzt, die sich technischer Hilfsmittel bedienen. Je nach Art des Dienstes müssen Kommunikationsendgeräte ganz bestimmte Eigenschaften aufweisen, um untereinander verbindungsfähig zu sein und eine vorgegebene Dienstgüte zu garantieren (z.B. Vorschriften über Mindesteigenschaften von Fernsehgeräten, Telefonapparaten, Endgeräten im → Teletexdienst oder → Bildschirmtextdienst). Für die Sicherstellung dieser Eigenschaften im Bereich der Dienste der Deutschen Bundespost müssen Endgeräte eine Zulassungsnummer aufweisen, die seit dem 1. 7. 1982 vom neugeschaffenen Zentralamt für Zulassungen im Fernmeldewesen der Deutschen Bundespost vergeben wird. Sie entsprechen damit den für den jeweiligen Dienst festgelegten Übertragungsstandards. Darüber hinaus werden Kommunikationsendgeräte auch mit zusätzlichen Funktionen ausgestattet, die den besonderen Bedürfnissen des Nutzers entgegenkommen (sog. Private-use-Funktionen oder Optionen wie zusätzliche Rechenoperationen, Speicher, Signalgeber, komfortable Druckwerke, unterschiedliche Bildschirmgrößen usw.).
A. P./W. K. R.

Literatur: *Arnold, F.* (Hrsg.), Endeinrichtungen der öffentlichen Fernmeldenetze, Heidelberg, Hamburg 1981.

Kommunikationsfluß

überwiegende Nutzungsrichtung eines → Kommunikationskanals. Man unterscheidet:
(1) einseitige Kommunikation: Ein Kommunikationskanal wird in erster Linie von einem als Sender definierten Kommunikationsteilnehmer in Richtung auf einen als Empfänger definierten Teilnehmer(kreis) genutzt (→ Kommunikationsmodell) bzw. für diesen Nutzungszweck installiert (z.B. im Bereich der → Massenkommunikation).
(2) zweiseitige Kommunikation: Ein Kommunikationskanal wird so installiert bzw. genutzt, daß jeder Kommunikationsteilnehmer gleichermaßen sowohl als Sender wie auch als Empfänger auftreten kann (→ Individualkommunikation, → Interaktion, → Kommunikationsnetze).
A. P./W. K. R.

Kommunikationsformen

kennzeichnen allgemein die verschiedenen Möglichkeiten zu kommunizieren. So werden z.B. → Individualkommunikation, → Massenkommunikation, → Face-to-face-Kommunikation, → Gruppenkommunikation, → organisationale Kommunikation und → Telekommunikation jeweils als eine mögliche Kommunikationsform betrachtet. Etwas spezifischer wird hier unter Kommunikationsform die Art und Weise verstanden, mit der Botschaften in zwischenmenschlicher → Kommunikation übermittelt werden.

Zunächst kann Kommunikation digital oder analog stattfinden. *Digitale* Kommunikation verwendet zur Übertragung des Kommunikationsinhalts den Sachverhalt beschreibende Begriffe. Ihnen sind entsprechende Zeichen (Designate) zugeordnet, die auf einem übereinstimmenden Verständnis (Konvention) einer Sprache basieren. Nur wer über ein gleiches Zeichenverständnis verfügt, kann den Inhalt digitaler Kommunikation verstehen. Sprache ist somit notwendige Voraussetzung für digitale Kommunikation und eignet sich besonders zur Übertragung von → Informationen in → Kommunikationskanälen (→ Kommunikationstechnik).

Mit der *analogen* Kommunikationsform werden Kommunikationsinhalte dagegen eher in ihrer Ganzheit, d.h. bildhaft bzw. beschreibend übermittelt. Diese Ausdrucksform kann daher auch dann verstanden werden, wenn zwischen den Kommunikationspartnern keine Konvention über die Zeichenbedeutung (Sprache) vorhanden ist. Die analoge Kommunikation ist dem Ausdruck von den Phänomenen des Verhaltens und der Beziehung angemessen, während sich die digitale Kommunikation zur Übertragung exakter, abstrakter Inhalte eignet.

Ergänzend werden die in der Abb. aufgeführten Kommunikationsformen unterschieden. Tendenziell sind dabei die sprachlichen und schriftlichen Varianten der digitalen Kommunikation zugeordnet, während die nicht-sprachlichen Formen eher die analoge

Kommunikation zum Ausdruck bringen. Zunächst lassen sich im Bereich der verbalen Kommunikation sprachliche (akustisch/linguale) sowie nicht-sprachliche (akustisch/nonlinguale) Mitteilungsformen unterscheiden. Die non-verbalen Kommunikationsformen können in die Gruppe der visuell wahrnehmbaren (z. B. Bildkontakt und Gestik) und in die der nicht visuell wahrnehmbaren (z. B. taktilen oder olfaktorischen) Kommunikationsformen, wie Berührung und Geruch, eingeteilt werden.

Diese ursprünglich an den menschlichen Mitteilungsmöglichkeiten orientierte Einteilung ist um speicherbare Kommunikationsformen zu ergänzen. Hierzu zählen zunächst die bildhaften Darstellungsmöglichkeiten (Grafik), die einen Sachverhalt analog darstellen. Aus dieser Form entwickelten sich die Bildschrift und anschließend, auf einem höheren Abstraktionsniveau und der digitalen Kommunikationsform entsprechend, die Zeichenschrift. Die jüngste Kommunikationsform läßt sich als hilfsmittelorientiert kennzeichnen, beschreibt also diejenigen Kommunikationsmöglichkeiten, die sich technischer Einrichtungen bedienen.

Der Kommunikationsinhalt bestimmt weitgehend die Kommunikationsform und diese wiederum den Kommunikationskanal. Will z. B. ein Kommunikationspartner dem anderen exakte Daten über ein Kommunikationsobjekt zukommen lassen, so ist dies am günstigsten schriftlich möglich (digitale Kommunikationsform). Soll umgekehrt ein Beziehungsaspekt übertragen werden, so ist eine analoge Kommunikationsform vorzuziehen. Entsprechen Kommunikationsform und -inhalt einander nicht, so ist oft → Redundanz notwendig, um → Kommunikationsstörungen auszuschließen.

Erfordern komplexe Sachverhalte zugleich analoge und digitale Kommunikationsformen, bedient man sich der Face-to-face-Kommunikation, bei der verschiedene Kommunikationsformen und -kanäle (Übertragungsstrecken) Verwendung finden. In der Zukunft wird man dazu in gewissem Umfang auch auf neue, integrierende Kommunikationstechniken wie z. B. → Videokonferenz zurückgreifen können (→ Mischkommunikation).

A. P./W. K. R.

Literatur: *Klingenberg, H./Kränzle, H.-P.*, Kommunikationstechnik und Nutzerverhalten, München 1983. *Watzlawick, P./Beavin, J. H./Jackson, D. D.*, Menschliche Kommunikation, 5. Aufl., Bern u. a. 1980.

Kommunikationsfunktion

Nach *Paul Watzlawick* hat jede Kommunikation stets und zugleich sowohl eine inhaltliche (Übermittlung von Sachinformationen) als auch eine soziale Funktion (Weiterentwicklung der zwischenmenschlichen Beziehungen zwischen den Kommunikationspartnern). Die Entwicklung der sozialen Beziehungen ist dabei Voraussetzung für die adäquate Verständigung auf der inhaltlichen Ebene. Je nach Situation steht die inhaltliche oder die soziale Funktion im Vordergrund. In vielen Fällen haben scheinbar vorrangig inhaltliche Kommunikationsprozesse die Funktion, die zwischenmenschlichen Beziehungen zu „klären" (z. B. Gespräch über das Wetter zur Anknüpfung von Kontakten).

Aufgabe der → organisationalen Kommunikation ist es, eine effiziente Erfüllung des Organisationszwecks zu ermöglichen. Dabei hat Kommunikation zwei wesentliche Funktionen:

(1) Die für die Aufgabenerfüllung notwendige Arbeitsteilung erzwingt die → Koordination von Teilaufgaben. Diese sind nur über die verschiedensten Formen von → Kommunikation möglich, wobei von zunehmender Bedeutung die Verwendung von → Kommunikationstechniken ist.

(2) Integration als weitere zentrale Funktion von Kommunikation besteht darin, den Organisationsmitgliedern eine gemeinsame Orientierung zu ermöglichen und damit zur → Leistungsmotivation beizutragen. Diese Funktion betrifft die Bildung gemeinsamer Werte, die Orientierung an einer Unternehmensphilosophie sowie das Erleben eines Zusammengehörigkeitsgefühls (→ Gruppenkommunikation, → Organisationsklima). Koordinations- und Integrationsfunktion von Kommunikation in Organisationen sind somit analog den allgemeinen Funktionen der Kommunikation

Kommunikationsformen

```
                      non visuell:
                      taktil, olfaktorisch

                      visuell: Körperhaltung
                      visuell: Gestik
non verbal ────────   visuell: Mimik
                      visuell: Blickkontakt
                      visuell: hilfsmittelorientiert
                      visuell: bildhaft
                      visuell: schriftlich

              ↑
              ↓       (transformierbar)

                      akustisch: lingual
verbal ──────────
                      akustisch: non lingual
```

nach *Watzlawick* zu interpretieren und gleichgewichtig bei der → Organisationsgestaltung zu berücksichtigen. *A. P./W. K. R.*

Literatur: *Watzlawick, P./Beavin, J. H./Jackson, D. D.,* Menschliche Kommunikation, 5. Aufl., Bern u. a. 1980.

Kommunikationskanal

Verbindungsweg zwischen Sender und Empfänger (→ Kommunikationsmodell). Für Zwecke der → formalen Kommunikation werden Kommunikationskanäle als Wege des Informationsflusses z. B. zwischen Mitgliedern einer Organisation eingerichtet (→ organisationale Kommunikation). Neben den notwendigen organisatorischen Überlegungen ist auch der technische Aspekt von Bedeutung.

In natürlichen Kommunikationskanälen werden insb. akustische oder optische → Signale auf die Wahrnehmungsorgane des Menschen (Rezeptoren) übertragen. Die Grundformen können durch Einrichtung technischer Kommunikationskanäle erweitert werden (→ Telekommunikation, → Kommunikationsnetze, → Kommunikationstechnik).

Die Dimensionierung von Kommunikationskanälen stellt ein wichtiges Gestaltungsmerkmal für → Kommunikationsnetze dar; denn Kommunikation in Organisationen darf nicht durch eine Fehldimensionierung eingeschränkt werden. Die → Übertragungsrate beschreibt die Menge der in einem Kanal zu übermittelnden Signale. Sie hat direkten Einfluß auf die Übertragungsgeschwindigkeit und somit den Umfang an Informationen, der in einem Kommunikationsprozeß bewältigt werden kann. Ein weiteres Kriterium ist die Kanaltrennung bzw. Selektivität, d. h. die Anzahl möglicher Signalsequenzen (Gespräche), die über einen Kanal gleichzeitig übertragen werden können, ohne daß es zu gegenseitiger Beeinflussung bzw. → Kommunikationsstörungen kommt. In enger Verbindung damit stehen die Schnelligkeit, mit der Informationen codiert und decodiert werden können, die Notwendigkeit von Informationsspeicherung und die Kanalsicherheit, also die Frage der unversehrten Übertragung zwischen eindeutig definierten Sendern und Empfängern.

In natürlichen Kommunikationskanälen können diese Kriterien durch eine entsprechende Gestaltung der Beziehung der Organisationsmitglieder (→ Organisationsgestaltung, → Organisationsentwicklung) untereinander berücksichtigt werden. Im Bereich technischer Kommunikationskanäle verkörpern die Kriterien Anforderungen an die Netzwerke und sind somit als technisches Problem zu interpretieren. Die derzeit leistungsfähigste Konzeption für einen technischen Kommunikationskanal stellt die Glasfasertechnologie dar, die Lichtwellen zur Übertragung der Signale verwendet und materiell aus einer Vielzahl von Glasfassersträngen besteht. Sie gewährleistet auf diese Weise ein hohes Maß an Abhörsicherheit, Übertragungsgeschwindigkeit und Selektivität (→ Übertragungstechnik). *A. P./W. K. R.*

Literatur: *Klingenberg, H./Kränzle, H.-P.,* Kommunikationstechnik und Nutzerverhalten, München 1983.

Kommunikationsklima

„atmosphärische", sozio-emotionale Voraussetzung der Informationsübertragung zwischen Personen. Nach *Paul Watzlawick* enthält → Kommunikation immer einen inhaltlichen und einen sozialen Aspekt. Während mit ersterem die sachliche, das Kommunikationsobjekt betreffende Komponente gemeint ist (Was wird kommuniziert?), betrifft der soziale Aspekt die emotionale Ebene der Mitteilung (Wie wird kommuniziert?). Dieser Aspekt prägt das Kommunikationsklima und die Erfüllung aller → Kommunikationsfunktionen. Darüber hinaus wird das Kommunikationsklima maßgeblich von den Einstellungen der am Kommunikationsprozeß beteiligten Individuen zueinander sowie von situativen Faktoren beeinflußt, z. B. der jeweiligen Position der Kommunikationspartner in der Organisationshierarchie oder räumlichen, zeitlichen und anderen Kontextfaktoren. Das Kommunikationsklima ist dort von besonderer Bedeutung, wo eine Kommunikationsbeziehung über längere Zeiträume aufrecht erhalten wird, so bei → Gruppenkommunikation, und → organisationaler Kommunikation. *A. P./W. K. R.*

Literatur: *Watzlawick, P./Beavin, J. H./Jackson, D. D.,* Menschliche Kommunikation, 5. Aufl., Bern u. a. 1980. *Anders, W.,* Die Gestaltung der organisatorischen Kommunikation, Diss., TU München 1986.

Kommunikationskosten

notwendig zur Beurteilung der → Kommunikationswirkungen. Zu den Kommunikationskosten zählen die für die Codierung, Übertragung und Decodierung (→ Kommunikationsmodell) notwendigen Aufwendungen. Sie können einem Kommunikationsvorgang direkt zugeordnet werden oder entstehen durch die Bereitstellung eines Potentials zur Kommunikation (Mittel der → Telekommunikation). Je nach → Kommunikationsform konkretisieren sie sich in Personal-, Transport-, Material-, Energie- und Investitionskosten

(Telekommunikation) sowie Gebühren (Nutzung öffentlicher → Kommunikationsdienste). Ferner müssen in vielen Fällen auch Ausbildungskosten berücksichtigt werden (z. B. Sprachausbildung, Ausbildung zum Handling von technischen Systemen, Gesprächsschulung).

Derartige Kosten sind nur dann aussagefähig, wenn auch die Wirkungsseite der Kommunikation beachtet wird. Während die Kosten in vielen Fällen noch exakt erfaßbar sind, trifft dies für Kommunikationsleistungen nur selten zu. Diese bestehen in Größen wie Übertragungsgeschwindigkeit, Übertragungssicherheit, Störanfälligkeit, erzieltem Verständigungsniveau, Koordinationseffekt, Motivationseffekt und Weiterverarbeitungsfähigkeit der Information. Eine Bewertung der erwähnten Kosten- und Leistungsmerkmale kann nur im Einzelfall und unter Berücksichtigung der Anwendersituation erfolgen. Deshalb ist es nicht möglich, die Wirtschaftlichkeit eines Kommunikationsmittels generell zu bestimmen. Nur wenn die mit Hilfe neuer Kommunikationsmittel veränderte Erfüllungsqualität der Organisationsaufgabe berücksichtigt wird, läßt sich eine Kosten- und Leistungsbewertung angemessen vornehmen.

Zu beachten ist ferner – gerade bei der Bewertung neuer → Kommunikationstechniken aus Anwendersicht, daß der Nutzen von Anzahl und Zusammensetzung der bislang angeschlossenen bzw. zu erwartenden Teilnehmer abhängt, denn es gibt bei den neuen Kommunikationstechniken (vor allem im Bereich der → Individualkommunikation) keinen stand-alone Nutzen.

Dies macht die Einführung und Ausbreitung (→ Diffusion) neuer Kommunikationstechniken in Organisationen besonders risikoreich, denn mit der Bereitstellung des Potentials ist keineswegs die Nutzung gewährleistet. Niedrigpreispolitik im Bereich der Anschaffungskosten und Gebühren sowie → Kompatibilität mit bestehenden Diensten können diese Schwierigkeit mildern.

A. P./W. K. R.

Literatur: *Bodem, H./Hauke, P./Lange, B./Zangl, H.*, Kommunikationstechnik und Wirtschaftlichkeit, München 1984. *Picot, A./Reichwald, R.*, Bürokommunikation. Leitsätze für den Anwender, 2. Aufl., München 1985.

Kommunikationsleistungen → Kommunikationskosten

Kommunikationsmix → Marketinginstrumentarium

Kommunikationsmodell

Als Darstellungsmodell der → Kommunikation wird allgemein das nachrichtentechnische Übertragungsmodell von *Claude E. Shannon* und *Warren Weaver* verwendet. Es besteht aus fünf Elementen (vgl. Abb. auf S. 1026): Sender, Sendegerät, Übertragungskanal, Empfangsgerät, Empfänger. Das Modell bezieht sich auf die kleinstmögliche Kommunikationsbeziehung, die Zweierbeziehung (Dyade); analog ist es für → Gruppenkommunikation bzw. → Massenkommunikation gültig.

Der Kommunikationsanlaß besteht in der Intention des kommunikativ Handelnden (Sender), seinem Gegenüber (Empfänger), eine Mitteilung eines bestimmten Inhalts über das Kommunikationsobjekt (Information) zukommen zu lassen. Die Verwirklichung dieser Absicht beginnt mit der Einrichtung eines → Kommunikationskanals, z. B. durch das Herstellen eines Blickkontaktes zwischen Sender und Empfänger bei → Face-to-face-Kommunikation. Sodann erfolgt beim Sender eine dem jeweiligen Kommunikationskanal sowie den Empfangsmöglichkeiten entsprechende → Codierung dieses Inhalts in → Signalen einer Sprache. Sie werden mittels eines Sendegerätes (z. B. Sprachapparatur des Menschen) über den Übertragungskanal an das Empfangsgerät des Adressaten geleitet.

Die erfolgreiche Übermittlung bedingt eine Entsprechung von Sende- und Empfangseinrichtungen, eine übereinstimmende Codierung sowie einen möglichst störungsfreien Transport im Übertragungskanal. Je nach Wahl des Übertragungskanals muß jedoch mit → Kommunikationsstörungen (Geräusche/Rauschen) gerechnet werden, deren Wirkung durch geeignete Maßnahmen (z. B. → Redundanz) vermindert werden kann.

Die Aufgabe des Empfängers besteht nun darin, die ihn erreichenden Signale mittels seines Empfangsgerätes wahrzunehmen und entsprechend zu decodieren. Verfügt der Empfänger über die gleiche Sprache, versteht er den Inhalt der Signale, also die Mitteilung, und erkennt er die damit verbundene Intention des Senders, so erhält er eine Information. Man vergleiche dazu die verschiedenen Ebenen der Lehre von den Kommunikationszeichen (→ Semiotik). Ein einzelner Kommunikationsvorgang kann jedoch nicht als erfolgreich abgeschlossen bezeichnet werden, wenn nicht der Sender als Mindestanforderung einen Hinweis darauf erhält, daß der Kommunikationsversuch (bisheriger Teil des Kommunikationsvorgangs) vom Empfänger wahrgenommen wurde. Diese Reaktion muß nicht über denselben Übertragungskanal erfolgen; z.B. kann das spätere Verhalten des Empfängers ein entsprechendes Indiz für den Sender sein (→ Rückkopplung, Feedback).

A. P./W. K. R.

Literatur: *Shannon, C. E./Weaver, W.*, The Mathematical Theory of Communication, Urbana, Ill. 1959. *Coenenberg, G.*, Die Kommunikation in der Unternehmung, Wiesbaden 1966.

Kommunikationsnetze

zumeist als Beziehungsmuster (Struktur) zwischen Kommunikationspartnern verstanden (→ Kommunikationsstruktur, → Gruppenkommunikation, → organisationale Kommunikation, → Kommunikationsanalyse). Hier stehen technische Netzwerke im Vordergrund. Kommunikationsnetze sind Bestandteil der → Kommunikationstechnik im Bereich der → Telekommunikation. Die technischen Übertragungswege, über die Sender und Empfänger (→ Kommunikationsmodell) bei der Telekommunikation miteinander verbunden sind, bilden ein Netz, also die Infrastruktur der technischen Kommunikation.

Hinsichtlich der Trägerschaft (Verantwortung für Installierung, Betrieb und Weiterentwicklung) unterscheidet man öffentliche und private Netze. In den meisten europäischen Ländern ist die Nachrichtenübertragung zwischen rechtlich selbständigen Wirtschaftseinheiten Gegenstand eines öffentlich-rechtlichen

Monopols (Fernmeldemonopol, → Postmonopol). Deshalb wird dieser Bereich der Telekommunikation über öffentliche Netze abgewickelt. Dies trifft für andere Länder (z.B. USA, Japan, Großbritannien) nur eingeschränkt zu. Daneben betreiben geschlossene Benutzergruppen (z.B. Fluggesellschaften) nationale, aber auch internationale Kommunikationsnetze. Die technische Kommunikation innerhalb rechtlich selbständiger Wirtschaftseinheiten (vor allem Unternehmungen) unterliegt grundsätzlich nicht dem öffentlichen Monopol, sondern ist privater Trägerschaft überlassen. Deshalb spricht man in diesem Bereich von privaten Netzen. Die Verbindung zwischen privaten und öffentlichen Netzen wird häufig „Gateway" genannt (→ local area networks).

In bezug auf die Netzstruktur (→ Kommunikationsstruktur) unterscheidet man Verteil- und Vermittlungsnetze. Verteilnetze sind vor allem für die → Massenkommunikation von Bedeutung. In ihnen werden Signale nur in einer Richtung, von einer Zentrale ausgehend, an viele Endpunkte verteilt (z.B. klassische Rundfunk- oder Fernsehstruktur). Kabelgebundene Verteilnetze weisen eine sog. Baumstruktur auf (z.B. Verteilung des Fernsehempfangs von einer zentralen Antenne an verschiedene Haushalte mit Hilfe von Antennenkabeln). Vermittlungsnetze ermöglichen einen gezielten Verbindungsaufbau zwischen

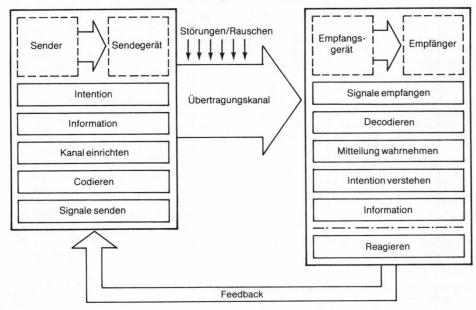

Schematische Darstellung eines Kommunikationsmodelles

zwei oder mehreren Teilnehmern unter Ausschluß aller anderen potentiellen Teilnehmer. Sie sind deshalb für die individuelle Telekommunikation (→ Individualkommunikation) von größter Bedeutung (z.B. → Telefon, → Datex). Man unterscheidet dabei Sternnetze, wo alle Informationen über eine zentrale Vermittlungseinrichtung zwischen den Endeinrichtungen laufen (typisch für den Fernsprechbereich), und Ring- bzw. Bus-Netze, wo die eingegebenen Nachrichten durch einen Kanal laufen, aus dem die angeschlossenen Endeinrichtungen die für sie bestimmten Sendungen heraussortieren (häufig im Bereich der → local area networks).

Hinsichtlich der Übertragungskapazität wird zwischen schmalbandigen und breitbandigen Netzen unterschieden. Schmalbandige Netze haben die Kapazität zur Übertragung von Daten, Text, Standbildern und einfacher Akustik. Breitbandige Netze sind darüber hinaus in der Lage, komplexe Akustik sowie Bewegtbilder zu übermitteln (→ Übertragungsrate).

Hinsichtlich der Übertragungsart wird zwischen Netzen der analogen und der digitalen Telekommunikation unterschieden (→ Übertragungstechnik). In der analogen Telekommunikation entsprechen z.B. die Schwingungen des Stromes im Fernsprechnetz an jeder Stelle den akustischen Schwingungen des Schalles, in digitalen Netzen ist jeder Schallstärke ein bestimmter digitaler Code zugeordnet. Die Kapazität von Netzen mit analoger Übertragungskapazität wird in Hertz (Schwingungen pro Sekunde), die in digitalen Netzen in Bits pro Sekunde (Baud) gemessen. Die Überführung von der analogen in die digitale Übertragungsform wird mit Hilfe von speziellen Umsetzern (→ Modems) vorgenommen.

Die physikalische Grundlage der Nachrichtenübertragung in Netzen können im Bereich der kabelgebundenen Kommunikation elektrische Impulse (Kupferdrähte, Koaxialkabel) oder Lichtwellen (Glasfaserkabel) sein, im Bereich der kabelungebundenen Kommunikation elektromagnetische Funksignale oder Lichtsignale.

Mit Hilfe von Übertragungsstandards (Protokollen) werden Kommunikationsnetze in der vereinbarten Form betrieben und mit den zugehörigen Endgeräten so verbunden, daß daraus → Kommunikationsdienste entstehen. Die Entwicklung derartiger Übertragungsstandards ist gerade für öffentliche Netze von besonderer Bedeutung. Neben der zweifelsfreien Verständigung dienen derartige Standards vor allem auch der Sicherung der

→ Kompatibilität der Endgeräte unterschiedlicher Hersteller. Es handelt sich um eine schwierige Aufgabe von nationaler und internationaler Bedeutung, die von verschiedenen staatlichen und halbstaatlichen Organisationen unterstützt wird (z.B. CCITT, ISO, CEPT). *A. P./W. K. R.*

Literatur: *Picot, A./Anders, W.,* Telekommunikationsnetze als Infrastruktur neuerer Entwicklungen der geschäftlichen Kommunikation, in: WiSt, 12. Jg. (1983), S. 183 ff. *Baur, H.,* Telekommunikation zwischen den Büros – heute und künftig, in: *Witte, E.* (Hrsg.), Bürokommunikation, Berlin u. a. 1984, S. 244 ff. *Kaiser, W.* (Hrsg.), Integrierte Telekommunikation, Berlin u. a. 1985.

Kommunikationspolitik

planmäßige Gestaltung und Übermittlung von Informationen zum Zweck der Beeinflussung von Wissen, Einstellungen, Erwartungen und Verhaltensweisen der Marketingumwelt gemäß spezifischen Zielsetzungen. Man bedient sich dabei bestimmter Instrumente, die zum sog. Kommunikationsmix zu vereinen sind. Hierzu zählen:

- → Werbung,
- → Verkaufsförderung,
- → Öffentlichkeitsarbeit (Public Relations),
- → persönlicher Verkauf (Personal Selling).

Es handelt sich hierbei allerdings nur um eine schwerpunktartige Einordnung absatzpolitischer Instrumente, da z.B. auch die Produktverpackung, das Design und sogar der Standort kommunikative Wirkungen entfalten.

Die Bedeutung der verschiedenen Kommunikationsinstrumente im Kommunikationsmix hängt stark von der Art des jeweiligen Absatzmarktes sowie vom Stellenwert bestimmter Kommunikationsaufgaben ab (vgl. Abb.).

Die Abhängigkeit des Kommunikationsmix von der Art des Absatzmarktes und der Kommunikationsziele

Quelle: *Kotler, P.,* Marketing-Management, 4. Aufl., Stuttgart 1982, S. 514.

Den genannten Kommunikationsinstrumenten kommt im Rahmen des → Marketingmix eine übergreifende Bedeutung zu, da erst sie als „Sprachrohr" die übrigen Submixbereiche des Marketing marktwirksam machen. Insofern stellt die aktive Kommunikationspolitik der Anbieter auch ein grundlegendes und unverzichtbares Element marktwirtschaftlich ausgerichteter Wirtschaftssysteme dar. Ihre Komplexität führte zur Entwicklung einer hoch differenzierten und gesamtwirtschaftlich bedeutsamen Kommunikationswirtschaft, die von den Werbeabteilungen in den Unternehmen über Werbeagenturen, Adressverlage, Medienträger (Verlage, Rundfunkanstalten etc.), Messegesellschaften und spezielle (Media-)Forschungsinstitutionen bis hin zu Konsumentenberatungsstellen reicht.

Die aus der Sicht des Anbieters verfügbaren Kommunikationsformen lassen sich u. a. danach unterteilen, ob der Kontakt zu den Adressaten direkt oder indirekt bzw. durch den Einsatz persönlicher oder nicht-persönlicher Informationsträger zustandekommt (vgl. Abb.). Davon hängen die Kommunikationskraft, aber auch die Kommunikationskosten entscheidend ab.

Kommunikationsformen aus der Sicht eines Güterproduzenten

Informations- träger Kon- takt zum Adressaten	Persönlich	Unpersönlich
Direkt	z.B. • Verkaufs- gespräch • Händler- seminare • Kontakt- gespräch auf Messen	z.B. • Werbebriefe • Produkt- proben • Geschäfts- berichte
Indirekt	z.B. • Vermittlung von Produkt- informatio- nen über Meinungs- führer, Ab- satzmittler oder Ent- scheidungs- helfer (Ar- chitekten, Ärzte etc.)	z.B. • Anzeigen- werbung • Plakat- werbung • Displays bei Verkaufs- förderungs- aktionen

Die Grundstruktur von Kommunikationsprozessen läßt sich einprägsam durch die sog. Lasswell'sche Formel kennzeichnen, die gleichzeitig die Problembereiche der Kommunikationspolitik charakterisiert:

Wer (Kommunikatoranalyse)
sagt *was* (Inhaltsanalyse)
auf *welchem Wege* (Medienanalyse)
zu *wem* (Zielgruppenanalyse)
mit *welcher Wirkung* (Wirkungsanalyse: Vergleich von Kommunikationswirkungen und -kosten)? *H. D.*

Literatur: *Löber, W.*, Marktkommunikation, Wiesbaden, 1973. *Köhler, R.*, Marktkommunikation, in: WiSt, 5. Jg. (1976), S. 164 ff. *Kotler, Ph.*, Marketing-Management, 4. Aufl., Stuttgart 1982, S. 487.

Kommunikationsrolle

kommunikatives Verhaltensmuster einer Person bei → Gruppenkommunikation. Die anderen Gruppenmitglieder erwarten von der betreffenden Person ein ihrer Position in der Gruppe entsprechendes Kommunikationsverhalten. Korrespondiert innerhalb der Organisation die Kommunikationsrolle einer Person nicht mit der Position, die ihr durch die → formale Organisation zugewiesen wurde, so kann dies unter bestimmten Bedingungen zur Beeinträchtigung der Effizienz der Organisation führen. Es besteht dann Anlaß für → Reorganisationsmaßnahmen. *A. P./W. K. R.*

Kommunikationsstörung

bezeichnet den Sachverhalt, daß eine Information, die ein Sender an einen Empfänger (→ Kommunikationsmodell) schickt, diesen nur in unvollständiger oder verfälschter Form erreicht. Gemäß ihrem Entstehungsort unterscheidet man:

(1) *Störungen im* → *Kommunikationskanal:* Dort treten insb. physikalische Störungen, ein sog. Rauschen, auf, die die Übertragung von Signalen betreffen. Sie lassen sich durch technische Maßnahmen wie z.B. Abschirmung oder Modulation, beseitigen bzw. vermindern. Eine weitere Möglichkeit, den Schaden derartiger Störungen einzugrenzen, besteht darin, Informationen mit einer ausreichenden → Redundanz zu versehen, damit diese auch in einem gestörten Kanal noch vollständig vom Empfänger verstanden werden können. Eine weitere Störungsquelle kann im Fall der mehrstufigen, vermittelten Kommunikation beim Kommunikationsvermittler liegen (→ Kommunikationsstruktur, → Kommunikationsnetze), wenn dieser bewußt oder unbewußt eine → Filterung vornimmt oder einem → information overload ausgesetzt ist. Störungen dieser Art lassen sich durch Umgehung der Vermittlungsstufe (bypassing) vermeiden (z.B. Umgehung der Hierarchie bei

Kommunikation in Organisationen durch direkte Kontaktaufnahme).

(2) *Strukturbedingte Kommunikationsstörungen:* Störungen, deren Ursache in der → Kommunikationsstruktur liegt, sind insb. bei → formaler Kommunikation anzutreffen, wenn die vorgegebene nicht mit der realen Kommunikationsstruktur übereinstimmt und keine Beziehung zur → informalen Kommunikationsstruktur aufweist; denn → organisationale Kommunikation bildet sich gemäß der Organisationsaufgabe und nach den sozialen Kommunikationsbedürfnissen der Organisationsmitglieder zueinander. Die Gestaltung und Durchführung der Organisationsaufgabe sowie die sozialen Beziehungen verändern sich in einem ständigen Prozeß, so daß immer wieder eine Anpassung der formalen Kommunikationsstruktur notwendig wird, wenn diese ihrer Funktion auch weiterhin entsprechen soll (→ Kommunikationsfunktion). Eine Netzwerkanalyse als Teil der → Kommunikationsanalyse ist geeignet, diese Art von Störungen aufzudecken (→ communication audit).

(3) *Semiotische Kommunikationsstörungen:* In der → Semiotik begründete Kommunikationsstörungen betreffen das Verständnis des Kommunikationsinhaltes. Informationen können durch das Individuum auf der syntaktischen (Ordnung der Zeichen), der semantischen (Bedeutung der Zeichen, gemeinsame Sprache) und der pragmatischen Ebene (mit dem Kommunikationsinhalt verbundener Zweck) mißverstanden werden. Diese Störungen lassen sich entweder auf die Abfassung der Information durch den Sender oder auf die Wahrnehmungs- und Verarbeitungsmöglichkeiten des Empfängers zurückführen.

Eine funktionsgerechte und effiziente Kommunikation ist nur möglich, wenn Kommunikationsstörungen in allen drei Bereichen weitgehend vermieden werden. Voraussetzung für die Störungsbeseitigung bzw. -vermeidung ist eine Kommunikationsanalyse, die nicht einseitig einen Störungsbereich untersucht und andere vernachlässigt.

Möglichkeiten zur Überwindung von Kommunikationsstörungen liegen in der Erhöhung der → Redundanz, in der Verbesserung der Ausstattung mit → Kommunikationstechnik sowie in Maßnahmen der → Reorganisation und Organisationsplanung, der → Organisationsentwicklung und der Ausbildung.

A. P./W. K. R.

Literatur: *Coenenberg, G.,* Die Kommunikation in der Unternehmung, Wiesbaden 1966.

Kommunikationsstruktur

Kommunikationsvorgänge können einmalig oder regelmäßig zwischen bestimmten Kommunikationspartnern stattfinden, so z.B. bei → organisationaler Kommunikation. Die Beschreibung der beteiligten Personen als Elemente eines Kommunikationssystems sowie deren kommunikative Verbindungen stellen die Kommunikationsstruktur dar. In empirischen Untersuchungen zur → Gruppenkommunikation wurden unterschiedliche Grundtypen der Kommunikationsstruktur festgestellt.

Die in der Abbildung gezeigten Graphen enthalten als Punkte die Strukturelemente, hier die am Kommunikationsprozeß Beteiligten; die Linien stellen den jeweiligen → Kommunikationsfluß, einseitig oder zweiseitig, zwischen den Partnern dar. In der *Ringstruktur* (vgl. Abb.) sind jeweils zwei benachbarte Elemente kommunikativ verbunden. Nicht benachbarte Kommunikationsteilnehmer können nur vermittelt durch benachbarte Teilnehmer miteinander kommunizieren. Ist der Ring nicht geschlossen, so spricht man von einer Kette bzw. einem Bus. Bei der *Sternstruktur* (vgl. Abb.) sind alle Teilnehmer über einen zentralen Kommunikationsvermittler miteinander verbunden. Dieser zentralen Stelle kommt besondere Bedeutung zu, da nur über sie geregelt kommuniziert werden kann. Probleme der Kommunikationsfilterung bzw. des → information overload werden deutlich. In der *Vollstruktur* (vgl. Abb.) ist jeder Kommunikationsteilnehmer mit jedem anderen Teilnehmer direkt verbunden.

Abhängig vom Problem, das in einer Gruppe mittels Kommunikation gelöst werden soll, bilden sich diese Grundstrukturen häufig

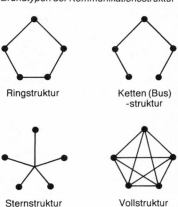

Grundtypen der Kommunikationsstruktur

Ringstruktur

Ketten (Bus) -struktur

Sternstruktur

Vollstruktur

durch Nichtnutzung einzelner Kommunikationswege, die in einer Vollstruktur enthalten sind. Dabei bleibt die Vollstruktur bei komplexen Problemen am ehesten erhalten; bei einfachen Problemen bzw. bei Routineaufgaben entwickelt sich oft eine Sternstruktur. Die Grundtypen der Kommunikationsstruktur sind bei technischen → Kommunikationsnetzen, ferner als soziales Kontaktmuster innerhalb von Organisationen wiederzufinden (→ organisationale Kommunikation).

A. P./W. K. R.

Literatur: *Bössmann, E.*, Die ökonomische Analyse von Kommunikationsbeziehungen in Organisationen, Berlin 1967.

Kommunikationssystem

spiegelt die Struktur der Kommunikationsbeziehungen, d. h. des Austauschs von Informationen innerhalb einer Organisation, wider. Es wird durch seine Elemente (z. B. Menschen, Rechner, Bildschirme, Dateien) und seine Struktur (z. B. Topologie eines → Rechnernetzes, Übertragungsleitungen, Art der Datenübertragung) beschrieben und ist i. d. R. der Struktur und den Elementen der Organisation selbst angepaßt.

Oft werden unter Kommunikationssystem nur die technischen Aspekte, d. h. die Hardware-Komponenten eines solchen Systems verstanden.

Ch. P.

Kommunikationstechnik

Hilfsmittel, das den Prozeß der → Kommunikation unterstützt. Sie wird sowohl im Bereich der → Face-to-face-Kommunikation als auch im Rahmen der → Telekommunikation eingesetzt. In einem weiteren Sinne zählt zur Kommunikationstechnik neben der Kommunikationshardware (Geräte, Kabel usw.) auch die weit verstandene Kommunikationssoftware (Programme der Geräte, aber auch allgemeine Sprachen, Übertragungsstandards, Verhandlungstechniken usw.). Eingebürgert hat sich jedoch ein enger, geräteorientierter Begriff der Kommunikationstechnik, der die zugehörigen Programme einschließt.

Im Bereich der Face-to-face-Kommunikation (Zweierbesprechungen, → Gruppenkommunikation, → Konferenzen) können Kommunikationstechniken in vielfältiger Form eingesetzt werden, etwa als Sprachverstärker (z. B. Mikrofon und Lautsprecher), Sprachübersetzer (z. B. Systeme der Simultanübersetzung), Visualisierungshilfe (z. B. Projektionsgerät, Zeichengerät, Tafel) oder als Gestaltungshilfe für die räumliche Umgebung der Kommunikation (z. B. Mobiliar, Raumausstattung).

Ein vergleichsweise größeres Gewicht kommt Kommunikationstechniken bei der Abwicklung der Telekommunikation zu. Wegen des raumüberbrückenden Charakters dieser Kommunikationsform bedarf es des Einsatzes technischer Hilfsmittel, damit ein Informationstransport stattfinden kann. Zum einen müssen die Kommunikationsbeteiligten durch geeignete Übertragungsstrecken miteinander verbunden sein. Dies ist das Problem der → Kommunikationsnetze bzw. technischen Übertragungskanäle. Zum anderen müssen die Beteiligten, die sich an den Endpunkten der Übertragungsstrecken befinden, auf geeignete Prozeduren und Geräte zurückgreifen können, damit gesendete und empfangene Signale in möglichst übereinstimmender Form entschlüsselt und verstanden werden. Dies ist der Problemkreis der → Kommunikationsdienste und → Kommunikationsendgeräte bzw. → Terminals. Dienste/Endgeräte und Netze müssen in geeigneter Weise aufeinander abgestimmt sein, damit eine Kommunikationstechnik die Telekommunikation wirkungsvoll unterstützen kann (→ Kompatibilität). Im Bereich der Kommunikationsnetze und Kommunikationsdienste/Endgeräte gibt es zahlreiche technische Entwicklungen und Neuerungen. Die Telekommunikationsindustrie, die derartige Techniken zur Verfügung stellt, ist seit ca. 100 Jahren ein wichtiger und wachsender Zweig der Volkswirtschaft.

Neuerungen der Telekommunikationstechnik knüpfen vor allem an Entwicklungen im Bereich der → Übertragungstechnik (→ Nachrichtentechnik) sowie → Informationstechnologie an. Die technische Integration von klassischer Bürotechnik (z. B. Schreibmaschine, Buchungsmaschine, Registrationssystem), Informationstechnik (EDV, Rechner, Datenbank) und Kommunikationstechnik führt vor allem in der Geschäftswelt zu neuartigen Unterstützungsmöglichkeiten von Management-, Fach- und Verwaltungsaufgaben (→ Kommunikationswirkungen). Dieser Komplex wird häufig unter den Begriffen Telematik und → Bürokommunikation erörtert.

A. P./W. K. R.

Literatur: *Martin, J.*, Future Developments in Telecommunications, 2. Aufl., Englewood Cliffs, N.J. 1977. *Reichwald, R.* (Hrsg.), Neue Systeme der Bürotechnik, Berlin 1982.

Kommunikationswirkungen

werden unter verschiedenen Gesichtspunkten diskutiert. Zum einen kann es um die Feststellung gehen, inwieweit mit Hilfe der Kommunikation die Funktionen (→ Kommunikationsfunktion) innerhalb von Organisationen

(→ organisationale Kommunikation) wie z.B. Koordination und soziale Integration besser erfüllt werden. Zum anderen wird unter diesem Stichwort erörtert, wie sich die neuen Techniken der → Telekommunikation (→ Kommunikationstechniken) auf das gesellschaftliche und wirtschaftliche Gefüge auswirken. Dabei geht es im wesentlichen um fünf Wirkungsrichtungen:

(1) *Rationalisierung:* Vor allem im Bereich der geschäftlichen Kommunikation gilt es zu klären, wie eine neue Kommunikationstechnik das bisherige Gefüge von → Kommunikationskosten und -leistungen verändert. Während die Kommunikationskosten eines neuen Telekommunikationssystems i.d.R. relativ gut zu erfassen sind, ist dies für die Kommunikationsleistung nur eingeschränkt möglich. Tendenziell läßt sich feststellen, daß neue Kommunikationstechniken die Kosten der Telekommunikation (Investitions- und Betriebskosten) nicht entscheidend verändern (je nach Umfang der Installation können diese Kosten leicht sinken, gleichbleiben oder auch steigen). Jedoch ermöglichen die neuen Techniken sehr viel höhere und z.T. völlig neue Kommunikationsleistungen (Übertragungskapazität und -geschwindigkeit von Daten, Text, Sprache und Bild; Dialogfähigkeit; Dokumentationsfähigkeit; Integration mit vor- und nachgelagerten Stufen der Informationsverarbeitung; Entlastungseffekte; Erhöhung der Flexibilität). Insofern ist vor allem leistungsseitig eine erhebliche Rationalisierungswirkung (zunächst als Potential) zu erwarten. Voraussetzung für die Realisation dieser Wirkungen sind in vielen Fällen Änderungen der → Aufbauorganisation und besonders der → Ablauforganisation (→ Reorganisation) sowie das Entstehen ausreichend großer → Kommunikationsnetze, an die die Mehrzahl der relevanten Kommunikationspartner angeschlossen ist.

(2) *Veränderung der Arbeitsteilung* (Integration): Die im Sinne besserer Leistungserfüllung z.T. extrem durchgeführte Arbeitsteilung (→ Taylorismus) kann im Verwaltungsbereich durch die neuen Techniken überwunden werden. Die technische Unterstützung ist in der Lage, die Aufgabenerfüllung von vielen schematischen Tätigkeiten zu entlasten, so z.B. Ablage, wiederholte Dokumenterstellung, bisher aufwendige Korrekturvorgänge. Die informatorische Verkettung der Teilaufgaben führt zu einer Arbeitsanreicherung (→ job enrichment) einer → Stelle. Damit geht eine Schwerpunktverlagerung in der Organisationspraxis einher: weg von der bisherigen Teilaufgabenorientierung, hin zu einer pro-

zeßorientierten bzw. objektorientierten Gesamtbetrachtung. Für die Stelleninhaber werden weniger mechanische (jedoch in einer Übergangszeit: Umgang mit der Tastatur eines → Terminals), dafür mehr intellektuelle Fähigkeiten Bedeutung erlangen. Dieses wird zu neuen Qualifikationen führen, die sich z.T. auf den Umgang mit der neuen Kommunikationstechnik, z.T. auf das Verständnis der zu erfüllenden Aufgabe beziehen. Eine immer leistungsfähigere → Software ermöglicht zunehmend die automatisierte Erledigung von programmierbaren Aufgaben, d.h. Sachbearbeiter im Verwaltungsbereich werden zunehmend derartige Abläufe überwachen und Sonderfälle selbst bearbeiten. Damit ist ebenfalls mehr Zeit für persönliche Kontakte z.B. mit Kunden gegeben. Ergänzt durch eine in allen → Abteilungen zur Verfügung stehende breitere Informationsbasis und einem allgemein zugänglichen Methodenrepertoire kann diese Integrationstendenz gleichzeitig zur qualitativ besseren Aufgabenerfüllung führen.

(3) *Dezentralisierung:* Techniken der Telekommunikation wecken Hoffnungen auf größere Dezentralisierung von wirtschaftlicher Aktivität sowohl in räumlicher als auch in organisatorischer Hinsicht. Räumliche Dezentralisierungswirkungen werden erwartet, weil die verbesserten Möglichkeiten des Informationstransports eine Standortunabhängigkeit der Beteiligten eröffnen. Diese müssen sich zum Informationsaustausch nicht mehr so häufig persönlich treffen, sondern können über leistungsfähige elektronische Kommunikationskanäle miteinander Informationen austauschen. Derartige räumliche Dezentralisierungswirkungen werden, sofern die technischen Voraussetzungen in Form einer angemessenen Infrastruktur der → Kommunikationsnetze geschaffen sind, vor allem bei solchen wirtschaftlichen Aktivitäten auftreten, die sich durch eine relativ isolierte Bearbeitungsform und gut definierte Informationsbeziehungen zu anderen Aufgabenträgern auszeichnen (z.B. Programmieren, Schreibarbeit, Standardsachbearbeitung). Probleme, die einen komplexeren Informationsaustausch bedingen, bedürfen nach wie vor der räumlichen Nähe der Beteiligten (z.B. Unternehmensführung, Forschung und Entwicklung, Neuproduktplanung, Personalführung).

Neben Arbeitsplätzen können mit Hilfe neuer Telekommunikationstechniken auch einzelne Arbeitsgruppen, Abteilungen oder Betriebsteile leichter räumlich getrennt werden. So ist zu beobachten, daß Sachbearbeitungszentren, Fertigungsstätten oder Verkaufsbüros von Unternehmungen noch stärker als bisher ihren Standort nach arbeits- oder absatzmarktlichen Gegebenheiten ausrichten können, ohne daß Effizienzverluste aufgrund verschlechterter Informationsverbindungen entstehen müssen. Daraus resultiert eine zunehmende Überregionalisierung und Internationalisierung unternehmerischer Aktivität. Im Vertrieb standardisierter Konsumgüter und Dienstleistungen verschiebt sich der Ort des Verkaufs mit Hilfe neuer Kommunikationstechnik immer stärker in die Wohnungen der Kunden, die z.B. mit Hilfe von → Bildschirmtext Kaufentscheidungen vorbereiten und Abschlüsse tätigen können (sog. home banking, → Teleshopping).

Im Hinblick auf die organisatorische Dezentralisierung eröffnet die neue Telekommunikation Chancen der Entlastung der Führungsebenen und einer erhöhten Autonomie unterer Hierarchieebenen. Diese können besser und aktueller mit Informationen versorgt werden und insofern selbständiger entscheiden. Andererseits ermöglicht die vernetzte Telekommunikation jedoch auch eine Steigerung der Zentralisation, indem die technischen Systeme zur perfekten Steuerung und Kontrolle organisatorisch entlegener Aufgabenträger benutzt werden. Hier zeigt sich der Optionscharakter neuer Technik: Nicht die Technik an sich erzeugt die erhöhte Dezentralisierungs- bzw. Partizipationschance, sondern die von der Aufgabenstellung abhängige Art ihrer Nutzung.

(4) *Substitution:* Inwieweit neue Kommunikationstechniken zu einer Substitution alter Kommunikationsgewohnheiten durch neue Medien oder zu einer Bereicherung der Kommunikationslandschaft führen, ist eine offene Frage. Während mancherorts befürchtet wird, daß die technischen Medien eine kulturelle Verarmung mit sich bringen (z.B. Zurückdrängen des Buches, des Briefes, der Zeitung; Verringerung unmittelbarer menschlicher → Face-to-face-Kommunikation), meinen andere, die Entwicklung der Medien habe in der Geschichte der Menschheit stets die Kultur bereichert (Ergänzung alter durch neue Medien). Ferner wird darauf verwiesen, daß solche Techniken neuartige, bisher unbekannte oder ungenutzte Einsatzmöglichkeiten eröffnen und sich insofern positiv auswirken (z.B. Verbesserung des Bildungsstandes mit Hilfe neuer Medien, Erhöhung der weltweiten Mobilität, Erleichterung der Verständigung).

(5) *Generierung:* Eng mit dem letzten Aspekt hängen die Erzeugung neuartiger Verhaltensweisen und die Erschließung bislang unbekannter Möglichkeiten mit Hilfe der neuen Kommunikationstechnik zusammen. Diese Auswirkung ist von erheblicher Bedeutung, wird jedoch häufig bei der Zukunftsbewertung (→ technology assessment) übersehen. Beispielsweise trägt neue Kommunikationstechnik aufgrund der mit ihr verbundenen Bequemlichkeit, Kostengünstigkeit und Leistungsfähigkeit dazu bei, das Kommunikationsvolumen insgesamt zu steigern und damit auch den Güteraustausch und die Transportaktivitäten zu vermehren. Die Ansprüche an Aktualität, Qualität und Spontaneität der Kontakte und Informationsversorgung können erheblich wachsen.

Der innovative Charakter neuer Telekommunikationsformen führt nicht selten dazu, daß neuartige, derzeit noch nicht erkennbare Anwendungen, d.h. über die gewohnten Verfahrensweisen qualitativ hinausgehende Nutzungen entdeckt bzw. gefördert werden, z.B. neue Informationsverteilsysteme, Dezentralisierung von Arbeits- und Lebensformen, Gruppenkommunikation, Entstehen neuartiger Gruppen aufgrund der Möglichkeiten des Informationstransfers sowie neuartige organisatorische und rechtliche Strukturen der Arbeitsteilung aufgrund integrierter Technik. Es sind insb. diese innovativen, im einzelnen kaum prognostizierbaren Zusatzeffekte, die eine Einschätzung der Auswirkungen von Veränderungen im Bereich der Telekommunikation erschweren. *A. P./W. K. R.*

Literatur: *Picot, A./Reichwald, R.,* Bürokommunikation, 2. Aufl., München 1985.

Kommunismus

politisch-ideologischer Sammelbegriff, häufig synonym für → Sozialismus verwendet, für Vorstellungen von einer durch vollständige Gütergemeinschaft geprägten Gesellschaftsform.

Sieht man einmal von den kommunistischen Ideen und Praktiken urchristlicher Gemeinden und späterer Sekten, von den Utopien des *Thomas Morus* und *Tomaso Campanella* und den französischen Gesellschaftsutopisten des 18. Jh. ab, so ist die von *Karl Marx* und *Friedrich Engels* im Rahmen ihrer Geschichts- und Gesellschaftstheorie entwickelte Zukunftsgesellschaft der bekannteste Entwurf einer kommunistischen Lebensform.

Beide gehen von der Vorstellung einer klassenlosen Gesellschaft mit einem „gänzlich gewandelten Menschen" aus, in der die Produktionsmittel sozialisiert sind, die → Produktivkräfte ein Niveau erreicht haben, das es erlaubt, die für die → Reproduktion der Arbeitskraft notwendige Arbeit erheblich zu reduzieren und das Mehrprodukt für eine reichhaltige Bedürfnisbefriedigung aller zu nutzen,

der Arbeitsprozeß sich – unter Verzicht auf
die Zwänge der Arbeitsteilung, von Leistungsanreizen und -kontrollen – als ein Feld der
Selbstverwirklichung erweist, der Zusammenhang zwischen individueller Produktivität
und Konsumtionsmöglichkeit aufgehoben ist
und der Grundsatz gilt: „Jeder nach seinen
Fähigkeiten, jedem nach seinen Bedürfnissen."

Fraglich bleibt bei dieser Zukunftsvision,
wie die Produktivkräfte das für das Endsta-
dium des Kommunismus erforderliche Niveau
erreichen. Ferner bleibt offen, unter welchen
Ordnungsbedingungen dieser Zustand – im
Falle seines Erreichens – erhalten werden
kann. Bei *Marx* und *Engels* ist die Rede vom
„Absterben des Staates", von der „Gesamtheit der Genossenschaften" und dem „Verein
freier Menschen", die sich mit Hilfe einer zentralen, gleichwohl freiwilligen Planwirtschaft
organisieren. Aus solchen vagen Hinweisen
lassen sich sowohl die Ordnungsvorstellungen
einer → Rätedemokratie oder → Arbeiter-
selbstverwaltung als auch die einer → Zentralverwaltungswirtschaft als Wegweiser zum
Kommunismus ableiten, was sich in den gegenwärtigen sozialistischen Wirtschaftssyste-
men widerspiegelt.

Sowohl die Zentralverwaltungswirtschaft
sowjetischen Typs als auch die marktsoziali-
stischen Ordnungsvorstellungen des → jugoslawischen oder → ungarischen Wirtschaftssystems, des → Prager Frühlings, der jüngsten
polnischen oder chinesischen Reformexperi-
mente lassen sich unter Berufung auf *Marx*
und *Engels* legitimieren und als Ordnungen
des Übergangs zum Kommunismus deklarie-
ren.

Fraglich bleibt auch, wie die „gänzlich gewandelten Menschen", die *Marx* für den Zustand des Kommunismus unterstellt, hervor-
gebracht werden können. Die von *Wladimir I.
Lenin* begründete und in jüngerer Zeit u.a.
von *Herbert Marcuse* (→ Spätkapitalismus)
weiterentwickelte Konzeption einer Erziehung zum „neuen Menschen" geht offensichtlich von der Vorstellung aus, daß die Menschen – mangels „richtiger" Ordnungsbedingungen – zu den „richtigen" Verhaltensweisen (der freiwilligen Schaffung des auch im
Kommunismus notwendigen Mehrprodukts)
erzogen werden können. „Sollen Fehler der
Ordnung durch Erziehung behoben werden,
dann wird Erziehung zur pädagogischen Ty-
rannei und zum politischen Terror" *(K. Paul
Hensel).*   *U. Fr.*

Literatur: *Bress, L.,* Kommunismus bei Karl Marx,
Stuttgart 1972. *Hensel, K. P.,* Die historische Bestimmung des Kapitals nach Marx, in: *Breitenbür-*
ger, G./Schnittler, G. (Hrsg.), Marx und Marxismus heute, Hamburg 1974, S. 103 ff.

komparative Kosten → Theorie der komparativen Kosten

komparativ-statische Analyse → statische
Analyse

Kompatibilität

Verträglichkeit unterschiedlicher Meinungen
oder Einrichtungen. Meistens wird der Begriff
auf technische Einrichtungen angewandt, vor
allem im Bereich der → Informationstechnik
und → Kommunikationstechnik (→ Telekommunikation). Dabei geht es um die Frage, ob
die in einem Gerät aufbewahrten Daten ohne
weiteres von einem anderen Gerät übernommen werden können, so daß entweder der
Wechsel von einem Gerät zum anderen in dieser Hinsicht problemlos oder die Zusammen-
schaltung verschiedener Geräte möglich ist.

Standardisierte → Kommunikationsdienste
bzw. die Einrichtung von Übertragungsstandards (Protokolle) gewährleisten die Kompatibilität von unterschiedlichen → Kommuni-
kationsendgeräten in der Telekommunikation. In ähnlicher Weise dienen standardisierte Schnittstellen (interfaces) der Ankopplung
unterschiedlicher Geräte im Bereich der Informationstechnik. Die Standardisierung von
Speichermedien, Betriebssystemen und Datenorganisation erleichtert dem Anwender den
Wechsel von einem informations- oder kom-
munikationstechnischen Gerät zu einem anderen. Ist keine Kompatibilität unterschiedlicher Netze gegeben, so ermöglichen sog. Ga-
teway-Rechner die Vornahme von Anpassungen. Die Kompatibilität technischer Einrichtungen erleichtert die Marktdurchdringung
und erhöht den Wettbewerb. Andererseits
kann in Märkten für neuartige Technik eine
zu früh erzwungene Standardisierung zum In-
novationshemmnis werden.   *A. P./W. K. R.*

Kompensationsgeschäft

(Gegenlieferungsgeschäft) vertragliche Vereinbarung, insb. im → Außenhandel, bei der
ein Warenexport unmittelbar mit einem
Warenimport verbunden ist. Dabei wird im
In- und Ausland jeweils eine vollständige oder
teilweise Verrechnung zwischen dem jeweiligen Export- und Importwert in Inlandswäh-
rung vorgenommen, so daß nur noch ein
überschießender Betrag in das Ausland bzw.
in das Inland (wenn der Importwert höher
bzw. geringer ist als der Exportwert) überwie-
sen werden muß.

Kompensationsgeschäfte finden vor allem Anwendung im → Osthandel (→ swing), zur Umgehung von Wertkontingenten (→ Außenhandelskontingent) und Beschränkungen des internationalen Zahlungsverkehrs. Sie sind deshalb i. d. R. genehmigungspflichtig.   *F. P. L.*

Literatur: *Schuster, F.*, Gegen- und Kompensationsgeschäfte als Marketing-Instrumente im Investitionsgüterbereich, Berlin 1979. *Peemöller, J.*, Gegenlieferungs- (Kompensations-)geschäfte, Düsseldorf 1981.

Kompensationskalkulation → Ausgleichskalkulation

Kompensationskriterium

Versuch, den Anwendungsbereich der Paretianischen Theorie auszuweiten. Entsprechend dem Paretokriterium können nur solche wirtschaftspolitischen Maßnahmen als eindeutig wohlfahrtssteigernd angesehen werden, bei denen keine Bevölkerungsgruppe (kein Individuum) Nutzenverluste erleidet. Da für die Mehrzahl der konkreten Maßnahmen der Wirtschaftspolitik unterstellt werden muß, daß einzelne Bevölkerungsgruppen auch benachteiligt werden, läßt sich die Paretianische Wohlfahrtsökonomik nur auf ganz wenige konkrete Maßnahmen anwenden.

Um diesem Manko zu begegnen, entwickelten *Nicholas Kaldor* und *John Richard Hicks* 1939 ein Kriterium, das auch dann von einer Wohlfahrtssteigerung zu sprechen gestattet, wenn einzelne Bevölkerungsgruppen Nachteile erleiden (→ Kaldor-Hicks-Kriterium). Die anschließende Diskussion hat allerdings gezeigt (→ Scitovsky-Kriterium), daß dieses Kriterium zu logischen Widersprüchen führen und nur unter eingeschränkten Bedingungen Gültigkeit beanspruchen kann. Insgesamt ist es nicht gelungen, durch Einführung von Kompensationskriterien den Anwendungsbereich der Paretianischen Wohlfahrtsökonomik entscheidend auszuweiten.   *B. K.*

Literatur: *Külp, B.*, Wohlfahrtsökonomik I Grundlage, in: HdWW, Bd. 9, Stuttgart u. a. 1982. *Schumann, J.*, Grundzüge der mikroökonomischen Theorie, 4. Aufl., Berlin u. a. 1984.

Kompensationslösungen

Da die starren → Umweltauflagen nicht zur Kostenminimierung bei Erreichen der Umweltziele beitragen und die alternative Einführung von Lizenz-, aber auch Abgabenlösungen im politischen Prozeß außerordentlich schwierig und zeitraubend ist (erhebliche Widerstände in Politik, Administration und Wirtschaft) und die Ergebnisse einiger praktizierter Abgabenlösungen kaum dem theoretischen Ideal entsprechen, ist in den USA in letzter Zeit auf dem Luftreinhaltesektor eine „Flexibilisierung" der auch dort sehr starren Auflagenpolitik durchgeführt worden. Grundsatz dabei ist, daß die nach der starren Auflagenpolitik an und für sich nicht zulässigen Nichtminderungen an einer Stelle durch Zusatzminderungen an einer anderen Stelle ausgeglichen (kompensiert) werden können. Von daher hat sich in der Bundesrepublik der Begriff ‚Kompensationslösungen' eingebürgert.

Dabei baut man auf das bestehende – ähnlich wie das in der Bundesrepublik – starre Auflagensystem auf und versucht, marktwirtschaftliche, flexiblere Elemente einzubauen, was sich unter dem Stichwort „emissions-trading" im folgenden Katalog „Familie" fakultativ anwendbarer Instrumente niederschlägt:
(1) Neue Betriebe können sich dann ansiedeln, wenn garantiert ist, daß sich durch den „Erwerb von unterlassenen Emissionen" anderer Emittenten und/oder durch eigene Anstrengungen insgesamt keine Verschlechterung, ggf. sogar eine Verbesserung der Umweltsituation im betreffenden Gebiet ergibt (Ausgleichspolitik, Offset-Politik).
(2) Die bestehenden Betriebe müssen sicherstellen, daß etwa unterlassene kostenaufwendige Minderungsmaßnahmen an einer Quelle durch den „Erwerb" eigener oder fremder Emissionsverminderungen an einer anderen Quelle die Gesamtemission über einer imaginären Glocke (bubble) nicht ansteigen lassen (→ Glockenpolitik, bubble policy).
(3) Haben die Betriebe über das notwendige Maß hinaus Emissionsminderungen vorgenommen und damit „Emissionsminderungsguthaben" ‚produziert', können sie von bestimmten (bürokratischen) Zulassungsvorschriften für die neue Anlage befreit werden (netting out).
(4) Die Emissionsminderungsguthaben können ggf. bei „Emissionsminderungsbanken" deponiert und später mit zusätzlichen eigenen Emissionen verrechnet werden. Oder es können diese Guthaben verkauft oder fremde Guthaben gekauft werden (Emmission Reduction Banking).

Prinzipiell haben diese vier Elemente des „kontrollierten Emissionshandels" das Ziel,
● die angestrebte Luftqualität auf jeden Fall zu erreichen.
● Gleichzeitig sollen aber durch einen „kontrollierten" Handel die zur Erreichung der Luftqualitätsziele erforderlichen Maßnahmen dort ergriffen werden, wo sie am kostengünstigsten durchgeführt werden können.

In begrenztem Umfang ist die Ausgleichspolitik durch eine Bestimmung in der Technischen Anleitung zur Reinhaltung der Luft (→ TA Luft) enthalten und es ist 1986 eine mit starken Einschränkungen versehene Glokkenlösung in der TA Luft eingeführt worden.

L. W.

Literatur: *Bonus, H.*, Marktwirtschaftliche Konzepte im Umweltschutz, Agrar- und Umweltforschung in Baden-Württemberg, Bd. 5, Stuttgart 1984. *Wikke, L.*, Umweltökonomie, München 1982.

kompensatorische Finanzierung

Form der → Entwicklungshilfe, die kurzfristiger Natur ist und in erster Linie dann vergeben wird, wenn sich infolge temporärer Exporterlösrückgänge von Entwicklungsländern Liquiditätsengpässe einstellen. Je nach Kompensationsgegenstand, Gestaltung der Ziehungsmöglichkeiten, Bestimmung der Kompensationshöhe sowie Finanzierungsbasis ergeben sich unterschiedliche Systeme der kompensatorischen Finanzierung. Zu den international derzeit praktizierten Systemen zählen das IWF-System (→ Internationaler Währungsfonds), das eine zusätzliche Liquiditätshilfe zu den anderen Kreditfazilitäten des Fonds (in Höhe von maximal 50% der IWF-Quote des betreffenden Landes im Jahr des Exporterlösrückgangs und weiterer 50% der Quote im folgenden Jahr) darstellt, sowie das → System zur Stabilisierung der Erlöse aus dem Verkauf von Agrar-Rohstoffen (Stabex-System).

Literatur: *Schams, M. R.*, Die Bedeutung der kompensatorischen Finanzierung für die Entwicklungsländer, Hamburg 1974.

Kompetenz → Delegation

Kompetenzbündelung

Maßnahme im Rahmen der → Kontrollorganisation zur Vermeidung, Aufdeckung und Beseitigung von → Fehlern (→ Kontrollwirkung, → Kontrollziele). Kompetenz ist das Recht, eine Aufgabe zu erfüllen. Bei einer Kompetenzbündelung wird die Kompetenz zur Erfüllung einer Aufgabe zwei oder mehreren Mitarbeitern gemeinsam zugewiesen. Kompetenzbündelung stellt ein Komplement zur → Aufgabentrennung und Aufgabenvervielfachung dar, indem partielle Arbeitsergebnisse verschiedener Mitarbeiter abgestimmt werden. Beispiel: Wareneingangskontrolleur und Kontrolleur der Eingangsrechnungen dürfen gemeinsam die Bezahlung eines Wareneingangs freigeben. Die Abstimmung besteht darin, daß das → Istobjekt „Menge und Art der gelieferten Ware" mit dem Sollobjekt „Menge und Art der bestellten und vom Lieferanten berechneten Ware" verglichen wird und erst bei Übereinstimmung die Bezahlung freigegeben wird. Durch diese Kompetenzbündelung wird ein → Soll-Ist-Vergleich ausgelöst.

J. B./A. U.

Literatur: *Baetge, J.*, Überwachung, in: Vahlens Kompendium der Betriebswirtschaftslehre, München 1984, S. 160 ff.

Komplementär → Kommanditgesellschaft

Komplementärgüter

Güter, die den Bedingungen der → Komplementarität genügen und deshalb oft zusammen angeboten werden (→ Sortimentsverbund). Ihre → Kreuzpreiselastizität ist negativ. Wechselseitig ersetzbare Güter heißen → Substitutionsgüter.

Komplementarität

bedeutet, daß Güter zur Nutzenstiftung oder zur Produktion zusammenwirken müssen (Beispiel: Zucker im Kaffee). Strikte Komplementarität in der Produktion läßt nur die Kombination technisch fixierter Einsatzmengen zu (→ Limitationalität). Den Gegensatz zur Komplementarität bildet die wechselseitige Ersetzbarkeit von Gütern, die → Substitutionalität.

Komponentenzerlegung → Zeitreihenanalyse, → Extrapolationsmethoden

Konditionalität

bezeichnet die Tatsache, daß die Kreditgewährung des → Internationalen Währungsfonds (IWF) an seine Mitgliedsländer zur Bekämpfung von Zahlungsbilanzungleichgewichten an bestimmte Konditionen und wirtschaftspolitische Auflagen geknüpft sein kann. Die wirtschaftspolitischen Auflagen des IWF nehmen mit steigender Inanspruchnahme der → Kreditranchen im Rahmen der → Ziehungsrechte eines Landes zu, und sie werden insb. auch für die Kreditgewährung aus sog. → Bereitschaftskreditabkommen vereinbart. Im Prinzip gewährt der IWF Zahlungsbilanzkredite nur, wenn die ziehenden Länder ein Programm zur Stabilisierung der Währungslage des betreffenden Landes bei einem realistischen Wechselkurs verfolgen. Diese Generalklausel ist im Einzelfall sehr unterschiedlich auslegungsfähig.

M. F.

Konditionendiskriminierung → Diskriminierung, → Vernichtungswettbewerb

Konditionenkartell

soll gewährleisten, daß die Kartellmitglieder einheitliche Allgemeine Geschäfts-, Lieferungs- und Zahlungsbedingungen anwenden. Im § 2 GWB wird das Konditionenkartell vom → Kartellverbot des § 1 freigestellt und als sog. Widerspruchskartell behandelt: Konditionenkartelle sind anmeldepflichtig, sie werden wirksam, wenn die Kartellbehörde nicht innerhalb von drei Monaten nach Eingang der Anmeldung Widerspruch erhebt. Widerspruch ist möglich, soweit der Kartellvertrag einen Mißbrauch der durch die Freistellung vom Kartellverbot erlangten Stellung im Markt darstellt. Die vom Kartell vereinbarten Regelungen dürfen sich nicht auf Preise oder Preisbestandteile beziehen.

Die Freistellung vom Kartellverbot wird mit der Vermutung gerechtfertigt, Konditionenkartelle seien geeignet, die → Markttransparenz zu verbessern und die Vertragsabwicklung zu erleichtern. Ihre Wirkung sei somit wettbewerbsfördernd. Dem kann entgegengehalten werden, daß Konditionenkartelle den sog. Nebenleistungswettbewerb (→ Konditionenpolitik) verhindern können, der bei Verzicht auf Preiswettbewerb in weitgehend friedlichen Oligopolen ein wesentliches Moment des hier noch bestehenden Restwettbewerbs darstellt.   H. B.

Literatur: *Emmerich, V.,* Kartellrecht, 4. Aufl., München 1982.

Konditionenpolitik

umfaßt als Bestandteil des → Marketinginstrumentariums verschiedene Aktionsparameter, die im Schnittfeld zwischen → Produktpolitik und → Preispolitik liegen und vor allem zum Zweck der → Produkt- bzw. → Preisdifferenzierung eingesetzt werden. Man unterscheidet → Lieferungsbedingungen und → Zahlungsbedingungen, gelegentlich wird aber auch die Rabattpolitik der Konditionenpolitik subsumiert (→ Rabatt).

Konditionen regeln die Nebenleistungen des Anbieters und die Rechte und Pflichten, die für beide Vertragsparteien aus einem Kaufvertrag erwachsen. Bei Konsumgütern sind sie oft standardisiert, wobei gesetzliche Regelungen wie das Rabatt- oder AGB-Gesetz machtausgleichend wirken und vor Übervorteilung schützen sollen. Bei Produktions- und Investitionsgütern werden die Konditionen dagegen häufig individuell ausgehandelt. Sie bereiten damit das Feld für den sog. Nebenleistungswettbewerb, der von vielen Anbietern wegen der geringeren Transparenz und größeren Steuerbarkeit des Geschehens gegenüber

dem Wettbewerb mit den Hauptleistungen bevorzugt wird.   H. D.

Konditionierung → emotionale Konditionierung

Kondratieff-Zyklus → Konjunkturzyklus

Konfidenzintervall → Schätzverfahren

Konfiguration

1. Bezeichnung für die gesamte Hardware-Struktur (→ Hardware).
2. Syn. für das → Leitungssystem.

Konflikt

Situation, in der eine Person aufgrund gegensätzlicher oder gleichzeitig nicht realisierbarer Handlungstendenzen (momentan) nicht zielbezogen handeln kann. Der Konflikt kann sich in der Person (intrapersonal) oder zwischen Personen (interpersonal) abspielen. Ein interpersonaler Konflikt wird ausgelöst, wenn eine Person wahrnimmt, daß eine andere sie stört, behindert oder auszuschalten versucht. Der sich entwickelnde Konfliktprozeß tendiert, wenn er nicht bewußt kontrolliert wird, zur Eskalation: Die Konfliktparteien erregen sich, die Stimmung wird feindseliger, die Betroffenen beziehen immer mehr Themen und Personen in ihren Konflikt ein.

Eine organisationspsychologische Analyse und Bewältigung von Konflikten muß stets auf drei Ebenen erfolgen:
- auf der Personenebene (Wünsche und Interessen, Hoffnungen und Befürchtungen),
- auf der Interaktionsebene (zunehmende Grade sich aufschaukelnder Feindseligkeit versus schrittweiser Steuerung hin zu Respekt und Kooperation),
- auf der Strukturebene (Modifizierung relevanter Strukturmerkmale, vor allem der Formalisierung, der Spezialisierung und der hierarchischen Abhängigkeit).

Konflikte im Betrieb entstehen, wenn mindestens zwei betriebliche Parteien unvereinbare Handlungsalternativen vertreten und durchsetzen wollen (→ industrieller Konflikt). Entscheidungskonflikte bleiben hier also ausgeklammert; im engeren Sinn handelt es sich also um Interessenkonflikte. Im Mittelpunkt steht der Arbeitskonflikt, bei dem Kapital- und Arbeitnehmerinteresse aufeinanderprallen. Inwieweit beide Interessensphären tatsächlich konfligieren, ist umstritten. Sicherlich gibt es auch Bereiche, in denen gleiche oder ähnliche Interessenlagen bestehen, überwölbend zweifellos das Interesse am Überleben des Betriebes.

Neben den latenten und manifesten Arbeitskonflikten und den meist institutionalisierten Wegen der Austragung richtet sich die Aufmerksamkeit des Soziologen auch auf andere Konfliktursachen (→ betriebliche Sozialstruktur). Sie können gesehen werden in persönlichen Reibungen, Organisationsproblemen, technischen Entwicklungen, Arbeitsmarktveränderungen sowie in den Arbeitsbedingungen. Konflikte entstehen häufig innerhalb der Gruppe (Interaktionsstörungen, Führungsprobleme, Integrationsschwierigkeiten) oder zwischen Gruppen (Wettbewerbsaspekte, Statusprobleme, unterschiedliche Zielvorstellungen).

Häufig begegnet man der Unterscheidung zwischen struktur- und verhaltensinduzierten Konflikten; bei den ersteren nimmt man an, daß wesentliche Konfliktquellen gleichsam in der → Organisationsstruktur angelegt sind (z.B. in der → Hierarchie, im Verhältnis Stab/Linie etc.). Der Vermeidung und Beseitigung solcher Spannungslinien dient das sog. → Konfliktmanagement.   *K. Be./G. Wi.*

Literatur: *Euler, H. P.,* Das Konfliktpotential industrieller Arbeitsstrukturen, Opladen 1977. *Berkel, K.,* Konfliktforschung und Konfliktbewältigung, Berlin 1984.

Konflikt im Absatzkanal → vertikales Marketing

Konfliktmanagement

Behandlung von → Konflikten durch spezifische Handhabungsformen, die z.B. nach *Ralf Dahrendorf* folgendermaßen klassifiziert werden können:
● Unterdrückung eines Konflikts,
● Lösung eines Konflikts,
● Regelung eines Konflikts im Rahmen der Verhandlung, Vermittlung, Schlichtung und Zwangsschlichtung.

Literatur: *Dahrendorf, R.,* Gesellschaft und Freiheit, München 1961. *Staehle, W. H.,* Management, 2. Aufl., München 1985, S. 320 ff.

Konglomerat   → Unternehmenszusammenschluß

konjunkte Analyse → Verbundmessung

konjunktives Entscheidungsmodell → Entscheidungsheuristiken

Konjunktur

die wirtschaftliche Aktivität einer Volkswirtschaft in Relation zu jener im längerfristigen

→ Gleichgewicht. Sie durchläuft mehrjährige Schwankungen, d. h. → Konjunkturzyklen, von denen jede bei Besonderheiten im einzelnen ein bestimmtes Grundmuster in Form periodisch wiederkehrender → Konjunkturphasen aufweist. Die anhaltende Zyklizität ist Voraussetzung einer eigenständigen → Konjunkturtheorie; anderenfalls erfolgt die Erklärung der Konjunktur, die die Gesamtheit der ökonomischen Variablen einschließt, in der → Einkommens- und Beschäftigungstheorie.

Wird das komplexe Phänomen der Konjunktur operational als wiederholte Schwankung einer ausgewählten makroökonomischen Variablen um den Trend definiert, so dient als → Konjunkturindikator bzw. -maß der gesamtwirtschaftliche Auslastungsgrad, der durch die am normalen Auslastungsgrad gemessene Auslastung des Sachkapitalbestandes oder, wie in → Okun'sches Gesetz, durch die Arbeitslosenquote gemessen wird. Als Maße dienen auch die Produktion oder das Volkseinkommen in ihrer absoluten Höhe oder in ihren Wachstumsraten, deren Maximum vor dem der Kapazitätsauslastung liegt.

Die Abbildung des Auslastungsgrades der Sachkapazitäten nach der Berechnung des → Sachverständigenrates zur Begutachtung der gesamtwirtschaftlichen Entwicklung (SVR) zeigt die Konjunkturentwicklung in der Bundesrepublik Deutschland. Die Schwierigkeiten der Berechnung liegen u. a. in der Bestimmung des gesamtwirtschaftlichen → Produktionspotentials.   *W. F.*

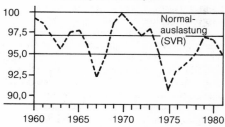

Auslastung der Sachkapazitäten

– – – – Auslastungsgrad des Produktionspotentials in %

Quelle: *Glastetter, W., Paulert, R., Spörel, U.,* S. 62.

Literatur: *Glastetter, W./Paulert, R./Spörel, U.,* Die wirtschaftliche Entwicklung in der Bundesrepublik Deutschland 1950–1980, Frankfurt a.M., New York 1983. *Kromphardt, J.,* Wachstum und Konjunktur, 2. Aufl., Göttingen 1977. *Tichy, G. J.,* Konjunkturschwankungen, Berlin u. a. 1976.

Konjunkturabschwung → Konjunkturphasen

Konjunkturaufschwung → Konjunkturphasen

Konjunkturausgleichsrücklage

unverzinsliche Guthaben von Bund und Ländern bei der Bundesbank, in die Haushaltsmittel bzw. Steuern entsprechend den §§ 5, 6 und 15 → Stabilitätsgesetz (StabG) aufgrund von Ausgabekürzungen bzw. Steuererhöhungen bei (drohender) Konjunkturüberhitzung fließen und bei Konjunkturabschwächung wieder abgerufen werden. Damit soll je nach Konjunktursituation dem Wirtschaftskreislauf Kaufkraft entzogen oder zugeführt werden. Liquiditätsmäßig wirken Einstellungen in die Konjunkturausgleichsrücklage wie Mindestreservesatzerhöhungen und Entnahmen wie Mindestreservesatzsenkungen. Im StG sind zwei Typen von Konjunkturausgleichsrücklagen kodifiziert:
(1) Die *freiwilligen* Einstellungen in die Konjunkturausgleichsrücklage gemäß § 5 Abs. 2, § 6 Abs. 1 StG sind in das Ermessen der jeweiligen Bundesregierung (Landesregierung) gestellt; bei einer die volkswirtschaftliche Leistungsfähigkeit übersteigenden Nachfrageausweitung sollen Mittel zur zusätzlichen Tilgung von Schulden bei der Bundesbank oder zur Zuführung an eine Konjunkturausgleichsrücklage veranschlagt werden. Über die Freigabe und Verfügung der Mittel entscheidet die Bundesregierung auf Vorschlag der Bundesminister für Finanzen und für Wirtschaft. Entsprechendes gilt für die einzelnen Länder.
(2) Bei der *obligatorischen* Version kann die Bundesregierung nach § 15 Abs. 1 StG durch Rechtsverordnung verfügen, daß Bund und Länder Haushaltsmittel in die Konjunkturausgleichsrücklage einstellen müssen. Die Abstimmung zwischen Bund und Ländern erfolgt über den → Konjunkturrat. Die Zustimmung des Bundesrates ist erforderlich. Werden eine Rechtsverordnung nach § 26 Abs. 3 StG die Lohn-, Einkommen- und Körperschaftsteuer um einen bestimmten %-Satz erhöht, so werden die Mehrbeträge der Konjunkturausgleichsrücklage zugeführt. Die nach § 15 Abs. 1 und 4 StG eingestellten Mittel dürfen nur durch Rechtsverordnung der Bundesregierung mit Zustimmung des Bundesrates freigegeben werden. Die Freigabe ist nur zur Vermeidung einer die Ziele des § 1 StG gefährdenden Abschwächung der allgemeinen Wirtschaftstätigkeit zulässig.
In die freiwillige Konjunkturausgleichsrücklage stellten im Jahre 1971 der Bund 1,0 Mrd. DM und die Länder 0,195 Mrd. DM ein, wobei die Länder ihre Einlagen vorzeitig auflösten. In die obligatorische Konjunkturausgleichsrücklage stellten der Bund 1,5 Mrd.

DM (1970) und die Länder 0,436 Mrd. DM (1969) bzw 1,0 Mrd. DM (1970) ein. Diese Mittel sind während der rezessiven Entwicklung 1974/75 aktiviert worden. Seither hat es Einstellungen in die Konjunkturausgleichsrücklage nicht mehr gegeben.   *J. St.*

Literatur: *Stern, K./Münch, P./Hansmeyer, K.-H.,* Gesetz zur Förderung der Stabilität und des Wachstums der Wirtschaft, Kommentar, 2. Aufl., Stuttgart u. a. 1972, Erläuterungen zu den §§ 5, 6, 7 und 15.

Konjunkturbarometer → Harvard-Barometer

Konjunkturforschung

Teilgebiet der Wirtschaftswissenschaft, das sich mit der Erforschung der Ursachen von Konjunkturschwankungen (→ Konjunkturtheorie), der Suche nach geeigneten Methoden zur Messung der Konjunkturschwankungen (→ Konjunkturindikatoren) und insb. mit der Prognose der künftigen Wirtschaftsentwicklung (→ Konjunkturprognose) befaßt.

konjunkturgerechter Haushalt

Weiterentwicklung des → Budgetkonzeptes des → konjunkturneutralen Haushalts. In ihm werden die mit Hilfe des konjunkturneutralen Haushalts ermittelten konjunkturellen Impulse der Staatsausgaben und -einnahmen mit geschätzten → Multiplikatoren gewichtet. Indem der so ermittelte (tatsächliche) konjunkturelle Effekt einem hypothetischen gegenübergestellt wird, der notwendig wäre, um Vollbeschäftigung und Preisniveaustabilität zu sichern, ermöglicht der konjunkturgerechte Haushalt eine Aussage, ob die realisierten Budgetkomponenten der jeweiligen konjunkturellen Situation angemessen sind oder nicht.
Die Schwachstellen liegen in der Schätzung der Multiplikatoren und in der – letztlich nur politisch zu treffenden – Entscheidung über den als notwendig erachteten konjunkturellen Effekt. Hierauf ist auch die praktisch vollständige Ignorierung dieses Konzeptes in der konjunkturpolitischen Praxis in der Bundesrepublik zurückzuführen.

Konjunkturindikatoren

einzelne makroökonomische Variablen (Einzelindikatoren) oder aus mehreren Variablen gebildete Kennzahlen (Gesamtindikatoren), die den Zustand und die Entwicklung der gesamtwirtschaftlichen → Konjunktur beschreiben bzw. abbilden. Besteht zwischen der Entwicklung eines Indikators und der der Konjunktur eine stabile bzw. verläßlich vorhersehbare ökonomisch-kausale Beziehung und verlaufen beide Zeitreihen bezüglich Amplitude und Periodizität konform, so dient der Indikator der fortwährenden Beobachtung und Prognose der Konjunktur sowie der Wirkungsanalyse konjunkturpolitischer Maßnahmen.

Liegen die →Wendepunkte der trend- und saisonbereinigten Zeitreihe eines Indikators systematisch zeitlich vor denen der Konjunktur, so ist es ein sog. vorlaufender (leading) Indikator. Entsprechend gibt es nachlaufende (lagging) und gleichlaufende (coinciding) Indikatoren. Die „leading indicators" dienen insb. der →Konjunkturprognose und als Referenzmaßstab der →Konjunktur- bzw. Stabilisierungspolitik.

Beispiele für Einzelindikatoren sind die Produktion, der Auslastungsgrad der Produktionskapazität, die Arbeitslosenquote, der Index der Auftragseingänge und -bestände, die Lagerhaltung, die (Zentralbank-)Geldmenge oder Preis- und Lohnindizes.

Da kein Einzelindikator die Komplexität der Konjunktur vollkommen erfaßt und alleine kaum etwas über das Ausmaß einer konjunkturellen Veränderung aussagt, werden häufig Gesamtindikatoren konstruiert. Sie verdichten die Informationen, indem sie unter Verwendung statistischer Methoden wie z.B. der →Faktorenanalyse mehrere Einzelindikatoren zusammenfassen. Das Problem liegt in der Auswahl und Gewichtung der Einzelindikatoren. Bekannte Gesamtindikatoren sind das →Harvard-Barometer, der Konjunkturindikator des NBER, der →Konjunkturtest des Ifo-Institutes und der Gesamtindikator des →Sachverständigenrates zur Begutachtung der gesamtwirtschaftlichen Entwicklung.

W. F.

Literatur: *Burns, A. F./Mitchell, W. C.*, Measuring Business Cycles, New York 1974. *Feldsieper, M.*, Indikatoren, I: konjunkturelle, in: HdWW, Bd. 4, Stuttgart u. a. 1978.

Konjunkturmodelle

formalisierte →Konjunkturtheorien zur Erklärung der →Konjunktur, d. h. der Entwicklung makroökonomischer Variablen (Volkseinkommen, Beschäftigung, Kapazitätsauslastung, Löhne und Preise sowie deren Änderungsraten) in der Zeit. Im Vergleich zur →Einkommens- und Beschäftigungstheorie, die insb. nach der keynesianischen Revolution diese Variablen zu einem bestimmten Zeitpunkt erklärt, bilden Konjunkturmodelle mehr oder weniger regelmäßige zyklische Schwingungen eines intertemporalen bzw. dynamischen Marktsystems ab. Sie erklären somit erstens →Konjunkturzyklen, d.h. kumulative Entwicklungsprozesse einer Variablen

im →Auf- und Abschwung, deren →Wendepunkte und ihre (nicht regelmäßige) Wiederkehr in der Zeit. Zweitens erklären sie die beobachteten und stilisierten Regelmäßigkeiten in den Verhältnissen der Zeitreihen verschiedener Variablen zueinander, d. h. z.B. die Beobachtung, daß die Zyklen in der Produktion dauerhafter Güter (kurzfristiger Zinssätze) ausgeprägter sind als die nicht-dauerhafter (langfristiger Zinssätze).

Wird die „Zeit" als eine stetige Größe definiert, so wird die Dynamik des Marktsystems durch ein System von (interdependenten und stetig nach der Zeit differenzierbaren) Differentialgleichungen erfaßt. Ist die „Zeit" hingegen eine Abfolge von Perioden gleicher Länge (z.B. ein Monat, Quartal oder Jahr), so wird ein System von Differenzengleichungen verwendet. Der Wert der (endogenen) Variablen zu einem bestimmten Zeitpunkt oder in einem Zeitraum ist u. a. bestimmt von den realisierten Werten derselben Variablen in Vorperioden. Aufgrund der hohen Komplexität derartiger Modelle werden die Wertereihen der endogenen Variablen in der Zeit (Zeitreihen) durch →Simulation, d. h. durch den Computer fortwährend durchgeführte numerische Lösung des Differenzen- bzw. Differentialgleichungssystems generiert.

Derartige dynamische Modelle können neben monotonen Entwicklungen der Variablen prinzipiell drei Formen von Schwingungen erzeugen: Die Schwingungen können hinsichtlich Amplitude und Periodizität bzw. Frequenz abnehmen, zunehmen oder gleichbleiben. Der erste Fall erfordert stets neue exogene Anstöße, da das Modell sonst „ausschwingt". Im zweiten ist die Entwicklung instabil, da die Variablenwerte „explodieren", sofern keine Ober- und Untergrenzen (ceilings, floors) wie Kapazitätsbeschränkungen, Abschreibungsobergrenzen etc. existieren *(John Richard Hicks)*. Eine stabile endogen-zyklische Entwicklung einer Volkswirtschaft liegt vor bei gleichbleibenden Schwingungen, die (realitätsfern) harmonisch bzw. sinusförmig oder (realitätsnah) langfristig nicht auslaufend bei nicht harmonischen bzw. sinusförmigen Einzelzyklen *(Hugh Rose)* sein können.

Theoretische Konjunkturmodelle analysieren, ob (theoretisch begründete und/oder empirisch beobachtete) Verhaltensweisen zu einer zyklischen Entwicklung der Volkswirtschaft führen. Dazu wird diese Verhaltensgleichung zunächst in einem extrem einfachen Modell (wie z.B. die Akzeleratorhypothese im →Lagerhaltungszyklus oder Multiplikator-Akzelerator-Modell) untersucht und dann in ein gegebenes Konjunkturmodell einbezogen, um zu analysieren, wie sich das zyklische Verhalten des Systems kausal ändert. Die Untersuchung der Auswirkungen veränderter Markt- oder Verhaltensstrukturen auf das Gesamtsystem ist notwendig, da die Möglichkeit des wirtschaftspolitischen Experimentes nicht besteht.

Das Ziel der Entwicklung ökonometrischer Konjunkturmodelle liegt unmittelbar in der numerischen Spezifikation eines Modelles (seiner Variablen, einschl. Parameter, Elastizitäten etc.) für ein bestimmtes Land in einer bestimmten (kalendarischen) Periode. Diese zeit- und raumbezogenen Modelle dienen der → Konjunkturprognose. Die verfügbaren Statistiken bestimmen dabei wesentlich die Modellstruktur bezüglich der → Aggregation sowie der dynamischen Gleichungen. Ökonometrische Konjunkturmodelle mit guten Ex-post-Prognosen behalten ihren Erklärungswert solange wie die in ihnen unterstellten Verhaltensweisen stabil und die Marktstruktur sowie der institutionelle Rahmen einschl. der internationalen Verflechtung in Form des → internationalen Konjunkturverbundes annähernd unverändert sind und die verwendeten Datenreihen fortgeführt werden (keine neu abgegrenzten Aggregate, neu berechneten Indizes etc.).   *W. F.*

Literatur: *Enke, H.* u. a., Struktur; Konjunktur und Wirtschaftswachstum, Tübingen 1984. *Hickman, B. G.* (Hrsg.), Economic Models of Cyclical Behavior, New York, London 1972. *Mullineux, A. W.,* The Business Cycle after Keynes, Brighton 1984.

konjunkturneutraler Haushalt

1967 vom → Sachverständigenrat zur Begutachtung der gesamtwirtschaftlichen Entwicklung vorgeschlagenes und seither angewandtes → Budgetkonzept, bei dem die konjunkturellen Effekte eines öffentlichen Haushalts an seinen Abweichungen vom sog. konjunkturneutralen Haushalt gemessen werden. Als konjunkturneutral wird dabei ein Haushalt bezeichnet, der im Vergleich zu einem – als konjunkturelle Normallage angesehenen – Basiszeitraum den Auslastungsgrad des → Produktionspotentials nicht verändert.

Demnach können die konjunkturneutralen Staatsausgaben und -einnahmen berechnet werden, indem sie ausgehend vom Basisjahr mit der gleichen Wachstumsrate fortgeschrieben werden, mit der sich das Produktionspotential entwickelt hat. Dadurch ist gewährleistet, daß die in der konjunkturellen Normalsituation realisierten Staatsausgaben- und -einnahmenquoten konstant bleiben. Durch einen Vergleich der tatsächlichen Ausgaben und Einnahmen mit den so ermittelten konjunkturneutralen können die konjunkturellen Impulse berechnet werden, die von jeder der beiden Budgetseiten und damit vom Saldo ausgehen.

Das Konzept des konjunkturneutralen Haushalts ist in der Literatur umstritten. Während allgemein akzeptiert ist, daß mit ihm eine Aussage über die konjunkturellen Effekte eines realisierten Budgets im Vergleich zum Basiszeitraum möglich ist und insoweit eine gewisse Maßstabsfunktion erfüllt wird, bezieht sich die Kritik vor allem auf die recht willkürliche Auswahl des Basiszeitraumes, auf die nicht befriedigende Berücksichtigung von Preisniveausteigerungen, auf die Vernachlässigung von unterschiedlichen Budgetstrukturen und damit unterschiedlichen Multiplikatorwirkungen sowie auf die fehlende Aussage, ob die ermittelten konjunkturellen Impulse der jeweiligen Konjunkturlage angemessen sind oder nicht. Die beiden letzten Kritikpunkte hat man zu berücksichtigen versucht, indem der konjunkturneutrale zu einem Konzept des → konjunkturgerechten Haushalts weiterentwickelt wurde.   *H. F.*

Literatur: *Hesse, H.,* Theoretische Grundlagen der „Fiscal Policy", München 1983, S. 189 ff.

Konjunkturphasen

Abschnitte eines → Konjunkturzyklus. Die einfachste Form der Aufteilung ist (vgl. den idealisierten zyklischen Verlauf in der Abbildung) die Zwei-Phasen-Gliederung mit Aufschwung, d. h. der Phase vom → Wendepunkt A bis C, und Abschwung (Phase von C bis E). Erklärt man die Extremwerte mit ihrer unmittelbaren Umgebung als Zeitraum, so unterteilt der → Konjunkturindikator des NBER den Aufschwung in fünf, den Abschwung in vier Phasen.

Nach *Joseph A. Schumpeter* werden vier Phasen unterschieden: Erholung (I), Prosperität (II), Rezession (III) und Depression (IV).

Die heute üblichen Phasenbezeichnungen lauten: Aufschwung oder Erholung (I), Boom oder Hochkonjunktur (II), Entspannung oder Abschwächung (III), Rezession (IV).   *W. F.*

Konjunkturphasen; idealisierter zyklischer Verlauf

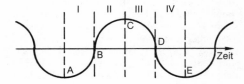

Konjunkturpolitik

an den makroökonomischen Variablen ansetzende Politik staatlicher Hoheitsträger –
einschl. Zentralbank – zur Minderung der
Schwankungen im Auslastungsgrad des
→ Produktionspotentials (→ Stabilitätspolitik).

Konjunkturprognose

Erklärung der → Konjunktur eines Landes auf
der Basis einer → Konjunkturtheorie entweder für eine vergangene Beobachtungsperiode
(Ex-post-Prognose) oder als Vorhersage für
einen zukünftigen Zeitraum (Ex-ante-Prognose). Sie dient insb. als Referenzmaßstab für die
→ Konjunkturpolitik und als Auswahlkriterium für konkurrierende Konjunkturtheorien.
Als Teil der → empirischen Wirtschaftsforschung verwendet sie statistische und ökonometrische → Prognoseverfahren und basiert
auf ökonometrischen → Konjunkturmodellen, Beobachtungen von → Konjunkturzyklen
und vorlaufenden → Konjunkturindikatoren
sowie Tendenzbefragungen (→ Konjunkturtest).
In der Bundesrepublik werden in regelmäßigen Abständen → Prognosen für die wichtigsten gesamtwirtschaftlichen Größen erstellt
und veröffentlicht. Hierzu gehören die Vor-
ausschätzungen
- des → Sachverständigenrates zur Begutachtung der gesamtwirtschaftlichen Entwicklung, der jedes Jahr im November ein Jahresgutachten vorlegt, in dem neben einer
Analyse der Wirtschaftsprozesse im abgelaufenen Jahr auch eine Prognose der wirtschaftlichen Entwicklung erstellt wird;
- der Bundesregierung, die im Januar jeden
Jahres in ihrem → Jahreswirtschaftsbericht
die für das laufende Jahr angestrebten Ziele
und wirtschaftspolitischen Maßnahmen
darlegt;
- der Arbeitsgemeinschaft deutscher wirt-
schaftswissenschaftlicher Forschungsinsti-
tute, die zweimal jährlich (Frühjahr und
Herbst) eine Gemeinschaftsprognose der
wirtschaftlichen Entwicklung in der Bundesrepublik veröffentlicht.
Neben diesen laufenden Prognosen existieren noch zahlreiche andere Informationsquellen, u.a.: Wirtschaftsprognosen der OECD;
Prognosen der einzelnen Wirtschaftsverbände; Prognosen mit Hilfe von ökonometrischen
Modellen bei Universitäten (z.B. Bonner Modell), bei größeren Unternehmen und Banken,
bei öffentlichen Institutionen (z.B. Bundesbank) und bei Wirtschaftsforschungsinstitu-
ten (z.B. → Deutsches Institut für Wirtschafts-

forschung, → Rheinisch-Westfälisches Institut
für Wirtschaftsforschung, → Institut für Weltwirtschaft Kiel).   *W. F./K. W. H.*

Literatur: *Frerichs, W./Kübler, K.,* Gesamtwirtschaftliche Prognoseverfahren, München 1980. *Tichy, G. J.,* Prognose, in: HdWW, Bd. 6, Stuttgart
u.a. 1981.

Konjunkturrat

im → Stabilitätsgesetz (§ 18) vorgesehene Institution zur Abstimmung der stabilitätspolitischen Aktionen von Bund und Ländern. Da
die antizyklische → Stabilitätspolitik nach
Möglichkeit eine zentrale Willensbildung voraussetzt, Bund und Länder in ihrer Haushalts-
führung auf Grund des Föderativprinzips aber
selbständig und voneinander unabhängig sind
(Art. 109 GG), müssen die einnahmepoliti-
schen – einschl. der kreditär finanzierten –
und ausgabepolitischen Entscheidungen von
Bund und Ländern aufeinander abgestimmt
werden. Durch gegenseitige Information und
Abstimmung soll dann eine der Erreichung
des gesamtwirtschaftlichen Gleichgewichts
dienliche Haushaltspolitik betrieben werden
(kooperativer Föderalismus).
Außer dem Bundesminister für Wirtschaft,
der auch den Vorsitz führt, gehören dem Konjunkturrat als Pflichtmitglieder die Bundesminister der Finanzen und je ein Vertreter der elf
Länder (einschl. Berlins) sowie vier Vertreter
der Gemeinden und Gemeindeverbände an.
Damit sind die letzteren nur unzureichend in
die gesamtwirtschaftliche Willensbildung eingebunden. Zwar sollen die Länder auf deren
Haushaltswirtschaft in stabilitätspolitischem
Sinne einwirken (§ 17 StG), doch hat der Gesetzgeber dies nicht präzisiert. Die Bundesbank ist fakultatives Mitglied, ohne Antrags-,
jedoch mit Anhörungsrecht.
Der Konjunkturrat tritt „in regelmäßigen
Abständen" zusammen und berät alle zur Erreichung der stabilitätspolitischen Ziele notwendigen Maßnahmen. Er ist insb. bei Einstellung bzw. Entnahme von Mitteln in die
bzw. aus der (obligatorischen) → Konjunkturausgleichsrücklage (§ 15 StG) und bei Be-
schlüssen über die → Kreditplafondierung
(§§ 19, 20 StG) zu hören.
Zum eigentlichen Konjunkturrat als Plenar-
versammlung ist ein „Konjunkturrat für Kre-
ditfragen" hinzugetreten, der sich mit dem jeweils angemeldeten vierteljährlichen Kreditbedarf und der Planung der Kreditaufnahme
im Hinblick auf die aktuelle Kapitalmarktent-
wicklung befaßt. Die Kooperation mit dem
Finanzplanungsrat ist gewährleistet (→ mittelfristige Finanzplanung). Seitdem die Mittelverwendung und die Kreditaufnahme der Ge-

bietskörperschaften nicht mehr nach Stabilitäts-, sondern nach Konsolidierungsgesichtspunkten getroffen werden, ist die stabilitätspolitische Funktion des Konjunkturrates stark eingeschränkt. *J. St.*

Literatur: *Stern, K./Hansmeyer, K.-H.*, in: *Stern, K./Münch, P./Hansmeyer, K.-H.*, Gesetz zur Förderung der Stabilität und des Wachstums der Wirtschaft, Kommentar, 2. Aufl., Stuttgart u. a. 1972, Erläuterungen zum § 18 (Konjunkturrat), S. 318 ff.

Konjunkturschwankungen → Konjunkturzyklus

Konjunkturspiegel → Konjunkturtest

Konjunkturtest

Das Ifo-Institut für Wirtschaftsforschung (München) beschreibt und prognostiziert die → Konjunktur aufgrund einer regelmäßig erfolgenden, monatlichen Repräsentativbefragung von rd. 12000 Unternehmen. Da man bei Tendenzbefragungen keine Statistiken abfragt, ist der Konjunkturtest schneller verfügbar als → Konjunkturindikatoren auf der Basis von statistischen Verfahren. Es wird gefragt, ob im vergangenen Monat (Ex-post-Prognose) ausgewählte konjunkturreagible Größen wie Produktion, Lagerbestand, Investitionsausgaben, Auftragseingänge, Preise etc. gestiegen, gesunken oder gleichgeblieben sind und welche Änderungen für die Zukunft (Ex-ante-Prognose) erwartet werden. Die mit der Firmengröße gewichteten Angaben über Zunahme, Abnahme oder Konstanz werden als Prozentanteile im sog. Konjunkturspiegel gezeigt. Aus den Beurteilungen der gegenwärtigen und der erwarteten Geschäftslage ergibt sich das sog. Geschäftsklima, das als barometrischer Wert nicht über die Höhe, aber die Varianz der Auftragseingänge und -bestände informiert. Die Entstehung der so ermittelten Geschäftslage in der Bundesrepublik Deutschland mit einer sog. „Überhitzungs- und Unterkühlungszone" zeigt die Abbildung.

Ifo-Geschäftsklima

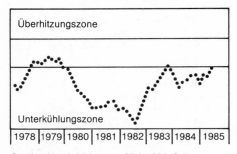

Quelle: Handelsblatt vom 25.9.1985, S. 1.

Die Schwächen liegen in der möglichen Abweichung von geplantem und tatsächlichem Verhalten sowie in schnellen Planrevisionen bei neuen Daten, so daß → Wendepunkte nicht zuverlässig prognostiziert werden können. *W. F.*

Konjunkturtheorien

Ansätze zur Erklärung der zyklischen Entwicklung (→ Konjunkturzyklus) der gesamtwirtschaftlichen Aktivität, d.h. der Gesamtheit von makroökonomischen Variablen in der Zeit. Sie entwickelten sich als Krisentheorien mit der → industriellen Revolution und erlangten insb. seit der → Weltwirtschaftskrise wirtschaftspolitische Bedeutung. Mit dem Entstehen einer systematischen empirisch-statistischen Konjunkturforschung (*Clément Juglar, Wesley C. Mitchell, Arthur Spiethoff, Ernst Wagemann* etc.) wurden die Konjunkturtheorien zunehmend zu → Konjunkturmodellen formalisiert. In steigendem Maße werden sie auch für die offene Volkswirtschaft entwickelt, da der → internationale Konjunkturzusammenhang bei einer steigenden Integration für die Erklärung der Konjunkturentwicklung immer bedeutsamer wird.

Die ersten Konjunkturtheorien erklärten die zyklische Entwicklung nicht ökonomisch, sondern über zyklisch exogene Störungen einer Volkswirtschaft. Derartige sich über die Ernten auswirkende (zyklisch wiederkehrende) kosmische Gegebenheiten können Sonnenflecken (*Williams Stanley Jevons*) oder Naturkatastrophen aufgrund bestimmter Sonne-Mond-Erde-Konstellationen (*Henry L. Moore*) sein. Die Möglichkeit zyklischer Schwankungen aufgrund von (auch derartigen) Zufallsprozessen wurde später nachgewiesen (*Eugen E. Slutzky*), womit die Grundlage für die (auf erratischen, unkorrelierten „Schocks" aufbauenden) modernen stochastischen Konjunkturtheorien (*Ragnar Frisch, Robert E. Lucas, Jr.*) gelegt wurde. Auch Erklärungen in Richtung politischer Unruhen (*Johan A. Åkerman*) oder des politischen (Wahl-)Zyklus (*Bruno S. Frey*) gehören in diese Kategorie.

Zu den ökonomischen Konjunkturtheorien zählt die Gruppe der historisch-ökonomischen Theorien, die die zyklische Entwicklung auf eine bestimmte → Wirtschaftsordnung und -verfassung zurückführen. Hierzu rechnen → marxistische Krisentheorien, aber auch jene Theorien, die die → Konjunktur monokausal über eine einzelne Ursache oder einen Ursachenkomplex zu erklären versuchen. So werden betont:

● das Investitionsverhalten (→ Überinvestitionstheorien; *Joseph A. Schumpeter, Knut Wicksell*),

- die Einkommensverteilung (→ Unterkonsumtionstheorien; *Erich Lederer, Erich Preiser*),
- die Geldmenge bzw. das Kreditvolumen (monetäre Konjunkturtheorien; *Milton Friedman, Ralph G. Hawtrey*) oder
- die instabilen Verhaltensweisen aufgrund von Erwartungs- und Planungsunsicherheit (psychologische Konjunkturtheorie; *Walter A. Jöhr, John Maynard Keynes*).

Die ökonom. Konjunkturtheorien, die wie die → Einkommens- und Beschäftigungstheorie ein interdependentes Marktsystem erklären, unterscheiden sich insb. durch den für die Koordination der individuellen Entscheidungen unterstellten Marktausgleichsmechanismus und für die zeitliche Verbreitung von → Schocks bzw. Datenänderungen im Rahmen der (zeitlich interdependenten) einzelwirtschaftlichen Entscheidungen vermuteten Mechanismus.

Die Konjunkturtheorie aufgrund der → Klassischen Theorie und insb. der → Neuen Klassischen Makroökonomik (*Lucas, Jr.*) unterstellt, daß alle Märkte über den Preismechanismus permanent gleichgewichtig geräumt sind und daß die Informationsbeschaffung und -verwertung (Erwartungsbildung) zusammen mit allen Entscheidungen simultan und ökonomisch-rational aus einem (intertemporalen Nutzen-)Maximierungskalkül erfolgen. Für die zyklischen Schwankungen ist entscheidend, daß die Informationen über veränderte Daten oder Markt- bzw. Systemzusammenhänge zu Beginn eines Diffusionsprozesses unvollständig und zwischen den Wirtschaftssubjekten selbst noch (ad hoc) asymmetrisch verteilt sind.

Die zum → Keynesianismus zu rechnenden Konjunkturtheorien umfassen die Ansätze aufgrund der sog. → Ungleichgewichtstheorie bzw. mengenrationierter Märkte (*Edmond Malinvaud*) ebenso wie die dem → IS/LM-System verhafteten Multiplikator-Akzelerator-Modelle (*John R. Hicks, Paul A. Samuelson*) oder an der Einkommens-/Vermögensverteilung ansetzende Theorien (*Richard M. Goodwin, Michal Kalecki*). Sie verwenden entsprechend den obigen Unterscheidungsmerkmalen unterschiedliche Ausgleichsmechanismen für die Märkte (→ Rationierung; Preismechanismus), so daß es bei marktspezifischen Preis- und Mengenrigiditäten in der Zeit zu ungewollter Nachfrage (ungeplante Lagerhaltung; unfreiwillige Arbeitslosigkeit etc.) kommt. Die zeitliche Interdependenz der wirtschaftlichen Aktivitäten wird über die Vermögens-

sowie Kapitalakkumulation und z. T. über eine Lohn-Preis-Dynamik in Form der → Phillips-Kurve gewährleistet, aber die Erwartungen der Wirtschaftssubjekte werden im Grunde (ad hoc) temporär exogen gebildet.   *W. F.*

Literatur: *Lucas, R. E., Jr.,* Studies in Business Cycle Theory, Oxford 1981. *Vosgerau, H.-J.,* Konjunkturtheorie, in: HdWW, Bd. 4, Stuttgart u. a. 1978.

Konjunkturverbund → internationaler Konjunkturverbund

Konjunkturzuschlag

befristeter, rückzahlbarer Zuschlag von 10% auf die Lohn-, Einkommen- und Körperschaftsteuer außerhalb des → Stabilitätsgesetzes (StG). Das Gesetz über diesen Zuschlag wurde in einer Sondersitzung des Deutschen Bundestages während der parlamentarischen Sommerpause am 27. 7. 1970 beschlossen (BGBl. I, S. 1125). Diese Maßnahme zur Dämpfung der Konjunkturüberhitzung war notwendig geworden, weil sich die damalige Regierung aus wahltaktischen Erwägungen nicht zu der Rechtsverordnung nach § 26 Abs. 3 StG, der die Bundesregierung zur befristeten Änderung um bis zu 10% auf Lohn-, Einkommen- und Körperschaftsteuer ermächtigt, entschließen konnte. Der Zuschlag wurde in der Zeit vom 1. 8. 1970 bis zum 30. 6. 1971 bei allen Steuerpflichtigen erhoben. Freigestellt waren die Lohnempfänger, deren Lohnsteuer nicht mindestens 100,10 DM betrug (soziale Komponente). Die aus dem Zuschlag eingegangenen Mittel – insgesamt 5,9 Mrd. DM – wurden auf einem Sonderkonto bei der Bundesbank stillgelegt. Zurückgezahlt wurde der Zuschlag en bloc unmittelbar vor der Sommerreisesaison 1972.

Die stabilitätspolitische Wirkung ist umstritten. Stellt man jedoch auf die Geldmengenwirkung ab, so wird bei offener außenwirtschaftlicher Flanke eine eventuelle Entzugswirkung durch gegenläufige Kapitalbewegungen konterkariert. Die Entwicklung des Preisindex bestätigt diese Auffassung. Der Anstieg der Lebenshaltungskosten lag vor der Erhebung des Konjunkturzuschlages bei 3,8% (Juli 1970) und einen Monat nach der Rückzahlung bei 5,4% (Juli 1972). Ein Politiker (*Herbert Ehrenberg*) hat den Konjunkturzuschlag „konjunkturpolitisches Monstrum" genannt.   *J. St.*

Literatur: *Starbatty, J.,* Erfolgskontrolle der Globalsteuerung, Frankfurt a. M. 1976, S. 66 ff.

Konjunkturzyklus

Verlauf der → Konjunktur zwischen zwei aufeinanderfolgenden Hochpunkten (peaks). Er ist charakterisiert durch die Zykluslänge, d.h. die Zeit zwischen zwei ‚peaks‘, durch die Amplitude, d.h. den (absoluten oder relativen) Abstand zwischen Hoch- oder Tiefpunkt und dem Mittel- bzw. Trendwert der langfristigen Entwicklung sowie durch seine Symmetrieeigenschaften, d.h. die Differenz zwischen der nach oben oder unten gemessenen Amplitude sowie der Dauer des Auf- und Abschwunges.

Die empirische Konjunkturbeobachtung zeigt, daß Schwankungen unterschiedlicher Länge, die insb. mit der → Spektralanalyse gemessen werden, existieren. Nach *Joseph A. Schumpeter* werden insb. unterschieden

- der nach *Joseph Kitchin* benannte Kitchin-Zyklus bzw. → Lagerhaltungszyklus mit einer Zykluslänge von 3–5 Jahren,
- der nach *Clément Juglar* benannte Juglar-Zyklus bzw. Investitionszyklus mit einer Länge von 7–11 Jahren,
- der nach *Nikolai D. Kondratieff* benannte Kondratieff-Zyklus bzw. die langen Wellen als Wachstumszyklus (insb. von Preis-Variablen) mit einer Länge von 45–60 Jahren.

Den Juglar-Zyklus identifiziert *Schumpeter* mit dem klassischen Konjunkturzyklus. Er erklärt die Wachstumswellen damit, daß die Einführung und Ausbreitung von → technischem Fortschritt nicht, wie in der → Wachstumstheorie im allgemeinen angenommen, kontinuierlich, sondern in Schüben und Sprüngen vonstatten geht (→ Innovationszyklus). Die Unregelmäßigkeit des wirklichen Wachstumsprozesses begründet *Schumpeter* mit der Überlagerung der Einflüsse von kurzen, mittleren und langen Wellen.   W. F.

Literatur: *Schumpeter, J. A.,* Konjunkturzyklen, 2 Bde., Göttingen 1961. *Tichy, G. J.,* Konjunkturschwankungen, Berlin u.a. 1976.

Konkordanzdemokratie → Verbandspluralismus

Konkurrenz → Wettbewerb

Konkurrenzintensität → Wettbewerbsintensität

Konkurrenzsozialismus

Bezeichnung für verschiedene und vor allem in den 30er Jahren entwickelte Modellentwürfe, in denen die theoretische und praktische Möglichkeit einer rationalen Wirtschaftsrechnung für → sozialistische Marktwirtschaften nachgewiesen werden soll.

Den entscheidenden Anstoß für die Konstruktion konkurrenzsozialistischer Modelle durch *Fred M. Taylor, Abba P. Lerner, Oskar*

Lange u.a. lieferte das 1920 von *Ludwig v. Mises* formulierte „Unmöglichkeitstheorem", wonach in einer sozialistischen Wirtschaftsordnung ohne freien Marktverkehr und ohne Marktpreise keine rationale, knappheitsbezogene Güterallokation möglich sei. Die Theoretiker des Konkurrenzsozialismus akzeptierten zwar die geforderte Notwendigkeit von Preisen, die jedoch nicht unbedingt als Marktpreise, sondern auch als zentral festgesetzte Preise vorstellbar seien und im Zuge von Probierprozessen zustande kommen könnten.

Diese einfache Idee der zentralen Simulierung von Marktpreisen, aus der sich für marktsozialistische Konzeptionen später die gewichtige wirtschaftspolitische Aufgabe der parametrischen Steuerung von Marktprozessen herleitet, markiert den Grundgedanken aller konkurrenzsozialistischen Modelle, von denen das Lange-Modell die größte Aufmerksamkeit gefunden hat.

Lange entwickelte sein konkurrenzsozialistisches Modell in theoretisch engem Bezug zum Modell der vollkommenen Konkurrenz, allerdings mit einem spezifisch-sozialistischen Institutionenrahmen. Die Unternehmen befinden sich im Gemein-, d.h. Staatseigentum. Für die Produktionsgüter entfällt die Marktbewertung. Dagegen existieren Konsumgüter- und Arbeitsmärkte mit freier Konkurrenzpreisbildung. Die Preise der Produktionsgüter werden von der Zentrale durch nachträgliche Korrekturen an die Angebots- und Nachfragebedingungen festgesetzt und den Betriebsleitern zusammen mit zwei grundlegenden Verhaltensregeln vorgegeben: In Analogie zum Modell der vollkommenen Konkurrenz sollen die Betriebsleiter diejenige Gütermenge produzieren und anbieten, bei welcher der Güterpreis gleich den Grenzkosten ist. Die zur Produktion dieser Menge benötigten Produktionsfaktoren sind so zu kombinieren, daß die Durchschnittskosten ein Minimum erreichen. Der Zentrale obliegt neben der Festsetzung der Produktionsgüterpreise und der Unternehmenskontrolle noch die Investitionslenkung auf Zweigebene.

Die Wirtschaftsrechnung scheint so im Konkurrenzsozialismus zwar theoretisch möglich und lösbar zu sein. Allerdings sind der geringe Realitätsgehalt und statische Charakter der Modelle sowie die Vernachlässigung des Informations- und Bürokratieproblems bemängelt worden, so daß die konkurrenzsozialistischen Kritiker, wie *Friedrich A. v. Hayek* oder *Walter Eucken,* das praktische Unmöglichkeitstheorem vertreten.   H. L.

Literatur: *Feucht, M.,* Theorie des Konkurrenzsozialismus, Stuttgart, New York 1983.

Konkurrenzsystem → Trennsystem

Konkurs

besondere gerichtliche Vollstreckungsmaß-
nahme zur gleichmäßigen Befriedigung der
Gläubiger durch → Liquidation des Schuld-
nervermögens und Verteilung des Erlöses. Im
Gegensatz zur Einzelzwangsvollstreckung
wird im → Konkursverfahren nicht in einzelne
Vermögensgegenstände, sondern in das gesamte Vermögen des Schuldners (Gemeinschuldners) vollstreckt. *M. E.*

Konkursanfechtung

Möglichkeit für den Konkursverwalter,
Schmälerungen der Konkursmasse durch bestimmte Rechtshandlungen des Gemeinschuldners rückgängig zu machen. Rechtsfol-
ge der Konkursanfechtung ist, daß der veräu-
ßerte Gegenstand zur → Konkursmasse zu-
rückfließt. Anfechtbar sind bestimmte Rechtshandlungen, die nach oder bis zu zehn Tagen
vor der Zahlungseinstellung oder dem Antrag
auf Eröffnung des → Konkursverfahrens vorgenommen wurden (allgemeine Konkursanfechtung), ferner Rechtshandlungen, die in
der Absicht geschahen, die Gläubiger zu be-
nachteiligen (Absichtsanfechtung), sowie bestimmte unentgeltliche Verfügungen (Schen-
kungsanfechtung). Die Konkursanfechtung ist
innerhalb eines Jahres nach Konkurseröffnung möglich. *M. J.*

Konkursantragspflichtverletzung

Verstoß gegen die gesetzliche Verpflichtung,
bei Vorliegen bestimmter Gründe die Eröffnung des → Konkursverfahrens oder des ge-
richtlichen → Vergleichsverfahrens innerhalb
der vorgeschriebenen Zeit zu beantragen. Eine gesetzliche Konkursantragspflicht besteht
für die Mitglieder des Vorstands (Geschäftsführer, persönlich haftender Gesellschafter)
oder Abwickler einer AG (§ 401 AktG),
KGaA (§ 283 AktG), eG (§ 148 GenG) und
GmbH (§ 84 GmbHG). Die gleiche Verpflichtung trifft die organschaftlichen Vertreter der
zur Vertretung der Gesellschaft ermächtigten
Gesellschafter und Liquidatoren einer oHG
oder KG, bei der kein persönlich haftender
Gesellschafter eine natürliche Person ist
(§§ 130 b und 177 a HGB).
Konkursgründe in den genannten Fällen
sind Zahlungsunfähigkeit (→ Illiquidität)
oder → Überschuldung. Bei der Zahlungsunfähigkeit verfügt die Unternehmung auf ab-
sehbare Zeit nicht mehr über die erforderlichen Mittel, um ihre wesentlichen fälligen
Verbindlichkeiten begleichen zu können.

Überschuldung liegt vor, wenn die (sicheren
und unsicheren) Verbindlichkeiten höher sind
als das Vermögen (nach Auflösung stiller
Rücklagen und unter Annahme der Unterneh-
mensfortführung, so lange diese wahrscheinlich ist). Bei der eG mit Haftsumme ist die
Überschuldung erst Konkursgrund, wenn diese ein Viertel des Gesamtbetrags der Haftsumme aller Genossen übersteigt (§ 98 GenG).
Der Konkursantrag ist ohne schuldhaftes Zö-
gern, spätestens aber drei Wochen nach dem
objektiven Eintritt der Krise, zu stellen.
Bei Kreditinstituten, Bausparkassen und
den der Aufsicht unterliegenden Versicherungsunternehmen tritt an die Stelle des Konkursantrags die Verpflichtung, Zahlungsunfähigkeit oder Überschuldung der jeweiligen
Aufsichtsbehörde anzuzeigen. Zuwiderhandlungen sind strafbar. *E. C.*

Literatur: *Castan, E.*, Betriebswirtschaftliche
Aspekte der Konkursantragspflichtverletzung, in:
das wirtschaftsstudium, 15. Jg. (1986), S. 127 ff.

Konkursausfallgeld

Arbeitnehmer, die bei Eröffnung des → Konkursverfahrens über das Vermögen ihres Arbeitgebers für die letzten drei vorausgegange-
nen Monate noch Ansprüche auf Arbeitsentgelt haben, erhalten zum Ausgleich Konkursausfallgeld. Dieses wird in Höhe des rückstän-
digen Nettoverdienstes vom zuständigen Arbeitsamt gezahlt, ergänzt durch Nachleistung
der Sozialversicherungsbeiträge, soweit sie
noch nicht entrichtet wurden. Der Konkurseröffnung gleichgestellt sind Abweisung eines
Konkursantrags mangels Masse und Betriebs-
einstellung bei Aussichtslosigkeit eines Kon-
kursantrages mangels Masse (§ 141 AFG).
Die Aufwendungen der Bundesanstalt für
Arbeit (BA) für das Konkursausfallgeld
einschl. der Verwaltungskosten, werden von
den → Berufsgenossenschaften jährlich durch
Umlage aufgebracht und der BA erstattet.
H. Sch.

Konkursbilanz

(Konkursstatus) Bilanz, die der Konkursverwalter neben dem → Inventar für den Zeitpunkt der Eröffnung des → Konkursverfahrens aufzustellen hat (§ 124 KO). Die Konkursbilanz dient der Ermittlung der vorhandenen Vermögensmasse des Gemeinschuldners
sowie der dieser gegenüberzustellenden Schul-
denmasse. Maßgebend sind daher weder die
handelsrechtlichen Gliederungsgrundsätze
noch die handelsrechtlichen Buchwerte. Die
Gliederung orientiert sich vielmehr auf der
Aktivseite an der Verwertbarkeit der Vermö-

gensgegenstände, auf der Passivseite an der Rangfolge der zu befriedigenden Konkursgläubiger. Die Bewertung des Vermögens ist zu Zeitwerten vorzunehmen; hierbei ist jedoch zu berücksichtigen, daß der Einzelverkaufspreis eines Vermögensgegenstandes wegen der regelmäßig unter Zeitdruck erfolgenden Verwertung der → Konkursmasse eher vorsichtig anzusetzen ist. *M. E.*

Literatur: *Plate, G.*, Die Konkursbilanz, 2. Aufl., Köln u. a. 1981.

Konkursdelikte

sind im engeren Sinn strafbare Handlungen, die im Zusammenhang mit der Zahlungseinstellung, der Konkurseröffnung oder der Ablehnung eines → Konkursverfahrens mangels Masse begangen werden und einen speziellen Tatbestand des StGB (Bankrotthandlung) erfüllen. Das Insolvenzstrafrecht unterscheidet:
(1) Bestimmte Handlungen bei → Überschuldung sowie bei drohender oder eingetretener Zahlungsunfähigkeit (z. B. Verheimlichen von Vermögensbestandteilen, Eingehen von Verlustgeschäften, übermäßiger Eigenverbrauch, Verschleudern von auf Kredit erworbenen Waren, Anerkennen nicht bestehender Rechte, Verstöße gegen die Buchführungs- oder Aufbewahrungspflichten, Beiseiteschaffen von Jahresabschlüssen oder Jahresabschlußunterlagen einschl. der Handelskorrespondenz, Verfälschen des Jahresabschlusses, nicht rechtzeitiges Aufstellen des Jahresabschlusses, § 283 Abs. 1 StGB);
(2) Das Herbeiführen der Überschuldung oder der Zahlungsunfähigkeit durch eine der unter (1) beispielhaft erwähnten Handlungen (§ 283 Abs. 2 StGB);
(3) Verstöße gegen die (handelsrechtlichen) Buchführungs- und Bilanzierungsvorschriften zu einem Zeitpunkt, an dem das Unternehmen noch nicht überschuldet und noch nicht zahlungsunfähig war, sofern die Überschuldung oder Zahlungsunfähigkeit später eintritt und die Verstöße in einer Beziehung zu dem späteren Zusammenbruch stehen (§ 283 b StGB);
(4) Gewähren von Sicherheiten oder Zahlungen an einen Gläubiger, die dieser nicht oder nicht in der Art oder nicht zu diesem Zeitpunkt beanspruchen konnte, in Kenntnis der eigenen Zahlungsunfähigkeit und mit der Absicht, einem bestimmten Gläubiger vor den anderen Gläubigern einen Vorteil zu verschaffen (Gläubigerbegünstigung, § 283 c StGB);
(5) Beiseiteschaffen, Verheimlichen oder Beschädigen von Vermögensbestandteilen eines anderen, dem die Zahlungsunfähigkeit droht oder dessen Unternehmen zusammengebro-

chen ist, mit dessen Einwilligung oder zu dessen Gunsten (Schuldnerbegünstigung, § 283 d StGB).

Konkursdelikte im weiteren Sinne sind Handlungen im Zusammenhang mit einem → Konkurs, die andere Tatbestände des Haupt- oder Nebenstrafrechts erfüllen (z. B. → Kredit-, → Wechsel-, → Scheck-, → Versicherungsbetrug, → Unterschlagung, → Konkursantragspflichtverletzung). *E. C.*

Konkursdividende → Konkursverfahren

Konkursgericht → Konkursverfahren

Konkursgrund

Voraussetzung für die Eröffnung eines → Konkursverfahrens. Konkursgrund ist bei natürlichen Personen und allen Personengesellschaften die Zahlungsunfähigkeit, d. h. das auf dem Mangel an Zahlungsmitteln beruhende dauernde Unvermögen, die fälligen Geldschulden im wesentlichen zu begleichen (→ Illiquidität). Zahlungsunfähigkeit wird bei Zahlungseinstellung vermutet (§ 102 Abs. 2 KO). Insbesondere für Unternehmen in der Rechtsform der AG, KGaA und GmbH, Personengesellschaften, bei denen kein persönlich haftender Gesellschafter eine natürliche Person ist (z. B. GmbH & Co. KG), sowie sonstige juristische Personen und nicht rechtsfähige Vereine tritt als weiterer Konkursgrund die → Überschuldung hinzu, d. h. das Überwiegen der Passiva über die Aktiva (→ Überschuldungsbilanz). Beim Nachlaß sowie bei fortgesetzten Gütergemeinschaften ist die Überschuldung der einzige Konkursgrund.

Für die Vertreter bestimmter Unternehmen (insb. AG, KGaA, GmbH) besteht bei Vorliegen eines Konkursgrundes die gesetzliche Pflicht, die Eröffnung eines Konkurs- oder ggf. eines → Vergleichsverfahrens zu beantragen. *M. E.*

Konkursmasse

das gesamte einer Zwangsvollstreckung unterliegende Vermögen des Gemeinschuldners, das ihm zur Zeit der Eröffnung des → Konkursverfahrens gehört (§ 1 KO). Nicht zur Konkursmasse zählen u. a. das nicht pfändbare Vermögen sowie das Vermögen, das der Gemeinschuldner nach Konkurseröffnung erwirbt. Ferner werden solche Gegenstände aus der Konkursmasse ausgesondert (§§ 43–46 KO), die nicht zum Vermögen des Gemeinschuldners gehören (z. B. unter → Eigentumsvorbehalt gelieferte Waren). Auf der anderen Seite besteht die Möglichkeit, die Konkursmasse im Wege der Anfechtung (§§ 29–42 KO) zu vergrößern, indem vor Eröffnung des Konkursverfahrens eingetretene Schmälerungen der Konkursmasse wieder rückgängig gemacht werden. Die Erfassung und Verwertung der Konkursmasse sowie die Ausübung des Anfechtungsrechts obliegen dem Konkursverwalter.   *M. E.*

Konkursquote → Konkursverfahren

Konkursstatus → Konkursbilanz

Konkursstraftat → Konkursdelikte

Konkursverfahren

in der Konkursordnung (KO) geregeltes Verfahren zur Abwicklung eines → Konkurses. Voraussetzung für die Eröffnung eines Konkursverfahrens ist ein → Konkursgrund, der in Zahlungsunfähigkeit und/oder → Überschuldung bestehen kann. Die Konkurseröffnung kann nur auf Antrag bei dem Amtsgericht, in dessen Bereich der Gemeinschuldner seine Niederlassung hat (Konkursgericht), erfolgen. Antragsberechtigt ist neben dem Gemeinschuldner jeder Konkursgläubiger (§ 103 KO).

Mit Eröffnung des Konkursverfahrens gehen die Verwaltungs- und Verfügungsbefugnis über das zur → Konkursmasse gehörende Vermögen vom Gemeinschuldner auf den vom Konkursgericht zu ernennenden Konkursverwalter über (§ 6 KO). Dem Konkursverwalter obliegen vor allem die Erfassung (Erstellung einer → Konkursbilanz) und Verwertung der Konkursmasse sowie die Verteilung des Erlöses an die Konkursgläubiger.

Die Konkursgläubiger müssen ihre Forderungen innerhalb einer bestimmten Frist (§§ 138 ff. KO) anmelden. Die Konkursgläubiger nehmen ihre Rechte in der Gläubigerversammlung und ggf. im Gläubigerausschuß wahr.

Aus der Konkursmasse sind solche Gläubiger vorab zu befriedigen, denen ein Absonderungsrecht (§§ 47–51 KO) an bestimmten Gegenständen zusteht (z.B. aufgrund einer → Grundschuld). Daneben sind ggf. Aufrechnungsrechte der Konkursgläubiger zu berücksichtigen (§§ 53–56 KO).

Vor Verteilung der Konkursmasse auf die Konkursgläubiger sind die Massekosten (§ 58 KO) und Masseschulden (§ 59 KO) in der in § 60 KO angegebenen Rangfolge zu decken. Hierunter fallen solche Kosten und Ansprüche, die mit der Verwaltung der Konkursmasse verbunden sind (insb. Kosten des Konkursgerichts sowie Vergütung und Erstattung der Auslagen des Konkursverwalters). Ist eine den Kosten des Verfahrens entsprechende Konkursmasse nicht vorhanden, kann das Konkursgericht den Antrag auf Eröffnung des Konkursverfahrens mangels Masse abweisen (§ 107 KO).

Nach Befriedigung der Massegläubiger wird die verbleibende Konkursmasse nach der in § 61 KO festgelegten Rangordnung, bei gleichem Rang nach dem Verhältnis der Beträge der Konkursforderungen, auf die Konkursgläubiger verteilt. Bevorrechtigte Forderungen sind insb. bestimmte Ansprüche der Arbeitnehmer (1. Rangklasse) und der öffentlichen Hand (2. Rangklasse). Die nach Befriedigung der bevorrechtigten Konkursgläubiger verbleibende Masse wird auf die nicht bevorrechtigten Gläubiger (6. Rangklasse) entsprechend der sog. Konkursquote (-dividende) anteilsmäßig verteilt. Das Prinzip der gleichmäßigen Befriedigung aller Gläubiger wird somit aus sozialpolitischen und fiskalischen Motiven durchbrochen.

Nach der Abhaltung des Schlußtermins beschließt das Konkursgericht die Aufhebung des Konkursverfahrens (§ 163 KO). Daneben ist eine vorzeitige Beendigung des Konkursverfahrens bei Konkursverzicht der Gläubiger (§§ 202, 203 KO) und für den Fall möglich, daß eine den Verfahrenskosten entsprechende Konkursmasse nicht mehr vorhanden ist (§ 204 KO). Ferner kann der Konkurs durch einen → Zwangsvergleich beendet werden.
                                                            M. E.

Literatur: *Baur, F.*, Konkurs- und Vergleichsrecht, 2. Aufl., Heidelberg, Karlsruhe 1983. *Uhlenbruck, W.*, Insolvenzrecht, Bonn 1979. *Baur, F./Stürner, R.*, Zwangsvollstreckungs-, Konkurs- und Vergleichsrecht, 11. Aufl., Heidelberg 1983.

Konkursverwalter → Konkursverfahren

Konkursverzicht → Konkursverfahren

Konnossement

Urkunde des Seefrachtvertrages, welche die Rechtsverhältnisse zwischen Verlader, Verfrachter (→ Reeder) und Empfänger regelt. Unterschiedliche Arten des Konnossements sind möglich. Durch das Bord-Konnossement wird z.B. der Empfang der Güter an Bord bescheinigt. Das Konnossement vertritt die Ware, die also schon vor Erreichen des Bestimmungshafens weiterveräußert werden kann (Traditionswirkung).

Konsistenz → Schätzfunktion

Konsistenzpostulat

Forderung nach Widerspruchsfreiheit innerhalb von → Theorien. Ihr wird insb. im Zusammenhang mit Axiomatisierungsbemühungen Bedeutung beigemessen (→ Axiom, → Theorem).

Konsole

nimmt eine besondere Stellung unter den peripheren Geräten (→ Peripherie) einer EDV-Anlage ein und besitzt deshalb die höchste Priorität von allen. Heute handelt es sich meist um einen → Bildschirm mit Tastatur, der einen Dialog zwischen Operator (Bediener) und EDV-System erlaubt, wobei dieser zur Steuerung und Kontrolle der gesamten Funktionen der Anlage dient.

Bei kleinen Systemen (Mini- und Mikrocomputer) verwischen die Unterschiede von Konsole und normalem Bildschirm, da die Funktionen der Konsole ebenfalls an dem oftmals einzigen angeschlossenen Bildschirm ausgeführt werden. *Ch. P.*

konsolidierte Bilanz → Konzernrechnungslegung

Konsolidierung

1. spezieller Vorgang bei der → Aggregation von Konten, bei dem die bezüglich einer bestimmten ökonomischen Aktivität gleichartigen Transaktionen zwischen Wirtschaftseinheiten eines Sektors oder der ganzen Volkswirtschaft gegeneinander aufgerechnet werden.

So gelangt man durch Konsolidierung der → Produktionskonten aller Unternehmen zum Produktionskonto des Unternehmenssektors. Die in diesem Konto erfaßten Verkäufe von Vorleistungen an Unternehmen (rechte Seite) und Käufe von Vorleistungen von Unternehmen (linke Seite) werden gegeneinander aufgerechnet und verschwinden dadurch. Dabei wird der bei jeder Aggregation auftretende Informationsverlust deutlich: Die Konsolidierung zu sektoralen Aktivitätskonten führt zum Verschwinden der intrasektoralen Ströme, während die intersektoralen Ströme erhalten bleiben.

2. → Konzernrechnungslegung, → Kapitalkonsolidierung *H. R.*

Konsolidierungsausgleichsposten → deutsche Kapitalkonsolidierungsmethode

Konsolidierungsgrundsätze

Regeln und Prinzipien, die für die → Konzernrechnungslegung heranzuziehen sind, wenn

infolge fehlender oder nur unzureichender gesetzlicher Regelungen Rechnungslegungsfreiräume verbleiben:

(1) → *Einheitsgrundsatz* (§ 331 Abs. 2 AktG, ab 1990 § 297 Abs. 3 Satz 1 HGB): Er trägt der wirtschaftlichen Einheit des Konzerns Rechnung, indem der Konzernabschluß unter der Fiktion der rechtlichen Einheit des Konzern zu entwickeln ist. Damit nehmen die selbständigen Konzernunternehmen den Charakter von unselbständigen Betriebsteilen an. Dementsprechend sind konzerneinheitliche Bilanzansatz- und Bewertungsrichtlinien anzuwenden und konzernintern Geschäftsvorgänge durch Aufrechnung, Umbewertung und Umgliederung zu berichtigen.

(2) *Maßgeblichkeitsgrundsatz* (§ 331 Abs. 1 Nr. 1 AktG): Für die Aufstellung des Konzernabschlusses bleiben grundsätzlich die Einzelabschlüsse verbindlich. Damit steht der Maßgeblichkeitsgrundsatz prinzipiell im Widerspruch zum Einheitsgrundsatz, weil die Maßgeblichkeit auch zur Übernahme einer nicht den konzerneinheitlichen Bewertungsbzw. Ansatzrichtlinien entsprechenden, also heterogenen Bilanzposition zwingt. Erst wenn ein Posten nicht den Grundsätzen ordnungsmäßiger Bilanzierung entspricht (z. B. ausländischer Abschluß), ist vom Maßgeblichkeitsgrundsatz abzuweichen. Darüber hinaus erfordert die Konsolidierung konzerninterner Geschäftsvorfälle eine Durchbrechung des Maßgeblichkeitsprinzips. Durch die verbindliche Anwendung der Konzernrechnungslegungsvorschriften des Bilanzrichtlinien-Gesetzes ab 1990 erfährt der Maßgeblichkeitsgrundsatz eine starke Einschränkung. Dafür dominiert der Grundsatz der Einheitlichkeit der Bewertung, wonach die Bewertung gemäß der Kriterien zu erfolgen hat, die auf das Mutterunternehmen anzuwenden sind (§ 308 Abs. 1 HGB).

(3) *Vollständigkeitsgrundsatz:* Die wirtschaftlichen Verhältnisse des Konzerns lassen sich nur dann zutreffend erfassen, wenn alle Konzernunternehmen in den Abschluß einbezogen werden, um auf diese Weise sämtliche konzerninternen Beziehungen der Konsolidierung zu unterwerfen. Da das Aktiengesetz jedoch nur die Einbeziehung inländischer Konzernunternehmen fordert, bei ausländischen Unternehmen dagegen lediglich ein Einbeziehungswahlrecht vorsieht, wird dem Grundsatz der Vollständigkeit nur unzureichend entsprochen. Dagegen fordert das Bilanzrichtlinien-Gesetz ab 1990 die Einbeziehung aller Tochterunternehmen ohne Rücksicht auf deren Sitz (§ 294 Abs. 1 HGB). Dem Vollständigkeitsgrundsatz wird damit durch Ver-

pflichtung zur Aufstellung eines Weltabschlusses Rechnung getragen.

(4) *Konsolidierungsstetigkeitsgrundsatz:* Um die Vergleichbarkeit von aufeinanderfolgenden Konzernabschlüssen zu wahren, ist sowohl bei der Abgrenzung des → Konsolidierungskreises, insb. bei der freiwilligen Einbeziehung von Konzernunternehmen, als auch bei der Auswahl der Konsolidierungsmethoden nach dem Stetigkeitsgrundsatz zu verfahren. Nur sachliche, keinesfalls bilanzpolitische Kriterien dürfen zu einer Durchbrechung des Kontinuitätsprinzips führen. Die Vergleichbarkeit ist dann mit Hilfe von Erläuterungen im Konzerngeschäftsbericht bzw. Konzernanhang wiederherzustellen.

(5) *Äquivalenzgrundsatz:* Bei Konsolidierungsproblemen, die weder nach dem Maßgeblichkeitsprinzip noch nach dem Einheitsgrundsatz eindeutig gelöst werden können, ist eine möglichst weitreichende Äquivalenz zwischen Einzel- und Konzernabschluß anzustreben. So findet die bisher übliche Verrechnung erfolgswirksamer Konsolidierungsdifferenzen mit dem Konzerngewinnvortrag z. B. deshalb keine Zustimmung, weil sich damit die Position Gewinnvortrag im Konzernabschluß von jener im Einzelabschluß unterscheidet.

(6) *Wirtschaftlichkeitsgrundsatz:* Obwohl grundsätzlich eine vollständige Ausschaltung konzerninterner Beziehungen zu befürworten ist, müssen die dazu aufzuwendenden Kosten in einem angemessenen Verhältnis zu dem damit erzielten Informationszuwachs stehen. Das Aktiengesetz und auch das Bilanzrichtlinien-Gesetz folgen dieser Prämisse mit diversen Vereinfachungsregeln. So brauchen z. B. Konzernunternehmen von nur geringer Bedeutung für den Konzernabschluß nicht konsolidiert zu werden (§ 329 Abs. 2 Satz 2 AktG, § 296 Abs. 2 HGB).   *W. E.*

Literatur: *Adler, H./Düring, W./Schmaltz, K.,* Rechnungslegung und Prüfung der Aktiengesellschaft, Bd. 3: Rechnungslegung im Konzern, 4. Aufl., Stuttgart 1972. *Busse von Colbe, W./Ordelheide, D.,* Konzernabschlüsse, 5. Aufl., Wiesbaden 1984. *v. Wysocki, K./Wohlgemut, M.,* Konzernrechnungslegung, 3. Aufl., Tübingen, Düsseldorf 1986.

Konsolidierungskreis

Gesamtheit der Konzernunternehmen, die in den konsolidierten Abschluß einbezogen werden. Grundsätzlich sind alle inländischen Unternehmen, die unter einheitlicher Leitung stehen und deren Anteile zu mehr als der Hälfte von Konzernunternehmen gehalten werden, konsolidierungspflichtig (§ 329 Abs. 2 AktG). Von einer Einbeziehung in den Konzernab-

schluß darf jedoch abgesehen werden, wenn darunter die Aussagefähigkeit des Konzernabschlusses nicht leidet. Wird der Einblick in die Vermögens-, Finanz- und Ertragslage des Konzerns durch die Einbeziehung eines Konzernunternehmens beeinträchtigt, so darf es nicht in den Konsolidierungskreis einbezogen werden (§ 329 Abs. 2 AktG). Im Umkehrschluß ist ein Unternehmen zwingend in den Konsolidierungskreis aufzunehmen, wenn sich sonst ein falsches Bild der Wirtschaftslage des Konzerns ergäbe.

Die Abgrenzung des Konsolidierungskreises muß dem Grundsatz der Stetigkeit genügen. Dies gilt insb. für die fakultative Einbeziehung ausländischer Konzernunternehmen. Die Ausübung von Einbeziehungswahlrechten ist im → Konzerngeschäftsbericht zu begründen (§ 334 Abs. 1 AktG).

Durch die Anwendung des Bilanzrichtlinien-Gesetzes ab 1990 wird der Konsolidierungskreis erheblich ausgeweitet. Zum einen ist nicht mehr nur die einheitliche Leitung Abgrenzungskriterium für Konzernunternehmen, sondern auch die Stimmrechtsmehrheit (control, § 290 Abs. 2 Nr. 1 HGB), zum anderen sind grundsätzlich alle Konzernunternehmen, unabhängig vom Sitz, in den konsolidierten Abschluß aufzunehmen (→ Weltabschluß, § 294 Abs. 1 HGB). Allerdings kann auch hier aus Wirtschaftlichkeitserwägungen heraus oder bei Schwierigkeiten des Einblicks in die wirtschaftliche Lage des Konzerns von einer Einbeziehung in den Konsolidierungskreis abgesehen werden (§§ 295, 296 Abs. 2 HGB).   *W. E.*

Konsolidierungsmethoden → Kapitalkonsolidierung

Konsolidierungsstetigkeitsgrundsatz → Konsolidierungsgrundsätze

Konsortialkredit

Kredit, der von mehreren Kreditgebern, i. d. R. einem → Bankenkonsortium, gemeinsam gewährt wird.

Konsortialvertrag → Konsortium

Konsortium

als → Gesellschaft des bürgerlichen Rechts geführte, nach außen regelmäßig als → Gelegenheitsgesellschaft in Erscheinung tretende Form des → Unternehmungszusammenschlusses. Die wichtigsten Formen sind das → Bankenkonsortium (z. B. → Bundesanleihekonsortium) und das → Industriekonsortium (Arbeitsgemeinschaft).

Das Konsortium wird gegenüber Dritten durch einen von den Konsorten zur Geschäftsführung bestellten Konsortialführer vertreten. Er erhält die Vertretungsbefugnis mit unmittelbarer Wirkung für und wider die Vertretenen, und ihm obliegen auch die Führung des Konsortialkontos und die Verteilung des Konsortialergebnisses auf die beteiligten Konsorten.

Grundlage des Konsortiums ist ein Konsortialvertrag. Dieser bedarf keiner bestimmten Form und wird i. d. R. nur im Wege eines einfachen Briefwechsels geschlossen. Der Vertrag regelt die Rechte und Pflichten der Konsorten, insb. die Pflicht zur Beitragsleistung, die Risikoübernahme und das Verhältnis der Gewinnverteilung.

Bildet das Konsortium ein eigenes Gesellschaftsvermögen, steht es nach dem Gesetz den Gesellschaftern als Gesamthandvermögen ohne Recht auf Teilung zu. Analog haften die Konsorten gesetzlich für Verbindlichkeiten als Gesamtschuldner. In der Praxis wird jedoch die Solidarhaftung zumeist ausgeschlossen und an Stelle des Gesamthandeigentums Eigentum nach Bruchteilen oder Alleineigentum vereinbart.

Der Ursprung von Konsortialgeschäften ist im Warenhandel des späten Mittelalters mit seinen risikoreichen Land- und Seetransporten zu suchen. Mit der zunehmenden Industrialisierung im 19./20. Jh. verlagerte sich die Zwecksetzung von Konsortien auf den Banken- und Industriebereich.   K. K.

Literatur: *Schubert, W./Küting, K.*, Unternehmungszusammenschlüsse, München 1981, S. 104 ff.

Konstruktionsstückliste → Stückliste

Konstruktivismus

relativ junge, von *Paul Lorenzen* und seinen Schülern (*Peter Janich, Friedrich Kambartel, Jürgen Mittelstraß, Oskar Schwemmer*) entwickelte philosophische Konzeption, die als metawissenschaftliche Orientierung in den Wirtschaftswissenschaften eine gewisse Bedeutung erlangen konnte (Erlanger Schule).

Als zentrale methodische Idee erlebt die Begründung im Konstruktivismus eine Renaissance, d. h. es wird die Vorstellung vertreten, Aussagen seien in ihrer Geltung auszuzeichnen, indem sie auf eine Basis zurückgeführt werden, die einen geltungsmäßigen Sonderstatus besitzt und somit selbst nicht mehr begründungsbedürftig ist. Das konstruktivistische Begründungsmodell läßt sich in ein allgemeines pragmatisches Verständnis von Begründung und bestimmte konkrete Begründungsschritte unterteilen.

Das allgemeine pragmatische Verständnis von Begründung kommt im → Transsubjektivitätsprinzip und dem damit verbundenen Diskursmodell zum Ausdruck. Dieses Prinzip entspricht der Aufforderung „transzendiere Deine Subjektivität". Die Erfüllung dieser Forderung hat nach konstruktivistischer Vorstellung über einen (ggf. fingierten) rationalen Dialog zu erfolgen. Rational ist ein Dialog dann, wenn er sachkundig, nicht persuasiv, ohne Sanktionen und aufrichtig geführt wird. Ein Argument, über das in einem (fingierten) Dialog ein Konsens erzielt wird, gilt als begründet bzw. als transsubjektive Orientierung.

Dieses Prinzip wird ergänzt durch konkrete Begründungsschritte, mit denen ein Argument auf eine geltungsmäßig privilegierte Basis zurückgeführt wird.

Als Begründungsbasis werden die natürlichen Bedürfnisse angesehen. Sie sind nach konstruktivistischer Auffassung selbst nicht mehr begründungsbedürftig, da sie die Bedingungen unseres Lebens, Redens und Handelns sind und insofern immer schon akzeptiert sein müssen, bevor geredet und gehandelt wird.

Auf die bisher dargestellten Ideen rekurrieren Konstruktivisten, um die Vernünftigkeit von Normen und die Wahrheit von deskriptiven bzw. theoretischen Sätzen begründen zu können, und außerdem auch dann, wenn sie menschliches Handeln erklären wollen. Die konstruktivistische Erklärung menschlichen Handelns erfolgt ebenfalls als eine Rekonstruktion von Begründungsschritten mit den natürlichen Bedürfnissen als Begründungsbasis.

Der Konstruktivismus hat Folgen für das Wissenschaftsverständnis in den Wirtschaftwissenschaften:

* Konstruktivisten glauben an die Notwendigkeit einer eigenständigen kulturwissenschaftlichen Erklärung menschlichen Handelns und sehen in ihrem Erklärungsmodell nun endlich eine Möglichkeit, die Forderung nach methodischer Strenge in der kulturwissenschaftlichen Erklärung erfüllen zu können (→ Kulturwissenschaft).

* Konstruktivisten glauben an die Notwendigkeit einer normativen Wissenschaft und sind der Auffassung, daß diese Wissenschaft mit ihrem Begründungsmodell methodisch gesichert möglich wird.

Kritiker des Konstruktivismus konstatieren, daß der Anspruch der Konstruktivisten nach methodischer Sicherheit nicht gerechtfertigt ist, die natürlichen Bedürfnisse keine geeignete Begründungsbasis darstellen und die Notwendigkeit einer Begründung und eines eigenständigen kulturwissenschaftlichen Erklärungsmodells ebensowenig vorliegt wie die Notwendigkeit einer normativen Wissenschaft.   *B. A.*

Literatur: *Abel, B.*, Grundlagen der Erklärung menschlichen Handelns, Tübingen 1983. *Lorenzen, P./Schwemmer, O.*, Konstruktive Logik, Ethik und Wissenschaftstheorie, 2. Aufl., Mannheim u.a. 1975. *Schwemmer, O.*, Theorie der rationalen Erklärung, München 1976.

Konstruktvalidität → Validität

Konsum → Verbrauch

Konsumbesteuerung → Ausgabensteuer

Konsumentenforschung → Konsumentenverhalten

Konsumentenkredit

Kleinkredit zur Finanzierung von Konsumausgaben (Anschaffungsdarlehen). Als Voraussetzung für die Kreditgewährung genügt meist ein Gehalts- bzw. Lohnnachweis, da sich der Kredit auf die Person und das sichere Einkommen des Kreditnehmers gründet. Laufzeit, Kredithöhe und Kreditkosten sind bei den einzelnen Banken standardisiert. Nach Ausreichung des Kreditbetrages muß der Kreditnehmer bis zum Ende der Laufzeit feste monatliche Raten an die Bank entrichten, die sich aus Tilgung und Zinszahlung zusammensetzen (→ Teilzahlungskredit).

Konsumentenkreditpolitik → Kreditplafondierung

Konsumentenkreditversicherung → Kreditversicherung

Konsumentenrente

der aufsummierte Geldbetrag, den die Käufer bereit wären, für eine bestimmte Gütermenge über den Marktpreis (p̄) hinaus zu bezahlen. Hierbei muß die Nachfragekurve als hypothetisches Konstrukt interpretiert werden, die die unterschiedliche Zahlungsbereitschaft der einzelnen Konsumenten wiedergibt. Die Konsumentenrente kann durch die Fläche zwischen Preisgerade (p̄) und Nachfragekurve (N) gemessen werden (schraffierte Fläche in Abb.).

Konsumentenschutz → Verbraucherschutz

Konsumentensouveränität

Prinzip, wonach Konsumenten – im Rahmen gegebener Konsummöglichkeiten – ihre Pläne

Konsumentenrente

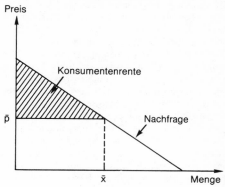

insofern durchsetzen können, als Produzenten zumindest längerfristig gezwungen sind, solche Güter herzustellen, die den Verbraucherwünschen entsprechen.

Da Konsum letztlich Ziel jeder wirtschaftlichen Entscheidung und Handlung ist, ist Konsumentensouveränität Ausdruck einer am Individualprinzip ausgerichteten → Wirtschaftsordnung schlechthin. Sie zu verwirklichen, setzt unabdingbar → Vertragsfreiheit bei Kaufverträgen (Konsumfreiheit) voraus und schließt Konsumzwang aus. Konsumfreiheit allein reicht jedoch keineswegs aus, um Konsumentensouveränität zu realisieren. Hinzu kommen muß vielmehr ein Steuerungseffekt, durch den Konsumentscheidungen bei den Produzenten Anreize auslösen, den Verbraucherwünschen entsprechende Güter zu erzeugen. Ein derartiger Lenkungsmechanismus wird durch eine wettbewerbliche → Marktordnung mit funktionsfähigem Preissystem gewährleistet.

Nach dieser Auffassung erhöhen wettbewerbsfördernde Maßnahmen den Grad an Konsumentensouveränität und sind daher die beste verbraucherpolitische Konzeption. Alternativ hierzu wird vorgeschlagen, der → Machtkonzentration auf der Produzenten – eine Gegenmacht auf der Konsumentenseite in Form von Verbraucherverbänden gegenüberzustellen (→ Gegenmachtprinzip) und diese Maßnahme mit einer Verbraucherschutzpolitik zu verbinden, die dem konsumentenmanipulierenden Einfluß der Werbung entgegenwirkt (→ Verbraucherpolitik, → Verbraucherschutz).   *R. St.*

Konsumentenurteil → Neuproduktprognose

Konsumentenverhalten

(consumer behavior, Verbraucherverhalten, Käuferverhalten) Verhalten von privaten

Haushalten und (natürlichen) Personen beim Kauf, Verbrauch und Gebrauch von Waren und Dienstleistungen, die am → Markt angeboten werden. Dazu gehören auch Verhaltensweisen, die dem eigentlichen Kauf und Konsum vor- oder nachgelagert sind (z. B. Informationssuche), und psychische Prozesse, die nicht unmittelbar beobachtbar sind, aber das manifeste Verhalten erklären können (z. B. Entscheidungsprozesse).

Die Erforschung des Konsumentenverhaltens weist in den Wirtschaftswissenschaften eine lange Tradition auf. Die Volkswirtschaftslehre hat in der Haushaltstheorie eine eher analytisch-deduktive Theorie des Konsumentenverhaltens mit stark normativen Zügen geschaffen, die eines der Fundamente der Markttheorie darstellt. In der Betriebswirtschaftslehre wird das Konsumentenverhalten als Voraussetzung für die Erarbeitung von Erklärungs-, Prognose- und Entscheidungshilfen für das → Marketing der Unternehmung erforscht.

Während sich die Haushaltstheorie am Leitbild des → „homo oeconomicus" orientiert, hat die Marketingforschung die Analyse des Konsumentenverhaltens um psychologische, soziologische und vor allem sozialpsychologische Erklärungsansätze erweitert. Sie orientiert sich dabei vorwiegend an einer Forschungskonzeption des Neobehaviorismus, dem sog. S-I-R-Modell. Danach wird das menschliche Verhalten, z. B der Kauf eines Produktes, als Reaktion (R) auf einen Stimulus (S), z. B. einen Werbeappell, aufgefaßt. Die Reaktion ist aber nicht durch den Stimulus eindeutig vorprogrammiert, sondern hängt von intervenierenden Variablen (I) ab. Das sind nicht beobachtbare Zustände und Vorgänge im Organismus, die zwischen die beobachtbaren Außenreize und Reaktionen treten und diese erklären.

In Anlehnung an *Werner Kroeber-Riel* lassen sich zwei Gruppen solcher Größen unterscheiden, die für das Konsumentenverhalten bedeutsam sind: aktivierende und kognitive Zustände und Prozesse (→ Aktivierung, → Informationsverarbeitung der Konsumenten). Erstere umfassen → Emotionen, Motive (→ Motivation) und → Einstellungen, letztere Vorgänge wie → Wahrnehmung, Entscheiden (→ Kaufentscheidungsprozeß) und → Lernen.

Der genannten Zweiteilung entspricht eine gewisse Schwerpunktbildung in der Konsumentenforschung. In einer aktivierungstheoretisch orientierten Forschungsrichtung wird das Konsumentenverhalten eher als passiv reagierendes, „irrationales" Verhalten untersucht. Eine andere, kognitiv geprägte Schule

betrachtet es primär als das Ergebnis von aktiven, „rationalen" Entscheidungsprozessen, in deren Verlauf Informationen aufgenommen, verarbeitet und gespeichert werden.

Der soziale Kontext des Konsumentenverhaltens hat gegenüber den individualpsychologischen Aspekten viel weniger Aufmerksamkeit gefunden. Soziale Einflüsse auf das Konsumentenverhalten äußern sich in kultur- und schichtspezifischen Prägungen des Verhaltens (→ kulturspezifisches, → schichtspezifisches Konsumentenverhalten) und in der Orientierung des Individuums an sozialen Normen, Rollenerwartungen und Bezugsgruppen (→ gruppenbezogenes Konsumentenverhalten). Solche Orientierungen werden vor allem durch Kommunikation vermittelt (→ Marktkommunikation).

Die skizzierte verhaltenswissenschaftliche Konsumentenforschung hat erhebliche methodische und theoretische Probleme zu bewältigen. Da sie sich als empirische und angewandte Wissenschaft versteht, muß sie Meßverfahren für ihre theoretischen Konstrukte entwickeln. Weil es sich dabei häufig um Größen handelt, die unbeobachtbar sind, können sie nur über mehr oder weniger gültige → Indikatoren erschlossen werden. Ein bislang kaum gelöstes theoretisches Problem ist die mangelnde Integration der zahlreichen Hypothesen und empirischen Befunde aus den Teilgebieten der Konsumentenforschung zu einer einheitlichen Theorie. Mehrere → Konsumentenverhaltensmodelle, die dieses Ziel anstreben, sind theoretisch unbefriedigend geblieben und haben sich in der empirischen Forschung nicht bewährt. Ein anderer, eher pragmatischer Ansatz in dieser Richtung ist der Versuch, die Vielfalt des realen Konsumentenverhaltens auf einige wenige Typen der → Kaufentscheidung zu reduzieren. *K. P. K.*

Literatur: *Kroeber-Riel, W.*, Konsumentenverhalten, 3. Aufl., München 1984. *v. Rosenstiel, L./ Ewald, G.*, Marktpsychologie, Bd. I: Konsumverhalten und Kaufentscheidung, Stuttgart u. a. 1979.

Konsumentenverhaltensmodelle

vereinfachte Abbildungen des → Konsumentenverhaltens, die seiner Erklärung, Prognose und Steuerung dienen sollen. In der Marketingforschung sind zahlreiche Modelle des Konsumentenverhaltens entwickelt worden, die ausschließlich als deskriptive und explikative Modelle angelegt sind. Sie suchen eine Antwort auf die Frage zu geben, wie sich Konsumenten tatsächlich verhalten, d. h. wie sie → Kaufentscheidungen treffen oder auf den Einsatz des → Marketinginstrumentariums reagieren. Darin unterscheiden sie sich von den präskriptiven Nachfragemodellen der mikroökonomischen Haushaltstheorie.

In der Literatur werden die wichtigsten bislang entwickelten Modelle häufig in drei Gruppen eingeteilt:

- *Strukturmodelle* des Konsumentenverhaltens bilden die Einflußfaktoren auf die Kaufentscheidung und ihre wechselseitigen Beziehungen mit Hilfe von → Flußdiagrammen ab. Sie versuchen vor allem, das Zusammenwirken sog. intervenierender Variablen (→ Konsumentenverhalten) in der Kaufentscheidung zu strukturieren.
- *Stochastische Modelle* des Konsumentenverhaltens behandeln den Konsumenten als „black box", indem sie die Kaufentscheidung formal als das Ergebnis eines Zufallsprozesses ansehen und abbilden.
- *Simulationsmodelle* des Konsumentenverhaltens verbinden Elemente der beiden anderen Typen. Sie versuchen, möglichst viele kaufbeeinflussende Merkmale des Konsumenten, des Produkts und der Kaufsituation sowie die sie verbindenden Hypothesen zu quantifizieren und ihr Zusammenwirken in der Kaufentscheidung unter Einsatz der Computertechnik zu simulieren.

Obwohl einzelne Modelle gute Test- und Prognoseergebnisse erbracht haben, werden die vorhandenen Ansätze aufgrund von Daten- und Meßproblemen und wegen ihres hohen Rechenaufwandes in der Marketingpraxis nur vereinzelt angewendet.   *K. P. K.*

Literatur: *Meffert, H./Steffenhagen, H.,* Marketing-Prognose-Modelle, Stuttgart 1977. *Topritzhofer, E.,* Absatzwirtschaftliche Modelle des Kaufentscheidungsprozesses, Wien 1974.

Konsumerismus

soziale Bewegung, die die rechtliche und wirtschaftliche Position der Verbraucher gegenüber Herstellern und Handel zu stärken sucht. Mittel und Wege sind Ausschöpfung aller rechtlichen Möglichkeiten des Verbrauchers (→ Verbraucherschutz), Einwirkung auf die öffentliche Meinung, auf Parteien und den Gesetzgeber, Boykottaktionen u. ä.

Der Konsumerismus ist vor allem eine amerikanische Erscheinung. Die letzte große Konsumerismuswelle erreichte ihren Höhepunkt Ende der 60er Jahre. Sie wurde ausgelöst und gefördert durch die anhaltende Inflation, durch die Proklamation von Präsident *John F. Kennedy* zu den Verbraucherrechten (1962), durch Publikationen wie „The Affluent Society" (*John K. Galbraith*, 1958) und „The Hidden Persuaders" (*Vance Packard*, 1957) sowie durch die Aktivitäten von „Verbraucheranwälten" wie *Ralph Nader*. In der Bundesrepublik Deutschland gab es zwar gewisse Anzeichen für eine ähnliche Entwicklung, von einem „Überschwappen" des amerikanischen Konsumerismus kann aber keine Rede sein (→ Verbraucherpolitik).

Konsumfreiheit → Konsumentensouveränität

Konsumfunktion → Konsumgüternachfrage

Konsumgenossenschaft

(Konsumverein) ursprünglich als Förderungs- oder Hilfsgenossenschaften (→ Genossenschaft) zur Verbesserung der Lebenshaltung der Mitglieder durch bessere und billigere Warenversorgung gegründet. Heute sind Konsumgenossenschaften wie → Einkaufsgemeinschaften weitgehend zu Kapitalgesellschaften oder Holdings, oft in der Rechtsform der Aktiengesellschaft, umstrukturiert und werden faktisch wie → Filialunternehmen betrieben.

Konsumgüterindustrie

Bezeichnung für → Wirtschaftszweige, die Güter für die Endnachfrage der Haushalte herstellen. Die Güter haben den Produktionsprozeß endgültig verlassen und dienen dem unmittelbaren (nichtdauerhafte Konsumgüter wie Lebensmittel) oder zeitlich gestreckten (dauerhafte Konsumgüter wie Möbel) Verbrauch. In der amtlichen Statistik (→ Industrieklassifikation) wird zwischen Nahrungs- und Genußmittelindustrie (bzw. -gewerbe) und Verbrauchsgüterindustrie unterschieden.

Der Anteil der Konsumgüterproduktion am Bruttoinlandsprodukt ist von 1970 mit 12,0% auf 8,8% im Jahre 1982 relativ stärker zurückgegangen als der der Verarbeitenden Industrie insgesamt (von 38,4 auf 31,7%), wobei innerhalb der Konsumgüterindustrie deutliche Veränderungen der Produktionsstruktur stattfanden. Während die Anteilsverluste bei Musikinstrumenten, Feinkeramik und Glas etwa denen der Verarbeitenden Industrie insgesamt entsprachen, sanken die Bruttowertschöpfungsanteile bei Druckereierzeugnissen sowie Nahrungs- und Genußmitteln unterproportional). Drastische Reduktionen erfolgten in der Leder-, Textil- und Bekleidungsindustrie, deren Anteil am Bruttoinlandsprodukt während der 70er Jahre um rd. 40% fiel, was nicht nur auf die rückläufige Inlandsnachfrage, sondern auch auf die verschärfte Importkonkurrenz (Importanteil etwa 30%) zurückzuführen ist. Anteilsgewinne wiesen lediglich die Kunststoffwaren und Holzverarbeitung auf. Die deutsche Schrump-

Produktions-(P) und Beschäftigtenanteile (B) in der Konsumgüterindustrie 1970-1982

	1970		1982	
	P	B	P	B
Verbrauchsgüter	58,8	78,2	55,1	75,0
● Musikinstrumente, Spielwaren etc.	2,2	2,4	2,8	3,1
● Feinkeramik	1,6	3,0	1,6	2,9
● Glasverarbeitung	3,2	3,7	2,9	3,7
● Holzverarbeitung	8,6	8,5	10,2	11,1
● Papier- und Pappeverarbeitung	4,5	5,5	4,3	5,8
● Druckerei, Vervielfältigung	7,6	9,7	7,7	9,2
● Kunststoffwaren	5,6	6,2	8,1	10,4
● Ledererzeugung und -verarbeitung	3,7	5,6	2,7	4,0
● Textilien	13,4	19,2	8,6	13,8
● Bekleidung	8,4	14,4	6,2	11,0
Nahrungs- und Genußmittel	41,2	21,8	44,9	25,0
● Nahrungsmittel (ohne Getränke)	20,6	n.a.	26,5	n.a.
● Getränke	11,1	n.a.	9,2	n.a.
● Tabak	9,5	1,3	9,2	1,2
Anteil der Konsumgüterindustrie am BIP und an der Gesamtbeschäftigung	12,0	12,6	8,8	11,5

Quelle: Statistisches Jahrbuch für die Bundesrepublik Deutschland 1975 und 1985 (jeweils prozentuale Anteile).

fungstendenz der meisten Konsumgüterindustrien kann allerdings nicht als Beleg für Sättigungserscheinungen beim privaten Konsum angesehen werden, weil einmal Verlagerungen zum Dienstleistungsbereich stattfanden und zum anderen die Nachfrage nach langlebigen Konsumgütern insb. den Straßenfahrzeugbau und die Elektrotechnik betreffen; diese Industriezweige werden jedoch in der amtlichen Statistik der → Investitionsgüterindustrie subsumiert.   *E. Gö.*

Literatur: *Ifo-Institut für Wirtschaftsforschung,* Analyse der strukturellen Entwicklung der deutschen Wirtschaft, Berlin, München 1981.

Konsumgütermarketing → Marketing

Konsumgüternachfrage

der privaten Haushalte wird in der → makroökonomischen Modellanalyse durch die Konsumfunktion abgebildet, in der als wichtigste Bestimmungsfaktoren das Realeinkommen sowie der Zinssatz und das Vermögen (→ Vermögenseffekte) genannt werden. In Bezug auf die Einkommensabhängigkeit unterscheidet man die das gegenwärtige Periodeneinkommen betonende absolute und relative → Einkommenshypothese sowie die das langfristig erwartete Einkommen betonende → permanente Einkommenshypothese und die → Life-cycle-Hypothese.

Die Zinsabhängigkeit ergibt sich über die Betonung des Sparens als intertemporale Konsumverschiebung: Je höher der Zinssatz, um so höher ist auch der in der Zukunft mögliche Konsum aus einem gegebenen Konsumver-

zicht heute. Damit wird aber der auf die Zukunft verschobene Konsum attraktiver, und damit sinkt der heutige Konsum.

Die Vermögensabhängigkeit der Konsumgüternachfrage basiert auf der Überlegung, daß die Wirtschaftssubjekte bestrebt sind (z.B. als Vorsorge für eine unbestimmte Zukunft), ein bestimmtes Vermögen zu akkumulieren. Je höher das bereits realisierte Vermögen ist, um so geringer ist damit bei gegebenem Einkommen (und evtl. Zinssatz) der Wunsch, durch Sparen zusätzliches Vermögen zu akkumulieren, um so höher damit der Konsum. Die empirische Relevanz der Vermögensabhängigkeit ist umstritten.   *J. R.*

Literatur: *Fuhrmann, W./Rohwedder, J.,* Makroökonomik, München, Wien 1983. *Streissler, E./ Streissler, M.* (Hrsg.), Konsum und Nachfrage, Köln, Berlin 1966.

Konsumgut → Produkttypologie

Konsumgutlösung → Investitionsgutlösung

Konsumklima

kennzeichnet die für den privaten Verbrauch in einem Wirtschaftsgebiet wichtigsten Einstellungen und Erwartungen der Konsumenten.

Von folgendem wird ausgegangen: Wenn aufgrund steigenden Wohlstandes frei verfügbares Einkommen den Entscheidungsspielraum des Wirtschaftssubjektes erweitert, determiniert das Einkommen nicht mehr allein die Höhe des Konsums in einer Volkswirtschaft, maßgebend sind nunmehr auch Einstellungen und Erwartungen der Konsumenten, die zur sog. „Macht des Verbrauchers" beitragen. Es wird davon ausgegangen, daß ökonomisch relevante Reaktionen wie Verhaltensänderungen bei Konsum, Sparen, und Kreditaufnahme nicht direkt von den objektiven Stimulusbedingungen wie z.B. Änderungen des persönlichen Einkommens oder von den ökonomischen Rahmenbedingungen abhängig sind, sondern daß diese von der sie wahrnehmenden Person in spezifischer Weise verarbeitet werden.

Die Wahrnehmung des wirtschaftlichen Umfelds und die bisherigen Konsumentenstimmungen prägen die aktuelle Gestimmtheit des Konsumenten mit und bestimmen dessen Verhaltensweisen. Die Messung des Konsumklimas erfolgt mit Hilfe eines standardisierten Fragebogens bei einer repräsentativen Stichprobe. Entsprechende Untersuchungen wurden von *George Katona* 1946 in den USA initiiert (*Katona*, 1951) und werden seit 1972 auch routinemäßig in den Staaten der EG durchgeführt. Die Fragen innerhalb des Erhebungsinstruments beziehen sich auf Einschätzungen und Erwartungen bezüglich der allgemeinen und der persönlichen wirtschaftlichen Lage. Sie haben sich als brauchbar für den Zweck erwiesen, den Kauf von langlebigen Konsumgütern (durables) kurz- und mittelfristig zu prognostizieren.

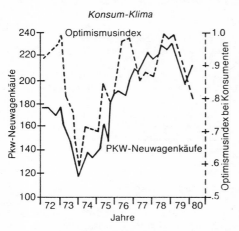

Konsum-Klima

Die Abbildung zeigt an einem exemplarischen Fall die Beziehung zwischen dem Konsumklima („Optimismusindex") und dem Kauf langlebiger Konsumgüter (Pkw-Neuwagenkäufe).   *L. v. R.*

Literatur: *Katona, G.,* Psychological analysis of economic behavior, New York 1951. *Kuß, A.,* Konsumklima als Einstellung zur Wirtschaftslage, in: *Hoyos, C., Graf/Kroeber-Riel, W./v. Rosenstiel, L./*

Strümpel, B. (Hrsg.), Grundbegriffe der Wirtschaftspsychologie, München 1980, S. 101 ff.

Konsumkredit → Konsumentenkredit

Konsumneigung → Konsumquote

Konsumplan → Verbrauchsplan

Konsumquote

Relation zwischen Konsum und Einkommen (durchschnittliche Konsumquote) bzw. zwischen zusätzlichem Konsum und zusätzlichem Einkommen (marginale Konsumquote bzw. Konsumneigung). Sie steht in einem definitorischen Zusammenhang mit der → Sparquote, so daß bei der Wertermittlung nur eine Quote zu berechnen ist. In der Konsumfunktion wird die marginale Konsumquote funktional interpretiert.   *J. R.*

Konsumsoziologie → Marktsoziologie, → Konsumentenverhalten, → Konsumwandel

Konsumtivvermögen → Gebrauchsvermögen

Konsumverein → Konsumgenossenschaft

Konsumwandel

Wandlungen der Verbrauchergewohnheiten und des Konsumstils (→ Konsumentenverhalten).

(1) Im *Wertebereich* (Konsumgesinnung): die „Demokratisierung des Luxus", die Auflösung des puritanischen Ethos, die zunehmende Freizeitorientierung, die (vermutlich) abnehmende Bedeutung materieller Werte usw.;

(2) Im *Güterbereich:* die quantitative und qualitative Konsumfelderweiterung, weitgehende Differenzierung (trotz Normung), das Vordringen hochwertiger Technisierungsgüter, die Mode als universelles Gestaltungsprinzip, das Anwachsen des tertiären Angebots usw.;

(3) Im *Marktbereich:* Zunahme von Komplexität und Intransparenz von Konsumgütermärkten, Depersonalisierung von Kaufakten im Zusammenhang mit dem Vordringen modernerer Absatzformen und Absatzsysteme;

(4) Im *Haushaltsbereich:* gewandelte Freizeitaktivitäten und (wieder) Zunahme haushaltlicher Eigenproduktion (angesichts teurer Dienstleistungen) im Rahmen der Güterverwendung.   *G. Wi.*

Literatur: *Wiswede, G.,* Soziologie des Verbraucherverhaltens, Stuttgart 1972.

Kontaktbereitschaft

zeitliche Leistungsbereitschaft gegenüber Kunden (und Lieferanten). Sie ist in Industrie,

Handel und Dienstleistungsgewerbe ein wichtiges Hilfsmittel, um sich von Mitbewerbern abzuheben. Der zeitliche Gestaltungsspielraum der Betriebe wird vor allem vom Ladenschlußgesetz begrenzt (→ Ladenöffnungszeit). Daneben sind auch die Vorschriften des → Arbeitsschutzes und wettbewerbsbezogene Gesetze zu beachten.

Kontaktkennzahlen → Streuplanung

Kontaktvolumen

im Rahmen der → Werbung bedeutsames → Marketingziel, das die Anzahl der in einer Periode zustande gekommenen Kontakte möglicher Nachfrager mit bestimmten Werbebotschaften zum Ausdruck bringt. Das Kontaktvolumen ist nicht auf einen Werbeträger (→ Streuplanung), sondern auf eine bestimmte Werbebotschaft bezogen. Es bringt damit das im Rahmen von → Marktreaktionsfunktionen zu modellierende Ausmaß der Marktstimulierung besser zum Ausdruck.

kontenlose Buchführung

Weiterentwicklung der → Offene-Posten-Buchführung, wobei sie nicht nur das Kontokorrentbuch durch die geordnete Ablage der unbezahlten einzelnen Kreditoren- und Debitorenrechnungen ersetzt, sondern darüber hinaus auch bei den Sachkonten auf die Führung von Kontokarten verzichtet. Die auf eine bloße Lieferanten- bzw. Kundenablage reduzierte Kontokorrentbuchführung fügt noch nicht beglichene Rechnungen in die Ablage ein und nimmt bezahlte Rechnungen aus dieser heraus. Diese Form der Buchführung ist jedoch nur zulässig, wenn Buchungsmaschinen zum Einsatz gelangen, deren Rechenwerke und Speicher die Grundbuch- und Hauptbuchfunktion vollwertig übernehmen.

Kontenplan → Kontenrahmen

Kontenrahmen

Die Vielzahl und Heterogenität der im Rahmen der → Finanz- und → Betriebsbuchführung einzurichtenden Konten machen eine systematische Ordnung und Gliederung notwendig. Diese Systematik wird durch den Kontenrahmen geliefert. Dieser ist ein geordnetes Verzeichnis von Konten und Kontengruppen der Finanz- und Betriebsbuchführung, das die laufende Buchführung durch Vorgabe eines Ordnungsgerüstes zu erleichtern vermag. Er vermittelt eine vollständige Übersicht über die im betrieblichen Rechnungswesen möglicherweise auftretenden Konten und stellt damit einen überbetrieblichen Organisationsplan dar, der den unternehmensspezifischen Bedürfnissen anzupassen ist (Kontenplan).

Ursprünglich waren branchenspezifische Kontenrahmen für alle Unternehmen zwingend vorgeschrieben (Erlaß des Reichswirtschaftsministers vom 11. 11. 1937). Heute finden Kontenrahmen über die → Grundsätze ordnungsmäßiger Buchführung Eingang in das betriebliche Rechnungswesen und sind in der betrieblichen Praxis meist in den beiden Varianten → Gemeinschaftskontenrahmen der Industrie (GKR) und → Industriekontenrahmen (IKR) anzutreffen.

Kontenrahmen sind im allgemeinen nach dem dekadischen Prinzip aufgebaut, bei dem die Gesamtheit aller Konten in 10 materiell verschiedene Kontenklassen eingeteilt wird. Jede Kontenklasse zerfällt wiederum in zehn Kontengruppen, die ihrerseits in jeweils zehn Kontenuntergruppen unterteilt wird. Die Aufspaltung läßt sich entsprechend der Bedürfnisse der Unternehmung weiter fortsetzen, bis das einzelne Konto erreicht ist.

Die Bezeichnung der Konten innerhalb des Kontenrahmens erfolgt nach dem dezimalen Zahlensystem, wobei die Anzahl der Stellen die Tiefengliederung anzeigt.

Beispiel:

Kontenklasse:	1	Finanzkonten
Kontengruppe:	14	Forderungen aus Warenlieferungen und Leistungen
Kontenart: (-untergruppe)	145	Zweifelhafte Forderungen an Kunden (Dubiose)
Konto	1451	Zweifelhafte Forderung an Kunden Schmidt

W. E.

Literatur: *Eisele, W.,* Technik des betrieblichen Rechnungswesens, 2. Aufl., München 1985. *Pelzel, G.,* Kontenrahmen als Mittel der Betriebssteuerung, Wiesbaden 1975.

Kontereffekt

(Backwash-Effekt) negativer Entwicklungseffekt, der von der wirtschaftlichen Expansion einer Volkswirtschaft in anderen Volkswirtschaften hervorgerufen wird. Der Begriff der Kontereffekte wurde erstmalig von *Gunnar Myrdal* in der entwicklungstheoretischen Literatur verwendet. Sie führen nach Ansicht einiger Autoren im Rahmen der internationalen Handelsbeziehungen zu einer Benachteiligung der Entwicklungsländer gegenüber den Industriestaaten, in der eine Ursache der → Unterentwicklung gesehen wird. Die durch die Aufnahme des Außenhandels bewirkte

Vergrößerung der Märkte stärke nämlich zunächst die reichen Länder, deren Industrie einen Entwicklungsvorsprung aufweise, weil dadurch in noch stärkerem Maße interne Ersparnisse und damit Kostensenkungen erzielt würden. Diese ließen den Entwicklungsländern kaum eine Chance zur Etablierung einer konkurrenzfähigen Industrie und reduziere damit deren Entwicklungschancen.

Literatur: *Hemmer, H.-R.,* Wirtschaftsprobleme der Entwicklungsländer, München 1978. *Myrdal, G.,* Ökonomische Theorie und unterentwickelte Regionen, Stuttgart 1959.

Kontinentalsperre

zwischen 1806 und 1813 der Versuch *Napoleons,* England durch eine Wirtschaftsblockade zu bezwingen. Sie wurde durch eine (wirksamere) Gegenblockade der Seemacht England beantwortet. Die einem → Schutzzoll vergleichbare Wirkung führte auf dem Kontinent zu einer gewerblichen „Scheinblüte" und begünstigte Autarkie- und Ersatz-Produktion durch Ausfall von Kolonialwaren (z. B. Cichorienkaffee, Rübenzucker). England konnte den Verlust des kontinentalen Marktes durch Expansion des Überseehandels weitgehend kompensieren. Nach dem Wegfall der Blockade machte sich die englische Konkurrenz auf dem Kontinent um so stärker bemerkbar.

Kontingentierung → Tarifpolitik, → Güterkraftverkehrsgesetz, → Einfuhrkontingent, → Rationierung

Kontingentkartell → Preiskartell

Kontingentrente → Einfuhrkontingent

Kontingenzanalyse

Untersuchung der Zusammenhänge zwischen zwei oder mehr nominalskalierten Merkmalen (→ Skala). Ausgangspunkt ist die sog. Kontingenztabelle, in der die Häufigkeiten aller Merkmalskombinationen enthalten sind.

Die Stärke des Zusammenhangs wird mit Hilfe geeigneter Kontingenzkoeffizienten beschrieben. Können die in der Kontingenztabelle enthaltenen Elemente als Stichprobe aus einer übergeordneten Grundgesamtheit aufgefaßt werden, lassen sich eine Reihe von statistischen Testverfahren, wie etwa der Chi-Quadrat-Test (→ Verteilungstests), zur Prüfung der Frage heranziehen, ob in der Grundgesamtheit mit hoher Wahrscheinlichkeit auf Zusammenhänge geschlossen werden kann.

Kontingenz-Ansatz → Contingency-Ansatz

Konto der übrigen Welt

(Auslandskonto) zusammengefaßtes Konto in der → Volkswirtschaftlichen Gesamtrechnung der Bundesrepublik Deutschland, das sämtliche Transaktionen zwischen der übrigen Welt und den inländischen Wirtschaftssubjekten vom Standpunkt der übrigen Welt aus erfaßt: Käufe und Verkäufe von Gütern, Faktoreinkommensströme, die geleisteten und empfangenen Übertragungen sowie die Veränderungen der Forderungen bzw. Verbindlichkeiten zwischen Inländern und Ausländern. In der → Zahlungsbilanz finden diese (und einige andere) „Transaktionen" aus der Sicht des Inlands ihren Niederschlag (vgl. Tab. auf S. 1058).

Literatur: *Haslinger, F.,* Volkswirtschaftliche Gesamtrechnung, 4. Aufl., München, Wien 1986.

Kontokorrentbuch → Buchführungsorganisation

Kontokorrentkredit

Mittel der kurzfristigen → Fremdfinanzierung. Ein Kontokorrentkredit entsteht, wenn ein Kontoinhaber über ein Konto bei einem anderen (i. d. R. einem Kreditinstitut) auch dann noch in einem bestimmten Umfang verfügen kann, wenn das Guthaben zur Bezahlung von Verbindlichkeiten nicht ausreicht. In Höhe des Betrags, in dem der Betroffene sein Konto überzieht, liegt ein Kontokorrentkredit vor. Nach § 355 Abs. 1 HGB entsteht die Abwicklung des Zahlungsverkehrs im Rahmen der Geschäftsverbindung (i. d. R. mit einem Kreditinstitut) eine laufende Rechnung in Form eines wechselseitigen Schuld- und Guthabenverhältnisses (Kontokorrent), die in regelmäßigen Zeitabschnitten durch die Feststellung des Überschusses (Saldo) abgeschlossen wird. Mit der Erreichung des Saldos verlieren die einzelnen im Kontokorrent erfaßten Beträge ihre Selbständigkeit. Durch jede Zahlung, die über das Konto läuft, ändert sich der Saldo. Der Kontokorrentkredit ist somit ein Kredit, der vom Kreditnehmer je nach Bedarf bis zum vertraglich vereinbarten Maximalbetrag (Kreditlinie) in Anspruch genommen werden kann.

Zwar ist der Kontokorrentkredit formal kurzfristiger Natur, doch steht er bei ständiger Prolongation der Kreditlinie langfristig zur Verfügung, wenn der Kreditnehmer keinen Anlaß zur Auflösung des Kreditengagements gibt. Obwohl sich die Höhe des Kredits laufend ändert, hat die Gewährung eines Kontokorrentkredits für den Kreditgeber den Vorteil, einen guten Einblick in die wirtschaftli-

Mio. DM

Position	1983[1]	Position	1983[1]
8 Zusammengefaßtes Konto der übrigen Welt			
Käufe von Waren und Dienstleistungen	500 920	Verkäufe von Waren und Dienst-	
Geleistete Erwerbs- und Vermögens-		leistungen	466 480
einkommen	39 220	Empfangene Erwerbs- und Vermögens-	
Einkommen aus unselbständiger		einkommen	35 080
Arbeit		Einkommen aus unselbständiger	
an private Haushalte	5 070	Arbeit	3 070
Einkommen aus Unternehmer-		von Unternehmen	3 050
tätigkeit und Vermögen	34 150	vom Staat	20
an Unternehmen	31 080	Einkommen aus Unternehmer-	
an den Staat	30	tätigkeit und Vermögen	32 010
an private Haushalte[2]	3 040	von Unternehmen	30 960
		vom Staat	1 050
Geleistete Übertragungen	12 250	Empfangene Übertragungen	42 060
Direkte Steuern		Sozialbeiträge	
an den Staat	− 130	von privaten Haushalten	230
Sozialbeiträge		Soziale Leistungen	5 500
an den Staat	890	von Unternehmen	110
Soziale Leistungen		vom Staat	5 390
an private Haushalte	350	Sonstige laufende Übertragungen	33 550
Sonstige laufende Übertragungen	10 960	von Unternehmen	1 070
an Unternehmen	840	vom Staat	20 810
an den Staat	9 660	von privaten Haushalten[2]	11 670
an private Haushalte[2]	460	Vermögensübertragungen	2 780
Vermögensübertragungen	180	vom Staat	2 250
an den Staat	150	von privaten Haushalten[2]	530
an private Haushalte[2]	30	Veränderung der Verbindlichkeiten[3]	36 180
Veränderung der Forderungen[3]	27 100	Statistische Differenz	− 310
Aufwendungen der übrigen Welt	579 490	Erträge der übrigen Welt	579 490

[1] Vorläufiges Ergebnis
[2] Einschl. private Organisationen ohne Erwerbszweck
[3] Nach Berechnungen der Deutschen Bundesbank

Quelle: *Statistisches Bundesamt*, Statistisches Jahrbuch 1985 für die Bundesrepublik Deutschland, Stuttgart, Mainz 1985, S. 535.

chen Sachverhalte des Betriebes zu erhalten, die für die Beurteilung der → Kreditwürdigkeit maßgebend sind (z.B. Aufschlüsse über den Kunden- und Lieferantenkreis, über die Höhe der Umsätze mit Kunden und Lieferanten, über regelmäßige Zahlungsverpflichtungen durch Daueraufträge).

Für einen Betrieb dienen Kontokorrentkredite der Sicherung der Zahlungsbereitschaft vor allem bei Spitzenbelastungen (z.B. bei Lohn- und Gehaltszahlungen). Der Kontokorrentkredit wird, weil er vor allem zur kurzfristigen Finanzierung betrieblich bedingter Auszahlungen in Anspruch genommen wird, auch als Betriebskredit (Betriebsmittel-, Produktions-, Umsatzkredit) bezeichnet. Bei einmaligem Kapitalbedarf handelt es sich um einen Überbrückungskredit; ein Zwischenkredit liegt dann vor, wenn ein Kontokorrentkredit zur Vorfinanzierung von Projekten dient, für die eine langfristige → Finanzierung verbindlich zugesagt ist, ohne daß die dazu erforderlichen Mittel bereits (kurzfristig) verfügbar sind.

Die Kosten des Kontokorrentkredits sind zwar relativ groß, doch wird sich seine Inanspruchnahme wegen eines kurzfristig hohen Finanzbedarfs u.U. nicht vermeiden lassen. Im übrigen weist der Kontokorrentkredit eine große Flexibilität auf, wobei auch die Zinsen nur auf den in Anspruch genommenen Betrag zu zahlen sind. Die durch die Aufnahme eines Kontokorrentkredits entstehenden Kosten setzen sich aus folgenden Komponenten zusammen:

(1) Sollzinsen für den in Anspruch genommenen Kredit: Verzinst wird der jeweils in Anspruch genommene Kredit (i.d.R. orientiert am Diskontsatz mit einem von der Verhandlungsposition − häufig 4–6% p.a.) abhängigen Zuschlag − bzw. das vorhandene Guthaben (mit einem allerdings sehr viel niedrigeren Zinssatz als dem Kreditzinssatz).

(2) Kreditprovision: In Abhängigkeit von der Berechnungsweise handelt es sich um einen Zuschlag zum Sollzins oder um eine Bereitstellungsprovision (Entgelt für die Einräumung einer Kreditlinie).

(3) Überziehungsprovision: Die Beträge, die ein Kreditnehmer über die eingeräumte Kreditlinie oder über die Kreditlaufzeit hinaus in Anspruch nimmt, werden mit einer Überziehungsprovision (i. d. R. 3–4% p. a.) belegt.
(4) Umsatzprovision und Gebühren: Für die Führung des Kontokorrentkontos wird ein Entgelt – bei einer Umsatzprovision orientiert an der Höhe der Kontoseite mit dem höheren Umsatz (ca. 0,5–2%), bei einer Orientierung an den Postengebühren nach der Anzahl der Buchungsposten (ca. 0,30 DM–0,50 DM) – berechnet. Barauslagen wie z. B. Porti werden gesondert in Rechnung gestellt.   *H. Ku.*

Literatur: *Vormbaum, H.,* Finanzierung der Betriebe, 7. Aufl., Wiesbaden 1986. *Wöhe, G./Bilstein, J.,* Grundzüge der Unternehmensfinanzierung, 4. Aufl., München 1986, S. 218 ff.

Kontrahierungszwang

gesetzliche Verpflichtung, insb. für →öffentliche Unternehmen, mit jedem Antragenden Verträge bestimmten Inhalts abzuschließen, die eine Ausnahme von der grundsätzlichen Vertragsfreiheit bedeutet. Kontrahierungszwang besteht z. B. für die →Deutsche Bundesbahn hinsichtlich der Beförderung von Personen und Gütern und für →öffentliche Versorgungsunternehmen für die Versorgung mit Wasser, Energie etc. Nach dem →Gesetz gegen Wettbewerbsbeschränkungen kann auch marktbeherrschenden Unternehmen Kontrahierungszwang auferlegt werden.

Kontraktkurve

gibt an, bei welchen Lösungen das →Pareto-Optimum erfüllt ist (kein Individuum erleidet gegenüber dem bisherigen Zustand Nutzeneinbußen) und bei welchen Lösungen deshalb ein Kontrakt zustandekommen kann. Die →Wohlfahrtsökonomik geht bei der Entwicklung der Kontraktkurve von der grundlegenden Erkenntnis aus, daß bei Tauschvorgängen und Verhandlungen der eine Tauschpartner nicht nur auf Kosten des anderen Tauschpartners Vorteile erreichen kann, sondern daß oftmals Änderungen in den Kaufbedingungen zum Vorteil beider Partner führen. So können sich die Tarifpartner bei ihren Verhandlungen beiderseitige Vorteile erhoffen, wenn die Löhne gegenüber dem bisherigen Zustand erhöht werden. Für die Arbeitnehmer bedeuten Lohnsteigerungen Einkommensvorteile, für die Arbeitgeber kann die Zustimmung zu Lohnsteigerungen vorteilhaft sein, weil damit die Gefahr eines Streiks und der hiermit verbundenen Kosten abgewendet wird oder, weil bei einer Produktivitätssteige-

rung, die nicht zu Lohnsteigerungen führt, die Gefahr besteht, daß andere Unternehmungen versuchen, die Produktion auszuweiten und Arbeitskräfte abzuwerben.

Die Kontraktkurve wird üblicherweise in einem Diagramm dargestellt, auf deren Koordinatenachsen die zur Verfügung stehenden Mengen zweier Güterarten abgetragen werden (vgl. Abb.). Zunächst werden die sog. →Indifferenzkurven eingezeichnet, die angeben, welche Güterkombinationen die einzelnen Haushalte als gleichwertig ansehen und welche im Vergleich zu anderen Kombinationen höher bewertet werden. Formal gesehen entsteht die Kontraktkurve dadurch, daß man alle Berührungspunkte zweier Indifferenzkurven miteinander verbindet.

Auf der Kontraktkurve liegen alle möglichen Lösungen, bei denen alle beiderseitigen Verhandlungsvorteile bereits ausgeschöpft sind. Dies bedeutet, daß ein Weiterverhandeln solange für beide Seiten zweckmäßig ist, wie die Kontraktkurve noch nicht erreicht ist. Bei Erreichen der Kontraktkurve kann jedoch ein Tausch- oder Verhandlungspartner seinen Vorteil nur noch auf Kosten des anderen Partners vergrößern. Bei welchem Punkt der Kontraktkurve schließlich ein Tausch (Kontrakt) zustandekommt, hängt wesentlich davon ab, bei welchen Bedingungen die Verhandlungen begonnen haben.   *B. K.*

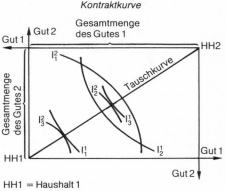

Kontraktkurve

HH1 = Haushalt 1
HH2 = Haushalt 2
I^1 = Indifferenzkurve des Haushalts 1
I^2 = Indifferenzkurve des Haushalts 2
$I_1 < I_2 < I_3$

Literatur: *Rose, K.,* Theorie der Außenwirtschaft, 9. Aufl., München 1986. *Schneider, H.,* Mikroökonomie. Einführung in die Preis-, Produktions- und Wohlfahrtstheorie, 4. Aufl., München 1986. *Schumann, J.,* Grundzüge der mikroökonomischen Theorie, 4. Aufl., Berlin u. a. 1984.

Kontraktmarketing

(Kontraktvertrieb) Form des koordinierten Marketing, bei dem horizontale und/oder vertikale Kooperationen zwischen Unternehmen eines Absatzkanals vertraglich dauerhaft gestaltet werden. Damit soll eine bessere Markterschließung, Markterhaltung oder Markterweiterung erreicht werden. Die Ausgestaltung reicht von relativ lockeren Formen, wie Rahmenvereinbarungen zwischen Herstellern und Händlern, über verschiedene Arten der → Vertriebsbindung und des → Vertragshandels bis hin zu umfassenden Franchise-Verträgen (→ Franchising). *H. D.*

Literatur: *Tietz, B./Mathieu, G.,* Das Kontraktmarketing als Kooperationsmodell, Köln u. a. 1973.

Kontraktvertrieb → Kontraktmarketing

Kontrastgruppenanalyse → AID-Technik

Kontrolladressat

Bei der → Kontrolle (→ Überwachung, Prüfung) dispositiver Tätigkeiten ist der „dispositive Faktor" Adressat der Kontrollinformationen, während bei Routinetätigkeiten i. d. R. der Faktor „objektbezogene Arbeit" diese Rolle übernimmt. Die Kontrolle dient der Verbesserung sowohl der Planung als auch der Realisation betrieblicher Prozesse. Die Dispositionskontrolle unterstützt primär die Planung und die Objektkontrolle die Realisation. In einigen Fällen müssen beide Adressaten über Kontrollergebnisse informiert werden (Kontrollbericht); insofern sind Dispositions- und Objektkontrolle nicht (völlig) überschneidungsfrei.

Da die Realisation von größeren Dispositionen längere Zeit beansprucht als die von Routinetätigkeiten, ist der dispositive Faktor weniger häufig zu kontrollieren als die objektbezogene Arbeit (→ Kontrollfrequenz). Außerdem lassen sich zur Beurteilung von Dispositionen wegen der Unsicherheit der Zukunft meist nur innerhalb großer Bandbreiten Sollwerte angeben, so daß eine Dispositionskontrolle im Sinne eines → Soll-Ist-Vergleiches ceteris paribus viel seltener zu einer regelrechten Fehlermeldung führt als eine Objektkontrolle. Insofern gehen von einer Dispositionskontrolle auch seltener Impulse für eine präventive und/oder korrektive Wirkung (→ Kontrollwirkung) als von der Objektkontrolle aus. Bei letzterer lassen sich → Vergleichsobjekte wegen der Möglichkeit, generelle Regelungen zu treffen, und wegen der geringeren Unsicherheit viel genauer angeben und Abweichungen leichter feststellen als bei Dispositionskontrol-

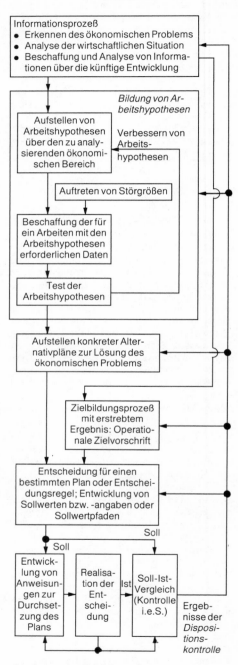

Objekt- und Dispositionskontrolle im betrieblichen Prozeß

Ergebnisse der *Objektkontrolle* (Freigabe und Rückgabe)

len. Die möglichen Inhalte der an die Adressaten zu leistenden Kontrollinformationen sind der Abbildung auf S. 1060 zu entnehmen, in der die → Fehler sich jeweils auf den Inhalt des Kästchens beziehen, auf den die zurückführenden Pfeile zeigen.   *J. B.*

Kontrollarten

zumeist Oberbegriff zu Ergebnis- und Verfahrens-(System-)kontrolle (→ Kontrolle). Ergebniskontrollen werden hauptsächlich durchgeführt, um Abweichungen (z.B. → Fehler) bei Arbeitsergebnissen feststellen und beseitigen zu können. Verfahrenskontrollen richten sich demgegenüber auf die Verfahren(svorschriften), die Arbeitsergebnissen zugrunde liegen. Mit einer Verfahrenskontrolle sollen primär tatsächliche oder mutmaßliche Abweichungsquellen (z.B. Fehlerquellen) erkannt werden. Wenn sich ein Verfahren als gut geplant und durchgeführt erweist, kann die Verfahrenskontrolle (etwa die Kontrolle eines EDV-Programms) eine Ergebniskontrolle (etwa die Kontrolle der mit einem EDV-Programm erzielten Abrechnungsergebnisse) oftmals ersetzen oder zumindest deren Umfang reduzieren. Vielfach ist bei einer Verfahrenskontrolle zu unterscheiden, wie das Verfahren geplant (konzipiert; sog. Konzeptionskontrolle) und wie es in der Praxis tatsächlich durchgeführt wird (sog. Funktionskontrolle). Ob Verfahrensvorschriften gut geplant und angewandt werden, kann sich auch an den Arbeitsergebnissen zeigen. Insofern können auch Ergebniskontrollen in Verfahrenskontrollen münden.
                                                   R. Hö.

Kontrollbeitrag

ergibt sich aus der Differenz zwischen der Zuverlässigkeit (d.h. Fehlerfreiheit) eines Prozesses mit Kontrollelementen und eines solchen ohne Kontrollen. Er zeigt also an, welchen Anteil die Kontrollen an der Zuverlässigkeit eines kontrollierten Prozesses besitzen. Der Kontrollbeitrag läßt sich auch durch die Differenz zwischen zusätzlichem Ertrag und zusätzlichem Aufwand einer Kontrolle bewerten.   *J. B.*

Kontrollbericht → Kontrolladressat

Kontrolle

fest in den betrieblichen Arbeitsablauf eingebaute → Überwachung durch Vergleich eines → Istobjektes mit einem → Vergleichsobjekt. Der Vergleich kann in einer Abstimmung, Gegenrechnung oder Vollständigkeitsfeststellung bestehen. Der Kontrolleur ist i.d.R. für

die Zuverlässigkeit des Istobjektes bzw. der Istobjekte mit verantwortlich. Er darf am Istobjekt festgestellte Mängel auch selbst beseitigen, soweit ihm die Korrektur übertragen wird. Bei den Kontrollen ist je nach → Kontrolladressaten zwischen Dispositions- und Objektkontrolle zu unterscheiden. Für Objektkontrollen sind → interne Kontrollsysteme entwickelt worden, deren Aufgabe es ist, die Zuverlässigkeit und Wirtschaftlichkeit des Betriebsablaufs zu erhöhen und Fehler möglichst bei der Erstellung der Istobjekte aufzudecken oder zu verhüten (→ Kontrollwirkung). Außerdem unterstützt die Objektkontrolle die Geschäftsleitung bei der Wahrnehmung ihrer Aufgaben, indem sie die Einhaltung genereller Regelungen sichert.

Eine vollständige Kontrolle ist erforderlich, wenn es darauf ankommt, die Ergebniszuverlässigkeit durch die dabei erzielbare Korrekturwirkung (→ Kontrollwirkung) erheblich zu verbessern. Diese zu erreichen, ist bei Stichprobenkontrollen unmöglich, wenn eine nicht unerhebliche Zahl zufälliger Fehler im Kontrollgut zu erwarten ist. Mit Stichprobenkontrollen läßt sich in diesem Fall nur eine Präventiv- und Lernwirkung erzielen. Stichprobenkontrollen erlauben eine Schätzung der Zuverlässigkeit (Qualität), sofern die Stichprobenauswahl repräsentativ ist. Die Stichprobenkontrolle ist generell zulässig, sofern sie eine hinreichende Zuverlässigkeit erweist. Werden Stichprobenkontrollen anstelle von Vollkontrollen wegen der Kontrollkosten für erforderlich gehalten, so sollte auch der → Kontrollbeitrag bei dem gewählten → Kontrollumfang mit berücksichtigt werden.
                                                   J. B.

Kontrollfrequenz

Zahl der Vergleiche zwischen → Soll- und Istobjekten in betrieblichen Prozessen je Zeiteinheit zur Elimination oder Kompensation von Störeinflüssen (→ Überwachung). Neben der Kontrollfrequenz ist die zeitliche Verteilung der Vergleiche innerhalb des jeweiligen Zeitraumes von Bedeutung. Bei gleichen Zeitabständen zwischen den Vergleichen gilt: Je größer (kleiner) die Kontrollfrequenz ist, desto kleiner (größer) sind meist die aufgelaufenen Abweichungen, desto größer (kleiner) sind aber auch die Kontrollkosten (→ Kontrollziele) je Zeiteinheit. Im Hinblick auf die Kontrollkosten und die auflaufenden Abweichungen läßt sich die Kontrollfrequenz optimieren (→ Kontrollintensität).   *J. B.*

Kontrollhierarchie → Überwachungssystem

Kontrollinstrument

Hilfsmittel zur Durchführung von Kontrollen. Man unterscheidet zwischen einfachen, praktischen (z.B. Taschenrechner, Waage, Zählautomat) und komplexen, theoretischen Instrumenten (z.B. doppelte Buchhaltung, Plankostenrechnung).

Kontrollintensität

wird bei einer bestimmten Art und Menge von Istobjekten insb. bestimmt durch:

- den Anteil aller Istobjekte, der kontrolliert wird (→ Kontrollumfang),
- die Anzahl der Rückkopplungen, d.h. die Häufigkeit, mit der ein Istobjekt nach einer Korrektur erneut kontrolliert und ggf. korrigiert oder neu bearbeitet wird,
- die Genauigkeit der Merkmalsausprägungen, die von den Istobjekten gefordert werden, d.h. die Bandbreite, innerhalb derer festgestellte Abweichungen toleriert werden (→ Abweichungsanalyse) bzw. mit der ein → Sollobjekt festgelegt wird,
- die Frequenz, mit der kontrolliert wird (→ Kontrollfrequenz) und die zeitliche Verteilung, mit der Kontrollen ausgeführt werden.

Die Kontrollintensität hat wesentlichen Einfluß auf die Wirkung der Kontrolle (→ Kontrollwirkung) und sollte so gewählt werden, daß der Prozeß einschließlich Kontrolle möglichst wirtschaftlich abläuft (→ Kontrollziele).   *M. Sa.*

Kontrollkosten → Kontrollziele

Kontrollkriterien → Kontrollziele

Kontrollmethoden

(Kontrolltechniken, Kontrollverfahren) nach verschiedenen Kriterien systematisierte Vorgehensweise bei betriebswirtschaftlichen → Kontrollen.

Die Vorgehensweisen zur planmäßigen Durchführung von Kontrollen werden insb. nach folgenden Kriterien systematisiert:
(1) → Überwachungsadressaten, an die die Ergebnisse der Kontrolle primär zurückgemeldet werden, wobei die Adressaten dispositive *(Dispositionskontrolle)* oder objektbezogene *(Objektkontrolle)* Tätigkeiten ausführen.
(2) Grad der Abstraktion des Kontrollgegenstandes von den Arbeitsergebnissen (→ Kontrollarten). Die Kontrolle richtet sich auf Arbeitsergebnisse *(Ergebniskontrollen)* oder auf Verfahren(svorschriften), mit deren Hilfe Arbeitsergebnisse erzielt werden *(Verfahrenskontrolle)*.

(3) Art der organisatorischen Maßnahmen (→ Kontrollorganisation).
(4) Zahl der kontrollierten → Istobjekte einer betrachteten Menge. Es wird nur eine Teilmenge, z.B. eine Stichprobe *(Auswahlkontrolle)*, oder die Gesamtmenge *(Vollkontrolle)* der Istobjekte kontrolliert.
(5) Art des → Vergleichsobjekts: Kontrolle durch → Ist-Ist-Vergleich oder → Soll-Ist-Vergleich.
(6) Art des verwendeten → Kontrollinstruments, z.B. Kontrolle durch das Rechnungswesen oder durch Nachrechnen (rechnerische Kontrolle), Wiegen, Messen, Zählen.   *A. U.*

Kontrollmitteilung

im allgemeinen Sinne Mitteilung an einen → Kontrolladressaten über eine Kontrolle; im engen (und gebräuchlichen) Sinne Informationen, die ein Außenprüfer anläßlich einer → Außenprüfung eines Steuerpflichtigen über sonstige Steuerpflichtige (z.B. die Lieferanten oder Kunden) gewinnt und die er den zuständigen Finanzbehörden zukommen läßt. Ziel der Kontrollmitteilung ist es, nicht oder nicht zutreffend versteuerte Geschäftsvorfälle aufzudecken. Kontrollmitteilungen dienen aber nicht nur der Beurteilung der speziellen Geschäftsvorfälle, über die sie berichten, sondern sie sind für den Außenprüfer auch eine wichtige Information, um das Vertrauen in die Richtigkeit der (gesamten) Buchführung zu bestätigen oder zu erschüttern. Steuerliche Außenprüfer sind deshalb angehalten, regelmäßig Kontrollmitteilungen zu erstellen. Besonders häufig betreffen die Mitteilungen solche Sachverhalte, die der Prüfer als ungewöhnlich betrachtet, etwa Zahlungen auf Konten bei Banken, deren Sitz weit entfernt vom Sitz des Unternehmens ist, oder die Steuerpflichtige erfahrungsgemäß vielfach in ihren Steuererklärungen nicht angeben, etwa Honorar- oder Prämienzahlungen bei nebenberuflicher Tätigkeit.

Rechtliche Grundlagen der Kontrollmitteilung sind § 194 Abs. 3 der Abgabenordnung (AO) sowie Doppelbesteuerungs- und Rechts- und Amtshilfeabkommen mit fremden Staaten. Kontrollmitteilungen haben jedoch nach § 8 der Betriebsprüfungsordnung (Steuer) insoweit bei bestimmten Berufsgruppen (etwa Rechtsanwälten, Steuerberatern, Wirtschaftsprüfern) zu unterbleiben, als diesen Berufsgruppen nach § 102 AO ein Auskunftsverweigerungsrecht über das zusteht, was ihnen beruflich anvertraut oder bekannt gegeben worden ist.

Im Rahmen einer Selbstbindung der Finanzbehörden sollen ferner nach einem

Bankenerlaß Guthabenkonten und Depots bei der Außenprüfung der Banken nicht für die Überprüfung anderer Personen festgestellt oder abgeschrieben werden; Kontrollmitteilungen sollen insoweit nicht ausgeschrieben werden. Einzelauskunftsersuchen der Finanzbehörden an die Kreditinstitute werden hiervon aber nicht berührt. Wenn die Finanzbehörde bei einem Steuerpflichtigen z. B. nicht erklärte Zinseinkünfte vermutet, darf sie deshalb (im Rahmen der dann vorgeschriebenen Vorgehensweise) Kreditinstitute befragen, für die gemäß § 93 AO Auskunftspflicht besteht.

Bisweilen versteht man unter steuerlichen Kontrollmitteilungen nicht nur anläßlich einer Außenprüfung gewonnene Feststellungen über fremde Steuerpflichtige, sondern auch sonstige (etwa aufgrund von Steuererklärungen erlangte) Feststellungen, die der Kontrolle der Steuerehrlichkeit anderer Steuerpflichtiger dienen.   *R. Hö.*

Literatur: *Frotscher, G.*, Recht und Praxis der Kontrollmitteilungen, in: *Schröder, J./Muuss, H.* (Hrsg.), Handbuch der steuerlichen Betriebsprüfung – Die Außenprüfungen –, Berlin 1977 fortlaufend, Kennzahl 4800.

Kontrollorgan → Kontrollträger

Kontrollorganisation

Gesamtheit aller organisatorischen Maßnahmen zur Vermeidung, Aufdeckung und Beseitigung von → Fehlern (→ Kontrollwirkung, → Kontrollziele). Sie verfolgen die Kontrollziele entweder unmittelbar oder mittelbar.

(1) Maßnahmen, die *unmittelbar* den Kontrollzielen dienen, nehmen auf die → Aufbau- und Ablauforganisation der Unternehmung Einfluß, weil deren Gestaltungselemente (Aufgaben, Funktionen, Kompetenzen und Verantwortlichkeiten) als Grundlage für die Kontrollorganisation herangezogen werden (vgl. den oberen Teil der Abb.).

Aufgaben sind auf das Unternehmensziel gerichtete Handlungsziele, die durch Einzelarbeiten erfüllt werden sollen. *Funktionen* nennt man die Teilaufgaben ,Planen', ,Bearbeiten' (,Ausführen'), ,Kontrollieren' und ,Korrigieren'. *Kompetenz* ist das Recht, *Verantwortung* die Pflicht, eine Aufgabe zielsetzungsgerecht zu erfüllen. Verantwortung umfaßt auch die Haftbarkeit für → Fehler.

Der untere Teil der Abbildung zeigt die Kontrollmaßnahmen. Die Pfeile bedeuten, daß Aufgaben, Funktionen, Kompetenzen und Verantwortlichkeiten jeweils gebildet, gegliedert, getrennt, zusammengefaßt und/oder gebündelt werden können, daß also alle Kombinationen möglich sind.

Maßnahmen der Kontrollorganisation

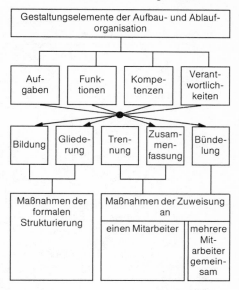

(a) Maßnahmen der formalen Strukturierung:

- *Bildung:* Bei der *Aufgabenbildung* werden Aufgaben nach den Kriterien ,Objekt' und ,Verrichtung' ausgewiesen (z. B. Büromaterial beschaffen, PKW produzieren, Ausgangsrechnungen buchen). Dabei kann eine Aufgabe auch mehrfach formuliert werden, sofern sie mehrmals erfüllt werden soll, um die Ergebnisse anschließend abstimmen zu können (Aufgabenvervielfachung). *Funktionsbildung* heißt jede Aufgabe in ihre Funktionen zerlegen (z. B. Buchung ausführen, Buchung kontrollieren, Buchung korrigieren). Da sich Aufgabe, Kompetenz und Verantwortung entsprechen sollen, werden mit den Aufgaben gleichzeitig auch Kompetenzen und Verantwortlichkeiten gebildet. Bei der *Kompetenzbildung* werden Kompetenzbereiche, bei der *Verantwortungsbildung* Verantwortungsbereiche geschaffen (z. B. Bereich: PKW-Produktion, Bereich: Büromaterial-Beschaffung).

- *Gliederung: Aufgabengliederung* bedeutet eine Aufgabe in Teilaufgaben zerlegen (z. B. für die Aufgabe ,Ausgangsrechnungen buchen': Rechnungen kontieren, Beträge in Konten eintragen). *Funktionsgliederung* ist die Zerlegung dieser Teilaufgaben in ihre Funktionen (z. B. Kontierung ausführen, Kontierung kontrollieren, Kontierung korrigieren). Bei der *Kompetenz-* bzw. *Verantwortungsgliederung* werden die gebildeten Bereiche den Teilaufgaben entsprechend in Teilbereiche zerlegt.

(b) Maßnahmen der Zuweisung an Mitarbeiter:

● *Trennung: Aufgabentrennung (Funktionstrennung)* bedeutet, daß die Teile einer gegliederten Aufgabe (Funktionen einer Aufgabe) verschiedenen Mitarbeitern zugewiesen werden. *Kompetenz-* bzw. *Verantwortungstrennung* heißt die Bereiche verschiedenen Mitarbeitern zuordnen.

● *Zusammenfassung:* Bei der *Aufgaben-(Funktions-)zusammenfassung* wird eine Gruppe von Aufgaben (Funktionen) einem Mitarbeiter zugewiesen, der sie vollständig erfüllen soll. *Kompetenz-* bzw. *Verantwortungszusammenfassung* bedeutet, daß eine Gruppe von Bereichen einem Mitarbeiter zugewiesen wird.

● *Bündelung:* Wird eine Aufgabe (Funktion) nicht einem Mitarbeiter, sondern zwei oder mehreren Mitarbeitern gemeinsam zur Erfüllung zugewiesen, spricht man von *Aufgabenbündelung (Funktionsbündelung)*. *Kompetenz-* bzw. *Verantwortungsbündelung* heißt einen Kompetenz- bzw. Verantwortungsbereich mehreren Mitarbeitern gemeinsam zuweisen.

Besondere Kontrollwirkungen haben die → Aufgabentrennung, die → Funktiontrennung und die → Kompetenzbündelung.

(2) Maßnahmen, die *mittelbar* die Kontrollziele verfolgen, unterstützen die ‚unmittelbaren' Maßnahmen in ihrer Wirkung. Es handelt sich dabei z.B. um schriftliche Aufzeichnungen der Aufbau- und Ablauforganisation (Arbeitsplatz- und Stellenbeschreibungen, Arbeitsablaufdiagramme und Organigramme), um die Anpassung an aufbau- und ablauforganisatorische Maßnahmen (etwa → Datensicherung, Zugangsbeschränkungen, Belegorganisation mit Nummernsystem) und um die Motivierung der Mitarbeiter.   *J. B./A. U.*

Literatur: *Baetge, J.,* Überwachung, in: Vahlens Kompendium der Betriebswirtschaftslehre, München 1984, S. 160 ff. *Baetge, J.,* Kontrollmanagement, in: Einführung in die Allgemeine Managementlehre, Bern, Stuttgart 1986. *Hill, W./Fehlbaum, R./Ulrich, P.,* Organisationslehre 1, Bern, Stuttgart 1974.

Kontrollprozeß

gedankliche Zerlegung des Kontrollablaufs in einzelne Teilschritte oder Phasen, um diesen überschaubar und die einzelnen Teilschritte so einer isolierten Analyse zugänglich zu machen. Der Kontrollprozeß kann hierzu z.B. nach seiner sachlogischen oder zeitlichen Abfolge strukturiert und analysiert werden (→ Überwachung, → Prüfung, → Kontrolle, → Überwachungssystem).   *G. Ho.*

Kontrollspanne

Anzahl der Personen bzw. Arbeitsablaufschritte, die durch einen bestimmten → Kontrollträger überwacht werden (→ Leitungsspanne).

Kontrollsystem   → Überwachungssystem, → internes Kontrollsystem

Kontrolltechniken → Kontrollmethoden

Kontrolltheorie

Teildisziplin der Systemtheorie (→ system dynamics), insb. der Theorie dynamischer Systeme (→ Kybernetik). Ihre Aufgabe besteht darin, das Modell eines betrachteten Systems gemäß einer vorgegebenen, geeignet formalisierten Zielvorschrift zu beeinflussen, im Idealfall zu optimieren. Die ökonomische Kontrolltheorie beschäftigt sich sowohl mit betrieblichen als auch mit volkswirtschaftlichen Systemen und deren (optimaler) Regelung.

Der Begriff Kontrolltheorie bezeichnet im Rahmen der Systemforschung vorwiegend die moderne, mathematisch orientierte Regelungstheorie; synonym wird er auch für die klassische → Regelungstheorie (-technik) verwendet.

Die Kontrolltheorie bemüht sich vorrangig um optimale Lösungen dynamischer Probleme, und zwar mit analytischen und numerischen Verfahren. Zugunsten der Optimalität der Lösung wird mitunter in Kauf genommen, daß sich die verwendeten Modelle (teilweise erheblich) von der ökonomischen Realität weit entfernen. Indessen werden auch pragmatische Ansätze favorisiert, die die exakten Verfahren dort einsetzen, wo ausreichender Realitätsbezug der Modelle gegeben ist, und heuristische Verfahren (z.B. die → Simulation) in den Fällen verwenden, in denen dies die Problemstellung erfordert.

Die Kontrolltheorie schließt Elemente der Teamtheorie und der → Spieltheorie ebenso ein wie die Theorie → stochastischer Prozesse und die Theorie adaptiver (lernfähiger) Systeme.

Die Modellformen, auf denen die Kontrolltheorie basiert, sind vorwiegend Differential- bzw. Differenzengleichungen. Die Methoden der Kontrolltheorie reichen von der Variationsrechnung über die → dynamische Optimierung bis hin zu numerischen (Näherungs)-Verfahren. Im Sinne der entscheidungsorientierten Betriebswirtschaftslehre stellt die Kontrolltheorie ein Instrument dar, mit dem sowohl die Erklärung als auch die Gestaltung betrieblicher Prozesse unterstützt werden können. Zur Erklärung trägt sie durch analytische Methoden bei, mit denen bestimmte Eigenschaften von Prozessen, z. B. deren Stabilität, beurteilt werden können. Zur Gestaltung liefert sie Entscheidungskalküle (Regelgesetze), z. B. zur Abstimmung von Produktion und Lagerhaltung bei unsicherer Nachfrage, zur gemeinsamen Produktions- und Absatzpolitik oder zur Ermittlung der optimalen Investitions- und Finanzierungsstrategie. Volkswirtschaftliche Fragestellungen, insb. der optimale Einsatz gesamtwirtschaftlicher Steuergrößen (z. B. der Instrumente der Konjunkturpolitik), sind auf der Basis ökonomischer Modelle mit den Methoden der Kontrolltheorie untersucht worden.   *T. F.*

Literatur: *Baetge, J.,* Betriebswirtschaftliche Systemtheorie, Opladen 1974. *Chow, G. C.,* Analysis and Control of Dynamic Economic Systems, New York 1975. *Fischer, Th.,* Kontrolltheoretische Entscheidungsmodelle, Berlin 1982.

Kontrollträger

Personen, Personengruppen bzw. organisatorische Einheiten, die →Kontrollen (→Überwachung, →Prüfung) durchführen. Abhängig von der personellen Zuordnung der Bearbeitungs- und Kontrollaufgaben wird zwischen Selbstkontrolle und Fremdkontrolle unterschieden. Bei der Selbstkontrolle kontrolliert und korrigiert der Bearbeiter auch die Arbeitsergebnisse, bei der Fremdkontrolle werden die Bearbeitung und die Kontrolle der Arbeitsergebnisse von verschiedenen Mitarbeitern ausgeführt (→Funktionstrennung).

Durch *Selbstkontrollen* können unbewußte Fehler, die durch Unachtsamkeit entstanden sind, aufgedeckt und korrigiert werden. Unbewußte Fehler, die auf systematischen Ursachen wie mangelnden Fähigkeiten und fehlerhaften Arbeitsanweisungen beruhen, sowie bewußte Fehler lassen sich dadurch indessen nicht beseitigen. Neben der Korrekturwirkung besitzt die Selbstkontrolle insb. eine Sicherheitswirkung, da der Selbstkontrolleur seine Stärken und Schwächen einzuschätzen lernt, wodurch er lernen und sein persönliches Anspruchsniveau bezüglich der Bearbeitung steigern kann.

Bei intrinsisch motivierten Mitarbeitern, denen Bearbeitung und Kontrolle übertragen werden, lassen sich durch das derart dokumentierte Vertrauen der Unternehmensleitung das Selbstwertgefühl der Betroffenen und ihre Identifikation mit Aufgabe und Unternehmung erhöhen sowie die Anzahl der Fehler infolge erhöhter Aufmerksamkeit künftig vermindern. Die Selbstkontrolle wirkt nur dann voll, wenn sie explizit in den Arbeitsablauf

eingebaut und durch eine – zumindest stichprobenweise – *Fremdkontrolle* unterstützt wird. Falls der Mitarbeiter keine Fremdkontrolle erwartet, steigt das Risiko, daß die Selbstkontrollen seltener und weniger sorgfältig durchgeführt werden.

Fremdkontrollen fördern zudem die Rationalisierung der Arbeitsabläufe und das Streben nach einer möglichst hohen Ausnutzung der Fachkompetenz einzelner Mitarbeiter. Außerdem wirken sie Interessenkonflikten entgegen. Die Fremdkontrolle kann sowohl durch Unternehmensangehörige, z. B. den nächsten Bearbeiter im Arbeitsablauf, als auch von externen Kontrolleuren, z. B. Sachverständigen, ausgeführt werden. Falls die →Überwachung nicht fest in den Arbeitsablauf integriert sein soll und zudem die sachliche und persönliche Unabhängigkeit sowie die Autorität des Überwachungsträgers von besonderer Bedeutung sind, sollte die Überwachung an die →interne Revision delegiert werden. Durch die relativ große persönliche Distanz zwischen Bearbeitern und →Prüfern lassen sich negative, das Arbeitsklima belastende Auswirkungen der Überwachung, wie das Gefühl des Mißtrauens und der Bespitzelung zwischen Vorgesetzten und Untergebenen, weitgehend vermeiden bzw. reduzieren.

Eine besondere Form der hierarchischen Fremdüberwachung ist die *Dienstaufsicht,* d. h. eine Überwachung der fachlichen Leistung und Führung eines Mitarbeiters, an den Verantwortung und Kompetenz delegiert wurden, durch einen Vorgesetzten. Dieser überwacht fallweise, ob die vorgegebenen Normen und Richtlinien einschließlich der Selbstüberwachung durch den Mitarbeiter eingehalten wurden; bei Abweichungen kann er ggf. korrigierend eingreifen. Die Dienstaufsicht hält das aus der Delegation von Verantwortung und Kompetenz resultierende Risiko gering.

Den Fremdkontrollen wird im allgemeinen eine relativ hohe Präventivwirkung (→Kontrollwirkungen) attestiert, da extrinsisch motivierte Mitarbeiter durch Lob bei fehlerfreier Arbeit künftig bewußte Fehler unterlassen und durch höhere Aufmerksamkeit und Sorgfalt bei der Bearbeitung Flüchtigkeitsfehler vermeiden werden. Allerdings kann eine zu starke Fremdkontrolle auch dysfunktionale Wirkungen hervorrufen. Daher sind Selbstkontrolle und Fremdkontrolle zwei sich ergänzende Maßnahmen, um fehlerfreie Arbeitsergebnisse zu gewährleisten. Bei kombinierter Selbst- und Fremdkontrolle hängen →Kontrollorganisation und →Kontrollintensität der Fremdkontrolle von der Effektivität

(→ Kontrollziele) der Selbstkontrolle ab. Mit zunehmender Selbstkontrolle sinkt im allgemeinen die Korrekturwirkung der Fremdkontrolle. Gleichzeitig steigt ihre Bedeutung im Hinblick auf die Gewährleistung einer regelmäßigen Durchführung der Selbstkontrollen und im Hinblick auf die Fehlervermeidung.

W. Kn.

Literatur: *Baetge, J.,* Überwachung, in: Vahlens Kompendium der Betriebswirtschaftslehre, München 1984, S. 160 ff. *Höhn, R.,* Die Dienstaufsicht und ihre Technik, Bad Harzburg 1972. *Thieme, H.-R.,* Verhaltensbeeinflussung durch Kontrolle, Berlin 1982.

Kontrollumfang

wird im betrieblichen Bereich bestimmt durch die unterschiedlichen Arten und den Auswahlsatz von → Istobjekten, die kontrolliert werden, und die Anzahl der kontrollierten Merkmale (→ Kontrollintensität).

Kontrollverfahren → Kontrollmethoden

Kontrollwirkung

Einfluß der Kontrolle auf die kontrollierten Prozesse, Arbeitsergebnisse und Prozeßelemente, wie Korrektur-, Präventiv- und Sicherheitswirkung.

Die Elimination der in den Arbeitsergebnissen festgestellten Fehler wird als *Korrekturwirkung* bezeichnet, d.h. es wird verhindert, daß fehlerhafte Arbeitsergebnisse weitergegeben werden; außerdem werden die Fehlerursachen analysiert und beseitigt, sofern systematische Fehler und damit bestimmbare Fehlerursachen vorliegen. Korrekturwirkungen ergeben sich, wenn der Fehler erkannt und das Bearbeitungsgut berichtigt (oder ausgesondert) wird. Um entstandene Fehler möglichst frühzeitig entdecken und beseitigen zu können, sollten Kontrollen in den Arbeitsablauf eingebaut und nicht lediglich als Endkontrollen vorgesehen werden. Denn durch die Weiterbearbeitung fehlerhafter, u.U. nicht mehr reparabler Elemente kann Arbeitskapazität blockiert werden, ganz abgesehen davon, daß die Korrekturmaßnahmen sehr aufwendig werden, wenn der ursprüngliche Fehler sich nach einer Verzweigung im Arbeitsablauf in zahlreichen Folgefehlern fortpflanzt.

Die *Präventivwirkung* besteht darin, daß das Auftreten von Fehlern verhindert wird. Insbesondere Fremdkontrollen wirken präventiv durch die ihnen eigene personelle Trennung von Bearbeitung und Kontrolle. Der Bearbeiter wird bestrebt sein, sowohl bewußte Fehler, wie Unterschlagungen, als auch unbewußte Fehler zu vermeiden, wenn ihm bekannt ist, daß die Fehler aufgrund einer späteren Kontrolle aufgedeckt und ihm angelastet werden können. Die Präventivwirkung ist nur dauerhaft, wenn die Kontrollergebnisse dem Verursacher mitgeteilt werden, so daß dieser eigene Stärken und Schwächen erkennen und die Wirksamkeit der Kontrollen feststellen kann. Wesentliche organisatorische Maßnahmen, durch die die präventive Wirkung der Kontrolle unterstützt werden kann, sind

● die → Aufgabentrennung, durch die zu gewährleisten ist, daß ein Geschäftsvorfall, z.B. ein Güterverkauf, nicht ausschließlich durch einen Mitarbeiter bearbeitet wird,

● die Beschäftigung vertrauenswürdiger und sachkundiger Mitarbeiter,

● die Dokumentation der geplanten Arbeitsabläufe, um den betrieblichen Abläufen die notwendige Zwangsläufigkeit zu verleihen,

● ein Beleg- und Formularwesen, durch das der Arbeitsablauf strukturiert und ein Nachvollzug der einzelnen Arbeitsablaufschritte ermöglicht werden,

● die Verwendung mechanischer und elektronischer Hilfsmittel, durch die die Mitarbeiter bei der Ausführung von Routinetätigkeiten entlastet werden.

Eine *Sicherheitswirkung* kann sich sowohl beim Kontrollierten als auch beim Kontrolleur bzw. beim Veranlasser der Kontrolle einstellen. Der Kontrollierte erhält Kenntnis über die eigene Leistungsfähigkeit. Informationen über eine gute Aufgabenerfüllung signalisieren die Zufriedenheit des Vorgesetzten und geben dem Kontrollierten Selbstsicherheit. Beim Kontrollierten können die durch Kontrollen ausgelösten Rückkopplungen Änderungen seines künftigen Leistungsverhaltens bewirken. So führen sie nicht selten zu einer Anhebung des persönlichen Anspruchsniveaus, wodurch seine Produktivität, Initiative und Kreativität angehoben werden. Für den Kontrolleur bzw. den Veranlasser der Kontrolle besteht die Sicherheitswirkung darin, daß er Informationen über den Grad der Einhaltung der vorgeschriebenen Regeln und die Qualität der Aufgabenerfüllung, d.h. über die Wahrscheinlichkeit des Auftretens fehlerfreier Arbeitsergebnisse erlangt. Damit erhält er auch wichtige Informationen zur Prognose der künftigen Bearbeitungsqualität.

Neben positiven Wirkungen gibt es auch eine *dysfunktionale Wirkung* von Kontrollen insofern, als der Zielerreichungsgrad reduziert wird. Die Dysfunktionalität resultiert aus der Demotivation des Kontrollierten, wenn Kontrollen nicht als Anreiz, sondern als Bedrohung und Ausdruck des Mißtrauens verstanden werden. Kontrollen wirken kurzfristig dysfunktional, wenn die Kontrollierten sich durch Leistungszurückhaltung, Reservenbildung und Rückdelegation von Verantwortung auf den Vorgesetzten an den → Sollobjekten ausrichten. Dies geschieht, wenn die Aufgabenträger die gestellten Anforderungen nicht erfüllen können. Es entstehen Streß, Ängstlichkeit und Unsicherheit, was die Fehlerhäufigkeit erhöht.

Langfristige dysfunktionale Wirkungen liegen vor, wenn die Planvorgaben (→ Sollobjekte) verringert werden, weil die Fehlerhäufigkeit anwuchs. Die Leistung wird dadurch reduziert. Neben der demotivierenden Wirkung von Kontrollen auf die Kontrollierten kann eine Leistungsreduktion auch durch ungeeignete Kontrollkriterien (→ Kontrollziele) verursacht werden. Rein quantitätsorientierte Outputkontrollen können zu einer Verschwendung der Ressourcen und damit zu Unwirtschaftlichkeit führen, wenn qualitative Aspekte unbeachtet bleiben. Dysfunktionale Wirkungen lassen sich durch sachliche Informationen über festgestellte Abweichungen und durch Festlegung von erreichbaren Sollwerten vermeiden. Außerdem sollten die Kontrollierten an den Kontrollentscheidungen teilhaben. Die Kontrollkriterien sind in der Weise zu formulieren, daß keines der Partialziele der Unternehmung verletzt wird. *W. Kn.*

Literatur: *Baetge, J.*, Kybernetische Kontrollsysteme, in: *Baetge, J./Meffert, H./Schenk, K.-E.* (Hrsg.), Kybernetik und Management. Ein Round Table-Gespräch, Bd. 9 der Schriftenreihe: Wirtschaftskybernetik und Systemanalyse, Berlin 1983, S. 29 ff. *Thieme, H.-R.*, Verhaltensbeeinflussung durch Kontrolle, Berlin 1982.

Kontrollziele

→ Kontrollen (→ Überwachung) sollen sowohl bei originären Prozessen, wie Produktion und Absatz, als auch im Rechnungswesen dazu beitragen, die Unternehmensziele zu erreichen. Sie sollen → Fehler vermeiden (Präventivwirkung), Fehler entdecken, um sie beseitigen zu können (Korrekturwirkung), und über Anzahl und Ausmaß der Fehler informieren, um Vertrauen oder auch Mißtrauen fundieren zu können (Sicherheitswirkung, → Kontrollwirkungen). Fehler können zum einen darin bestehen, daß ein betrieblicher Prozeß nicht in der gewünschten Weise abläuft, zum anderen darin, daß dieser nicht die gewünschten Ergebnisse erbringt. Daher richten sich Kontrollen zum einen auf die Funktionsfähigkeit der Prozesse und zum anderen auf deren Ergebnisse (→ Kontrollarten).

Kontrollen originärer Prozesse sollen neben der relativen Fehlerfreiheit des Ablaufs und der Ergebnisse auch den gewünschten zeitlichen Verlauf der Ergebnisvariablen gewährleisten. Im Rechnungswesen im besonderen sollen Kontrollen den gewünschten organisatorischen Ablauf und die Richtigkeit der durch dieses Instrument gewonnenen Daten sicherstellen und für die Wirtschaftlichkeit der Datenermittlung sorgen.

Kontrollen sind anhand des Wirtschaftlichkeitskriteriums zu messen. Die Durchführung einer Kontrolle ist nur sinnvoll, wenn der dadurch erzielte bewertete Nutzen bzw. die Leistung der Kontrolle größer ist als die durch die Kontrolle verursachten Kosten. Die Leistung einer Kontrolle besteht darin, daß die Kosten bzw. Gewinneinbußen aufgrund verbleibender Fehler reduziert werden. Hiermit sind auch die Fehlerkosten gemeint, die sich aufgrund von absichtlich begangenen Fehlern ergeben, wenn Mitarbeiter im Verlaufe ihrer Tätigkeit Kontrollücken feststellen. Dem stehen die Kosten der Ausführung von Kontrolle und Korrektur gegenüber. Unter alternativen Kontrollmaßnahmen ist gemäß dem Ziel der Gewinnmaximierung jene mit der größten Differenz zwischen Leistung und Kosten zu wählen.

Kontrollmaßnahmen können z. B. mit unterschiedlicher, im Grenzfall stetig variierbarer Intensität ausgeführt werden (→ Kontrollintensität). Typisch sind die in der Abbildung wiedergegebenen Verläufe der Kosten für verbliebene Fehler (K_{vF}) sowie der Kontroll- und Korrekturkosten (K_K) in Abhängigkeit von der Kontrollintensität (vgl. Abb. auf S. 1068). Der Maximierung der Differenz zwischen Leistung und Kosten entspricht die Minimierung der Summe aus Kosten verbleibender Fehler sowie Kontroll- und Korrekturkosten.

Da sich die Präventivwirkung von Kontrollen und die Folgekosten verbliebener Fehler nur sehr schwierig ermitteln lassen, ist es häufig erforderlich, zur Beurteilung von Kontrollmaßnahmen die Zuverlässigkeit, d. h. die relative Fehlerfreiheit des betrachteten Prozesses bzw. der betrachteten Prozeßergebnisse, als Ersatzkriterium für den Gewinn heranzuziehen. Sie läßt sich entweder empirisch feststellen oder rechnerisch ermitteln, wenn die Struktur des Kontrollsystems und die jeweilige Zuverlässigkeit aller Teiltätigkeiten bekannt ist (→ internes Kontrollsystem). So kann beurteilt werden, ob und inwieweit Kontrollen die Zuverlässigkeit erhöhen (→ Kontrollbeitrag). Da die Kosten der Kontrolle und Korrektur leichter zu bestimmen sind als die Folgekosten verbliebener Fehler, bietet sich in vielen Fällen als Auswahlkriterium an, eine vorgegebene, erwünschte Zuverlässigkeit durch die Kontrollmaßnahmen mit minimalen Kosten zu erreichen oder mit einem bestimmten Kostenbudget die Kontrollmaßnahmen zu ermitteln und zu realisieren, mit denen die maximal mögliche Zuverlässigkeit erreicht wird. M. Sa.

Optimale Kontrollintensität

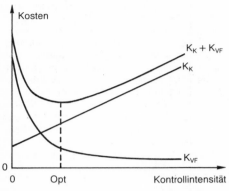

Literatur: *Baetge, J.,* Überwachung, in: Vahlens Kompendium der Betriebswirtschaftslehre, München 1984, S. 160 ff.

Konventionalstrafe

(Vertragsstrafe) eine meist in Geld bestehende Leistung, die der Schuldner für den Fall der Nichterfüllung oder der nicht vertragsgemäßen Erfüllung einer Verbindlichkeit verspricht (§§ 339 ff. BGB), und zwar unabhängig davon, ob dem anderen ein Schaden entstanden ist. Die Vertragsstrafe ist verwirkt (zahlbar) mit dem → Verzug und ist entweder statt oder neben der Erfüllung zu erbringen. Ist sie unverhältnismäßig hoch, kann sie durch Urteil herabgesetzt werden (§ 343 BGB; anders § 348 HGB).

Konvergenztheorie

Der Begriff der Konvergenz ist den Naturwissenschaften und speziell der Biologie entlehnt und bezeichnet die Entwicklung ähnlicher Formen und Verhaltensweisen bei verschiedenen Lebewesen infolge identischer Anpassungszwänge. Übertragen auf die Ebene der Wirtschaftssysteme wird in der Konvergenztheorie die Auffassung vertreten, daß unterschiedlich organisierte Industriegesellschaften mit vergleichbaren Herausforderungen konfrontiert sind und dementsprechend auch ähnliche Lösungen anwenden müssen. Der gleiche Problemdruck bewirke so eine Annäherung der institutionellen, politischen und ökonomischen Strukturen und Strategien. Dabei können verschiedene Grundpositionen unterschieden werden:

- Nach der „echten" Konvergenzvariante bewegen sich die kapitalistische und die sozialistische Ordnung auf ein gemischtes System hin, welches das Optimum aus beiden repräsentiert. Vertreter dieser Position sind *Jan Tinbergen* und *John Kenneth Galbraith.*
- U. a. von *Walt W. Rostow* wird die These vertreten, daß sich die sozialistischen Systeme zwangsläufig an das westliche Ordnungsmodell annähern werden.
- *Joseph A. Schumpeter* spricht vom „Marsch in den Sozialismus", also von der Entwicklung der westlichen Konkurrenzgesellschaften hin zum sozialistischen Gesellschaftsmodell.
- Nach der u. a. von *Peter Wiles* vertretenen „abgeschwächten" Konvergenzthese, gibt es gemeinsame Konvergenztendenzen in einzelnen Bereichen bei gleichzeitig weiterhin existierenden gravierenden Unterschieden.

Gemeinsam ist allen diesen Positionen die Überzeugung, daß der Industrialisierungsprozeß mit seinen Sachzwängen und Eigengesetzlichkeiten die bewegende Ursache für die Konvergenz der politischen, ökonomischen und sozialen Institutionen sei. Losgelöst von dieser Betonung technisch-wirtschaftlicher Sachzwänge ist die Konvergenztheorie Ausdruck einer zeitgebundenen Bewegung, welche die Phase des kalten Krieges überwinden und eine wissenschaftliche Schrittmacherrolle für die Entspannungspolitik der 60er und 70er Jahre spielen wollte. So wird die Dichotomie zwischen privatwirtschaftlichen →Marktwirtschaften und sozialistischen →Zentralverwaltungswirtschaften kritisiert, die durch reale Entwicklungen längst überholt sei.

Für westliche Wirtschaftssysteme wird als charakteristischer Wandel der wachsende Einfluß des staatlichen Sektors in Verbindung mit dem Funktionsverlust des Privateigentums im Zuge der sich ausweitenden →Managerherrschaft hervorgehoben. Für sozialistische Planwirtschaften sei dagegen ein geringerer Einfluß des Partei- und Staatsapparates im Zuge der Dezentralisierung der Planungsbefugnisse mit korrespondierenden Machtzuwächsen der Manager und der vermehrten Nutzung monetärer Hebel und marktwirtschaftlicher Elemente die systemcharakteristische Entwicklungstendenz.

Diese grundlegenden Wandlungsprozesse werden in West und Ost von gleichlaufenden Entwicklungen begleitet:

- Angleichung der Sektoren- und Zweigstruckturen,
- Vordringen der Großbetriebe und der Konzentration,
- Angleichung der Bedürfnisstrukturen und der Konsummuster,
- Ausbau der sozialen Sicherungssysteme,
- Angleichung der wirtschaftspolitischen Ziele und Instrumente.

Kritisch wurde zur Konvergenztheorie vermerkt, daß Ähnlichkeiten fälschlicherweise als Annäherung gedeutet würden, daß die entwicklungstreibende Kraft des Industrialisierungsprozesses im Sinne eines technologischen Determinismus überschätzt werde und daß andere, gewichtigere Triebkräfte des Wandels bzw. der Beharrung unberücksichtigt blieben.   *H. L.*

Literatur: *Knirsch, P.*, Neuere Beiträge zur Konvergenztheorie, in: *Boettcher, E.*, Beiträge zum Vergleich der Wirtschaftssysteme, Berlin 1970, S. 79 ff.

konvergierende Fertigung

(synthetische Fertigung) → Vergenztyp, bei dem mindestens zwei Material- oder Werkstoffarten vereinigt werden. Der Fertigungsprozeß umfaßt z. B. mechanische Montage- oder chemische Synthesevorgänge. In ihm wird aber nur eine Produktart erzeugt.

Konversion → Anleihe, → Industrieobligation

Konversionsfaktor → Treasury Bond Futures

Konvertibilität

von staatlichen Reglementierungen, Vorschriften und Beschränkungen freie, nicht behinderte und nicht begrenzte Umtauschbarkeit einer Währung in fremde Währungen (→ Devisen). Dabei spielt es keine Rolle, ob der freie und ungehinderte Umtausch der betreffenden Währung in Devisen zu einem festen oder flexiblen Wechselkurs erfolgen kann.

Nach älterer Auffassung schloß der Begriff der Konvertibilität neben der freien Umtauschbarkeit einer Währung in eine andere auch die Notwendigkeit der fixierten Umtauschrelation ein. Im → Goldstandard, wie er vor dem Ersten Weltkrieg in den meisten Ländern bestand, bezeichnete der Begriff der Konvertibilität die freie und ungehinderte Umtauschbarkeit der umlaufenden Banknoten (Papiergeld) in Goldmünzen gleichen Nominalwerts oder in Gold zu einem vom Staat fixierten – grundsätzlich unveränderbaren – Preis.

Ist Konvertibilität im eingangs beschriebenen, heutigen Sinne gegeben, so wird die betroffene Währung zu den konvertiblen Währungen gerechnet und oftmals auch als → Hartwährung bezeichnet. Nach dem Ausmaß der Konvertibilität wird noch zwischen Ausländer- und Inländerkonvertibilität unterschieden. Im ersten Falle wird die freie Umtauschbarkeit der inländischen Währung nur ausländischen Wirtschaftssubjekten, sog. Gebietsfremden, zugestanden; im zweiten Falle ist dies auch für inländische Wirtschaftssubjekte, sog. Gebietsansässige, gewährleistet.

Nur konvertible Währungen können im Prinzip Funktionen als → Leitwährung oder → Reservewährung erfüllen. Für den freien internationalen Handelsaustausch und den → internationalen Kapitalverkehr ist Konvertibilität eine grundlegende Voraussetzung. Die D-Mark gehört neben dem US-Dollar, dem Schweizer Franken und seit wenigen Jahren wieder dem £-Sterling zu den wenigen Währungen, die vollständig konvertibel sind.

Daneben gibt es noch weitere konvertible Währungen im Sinne des → Internationalen Währungsfonds (IWF). Das sind die Währungen der Länder, die die Verpflichtungen des Art. VIII des Abkommens von Bretton Woods übernommen haben. Dieser Artikel sieht zur Förderung des internationalen Handels nur die Verpflichtung zur Herstellung der Teilkonvertibilität der Währungen für Transaktionen aus dem internationalen Waren- und Leistungsverkehr vor. Die meisten Mitgliedsländer des IWF, die das Abkommen von Bretton Woods unterzeichnet haben, vor allem die meisten Entwicklungsländer, haben die Verpflichtung des Art. VIII nicht übernommen, sondern machen von Ausnahmeregeln des Art. XIV Gebrauch. Ihre Währungen gelten daher als nichtkonvertibel.   *M. F.*

Konzentration

aus etymologischer Sicht die Gruppierung irgendwelcher Elemente um einen Mittelpunkt. Wird diese allgemeine Definition auf wirtschaftliche Tatbestände übertragen, läßt sich Konzentration als eine Verdichtung von volkswirtschaftlichen Kategorien oder Zusammenballung ökonomischer Größen deuten. Hierbei kann Konzentration zum einen als ein Zustand (Verdichtungsstatus), zum anderen als ein Prozeß (Verdichtungsvorgang) interpretiert werden.

Konzentration wird nicht einheitlich definiert. Vielfach wird das Kriterium des sog. disproportionalen → Unternehmungswachstums verwendet, d. h. einige Unternehmen wachsen überproportional, andere unterproportional, während andere Unternehmen schrumpfen oder gar eingehen. Soweit bei der Begriffsbestimmung auf disproportionales Unternehmungswachstum abgestellt wird, wird Konzentration ausschließlich als Prozeß verstanden (→ Unternehmenskonzentration). Wie Konzentration im einzelnen zu erfassen ist, ist Gegenstand der → Konzentrationsmessung.   K. K.

Literatur: *Schubert, W./Küting, K.,* Unternehmungszusammenschlüsse, München 1981, S. 55 ff.

Konzentrationsgrad

wesentliches Merkmal der → Marktstruktur. Er gibt Aufschluß über die Anzahl der Anbieter (Nachfrager) des jeweils betrachteten → relevanten Marktes und über das Ausmaß, in dem ihre Marktanteile voneinander abweichen. Ein hoher Konzentrationsgrad ist also dadurch gekennzeichnet, daß der Markt nur eine geringe Zahl rechtlich und wirtschaftlich selbständiger Anbieter (Nachfrager) aufweist oder daß die Gruppe der drei, vier, fünf oder sechs bedeutendsten Produzenten (Abnehmer) den größten Teil des Angebots (der Nachfrage) auf sich vereint.

Der Konzentrationsgrad eines Marktes kann grundsätzlich durch eine Vielzahl statistischer Methoden erfaßt werden (→ Konzentrationsmessung); sehr häufig gestatten die verfügbaren Daten jedoch nur die Anwendung einiger dieser Verfahren. Häufig wird der Konzentrationsgrad allein durch sog. Konzentrations-Kennzahlen (Konzentrationsraten, concentration ratios) erfaßt, d.h. es wird für ausgewählte Jahre angegeben, welchen Teil des gesamten Angebots (der gesamten Nachfrage) die Gruppe der drei, vier, fünf oder sechs größten Produzenten (Abnehmer) auf sich vereint.

Im Rahmen von Konzepten des → funktionsfähigen Wettbewerbs wird dem Konzentrationsgrad deswegen eine besondere, ja, nahezu zentrale Rolle zugewiesen, weil vermutet wird, daß er als Indikator für das Bestehen oder Fehlen von Marktmacht wesentlichen Einfluß auf Marktverhalten und Marktergebnis hat. Dabei ist jedoch zu beachten, daß eine wettbewerbstheoretische Würdigung statistisch ermittelter Konzentrationsgrade nur dann brauchbare Resultate erwarten läßt, wenn der relevante Markt zuvor korrekt abgegrenzt wurde, das Moment potentieller Konkurrenz berücksichtigt wird und, wenn man der Tatsache Rechnung trägt, daß ein vorübergehend hoher Konzentrationsgrad („Schumpeter-Monopol") anders zu bewerten ist als ein dauerhaft monopolisierter Markt („Cournot-Monopol").

Für die Bundesrepublik informieren vor allem die Gutachten der → Monopolkommission über den Konzentrationsgrad einzelner Wirtschaftszweige und ausgewählter Märkte.
                                                            H. B.

Konzentrationsmessung

1. Gruppe statistischer Verfahren zur Beschreibung der Aufteilung des gesamten Merkmalsbetrags (Summe aller in einer statistischen Gesamtheit im Umfang von N Merkmalsträgern erfaßten Merkmalswerte) auf die einzelnen Merkmalsträger (statistische Einheiten).

Von *maximaler* Konzentration wird dann gesprochen, wenn der gesamte Merkmalsbetrag nur auf einen einzigen Merkmalsträger entfällt; *minimale* Konzentration liegt dann vor, wenn auf jeden Merkmalsträger ein gleich großer Anteil des gesamten Merkmalsbetrags entfällt.

Von *absoluter* Konzentration ist dann die Rede, wenn ein Großteil des gesamten Merkmalsbetrags auf eine kleine Anzahl von Merkmalsträgern entfällt, von *relativer* Konzentration, wenn ein Großteil des gesamten Merkmalsbetrags auf einen kleinen Anteil der Merkmalsträger entfällt. Wird z.B. ein Produkt von nur zwei Unternehmen mit jeweils gleichem Marktanteil angeboten, so liegt eine hohe absolute, aber eine relative Konzentration von Null vor.

Zur Beurteilung der Höhe der absoluten Konzentration dienen verschiedene Konzentrationsmaße, wie z.B. der Herfindahl-Index.

Zur Beurteilung der Höhe der relativen Konzentration wird häufig die sog. → Lorenz-Kurve herangezogen, bei der auf der Abszisse die kumulierten Anteile der Merkmalsträger und auf der Ordinate die kumulierten Anteile am gesamten Merkmalsbetrag abgetragen werden (vgl. Abb.).

Je höher die Konzentration, desto größer ist die Fläche zwischen der Hauptdiagonalen und der Lorenzkurve.

Der → Gini-Koeffizient, ein Konzentrationsmaß für die relative Konzentration, ist als Quotient der Fläche zwischen der Hauptdiagonalen und der Lorenzkurve und der Dreiecksfläche zwischen der Hauptdiagonalen und den Koordinaten definiert.

2. Die → Konzentration in der Wirtschaft kann grundsätzlich auf drei Ebenen gemessen werden.

● Die sog. *overall concentration* betrachtet Verhältnisse in global umrissenen Wirtschaftsbereichen, wobei die Branchenzugehörigkeit nicht berücksichtigt wird.

● Verfeinernd kann die *Konzentration in be-*

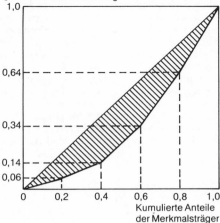

Lorenzkurve

Kumulierte Anteile am
gesamten Merkmalsbetrag

stimmten Wirtschaftszweigen (z.B. Stahl-, Mineralöl-, Textilindustrie) gemessen werden.

● Schließlich sind auch *einzelne Märkte* (→relevante Märkte) zu untersuchen; eine derartige Messung käme wettbewerbsmäßigen Vorstellungen am nächsten, ist aber beträchtlichen Abgrenzungsschwierigkeiten ausgesetzt.

Als Grundlage für die Konzentrationsmessung wird überwiegend der Umsatzerlös verwendet, aber auch die Wertschöpfung, die Beschäftigtenzahl und Kapitalgrößen finden gelegentlich Anwendung.

Die →Monopolkommission verwendet absolute Konzentrationsmaße und weist in ihren Gutachten sowohl für den gesamten industriellen Bereich als auch für einzelne Wirtschaftszweige die Anteile z.B. der größten 3, 6, 10, 25 und 50 Unternehmen am Gesamtumsatz bzw. der Gesamtbeschäftigtenzahl aus. *J. Bl./G. G./K. K.*

Literatur: *Bruckmann, G.*, Konzentrationsmessung, in: *Bleymüller, J./Gehlert, G./Gülicher, H.*, Statistik für Wirtschaftswissenschaftler, 4. Aufl., München 1985. *Schubert, W./Küting, K.*, Unternehmungszusammenschlüsse, München 1981, S. 55ff. *Schenk, H.-O./Tenbrink, H./Zündorf, H.*, Die Konzentration im Handel, Berlin, München 1984.

Konzentrationsrate →Unternehmenskonzentration

Konzentrationsverfahren →nicht-zufällige Auswahl

Konzeptionskontrolle →Kontrollarten

Konzepttest

Test, bei dem die spezifizierte Idee (Konzeption) für ein neues Produkt von Konsumenten beurteilt wird. Die den Testpersonen präsentierte Produktkonzeption sollte das zu entwickelnde Produkt möglichst anschaulich hinsichtlich Funktion und Gestaltung beschreiben. Dies kann in verbaler und u.U. auch in visueller Form geschehen.

Durch den Konzepttest will man in erster Linie prüfen, ob das Konzept aus der Sicht der Konsumenten einen deutlichen Vorteil gegenüber existierenden Produkten bietet und ob ein hinreichendes Nachfragepotential besteht. Weiterhin soll er Hinweise für die Ausgestaltung oder Verbesserung des Konzeptes liefern. Vor seiner Durchführung sollte eine gründliche Überprüfung der technischen und wirtschaftlichen Realisierbarkeit des Konzeptes durch das →Produktmanagement erfolgen.

Konzepttests werden gewöhnlich in einem Teststudio mit etwa 100 Testpersonen durchgeführt. Die Befragung erfolgt in Form von Einzelinterviews oder Gruppendiskussionen. Einzelinterviews sind zwar teurer, bieten aber Vorteile hinsichtlich Standardisierbarkeit der Durchführung und Interpretierbarkeit der Ergebnisse. Erfragt wird, ob und wie gut das Konzept gefällt und ob bzw. mit welcher Wahrscheinlichkeit die Testperson ein derartiges Produkt kaufen würde. Weiterhin wird ermittelt, was an dem Konzept gefällt und was nicht (likes und dislikes). Durch Anwendung geeigneter Methoden wie z.B. der Conjoint Analysis wird versucht, die subjektive Wichtigkeit von Komponenten des Konzeptes zu quantifizieren bzw. eine „optimale" Kombination ihrer Ausprägungen zu finden. *B. E.*

Literatur: *Green, P. E./Tull, D. S.*, Methoden und Techniken der Marketingforschung, Stuttgart 1982. *Wind, Y. J.*, Product Policy: Concepts, Methods, and Strategy, Reading, Mass. 1982.

Konzern

im aktienrechtlichen Sinne die Zusammenfassung von mindestens zwei rechtlich selbständig bleibenden Unternehmen unter einheitlicher Leitung (§ 18 AktG).

Als Unternehmen wird nach herrschender Meinung ein rechtlich und wirtschaftlich selbständiger Betrieb in der Verkehrswirtschaft bezeichnet. Diese Unternehmung kann aus einem Betrieb oder mehreren Gliedbetrieben bestehen, wobei diese ihrerseits wieder rechtlich selbständig oder unselbständig sein können. Eine Unternehmung, deren Gliedbetriebe alle rechtlich unselbständig sind, wird als Einheitsunternehmung oder Einheitsgesellschaft bezeichnet. Setzt sich eine Unternehmung hingegen aus mindestens zwei rechtlich selbständigen Gliedbetrieben zusammen, liegt der Unternehmenstyp des Konzerns vor. Die Tatsache, daß fast 70% des deutschen Aktienkapitals in einem Konzernzusammenhang stehen, verdeutlicht, daß dieser Zusammenschluß in der deutschen Wirtschaftspraxis eine große Bedeutung erlangt hat. Für Großunternehmen ist der Konzern die eindeutig dominierende Strukturform; gleichzeitig stellt er eine der wichtigsten Formen von → Unternehmungszusammenschlüssen dar.

Obwohl der Gesetzgeber die tatsächliche Ausübung der einheitlichen Leitung zu einem konstituierenden Kriterium des Konzernbegriffs erhebt und sich zahlreiche Literaturbeiträge mit dem Phänomen der einheitlichen Leitung beschäftigt haben, konnte bisher weder einhellig noch operational geklärt werden, was man unter ‚einheitlicher Leitung' zu verstehen hat. Der Mindestinhalt kann zwar nach herrschender Meinung darin gesehen werden, daß die Konzernunternehmen im Konfliktfall gegen den Willen der Konzernleitung eigene Zielvorstellungen nicht durchsetzen können. Darüber hinausgehende allgemeingültige Aussagen können hingegen aufgrund kontroverser Ansichten nicht getroffen werden.

Zwischen den unter einheitlicher Leitung stehenden Konzernunternehmen kann ein Über- bzw. Unterordnungsverhältnis und damit ein Abhängigkeitsverhältnis gemäß § 17 AktG bestehen (sog. → Unterordnungskonzern gemäß § 18 Abs. 1 AktG). Ferner können die Unternehmen unter einheitlicher Leitung zusammengefaßt sein, ohne daß ein Abhängigkeitsverhältnis gegeben ist (sog. → Gleichordnungskonzern gemäß § 18 Abs. 2 AktG). Das Gebilde Konzern hat keine eigene Rechtspersönlichkeit, obwohl es real existent ist; es stellt allenfalls ein fiktives rechtliches Gebilde dar. Daraus ergibt sich auch, daß der Konzern weder Aktionäre bzw. Gesellschafter hat noch über eigene Organe (wie z.B. Hauptversammlung, Aufsichtsrat und Vorstand) verfügt. Gesellschafter und eigene Organe haben vielmehr allein die einzelnen rechtlich selbständigen Konzernunternehmen. Darüber hinaus ist der Konzern kein Steuersubjekt; dies sind ebenfalls die rechtlich selbständig bleibenden Konzernunternehmen. Das deutsche Steuerrecht sieht zwar Rechtsinstitute wie die → Organschaft oder das → Schachtelprivileg vor, die der Diskrepanz zwischen wirtschaftlicher und rechtlicher Einheit Rechnung tragen sollen, gleichwohl werden grundsätzlich nur die einzelnen Konzernunternehmen, nicht aber

die Einheit Konzern der Besteuerung unterworfen.

Von der → Verschmelzung (Fusion) unterscheidet sich der Konzern durch die rechtliche Selbständigkeit der einzelnen Konzernunternehmen, während bei der Verschmelzung zumindest ein Unternehmen seine rechtliche Selbständigkeit verliert. Von einem → Kartell unterscheidet sich der Konzern dadurch, daß die Kartellmitglieder nicht unter einheitlicher Leitung im aktienrechtlichen Sinne zusammengefaßt sind; vielmehr schränkt das Kartell die Dispositionsfreiheit der Mitglieder lediglich ein, indem der Einsatz eines oder mehrerer Aktionsparameter mit dem Ziel einer gemeinsamen Zweckerreichung auf das Kartell übertragen wird.   *K. K.*

Literatur: *Schubert, W./Küting, K.*, Unternehmungszusammenschlüsse, München 1981, S. 239 ff.

Konzernabschluß   → Konzernrechnungslegung

Konzernabschlußprüfung

gesetzliche → Pflichtprüfung für → Konzerne und Teilkonzerne, soweit diese zur Aufstellung von Konzernabschlüssen und Konzernlageberichten verpflichtet sind. Der Konzernabschluß ist unter Einbeziehung des Konzernlageberichts durch Konzernabschlußprüfer zu prüfen (§ 316 Abs. 2 HGB, § 14 PublG). Die Konzernabschlußprüfung erstreckt sich auf folgende Teilbereiche:

- Einhaltung der Vorschriften über den Konzernabschluß,
- Konzernlagebericht,
- Einhaltung der → Grundsätze ordnungsmäßiger Buchführung bei in den Konzernabschluß einbezogenen, noch nicht geprüften Abschlüssen.

Über das Ergebnis der Prüfung ist ein schriftlicher → Prüfungsbericht anzufertigen; weiterhin ist über die Erteilung des → Bestätigungsvermerks zu entscheiden.

Literatur: *Adler, H./Düring, W./Schmaltz, K.*, Rechnungslegung und Prüfung der Aktiengesellschaft, Bd. 3, 4. Aufl., Stuttgart 1972. *Klein, G.*, Die Prüfung des Konzernabschlusses und des Konzerngeschäftsberichts nach dem Aktiengesetz 1965, Düsseldorf 1970.

Konzernanhang

Ersatz des Erläuterungsteils des → Konzerngeschäftsberichts gem. §§ 313, 314 HGB. Er erläutert die Positionen der Konzernbilanz sowie den → Konzern-Gewinn- und gibt Angaben zum Beteiligungsbesitz.

Konzernbetriebsrat → Konzernmitbestimmung

Konzernbilanz → Konzernrechnungslegung

Konzernerläuterungsbericht → Konzerngeschäftsbericht

Konzerngeschäftsbericht

Unternehmen, die verpflichtet sind, einen Konzernabschluß aufzustellen, müssen neben Konzernbilanz sowie Gewinn- und Verlustrechnung einen Konzerngeschäftsbericht erstellen. Analog zum → Geschäftsbericht eines Einzelunternehmens (§ 160 AktG, gültig bis 1. 1. 1987) besteht der Konzerngeschäftsbericht aus drei Teilen:
- Bericht über den inländischen Teil des Konzern,
- Konzernlagebericht,
- Konzernerläuterungsbericht.

Der Bericht über den inländischen Teil des Konzerns muß alle inländischen in den Konzernabschluß einbezogenen Unternehmen einzeln aufführen; er grenzt damit den → Konsolidierungskreis ab. Insbesondere sind die Gründe zu nennen, die zu einer Nichteinbeziehung inländischer konsolidierungspflichtiger Konzernunternehmen geführt haben (§ 334 Abs. 1 AktG). Im Konzernlagebericht sind der Geschäftsverlauf und die Lage des Konzerns sowie der einbezogenen Unternehmen darzulegen. Darüber hinaus ist über größere Verluste nicht einbezogener Unternehmen und Vorgänge von besonderer Bedeutung, die nach dem Konzernstichtag eingetreten sind, zu berichten (§ 334 Abs. 2 AktG).

Besondere Bedeutung kommt dem Erläuterungsbericht zu, ohne den der Konzernabschluß nicht sinnvoll interpretiert werden kann. Hierin sind Ausführungen zu den Bewertungsgrundsätzen für die Einzelabschlüsse, den Konsolidierungsmethoden und deren Auswirkungen auf den Konzernerfolg, zu den Ursachen des Konsolidierungsausgleichspostens sowie über Haftungsverhältnisse einschl. der Bestellung von Sicherheiten für Verbindlichkeiten der in den Konzernabschluß einbezogenen Unternehmen zu machen (§ 334 Abs. 3 AktG). Der Konzerngeschäftsbericht wird gemäß Bilanzrichtlinien-Gesetz durch den → Konzernanhang (§§ 313, 314 HGB) und den Konzernlagebericht (§ 315 HGB) ersetzt.   *W. E.*

Konzern-Gewinn- und Verlustrechnung

ergibt sich durch additive Zusammenfassung der → Gewinn- und Verlustrechnungen der einbezogenen Einzelabschlüsse, wobei bestimmte Aufrechnungen und Umgliederungen in Abhängigkeit von den jeweiligen gesetzlich zulässigen Formen der Konzern-Gewinn- und Verlustrechnung vorzunehmen sind. Das Aktiengesetz sieht wahlweise drei Formen der Konzern-Gewinn- und Verlustrechnung vor:
- vollkonsolidierte Gewinn- und Verlustrechnung (§ 332 Abs. 1 Nr. 1, 2. Halbsatz und Nr. 2 AktG),
- teilkonsolidierte Gewinn- und Verlustrechnung (§ 332 Abs. 1 Nr. 1, 1. Halbsatz AktG),
- vollkonsolidierte Gewinn- und Verlustrechnung in vereinfachter Form (§ 333 AktG).

Die vollkonsolidierte Gewinn- und Verlustrechnung ist konsequent am → Einheitsgrundsatz ausgerichtet. Danach sind alle konzerninternen Aufwendungen und Erträge gegeneinander aufzurechnen (→ Zwischengewinneliminierung, → Aufwands- und Ertragskonsolidierung) oder aber dem Ausweis in einem einheitlichen Unternehmen entsprechend umzugliedern. Dies gilt sowohl für die Innenumsatzerlöse als auch für die anderen Erträge und Aufwendungen aus konzerninternen Leistungen und Lieferungen (z.B. Mieterträge und -aufwendungen).

In der teilkonsolidierten Gewinn- und Verlustrechnung entfällt die Innenumsatzkonsolidierung, der Anteil der Innenumsatzerlöse wird nur gesondert angegeben. Damit erübrigen sich auch die Umgliederungen. Die Bestandsveränderungen und aktivierten Eigenleistungen werden daher tendenziell zu niedrig, die mit Innenumsätzen verbundenen Aufwendungen tendenziell zu hoch ausgewiesen. Auf eine Konsolidierung der anderen, nicht in den Innenumsatzerlösen enthaltenen Erträge und Aufwendungen darf jedoch nicht verzichtet werden.

Bei der vollkonsolidierten Gewinn- und Verlustrechnung in vereinfachter Form werden die innerkonzernlichen Aufwendungen und Erträge zwar vollständig aufgerechnet, doch erfolgt dies nicht in gesonderten Konsolidierungsschritten. Da die wichtigsten Positionen, die Doppelzählungen enthalten können, wie Innenumsatzerlöse, Materialaufwand, Bestandsveränderungen, andere aktivierte Eigenleistungen, Lohnaufwand sowie Aufwand für Roh-, Hilfs- und Betriebsstoffe, zu einem Sammelposten zusammengefaßt werden dürfen, erfolgt die Konsolidierung zwangsläufig.

Trotz ihrer gesetzlichen Zulässigkeit sind die teilkonsolidierte Gewinn- und Verlustrechnung, da sie mit dem Einheitsgrundsatz nicht in Einklang steht, und die vollkonsolidierte Gewinn- und Verlustrechnung in vereinfachter Form, da sie nur über eine unzureichende Gliederungstiefe verfügt, zur Vermittlung eines sicheren Einblicks in die Ertragslage eines Konzerns ungeeignet. Deshalb ist nach dem Bilanzrichtlinien-Gesetz auch nur die vollkonsolidierte Gewinn- und Verlustrechnung zulässig (§§ 297 und 300 Abs. 2 HGB).   W. E.

Konzernjahresabschluß   → Konzernrechnungslegung

Konzernlagebericht   → Konzerngeschäftsbericht

Konzernmitbestimmung

weist spezifische Probleme auf, denn im → Konzern muß sichergestellt werden, daß die → Mitbestimmung an dem Ort ansetzt, an dem auch die wesentlichen unternehmerischen Entscheidungen getroffen werden, also im Entscheidungszentrum des Konzerns. Zudem ist zu gewährleisten, daß in niedrigeren Hierarchiestufen verbleibende Entscheidungsfreiräume der Mitbestimmung zugänglich sind. Aus dieser Gegenüberstellung wird der Konflikt zwischen Einheit und Vielheit (→ Konzernverfassung) im Konzern deutlich.
(1) Die Konzernproblematik auf *Unternehmensebene* wird im → Betriebsverfassungsgesetz 1952, im Mitbestimmungsergänzungsgesetz 1956 und im → Mitbestimmungsgesetz 1976 berücksichtigt. Nach dem BetrVG 1952 erfolgt eine Drittelbeteiligung der Arbeitnehmer im Aufsichtsrat der Konzernspitze, wenn diese selbst oder zusammen mit vertraglich beherrschten bzw. eingegliederten Tochtergesellschaften mehr als 500 Arbeitnehmer beschäftigt. Ausschließlich bei Beherrschung einer montanmitbestimmten Gesellschaft auf der Grundlage eines Organschaftsvertrages sieht das MitbestErgG 1956 („Holding-Novelle") in der Spitze eines Montan-Konzernes eine paritätische Mitbestimmung (nach Art der Montan-Mitbestimmung) vor. Dagegen kommt das MitbestG 1976 in → Unterordnungskonzernen jeder Art (faktische und vertragliche Beherrschung) zur Anwendung. Beträgt die Gesamtarbeitnehmerzahl eines solchen Konzerns mehr als 2000 und sind die sonstigen Anwendungsvoraussetzungen des MitbestG 1976 erfüllt, so ist in der Konzernspitze ein paritätisch besetzter Aufsichtsrat einzurichten (§ 5 Abs. 1). An der Wahl der Arbeitnehmervertreter dieses Aufsichtsrats sind alle Beschäftigten des Konzerns aktiv und passiv beteiligt.
Von der Einrichtung eines mitbestimmten

Aufsichtsrates in der Konzernspitze bleibt die Mitbestimmung in den Tochtergesellschaften grundsätzlich unberührt. Lediglich bestimmte Beteiligungsrechte der Konzernspitze gegenüber einer mitbestimmten Tochtergesellschaft bleiben alleine den Anteilseignervertretern im Aufsichtsrat der Obergesellschaft vorbehalten (§ 32 MitbestG), um die befürchtete „Kumulierung" des Mitbestimmungseinflusses der Arbeitnehmer zu vermeiden.
Bleibt die Konzernspitze mitbestimmungsfrei, so werden vom MitbestG 1976 sog. Teilkonzernspitzen fingiert. Dies ist etwa der Fall, wenn die Obergesellschaft als Personengesellschaft firmiert oder ihren Sitz im Ausland hat. Hier gilt dasjenige Unternehmen als Konzernspitze, das in der Konzernhierarchie der Obergesellschaft am nächsten steht und die Anwendungsvoraussetzungen (z. B. Rechtsform) erfüllt (§ 5 Abs. 3). Dort ist dann über die genannten Zurechnungsvorschriften ein mitbestimmter Aufsichtsrat einzurichten.
Wie empirische Befunde zur Konzernmitbestimmung nach dem MitbestG 1976 zeigen, dominiert in der Praxis der Einheitsaspekt: Aufgrund eines nur geringen Mitbestimmungspotentials der Arbeitnehmer in der Spitze und in den Untergesellschaften bleibt der Vorstand der Konzernobergesellschaft relativ autonom. Dies gilt insb. für Unternehmen mit Teilkonzernregelung und hier wiederum besonders stark für mitbestimmte Tochtergesellschaften ausländischer multinationaler Unternehmen.
(2) Auf der *betrieblichen Ebene* besteht nach dem → Betriebsverfassungsgesetz 1972 die Möglichkeit, einen Konzernbetriebsrat einzurichten (§§ 54 ff.). Die Errichtung ist unabhängig von der Art der Konzernierung und der Rechtsform in Unterordnungskonzernen freigestellt; sie erfolgt auf Initiative und durch qualifizierten Mehrheitsbeschluß der Gesamtbetriebsräte der Konzernunternehmen. Die Zuständigkeiten des Konzernbetriebsrates beschränken sich auf solche Angelegenheiten, die mehrere Konzernunternehmen betreffen und nicht in den Zuständigkeitsbereich der jeweiligen Gesamtbetriebsräte fallen. Systematisch gewonnene empirische Befunde zum Konzernbetriebsrat liegen noch nicht vor. Seine wesentliche Bedeutung dürfte in der Ergänzung bzw. Unterstützung der Aufsichtsratsmitbestimmung liegen.   W. Fe.

Literatur: *Richter, B.,* Der mitbestimmte Aktiengesellschaftskonzern, Köln 1983.

Konzernrechnungslegung

Werden rechtlich selbständige Unternehmen unter einheitlicher Leitung zu einem → Kon-

zern zusammengefaßt (§ 18 AktG) oder stehen dem Mutterunternehmen die Mehrheit
der Stimmrechte des Tochterunternehmens zu
(§ 290 HGB), so daß sie ihre wirtschaftliche
Eigenständigkeit einbüßen, verliert der Einzelabschluß dieser Unternehmen erheblich an
Aussagekraft. Durch konzerninterne Verflechtungen und Weisungen des Leitungsor-
gans kann der Einblick in die Vermögens-, Er-
trags- und Finanzlage des Einzelunternehmens erheblich verzerrt werden. Der Einzelabschluß kann daher seiner Informations-
und Zahlungsbemessungsfunktion nicht mehr
gerecht werden (→ Jahresabschluß). Durch
die Konzernrechnungslegung sollen diese
Funktionen wiederhergestellt werden.

Um die Zahlungsbemessungsfunktion für
Anteilsminderheiten sicherzustellen, muß der
Vorstand der abhängigen Gesellschaft einen
Bericht über die Beziehungen der Gesellschaft
zu verbundenen Unternehmen erstellen
(→ Abhängigkeitsbericht), in dem über alle
Maßnahmen, die auf Veranlassung oder im
Interesse der verbundenen Unternehmen getroffen oder unterlassen werden, berichtet
wird, die Vorteile und Nachteile der Maßnahmen erläutert und ein eventueller Nachteils-
ausgleich geregelt werden (§ 312 AktG). Der
Bericht bedarf der Prüfung durch den Abschlußprüfer (§ 313 AktG). Darüber hinaus
kann die Zahlungsbemessungsfunktion auch
durch Unternehmensverträge (Gewinnabfüh-
rung, Teilgewinnabführung, Gewinngemein-
schaft, Betriebspacht, Betriebsüberlassung,
§§ 291, 292 AktG) sichergestellt werden.

Zur Verbesserung der Informationsfunk-
tion der Einzelabschlüsse muß ein Konzernjahresabschluß unter Ausschaltung konzerninterner Beziehungen aufgestellt werden (konsolidierte Bilanz und Gewinn- und Verlustrechnung sowie → Konzerngeschäftsbericht
bzw. → Konzernanhang; §§ 329, 334 AktG,
ab 1990 §§ 297 ff. HGB). Da dieser Abschluß
nicht nur den Einzelabschluß der Obergesellschaft, sondern auch die Einzelabschlüsse der
Untergesellschaften ergänzen soll, ist er dem
→ Einheitsgrundsatz entsprechend zu erstellen. Dadurch ist gesichert, daß Minderheitsge-
sellschaften als gleichberechtigte Mitunternehmer behandelt werden und ihre Informa-
tionsinteressen gewahrt werden. Somit sind gegenseitige konzerninterne Verbindungen vollständig
auszuschalten. Insbesondere sind eine → Kapitalkonsolidierung (Aufrechnung von Beteiligungsbuchwert und anteiligem Eigenkapital),
eine → Schuldenkonsolidierung, eine → Auf-
wands- und Ertragskonsolidierung und eine
→ Zwischengewinneliminierung vorzunehmen (§ 331 AktG, ab 1990 §§ 301–305, 310

bis 312 HGB). Da die Aufrechnungsmetho-
den weder im Aktiengesetz noch im HGB abschließend geregelt sind, müssen Zweifelsfra-
gen mit Hilfe von → Konsolidierungsgrund-
sätzen gelöst werden.

Die Verpflichtung zur Aufstellung und Veröffentlichung eines konsolidierten Abschlusses trifft grundsätzlich das die einheitliche Leitung ausübende bzw. – zusätzlich nach Bilanzrichtlinien-Gesetz – das die Stimmrechtsmehrheit innehabende Unternehmen, sofern
es die Rechtsform einer Aktiengesellschaft
oder Kommanditgesellschaft auf Aktien
(§ 329 Abs. 1 AktG), einer GmbH oder bergrechtlichen Gewerkschaft (§ 28 Abs. 1
EGAktG) hat und sofern mindestens ein Konzernunternehmen die Rechtsform der AG
oder KGaA besitzt (ab 1990 generelle Verpflichtung für Kapitalgesellschaften, sofern
der Konzern die Größenkriterien des § 293
HGB erfüllt) oder aber der Konzern die Größenkriterien des Publizitätsgesetzes (§ 11
Abs. 1 PublG) erfüllt.   *W. E.*

Literatur: *Adler, H./Düring, W./Schmaltz, K.,*
Rechnungslegung und Prüfung der Aktiengesellschaft, Bd. 3, 4. Aufl., Stuttgart 1972. *Busse von
Colbe, W./Ordelheide, D.,* Konzernabschlüsse,
5. Aufl., Wiesbaden 1984. *v. Wysocki, K./Wohlge-
muth, M.,* Konzernrechnungslegung, 3. Aufl., Tübingen 1986.

Konzernverfassung

Der → Konzern wird im Aktiengesetz 1965
als spezifische Teilklasse der dort in § 15 enu-
merierten Arten von „Verbundenen Unternehmen" genannt und ist die in der Wirtschaftspraxis ganz überwiegende Zusammenschlußform von Unternehmen. Je nachdem,
welche Interessenlagen bei der Formulierung
und Durchsetzung der Konzernpolitik Berücksichtigung finden, werden in § 18 AktG
→ Unterordnungskonzerne und → Gleichord-
nungskonzerne unterschieden. Für die Verfassung der typischerweise anzutreffenden Unterordnungskonzerne stellt sich als zentrales Problem das Spannungsfeld zwischen Einheit und
Vielheit. Dies betrifft die Frage, wie nachhaltig
die Untergesellschaften auf die Interessenlage
der konzernführenden Gesellschaft verpflichtet werden (Einheit) bzw. Widerstände bei der
Durchsetzung der Konzernpolitik entwickeln
können (Vielheit). Grundsätzlich werden im
Aktiengesetz Eingliederungs-, Vertrags- und
faktische Konzerne unterschieden.

(1) Konzerne durch → Eingliederung sind ausschließlich der Rechtsform der Aktiengesellschaft vorbehalten und entstehen durch Beschlüsse der Hauptversammlungen der beteiligten Gesellschaften (§§ 319, 320 AktG). Das

prinzipiell unbeschränkte Weisungsrecht des Vorstands der Hauptgesellschaft gegenüber dem Vorstand der eingegliederten Gesellschaft und dessen umfassende Verpflichtung zur Befolgung der Weisungen (§ 323 Abs. 1 AktG) machen das Überwiegen des Einheitsaspekts deutlich. Potentielle Interessenkonflikte können letztendlich immer zugunsten der Hauptgesellschaft gelöst werden.

(2) → Vertragskonzerne entstehen durch Abschluß eines → Beherrschungsvertrags (§ 291 Abs. 1 AktG), der dem geschäftsführenden Organ der Obergesellschaft ebenfalls ein Weisungsrecht gegenüber dem Vorstand des abhängigen Unternehmens einräumt (§ 308 AktG). Auch hier läßt sich im Konfliktfall der Wille der Obergesellschaft durchsetzen.

(3) Faktische Konzerne zeichnen sich durch das Fehlen eines rechtlich legitimierten Weisungsrechts aus. Die konzernstiftende einheitliche Leitung muß hier über andere Instrumente hergestellt und abgesichert werden. Im Regelfall bedient man sich dabei der aus der Mehrheitsbeteiligung resultierenden Möglichkeit, personelle Verflechtungen aufzubauen. Wegen der Schutzbestimmungen der §§ 311 ff. AktG stellt die Besetzung von Schlüsselpositionen der Untergesellschaft mit Organmitgliedern der Obergesellschaft das entscheidende Instrument der Konzernführung dar. Typischerweise nehmen dabei Mitglieder der Geschäftsführung des herrschenden Unternehmens Positionen im geschäftsführenden und/oder Kontrollorgan (Aufsichtsrat) der Untergesellschaft ein.   *B. R.*

Literatur: *Emmerich, V./Sonnenschein, J.,* Konzernrecht, 2. Aufl., München 1977. *Hommelhoff, P.,* Die Konzernleitungspflicht, Köln u. a. 1982. *Richter, B.,* Der mitbestimmte Aktiengesellschaftskonzern, Köln 1983.

Konzertierte Aktion

abgestimmtes Verhalten auf der Grundlage von → Orientierungsdaten gemäß § 3 Stabilitätsgesetz (StabG) zwischen den für die → Stabilitätspolitik verantwortlichen politischen Instanzen einerseits und den Gewerkschaften und Unternehmensverbänden andererseits zur Abwehr gesamtwirtschaftlicher Störungen, insb. im Bereich der Einkommensentstehung (→ Einkommenspolitik). Ferner versteht man unter Konzertierter Aktion das dazu institutionalisierte Gesprächsforum.

Ordnungspolitisch war die Konzertierte Aktion umstritten: Einerseits wurde befürchtet, daß Lohn- und Preisentscheidungen von der Markt- in die Politikebene transponiert würden und daß Gewerkschaften und Verbände politische Macht usurpierten, anderer-

seits wurde allgemeine Verständigung zwischen Regierung und den wirtschaftlichen Machtgruppen als Voraussetzung für die Realisierung der → Zielprojektionen angesehen. Aus der Sicht des Parlaments wurde die Entstehung einer Art Nebenregierung in der Form eines Bundeswirtschaftsrats befürchtet. Die Praxis hat weder die Hoffnungen noch die Befürchtungen bestätigt.

Bis 1969 entsprachen Tariflohnpolitik und Zielprojektionen einander. Die Tariflohnabschlüsse waren so maßvoll, daß die → Effektivlöhne deutlich stärker als die → Tariflöhne stiegen (→ wage drift). Wegen der offenen außenwirtschaftlichen Flanke hatte die Bundesregierung die konjunkturelle Entwicklung nicht mehr unter Kontrolle. Die Arbeitnehmer konnten durch wilde Streiks merkliche Lohnaufbesserungen erzwingen. Daraufhin haben die Gewerkschaften, um ihren „Gesichtsverlust" wieder wettzumachen, seit 1970 aggressiv verhandelt und mehrere Jahre hintereinander sehr hohe Lohnforderungen durchsetzen können. Orientierungsdaten und tatsächliche Entwicklung klafften weit auseinander.

Die „Konzertierte Aktion" war bloß noch eine Institution des unverbindlichen Meinungsaustausches, zumal die Teilnehmerzahl so zugenommen hatte („Dabeizusein" war Statussymbol), daß ein intensiver Meinungsaustausch nicht mehr möglich war. Die Aufkündigung der Teilnahme an der Konzertierten Aktion durch die Gewerkschaften anläßlich der Mitbestimmungsklage der Arbeitgeberverbände vor dem Bundesverfassungsgericht war bloß noch ein gewissermaßen notarieller Schlußstrich. Nach den Streiks und den z. T. massiven Ausschreitungen im Arbeitskampf in der Metall- und Druckindustrie um die Arbeitszeitverkürzung wurde eine Reaktivierung der Konzertierten Aktion als Gesprächsforum empfohlen.   *J. St.*

Literatur: *Hoppmann, E.* (Hrsg.), Konzertierte Aktion – Kritische Beiträge zu einem Experiment, Frankfurt a. M. 1971. *Schlecht, O.,* Konzertierte Aktion als Instrument der Wirtschaftspolitik, Walter Eucken Institut, Vorträge und Aufsätze 21, Tübingen 1968.

Konzertierte Aktion im Gesundheitswesen

wurde durch das Krankenversicherungs-Kostendämpfungsgesetz (KVKG) (§ 405a RVO) vom 27. 6. 1977 eingeführt. Sie konstituierte sich im November 1977 und trat im März 1978 zur ersten Arbeitssitzung zusammen. Die Idee der Konzertierten Aktion geht auf die bilateralen Verhandlungen zwischen der Kassenärztlichen Bundesvereinigung und den Spitzenverbänden der Krankenkassen im Jah-

re 1978 zurück, in denen unter dem Eindruck
der Kostenexplosion im Gesundheitswesen in
den Jahren 1970 bis 1976 gemeinsame Empfehlungen für die Gesamtvergütung der Ärzte
vereinbart wurden. Weitere Regelungen für
die Konzertierte Aktion ergaben sich 1982 im
Zusammenhang mit dem Kostendämpfungs-
Ergänzungsgesetz (KVEG) und dem Kranken-
haus-Kostendämpfungsgesetz (KHKG) vom
22. 12. 1981.

Ziel der Konzertierten Aktion im Gesundheitswesen sind die Stabilisierung der Kostenentwicklung und die Gewährleistung langfristig stabiler Beitragssätze für die gesetzlichen
Krankenkassen im Sinne des Konzeptes der
„einnahmenorientierten Ausgabenpolitik“.
Die Konzertierte Aktion steht unter dem Vorsitz des Bundesministers für Arbeit und Sozialordnung und umfaßt die wichtigsten Re-
präsentanten der unmittelbar und mittelbar
am Gesundheitswesen beteiligten Gruppen
(§ 405 a Abs. 2 (2) RVO). Ihnen wird die Aufgabe übertragen, „mit dem Ziel einer den
Stand der medizinischen Wissenschaft berücksichtigenden bedarfsgerechten Versorgung und einer ausgewogenen Verteilung der
Belastungen gemeinsam
• medizinische und wirtschaftliche Orientierungsdaten und
• Vorschläge zur Rationalisierung, Erhöhung
  der Effektivität und Effizienz im Gesundheitswesen (zu entwickeln) und diese miteinander ab-(zustimmen)“ (§ 405 a Abs. 1
  RVO).

Zur Steuerung der Ausgabenentwicklung
tritt die Konzertierte Aktion einmal jährlich in
der „Frühjahrssitzung“ bis zum 31. März zusammen, um Empfehlungen über die von den
Kassen an die Kassenärztlichen Vereinigungen zu zahlenden Gesamtvergütungen (Hono-
rarempfehlung, § 368 f Abs. 3, 4 RVO) und
die zwischen den Krankenkassen und den
Verbänden der Kassenärzte zu vereinbaren-
den Höchstbeträge für Arzneimittel und Heilmittel (Arznei- und Heilmittelhöchstbetrag,
§ 368 f Abs. 6, 7 RVO) zu erarbeiten. Die
Empfehlungsvereinbarungen erhalten ihre
rechtlich bindende Wirkung für die Beteiligten, die der Vereinbarung zugestimmt haben,
und sind bei den Vertragsverhandlungen zwischen Kassen und Kassenärztlichen Vereinigungen (meist auf Landesebene) in „angemessener“ Weise zu berücksichtigen (§ 368 f
RVO). Der kostenträchtigste Bereich der Gesundheitsversorgung, der Krankenhaussektor,
ist zwar mit Inkrafttreten des KHKG am 1. 7.
1982 ausdrücklich in die Konzertierte Aktion
einbezogen, allerdings hat weiterhin das
Selbstkostendeckungsprinzip Vorrang vor

den Empfehlungen der Konzertierten Aktion
(§ 405 a Abs. 2 RVO) (→ Krankenhausfinanzierung).

Die Steuerbarkeit der einzelnen Gesund-
heitsbereiche durch die Konzertierte Aktion
hängt davon ab, inwieweit in den verschiedenen Teilbereichen die Rahmenvereinbarungen
durchgesetzt werden können. Der Eingriffs-
möglichkeit der Kassenärztlichen Vereinigungen hinsichtlich der Preiskomponente der am-
bulanten (zahn-)ärztlichen Versorgung steht
dabei eine begrenzte Einflußnahme auf die
Menge der (zahn-)ärztlichen Leistungen und
Verordnungen gegenüber. Preisfestsetzungen
im Bereich der Arzneimittel sind kartellrecht-
liche Bedenken entgegenzubringen, während
sich der Krankenhaussektor grundsätzlich der
Globalsteuerung durch die Konzertierte Aktion entzieht.

Die Sitzungen der Konzertierten Aktion im
Herbst jeden Jahres dienen der Erörterung der
Strukturprobleme des Gesundheitswesens
und der Abstimmung von Empfehlungen sowie der Erarbeitung von Vorschlägen zur Rationalisierung sowie zur Erhöhung der Effektivität und Effizienz des Gesundheitswesens.

K.-D. H.

Literatur: *Watrin, Ch.,* Konzertierte Aktionen, in:
HdWW, Bd. 9 Stuttgart u. a. 1982, S. 782 ff. *Behrens, C./Henke, K.-D./Heuser, M. R./Robra, B.-P./
Schwartz, F. W.,* Analyse der Ausgabenentwicklung
in der GKV in den Jahren 1970 bis 1980 im Hinblick auf die Formulierung „Medizinischer Orientierungsdaten“ für die Konzertierte Aktion im Gesundheitswesen, Köln 1983.

Konzession

vielfach eine besondere behördliche Erlaubnis, insb. zur Aufnahme bestimmter gewerblicher Tätigkeiten (z. B. Güterfernverkehrsge-
nehmigung).

In sog. Konzessionsverträgen (§ 103 I Nr. 2
GWB) binden sich Gebietskörperschaften da-
hingehend, daß nur einem bestimmten Versorgungsunternehmen gestattet wird, in ihren
öffentlichen Wegen Leitungen zu verlegen.

Konzessionierung → Tarifpolitik, → Güter-
kraftverkehrsgesetz

Kooperation

(1) in der weitesten Form jede Art der Zusammenarbeit zwischen am Wirtschaftsleben beteiligten Personen und Institutionen. Somit
umfaßt der Begriff Kooperation praktisch jede Form von →Unternehmungszusam-
menschlüssen.
(2) Etwas enger ist darunter eine Funktions-
koordinierung oder -ausgliederung zwischen

mindestens zwei rechtlich und wirtschaftlich selbständigen Unternehmen zu verstehen. Die Selbständigkeit der beteiligten Unternehmen soll damit trotz eines Verzichts auf einige vertraglich vereinbarte Handlungsalternativen erhalten bleiben. Deswegen fällt z. B. die Zusammenarbeit zwischen Unternehmen desselben Konzerns nicht darunter. Der Tatbestand der Kooperation ist nicht an der rechtlichen Zulässigkeit ausgerichtet und unabhängig davon gegeben, ob die Zusammenarbeit auf mündlicher, kapital- oder finanzwirtschaftlicher Grundlage erfolgt.

(3) Oft ist der Begriff einer unternehmerischen Zusammenarbeit vorbehalten, die sich vorrangig zwischen mittelständischen Unternehmen vollzieht. Die Wettbewerbspolitik in der Bundesrepublik sieht in der leistungssteigernden Kooperation zwischen kleinen und mittleren Unternehmen ein wesentliches Mittel zur Sicherung und Fortentwicklung wettbewerblicher Marktstrukturen. Das wettbewerbspolitische Leitbild für die Kooperation wird vor allem vom Gedanken des strukturellen Nachteilsausgleichs für kleine und mittlere Unternehmen, d. h. von Vorteilen, die große Unternehmen nur kraft ihrer Größe besitzen, bestimmt. Insofern kann die Kooperation kleiner und mittlerer Unternehmen auch als Instrument der gegengewichtigen Marktmacht (→ Gegenmachtprinzip) im Verhältnis zu den Großunternehmungen betrachtet werden (→ Kooperationskartell).										K. K.

Literatur: *Schubert, W./Küting, K.,* Unternehmungszusammenschlüsse, München 1981, S. 118 ff. *Tietz, B./Mathieu, G.,* Das Kontraktmarketing als Kooperationsmodell, Köln 1979, S. 9 f.

Kooperationsdarlehen

Gewährung von Darlehen aus dem ERP-Sondervermögen für Investitionsvorhaben zwischenbetrieblicher Zusammenarbeit, die richtungsweisend für weitere Kooperationsvorhaben sind (→ Industriefinanzierungspolitik). Die Darlehen sind bestimmt für die Schaffung oder Erweiterung von Gemeinschaftseinrichtungen und andere Formen zwischenbetrieblicher Zusammenarbeit, die unter Wahrung der unternehmerischen Selbständigkeit einzelne betriebliche Funktionen der beteiligten Unternehmen gemeinsam wahrnehmen und so deren Leistungskraft steigern. Antragsberechtigt sind kleine und mittlere Unternehmen der gewerblichen Wirtschaft.

Kooperationskartell

Gegenstand des Kartellvertrages ist nach der Legaldefinition des § 5 b GWB die Rationalisierung wirtschaftlicher Vorgänge durch zwischenbetriebliche Zusammenarbeit anderer als im § 5 a GWB (→ Spezialisierungskartell) bezeichneter Art.

Kooperationskartelle sind vom → Kartellverbot des § 1 GWB freigestellt, wenn die Legaldefinition erfüllt ist. Der Wettbewerb darf durch die Kartellvereinbarung nicht wesentlich beeinträchtigt werden; ferner muß diese dazu dienen, die Leistungsfähigkeit kleinerer oder mittlerer Unternehmen zu fördern.

Kleineren und mittleren Unternehmen soll durch die Vorschrift des § 5 b GWB die Möglichkeit eröffnet werden, ihre Leistungsfähigkeit durch Kooperation zu steigern, um im Wettbewerb mit Großunternehmen bestehen zu können. Ein durch Kooperation erlangtes höheres Maß an Wettbewerbsfähigkeit soll die Voraussetzungen für einen dauerhaft wirksamen Wettbewerb vor allem auf solchen Märkten verbessern, die durch erhebliche Größenunterschiede zwischen den einzelnen Anbietern gekennzeichnet sind.										H. B.

Literatur: *Emmerich, V.,* Kartellrecht, 4. Aufl., München 1982.

Koordination

Abstimmung von Strukturen, Prozessen, Terminen, Zielen, Maßnahmen, Regelungen etc. aufeinander, zumeist im Sinne einer Harmonisierung. Werden die Koordinationsaufgaben nicht von einer Einzelperson, sondern von einer Gruppe wahrgenommen, spricht man von → Teamkoordination.

Koordinationsfunktion → Preisfunktionen

Koordinationsinstrumente

Möglichkeiten zur Verminderung des Koordinationsbedarfs in Organisationen, soweit dieser nicht teilweise schon durch informale Selbstabstimmung zwischen den beteiligten Organisationsmitgliedern abgebaut ist (→ informale Organisation). Koordinationsinstrumente sind formale, d. h. offiziell vorgesehene Selbstabstimmung (Teamorganisation), persönliche Weisungen (→ Hierarchie), Pläne und/oder → Verfahrensrichtlinien.										T. S.

Literatur: *Galbraith, J. R.,* Designing Complex Organizations, Reading u. a. 1973. *Kieser, A./Kubicek, H.,* Organisation, 2. Aufl., Berlin, New York 1983.

Kopfsteuer

(lump-sum tax, Pauschalsteuer) Alle Bürger zahlen den gleichen Steuerbetrag. Die Steuer knüpft an äußere Merkmale des Steuerpflichtigen (z. B. Bürgereigenschaft, Wohnort) an und läßt wirtschaftliche Verhältnisse und damit die steuerliche Leistungsfähigkeit (→ Leistungsfähigkeitsprinzip) außer acht.

In der Theorie der → optimalen Besteuerung gilt sie als ideale Steuer, weil von ihr keine Substitutionseffekte ausgehen, d. h. die Entscheidungen der Wirtschaftssubjekte zwischen einzelnen Gütern, zwischen Arbeit und Freizeit, zwischen Konsum und Sparen werden durch die Erhebung einer Kopfsteuer nicht beeinflußt. Die Kopfsteuer gilt auf der anderen Seite als ungerecht: Mit einer Besteuerung nach der Leistungsfähigkeit ist sie in keinem Fall zu vereinbaren; der Besteuerung nach dem → Äquivalenzprinzip würde sie nur dann entsprechen, wenn alle Bürger öffentliche Leistungen in gleichem Umfang nutzen würden und der Grenznutzen des Einkommens für alle Wirtschaftssubjekte gleich und konstant wäre.

Koppelproduktion → Kuppelproduktion

Koppelungsvereinbarung

verpflichtet beim Kauf gewünschter Produkte zur Abnahme auch anderer Erzeugnisse eines marktbeherrschenden Anbieters, der dadurch die Möglichkeit erhält, weniger bedarfsgerechten Teilen seines Sortiments zum Erfolg zu verhelfen und neue Artikel zu besonders günstigen Konditionen in den Markt einzuführen. Die Wettbewerbsposition marktschwächerer konkurrierender Unternehmen wird dadurch beeinträchtigt (→ Behinderungsmißbrauch). Zudem werden → Marktzutrittsschranken begründet und Abnehmer in ihrer Handlungsfreiheit eingeschränkt.

Koprodukt → Kuppelproduktion

Korbbindung

Hierdurch wird die → Parität oder der → Leitkurs einer Währung nicht in einer einzigen anderen Währung (oder in Gold) festgelegt, sondern in einem Wertäquivalent eines sog. Währungskorbes, der sich aus mehreren Währungen zusammensetzt, wobei die Zusammensetzung und das Gewicht der einzelnen Währungen im Korb offen sein können. Durch Umrechnung über die jeweiligen Wechselkurse kann der Wert der insgesamt im Währungskorb vertretenen Währungen jeweils in jeder dieser Währungen oder in anderen Währungen ausgedrückt werden.

Derzeit existieren zwei bedeutende internationale Rechneneinheiten, deren Wert durch eine Korbbindung bestimmt ist: die → Sonderziehungsrechte (SZR) und die → Europäische Währungseinheit (ECU oder EWE). So sind z. B. die Leitkurse der am → Europäischen Währungssystem (EWS) beteiligten Währungen in ECU (EWE) festgesetzt. Einige Mitgliedsländer des → Internationalen Währungsfonds haben von der Möglichkeit Gebrauch gemacht, die Parität ihrer Währungen in SZR zu fixieren; andere haben die Bindung an andere, z. T. unterschiedliche Währungskörbe gewählt.   *M. F.*

Korbwährung → Währung

Korporatismus → Verbandspluralismus

Korrelationsanalyse

bekanntes Verfahren der → multivariaten Analyse zur Analyse des Zusammenhangs zwischen zwei oder mehr als zwei statistischen Merkmalen oder Variablen. Dabei sind, im Gegensatz z. B. zur → Regressionsanalyse, keine Annahmen über die Richtung des Kausalzusammenhangs zwischen den Variablen notwendig.

Die Korrelationsanalyse im engeren Sinne basiert auf dem Produktmomentkorrelationskoeffizienten (Korrelationskoeffizient nach *Bravais-Pearson*), der die Stärke des linearen Zusammenhangs zwischen zwei metrisch skalierten Variablen X und Y angibt (→ Skala). Liegt eine Stichprobe von n Wertepaaren (x_i, y_i) $(i = 1, \ldots, n)$ vor, dann ist dieser Korrelationskoeffizient als

$$r = \frac{\sum\limits_{j=1}^{n}(x_i - \bar{x})(y_i - \bar{y})}{\sqrt{\sum\limits_{j=1}^{n}(x_i - \bar{x})^2}\ \sqrt{\sum\limits_{j=1}^{n}(y_i - \bar{y})^2}}$$

definiert, wobei $\bar{x} = \frac{1}{n}\sum\limits_{i=1}^{n}x_i$ und $\bar{y} = \frac{1}{n}\sum\limits_{i=1}^{n}y_i$ die → arithmetischen Mittel der beiden Variablen angeben.

r kann Werte von -1 bis $+1$ annehmen, wobei bei $r = -1$ von vollständigem negativen linearen Zusammenhang und bei $r = +1$ von vollständigem positiven linearen Zusammenhang gesprochen wird. Ist $r = 0$, liegt kein linearer Zusammenhang vor.

Korrelationsanalyse im weiteren Sinne kann bei nicht metrischen oder gemischtskalierten Variablen angewandt werden. Je nach Art der vorliegenden Skalenniveaus gibt es eine Reihe von geeigneten Korrelationskoeffizienten zur Messung der Stärke des Zusammenhangs.

Die Zusammenstellung aller Korrelationskoeffizienten r_{jk} zwischen den Variablen X_j

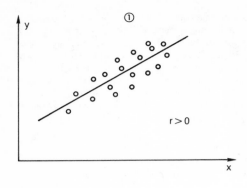

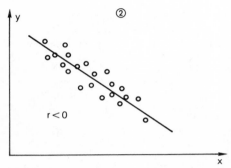

und X_k (j = 1, 2, ..., p; k = 1, 2, ..., p) in Form einer Matrix heißt Korrelationsmatrix **R**; sie ist symmetrisch und die Elemente auf der Hauptdiagonalen (Selbstkorrelationen) besitzen den Wert 1:

$$\mathbf{R} = \begin{bmatrix} 1 & r_{12} & \dots & r_{1p} \\ r_{21} & 1 & \dots & r_{2p} \\ \vdots & \vdots & \vdots\vdots\vdots & \vdots \\ r_{p1} & r_{p2} & \dots & 1 \end{bmatrix}$$

Bei der linearen Mehrfachregression (→ Regressionsanalyse) wird der lineare multiple Korrelationskoeffizient zur Messung der Stärke des Zusammenhanges zwischen der abhängigen Variablen Y und den unabhängigen Variablen X_j (j = 2, 3, ..., k) verwendet. Er ist als Absolutwert der Quadratwurzel aus dem multiplen → Bestimmtheitsmaß definiert. Ein weiteres Korrelationsmaß bei linearen Mehrfachregressionen ist der lineare partielle Korrelationskoeffizient; er ist die Quadratwurzel aus dem linearen partiellen Bestimmtheitsmaß. *J. Bl./G. G.*

Literatur: *Bleymüller, J./Gehlert, G./Gülicher, H.,* Statistik für Wirtschaftswissenschaftler, 4. Aufl., München 1985. *Böcker, F.,* Korrelationskoeffizienten, in: WiSt, 7. Jg. (1978), S. 379 ff.

Kosten

bewerteter Verzehr von → Produktionsfaktoren und Dienstleistungen (einschl. öffentlicher Abgaben), der zur Erstellung und zum Absatz der betrieblichen Leistungen sowie zur Aufrechterhaltung der Betriebsbereitschaft (Kapazität) erforderlich ist. Dieser sog. wertmäßige Kostenbegriff, der auf *Eugen Schmalenbach* zurückgeht, ist heute in der → Kostentheorie und in der praktischen → Kostenrechnung vorherrschend. Er ist durch drei Merkmale gekennzeichnet:

● Es muß ein *Güterverzehr* vorliegen. Langlebige Gebrauchsgüter z.B. führen bei ihrer Anschaffung zu Ausgaben und erst beim „Verzehr" des in ihnen vorhandenen Nutzungsvorrates im Laufe der Zeit zu Kosten. Auch immaterielle Güter können verzehrt werden, wie z.B. ein Patentschutz im Laufe der Zeit. Kapital z.B. kann als Verfügungspotential über Güter betrachtet werden; der Preis dieses Verfügungsrechts ist der Zins.

● Der Güterverzehr muß *leistungsbezogen* sein. Bei einer Spende an das Rote Kreuz z.B. ist das nicht der Fall, deshalb liegen auch keine Kosten, sondern neutrale Aufwendungen vor.

● Der Güterverzehr muß *bewertet* sein, da anderenfalls die verschiedenen Produktionsfaktorarten nicht ‚unter einen Hut gebracht' werden können. Welche Arten von Preisen für die Bewertung herangezogen werden, hängt vom jeweiligen Zweck der Bewertung ab. Man kennt die Bewertung zu Anschaffungs-, Wiederbeschaffungs-, Tages-, Börsen-, Durchschnitts-, Verrechnungs- oder Knappheitspreisen (Schattenpreisen, Lenkungspreisen).

Andere → Kostenbegriffe sind z.B. der pagatorische Kostenbegriff von *Helmut Koch,* wonach als Kosten nur die mit der Leistungserstellung verbundenen Auszahlungen angesehen werden, oder der realwirtschaftliche Kostenbegriff von *Erich Schneider,* wonach nur ein Verbrauch an Realgütern zu Kosten führt, während z.B. Zinsen sog. „Als-ob-Kosten" darstellen.

Die gesamten Kosten einer Abrechnungsperiode lassen sich nach den verschiedensten Gesichtspunkten einteilen. Die wichtigsten Einteilungsmöglichkeiten, die allerdings für die Kostenartenrechnung nicht alle gleich bedeutsam sind, seien im folgenden aufgezählt: (1) Verwendet man als Gliederungskriterium die *Art der verbrauchten Produktionsfaktoren,* so erhält man folgende Einteilung: → Personalkosten, → Werkstoffkosten, Betriebsmittelkosten (insb. → kalkulatorische Abschreibungen und →kalkulatorische Zinsen), →Dienstleistungskosten (inkl. öffentlicher Abgaben). Diese Gruppen lassen sich noch weiter auffächern.

(2) Nach den *betrieblichen Funktionen* unterteilen sich die Kosten in →Beschaffungskosten, Fertigungskosten, →Vertriebskosten und Verwaltungskosten.

Diese Einteilung stimmt bei weiterer Differenzierung mit der Verteilung der Kosten auf die →Kostenstellen überein.

(3) Nach der *Art der Verrechnung* der Kosten auf die betrieblichen Leistungen (und gelegentlich auch auf die Kostenstellen) gliedert man in →Einzel- und Gemeinkosten.

(4) Die Gliederung der Kosten nach ihrem *Verhalten bei Beschäftigungsschwankungen* führt zu den →Fixkosten und →variablen Kosten in ihren verschiedenen Ausprägungen.

Für die Beziehungen zwischen Einzel- und Gemeinkosten einerseits sowie fixen und variablen Kosten andererseits gilt: Da Einzelkosten durch ein Stück verursacht sind, zählen sie eindeutig zu den variablen Kosten, denn sie würden nicht anfallen, wenn dieses Stück nicht produziert würde. Eine ebenso eindeutige Aussage ist für die Gemeinkosten nicht möglich; sie können als nicht direkt zurechenbare Kosten sowohl variabel als auch fix sein. In umgekehrter Richtung läßt sich aber eindeutig feststellen, daß fixe Kosten immer Gemeinkosten sein müssen, denn sie werden nicht durch eine einzelne Leistung, sondern durch die Aufrechterhaltung der Betriebsbereitschaft verursacht (vgl. Abb.).

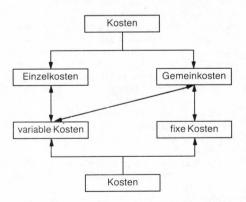

(5) Nach der *Art der Kostenerfassung* unterscheidet man aufwandgleiche Kosten und →kalkulatorische Kosten. Die aufwandgleichen Kosten, die im Normalfall den größten Teil der Kosten ausmachen, stimmen mit den entsprechenden Zahlen der Finanzbuchhaltung überein. Die kalkulatorischen Kosten dagegen werden eigens für Zwecke der Kostenrechnung ermittelt.

(6) Nach der *Art der Herkunft der Kostengüter* unterscheidet man →primäre und →sekundäre Kosten.

(7) Auch nach →*Kostenträgern* (oder Kostenträgergruppen) kann man die Gesamtkosten gliedern: Kosten des Produkts 1, Kosten des Produkts 2 usw. Diese Einteilung ist erst nach Durchführung der Kostenträgerrechnung möglich.   *L. H.*

Literatur: *Haberstock, L.,* Kostenrechnung I, Einführung, 7. Aufl., Hamburg 1985. *Haberstock, L.,* Kostenrechnung II, (Grenz-)Plankostenrechnung, 7. Aufl., Hamburg 1986. *Haberstock, L,* Grundzüge der Kosten- und Erfolgsrechnung, 4. Aufl., München 1987.

Kostenäquivalenz → Äquivalenzprinzip

Kostenartenrechnung

steht am Anfang der laufenden →Kostenrechnung und dient der Erfassung und Gliederung aller im Laufe der jeweiligen Abrechnungsperiode angefallenen Kostenarten. Ihre Fragestellung lautet: Welche Kosten sind angefallen? Es handelt sich also bei der Kostenartenrechnung gar nicht um eine besondere Art von Rechnung, sondern lediglich um die geordnete Erfassung der Kosten. Diese Erfassung wird in Zusammenarbeit mit der Finanzbuchhaltung, der Lohn- und Gehaltsabrechnung, der Materialabrechnung und der Anlagenabrechnung vorgenommen.

Bei der Gliederung der →Kosten für die Kostenartenrechnung stellt man in erster Linie auf die Art der verbrauchten Produktionsfaktoren ab und gelangt zu den

- →Personalkosten,
- →Werkstoffkosten,
- →Dienstleistungskosten,
- →kalkulatorischen Kosten.

Erst in zweiter Linie werden andere Gliederungskriterien wie z.B. die Verrechnungsart der Kosten (→Einzel- und Gemeinkosten) oder die Einteilung des Betriebes in →Kostenstellen herangezogen (vgl. Abb. auf S. 1082).

Die Gliederung der Kosten findet ihren Niederschlag in einem Kostenartenplan, der – häufig in Anlehnung an überbetriebliche →Kontenrahmen – einen erschöpfenden Katalog aller Kostenarten darstellt, die in dem jeweiligen Betrieb auftreten können. Dabei ist vor allem auf eine überschneidungsfreie Gliederung sowie auf eindeutige und einheitliche Kontierungsvorschriften zu achten.   *L. H.*

Literatur: *Haberstock, L.,* Kostenrechnung I, Einführung, 7. Aufl., Hamburg 1985

Kosten

Personalkosten

Lohnkosten

Fertigungslöhne

Einzellöhne

Facharbeitereinzellöhne

Prämienlöhne

Kostenartenverfahren   →innerbetriebliche
Leistungsverrechnung

Kostenbegriff

gibt an, welche empirischen Gegebenheiten
von der →Kostentheorie zu erforschen sind.
Trotz seiner zentralen Stellung in der Betriebswirtschaftslehre wird der Begriff der Kosten
unterschiedlich abgegrenzt. Den verschiedenen Auffassungen liegen die Merkmale

- mengenmäßiger Ver-
  brauch von Gütern   ⎫
- Sachziel- oder Leistungs-   ⎬ Mengenkom-
  bezogenheit des Güter-   ⎪ ponente
  verbrauchs   ⎭
- Bewertung des sachziel-   ⎫ Wertkompo-
  bzw. leistungsbezogenen   ⎬ nente
  Güterverbrauchs   ⎭

zugrunde. Mit ihnen können die Kosten allgemein als bewerteter sachziel- bzw. leistungs-
bezogener Güterverbrauch definiert werden.
Der Kostenbegriff stellt einen quantitativen
Begriff dar.

Ein mengenmäßiger Verbrauch oder Verzehr liegt vor, wenn Einsatzgüter ganz oder
teilweise ihre Fähigkeit verlieren, zur Erstellung und Verwertung von Ausbringungsgütern beizutragen. Die Einbuße an ökonomischer Eignung kann prinzipiell bei allen realen
und nominalen Wirtschaftsgütern auftreten.
Der Güterverbrauch kann willentlich aufgrund von betrieblichen Entscheidungen herbeigeführt werden. Eine weitere Verbrauchs-
ursache bildet der erzwungene Güterverbrauch, der auf ungewollten bzw. unabdingbaren Einflüssen basiert. Er kann technisch-
ökonomisch (z.B. Verschleiß von Sachgütern)
oder staatlich-politisch (z.B. bei Abgaben) bedingt sein. Der kontinuierliche zeitliche Vor-
rätigkeitsverbrauch liegt in der Minderung
der reinen Nutzungsmöglichkeiten von dauer-

haften Real- und Nominalgütern im Zeitablauf begründet. Die Messung des mengenmäßigen Verbrauchs richtet sich nach der jeweils
eingesetzten Güterart.

Das Merkmal der Sachziel- bzw. Leistungs-
bezogenheit grenzt von jeglichem im Unter-
nehmungsprozeß anfallenden Güterverzehr
den kostenwirksamen Güterverbrauch ab. Als
kostenwirksam wird der für die Erzeugung
und Verwertung von geplanten Ausbringungsgütern anfallende Güterverbrauch betrachtet. Die Begründung eines Zusammenhangs zwischen dem Güterverbrauch und
dem Sachziel einer Unternehmung kann nach
dem Kostenverursachungsprinzip oder dem
Kosteneinwirkungsprinzip   vorgenommen
werden. Das Kosteneinwirkungsprinzip ist
umfassender und faßt den Güterverbrauch als
Wirkursache der Ausbringungsgüter auf; ohne Güterverbrauch kommen die Ausbringungsgüter nicht zustande.

Die Bewertung des sachziel- bzw. leistungsbezogenen Güterverbrauchs besteht in der
Zuordnung eines Preises. Durch sie wird der
Güterverbrauch in Geld ausgedrückt. Die Kosten ergeben sich als Summe der Produkte aus
verbrauchten Gütermengen und Güterpreisen. Die Bewertung ermöglicht durch das
Gleichnamigmachen eine Verrechnung der
Verbrauchsmengen der verschiedenen Güterarten. Hinsichtlich der Wertkomponente von
Kosten bestehen unterschiedliche Auffassungen über die zuzuordnenden Preise. Sie haben
zu einem wertmäßigen und einem pagatori-
schen Kostenbegriff geführt.

Für den *wertmäßigen* Kostenbegriff ist charakteristisch, daß die Güterpreise die Funktion der Lenkung der Einsatzgüter im Hinblick auf eine zugrunde liegende Zielvorstel-
lung wahrnehmen (sollen). Damit wird eine
optimale Güterverwendung angestrebt. Der
pagatorische Kostenbegriff ordnet dagegen
den Einsatzgütern Marktpreise zu. Er verwendet die Ausgaben bzw. Zahlungen für die eingesetzten realen und nominalen Wirtschaftsgüter als Kostenwerte und strebt eine reali-
tätsgetreue Abbildung betrieblicher Güterpro-
zesse an.

Aus dem allgemeinen Kostenbegriff des bewerteten sachzielbezogenen Güterverbrauchs
können durch Präzisierung der zugrunde liegenden Merkmale sowie durch Verwendung
weiterer Kriterien spezielle Kostenbegriffe
oder Kostenunterbegriffe wie →Gesamtko-
sten, →Fixkosten, →variable Kosten und
→sprungfixe Kosten abgeleitet werden. *G. H.*

Literatur: *Kosiol, E.,* Kritische Analyse der Wesens-
merkmale des Kostenbegriffes, in: *Kosiol, E./Schlie-
per, F.* (Hrsg.), Betriebsökonomisierung durch Ko-

stenanalyse, Absatzrationalisierung und Nachwuchserziehung, Köln, Opladen 1958, S. 7ff. *Menrad, S.*, Der Kostenbegriff, Berlin 1965. *Schweitzer, M./Hettich, G. O./Küpper, H.-U.*, Systeme der Kostenrechnung, 3. Aufl., München 1983.

Kostenbereich → Kostenstelle

Kostenbeteiligung → Selbstbeteiligung

Kostendeckung → Break-even-Analyse

Kostendeckungspunkt → Break-even-Analyse

Kostendegression

→ Kostenverlauf, bei dem die Kostenänderungen kleiner als die Änderungen der Beschäftigung sind. Der Kostenzuwachs bei Erhöhung der Ausbringungsmenge bzw. Beschäftigung (d.h. die Grenzkosten) nimmt bei degressiven (unterproportionalen) Kosten ab. Die → Kostenelastizität und die → Kostenreagibilität sind bei degressiven Kosten größer als Null und kleiner als Eins.

Kostendruck

(cost push) in der nichtmonetären → Inflationstheorie als Form des → Angebotsdrucks diskutierte Inflationsursache, die als gegeben gilt, wenn Preiserhöhungen für Produktionsmittel (Faktorleistungen, Rohstoffe usw.) von den Unternehmen nicht durch entsprechende Produktivitätssteigerungen kostenniveauneutral aufgefangen werden können. Soll die entstehende Kostensteigerung nicht zu Verlusten oder Gewinnschmälerung führen, muß sie über Produktpreiserhöhungen auf die Abnehmer überwälzt werden. Dies wird insb. den marktmächtigen Unternehmen möglich sein, die mit ihrer administrierten Preissetzung (→ administrativer Preis) und der dabei praktizierten Aufschlagskalkulation (→ mark-up pricing) eine Schlüsselrolle bei der Umsetzung des Kostendrucks in Preisinflation spielen (→ Gewinndruck). Auslösendes Moment kann grundsätzlich jede gesamtwirtschaftlich bedeutsame Faktorpreiserhöhung sein (Löhne, Zinsen, Ölpreis, Importpreise usw.), wobei der Lohndruck und Importpreisdruck (→ importierte Inflation) empirisch am bedeutsamsten sind.

Die nichtmonetäre Inflationstheorie konzentriert sich vor allem auf den Lohndruck (wage push), weil einerseits die Lohnkosten in den meisten Wirtschaftszweigen den größten Kostenblock bilden; andererseits sind die Gewerkschaften aufgrund ihrer relativ großen Verhandlungsmacht in der Lage, ständig Lohnerhöhungen durchzusetzen, die über den

Produktivitätssteigerungen liegen (→ core inflation). Soweit sie damit lediglich die laufende oder erwartete Inflationsrate zum Schutz vor inflationsbedingten Realeinkommensverlusten auszugleichen versuchen, reagieren sie damit auf eine schon in Gang befindliche Inflation (→ Lohn-lag-Hypothese), ohne zur Entstehung oder zur Beschleunigung des inflatorischen Prozesses beizutragen (→ Inflationsantizipation).

Ein autonomer, potentiell inflationsauslösender oder -verstärkender Lohndruck läge dagegen dann vor, wenn die Gewerkschaften Lohnerhöhungen über die laufenden Produktivitäts- und Preisindexsteigerungen hinaus erkämpfen. Dahinter steht das Ziel, die funktionelle → Einkommensverteilung zugunsten der Lohn- und zu Lasten der Gewinneinkommen zu ändern (→ Verteilungskampf). Ausmaß und Dauer des autonomen Lohndrucks hängen wesentlich von der Zielsetzung, der Verhandlungsmacht und der Organisationsstruktur der Gewerkschaften ab; ob sich daraus Inflation als ein länger anhaltendes monetäres Phänomen entwickeln kann, ist eine Frage der monetären Alimentierung des Kostendrucks durch ein überschüssiges Geldmengenwachstum.   *D. C.*

Literatur: *Weintraub, S.*, Capitalism's Inflation and Unemployment Crisis: Beyond Monetarism and Keynesianism, Reading, Mass. 1978.

Kosteneinflußgrößen

Größen, welche die Höhe der → Kosten bestimmen. Sie wirken in ihrer jeweiligen Ausprägung auf die Kostenentstehung ein. Theoretische Aussagen über die Kostenhöhe werden in der → Kostentheorie aufgestellt. Kosteneinflußgrößen sind die unabhängigen Variablen in der Kostenfunktion.

Eine grundlegende Unterscheidung der Kosteneinflußgrößen wird nach der Einwirkungsmöglichkeit auf ihre Ausprägung in beeinflußbare und nicht beeinflußbare Größen vorgenommen. Für beeinflußbare Kosteneinflußgrößen ist kennzeichnend, daß ihre Ausprägung durch betriebliche Entscheidungen bestimmt wird (z.B. → Produktionsprogramm oder → Produktionsgeschwindigkeit). Nicht beeinflußbare Größen können vom Unternehmen nicht gestaltet werden (z.B. technisch-physikalische Eigenschaften von Maschinen).

Die Bestimmung der grundlegenden Kosteneinflußgrößen und deren zweckgerechte Systematisierung bilden eine wichtige Aufgabe der Kostentheorie. Bei den Untersuchungen zu Kostenbestimmungsgrößen wird zwischen traditionellen und neueren Ansätzen differenziert. Traditionelle Ansätze greifen bei der Herausarbeitung von Kosteneinflußgrößen nicht auf die →Produktionstheorie als fundamentalen Teilbereich der Kostentheorie zurück. Vielmehr werden in den Untersuchungen von *Friedrich Henzel, Stefan Lorentz, Konrad Mellerowicz, Eugen Schmalenbach* und *Alfred Walther* mehrere Größen herausgestellt, welche Kosteneinflußgrößen sein können. Die zentrale Determinante bildet hierbei die Beschäftigung bzw. der Beschäftigungsgrad. Als weitere mögliche Größen werden die Maschinengröße und Maschinenspezialisierung, die Betriebsgröße, die Intensität sowie die Auflagengröße und Artikelzahl aufgeführt.

Neuere Untersuchungen bauen bei der Aufstellung von Kosteneinflußgrößensystemen auf produktionstheoretischen Erkenntnissen auf. Grundlegende Systeme sind vor allem von *Erich Gutenberg, Erich Kosiol* und *Edmund Heinen* konzipiert worden. Das System von *Gutenberg* besteht für den Realgüterbereich aus den Haupteinflußgrößen:

● Beschäftigung und deren Schwankungen,
● Qualität der Einsatzgüter und deren Änderungen (→Faktorqualität),
● Preise der Einsatzgüter,
● Betriebsgröße und deren Änderungen,
● Fertigungsprogramm und dessen Änderungen.

Ergänzend werden für die Nominalgütersphäre die Prozeßanordnung, die Prozeßgeschwindigkeit, die Beschäftigung und deren Schwankungen, das Produktionsprogramm und seine Veränderungen, die Betriebsgröße und ihre Änderungen sowie das Preisniveau und seine Änderungen erarbeitet.

Bei *Kosiol* bilden die Formen der Variation der Ausbringungsmenge die Kosteneinflußgrößen. Er unterscheidet zwischen folgenden Variationsformen:

● Unmittelbare Variationsformen:
temporale Variation (Einsatzzeit),
intensitive Variation (Einsatzgeschwindigkeit),
dimensionale Variation (Einsatzdimension);
● Mittelbare Variationsformen:
kombinative Variation (Einsatzverfahren),
qualitative Variation (Einsatzqualität).

Das von *Heinen* konzipierte Einflußgrößensystem basiert auf seiner Produktionsfunktion vom Typ C (→Heinen-Produktionsfunktion) und schließt folgende Kosteneinflußgrößen ein:

● Fertigungsprogramm,
● produktionswirtschaftliches Instrumenta-

rium (Kosteneinflußgrößen der Ausstattung und des Prozesses),
● →Kostenwert,
● Bestimmungsgrößen des Kapitalverbrauchs.

Weitere Einflußgrößensysteme sind u.a. von *Ludwig Pack* und *Wolfgang Kilger* vorgelegt worden.   *G. H.*

Literatur: *Gutenberg, E.,* Grundlagen der Betriebswirtschaftslehre, Bd. 1: Die Produktion, 23. Aufl., Berlin u.a. 1979. *Heinen, E.,* Betriebswirtschaftliche Kostenlehre. Kostentheorie und Kostenentscheidungen, 6. Aufl., Wiesbaden 1983. *Pack, L.,* Die Elastizität der Kosten. Grundlagen einer entscheidungsorientierten Kostentheorie, Wiesbaden 1966.

Kostenelastizität

Verhältnis E der relativen Änderung der →Gesamtkosten (dK/K) zur relativen Änderung der Beschäftigung (dx/x):
$$E = dK/K : dx/x$$
Sie bildet ein Maß zur Charakterisierung von →Kostenverläufen. Relative Änderung bedeutet hierbei, daß die infinitesimal kleine Änderung der Gesamtkosten (dK) bzw. der Beschäftigung (dx) jeweils zum zugehörigen absoluten Wert (K bzw. x) in Beziehung gesetzt wird. Durch Umformung kann die Kostenelastizität als Quotient von →Grenzkosten und →Durchschnittskosten dargestellt werden.

Literatur: *Pack, L.,* Die Elastizität der Kosten. Grundlagen einer entscheidungsorientierten Kostentheorie, Wiesbaden 1966.

Kostenelementsklausel   →Preisanpassungsklausel

Kosten-Erfahrungseffekt →Erfahrungskurve

Kostenerstattungsprinzip

neben dem →Sachleistungsprinzip eine der Grundformen der Leistungsgewährung in der Krankenversicherung. Im Rahmen des Kostenerstattungsprinzips ersetzt der Versicherer (die Krankenkasse) dem Versicherten die Kosten, die durch die Inanspruchnahme von Gesundheitsgütern und -leistungen entstanden sind. So wird z.B. der Arzt direkt vom Patienten bezahlt. Der Versicherte besitzt gegen seine Kasse nur einen Anspruch auf Erstattung der – evtl. um einen Selbstbehalt gekürzten – Kosten und nicht, wie im Sachleistungssystem, auf medizinische Dienst- und Sachleistungen. Im Gegensatz zum Sachleistungsprinzip nimmt der Versicherer keinen Einfluß auf das bedarfsgerechte Angebot an Gesundheitsleistungen. Die Anwendung des Kostenerstattungsprinzips ist davon abhängig, daß Gebühren ex-ante der Höhe nach festliegen.

Kostenexplosion im Gesundheitswesen

Schlagwort zur Kennzeichnung eines zeitlichen Ausschnitts der Entwicklung der →Gesundheitsausgaben insb. zwischen den Jahren 1970 und 1976 (vgl. Abb.).

Dabei richtete sich die Aufmerksamkeit in erster Linie auf den Ausgabenanstieg in der gesetzlichen Krankenversicherung (GKV), deren Gesamtausgaben sich in diesem Zeitraum mehr als verdoppelten, obwohl im Jahr 1970 die Lohnfortzahlung für Arbeiter im Krankheitsfall einsetzte und damit der bis dahin größte Ausgabenposten für die GKV entfiel. Im Zuge dieser Entwicklung erhöhte sich der durchschnittliche Beitragssatz für Pflichtmitglieder von 8,1% im Jahr 1970 auf 11,3% des beitragspflichtigen Einkommens im Jahr 1977.

Hinsichtlich der Erklärung des Anstiegs der Gesundheitsausgaben sind verschiedene Ursachengruppen zu unterscheiden. Der Umfang des Versicherungsschutzes und die Auswei-

tung des Leistungsangebots in der GKV, der Finanzierungsanteil der Rentenversicherung an den Kosten der Krankenversicherung, die u.U. zu Beitragsausfällen führende flexible Altersgrenze oder das System der →Krankenhausfinanzierung sowie die Organisationsformen im Gesundheitswesen sind einige Parameter des Gesetzgebers, deren Veränderung sich auf die Ausgaben der GKV auswirkt.

Umfang und Struktur der Nachfrage nach medizinischen Dienstleistungen sind u. a. abhängig von demographischen und sozioökonomischen Merkmalen der Bevölkerung, dem Gesundheitsstand und -bewußtsein wie auch von der Einkommenselastizität der Nachfrage und davon, ob die Mitglieder der GKV finanzielle Erwägungen bei der Nachfrage nach Gesundheitsleistungen anstellen. Auf der Angebotsseite angesiedelt sind etwa Größen wie der medizinische Wissensstand und, zusammenhängend damit, der sich wandelnde Krankheitsbegriff, die zunehmende fachliche Spezialisierung, eine hohe Personalintensität vor allem im stationären Bereich und die als Besonderheit herausgestellte These von der

Ausgaben für Gesundheit 1970 bis 1980 nach Ausgabenträgern, 1970 = 100

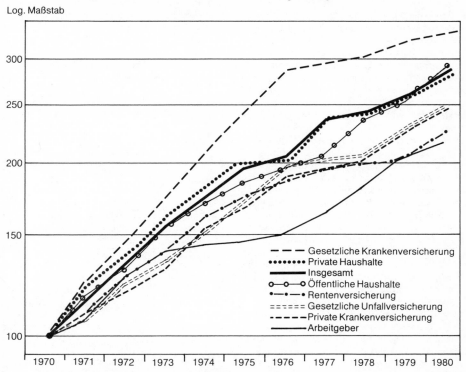

Quelle: *Statistisches Bundesamt* (Hrsg.), Fachserie 12, Reihe S.2, Ausgaben für Gesundheit 1970 bis 1980, Stuttgart und Mainz 1982, S. 17.

angebotsinduzierten Nachfrage im → Gesundheitswesen.

Die nicht nur in der Bundesrepublik Deutschland aufgetretene Kostenexplosion forcierte die gesundheitsökonomische Forschung, den Ursachen dieser Entwicklung nachzugehen und darüber hinaus die Frage nach der medizinischen Effektivität und ökonomischen Effizienz des Gesundheitswesens zu untersuchen. *K. D. H.*

Literatur: *Herder-Dorneich, Ph.*, Wachstum und Gleichgewicht im Gesundheitswesen, Köln 1976.

Kostenfunktion

bildet in der → Kostentheorie die Abhängigkeit zwischen der Höhe der → Kosten und den Ausprägungen der → Kosteneinflußgröße(n) ab. Kostenfunktionen stellen generelle Aussagen dar, die als nomologische Hypothesen die quantitativen Beziehungen zwischen der Kostenhöhe und ihren Einflußgrößen wiedergeben und dienen der Erkärung und Prognose von Kosten.

Kostenfunktionen können nach mehreren Kriterien näher gekennzeichnet werden. Grundlegende Kriterien und die zugehörigen Erscheinungsformen sind in der Abbildung aufgeführt.

Die Struktur einer Kostenfunktion ergibt sich unter Berücksichtigung der Mengen- und Wertkomponente von Kosten aus den Gesetzmäßigkeiten für den Güterverbrauch und die Güterpreise. Der Güterverbrauch setzt sich aus dem Verzehr an Realgütern und an Nominalgütern zusammen. Der Verbrauch an Realgütern wird durch → Produktionsfunktionen abgebildet, welche die gesetzmäßigen Beziehungen zwischen dem Einsatz und dem Ausstoß an Realgütern wiedergeben. Funktionen über den Kapitalbedarf oder Kapitalverbrauch erfassen dagegen den Einsatz an Nominalgütern. Den dritten möglichen Baustein für Kostenfunktionen bilden neben Produktions- und Kapitalverbrauchsfunktionen Beschaffungspreis- bzw. Kostenwertfunktionen, welche die Gesetzmäßigkeiten für die Wertkomponente von Kosten zum Ausdruck bringen.

Nach der expliziten Berücksichtigung der Realgüterkomponente bei der Aufstellung von Kostenfunktionen kann zwischen traditionellen und neueren Kostenfunktionen unterschieden werden (vgl. Abb.). Für *traditionelle Kostenfunktionen* ist charakteristisch, daß die Analysen über die → Kostenverläufe nicht auf Produktionsfunktionen aufbauen. Als einzige Kosteneinflußgröße fungiert die Beschäftigung. Für verschiedene Kostenarten wird ein typisches Kostenverhalten bei Be-

schäftigungsänderungen postuliert, während aus den Annahmen über den Verlauf der einzelnen Kostenarten für bestimmte Beschäftigungsintervalle mögliche Veränderungen der Gesamtkosten abgeleitet werden.

Neuere Kostenfunktionen bauen ihre Kostenhypothesen auf Produktionsfunktionen auf. Über den Zusammenhang von Einsatzgütern und Ausbringungsgütern sind unterschiedliche Gesetzmäßigkeiten aufgestellt worden. Dementsprechend gibt es mehrere produktionstheoretisch fundierte Kostenfunktionen:

- → ertragsgesetzliche Kostenfunktionen,
- Kostenfunktionen auf der Basis von Leontief-Produktionsfunktionen,
- Kostenfunktionen auf der Basis der Produktionsfunktion vom Typ B *(Erich Gutenberg)*,
- Kostenfunktionen auf der Basis der Produktionsfunktion vom Typ C *(Edmund Heinen)*,
- Kostenfunktionen auf der Basis der Produktionsfunktion vom Typ D *(Josef Kloock)*,
- Kostenfunktionen auf der Basis der Produktionsfunktion vom Typ E *(Hans-Ulrich Küpper)*.

Gegenüber den traditionellen Kostenfunktionen kommt ihnen eine größere Präzision der Aussagen über die Kostenverläufe zu. Die

Erscheinungsformen von Kostenfunktionen

Kriterium	Erscheinungsformen der Kostenfunktion
Bezugsgröße	Gesamtkostenfunktionen Durchschnittskostenfunktionen
Fristigkeit	Kurzfristige (einperiodige) Kostenfunktionen → Langfristige (mehrperiodige) Kostenfunktionen
Zeitlicher Bezug	Statische Kostenfunktionen Dynamische Kostenfunktionen
Anzahl der Kosteneinflußgrößen	Einvariablige Kostenfunktionen → Mehrvariablige Kostenfunktionen
Qualität der Daten	Deterministische Kostenfunktionen Stochastische Kostenfunktionen
Veränderlichkeit der Kosten	Funktion der Fixkosten Funktion der variablen Kosten
Krümmung	Lineare Kostenfunktionen Nichtlineare Kostenfunktionen
Produktionstheoretische Fundierung	Traditionelle Kostenfunktionen Neuere Kostenfunktionen

Qualität ihrer Aussagen hängt von der Güte der verwendeten Produktionsfunktionen und der Berücksichtigung des Nominalgüterverbrauchs sowie der Kostenwerte ab.   *G. H.*

Literatur: *Gutenberg, E.,* Grundlagen der Betriebswirtschaftslehre, Bd. 1: Die Produktion, 23. Aufl., Berlin u. a. 1979. *Heinen, E.,* Betriebswirtschaftliche Kostenlehre, Kostentheorie und Kostenentscheidungen, 6. Aufl., Wiesbaden 1983. *Küpper, H.-U.,* Interdependenzen zwischen Produktionstheorie und der Organisation des Produktionsprozesses, Berlin 1980.

Kosteninflation → Inflation, → Kostendruck

Kostenkontrolle

Kontrolle der Kostenarten, Kostenstellen und/oder Kostenträger durch zwischenbetriebliche Vergleiche (→ Betriebsvergleich), innerbetriebliche → Zeitvergleiche und → Soll-Ist-Vergleiche. Zwischen- und innerbetriebliche Vergleiche stellen → Ist-Ist-Vergleiche dar. Sie offenbaren i. d. R. nur eine pauschale Kostenentwicklung, ohne daß man damit präzise nachweisen könnte, auf welche Ursachen (z. B. Preisänderungen, Mengenmehr- oder Mengenminderverbrauch) die Entwicklung zurückzuführen ist.

Das wesentliche Instrument der Kostenkontrolle durch Soll-Ist-Vergleich ist die kostenstellenweise → Plankostenrechnung. Die Grundzüge der Kostenkontrolle (dargestellt am Beispiel einer flexiblen Plankostenrechnung auf Vollkostenbasis) sind folgende: Auf der Basis einer geplanten Beschäftigung eines Zeitabschnitts (z. B. der erwarteten Durchschnittsbeschäftigung pro Monat eines Jahres), geplanter Preise (Planpreise) sowie fixierter sonstiger Kosteneinflußgrößen, etwa der Auftragszusammensetzung oder der Intensität von Betriebsmitteln, werden die Kosten der Planbeschäftigung (sog. Plankosten) sowie deren beschäftigungsvariable und -fixe Anteile berechnet. Die Plankosten werden sodann gemäß der tatsächlichen Beschäftigung (Ist-Beschäftigung) des Zeitabschnitts (z. B. eines speziellen Monats) in Sollkosten umgerechnet. Wenn die Istkosten vorliegen, werden Soll- und Istkosten verglichen.

Eine sich dabei ergebende Kostenabweichung nennt man Verbrauchsabweichung. Da Plan-, Soll- und Istkosten auf der Basis identischer Planpreise ermittelt werden, stellt die Verbrauchsabweichung die bewerteten Mehr- oder Minderverbrauchsmengen dar, für die i. d. R. der Kostenstellenleiter verantwortlich gemacht werden kann. Sofern allerdings sonstige → Kosteneinflußgrößen (etwa die Intensität der Betriebsmittel) außerplanmäßig sind

und ebenfalls in nicht zu vernachlässigendem Umfang die Abweichung zwischen Soll- und Istkosten beeinflussen können, wird ihr Einfluß aus der Verbrauchsabweichung herausgerechnet und in Spezialabweichungen (etwa in einer „Intensitätsabweichung") zusammengefaßt. Für Spezialabweichungen kann der Kostenstellenleiter ggf. ebenfalls verantwortlich sein. Sodann werden alle Abweichungen vom Kostenkontrolleur mit dem Kostenstellenleiter besprochen. Dabei werden ggf. erforderliche Anpassungsmaßnahmen zur Minderung der Kosten beschlossen.   *R. Hö.*

Literatur: *Kilger, W.,* Flexible Plankostenrechnung und Deckungsbeitragsrechnung, 8. Aufl., Wiesbaden 1981.

Kostenkurve → Kostenverlauf

Kostenmiete

nach § 72 Abs. 1 Satz 1, II. Wohnungsbaugesetz die Miete, die zur Deckung der laufenden Aufwendungen für eine im → sozialen Wohnungsbau errichtete Wohnung erforderlich ist. Im einzelnen sind dem Kostenmietenprinzip unterworfen:

- öffentlich geförderte Wohnungen als sog. preisgebundener Wohnraum (Erster Förderungsweg);
- für Angehörige des öffentlichen Dienstes oder ähnliche Personengruppen mit Wohnungsfürsorgemitteln errichtete Wohnungen, bei denen ein Wohnungsbesetzungsrecht vereinbart ist;
- durch Aufwendungszuschüsse und Aufwendungsdarlehen geförderte steuerbegünstigte Wohnungen für die Dauer der Zweckbestimmung (Zweiter Förderungsweg);
- steuerbegünstigte oder freifinanzierte Wohnungen, für die Sanierungs- oder Entwicklungsförderungsmittel als nichtöffentliche Mittel eingesetzt sind;
- alle Wohnungen der gemeinnützigen → Wohnungsunternehmen.

Die Ermittlung der Kostenmiete erfolgt durch eine Wirtschaftlichkeitsberechnung auf der Grundlage der Zweiten Berechnungsverordnung.

Nach Angaben des Statistischen Bundesamtes stieg die Kostenmiete (gemessen im jeweiligen Bewilligungszeitpunkt) von 1962 bis 1980 um rund 370% auf ca. 16 DM pro Quadratmeter Wohnfläche im Bundesdurchschnitt (in Ballungsgebieten werden mittlerweile Werte von über 25 DM/qm erreicht). Der starke Anstieg der Kostenmiete, der maßgeblich auf eine Zunahme der → Baukosten und ein erhöhtes Zinsniveau zurückgeführt werden kann, zählt heute neben der → Fehlbelegung und der → Mietenverzerrung zu den Hauptproblemen der → Wohnungsbaupolitik.

Ein Vergleich mit der → Bewilligungsmiete verdeutlicht den gestiegenen Subventionsbedarf im sozialen Wohnungsbau.

Bei den Maßnahmen zur Dämpfung der Kostenmiete steht die Entwicklung von Wohnungstypen mit reduziertem → Wohnstandard im Vordergrund.   W. P.

Literatur: *Winter, G./Barth, U./Schlemmermeyer, B.,* Die Kostenmiete, Hamburg 1982. *Leisner, W.,* Kostendeckung, Köln u. a. 1984.

Kosten-Nutzen-Analyse

(Cost-Benefit-Analyse) Versuch, die Prinzipien der Wirtschaftlichkeitsrechnung für private Investitionsprojekte auf den öffentlichen Bereich zu übertragen (→ Staatstätigkeit). Während im privaten Bereich nur der einzelwirtschaftliche Nettoertrag (Gewinn) ermittelt wird, geht es bei der Kosten-Nutzen-Analyse um die Erfassung volkswirtschaftlicher (sozialer) Kosten und Nutzen. Mit dieser Methode sollen diejenigen öffentlichen Projekte unter den möglichen Alternativen ausgewählt werden, durch deren Realisierung der volkswirtschaftliche Nettonutzen maximiert wird. Zu den Kernproblemen der Kosten-Nutzen-Analyse gehören die Erfassung und Bewertung (Quantifizierung) von Kosten und Nutzen, die Wahl der geeigneten sozialen Diskontrate und die Berücksichtigung von Verteilungswirkungen.

(1) Direkte Kosten und Nutzen (z. B. die Herstellungs- und Betriebskosten einer neu zu bauenden S-Bahnstrecke sowie die Erträge aus dem Personenverkehr) lassen sich i. d. R. verhältnismäßig leicht erfassen. Größere Schwierigkeiten ergeben sich bei der Quantifizierung der indirekten (externen) Kosten und des Nutzens. So können z. B. die indirekten Erträge des S-Bahnbaues aus der Entlastung des Straßennetzes und aus der Zeitersparnis für die beförderten Personen bzw. die indirekten Kosten der Lärmbelästigung, die sich in einer Senkung des Mietwerts der Wohnungen entlang einer neuen Trasse niederschlagen, nicht ohne weiteres erfaßt und mit Marktpreisen bewertet werden. Meist müssen daher grobe Schätzungen vorgenommen werden. Die Quantifizierung intangibler Kosten und Nutzenkomponenten (z. B. die Beeinträchtigung des Landschaftsbildes durch eine Eisenbahnlinie) ist häufig völlig unmöglich. Der Versuch ihrer Erfassung muß sich daher auf verbale Anmerkungen beschränken.

(2) Die Wahl einer Diskontierungsrate ist notwendig, weil die Kosten-Nutzen-Analyse auf Investitionsprojekte mit langer Lebensdauer angewandt wird und die damit verbundenen Aufwendungen und Erträge auf den Entscheidungszeitpunkt bezogen werden müssen. Der ausgewählte Zinssatz soll dabei insb. die soziale Zeitpräferenzrate angeben, d. h. einen Ausdruck für die gesellschaftliche Bewertung des heutigen Konsumverzichts durch öffentliche Investitionen darstellen. Häufig wird der Kalkulationszins für private Investitionen, der Zinssatz für langfristige Staatsanleihen oder ein Durchschnitt der Marktzinsen als Diskontrate herangezogen. Dagegen wird aber eingewandt, daß im privaten Kalkül die gesellschaftliche Bewertung öffentlicher Investitionen nicht hinreichend zum Ausdruck komme. Der Diskontsatz müsse daher politisch fixiert werden.

(3) Die Kosten-Nutzen-Analyse ist in erster Linie ein Instrument zur Messung der Effizienz öffentlicher Ausgabenprogramme, wobei der erzielbare volkswirtschaftliche Nettonutzen unabhängig von seiner Verteilung auf Bevölkerungsgruppen (Personen), Regionen und Wirtschaftssektoren betrachtet wird. Spezielle verteilungspolitische Aspekte können jedoch in der Analyse berücksichtigt werden, indem man entweder für bestimmte Gruppen oder Regionen unterschiedliche Gewichte oder Minimalanforderungen festlegt oder gar den Verteilungsaspekt zum dominanten Entscheidungskriterium erhebt. In all diesen Fällen müssen politische Entscheidungen getroffen und transparent gemacht werden.

Die Kosten-Nutzen-Analyse kann auch in speziellen Ausprägungen vorgenommen werden. Wenn es nur darum geht, bei gegebener Zielsetzung die Projektalternativen zu ermitteln, die mit den geringsten Kosten verbunden sind, oder wenn eine Bewertung von Kosten und Nutzen in monetären Einheiten nicht möglich oder sinnvoll ist und die Projektbewertung daher in nichtmonetären Einheiten vorgenommen wird, spricht man auch von Kostenwirksamkeitsanalyse. Werden statt der Ermittlung des gesamten Nettonutzens alternativer Projekte mehrdimensionale und hierarchisierte Ziele vorgegeben, diese von den Entscheidungsträgern mit Hilfe subjektiver Bewertungskriterien (z. B. Punktzahlen) gewichtet und die jeweiligen Zielerreichungsgrade aufsummiert, so spricht man von einer → Nutzwertanalyse.

In der Bundesrepublik sind Kosten-Nutzen-Analysen als Planungs- und Entscheidungshilfen im öffentlichen Bereich haushaltsrechtlich vorgeschrieben. Sie sind jedoch auf „geeignete

Maßnahmen von erheblicher finanzieller Bedeutung" (§ 6 Haushaltsgrundsätzegesetz) beschränkt. Zwar werden Kosten-Nutzen-Analysen als Mittel für die ressortspezifische Programmplanung (z. B. im Verteidigungs- und im Verkehrsbereich) eingesetzt, doch sind sie weder in die Aufstellung des jährlichen → Haushaltsplans noch in die → mittelfristige Finanzplanung integriert. *W. Ki.*

Literatur: *Andel, N.,* Finanzwissenschaft, Tübingen 1983, S. 101 ff.

Kostenplatzrechnung → Platzkostenrechnung

Kosten-plus-Regel → Preiskalkulation

Kostenpreisregeln

wurden im Rahmen der ökonomischen Theorie für die Ermittlung des Preises für Leistungen → öffentlicher Unternehmen und → öffentlicher Verwaltungsbetriebe entwickelt. Die Durchschnittskosten-Preisregeln orientieren sich an den durchschnittlichen Stückkosten, während → Grenzkostenpreisregeln an den Kosten einer zusätzlichen Produktionsmengeneinheit ausgerichtet sind. Gegen diese Vorstellungen ist einzuwenden, daß Probleme der Kostenzurechnung bestehen und die Preispolitik der öffentlichen Hand i. d. R. unelastisch ist.

Kostenproportionalität

liegt vor, wenn die Änderung der → Kosten bei Variation der Beschäftigung gleich der Änderung der Ausbringungsmenge ist. Sie ermöglicht die Kennzeichnung von → Kostenverläufen und bezieht sich auf variable Kosten. Die → Kostenelastizität und die → Kostenreagibilität besitzen dann den Wert Eins. Ist die Kostenänderung größer (kleiner) als die Beschäftigungsänderung, liegen überproportionale (unterproportionale) Kosten und damit eine Kostenprogression (→ Kostendegression) vor.

Kostenreagibilität

Verhältnis der prozentualen Änderung der Gesamtkosten zur prozentualen Änderung der Beschäftigung (*Konrad Mellerowicz*). Sie bildet neben der → Kostenelastizität ein Maß für die Kennzeichnung von → Kostenverläufen. Bei → fixen Kosten besitzt die Kostenreagibilität den Wert Null; bei → variablen Kosten ist der Reagibilitätsgrad größer als Null.

Kostenrechnung

(Kosten- und Leistungsrechnung, Betriebsbuchführung, Betriebsbuchhaltung) neben der Finanzbuchführung (-buchhaltung) wichtigstes Teilgebiet des → betrieblichen Rechnungswesens. Die Kostenrechnung hat folgende Aufgaben:

- Kontrolle der Wirtschaftlichkeit (Kontrollaufgabe),
- Bereitstellung von Zahlenmaterial für dispositive Zwecke (Lenkungsaufgabe) und
- Kalkulation der betrieblichen Leistungen für Zwecke der bilanziellen Bestandsbewertung (Dokumentationsaufgabe).

Im Gegensatz zur Finanzbuchhaltung, die sich an den Größen → Aufwand und Ertrag orientiert, verwendet die Kostenrechnung die Größen → Kosten und Leistung. Dabei hat sich der pagatorische → Kostenbegriff sowohl in der Theorie als auch in der Praxis nicht gegenüber dem wertmäßigen Kostenbegriff durchgesetzt.

Der organisatorische Zusammenhang zwischen Finanz- und Betriebsbuchhaltung kann nach zwei Hauptformen geregelt werden: Beim → Einkreissystem werden beide Bereiche innerhalb eines geschlossenen Kontensystems als ungeteilte Gesamtbuchhaltung geführt. Beim → Zweikreissystem rechnet man beide Bereiche in getrennten, jeweils in sich abgeschlossenen Kontensystemen ab; die Verbindung zwischen beiden Kreisen wird mit Hilfe von Spiegelbild- oder Übergangskonten hergestellt.

Die Kostenrechnung ist im Gegensatz zur Finanzbuchhaltung in ihrem Schwerpunkt nach innen gerichtet; sie verfolgt – regelmäßig als Monats-, und nicht als Jahresrechnung ausgestaltet – den Weg der Produktionsfaktoren im betrieblichen Kombinationsprozeß und beschränkt sich dabei auf die rechnerische Erfassung jenes Werteverzehrs, der durch die Leistungserstellung und -verwertung verursacht wird, und dies sind die → Kosten.

Je nach Art bzw. Umfang der verrechneten Beträge unterscheidet man die Systeme der → Ist-, → Normal- und → Plankostenrechnung bzw. der → Voll- und Teilkostenrechnung in den verschiedensten Kombinationen und Modifikationen (→ Kostenrechnungssysteme).

Jede Kostenrechnung gliedert sich jedoch – unabhängig vom gewählten Kostenrechnungssystem – stets in drei Teilbereiche (vgl. Abb. auf S. 1090):

(1) Die → *Kostenartenrechnung* steht am Anfang der Kostenrechnung und dient der Erfassung und Gliederung aller im Laufe der jeweiligen Abrechnungsperiode angefallenen Kostenarten. Ihre Fragestellung lautet also: Welche Kosten sind insgesamt in welcher Höhe angefallen?

(2) In der → *Kostenstellenrechnung* werden dann die Kosten auf die Betriebsbereiche (Kostenstellen) verteilt, in denen sie angefallen sind. Diese Verteilung wird mit Hilfe des → Betriebsabrechnungsbogens vorgenommen und verfolgt einen doppelten Zweck: Einmal muß man für die → Kostenkontrolle und -beeinflussung wissen, wo die Kosten entstanden sind, und zum anderen ist eine genaue Stückkostenberechnung nur möglich, wenn die betrieblichen Leistungen mit den Kosten derjenigen Stellen (Abteilungen) belastet werden, die diese Leistungen erbringen. Die Fragestellung der Kostenstellenrechnung lautet also: Wo sind welche Kosten in welcher Höhe angefallen?

(3) Die → *Kostenträgerrechnung* (Selbstkostenrechnung, Stückkostenrechnung, → Kalkulation) hat die Aufgabe, für alle erstellten Güter und Dienstleistungen (Kostenträger) die Stückkosten zu ermitteln. Ihre Fragestellung lautet: Wofür sind welche Kosten in welcher Höhe pro Stück angefallen?

Zur Terminologie sei noch angemerkt, daß man gelegentlich (unter organisatorischem Aspekt) die Kostenarten- und die Kostenstellenrechnung unter dem Begriff Betriebsabrechnung (nicht: Betriebsbuchhaltung!) zusammenfaßt; die Kostenrechnung besteht dann aus Betriebsabrechnung und Kalkulation. *L. H.*

Die Teilbereiche der Kostenrechnung

Zahlenmaterial
vor allem aus der Finanzbuchhaltung, aus der Material-, Lohn- und Gehalts- sowie der Anlagenabrechnung

↓

KOSTENARTENRECHNUNG
(Welche Kosten sind angefallen?)

↓

KOSTENSTELLENRECHNUNG
(Wo sind die Kosten angefallen?)

↓

KOSTENTRÄGERRECHNUNG
(Wofür sind die Kosten angefallen?)

↓

Zahlenmaterial
vor allem für die Kurzfristige Erfolgsrechnung und die Planungsrechnung, aber auch für die Finanzbuchhaltung sowie die Betriebsstatistik

Literatur: *Haberstock, L.,* Kostenrechnung I, Einführung, 7. Aufl., Hamburg 1985. *Haberstock, L.,* Kostenrechnung II, (Grenz-)Plankostenrechnung, 7. Aufl., Hamburg 1986. *Haberstock, L.,* Grundzüge der Kosten- und Erfolgsrechnung, 4. Aufl., München 1987.

Kostenrechnungsprinzipien

Die Verrechnung (Verteilung, Zurechnung, Zuordnung) der Kosten innerhalb der Kostenarten-, → Kostenstellen- und → Kostenträgerrechnung erfolgt nach bestimmten Grundprinzipien, die sich in Theorie und Praxis im Laufe der Zeit herausgebildet haben:
- Verursachungsprinzip,
- Durchschnittsprinzip,
- Tragfähigkeitsprinzip.

Das *Verursachungsprinzip* (Prinzip der Kostenverursachung, Kausalitätsprinzip) ist die dominierende Regel der Kostenverrechnung. Es besagt (in seiner speziellsten und praktisch bedeutsamsten Form), daß dem einzelnen Kostenträger nur jene Kosten zugerechnet werden dürfen, die dieser verursacht hat. Präziser: Zurechenbar sind hiernach nur jene Kosten, die bei der Erstellung einer zusätzlichen Kostenträgereinheit zusätzlich anfallen bzw. bei der Einschränkung der Leistungserstellung um eine Einheit wegfallen.

In allgemeinerer Form besagt das Verursachungsprinzip, daß einem bestimmten Bezugsobjekt nur jene Kosten zugerechnet werden dürfen, die dieses verursacht hat. Solche Bezugsobjekte können neben dem einzelnen Kostenträger z.B. sein: die Gesamtheit der Kostenträger einer Produktart, eine Produktgruppe, eine Kostenstelle, ein Betriebsbereich. Man kann das Verursachungsprinzip über die Kostenträger- und Kostenstellenrechnung hinaus auch für die Kostenartenrechnung als gültig betrachten: Dort besagt es, daß als Kosten nur jener bewertete Verzehr an Gütern und Dienstleistungen verrechnet werden darf, der durch die (typische) betriebliche Leistungserstellung verursacht worden ist; anderenfalls liegt neutraler Aufwand vor.

Das Verursachungsprinzip kann (in seiner speziellsten Form) bei der Verrechnung der Fixkosten in der Kostenträgerrechnung nicht eingehalten werden; daraus ergibt sich die Konsequenz, Fixkosten überhaupt nicht mehr auf einzelne Kostenträger zu verrechnen. Diesen Weg geht die → Grenzkostenrechnung, die den einzelnen Kostenträgern nur die variablen Kosten zurechnet. Entsprechend führen die anderen Formen des Verursachungsprinzips zu anderen Formen der Teilkostenrechnung (→ Voll- und Teilkostenrechnung). Will man (aus bestimmten Gründen) dennoch alle Kosten, auch die Fixkosten, auf die einzelnen Leistungen kalkulieren, also Vollkosten ermitteln, dann muß man das Verursachungsprinzip durch andere Verrechnungsgrundsätze ersetzen oder ergänzen.

Es zeigt sich weiter, daß zwischen dem hier beschriebenen Verursachungsprinzip und dem von *Paul Riebel* vorgeschlagenen Identitätsprinzip kein Unterschied besteht. Nach *Riebel* sind Kosten „einem Untersuchungsobjekt nur dann eindeutig und zwingend zurechenbar, wenn die Existenz dieses Untersuchungsobjekts durch dieselbe Disposition ausgelöst worden ist wie eben diese zuzurechnenden ... Kosten ... (‚Zurechnung nach dem Identitätsprinzip‘).“ Welche Kosten in diesem Sinne zurechenbar sind, entscheidet sich an der Frage, „ob und in welcher Höhe der fragliche Wertverzehr wegfiele oder gar nicht erst entstünde, wenn das jeweilige Kalkulationsobjekt nicht vorhanden wäre“ *(Riebel)*.

Im Zusammenhang mit dem Verursachungsprinzip wird die Meinung vertreten, man dürfe dieses Prinzip nicht kausal als Ursache-Wirkung-Beziehung interpretieren, sondern müsse das Verursachungsprinzip final als Zweck-Mittel-Beziehung auffassen. Während nach dem Kausalitätsprinzip die Kosten durch die Leistungserstellung verursacht werden, sind nach dem Finalitätsprinzip die Kosten Mittel zum Zweck der Leistungserstellung.

Wie sieht nun die Lösung des Fixkostenproblems nach dem Finalitätsprinzip aus? Die Fixkosten sind als Mittel zum Zweck der Aufrechterhaltung der Betriebsbereitschaft eingesetzt worden und können deshalb der Gesamtheit der im Rahmen dieser Kapazität hergestellten Leistungen ‚verursachungsgerecht‘ zugerechnet werden. Sie können jedoch nicht einer einzelnen Leistungsart oder sogar -einheit zugerechnet werden, und damit führt das Finalitätsprinzip in dieser kostenrechnerischen Kardinalfrage nicht weiter als das Kausalitätsprinzip.

Für jene Fälle, in denen man ohne Rücksicht auf das Verursachungsprinzip dennoch volle Stückkosten zu ermitteln hat (z.B. für die steuerbilanzielle Bestandsbewertung oder für LSP-Kalkulationen), muß man sich mit dem Durchschnitts- oder Tragfähigkeitsprinzip behelfen.

Beim *Durchschnittsprinzip* (Prinzip der Durchschnittsbildung) lautet die Fragestellung: Welche Kosten entfallen im Durchschnitt auf welchen Kostenträger (welches Bezugsobjekt)?

Im Falle eines Einprodukt-Betriebes werden also die gesamten Fixkosten einfach durch die gesamte Leistungsmenge dividiert. Im Falle des Mehrprodukt-Betriebes muß diese Verteilung mit Hilfe bestimmter Schlüsselgrößen (Bezugsgrößen) vorgenommen werden (→ Kalkulationssatz).

Das *Tragfähigkeitsprinzip* (Prinzip der Kostentragfähigkeit, Belastbarkeits- oder Dek-kungsprinzip) ist der Spezialfall des Durchschnittsprinzips für solche Schlüsselgrößen (Bezugsgrößen), die von den Absatzpreisen der Kostenträger abhängig sind. Man verrechnet die nicht verursachungsgemäß zurechenbaren Kosten, also im wesentlichen die fixen Kosten, im proportionalen Verhältnis zu den Absatzpreisen oder → Deckungsbeiträgen der Kostenträger auf eben diese Kostenträger. Für Kontroll- und dispositive Zwecke sind derartige Kalkulationsergebnisse ungeeignet, da sie nicht mehr das reine Spiegelbild des innerbetrieblichen Kombinationsprozesses sind, nachdem die Absatzmarktpreise als externe Daten die Kostenhöhe beeinflussen. Relativ häufige Anwendung dürfte das Tragfähigkeitsprinzip jedoch bei der bilanziellen Bewertung von Kuppelprodukten im Rahmen der → Kuppelkalkulation nach der Verteilungsmethode finden.   *L. H.*

Literatur: *Haberstock, L.,* Kostenrechnung I, Einführung, 7. Aufl., Hamburg 1985. *Riebel, P.,* Einzelkosten- und Deckungsbeitragsrechnung, Opladen 1972.

Kostenrechnungssysteme

Man unterscheidet die Kostenrechnungssysteme in zweifacher Hinsicht. Nach dem Zeitbezug der verrechneten Kosten (vergangenheits- oder zukunftsbezogene Kosten) erhält man die Systeme der

- → Istkostenrechnung,
- → Normalkostenrechnung,
- → Plankostenrechnung.

Nach dem Sachumfang der auf die Kostenträger verrechneten Kosten (alle oder nur Teile der Kosten) ergeben sich die Systeme der → Voll- und Teilkostenrechnung.

Zur Charakterisierung eines Kostenrechnungssystems ist eine Kombination dieser beiden Kriterien erforderlich, wobei sich (theoretisch) sechs Möglichkeiten ergeben: Eine Normalkostenrechnung kann — ebenso wie eine Ist- oder Plankostenrechnung — als Voll- oder als Teilkostenrechnung aufgebaut sein.

Unabhängig von dieser Charakteristik hat jedes Kostenrechnungssystem grundsätzlich alle Aufgaben der → Kostenrechnung zu erfüllen. Ebenso bleibt der Abrechnungsweg der Kosten über die drei Teilbereiche der Kostenrechnung von der Art des Kostenrechnungssystems unberührt.   *L. H.*

Literatur: *Haberstock, L.,* Kostenrechnung I, Einführung, 7. Aufl., Hamburg 1985. *Haberstock, L.,* Kostenrechnung II, (Grenz-)Plankostenrechnung, 7. Aufl., Hamburg 1986. *Haberstock, L.,* Grundzüge der Kosten- und Erfolgsrechnung, 4. Aufl., München 1987.

Kostenremanenz

bezeichnet in der →Kostentheorie die Erscheinung, daß bei einem Rückgang der Beschäftigung die Kosten erst mit einem time lag zurückgehen (vgl. Abb.). Auf dieses Phänomen hat *Wilhelm Hasenack* als erster hingewiesen.

Die zeitlich verzögerte Anpassung der Kosten an einen Beschäftigungsrückgang wird vornehmlich auf unternehmungspolitische Verhaltensweisen, personalpolitische Gründe sowie rechtliche Einflüsse zurückgeführt.

Als Beispiele für unternehmungspolitische Verhaltensweisen können das Prestigestreben, antizyklisches Reagieren oder Durchhaltestrategien bei temporär erwarteter Unterbeschäftigung genannt werden. Solche Verhaltensweisen bewirken, daß bei einem Beschäftigungsrückgang Kosten nicht gleichzeitig abgebaut werden. Die Kosten gehen erst dann zurück, wenn der Beschäftigungsrückgang fortbesteht und die ursprünglichen Verhaltensweisen in Richtung Kostenabbau geändert werden.

Personalpolitische Gründe sind in der Starrheit organisatorischer Strukturen oder in sozialen Erwägungen gegeben. Rechtliche Einflüsse ergeben sich aus langfristigen Verpflichtungen, z.B. aufgrund von langfristigen Verträgen oder aufgrund von Kündigungsfristen und Kündigungsschutzbestimmungen. Die personalpolitischen und rechtlichen Gründe bestimmen den →Kostenverlauf in analoger Weise wie unternehmungspolitische Verhaltensweisen.

Eine andere Interpretation des Phänomens der Kostenremanenz wurde von *Marcell Schweitzer* vorgeschlagen. Er erklärt die Remanenzerscheinung unter Bezugnahme auf →mehrvariablige Kostenfunktionen als Folge der Nichtberücksichtigung von empirisch wirksamen →Kosteneinflußgrößen: Für die Höhe der Kosten sind gewöhnlich mehrere Einflußgrößen (wie Ausbringungsmenge, Intensität, Fertigungslosgröße, Kostenwerte usw.) bestimmend. Dieser Sachverhalt kann durch mehrvariablige Kostenfunktionen abgebildet werden. Dabei führt jede Kombination an Ausprägungen der Kosteneinflußgrößen zu einem bestimmten Kostenbetrag. Aus der zeitlichen Abfolge der Wertkonstellationen der Kosteneinflußgrößen ergibt sich eine Folge von Kostenbeträgen. Die in ihrer zeitlichen Abfolge ermittelten Kosten zeigen bei alleiniger Betrachtung ihrer Abhängigkeit von der Beschäftigung eine Streuung (vgl. auch die Abb.). Diese hat ihre Ursache in dem Einfluß weiterer Kosteneinflußgrößen, die in einvariabligen Kostenfunktionen unberücksichtigt

bleiben. Die Erscheinung des Nachhinkens von Kosten bei Beschäftigungsrückgängen erklärt sich demnach aus der Einwirkung von über die Beschäftigung hinausgehenden Bestimmungsgrößen. *G. H.*

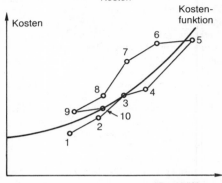

Beispiel für eine Remanenzerscheinung der Kosten

Literatur: *Heinen, E.*, Zum Problem der Kostenremanenz, in: ZfB, 36. Jg. (1966), S. 1 ff. *Schweitzer, M.*, Kostenremanenz, in: *Kosiol, E.* (Hrsg.), HWR, Stuttgart 1970, Sp. 967 ff. *Schweitzer, M./Küpper, H.-U.*, Produktions- und Kostentheorie der Unternehmung, Reinbek bei Hamburg 1974.

Kostenstelle

betrieblicher Teilbereich, der kostenrechnerisch in der →Kostenstellenrechnung selbständig abgerechnet wird und der als „Kontierungseinheit" nicht immer mit der räumlichen, organisatorischen oder funktionellen Gliederung des Betriebes übereinzustimmen braucht.

Für die Einteilung des Betriebes in Kostenstellen haben sich drei Grundsätze herausgebildet:
(1) Die Kostenstelle muß ein selbständiger Verantwortungsbereich sein, um eine wirksame Kostenkontrolle zu gewährleisten. Sie soll möglichst auch eine räumliche Einheit sein, um Kompetenzüberschneidungen zu vermeiden.
(2) Für jede Kostenstelle müssen sich möglichst genaue Maßgrößen der Kostenverursachung finden lassen; anderenfalls besteht die Gefahr einer fehlerhaften Kostenkontrolle und Kalkulation.
(3) Auf jede Kostenstelle müssen sich die Kostenbelege genau und gleichzeitig einfach verbuchen (kontieren) lassen.

Diese drei Grundsätze lassen ein Optimumproblem bei der Kostenstelleneinteilung erkennen: Je feiner die Kostenstelleneinteilung, desto eher lassen sich exakte Maßstäbe der Kostenverursachung (Bezugsgrößen) finden und desto genauer werden Kostenkontrolle, Kalkulation und relevante Kosten. Andererseits aber bedeutet eine sehr feine Einteilung höhere Abrechnungskosten, denn die Kontierung der Belege wird aufwendiger. Außerdem läßt sich auch der erste Grundsatz um so schlechter einhalten, je besser der zweite realisiert wird.

Der optimale Feinheitsgrad der Kostenstelleneinteilung läßt sich durch folgende Regel umschreiben: Wenn die Unterteilung der Kostenstellen für die → Kalkulation zu grob ist, dann ist sie auch für die → Kostenkontrolle zu grob!

Wie differenziert im konkreten Fall die Einteilung des Betriebes in Kostenstellen vorzunehmen ist, hängt von einer Reihe betriebsindividueller Faktoren ab: Betriebsgröße, Branche, Produktionsprogramm und -verfahren, organisatorische Gliederung, angestrebte Kalkulationsgenauigkeit, angestrebte Kostenkontrollmöglichkeit. „Ihre Grenze findet die Aufteilung in Kostenstellen dort, wo sie nicht mehr wirtschaftlich ist" *(Günter Wöhe).*

Nach diesen allgemeinen Gesichtspunkten für die Einteilung des Betriebes in Kostenstellen sei auf die verschiedenen Arten von Kostenstellen eingegangen, deren Hauptgruppen man einmal nach funktionellen und zum anderen nach abrechnungstechnischen Kriterien unterscheiden kann:

Nach Funktionen, d.h. Tätigkeitsbereichen, unterscheidet man folgende Hauptgruppen von Kostenstellen, die auch Kostenbereiche genannt werden:

- Die *Materialstellen* beschäftigen sich mit der Beschaffung, Annahme, Prüfung, Lagerung und Ausgabe der Werkstoffe. Beispiele sind die Abteilung Einkauf, Materialprüflabor oder Rohstofflager, die in großen Betrieben noch jeweils untergliedert sein können.
- Die *Fertigungsstellen* beschäftigen sich mit der eigentlichen Leistungserstellung. Sie können unmittelbar (z.B. Gießerei, Montage) oder mittelbar (z.B. Arbeitsvorbereitung, Terminstelle) an der Produktion mitwirken.
- Die *Vertriebsstellen* beschäftigen sich mit der Lagerung, dem Verkauf und Versand der Fertigprodukte. Beispiele sind die Abteilungen Werbung, Expedition oder Verpackungslager.
- Die *Verwaltungsstellen* umfassen die Geschäftsführung und ihre Stabsstellen, das Rechnungswesen und sonstige Verwaltungsarbeiten. Beispiele sind die Finanz-

buchhaltung, Poststellen oder Interne Revision.
- Die *allgemeinen Kostenstellen* üben Tätigkeiten aus, die dem gesamten Betrieb dienen. Hierher gehören z.B. die Stromversorgung, die Sanitätsstation, die Betriebsfeuerwehr, die Gebäudereinigung oder der innerbetriebliche Transport.
- Die *Forschungs-, Entwicklungs- und Konstruktionsstellen* werden in der kostenrechnerischen Praxis manchmal als eigener Kostenbereich behandelt, manchmal zu den allgemeinen Kostenstellen gezählt. Hierher gehören z.B. die Stellen Zentrallabor, Versuchswerkstatt, Patentstelle, Konstruktionsabteilung, Zeitungsarchiv oder Bibliothek.

Nach der Art der Abrechnung der Kosten unterscheidet man → Haupt- und Hilfskostenstellen.

Die Einteilung des Betriebes in Kostenstellen findet im betriebsindividuellen → Kostenstellenplan ihren Niederschlag (→ Platzkostenrechnung).   *L. H.*

Literatur: *Haberstock, L.,* Kostenrechnung I, Einführung, 7. Aufl., Hamburg 1985. *Haberstock, L.,* Kostenrechnung II, (Grenz-)Plankostenrechnung, 7. Aufl., Hamburg 1986. *Haberstock, L.,* Grundzüge der Kosten- und Erfolgsrechnung, 4. Aufl., München 1987.

Kostenstelleneinzelkosten → Einzel- und Gemeinkosten, → Gemeinkostenverteilung

Kostenstellengemeinkosten   → Gemeinkostenverteilung

Kostenstellenplan

Verzeichnis der i.d.R. funktionell gegliederten → Kostenstellen eines Betriebes. Beispiel:

1 ALLGEMEINER BEREICH
  11 *Gruppe Forschung, Entwicklung, Konstruktion*
    111 Leitung der Gruppe
    112 Zentrallabor
    113 Konstruktionsabteilung
    114 Versuchswerkstatt
    115 Patentstelle

  12 *Gruppe Raum*
    121 Grundstücke und Gebäude
    122 Heizung und Beleuchtung
    123 Reinigung
    124 Bewachung
    125 Feuerschutz

  13 *Gruppe Energie*
    131 Wasserverteilung

132 Stromerzeugung und -verteilung
133 Gaserzeugung und -verteilung
134 Dampferzeugung und -verteilung
135 Preßlufterzeugung und -verteilung

14 *Gruppe Transport*
141 Schienenfahrzeuge und Gleisanlagen
142 Förderanlagen und Kräne
143 Fuhrpark LKW
144 Fuhrpark PKW
145 Fuhrpark Hubstapler

15 *Gruppe Instandhaltung*
151 Werkstättenleitung
152 Bauabteilung
153 Schlosserei
154 Tischlerei
155 Elektrowerkstatt

16 *Gruppe Sozial*
161 Gesundheitsdienst
162 Kantine
163 Werksbücherei
164 Sportanlagen
165 Betriebsrat

2 MATERIALBEREICH
211 Einkaufsleitung
212

Einkaufsabteilungen

216
221 Lagerleitung
222 Warenannahme
223 Prüflabor
224

Werkstoffläger

227
228 Lagerkartei
229 Warenausgabe

3 FERTIGUNGSBEREICH
311 Technische Betriebsleitung
312 Arbeitsvorbereitung
313 Terminstelle
314 Werkzeugausgabe
315 Werkzeugmacherei
316 Lehrwerkstatt
321 Meisterbüro 1
322

Fertigungsstellen

326
331 Meisterbüro 2
332

Fertigungsstellen

336

4 VERTRIEBSBEREICH
411 Verkaufsleitung Inland
412

Verkaufsabteilungen Inland

416
421 Verkaufsleitung Ausland
422

Exportabteilungen

426
431

Fabrikateläger

435
441 Marktforschung
442 Werbung
451 Kundendienst
452 Montage
461 Verpackung
462 Verpackungsmateriallager
463 Expedition

5 VERWALTUNGSBEREICH
511 Geschäftsleitung
512 Betriebswirtschaftliche Abteilung
513 Interne Revision
514 Rechtsabteilung
521 Buchhaltung
522 Betriebsabrechnung
523 Kalkulation
524 Personalbüro/Lohnbüro
525 Statistik
526 Rechenzentrum
531 Registratur
532 Poststelle/Botendienst
533 Büromateriallager und -ausgabe
541 Gästehaus
542 Yacht und Jagd

Kostenstellenrechnung

Teilgebiet der → Kostenrechnung, in dem die Kosten auf die Betriebsbereiche (→ Kostenstellen) verteilt werden, in denen sie angefallen sind. Diese Verteilung wird mit Hilfe des → Betriebsabrechnungsbogens (BAB) vorgenommen und verfolgt einen doppelten Zweck: Einmal muß man für die → Kostenkontrolle und -beeinflussung wissen, wo die Kosten entstanden sind, und zum anderen ist eine genaue Stückkostenberechnung (→ Kalkulation) nur möglich, wenn die betrieblichen Leistungen mit den Kosten derjenigen Stellen (Abteilungen) belastet werden, die diese Leistungen erbringen.

Die Begriffe Kostenstellenrechnung und Betriebsabrechnungsbogen werden vielfach gleichgesetzt und deshalb auch die Aufgaben der Kostenstellenrechnung mit denen des BAB identifiziert. Ein solches Vorgehen ist zwar vertretbar, doch scheinen die Aufgaben des BAB eher eine „Arbeitsanweisung" zur Realisierung der folgenden – allgemeiner formulierten – Aufgaben der Kostenstellenrechnung zu sein:

Die Kostenstellenrechnung erfaßt die Kosten am Ort ihrer Entstehung, um
(1) die Kontrolle der Wirtschaftlichkeit (Kostenkontrolle) an den Stellen durchzuführen, an denen die Kosten zu verantworten und zu beeinflussen sind.
(2) die Genauigkeit der Kalkulation zu erhöhen, denn bei unterschiedlicher Beanspruchung der Abteilungen durch die einzelnen Produkte muß man auch die Gesamtkosten des Betriebes nach Kostenstellen differenziert den Kostenträgern zurechnen, die diese Kosten verursacht haben.
(3) relevante Kosten aus einzelnen Betriebsbereichen zu liefern.

Von diesen drei Aufgaben, die mit denen der → Kostenrechnung korrespondieren, kann die erste als eigenständige Aufgabe der Kostenstellenrechnung bezeichnet werden. Dazu ist allerdings – wenn man sich bei der Kostenkontrolle nicht auf einen reinen → Zeitvergleich beschränken will – eine → Normalkostenrechnung oder besser eine → Plankostenrechnung erforderlich. Die anderen beiden Aufgaben sind nicht eigenständig, sondern dienen der Vorbereitung der Kalkulation und → Kurzfristigen Erfolgsrechnung sowie der Planungsrechnung.

Im einzelnen muß sich die Kostenstellenrechnung damit befassen,
● den Betrieb in → Kostenstellen zu untergliedern und einen entsprechenden → Kostenstellenplan aufzustellen,
● die → Gemeinkostenverteilung im BAB vorzunehmen und dabei auch die sog. → innerbetriebliche Leistungsverrechnung durchzuführen sowie
● die → Kalkulationssätze als Vorbereitung der → Kostenträgerrechnung zu ermitteln.

L. H.

Literatur: *Haberstock, L.*, Kostenrechnung I, Einführung, 7. Aufl., Hamburg 1985. *Haberstock, L.*, Kostenrechnung II, (Grenz-)Plankostenrechnung, 7. Aufl., Hamburg 1986. *Haberstock, L.*, Grundzüge der Kosten- und Erfolgsrechnung, 4. Aufl., München 1987.

Kostensteuer   → Steuerüberwälzung, → Dienstleistungskosten

Kostentheorie

realwissenschaftlicher Bereich, der sich mit der Untersuchung von → Kosten befaßt. Sie ist besonders wichtig für die Planung der → Produktion und die → Kostenrechnung. Ihr Untersuchungsgegenstand wird durch den Kostenbegriff abgegrenzt. Unter Kosten wird allgemein der bewertete sachziel- oder leistungsbezogene Güterverbrauch verstanden.

Das der Kostentheorie zugrunde liegende theoretische Wissenschaftsziel ist auf die Aufstellung und Überprüfung von allgemeingültigen, universellen Kostenaussagen gerichtet. Solche Aussagen geben Gesetzmäßigkeiten, Regelmäßigkeiten bzw. generelle Abhängigkeiten des Kostenbereichs wieder und werden auch als nomologische Kostenhypothesen bezeichnet. Die auf die Höhe der Kosten einwirkenden Größen stellen die Anwendungs- oder Antecedensbedingungen kostentheoretischer Aussagen dar und geben deren Geltungsbereich an.

Nomologische Hypothesen über die Kosten der Erstellung und Verwertung von Ausbringungsgütern dienen der Erklärung und Prognose von Kostengrößen. Die Erklärung betrifft einen realisierten empirisch beobachteten Sachverhalt und besteht in der Ableitung des ermittelten Kostenbetrags für die beobachteten Anwendungsbedingungen mit Hilfe von universellen Kostenaussagen. Bei der Prognose wird dagegen mit Hilfe der nomologischen Kostenhypothesen für die angenommenen bzw. geplanten Anwendungsbedingungen ein zukünftiger Kostenbetrag bestimmt. Damit theoretische Aussagen für die Erklärung und Prognose von Kosten verwendbar sind, haben sie gewisse Anforderungen zu erfüllen. Sie müssen widerspruchsfrei, allgemeingültig, empirisch gehaltvoll und empirisch überprüfbar sein.

Dem theoretischen ist das deskriptive Wissenschaftsziel vorgelagert, bei dem es um die Beschreibung von entstandenen Kosten geht. Beschreibende Aussagen besitzen im Gegensatz zu Kostengesetzen singulären Charakter. Sie können nach verschiedenen Merkmalen wie zeitlicher Bezug oder Sicherheitsgrad der Kostenaussagen klassifiziert werden.

Theoretische Aussagen über die Kosten der Erstellung und Verwertung von Ausbringungsgütern werden von der Kostentheorie in Gestalt von → Kostenfunktionen aufgestellt. Eine Kostenfunktion bildet die Abhängigkeit zwischen der Höhe der Kosten und den Ausprägungen der Kosteneinflußgrößen ab. Die

Kostentheorie umfaßt demnach zwei Forschungsschwerpunkte: Die erste Aufgabe besteht in der Untersuchung von Größen, die auf die Höhe der Kosten einwirken. Die Kostentheorie hat eine Reihe von → Kosteneinflußgrößen herausgefunden und systematisiert. Der zweite Untersuchungsschwerpunkt ist auf die Erforschung der Beziehungen zwischen der Höhe der Kosten und den Ausprägungen der maßgeblichen Kosteneinflußgrößen gerichtet. Die Kostentheorie hat mehrere → Kostenfunktionen aufgestellt, die sich vor allem hinsichtlich ihrer produktionstheoretischen Fundierung unterscheiden. Zu diesem Untersuchungsbereich gehört auch die Analyse der Kostenfunktionen nach ihrem Verlauf. Zur Kennzeichnung der → Kostenverläufe hat die Kostentheorie unterschiedliche Kostenkategorien und Zonen abgegrenzt sowie geeignete Maße konzipiert. Als spezielles Untersuchungsproblem wird das Phänomen der → Kostenremanenz betrachtet. Darunter versteht man das Phänomen, daß Kosten bei einem Beschäftigungsrückgang erst mit einem zeitlichen Verzug zurückgehen.

Kosten besitzen eine Mengen- und eine Wertkomponente. Beide bilden auch einen Untersuchungsgegenstand anderer betriebswirtschaftlicher Disziplinen. Aus diesem Grunde kann die Kostentheorie bei der Erkenntnisfindung auf die Ergebnisse der relevanten Fachgebiete zurückgreifen (vgl. Abb.). Darüber hinaus weist die Kostentheorie zu weiteren betriebswirtschaftlichen Forschungsbereichen wie Organisationstheorie, Investitionstheorie und Kostenrechnung Interdependenzen auf.   *G. H.*

Bestandteile der Kostentheorie

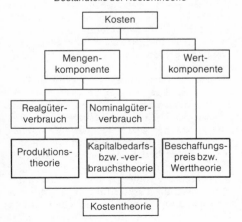

Literatur: *Gutenberg, E.,* Grundlagen der Betriebswirtschaftslehre, Bd. 1: Die Produktion, 23. Aufl.,

Berlin u. a. 1979. *Heinen, E.,* Betriebswirtschaftliche Kostenlehre, Kostentheorie und Kostenentscheidungen, 6. Aufl., Wiesbaden 1983. *Schweitzer, M./ Küpper, H.-U.,* Produktions- und Kostentheorie der Unternehmung, Reinbek bei Hamburg 1974.

Kostenträger

sind die betrieblichen Leistungen, die die verursachten Kosten „tragen" müssen. Man unterscheidet hierbei Absatzleistungen und → innerbetriebliche Leistungen (vgl. Abb.).

Die *Absatzleistungen* lassen sich wiederum unterteilen in auftragsbestimmte und lagerbestimmte Leistungen, je nachdem ob aufgrund eines Kundenauftrages (z. B. in Werften, Maschinen- und Tiefbauunternehmen) oder aufgrund eines Lagerauftrages (zur Auffüllung des Lagers bei Produktion für den anonymen Markt, z. B. bei Markenartikeln) gefertigt wird.

Die *innerbetrieblichen Leistungen* werden in aktivierbare und nicht aktivierbare unterteilt; man spricht auch von Anlagen- bzw. Gemeinkostenaufträgen.

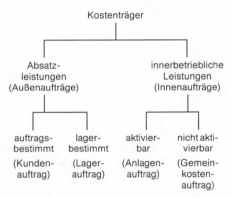

Kostenträgerrechnung

(Selbstkostenrechnung, → Kalkulation) Teilgebiet der → Kostenrechnung, in dem für alle erstellten Güter und Dienstleistungen (→ Kostenträger) die → Stückkosten ermittelt werden. Ihre Fragestellung lautet: Wofür sind welche Kosten in welcher Höhe angefallen?

Die Aufgaben der Kostenträgerrechnung bestehen im einzelnen darin, die Herstell- und Selbstkosten der Kostenträger zu ermitteln, um

(1) die *Bewertung der Bestände* an Halb- und Fertigfabrikaten sowie selbsterstellten Anlagen in der Handels- und Steuerbilanz zu ermöglichen (Herstellkosten),

(2) die *Durchführung der* → *Kurzfristigen Erfolgsrechnung* nach dem Gesamt- oder Um-

satzkostenverfahren zu gewährleisten (Herstell- oder Selbstkosten),
(3) Unterlagen für *preispolitische Entscheidungen* zu erhalten, d.h. z.B. für die Ermittlung der → Preisuntergrenzen, die Ermittlung der gewinnmaximalen Preisstellung bei Marktaufträgen aufgrund der vermuteten betriebsindividuellen Nachfragekurve (konjekturale → Preisabsatzfunktion) oder die Ermittlung sog. „Selbstkostenpreise" aufgrund vertraglicher Vereinbarungen, insb. mit öffentlichen Auftraggebern (Selbstkosten),
(4) *Ausgangsdaten* für (nicht marktpreisbezogene) Problemstellungen der *Planungsrechnung* zu gewinnen, z.B. für Entscheidungsmodelle des → Operations Research (Herstell-und/oder Selbstkosten).

Die Kostenträgerrechnung erfüllt diese Aufgaben als Kostenträgerzeitrechnung bzw. als Kostenträgerstückrechnung.

Die *Kostenträgerzeitrechnung* ist eine Periodenrechnung und ermittelt die – nach Leistungsarten gegliederten – in der Abrechnungsperiode insgesamt angefallenen Kosten. Sie kann wie die → Kostenstellenrechnung (→ Betriebsabrechnungsbogen) entweder in kontenmäßiger oder in statistisch-tabellarischer Form durchgeführt werden. Sie wird vielfach mit der → Kurzfristigen Erfolgsrechnung (Betriebsergebnisrechnung) identifiziert. Aus der Literatur kann man leicht den (falschen) Eindruck gewinnen, als werde die Stückrechnung nach der Zeitrechnung durchgeführt; man benötigt aber Stückkosten für die Ergebnisrechnung sowohl nach dem Umsatz- als auch dem Gesamtkostenverfahren.

Die *Kostenträgerstückrechnung* ermittelt die Selbst- bzw. Herstellkosten der betrieblichen Leistungseinheiten; sie ist die → Kalkulation.   *L.H.*

Literatur: *Haberstock, L.,* Kostenrechnung I, Einführung, 7. Aufl., Hamburg 1985. *Haberstock, L.,* Kostenrechnung II, (Grenz-)Plankostenrechnung, 7. Aufl., Hamburg 1986. *Haberstock, L.,* Grundzüge der Kosten- und Erfolgsrechnung, 4. Aufl., München 1987.

Kostenträgerstückrechnung   → Kostenträgerrechnung

Kostenträgerzeitrechnung   → Kostenträgerrechnung

Kostentragfähigkeitsprinzip   → Kostenrechnungsprinzipien

Kostenüberdeckung   → Normalkostenrechnung

Kostenüberhang → Break-even-Analyse

Kostenunterdeckung   → Break-even-Analyse, → Normalkostenrechnung

Kostenvergleichsrechnung

Verfahren zur Ermittlung der relativen Vorteilhaftigkeit eines Investitionsprojektes gegenüber einer Investitionsalternative. Bei dieser Investitionsalternative kann es sich um eine neue Anlage handeln (Wahlproblem), aber auch um eine vorhandene Anlage (→ Ersatzproblem). Die Ermittlung der relativen Vorteilhaftigkeit erfolgt anhand der Kosten, d.h. es wird die kostengünstigste Anlage bestimmt. In den Kostenvergleich sind grundsätzlich alle von den verglichenen Investitionsalternativen künftig verursachten Kosten einzubeziehen, z.B. kalkulatorische Abschreibungen, kalkulatorische Zinsen, Personal-, Material-, Instandhaltungs-, Werkzeug- und Energiekosten. Beim Ersatzproblem gilt für die vorhandene Anlage: An die Stelle der Abschreibungen tritt die Verminderung des → Liquidationserlöses während der Vergleichsperiode. Anschaffungswert und Restbuchwert der vorhandenen Anlage spielen im Rahmen des Kostenvergleichs keine Rolle.

Die Ermittlung der Kosten der Projektalternativen im Rahmen des Wahlproblems erfolgt im einfachsten Fall (kontinuierliche Amortisation des gebundenen Kapitals während der Lebensdauer, kein Liquidationserlös am Ende der Lebensdauer) nach der Formel:

$$K = K^l + I_0 \left(\frac{1}{T} + \frac{i}{2} \right).$$

K^l durchschnittliche laufende (ausgabengleiche) Kosten je Zeitabschnitt (i.d.R. pro Jahr),

I_0 → Investitionsausgaben,

T Projektdauer,

i Zinssatz für die Ermittlung der kalkulatorischen Zinsen.

Eine Investition I ist vorteilhafter als eine alternative Investition II, wenn ihre durchschnittlichen Kosten je Zeitabschnitt geringer sind. Beim Ersatzproblem erfolgt die Ermittlung der Kosten der neuen Anlage (Ersatzanlage) nach der für das Wahlproblem angegebenen Formel. Die Kosten K_a der vorhandenen Anlage betragen:

$$K_a = K_a^l + (L_o - L_v) \cdot \frac{1}{v} + \frac{L_o + L_v}{2} \cdot i.$$

K_a^l durchschnittliche laufende Kosten der vorhandenen Anlage je Zeitabschnitt während der Vergleichsperiode,

L_o Liquidationserlös der vorhandenen Anlage zu Beginn der Vergleichsperiode,

L_v Liquidationserlös der vorhandenen Anlage am Ende der Vergleichsperiode,

v Vergleichsperiode.

Der Ersatz der vorhandenen Anlage zu Beginn der Vergleichsperiode durch eine neue Anlage ist vorteilhaft, wenn die durchschnittlichen Kosten je Zeitabschnitt der neuen Anlage geringer sind als die der vorhandenen. Im umgekehrten Fall empfiehlt sich eine Verschiebung des Ersatzes. Die Anwendbarkeit der Kostenvergleichsrechnung zur Beurteilung von Investitionen wird insb. durch zwei Eigenschaften beschränkt:

- Wie alle Vergleichsrechnungen erlaubt sie nur eine Feststellung der relativen Vorteilhaftigkeit einer Investition, die absolute Vorteilhaftigkeit kann damit nicht ermittelt werden,
- Es wird vorausgesetzt, daß die durchschnittlichen Erträge je Zeitabschnitt bei den verglichenen Investitionsalternativen gleich hoch sind. Ist das nicht der Fall, dann ist eine → Gewinnvergleichsrechnung oder eine → Rentabilitäts(vergleichs)rechnung durchzuführen.

Aus den einschränkenden Prämissen der Kostenvergleichsrechnung ergibt sich, daß sie in erster Linie zur Beurteilung kleinerer → Ersatz- und → Rationalisierungsinvestitionen einsetzbar ist. *K. L.*

Literatur: *Blohm, H./Lüder, K.*, Investition, 5. Aufl., München 1983, insb. S. 146 ff.

Kostenverlauf

bezieht sich auf → Kostenfunktionen und beschreibt die Entwicklung der Kosten in Abhängigkeit von ihren → Einflußgrößen. Wird eine Kostenfunktion graphisch dargestellt, so bringt das Bild den Kostenverlauf zum Ausdruck. Für die Kennzeichnung des Verlaufs von Kostenfunktionen hat die → Kostentheorie unterschiedliche Kostenkategorien bzw. Zonen und Maße entwickelt.

Unterschiedliche Kostenkategorien werden einmal nach dem Kostenverhalten bei Beschäftigungsänderungen bzw. der Kostenproportionalität abgegrenzt (vgl. Abb.). → Kostenproportionalität liegt vor, wenn die Änderung der Kosten bei Variation der Beschäftigung gleich der Änderung der Ausbringungsmenge ist. Ist die Änderung der Kosten größer (kleiner) als jene der Beschäftigung, dann liegen überproportionale (unterproportionale) Kosten vor (→ Kostendegression). Proportionale, über- und unterproportionale Kosten stellen Erscheinungsformen → variabler Kosten dar.

Eine weitere Charakterisierung des Kostenverlaufs nimmt man nach der Krümmung von Kostenfunktionen vor. Danach werden lineare und nichtlineare Kostenfunktionen unterschieden. Ein Kostenverlauf wird als linear

bezeichnet, wenn die → Grenzkosten der Kostenfunktion konstant sind. Bei veränderlichen Grenzkosten ist dagegen ein → nichtlinearer Kostenverlauf gegeben. Er kann unterlinear (zweite Ableitung der Kostenfunktion ist kleiner als Null) oder überlinear (zweite Ableitung der Kostenfunktion ist größer als Null) sein. Der Wechsel in der Krümmung gibt den Wendepunkt an.

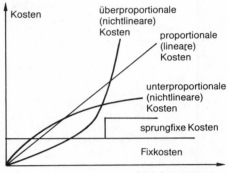

Mögliche Kostenverläufe bei Beschäftigungsänderungen

Für die quantitative Bestimmung des Kostenverlaufs hat die Kostentheorie entsprechend der Abbildung weitere Maße entwickelt (→ Kostenelastizität, → Kostenreagibilität).

Die dargestellten Maße beziehen sich auf einvariablige Kostenfunktionen mit einer einzigen Kosteneinflußgröße. Für → mehrvariablige Kostenfunktionen sind entsprechende Maße zur Kennzeichnung des Kostenverlaufs noch zu entwickeln (vgl. Abb. auf S. 1099). *G. H.*

Literatur: *Dlugos, G.*, Kostenabhängigkeiten, in: *Kosiol, E.* (Hrsg.), HWR, Stuttgart 1970, Sp. 883 ff. *Pack, L.*, Die Elastizität der Kosten, Wiesbaden 1966. *Schweitzer, M./Küpper, H.-U.*, Produktions- und Kostentheorie der Unternehmung, Reinbek bei Hamburg 1974.

Kostenverursachungsprinzip → Kostenrechnungsprinzipien

Kostenwert

auf eine Mengeneinheit bezogener Preis, der dem (sachzielbezogenen) Verbrauch eines Produktionsfaktors zugeordnet wird. Jede Einsatzgüterart besitzt ihren spezifischen Preis (z.B. Materialpreis, Stundenlohn, Zinssatz usw.). Die pagatorisch oder wertmäßig bestimmbaren Kostenwerte ermöglichen eine Abbildung des Güterverbrauchs in Geldgrö-

Maße zur Kennzeichnung des Verlaufs von Kostenfunktionen

Maß	Definition	Erläuterungen
Variabilität	$\dfrac{K_2}{x_2} : \dfrac{K_1}{x_1}$	Verhältnis der Durchschnittskosten bei zwei verschiedenen Ausbringungsmengen
Proportionalitätsabweichung	$\dfrac{K_2}{x_2} : \dfrac{K_1}{x_1} - 1$	Differenz der Durchschnittskosten bei zwei verschiedenen Ausbringungsmengen bezogen auf die ursprünglichen Durchschnittskosten; entspricht einer Variabilität von -1
Kostenelastizität	$\dfrac{dK}{K} : \dfrac{dx}{x}$	Verhältnis der Grenzkosten zu Durchschnittskosten bzw. relative Änderung der Gesamtkosten im Verhältnis zur relativen Änderung der Beschäftigung
Krümmung	$\dfrac{d^2K}{dx^2}$	Zweite Ableitung der Kostenfunktion, d.h. Steigung der Grenzkostenfunktion

(K = Kosten; x = Beschäftigung bzw. Ausbringungsmenge)

ßen und übernehmen damit eine Verrechnungsfunktion. Diese →Kosteneinflußgröße beeinflußt direkt oder über Änderungen der Einsatzgüterkombination aufgrund von Preisänderungen indirekt die Kostenhöhe.

Kostenwirksamkeitsanalyse →Kosten-Nutzen-Analyse

Kovarianz

Maß für die Stärke des Zusammenhanges zwischen zwei Variablen. Im Gegensatz zum Korrelationskoeffizienten (→Korrelationsanalyse) hängt der numerische Wert der Kovarianz von den bei der Messung der Variablen zugrundegelegten Maßeinheiten ab.

Sind X und Y zwei Zufallsvariablen, dann ist die Kovarianz Cov(X,Y) der →Erwartungswert der Funktion
$[X - E(X)] \cdot [Y - E(Y)]$,
also Cov(X,Y) = E $[X - E(X)] \cdot [Y - E(Y)]$.
Sind X und Y unabhängig, dann ist ihre Kovarianz Null.

Liegen für zwei Variablen X und Y n Stichprobenwertepaare (x_i, y_i) $(i = 1, \ldots, n)$ vor, dann ist die Stichprobenkovarianz s_{XY} zwischen diesen Variablen als

$$s_{XY} = \frac{1}{n-1} \sum_{i=1}^{n} (x_i - \bar{x}) \cdot (y_i - \bar{y})$$

definiert, wobei $\bar{x}$ und $\bar{y}$ die Stichprobenmittelwerte der beiden Variablen sind (→arithmetisches Mittel); es gilt also

$$\bar{x} = \frac{1}{n} \sum_{i=1}^{n} x_i \text{ und } \bar{y} = \frac{1}{n} \sum_{i=1}^{n} y_i.$$

Zwischen der Stichprobenkovarianz und dem entsprechenden Korrelationskoeffizienten r_{XY} besteht die Beziehung
$s_{XY} = s_X \cdot s_Y \cdot r_{XY}$,
wobei s_X bzw. s_Y die →Standardabweichung von X bzw. Y bezeichnet.

Literatur: *Goldberg, S.*, Die Wahrscheinlichkeit, 3. Aufl., Braunschweig 1973.

Kovarianzanalyse

(ANalysis of COVAriance, ANCOVA) Verfahren der →multivariaten Analyse; sie kann als Erweiterung der →Varianzanalyse angesehen werden, bei der zur Erhöhung der Genauigkeit statistischer Experimente zusätzlich zu den ursprünglichen Einflußkategorien weitere, die Ergebnisse möglicherweise beeinflussende metrische Variablen berücksichtigt werden.

Literatur: *Seber, G. A. F.*, Multivariate Oberservations, New York u. a. 1984.

Kraftfahrtversicherung

(Kraftverkehrsversicherung, Autoversicherung) organisatorisch verselbständigter →Versicherungszweig, dessen vertragsrechtliche Grundlage die Allgemeinen Bedingungen für die Kraftfahrtversicherung sind.

Die Kraftfahrtversicherung gliedert sich in:
(1) *Kraftfahrzeug-Haftpflichtversicherung:* Befriedigung begründeter und Abwehr unbegründeter Schadensersatzansprüche Dritter gegen den Versicherungsnehmer oder mitversicherte Personen infolge des Gebrauches eines Kraftfahrzeuges. Bei Fahrerflucht oder nicht versichertem Fahrzeug leistet die Verkehrsopferhilfe e.V. in Hamburg Entschädigung.
(2) *Kaskoversicherung* (Fahrzeugversicherung): Sie versichert in der Teilkaskoversicherung Schäden aufgrund von Beschädigung, Zerstörung und Verlust des Fahrzeuges durch Brand, Explosion, Entwendung, unbefugten Gebrauch, Raub und Unterschlagung, Sturm, Hagel, Blitzschlag, Überschwemmung und Zusammenstoß mit Haarwild. In der Vollkaskoversicherung werden darüber hinaus Schäden durch Unfall sowie mut- oder böswillige Handlungen Fremder versichert.
(3) *Kraftfahrt-Unfallversicherung* (Insassen-Unfallversicherung): Unfallversicherung für

Insassen sowie angestellte Fahrer und Beifahrer eines Fahrzeuges, soweit der Unfall in ursächlichem Zusammenhang mit dem Gebrauch des Fahrzeuges steht.

(4) *Gepäckversicherung:* Versicherung des im Fahrzeug mitgeführten, dem persönlichen Bedarf dienenden Gepäcks.

Bei der Kraftfahrzeug-Haftpflichtversicherung handelt es sich um eine Pflichtversicherung; Teil- oder Vollkasko-, Unfall- und Gepäckversicherung können zusätzlich als kombinierte Versicherung abgeschlossen werden.

Die Kraftfahrzeug-Haftpflichtversicherung verfügt über ein sehr differenziertes Tarifwerk (→ Tarifierung), in dem sowohl die → primäre Prämiendifferenzierung als auch die → sekundäre Prämiendifferenzierung Anwendung finden. So werden als Tarifmerkmale die Fahrzeugart und -verwendung, die Motorstärke, der Zulassungsort sowie der Beruf des Fahrzeughalters benutzt (primäre Prämiendifferenzierung), aber auch die individuelle Schadenerfahrung über die Schadenzahl des einzelnen Versicherungsvertrages (sekundäre Prämiendifferenzierung), die zur Einstufung in Schaden- und Schadenfreiheitsklassen (Schadenfreiheitsrabatt) führt.

Enge Verbindung zur Kraftfahrtversicherung weist die Verkehrs-Service-Versicherung auf, die bei Panne, Unfall, Diebstahl oder Totalschaden gemäß den Versicherungsbedingungen Kosten erstattet sowie Fahrzeugrückholung, Krankenrücktransport oder Kinderrückholung bei Erkrankung, Verletzung oder Tod des Fahrers finanziert.   *E. H./E. S.*

Literatur: *Asmus, W.,* Kraftfahrtversicherung, 2. Aufl., Wiesbaden 1982.

Kraftfahrzeug-Haftpflichtversicherung
→ Kraftfahrtversicherung

Kraftfahrzeugsteuer

(Aufkommen 1982: 6,7 Mrd. DM) fließt den Ländern zu. → Steuerobjekt ist (im wesentlichen) das Halten von Kraftfahrzeugen und Kraftfahrzeuganhängern zum Verkehr auf öffentlichen Straßen. → Steuerschuldner ist der Halter, der die Steuer jeweils für ein Jahr im voraus zu entrichten hat. Steuerbemessungsgrundlage ist bei Zwei- und Dreiradfahrzeugen sowie bei Personenkraftwagen (Pkw) der Hubraum, bei anderen Fahrzeugen, also insb. Lastkraftwagen (Lkw) das höchstzulässige Gesamtgewicht. Der Steuersatz beträgt bei Pkw (je angefangene 100 ccm Hubraum 18,80 DM bzw. 21,60 DM, je nachdem ob der Pkw vor oder nach dem 1. 1. 1986 erstmals zugelassen worden ist. Als schadstoff-

arm anerkannte Pkw sind für eine bestimmte Zeit von der Kraftfahrzeugsteuer befreit und unterliegen dann dem Steuersatz von 13,20 DM. Für Lkw ist der Steuersatz nach Gesamtgewicht progressiv, wobei auch nach der Achsenzahl differenziert wird. Die Steuer kann je (angefangene) 200 kg Gesamtgewicht zwischen 22 und 166 DM jährlich betragen. Es gibt zahlreiche Steuerbefreiungen (z. B. Bundeswehr, Bundesgrenzschutz, Polizei, Müllabfuhr).

Die Kraftfahrzeugsteuer ist ursprünglich mit dem Gedanken einer Luxusbesteuerung gerechtfertigt worden. Heute wird sie eher äquivalenzmäßig (→ Äquivalenzprinzip) begründet: Sie stellt einen Beitrag zu den Lasten dar, die der öffentlichen Hand durch die Bereitstellung der Verkehrswege und -einrichtungen entstehen. Die Besteuerung der Pkw nach Hubraum gilt als konstruktions- und umweltfeindlich. Zudem ist die Verwaltung der Steuer infolge der starken Zunahme des Fahrzeugbestandes schwieriger und kostspieliger geworden. Die seit Jahren diskutierte Reform will diese beiden Mängel beseitigen.

R. P.

Literatur: *Funk, R.,* Straßenverkehrsteuern, in: HdWW, Bd. 7, Stuttgart u. a. 1977, S. 468 ff.

Kraftverkehrsversicherung → Kraftfahrtversicherung

Kraftwerksvertrag → Jahrhundertvertrag

Krankengeld

Mitglieder der → gesetzlichen Krankenversicherung erhalten im Rahmen der → Krankenhilfe für die Dauer ihrer Arbeitsunfähigkeit als Folge der Erkrankung Krankengeld. Das Krankengeld hat Einkommensersatzfunktion. Es ist deswegen lohnbezogen und soll das Sinken des Lebensstandards während einer Erkrankung verhindern.

Früher notwendigerweise von großer Bedeutung, hat es mittlerweile an Gewicht im Leistungssystem schon deswegen verloren, weil seit der Einführung der → Lohnfortzahlung im Krankheitsfall auch an Arbeiter während der ersten sechs Wochen einer krankheitsbedingten Arbeitsunfähigkeit der volle Lohn vom Arbeitgeber weiterbezahlt wird. Für die Angestellten gab es eine solche Lohnfortzahlung schon seit den 30er Jahren. Trotz dieser Lohnfortzahlung hat die Krankengeldzahlung ihre Bedeutung bei länger anhaltender krankheitsbedingter Arbeitsunfähigkeit und bei Freistellung von der Arbeit zur Betreuung eines kleinen Kindes erhalten.

Krankengeld erhält der Versicherte, der infolge einer Krankheit arbeitsunfähig ist (→ Arbeitsunfähigkeit). Das Krankengeld beträgt für alle Versicherten 80% des wegen der Arbeitsunfähigkeit entgangenen regelmäßigen Bruttoentgelts; obere Grenze ist das bisherige Nettoeinkommen. Der Berechnung des Krankengeldes liegt der Regellohn zu Grunde. Das Krankengeld ist dynamisiert; es erhöht sich nach Ablauf eines Jahres seit dem Ende des Bemessungszeitraums, z. B. dem Ende des letzten Lohnfortzahlungszeitraums vor der Festsetzung des Krankengeldes um den vom Hundertsatz, um den die Renten der gesetzlichen Rentenversicherung zuletzt erhöht worden sind (→ dynamische Rente).

In Verfolgung der Generallinie, Lohnersatzleistungen generell einer Sozialversicherungsbeitragspflicht zu unterwerfen, ist das Krankengeld seit 1.1. 1984 zur Renten- und Arbeitslosenversicherung beitragspflichtig. Auch wird nunmehr die Beitragspflicht zur Rentenversicherung, die bisher erst vom 13. Monat des Bezugs von Krankengeld an bestand, auf den Beginn der Krankengeldzahlung festgesetzt. Die Beiträge werden je zur Hälfte von den Leistungsträgern und den Leistungsbeziehern übernommen. Das Krankengeld, das bisher im Regelfall etwa 100% des letzten Nettoarbeitsverdienstes betrug mindert sich nunmehr um die Beiträge zur gesetzlichen Renten- und Arbeitslosenversicherung. Damit soll erreicht werden, daß Lohnersatzleistungen in der Sozialversicherung grundsätzlich nicht dieselbe Höhe erreichen sollen wie der Arbeitslohn, den sie ersetzen.

Krankengeld wird wegen derselben Krankheit für höchstens 78 Wochen innerhalb von drei Jahren gezahlt. Der Anspruch auf Krankengeld endet, wenn Rente wegen → Erwerbsunfähigkeit, → Altersruhegeld und vorzeitiges Altersruhegeld, Altersgeld oder → Landabgaberente von einer landwirtschaftlichen Altersklasse zugebilligt wird. Renten wegen Berufsunfähigkeit und Bergmannsrente werden auf das Krankengeld angerechnet (→ Erwerbs-, → Berufsunfähigkeitsrente, → Altersruhegeld, → Knappschaftsversicherung, → Alterssicherung der Landwirte). *H. W.*

Krankenhausfinanzierung

bestimmt die Art der Mittelaufbringung zur Errichtung und Unterhaltung von Krankenhäusern. Das in der Bundesrepublik Deutschland von 1972 bis 1985 geltende Krankenhausfinanzierungsgesetz (KHG) in Verbindung mit der Bundespflegesatzverordnung aus dem Jahre 1973 sah ein duales Finanzierungssystem vor. Danach werden die Errichtungskosten sowie Ausgaben für die lang- und mittelfristigen Anlagegüter gemeinsam von Bund, Ländern und Gemeinden getragen, während die Benutzungskosten über die Pflegesätze aufzubringen sind.

Diese Trennung von Investitions- und Betriebskosten ist Hauptansatzpunkt der Kritik, da die öffentliche Hand den prestigeträchtigen Krankenhausneubau und seine Ausstattung finanziert, während die Krankenkassen für die Folgekosten aufkommen müssen. Hinzu kommt, daß nur Krankenhäuser finanziert werden, die in den staatlichen Bedarfsplan aufgenommen werden. Potentielle Anbieter verfügen praktisch kaum über Marktzutrittsmöglichkeiten, da sie ihre Investitionskosten selbst aufbringen müßten. Schließlich dient die Verpflichtung der Krankenkassen zur Kostenerstattung nicht unbedingt der Leistungsverbesserung. § 17 Abs. 1 der Bundespflegesatzverordnung garantiert den Krankenhäusern faktisch eine Vollkostenerstattung, da Kostenüber- bzw. Kostenunterdeckungen durch eine Anpassung der Pflegesätze in der folgenden Periode nahezu automatisch ausgeglichen werden. Diese Kostensubventionierung führt zu erheblicher Ineffizienz und zu einem außergewöhnlichen Kostenanstieg.

Die Alternative zur derzeitigen Krankenhausfinanzierung, auch die Errichtungskosten über die Pflegesätze und damit über die Sozialabgaben zu finanzieren, wurde im Jahre 1972 politisch abgelehnt. Heute gilt die Notwendigkeit einer Reform der Krankenhausfinanzierung als unstrittig; die unterschiedlichen Reformvorschläge werden jedoch kontrovers diskutiert, Einmütigkeit besteht lediglich darüber, daß dem Krankenhaus Anreize zur sparsamen Mittelverwendung gegeben werden müssen. Das setzt die Möglichkeit der Gewinnerzielung seitens der Krankenhäuser voraus. Auch eine monistische Finanzierung ausschließlich über die Pflegesätze wird wieder diskutiert. *K. D. H.*

Literatur: *Neubauer, G.*, Reform der Krankenhausfinanzierung – Ein dringliches Problem, in: Wirtschaftsdienst, Heft 2 (1984), S. 83 ff.

Krankenhilfe

umfangreichste Aufgabe der → gesetzlichen Krankenversicherung. Die Krankenhilfe umfaßt als → Krankenpflege die für die Patienten kostenlose Inanspruchnahme von Kassenärzten, Kassenzahnärzten, Krankenhausbehandlung und die – bis auf eine Rezeptgebühr – ebenfalls kostenlose Beschaffung von Medikamenten, orthopädischen und anderen Hilfsmitteln, ferner die Inanspruchnahme von Belastungserprobungen und Arbeitstherapien.

Bei den Kosten für Zahnersatz ist den Versicherten eine Kostenbeteiligung auferlegt. Die Leistungen der Krankenhilfe werden für die gesetzliche Krankenversicherung regelmäßig als Sachleistungen erbracht (→ Sachleistungsprinzip). Neben die Krankenpflege tritt die Zahlung des → Krankengeldes als zweiter Teil der Krankenhilfe.

*Ausgaben der Krankenversicherung
(Leistungen in Mio. DM)*

	1977	1980	1983	1987
Ärzte, Zahnärzte, sonstige Heilpersonen, Zahnersatz Apotheken, sonstige Heil- und Hilfsmittel	22 536	28 294	30 664	35 527
Krankenhauspflege	13 190	17 454	19 715	22 850
Krankengeld	20 464	25 465	30 930	35 838
	4 909	6 654	5 515	6 390

Quelle: Sozialbericht 1983

Krankenpflege

im Rahmen der → gesetzlichen Krankenversicherung Teil der → Krankenhilfe. Versicherte der gesetzlichen Krankenversicherung haben beim Vorliegen einer Krankheit zeitlich unbegrenzt Anspruch auf Krankenpflege. Die Krankenpflege umfaßt vor allem die ärztliche und zahnärztliche Behandlung, die Versorgung mit Arzneimitteln und Verbandsmitteln (die Verordnungsblattgebühr je Mittel in der Höhe von 2 DM hat der Versicherte zu tragen), mit Heilmitteln und Brillen, die Versorgung mit Körperersatzstücken, orthopädischen und anderen Hilfsmitteln sowie Zuschüsse zu den Kosten für Zahnersatz und Zahnkronen. Dazu können kommen Kosten für Belastungserprobung und Arbeitstherapie sowie für Behinderte ergänzende Leistungen zur Rehabilitation.

Im Rahmen der Krankenpflege hat der Versicherte darüber hinaus auch Anspruch auf Krankenhauspflege, ebenfalls zeitlich unbegrenzt. Krankenhauspflege wird gewährt, wenn die Aufnahme in ein Krankenhaus erforderlich ist, um eine Krankheit zu erkennen oder zu behandeln oder Krankheitsbeschwerden zu lindern. Die Krankenhauspflege umfaßt die notwendige medizinische Betreuung einschl. Unterbringung und Verpflegung und wird von den gesetzlichen Krankenkassen durch Übernahme des für das jeweilige Krankenhaus geltenden Pflegesatzes abgegolten. An den Krankenhauskosten hat sich der Ver-

sicherte neuerdings mit 5 DM je Tag, längstens 14 Tage, zu beteiligen.

Unter besonderen Voraussetzungen hat der Versicherte auch Anspruch auf Kur.

Bei Kuren hat im Regelfall der Versicherte pro Tag 10 DM selbst zu tragen. Der Versicherte der gesetzlichen Krankenversicherung hat u. U. auch Anspruch auf Haushaltshilfe, wenn ihm oder dem Ehegatten wegen Aufenthalt in einem Krankenhaus, in einer Entbindungsanstalt oder wegen eines Kuraufenthalts, dessen Kosten von der Krankenkasse ganz oder teilweise getragen werden, die Weiterführung des Haushalts nicht möglich ist. Wenn Krankenhauspflege geboten, aber nicht durchführbar ist, erhält der Versicherte im Rahmen der gesetzlichen Krankenversicherung auch im häuslichen Familienverband Krankenpflege durch Krankenpfleger usw. Der Anspruch auf Hauspflege ist an einschränkende Bedingungen geknüpft. Im Rahmen der Krankenpflege können auch Reise- und Transportkosten übernommen werden (→ Pflegebedürftigkeit). *H. W.*

Krankenstand → Absentismus

Krankenversicherung → gesetzliche Krankenversicherung, → private Krankenversicherung

Krankheit → Arbeitsunfähigkeit

Krankheitskosten → Gesundheitsausgaben

Krankheitskostenstudien

stellen den Versuch dar, die direkten und indirekten Kosten von Krankheiten (bzw. von einzelnen Krankheitsarten) zu ermitteln. Die direkten Kosten umfassen den bewerteten Verbrauch an Ressourcen (Produktionsverfahren) für die Gesundheitsversorgung, der zumeist durch die → Gesundheitsausgaben für präventive, kurative, rehabilitative und pflegerische Leistungen approximiert wird. Unter den indirekten Kosten ist der bewertete Verlust an Ressourcen infolge von Morbidität (Arbeitsunfähigkeit, Invalidität) und von — gemessen an der durchschnittlichen Lebenserwartung — vorzeitigem Tod zu verstehen.

Die Bewertung des Ressourcenverlustes kann grundsätzlich nach zwei Ansätzen, der Humankapital- und der Zahlungsbereitschaftsmethode, erfolgen. Bei der Humankapitalmethode wird der Verlust am Produktionsfaktor Arbeit zu dem ihm innewohnenden Wertschöpfungspotential, wie es sich im Markteinkommen dokumentiert, bewertet. Demgegenüber fragt man bei der Zahlungsbereitschaftsmethode danach, wieviel die Individuen zur Abwendung des Krankheits- oder Todesrisikos zu zahlen bereit sind.

Grundsätzlich ist der Zahlungsbereitschaftsansatz vorzuziehen, da hier der Wert der menschlichen Arbeitskraft und des menschlichen Lebens mit einer die rein ökonomische Sichtweise überschreitenden Methode ermittelt werden kann und z.B. auch die psychosozialen Folgen von Krankheit und vorzeitigem Tod Berücksichtigung finden. Allerdings stellt die Humankapitalmethode den traditionellen Ansatz in Krankheitskostenstudien dar, da die empirische Umsetzung der Zahlungsbereitschaftsmethode große Schwierigkeiten mit sich bringt. Die Zuordnung der direkten und indirekten Kosten erfolgt zumeist auf die in der International Classification of Diseases (ICD) verschlüsselten Krankheitsarten.

Mit Krankheitskostenstudien wird zum einen das Ziel verfolgt, die Belastung einer Volkswirtschaft durch das Phänomen Krankheit und vorzeitigen Tod zu ermitteln. Darüber hinaus stellen die „Kosten von Krankheiten" einen Referenzmaßstab dar für die unerläßliche Prioritätensetzung im Gesundheitswesen, etwa bei der Vergabe von Mitteln für die Erforschung von Krankheiten oder für die Stärkung und Veränderung von Präventionsaktivitäten. Allerdings können Krankheitskostenstudien nur eine (ökonomische) Richtschnur beinhalten. Sie sind daher eher als eine Herausforderung an konkurrierende Erklärungsansätze, etwa aus der Theologie, Medizin oder Sozialethik zu werten, ohne daß einem Alleinvertretungsanspruch seitens der Wirtschaftswissenschaften das Wort geredet werden soll.

Auf der methodischen Grundlage US-amerikanischer Studien (*D. P. Rice,*) wurden erstmals die Kosten von Krankheiten in der Bundesrepublik Deutschland im Jahre 1980 (*Klaus-Dirk Henke*) ermittelt. Die Ergebnisse, denen aufgrund der z.T. unzureichenden Datenlage ein vorläufiger Charakter zugestanden werden muß, zeigen, daß die direkten Kosten insb. von den Krankheiten der Verdauungsorgane (darunter: Zahnbehandlung) und den Krankheiten des Kreislaufsystems verursacht werden. Indirekte Kosten entstehen vornehmlich im Zusammenhang mit den Krankheiten des Skeletts, der Muskeln und des Bindesgewebes sowie den Krankheiten der Atmungsorgane, während im Rahmen der Mortalität die Unfälle, Vergiftungen und Gewalteinwirkungen sowie die Krankheiten des Kreislaufsystems im Vordergrund stehen.

K.-D. H.

Literatur: *Rice, D. P.,* Estimating the Cost of Illness, U.S. Department of Health, Education, and Welfare, Health Economic Series, No. 6, Washington, D.C. 1966. *Henke, K.-D./Behrens, C.,* The Economic Cost of Illness in the Federal Republic of Germany in the Year 1980, in: Health Policy, Yol. 6 (1986), S. 119 ff.

Krankheitskostenversicherung → private Krankenversicherung

Kreativitätstechnik

Techniken wie →Brainstorming, →Methode 634, CNB-Methode oder →Synektik formulieren Regeln, die die Kreativität einzelner anregen und das schöpferische Denken in Gruppen fördern sollen. Sie wollen ihre Adressaten zum Verlassen herkömmlicher Sichtweisen bewegen, indem sie sie veranlassen, sich mit einer Vielzahl unterschiedlicher, fremdartiger Facetten eines Problems auseinanderzusetzen. Diese Methoden setzen Phantasie, Vorurteilsfreiheit und Selbstbewußtsein voraus und führen nur dann zum gewünschten Ergebnis, wenn die Gruppe, in der die Techniken zur Anwendung kommen, offene →Kommunikation erlaubt. Im Gegensatz zu den →Entwurfsheuristiken der organisatorischen Gestaltung sind die genannten Kreativitätstechniken nicht für organisatorische Probleme maßgeschneidert, sondern in fast allen Problemlösungsprozessen einsetzbar. *M. Eb.*

Literatur: *Grochla, E.,* Grundlagen der organisatorischen Gestaltung, Stuttgart 1982. *Schmidt, G.,* Organisation – Methode und Technik, 4. Aufl., Gießen 1981.

Kredit

leihweise Überlassung von Gegenwartsgütern oder *Geld* gegen Zukunftsgüter. Es ist als reines →Kreditgeschäft, aber auch im Zusammenhang mit einem Gütertausch oder Kauf möglich.

Während bei einem *Tausch* zu einem bestimmten Zeitpunkt t ein Gut x_t gegen ein Gut y_t getauscht wird, besteht ein *Tausch auf Kredit* dann, wenn das Gut x_t gegen ein zu einem späteren Zeitpunkt t + 1 zu lieferndes Gut y_{t+1} getauscht wird. Überläßt man dagegen das Gut x_t gegenwärtig gegen ein gleiches, zu einem späteren Zeitpunkt zu lieferndes Gut x_{t+1}, so besteht ein reiner *Naturalkredit*.

Bei einem *Kauf* wird zu einem bestimmten Zeitpunkt t ein Gut x_t gegen das Gut Geld G_t getauscht. Um einen *Kauf auf Kredit* (→Lieferantenkredit) handelt es sich dann, wenn das Gut x_t gegen zu einem späteren Zeitpunkt zu „lieferndes" Geld G_{t+1} überlassen wird. Die häufigste und bedeutendste Form eines

Kredites ist der *Geldkredit*, bei dem gegenwärtiges Geld G_t gegen später zurückzuzahlendes Geld G_{t+1} getauscht wird.

Da der gegenwärtige Besitz von Gütern und Geld regelmäßig höher eingeschätzt wird als der künftige, muß dem Kreditgeber als Ausgleich für diese Nutzeneinbuße ein → *Zins* für die leihweise Überlassung von Gütern oder Geld gezahlt werden; dies ist die Grundannahme der *Agiotheorie* (→ Zinstheorie). Der Kreditgeber vertraut (lat.: credere) darauf, daß der Kreditnehmer den aufgenommenen Kredit tilgen wird. Selbst wenn das Risiko eines Kredites durch → Kreditsicherheiten (Hypotheken etc.) eingeschränkt wird, so bleibt stets noch ein Restrisiko.

Anbieter und Nachfrager von Kredit am → *Kreditmarkt*, also Kreditgeber und Kreditnehmer, kann im Prinzip jedes Wirtschaftssubjekt sein. Hauptsächlich nehmen aber in einer Volkswirtschaft die *Geschäftsbanken* und Kreditvermittler (→ Kreditmarkt, → Finanzmarkt) die Funktion des *Kreditgebers* wahr, daneben noch die → Deutsche Bundesbank (als Kreditgeber der Banken). Die vom Kreditbetrag her bedeutendsten *Kreditnehmer* sind die öffentliche Hand und die Unternehmen.

Geschäftsbanken sind in der Lage, Kredit zu schöpfen, indem sie selbstgeschaffenes Buchgeld (→ Geldschöpfung) gegen einen Kreditvertrag (regelmäßig mit Sicherheiten) verleihen. In der Bilanz der Geld verleihenden Bank erscheinen dann der Kreditvertrag als Forderung (Aktivum) gegen den Kreditnehmer und der verliehene Buchgeld-Betrag in gleicher Höhe als Verbindlichkeit (Passivum). Die Kreditschöpfungsmöglichkeit einer Bank wird begrenzt durch institutionelle und unternehmenspolitische Vorgaben.

Kreditgebende Geschäftsbanken erfüllen eine wesentliche volkswirtschaftliche Funktion. Sie sind der Vermittler zwischen – den bei Banken einlegenden – Sparern und den Kreditnehmern, vor allem den Investoren. Dabei transformieren sie kurzfristige Einlagen in langfristige Ausleihungen und vice versa *(Transformationsfunktion)*. Je nach Ausgestaltung des Kreditvertrages bieten die Banken ihren Kreditnehmern → Kontokorrent-, → Raten-, → Hypotheken- und → Kommunalkredite (→ Kreditgeschäft) an; auf dem Kreditwege refinanzieren sie sich durch *Schuldverschreibungen* (z. B. → Obligationen) oder Diskont- und Lombardkredite bei der Deutschen Bundesbank.

Die unterschiedliche Laufzeit und Ausgestaltung der Kreditverträge führen zu einer ganz bestimmten → Zinsstruktur.   *M. Bo.*

Literatur: *Borchert, M.*, Geld und Kredit, Stuttgart u. a. 1982. *Duwendag, D./Ketterer, K.-H./Kösters, W./Pöhl, R./Simmert, D. B.*, Geldtheorie und Geldpolitik, 3. Aufl., Köln 1984. *Wieners, K.*, Kredit, in: Evangelisches Sozialexikon, 7. Aufl., Stuttgart, Berlin 1980.

Kreditänderungskonto → Finanzierungskonten

Kreditanalyse → Kreditprüfung

Kreditangebot → Kreditkapazität, → Kreditmarkt

Kreditangebotsmultiplikator → Geldschöpfung

Kreditanstalt für Wiederaufbau

im deutschen → Bankensystem eines der → Kreditinstitute mit Sonderaufgaben; gegründet 1948 als Körperschaft des öffentlichen Rechts (am Grundkapital sind der Bund mit 80% und die Länder mit 20% beteiligt). Die Bank finanzierte mit langfristigen Krediten zunächst den Wiederaufbau, dann aber immer mehr Struktur- und Anpassungsmaßnahmen der deutschen Wirtschaft. In wachsendem Umfang ist sie auch international ausgerichtet: mit langfristigen Exportfinanzierungen sowie bei der Vergabe deutscher Kapitalhilfe-Kredite für Entwicklungsländer. Die erforderlichen Mittel beschafft sich die Bank durch Ausgabe von Schuldverschreibungen und Aufnahme von Darlehen, u. a. beim Bund und seinen → Sondervermögen (insb. dem ERP-Sondervermögen).   *M. H.*

Kreditaufnahme des Staates → öffentlicher Kredit

Kreditauftrag

Form der → Kreditleihe, bei der die Kreditleistung der Bank oder einer anderen Institution darin besteht, daß diese ein drittes Kreditinstitut beauftragen, in eigenem Namen auf eigene Rechnung einen Kredit an einen Begünstigten zu gewähren (§ 778 BGB). Die auftraggebende Bank haftet dann der dritten Bank für die aus der Kreditgewährung entstehende Verbindlichkeit des Begünstigten wie ein Bürge.

Der Kreditauftrag kommt insb. bei der → Außenhandelsfinanzierung vor (→ Rembourskredit).

Kreditauskunft

Auskunftserteilung und -einholung durch eine Bank bei einer Anfrage oder eigener Kreditge-

währung. Bei Auskunftseinholung bedient
sich die Bank der → Wirtschaftsauskunfteien
sowie anderer Banken; bei einer Auskunftserteilung erteilt sie, stets streng vertraulich, unter Wahrung der Interessen des Kunden die
gewünschte Auskunft.

Meist handelt es sich um Fragen nach der
→ Kreditwürdigkeit und dem Geschäftsgeba-
ren, besonders im Auslandsgeschäft (→ Bank-
auskunft).

Kreditbanken

Teilgruppe der → Universalbanken, die ihrerseits der im deutschen → Bankensystem vorherrschende Banktyp sind. Kreditbanken sind
Institute in privater Rechtsform (Einzelfir-
men, Personengesellschaften, Kapitalgesellschaften), die bevorzugt das kurzfristige Kreditgeschäft pflegen. Die Gruppe ist im wesentlichen identisch mit dem, was man auch „das
private Bankgewerbe" nennt.

Die Deutsche Bundesbank unterscheidet in
den Statistiken, die sie über das Bankensystem
veröffentlicht, vier Untergruppen (vgl. Tab.).

Kreditbanken

	Zahl der Institute	Zusammen-gefaßte Bilanzsumme Mrd. DM	%
→ Großbanken	3 (6)	242,7	37
→ Regionalbanken und sonstige Kreditbanken	96	306,3	46
→ Ausländische Banken (Zweigstellen)	62	71,9	11
→ Privatbankiers	72	36,8	6
Kreditbanken insgesamt	233 (236)	657,7	100

Quelle: Monatsberichte der Deutschen Bundesbank (Stand: Ende 1984).

Kreditbetrug

im weiteren Sinn jeder Betrug, der im Zusammenhang mit der Aufnahme eines Waren-
oder Geldkredits begangen wird. Beweis-
schwierigkeiten bei der Anwendung des § 263
StGB (Betrug) haben zur Schaffung eines Ge-
fährdungstatbestandes im Vorfeld des Betrugs
(§ 265 b StGB) mit begrenzter Anwendung geführt (Kreditbetrug im engeren Sinn). Sonderformen des Kreditbetrugs (keine eigenen
Straftatbestände) sind der → Scheck- und der
→ Wechselbetrug.

Kreditbetrug als Gefährdungstatbestand
sind die Vorlage unrichtiger oder unvollstän-

diger Unterlagen oder die schriftliche Übermittlung unrichtiger oder unvollständiger Angaben im Zusammenhang mit einem Antrag
auf Gewährung, Belassung oder Veränderung
eines Kredits, soweit die Unterlagen oder Angaben für den Kreditsuchenden vorteilhaft
und für die Entscheidung über den Kredit erheblich sind (§ 265 b StGB). Voraussetzung
für die Anwendung der erwähnten Vorschrift
ist ferner, daß der Kredit für ein Unternehmen
und bei einem Unternehmen beantragt wird.
Kredite in diesem Sinne sind Gelddarlehen aller Art, Akzeptkredite, der entgeltliche Erwerb von Geldforderungen, Diskontkredite
sowie die Übernahme von Bürgschaften, Garantien und sonstigen Gewährleistungen.

Die praktische Bedeutung der Strafnorm ist
gering, da bei der Einräumung von Warenkre-
diten zumeist keine schriftlichen Angaben der
bezeichneten Art (Jahresabschlüsse, Gutachten) eingereicht werden und geschädigte Kreditinstitute überwiegend von einer Anzeige
absehen. So wurden z. B. 1983 nur zwei Ver-
urteilungen wegen Kreditbetrugs registriert.

E. C.

Literatur: *Lampe, E.-J.*, Der Kreditbetrug, Berlin
1980.

Kreditbrief

besondere Form der Anweisung (§ 783 BGB),
bei der der Aussteller (Anweisender) eine andere Person (Anweisungsempfänger) ermächtigt, bei dem Angewiesenen für Rechnung des
Anweisenden unter Vorzeigen des Briefes
Geldbeträge bis zu einem Höchstbetrag zu erheben (z. B. Reisekreditbrief).

Kreditermächtigung → Haushaltskredit

Kreditfinanzierung

i. w. S. alle Formen der → Fremdfinanzierung,
i. e. S. die Finanzierung in Gestalt von Bank-
krediten (→ Darlehen, → Kontokorrentkredit), d. h. bei dieser engeren Definition orientiert man sich an der Institution des „typischen" Kreditgebers.

Kreditfinanzierungsquote

Verhältnis der öffentlichen Nettokreditaufnahme zu den gesamten → Staatsausgaben
oder auch zu Teilen der Staatsausgaben (vor
allem: den öffentlichen Investitionen). Im ersten Fall spricht man von der Kreditfinanzierungsquote der Staatsausgaben, im zweiten
von der Kreditfinanzierungsquote der öffentlichen Investitionen. Setzt man die übrigen
→ Staatseinnahmen in Relation zu den Staatsausgaben, so erhält man die Deckungsquote,

die für die Verteilung der Steuereinnahmen im föderativen System der Bundesrepublik (→ Gemeinschaftsteuern) herangezogen wird.

Kreditgenossenschaften

Teilgruppe der → Universalbanken, die ihrerseits der im deutschen → Bankensystem vorherrschende Banktyp sind. Kreditgenossenschaften bilden die Basis des dreistufig aufgebauten → genossenschaftlichen Bankensektors. Bis auf wenige Ausnahmen sind es Institute in der Rechtsform der eingetragenen Genossenschaft (eG).

Kreditgenossenschaften sind seit Ende des 18. Jh. als Selbsthilfeeinrichtungen der Handwerker, Kleinunternehmer und Bauern entstanden, die sich durch den damaligen Bankenapparat nicht ausreichend mit Kredit versorgt sahen. Bis in die neuere Zeit (1974) durften deshalb Kredite nur an Mitglieder des jeweiligen Instituts (Genossen) vergeben werden; noch heute erlegen sich viele Institute diese Beschränkung in ihrer Satzung selbst auf.

Der Anteil der Kreditgenossenschaften beträgt an der Gesamtzahl der Kreditinstitute in der Bundesrepublik Deutschland rund 80%, an deren zusammengefaßtem Bilanzvolumen jedoch nur 11%. Es sind also noch immer sehr kleine Institute, obwohl die Betriebsgrößen durch einige tausend Fusionen in den letzten zwanzig Jahren erheblich gestiegen sind.

Da sich um die mittelständischen Betriebe, den traditionellen Kundenkreis der Kreditgenossenschaften, inzwischen auch die → Sparkassen und die → Kreditbanken intensiv bemühen, sind sie starkem Wettbewerb ausgesetzt. Dennoch konnten sie ihren Marktanteil stetig erweitern, was man vor allem auf den persönlichen Kontakt zurückführt, den die kleinen Institute, bei denen Kunden und Eigentümer weitgehend derselbe Kreis sind, besser pflegen können als die Geschäftsstellen der (größeren) Sparkassen und Kreditbanken.

Die ursprünglich gebräuchliche Unterteilung in ländliche (Raiffeisenbanken) und gewerbliche/städtische Kreditgenossenschaften (Volksbanken) ist seit der 1972 abgeschlossenen Verschmelzung beider Organisationen bedeutungslos geworden.   *M. H.*

Literatur: *Hahn, O.,* Die Unternehmensphilosophie einer Genossenschaftsbank, Tübingen 1980. *Schramm, B.,* Die Volksbanken und Raiffeisenbanken, 2. Aufl., Frankfurt a. M. 1982.

Kreditgeschäfte

Inbegriff der vielfältigen Formen, in denen Banken (Kreditinstitute) ihren Kunden Zahlungsmittel für einen bestimmten Zeitraum gegen Entgelt zur Verfügung stellen. Nach der äußeren Form sind zwei Möglichkeiten zu unterscheiden:

(1) Die Bereitstellung von Zahlungsmitteln und die dadurch begründete Forderung der Bank werden von ihr und vom Kunden lediglich „in den Büchern" erfaßt (→ Buchkredit, dessen wichtigste Gestaltungsformen der → Kontokorrentkredit und das → Darlehen sind).

(2) Die Bank erhält vom Kunden ein → Wertpapier, in dem eine bereits bestehende Forderung verbrieft ist, die nun auf die Bank übertragen wird (→ Wechselkredit).

Jeder Kreditentscheidung geht eine eingehende → Kreditprüfung voraus, in der die Bank zu ergründen sucht, ob der Kunde die ihm überlassenen Zahlungsmittel vereinbarungsgemäß verzinsen und zurückzahlen wird. Da eine sichere Aussage hierüber trotz intensiver Prüfung nicht möglich ist, verlangen die Banken zusätzliche → Kreditsicherheiten und setzen die prüfende Beobachtung während der gesamten Laufzeit des Kredites fort (→ Kreditüberwachung).

Zum bankmäßigen Kreditgeschäft im weiteren Sinne zählt man auch jene Geschäfte, bei denen die Bank den Kunden überlassene Zahlungsmittel nicht selbst bereitstellt, sondern sie lediglich vermittelt. Die sehr unterschiedlichen Möglichkeiten lassen sich auf vier Grundformen zurückführen:

● Die Bank übernimmt für den Kunden die Erstausgabe von Wertpapieren (→ Effektenemission).

● Die Bank verwaltet als Treuhänder einen Kredit, den eine andere Institution bereitgestellt hat (→ Treuhandkredit).

● Die Bank übernimmt die Haftung für einen Kredit, den dann ein Dritter bereitstellt (→ Kreditleihe).

● Die Bank tritt als reiner Makler auf, indem sie lediglich ihren Kunden mit einem Geldgeber zusammenbringt.   *M. H.*

Literatur: *Falter, M./Hermanns, F.,* Die Praxis des Kreditgeschäfts bei Sparkassen und anderen Kreditinstituten, 11. Aufl., Stuttgart 1984. *Jährig, A./ Schuck, H.,* Handbuch des Kreditgeschäfts, 4. Aufl., Wiesbaden 1982. *Wittgen, R.,* Moderner Kreditverkehr, München 1970.

Kreditinstitut → Bankbetrieb

Kreditinstitute mit Sonderaufgaben

Teilgruppe der → Spezialbanken innerhalb des deutschen → Bankensystems. Während in den übrigen Teilgruppen jeweils Institute mit weitgehend gleicher Geschäftsstruktur zusammengefaßt sind, handelt es sich bei den Kreditinstituten mit Sonderaufgaben um Banken, die es in ihrer Art jeweils nur einmal im Bankensystem gibt. Nach der Rechtsform gruppiert man sie in:

- *private Institute* (1983: 11; darunter: →AKA Ausfuhrkredit-GmbH, →Industriekreditbank AG – Deutsche Industriebank, →Liquiditäts-Konsortialbank GmbH) und
- *öffentlich-rechtliche Institute* (1983: 5; darunter: →Deutsche Siedlungs- und Landesrentenbank, →Kreditanstalt für Wiederaufbau, →Landwirtschaftliche Rentenbank).   M. H.

Kreditkapazität

maximal mögliches Finanzierungsvolumen (Kreditangebot) eines →Bankbetriebes. Um ihr Finanzierungsvolumen auszuweiten, benötigt eine Bank

- liquide Mittel, die durch das bisherige Geschäft noch nicht gebunden oder die von Dritten beschaffbar sind, und
- Eigenkapital, weil es im Interesse der Risikobegrenzung üblich ist, das Finanzierungsvolumen nicht über ein bestimmtes Vielfaches des Eigenkapitals hinaus auszuweiten. Nach den Vorschriften der staatlichen →Bankenaufsicht ist in Deutschland das Volumen der Kredite und Beteiligungen einer Bank auf das 18fache ihres Eigenkapitals begrenzt.

Außer vom Volumen der noch nicht gebundenen liquiden Mittel (→Überschußreserve) und des noch nicht gebundenen Eigenkapitals hängt der Umfang zusätzlich möglicher Finanzierungen auch davon ab, in welchem Maße sie liquide Mittel bzw. Eigenkapital „verbrauchen" (Verbrauchskoeffizient). Soweit sich z. B. Verfügungen von Kreditkunden auf anderen Konten bei derselben Bank als Gutschrift niederschlagen, werden für die Kredite keine liquiden Mittel „verbraucht". Kredite an den Staat z. B. „verbrauchen" kein Eigenkapital, weil sie als risikolos gelten und deshalb auch bei der Begrenzung des Finanzierungsvolumens auf das 18fache des Eigenkapitals nicht berücksichtigt werden.

Literatur: *Deppe, H.-D.*, Bankbetriebliches Wachstum, Stuttgart 1969.

Kreditkarte

ein zuerst in den USA entwickelter „Bonitätsausweis" für →bargeldlose Zahlungen, der es dem Inhaber ermöglicht, bei allen dem System angeschlossenen Vertragsunternehmen (Hotels, Restaurants, Geschäfte) Leistungen ohne Barzahlung in Anspruch zu nehmen, indem er die Rechnungen lediglich unterschreibt. Der Rechnungsbetrag wird dem Vertragsunternehmen vom Kreditkartenemittenten unter Abzug einer Provision (Disagio) vergütet, und das Konto des Karteninhaber wird (zumeist nur einmal monatlich) mit den aufgelaufenen Rechnungsbeträgen belastet.

Die deutschen →Universalbanken haben sich 1976 auf eine einheitliche Kreditkarte geeinigt (Eurocard). Durch Zusammenarbeit mit der amerikanischen Kreditkarten-Organisation Interbank/Master Charge und mit der englischen Kreditkarten-Gruppe Access umfaßt das Eurocard-System inzwischen das umfangreichste Vertragspartner-Netz in der Welt (rd. 4 Mio. Vertragsunternehmen) bei etwa 90 Mio. Karteninhabern. Weitere weltweit tätige Kreditkartensysteme sind Visa, American Express und Diners Club. In jüngster Zeit gewinnen die sog. Kundenkreditkarte und das →point of sale banking an Bedeutung.

Literatur: *Reyher, H.*, EUROCARD – T & E-Karte der deutschen Kreditwirtschaft, Stuttgart 1976. *Weissensee, G. J.*, Die Kreditkarte, Bern, Stuttgart 1970.

Kreditkauf → Kauf-Leasing-Entscheidung

Kreditkontrolle → Kreditüberwachung

Kreditkostenmechanismus → Transmissionsmechanismus

Kreditleihe

Teil der →Kreditgeschäfte einer Bank. Sie leiht dem Kunden nicht Zahlungsmittel, sondern ihren „Kredit" im Sinne von Haftung, mit dem sich dieser dann Zahlungsmittel bei anderen beschaffen oder Zahlungen aufschieben kann. Zwei Formen sind gebräuchlich:

(1) Der →Akzeptkredit, bei dem die Bank einen vom Kunden auf sie gezogenen →Wechsel akzeptiert, den der Kunde dann seinen Lieferanten in Zahlung geben oder bei einer anderen Bank verkaufen (diskontieren) kann. Häufig kauft die akzeptierende Bank den Wechsel auch selbst an, was ihr die Möglichkeit verschafft, den Kredit zu refinanzieren, indem sie den Wechsel an die Zentralbank weiterverkauft (rediskontiert).

(2) Der →Avalkredit, bei dem die Bank entweder eine selbstschuldnerische →Bürgschaft gegenüber einem Gläubiger ihres Kunden oder eine Garantie für eine Leistungs- oder Lieferungspflicht des Kunden übernimmt.
                                                                        M. H.

Kreditlinie → Kontokorrentkredit

Kreditmakler → Finanzmakler

Kreditmarkt

(Finanzmarkt) gedankliche Zusammenfassung aller Teilmärkte des Angebotes und der Nachfrage von Krediten. Ein Kredit wird immer dann nachgefragt bzw. aufgenommen (genauer: eine Verbindlichkeit in Form eines Kredites eingegangen), wenn Geld benötigt wird. Ganz allgemein wird durch einen Kredit die zeitliche Vorwegnahme von Zahlungen in Geld bzw. Verwendung von Leistungen ermöglicht, die ohne ihn erst durch Sparen in der Zukunft abgewickelt werden könnten. Ein Kredit wird immer dann angeboten bzw. gewährt (genauer: eine Forderung in Form eines Kredites erworben), wenn man vorhandenes Geld nicht selbst verwenden möchte. Der Kredit (als Aktivum) stellt somit das Pendant zum Geld (als Passivum des Emittenten) dar, enthält jedoch außerdem naturale Kreditbeziehungen wie etwa den → Lieferantenkredit. Diese Beschreibung für Kredite gilt allgemein, also für verschiedene Wirtschaftssubjekte, für verschiedene Kredittypen (Fristigkeit, Art der Sicherung) und für unterschiedliche Marktorganisationen.

Kreditmarkt (national und international):

- → Geldmarkt für kurzfristige Kredite: *Marktpartner* sind Zentralbank und Geschäftsbanken.
- → Kapitalmarkt für langfristige Kredite: *Marktpartner* sind alle Banken und Nichtbanken.
- Markt für Bankkredite (kurz- und langfristig): *Marktpartner* sind Banken als Kreditanbieter und Nichtbanken als Kreditnachfrager.
- Markt der *Kreditvermittler (finanzielle Intermediäre, sekundäre Finanzierungsinstitute, financial intermediaries):* *Marktpartner* sind Versicherungsgesellschaften, → Hypothekenbanken, → Kapitalanlagegesellschaften (Investmentfonds) etc. als Kreditanbieter und Banken sowie Nichtbanken als Kreditnachfrager.

Alle Kreditmärkte sind über die auf ihnen ausgehandelten → Zinsen miteinander verbunden. Sollte der Zinssatz auf einem der Kreditmärkte steigen, werden Kreditnachfrager versuchen, sich auf einem anderen Markt Kredite zu besorgen. Gleichzeitig werden Kreditanbieter verstärkt auf den Märkten mit höherem Zinsniveau Kredite anbieten. Sinkende Nachfrage und steigendes Angebot bedingen nun wieder eine Annäherung des Zinsniveaus auf allen Märkten, das sich dann nur noch wegen verschiedener Fristigkeit und unterschiedlichem Risiko von dem anderer Kredit-

märkte unterscheidet. Die sich ergebende Zinsstruktur (→ Zinsstrukturtheorie) wird damit durch Überlegungen der → Portfoliotheorie erklärt.

Neben der Zinsstruktur spielt aber auch das Zinsniveau (→ Zinstheorie) sowohl für die Kreditnachfrage von Investoren als auch für das Kreditangebot der Banken (und Kreditvermittler) eine Rolle. Das Zinsniveau wird durch die *Kreditmarkttheorie* des Geldangebotes von *Karl Brunner* und *Allan H. Meltzer* erläutert. Danach wird das Kreditangebot durch die *bereinigte Geldbasis* (→ Zentralbankgeld) beeinflußt, das zugleich → Geldangebot darstellt. Die Kreditangebotsfunktion wird durch Liquiditätsanlagen der Kreditanbieter und damit durch alternative Anlagemöglichkeiten (→ Opportunitätskosten) erklärt; mit steigendem Kreditzins steigt damit das Kreditangebot. Auf dem Kreditmarkt wird durch Kreditangebot und Kreditnachfrage der Investoren der Marktzinssatz bestimmt. Steigt nun auf Grund besserer Erwartungen über die künftige Ertragsentwicklung die Kreditnachfrage, kommt es bei gegebener Kreditangebotsfunktion zu einem steigenden Zinssatz; gleichzeitig folgt daraus ein steigendes Geldangebot bei steigendem Zinsniveau. Kann das Kreditangebot ohne Erhöhung der Refinanzierungskosten der Kreditgeber gesteigert werden, so können das Kredit- und Geldangebot ohne Zinssatzänderung vermehrt werden; Kredit- und Geldangebot sind dann vollkommen *zinselastisch*. Bei völlig zinsunelastischem Kredit- und Geldangebot dagegen führt eine gesteigerte Kreditnachfrage ausschließlich zu Zinssatzsteigerungen.   M. Bo.

Literatur: *Duwendag, D./Ketterer, K.-H.* u. a., Geldtheorie und Geldpolitik, 3. Aufl., Köln 1984. *Issing, O.,* Einführung in die Geldtheorie, 5. Aufl., München 1984.

Kreditmarkttheorie → Kreditmarkt

Kreditorenkonto   → Buchführungsorganisation

Kreditorenumschlag

bezieht sich – analog zum → Debitorenumschlag bei den Kundenforderungen – auf die Dauer von der Entstehung bis zur Regulierung von Lieferantenverbindlichkeiten. Die *Kreditorenumschlagshäufigkeit* stellt eine Bilanzkennzahl dar, mit deren Hilfe die Umschlagshäufigkeit der Lieferantenverbindlichkeiten (Verbindlichkeiten aus Lieferungen und Leistungen) ausgedrückt wird. Die Kreditorenumschlagshäufigkeit ist definiert als „Material- bzw. Wareneinsatz dividiert durch

durchschnittlichen Bestand an Lieferantenverbindlichkeiten", wobei anstelle des Material-
bzw. Wareineinsatzes theoretisch besser die –
für externe Bilanzleser nicht ersichtlichen –
nicht bar bezahlten Material- bzw. Warenein-
käufe verwendet werden sollten, um eine
Kongruenz zwischen Zähler- und Nennergrö-
ße herzustellen.

Je öfter der durchschnittliche Bestand an
Lieferantenverbindlichkeiten umgeschlagen
wurde, in um so kürzerer Zeit wurden die
Verbindlichkeiten vom Unternehmen im
Durchschnitt reguliert. Eine solche Entwicklung kann grundsätzlich positiv beurteilt werden („das Unternehmen kann seine Verbindlichkeiten umgehend erfüllen"), doch ist die
gegenteilige Entwicklung nicht unbedingt negativ zu beurteilen („das Unternehmen hat eine so große Marktmacht, daß es sich einen
späteren Rechnungsausgleich leisten kann").

Inhaltlich dasselbe wie mit der Kreditorenumschlagshäufigkeit wird mit der – lediglich
anders aufgebauten – *Kreditorenumschlagsdauer* ausgedrückt, die im Ergebnis die
durchschnittliche Laufzeit bis zur Erfüllung
der Lieferantenverbindlichkeiten angeben
soll. Sie ist wie folgt definiert:

Kreditorenumschlagsdauer =

$$\frac{\text{Durchschnittlicher Bestand an Lieferantenverbindlichkeiten}}{\text{Materialeinsatz bzw. Wareneinsatz}} \cdot 365$$

oder

Kreditorenumschlagsdauer =

$$\frac{365}{\text{Kreditorenumschlagshäufigkeit}}$$

Betragen der durchschnittliche Bestand an
Lieferantenverbindlichkeiten z.B. 100 000
DM und der Material- bzw. Wareneinsatz
3 650 000 DM/Jahr, dann belaufen sich die
Kreditorenumschlagshäufigkeit auf
3 650 000 DM/Jahr : 100 000 DM = 36,5
mal/Jahr und die Kreditorenumschlagsdauer
auf 100 000 DM : 3 650 000 DM/Jahr · 365
Tage/Jahr = 10 Tage.   *H. Ku.*

Literatur: *Kußmaul, H.,* Kennzahlen und Kennzahlensysteme, in: StB, 35.Jg. (1984), S. 145 ff. und
S. 191 ff. *Lachnit, L.,* Kennzahlensysteme als Instrument der Unternehmensanalyse, dargestellt an einem Zahlenbeispiel, in: WPg, 28.Jg. (1975),
S. 39 ff.

Kreditplafond → Kassenkredite

Kreditplafondierung

dient der direkten Beeinflussung des → Geldangebotes der Geschäftsbanken an → Ge-

schäftsbankengeld (→ Geldschöpfung) durch
die Zentralbank. Diese ist grundsätzlich in der
Lage, durch direkte *Kreditpolitik* die Kredit-
vergabemöglichkeit zu begrenzen.

Eine → Kreditplafondierung gegenüber Geschäftsbanken begrenzt den Umfang an Krediten per Anordnung oder aber über ein
→ *Gentlemen's Agreement,* d.h. durch eine
freiwillige Vereinbarung zwischen Geschäftsbanken und Zentralbank. Ein Kreditplafond
bedeutet in seiner strikten Form einen *Kreditstopp,* bei dem überhaupt keine weitere Kre-
ditgewährungsmöglichkeit für die Geschäftsbanken mehr besteht. Die Festlegung des Kreditvolumens kann aber auch in Form einer
Kreditrationierung erfolgen, bei der den einzelnen Geschäftsbanken Quoten zugestanden
werden, die den Rahmen für ihr maximales
Kreditgewährungspotential bilden.

Die *Kreditplafondierung* ist eher umständ-
lich handhabbar und kaum kontrollierbar.
Abgesehen von der Möglichkeit, getilgte Kredite wieder auszuleihen, wird durch die Kreditplafondierung die Marktanteilsstruktur aller Geschäftsbanken staatlich fixiert. Sie stellt
also einen gravierenden Eingriff in die Wirtschaftsstruktur dar.

Neben der mengenmäßigen Festlegung des
Kreditvolumens besteht aber auch die Möglichkeit, bestimmte Vorgaben für die Kreditbedingungen zu fixieren. So werden durch die
Regulation W in den USA z.B. im Rahmen
der Konsumentenkreditpolitik die Kreditfri-
sten für Konsumentenkredite festgelegt. Eine
andere Möglichkeit der direkten Beeinflussung der Kreditbedingungen sind *Selbstbetei-
ligungsquoten (margin requirements)* für Geschäftsbanken bei der Inanspruchnahme von
Lombardkrediten (→ Lombardpolitik) bei der
Zentralbank. Sinkt z.B. während der Zeit der
Lombardierung von Wertpapieren deren
Kurs, so ändert sich das Wertverhältnis zwischen dem von den Geschäftsbanken aufgenommenen Zentralbankgeld und dem verpfändeten Wertpapierbestand. In diesem Fall
muß die den Lombardkredit in Anspruch neh-
mende Geschäftsbank eine teilweise *Kreditrückführung* vornehmen, um die alte Relation
zwischen dem Wert der lombardierten Wertpapiere und dem Kredit in Zentralbankgeld
wiederherzustellen. Eine solche *Nachschußpflicht* wäre aber auch in der Weise denkbar,
daß die betreffenden Geschäftsbanken zusätzlich Wertpapiere nachreichen, um die ursprüngliche Höhe der Quote zu erreichen.

                                                    M. Bo.

Literatur: *Jarchow, H.-J.,* Theorie und Politik des
Geldes, II: Geldmarkt, Bundesbank und geldpolitisches Instrumentarium, 4. Aufl., Göttingen 1983.

Köhler, C., Geldwirtschaft, Bd. 1: Geldversorgung und Kreditpolitik, 2. Aufl., Berlin 1977.

Kreditpolitik → Geldpolitik

Kreditprüfung

(Kreditanalyse, Kreditwürdigkeitsprüfung, Schuldneranalyse) Prüfung eines Kreditantrages, bevor der Kreditgeber, i.d.R. die Bank, darüber entscheidet, ob und zu welchen Bedingungen er einen beantragten Kredit gewährt. Die Prüfung der → Kreditwürdigkeit zielt darauf ab, die Verlustgefahr aus dem Kreditgeschäft im voraus abzuschätzen. Die Banken führen sie nicht nur im eigenen Interesse durch, sondern es ist ihnen im → Kreditwesengesetz auch vorgeschrieben, sich bei Krediten von mehr als 100 000 DM die wirtschaftlichen Verhältnisse des Antragstellers „offenlegen zu lassen".

Die Prüfung konzentriert sich auf die Quellen, aus denen der Kredit zurückgezahlt werden soll: bei Kreditanträgen von Unternehmen auf deren künftige Absatzchancen, bei Kreditanträgen von Privatpersonen auf deren künftiges Einkommen. Die Absatzchancen eines Unternehmens bestimmen sich nach den Bedingungen des betreffenden Marktes sowie danach, wie gut das Unternehmen geführt ist; beides wird dementsprechend untersucht. Bei der Prüfung des Unternehmens steht im Vordergrund die Analyse der Jahresabschlüsse aus den vergangenen Jahren (→ Bilanzanalyse), aus denen man vor allem die anhaltende Fähigkeit, Gewinne zu erwirtschaften, herauszulesen sucht („nachhaltige Ertragskraft").

Informationen für Kredite an Privatpersonen beziehen die Banken vor allem von der → Schutzgemeinschaft für allgemeine Kreditsicherung. Beim Konsumentenkredit wird das → credit scoring verwendet.

Literatur: *Falter, M./Hermanns, F.,* Die Praxis des Kreditgeschäfts bei Sparkassen und anderen Kreditinstituten, 11. Aufl., Stuttgart 1984. *Strack, H.,* Beurteilung des Kreditrisikos, Berlin 1976. *Weinrich, G.,* Kreditwürdigkeitsprognosen, Wiesbaden 1978.

Kreditrationierung → Kreditplafondierung

Kreditrückführung → Kreditplafondierung

Kreditschöpfung → Geldschöpfung

Kreditschöpfungsmultiplikator → Geldschöpfung

Kreditsicherheit

bevorrechtigter Anspruch auf Befriedigung einer Kreditforderung aus bestimmten Vermö-

gensbestandteilen des Kreditnehmers oder eines Dritten oder auf Befriedigung aus dem gesamten Vermögen eines Dritten, der dazu dient, im Falle der völligen oder eingeschränkten Zahlungsunfähigkeit des Kreditnehmers die Rückzahlung des Darlehens sicherzustellen. Es gibt sie in der Form der *Personalsicherheit,* d.h. eines Anspruches gegen Dritte auf Erfüllung der Verpflichtung des Kreditnehmers (→ Bürgschaft, → Schuldmitübernahme), und der *Realsicherheit,* d.h. eines Sicherungsrechts an Sachen oder Rechten, die die Befriedigung aus diesen – bei Sachen ggf. mit Hilfe einer Versteigerung – ermöglichen (→ Zession, → Eigentumsvorbehalt, → Pfandrecht, → Sicherungsübereignung, → Grundschuld, → Hypothek).

Vor allem die Realsicherheit ist in der Praxis ein bevorzugtes Sicherungsmittel, weil sie auch bei → Konkurs des Kreditnehmers oder des Sicherungsgebers die Möglichkeit der Aussonderung des betreffenden Gegenstandes oder der bevorzugten Befriedigung aus ihm bietet. Der Kreditgeber kann sich auch mit der Verpflichtung des Schuldners zufriedengeben, anderen Gläubigern keine Sicherheit zu stellen, so daß diese keine Vorrangstellung erhalten (Negativklausel).   M.J.

Literatur: *Bärmann, J.* (Hrsg.), Recht der Kreditsicherheiten in europäischen Ländern, Teil 1, Bundesrepublik Deutschland, Berlin 1976. *Lwowski, J.,* Kreditsicherheiten. Grundzüge für Studium und Praxis, 5. Aufl., Berlin 1982. *Scholz, H./Lwowski, J.,* Das Recht der Kreditsicherung, 6. Aufl., Berlin 1986.

Kreditstopp → Kreditplafondierung

Kredittranche

Teil der normalen → Ziehungsrechte der Mitglieder des → Internationalen Währungsfonds (IWF), der über 25% der Quote eines Landes hinausgeht. Es lassen sich grundsätzlich vier Bereiche der Kredittranchen unterscheiden, je nach den Auflagen, die mit der Kreditgewährung verbunden sind (→ Konditionalität). Die normalen Ziehungsrechte und damit die Kredittranchen sind ausgeschöpft, wenn die Bestände des IWF in der Währung des betreffenden Schuldnerlandes 200% der Quote erreicht haben. Neben den normalen Ziehungsrechten sind in den 60er und 70er Jahren zahlreiche → Sonderfazilitäten, insb. für die Entwicklungsländer entstanden.   M.F.

Kreditüberwachung

(Kreditkontrolle)
1. nach der → Kreditprüfung einsetzende laufende Beobachtung des Kreditnehmers durch

den Kreditgeber im Hinblick auf die gegenwärtigen und künftigen Verpflichtungen des Schuldners. Die Kontrolle kann sich auf einzelne Schuldner und auf Schuldnergruppen beziehen. Letztere werden untersucht, um typische Merkmale unzuverlässiger Kreditnehmergruppen ausfindig zu machen. Eine systematische Kreditkontrolle wird i.d.R. nur von Unternehmen, insb. von Banken vorgenommen. Die Kontrolle erfolgt meist periodisch. Kontrolliert wird insb., ob eine gewährte Kreditlinie eingehalten oder überzogen wird, ob Zins- und Tilgungszahlungen rechtzeitig eintreffen und ob die gegebenen → Kreditsicherheiten weiterhin ausreichen. Bei größeren Beträgen werden regelmäßig auch alle wesentlichen der ursprünglichen Kreditentscheidung zugrundegelegten Informationen fortgeschrieben und überprüft (Analyse neuerer Jahresabschlüsse, Beobachtung der personellen Veränderungen, der Rechtsverhältnisse, Geschäftsgebarung des Kreditnehmers usw.). Bei Nicht-Banken besteht die Kreditkontrolle vielfach nur aus der Überwachung des rechtzeitigen Eingangs der aus Debitoren und Wechselforderungen erwarteten Zahlungen.
2. Kontrolle der Kreditgewährung von Kreditinstituten durch staatliche Institutionen, z.B. die → Bankenaufsicht. Eine derartige Kreditkontrolle findet in der Bundesrepublik insb. aufgrund des → Kreditwesengesetzes (KWG) statt. Danach ist die Gewährung von Krediten, die im Vergleich zum haftenden Eigenkapital als → Großkredite betrachtet werden, der → Deutschen Bundesbank anzuzeigen. Diese leitet die Anzeige mit ihrer Stellungnahme an das → Bundesaufsichtsamt für das Kreditwesen weiter. Die Beschlußfassung der Kreditinstitute über die Vergabe derartiger Großkredite ist an besondere Bedingungen gebunden. Großkredite dürfen z.B. nur in begrenztem Umfang vergeben werden (§§ 13, 13a KWG). Ferner sind mehrmals jährlich der Bundesbank Millionenkredite anzuzeigen (§ 14 KWG).
Für → Organkredite (z.B. Kredite an Geschäftsleiter, Gesellschafter, Mitglieder des Aufsichtsorgans eines Kreditinstituts) bestehen besondere Beschlußfassungs-, Vergabe- und Anzeigepflichten (§§ 15, 16 KWG). Kreditinstitute müssen ferner der Bundesbank Monatsausweise einreichen, die von dieser an das Bundesaufsichtsamt für das Kreditwesen mit einer Stellungnahme weiterzuleiten sind (§ 25 KWG).   *R. Hö.*

Literatur: *Zellweger, B.,* Überwachung kommerzieller Kreditgeschäfte, Bern, Stuttgart 1983.

Kreditverflechtung → Finanzverflechtung

Kreditverfügbarkeitskonzept → Liquiditätstheorie

Kreditverfügbarkeitsmechanismus → Transmissionsmechanismus

Kreditvermittler → Kreditmarkt, → Finanzmakler

Kreditversicherung

Hierdurch werden Forderungsausfälle versichert. Zu unterscheiden sind:

- *Warenkreditversicherung:* Schutz vor insolvenzbedingten Forderungsausfällen aus Warenlieferungen und erbrachten Dienstleistungen.
- *Vertrauensschadenversicherung:* Schutz gegen Veruntreuungen durch Mitarbeiter einschl. der Eigenschadenversicherung der Sparkassen und Gemeinden.
- *Ausfuhrkreditversicherung:* Schutz für Exporteure gegen Forderungsausfälle aufgrund der Zahlungsunfähigkeit ausländischer Kunden (→ AKA Ausfuhrkredit-Gesellschaft mbH).
- *Investitionsgüterkreditversicherung:* Absicherung gegen Forderungsausfälle bei Investitionsgüterverkäufen.
- *Konsumentenkreditversicherung:* Schutz für Kreditinstitute gegen Risiken aus der Vergabe von Scheckkarten sowie aus Raten- und Dispositionskrediten.
- *Kautionsversicherung:* Der Versicherer garantiert dem Gläubiger seines Versicherungsnehmers die Erfüllung einer Verpflichtung des Versicherungsnehmers (Bürgschaft).

Kreditvolumen

Teil des Geldvolumens (→ Geldmenge). Das Kreditvolumen umfaßt die Kredite der Bundesbank sowie der Kreditinstitute an Unternehmen, private und öffentliche Haushalte (einschl. Schatzwechsel und Wertpapierkredite).

Kreditwesengesetz (KWG)

rechtliche Grundlage der staatlichen → Bankenaufsicht in der Bundesrepublik Deutschland. Das KWG stammt aus dem Jahre 1961, wurde seither jedoch mehrfach in einzelnen Punkten geändert. Es schränkt für den Bereich der Kreditinstitute (Banken) die → Gewerbefreiheit ein, indem es
(1) die Ausübung entsprechender Tätigkeiten von einer staatlichen Erlaubnis abhängig macht, deren Erlangung an verschiedene Bedingungen geknüpft ist, und

(2) den als Banken zugelassenen Unternehmen bei ihrer Geschäftstätigkeit bestimmte Verhaltensnormen vorschreibt und sie der permanenten Beaufsichtigung durch das → Bundesaufsichtsamt für das Kreditwesen unterwirft.

Den Bestimmungen des Kreditwesengesetzes unterliegen alle Unternehmen, „die Bankgeschäfte betreiben, wenn der Umfang dieser Geschäfte einen in kaufmännischer Weise eingerichteten Geschäftsbetrieb erfordert" (§ 1 KWG). Als Bankgeschäfte werden im einzelnen genannt: Einlagen-, Kredit-, Diskont-, Effekten-, Depot-, Investment-, Garantie-, Revolving- und Girogeschäft. Nicht erfaßt vom KWG (d. h. von der Bankenaufsicht) werden bisher das Leasing- und das Factoringgeschäft.

Wer Bankgeschäfte in der genannten Weise betreiben will, bedarf dazu einer schriftlichen Erlaubnis des Bundesaufsichtsamtes. Sie wird nur dann erteilt, wenn in ausreichendem (vom Aufsichtsamt festgelegten) Umfang haftendes Eigenkapital vorhanden ist und mindestens zwei Personen die Bank hauptamtlich leiten, die als zuverlässig und für ihre Aufgabe fachlich geeignet erscheinen (§ 33 KWG).

Um das Publikum zu schützen, dürfen nur Unternehmen, die die Erlaubnis des Aufsichtsamtes zum Betreiben von Bankgeschäften haben, öffentlich die Bezeichnungen „Bank", „Bankier", „Volksbank" oder „Sparkasse" führen (§§ 39 und 40 KWG).

Die Verhaltensnormen für Kreditinstitute, die im KWG ausgeführt und im Laufe der Zeit durch das Aufsichtsamt ergänzt worden sind, betreffen vor allem die Kreditvergabe und die Struktur des Gesamtgeschäfts. Zur Kreditvergabe ist den Banken vorgeschrieben, sich bei jedem Kredit von mehr als 100000 DM die wirtschaftlichen Verhältnisse des Antragstellers offenlegen zu lassen (§ 18 KWG). Handelt es sich um einen → Großkredit oder einen → Organkredit, so sind darüber hinaus ein einstimmiger Beschluß der Geschäftsleiter der Bank sowie die unverzügliche Meldung an das Aufsichtsamt vorgeschrieben (§§ 13, 15, 16 KWG).

Zur Struktur des Gesamtgeschäfts schreibt das KWG den Kreditinstituten „ein angemessenes haftendes Eigenkapital" (§ 10) sowie „jederzeit eine ausreichende Zahlungsbereitschaft" vor (§ 11). Zur Präzisierung dieser sehr allgemein gefaßten Vorschriften hat das Aufsichtsamt die „Grundsätze über das Eigenkapital und die Liquidität der Kreditinstitute" erlassen, in denen es im einzelnen darlegt, wann es das Eigenkapital als angemessen und die Liquidität als ausreichend ansieht. Für den Alltag des Bankgeschäfts sind die „Grundsätze" der wichtigste geschäftsbeschränkende Eingriff in die Entscheidungsfreiheit der Kreditinstitute.

Zur laufenden Beobachtung der Institute sieht das Gesetz verschiedene Kontrollmöglichkeiten für das Aufsichtsamt vor. So sind den Kreditinstituten laufende Meldepflichten über ihren Geschäftsverlauf sowie Mitteilungen an das Amt bei wichtigen Veränderungen auferlegt (§§ 13, 14, 16, 24, 25, 26 KWG). Außerdem sind die Wirtschaftsprüfer der Banken verpflichtet, auch auf die Einhaltung der KWG-Normen zu achten sowie das Aufsichtsamt zu unterrichten, wenn sie den Bestand einer Bank bedrohende Mängel bemerken (§ 29 KWG). Schließlich dürfen Vertreter des Aufsichtsamtes auch ohne besonderen Anlaß Prüfungen bei einzelnen Instituten vornehmen (§ 44 KWG).

Für den Fall, daß das Aufsichtsamt wirtschaftliche Gefahren bei Kreditinstituten feststellt, sind gestufte Eingriffsbefugnisse vorgesehen (§§ 45–47 KWG). *M. H.*

Literatur: *Bähre, I. L./Schneider, M.,* KWG-Kommentar, 3. Aufl., München 1986. *Consbruch, J./Möller, A./Bähre, I. L./Schneider, M.,* Gesetz über das Kreditwesen mit verwandten Gesetzen und anderen Vorschriften (Textsammlung), Loseblattsammlung, München 1954 ff. *Reischauer, F./Kleinhans, J.,* Kreditwesengesetz (KWG), Loseblattkommentar für die Praxis nebst sonstigen bank- und sparkassenrechtlichen Aufsichtsgesetzen sowie ergänzenden Vorschriften, Berlin 1963 ff.

Kreditwucher → Wucher

Kreditwürdigkeit

(Bonität) Fähigkeit und Bereitschaft eines Kreditnachfragers, den aus einem Kreditvertrag resultierenden Verpflichtungen (Zins- und Tilgungszahlungen) nachzukommen.

Zu den allgemeinen Bestimmungsfaktoren der Kreditwürdigkeit zählen die Vertrauenswürdigkeit, die rechtlichen sowie die allgemeinen wirtschaftlichen Verhältnisse des Kreditnachfragers. Spezielle Bonitätsfaktoren werden in dessen Vermögens-, Erfolgs- und Finanzlage gesehen.

Bonitätsrisiken finden ihren Niederschlag zum einen als Risikoaufschlag bei der Zinsforderung, zum anderen versucht sich der Kreditgeber durch → Kreditsicherheiten vor Vermögensverlusten zu schützen.

Gewöhnlich wird die Bonität der öffentlichen Hand als unzweifelhaft angesehen. Verschulden sich jedoch Staaten in Auslandswährung, besteht das Bonitätsrisiko wie bei jedem privaten Schuldner (→ Länderrisiko). Unternehmen und Privatpersonen werden vor Krediterteilung i. d. R. einer → Kreditprüfung unterzogen.

Literatur: *Buchner, R.*, Grundzüge der Finanzanalyse, München 1981. *Welcker, J./Thomas, E.*, Finanzanalyse, München 1981.

Kreditwürdigkeitsprüfung → Kreditprüfung

Kreishandwerkerschaft → Innung

Kreislauf

Netzwerk von Strömen zwischen einer gegebenen Anzahl von Polen, wobei von und zu jedem Pol mindestens ein Strom fließen muß und alle Pole direkt oder indirekt miteinander verbunden sein müssen. Ströme oder → Stromgrößen sind durch ihre Richtung, Stärke und Bezogenheit auf einen Zeitraum bestimmt. Die Ausgangs- und Endpunkte der Ströme werden als Pole bezeichnet.

Der Kreislauf ist geschlossen, wenn für jeden Pol die Wertsumme aller zufließenden gleich der Wertsumme aller abfließenden Ströme ist (Kreislaufaxiom). Grundsätzlich kann jeder Kreislauf durch die Einführung eines neuen Pols, der alle Saldenströme aufnimmt, geschlossen werden. Dabei ist zu beachten, daß die Ströme von und zu dem neuen Pol unterstellte (fingierte) Ströme darstellen, die tatsächlich nicht beobachtbar sind, aber Änderungen von → Bestandsgrößen aufdecken. Wegen dieser Eigenschaft werden bei der systematischen zahlenmäßigen Erfassung des → Wirtschaftskreislaufs im Rahmen des → Volkswirtschaftlichen Rechnungswesens stets geschlossene Kreisläufe unterstellt. *H. R.*

Kreislaufaxiom → Kreislauf

Kreislaufgeschwindigkeit → Quantitätsgleichung

Krelle-Ott-Lösung → Oligopoltheorie

Kreuzer

Kleinmünze im Wert von 4 → Pfennig; vor allem in Süddeutschland bis 1873 verbreitet.

Kreuzkurse → cross rates

Kreuzpreiselastizität

stellt ab auf die Reaktion der mengenmäßigen Nachfrage nach einem Gut x_i auf eine Preisänderung des (der) Konkurrenzgutes (-güter) x_j:

$$\varepsilon_{x_i p_j} = -\frac{dx_i}{x_i} : \frac{dp_j}{p_j}$$

Aufgrund des Vorzeichens (positiv oder negativ) dieser Elastizität läßt sich feststellen, ob zwischen den betreffenden Gütern eine Substitutions- oder Komplementärbeziehung besteht. Bei → Substitutionsgütern führt eine Preiserhöhung des Gutes x_2 ceteris paribus zu einer Mehrnachfrage nach Gut x_1 (positive Kreuzpreiselastizität). Bei einem negativen Elastizitätswert handelt es sich um → Komplementärgüter, d. h. bei einer Preiserhöhung (Preissenkung) des Gutes x_2 wird eine Mindernachfrage (Mehrnachfrage) nach Gut x_1 ausgelöst.

Je höher der absolute numerische Wert der Kreuzpreiselastizität ist, desto größer ist der Grad der Substituierbarkeit bzw. der Komplementarität. Haben die Güter keine ökonomische Beziehung zueinander, so weist die Kreuzpreiselastizität einen Wert von Null auf. Wegen der → Interdependenz aller Preise *(Léon Walras)* besteht theoretisch zwischen allen Gütern eine, wenn auch sehr geringe, Kreuzpreiselastizität. Praktische Bedeutung erlangt die Kreuzpreiselastizität als Triffin-'scher Koeffizient bei der Abgrenzung der → Marktformen.   *P. O.*

Kriegsfinanzierung

erfolgt im Zeitalter der Papierwährung hauptsächlich durch → Geldschöpfung (→ Mefo-Wechsel).

Die Kreditfinanzierung des Ersten Weltkriegs mit 94 Mrd. RM Kriegsanleihen und 55 Mrd. RM schwebender Schuld (Ende 1918) schuf ein Inflationspotential, das bis 1923 durch Kriegsfolgen bedingt ständig erweitert, und schließlich nicht mehr überwunden werden konnte. Ebenso hatte die schon in den 1930er Jahren einsetzende ‚geräuschlose‘ Kriegsfinanzierung des Zweiten Weltkrieges mit ihrer zwangsweisen Kapitalabschöpfung nicht verhindert, daß bis Kriegsende über 200 Mrd. RM schwebender Reichsschulden aufgelaufen waren.

Die Kriegsfinanzierung führte in beiden Fällen zwangsläufig zur Währungszerrüttung, 1923 zur ‚offenen‘, bis 1948 zur ‚verdeckten‘ Inflation, die beide nur mit einer → Währungsreform beendet werden konnten. Auch Staaten, die, wie England, ihre Kriegskosten stärker über Steuererhöhungen aufbrachten, konnten nicht verhindern, daß die Kaufkraft ihrer Währung gegenüber der Vorkriegszeit beträchtlich sank.

Kriegsopferfürsorge

Teilbereich der → Kriegsopferversorgung nach dem → Bundesversorgungsgesetz

(§§ 25–27 BVG), der abweichend von der sonstigen Versorgungsregelung nach dem → Fürsorgeprinzip ausgestaltet ist. Für die Erbringung der Leistungen der Kriegsopferfürsorge sind dementsprechend auch besondere Fürsorgestellen als Träger zuständig, die meist den örtlichen Trägern der → Sozialhilfe, den → Sozialämtern, zugeordnet sind.

Aufgabe der Kriegsopferfürsorge ist es, sich der Beschädigten und ihrer Familienmitglieder sowie der Hinterbliebenen in allen Lebenslagen anzunehmen, um die Folgen der Schädigung oder des Verlustes des Ehemannes, Elternteils, Kindes oder Enkelkindes angemessen auszugleichen oder zu mildern. Dazu werden → persönliche Hilfe, insb. Beratung in sozialrechtlichen Fragen, sowie Sach- und Geldleistungen geboten, letztere jedoch nur insoweit, als die Empfänger bedürftig (→ Bedürftigkeit) sind, d. h. nicht in der Lage sind, den nach dem BVG anzuerkennenden Bedarf aus ihrem Einkommen oder Vermögen zu decken.											*H. Sch.*

Kriegsopferversorgung

Kernbereich des Zweiges der → Sozialen Entschädigung (im engeren Sinne) im System der → Sozialen Sicherung der Bundesrepublik Deutschland. Deutsche, die durch ein militärisches oder militärähnliches Dienstverhältnis oder durch sonstige im Zusammenhang mit einem der beiden Weltkriege stehende Umstände (z. B. Fliegerangriff, Vertreibung u. ä.) Gesundheitsschäden erlitten haben (Kriegsbeschädigte), erhalten für die gesundheitlichen und wirtschaftlichen Folgen der Schädigung Versorgung nach dem → Bundesversorgungsgesetz (BVG). Sterben Kriegsbeschädigte an den Folgen der Schädigung, so erwerben ihre Hinterbliebenen einen Versorgungsanspruch.

Für die Beschädigten umfaßt die Kriegsopferversorgung Heilbehandlung und sonstige Maßnahmen zur Erhaltung, Besserung und Wiederherstellung der körperlichen Leistungsfähigkeit sowie Beschädigtenrenten zur Abgeltung einer dauerhaften Minderung der Erwerbsfähigkeit um mehr als 25%. Dabei sind Grundrenten in der Höhe nach dem Ausmaß der Minderung der Erwerbsfähigkeit gestaffelt und können durch verschiedene Zusatzleistungen, wie Pflegezulage, Schwerstbeschädigtenzulage und Ausgleichsrente ergänzt werden. Die schematisierten Versorgungsleistungen werden außerdem durch die individualisierend bedarfsorientierten Leistungen der → Kriegsopferfürsorge ergänzt, deren Geld- und Sachleistungen allerdings nur bei → Bedürftigkeit beansprucht werden können.

Die Kriegsopferrenten werden seit 1970 gemäß der allgemeinen → Rentendynamik regelmäßig an die Einkommensentwicklung angepaßt. Zuständig für Beratung und Anträge sind die → Versorgungsämter.											*H. Sch.*

Kriegssozialismus → Hindenburg-Programm

Kriegswirtschaft

im Gegensatz zur Friedenswirtschaft in einer freiheitlichen Wirtschaftsordnung die totale Mobilisierung ökonomischer Ressourcen durch entsprechendes staatliches Vorgehen ohne Berücksichtigung von Kosten, um die materielle Versorgung und Sicherung der Kriegsführung zu erreichen. Seit dem Ersten Weltkrieg mit Rationierungen, Zuteilungen, Produktionsanordnungen und Dringlichkeitsstufen der Erzeugung praktiziert (→ Hindenburg-Programm), erreicht die Kriegswirtschaft dort besondere Bedeutung, wo ausländische Bezugsquellen ausfallen (Entwicklung von Ersatzstoffen, ‚Kriegswirtschaft im Frieden‘ im Rahmen des → Vierjahresplans nach 1936).

Neben dem gewerblichen Bereich werden die Lebensmittelversorgung einschl. der landwirtschaftlichen Produktion und die Verteilung der Arbeitskräfte (Arbeitseinsatz) von der Kriegswirtschaft erfaßt. Während diese nach 1914 erst langsam entwickelt wurde, hatte man 1939 in Deutschland bereits alle Vorkehrungen für eine Umstellung der Wirtschaft getroffen; trotzdem blieb ein ziviler Versorgungsbereich auch im Zweiten Weltkrieg erstaunlich lange, wenngleich immer weniger ausreichend, erhalten, bis ab Februar 1943 unter dem mit propagandistischem Aufwand betriebenen ‚totalen Krieg‘ die Produktion für den zivilen Sektor weitgehend erlosch. Unzureichende Ressourcen sowie zunehmende materielle und militärische Überlegenheit der Gegner ließen die Kriegswirtschaft letztlich scheitern.											*H. Wi.*

Literatur: *Milward, A. St.,* Die deutsche Kriegswirtschaft 1939–1945, Stuttgart 1966.

Krisenliquidität → lender of last resort

Krisenmanagement → Gesamtplanung

Krisentheorie → Konjunkturtheorien, → marxistische Krisentheorien

kritische Erfolgsfaktoren → Informationsbedarfsanalyse

kritischer Rationalismus

von *Karl Raimund Popper* (geb. 1902) entwickeltes philosophisch-erkenntnistheoretisches Programm. Es ging aus der geistigen Auseinandersetzung mit dem logischen →Positivismus des Wiener Kreises (*Rudolf Carnap, Herbert Feigl, Victor Kraft, Moritz Schlick* u.a.) hervor und fand seinen ersten Niederschlag in dem erkenntnistheoretischen Bestseller „Logik der Forschung" (1935). In späteren Schriften hat *Popper* den kritischen Rationalismus als globale Alternative zu zwei Grundrichtungen des philosophischen Denkens dargestellt: zum klassischen Empirismus (*Francis Bacon, John Locke, David Hume, John Stuart Mill* u.a.) und zum klassischen Rationalismus (*René Descartes, Gottfried Wilhelm Leibniz, Baruch de Spinoza* u.a.).

Charakterisierbar ist der kritische Rationalismus durch drei miteinander verknüpfte Merkmale. Es ist dies erstens ein konsequenter →Fallibilismus, d.h. die Einsicht in die prinzipielle Fehlbarkeit der menschlichen Erkenntnis und des Problemlösungsverhaltens insgesamt. Damit verbindet sich die Absage an alle Versuche, über jeden Zweifel erhabene Ausgangspunkte bzw. Basisinstanzen (Beobachtung, Vernunft) zu konstruieren. An die Stelle von (angeblich) sicheren Begründungen tritt der – für den Einzelnen sicherlich schwer durchhaltbare – permanente Zweifel an der Richtigkeit bisheriger Problemlösungen.

Diese Grundhaltung kann als Kritizismus bezeichnet werden. Sie führt zum zweiten Merkmal, dem methodischen Rationalismus. Wer den Fallibilismus akzeptiert, für den ist es in methodischer Hinsicht vernünftig, bisherige Problemlösungen der kritischen Prüfung auszusetzen. Wie der konsequente Fallibilismus bezieht sich der methodische Rationalismus nicht nur auf den Bereich der Wissenschaft, sondern auch auf jede Praxis, und dabei insb. auch auf den Bereich der Politik. Konkret heißt dies, daß bisherige Lösungen mit Alternativen zu konfrontieren bzw. einer vergleichenden Bewertung zu unterziehen sind (→wissenschaftlicher Pluralismus).

Als drittes Merkmal ist der kritische Realismus anzuführen. Ihm kommt speziell im Hinblick auf die wissenschaftliche Erkenntnis Bedeutung zu. Während der naive Realismus davon ausgeht, daß die Wirklichkeit so ist, wie man sie wahrnimmt, erblickt der kritische Realismus das Ziel der Erkenntnis in der Erfassung der vom Erkenntnissubjekt, dem einzelnen Wissenschaftler also, unabhängigen Wirklichkeit. Damit wird dem Tatbestand Rechnung getragen, daß die Sinneswahrnehmungen oder auch die Meßinstrumente ein unzutreffendes Bild von der Realität vermitteln können. Das allmähliche „Herantasten" an die vom erkennenden Subjekt unabhängige

Wirklichkeit schlägt sich in der kritisch-rationalen Vorstellung vom Erkenntnisfortschritt und von der Wahrheitssuche nieder.   *G. S.*

Literatur: *Popper, K. R.,* Logik der Forschung, 8. Aufl., Tübingen 1984. *Albert, H.,* Die Wissenschaft und die Fehlbarkeit der Vernunft, Tübingen 1982.

kritischer Vorgang →Netzplantechnik

kritischer Wert →Sensitivitätsanalyse

K-Systeme →CBX-Systeme

Kündigungsfristen →Kündigungsschutz

Kündigungsgeld →Geldmarkt, →Termineinlage

Kündigungsschutz

als Bestandsschutz ein wesentlicher Teil des →Arbeitsschutzes. Mit dem Kündigungsschutz soll sichergestellt werden, daß der Arbeitnehmer vor einer ungerechtfertigten Lösung des Arbeitsverhältnisses durch den anderen Teil geschützt ist. Wenn aber eine Auflösung des Arbeitsverhältnisses notwendig wird, dann soll mit ausreichenden Fristen gerechnet werden können, um so das Abschließen eines neuen Arbeitsvertrages zu erleichtern. Das Kündigungsschutzrecht in der Bundesrepublik Deutschland sieht den Fall der ordentlichen und der außerordentlichen Kündigung vor.

(1) Für die *ordentliche Kündigung* gilt:

Bei Arbeitern beträgt die gesetzliche Mindestkündigungsfrist zwei Wochen. Die Frist erhöht sich, wenn das Arbeitsverhältnis nach Vollendung des 35. Lebensjahres fünf Jahre bestanden hat, auf einen Monat zum Monatsende, bei 10 Jahren auf zwei Monate zum Monatsende, bei 20 Jahren auf drei Monate zum Ende eines Kalendervierteljahres. Die Regelungen sind z.T. in gewissem Umfang abdingbar; kürzere Fristen können durch →Tarifvertrag vereinbart werden.

Arbeitsverhältnisse von Angestellten können mit einer Frist von sechs Wochen zum Schluß eines Kalendervierteljahres gekündigt werden. Die Frist kann einzelvertraglich gekürzt werden, sie muß jedoch mindestens einen Monat betragen und darf nur zum Schluß eines Kalendermonats enden. Auch hier gelten die Modifizierungsmöglichkeiten wie bei den Arbeitern. Für langjährige Angestellte erhöht sich die Kündigungsfrist wesentlich je nach der Dauer der Betriebszugehörigkeit.

(2) Beim Vorliegen wichtiger Gründe kann binnen zwei Wochen nach Kenntnis der Kün-

digungsgründe auch ohne Einhaltung von Fristen *außerordentlich* (fristlos) gekündigt werden. Die außerordentliche Kündigung stellt ein Rechtsmittel dar, um jedem Vertragsteil die Möglichkeit zu geben, sich von einem Arbeitsverhältnis zu lösen, dessen Fortsetzung ihm unzumutbar erscheint.

Besondere Kündigungsschutzbestimmungen gelten für Betriebs- und Personalratsmitglieder, nach dem Mutterschutzgesetz, zugunsten von Schwerbeschädigten und für Heimarbeiter. Arbeitnehmer, die unter den Geltungsbereich des Kündigungsschutzgesetzes fallen, können innerhalb von drei Wochen nach Zugang einer ordentlichen oder außerordentlichen Kündigung beim zuständigen Arbeitsgericht Klage auf Feststellung erheben, daß die Kündigung sozial ungerechtfertigt oder aus sonstigen Gründen rechtsunwirksam ist und daher das Arbeitsverhältnis nicht aufgelöst wird. Voraussetzung einer solchen Kündigungsschutzklage ist, daß das Arbeitsverhältnis in einem Betrieb oder Unternehmen mit i.d.R. mehr als fünf Arbeitnehmern (ausschließlich der Lehrlinge) länger als sechs Monate bestanden hat.

In der letzten Zeit wird zunehmend auch die Gefahr diskutiert, die sich aus einem sehr weitreichenden Kündigungsschutz für die Bereitschaft des Arbeitgebers zu Neueinstellungen ergeben kann.   *H. W.*

Künstlersozialabgabe → Alterssicherung der freien Berufe

künstliche Intelligenz

(Abk. KI; engl. artificial intelligence) ein noch junger Zweig der → Informatik. Klassisches Anwendungsgebiet der KI ist die Entwicklung und Programmierung von → Industrierobotern, die ständig wiederkehrende Vorgänge in schneller Abfolge mit hoher Präzision ausführen. In der Entwicklung sind sog. intelligente Roboter, die unvorhergesehene Ausnahmesituationen erkennen und selbständig entsprechend reagieren können. Weitere Forschungsinhalte der KI sind die automatische Verarbeitung von natürlicher Sprache (zur Vereinfachung der → Mensch-Maschine-Kommunikation bis hin zu dem Fernziel der Computer-Programmierung in natürlicher Sprache), die Bilderkennung und -verarbeitung, das automatische Beweisen von mathematischen Sätzen, computergestützte Lernsysteme und insb. → Expertensysteme.   *Ch. P.*

Kürzungen

Abzugsposten bei der Ermittlung des → Gewerbeertrags und → Gewerbekapitals für die → Gewerbesteuer aus dem Gewinn und dem → Einheitswert. Kürzungen kommen insb. für Grundbesitz, Beteiligungen und Gewinnanteile aus Beteiligungen in Betracht (§§ 7, 9 und 12 GewStG).

Küstenplan

1955 vom Bund und dem Land Niedersachsen beschlossenes und zunächst für zehn Jahre vorgesehenes → regionales Förderungsprogramm für ein „von der Natur benachteiligtes Gebiet" (ähnliche Programme: Emslandprogramm (ab 1951), Programm Nord (1953), Alpenplan (1955)). Die Maßnahmen, die zwei Regierungsbezirke und 17 Landkreise entlang der deutschen Nordseeküste betreffen, umfaßten vorrangig Deicherhöhungen, Sperrwerke, Neueindeichungen, unterstützt durch „Arbeiten hinter dem Deich", wie Entwässerungsarbeiten, Befestigung von Wirtschaftswegen, Flurbereinigung und Maßnahmen der Dorferneuerung, so daß auch die Förderungen nach dem „Grünen Plan" in Anspruch genommen werden konnten. Die Aufgaben des Küstenplanes wurden übernommen in die → Gemeinschaftsaufgabe zur Verbesserung der Agrarstruktur und des Küstenschutzes.   *S. K.*

Kulanzrückstellungen → Rückstellungen

kulturspezifisches Konsumentenverhalten

spezielle Ausprägung des → Konsumentenverhaltens durch die Traditionen eines Kulturkreises: durch kulturelle Normen, Lebensstile, Denk- und Verhaltensmuster. Derartige Prägungen sind häufig internalisiert, d.h. sie werden den Betroffenen – Konsumenten wie Unternehmern – innerhalb eines Kulturkreises nicht bewußt. Erst im Rahmen eines interkulturellen Vergleichs werden sie sichtbar. Interkulturelle Unterschiede im Konsumentenverhalten sind erst in Ansätzen untersucht worden. Ein Beispiel ist eine von *Hans Thorelli* und Mitarbeitern durchgeführte Studie über das Informationsverhalten von Konsumenten in den USA und der Bundesrepublik Deutschland (→ Informationssucher). Solche Untersuchungen liefern wichtige Anhaltspunkte für die Entwicklung von Marktstrategien, etwa von Werbekampagnen, im Rahmen des → internationalen Marketing.

Kulturwissenschaft

Unter „Kultur" versteht man Schöpfungen menschlichen Geistes und Ergebnisse menschlichen Handelns (Kunst, Religion, Staat, Wirtschaft, Wissenschaft, Recht, Moral) ebenso wie die menschlichen Handlungsmuster selbst.

Menschliches Handeln und Denken vollziehen sich innerhalb bestimmter institutioneller (kultureller) Gegebenheiten, die selbst das (nicht immer intendierte) Ergebnis menschlichen Handelns und Denkens darstellen. Der Gesamtzusammenhang bzw. diese Wechselbeziehung kann als die kulturelle menschliche Sphäre, als der Gegenstand der Kulturwissenschaften, angesehen werden.

Die Bezeichnung „Kulturwissenschaft" ist in der wissenschaftstheoretischen Diskussion sehr häufig nicht nur an den Gegenstand, sondern häufig auch an den Gebrauch einer bestimmten Methode gebunden. Von Kulturwissenschaft sprechen insb. jene, die einen methodischen Dualismus zwischen Natur- und Kulturwissenschaften zum Ausdruck bringen wollen („Kulturalisten"). Hinter der Bezeichnung „Kulturwissenschaft" steht dabei die Auffassung, daß die Betrachtungsweisen und Methoden der Naturwissenschaften nicht auf die kulturelle menschliche Sphäre übertragbar sind. Vertreter eines Methodenmonismus im Hinblick auf die Natur- und die Kulturwissenschaften („Naturalisten") glauben, daß die sozialen Phänome ebenso von Gesetzmäßigkeiten beherrscht sind wie die Naturerscheinungen und es daher angezeigt ist, solche Gesetzmäßigkeiten zu suchen und theoretisch in ähnlicher Weise zu kodifizieren, wie z.B. *Isaac Newton* das für die Gesetze der Mechanik in seinem System geleistet hat.

„Naturalisten" meinen ferner, daß diese Gesetze in deduktiv-nomologischen Argumentationsmustern zur Erklärung und Prognose sowie zur Konstruktion von Technologien genutzt werden können.

„Kulturalisten" lehnen diese Auffassung ab und propagieren prinzipiell andere Methoden und Betrachtungsweisen für die Kulturwissenschaften. Sie plädieren in unterschiedlichen Varianten für eine Methode des Verstehens. Zu den „Kulturalisten" zählen jene, die ein methodisch weitgehend unverbindliches Deuten des sozialen Gesamtzusammenhangs für zweckmäßig ansehen, jene, die für die Erklärung menschlichen Handelns mit Hilfe des → Rationalprinzips eintreten (z.B. *Friedrich A. von Hayek, Ludwig von Mises, Karl-Raimund Popper*), ferner Kontruktivisten, die menschliches Handeln in Form von mehreren Begründungsschritten rational rekonstruieren wollen (z.B. *Oskar Schwemmer*).   *B. A.*

Literatur: *Schwemmer, O.,* Theorie der rationalen Erklärung, München 1976. *Stegmüller, W.,* Hauptströmungen der Gegenwartsphilosophie, Bd. II, Stuttgart 1975. *Vanberg, V.,* Die zwei Soziologien, Individualismus und Kollektivismus in der Sozialtheorie, Tübingen 1975.

Kumulationsmethode → Perpetual-inventory-Methode

kumulative Zuschlagskalkulation → Zuschlagskalkulationen

Kundendienst

(Service) Element der → Produktgestaltung, das alle Zusatzleistungen umfaßt, die ein Anbieter neben der Hauptleistung, d.h. dem Produkt i.e.S., seinen Kunden offeriert, um den Erwerb, Einsatz und/oder Gebrauch der Hauptleistung zu ermöglichen bzw. zu erleichtern. Es kann sich hierbei um Dienstleistungen (z.B. Absatzfinanzierung, Anlieferung), aber auch um Sachleistungen (z.B. Bordverpflegung von Fluggästen) handeln. Häufig wird auch zwischen dem kaufmännischen Kundendienst einerseits, der von der Kaufberatung und Zustellung über die Bereitstellung von Testprodukten bis hin zum umfassenden Management-Know-how-Transfer an den Kunden reicht, und dem technischen Kundendienst unterschieden. Letzterer ist bei vielen Gebrauchs- und Investitionsgüteranbietern organisatorisch verselbständigt und umfaßt vor allem die Installation, Wartung, Reparatur und Ersatzteilversorgung. Im → Investitionsgütermarketing, wo der Service als absatzpolitisches Instrument besondere Bedeutung besitzt, wird ferner zwischen Kundendienstleistungen vor Abschluß des Kaufvertrages (pre-sale-service, z.B. Projektierung, Finanzierung, Testmöglichkeiten etc.), und solchen nach Vertragsabschluß (after-sale-service) differenziert.

Die große und in stagnierenden Märkten ständig wachsende absatzpolitische Bedeutung des Kundendienstes ergibt sich aus folgenden Umständen:

● Möglichkeit zur Differenzierung und kunden(gruppen)individuellen Ausgestaltung des Leistungsumfangs und damit zur Profilierung gegenüber Wettbewerbern,

● Steigerung der Kundenzufriedenheit bzw. Kaufsicherheit und damit auch der Marken- bzw. Herstellertreue,

● Aufbau eines engen und intensiven Kundenkontakts und Vertiefung der Marktkenntnis,

● Gewinnung von Spielraum für Preisverhandlungen und Mischkalkulation zwischen Haupt- und Zusatzleistungen.

Andererseits ist der Kundendienst oft mit erheblichen Kosten verbunden, die darüber hinaus meist fixer Natur sind (vor allem Bereitschaftskosten). Die Möglichkeit des Zukaufs von Dienstleistungen oder der gänzlichen Ausgliederung an andere Unternehmen sollte deshalb stets geprüft werden. Bei Abnehmergruppen mit dominantem Preisinteresse kann ferner auch ein Verzicht auf Dienstleistungen nach dem Discount-Prinzip oder im Sinne der Do-it-yourself-Mentalität erfolgversprechend sein, zumal manche Serviceleistungen (z. B. Kaufberatung) – vor allem im Einzelhandel – ohne direktes Entgelt gewährt werden müssen. Andere Anbieter vermögen daraus oft einen Vorteil zu ziehen, ohne selbst aktiv werden zu müssen.   *H. D./K. Lo.*

Literatur: *Backhaus, K.,* Investitionsgüter-Marketing, München 1982. *Bennewitz, H. I.,* Die Eigenständigkeit des absatzpolitischen Instruments „Kundendienst" und seine Bedeutung im modernen Marketing-Denken, Diss., München 1968.

Kundengruppenmanagement

(account management) Organisationsprinzip des → Marketingmanagements, bei dem für verschiedene Kundengruppen spezifische Marketingprogramme entwickelt werden. Dadurch soll den verschiedenen Problempotentialen und/oder der besonderen Marktbedeutung einzelner Abnehmergruppen Rechnung getragen werden. Das Kundengruppenmanagement wird organisatorisch durch eine abnehmer(gruppen)orientierte → Marketingorganisation auch institutionell verankert.

Vor allem bei Konzentration der Nachfragemacht auf wenige Großabnehmer reicht die Differenzierung bis auf einzelne Großkunden, sog. key accounts. Ein solches Key-account-Marketing wird z. B. immer stärker in der Lebensmittelindustrie erforderlich, da dort die wenigen großen Handelsketten, Einkaufsgenossenschaften und Warenhauskonzerne inhaltlich differenzierte Marketingkonzepte für ihre eigene Marktprofilierung fordern und in einer unter den Betroffenen abgestimmten Form angesprochen werden müssen (→ vertikales Marketing).   *H. D.*

Kundenkredit → Anzahlungen

Kundenpanel → scanning

Kundenstromanalyse

bezieht sich auf die Kundenfrequenz in Geschäftsstraßen und Einkaufszentren außerhalb der Geschäftsräume eines Unternehmens oder auf innerbetriebliche Kundenbewegungen. Sie dient der Ermittlung der Standortwertigkeit oder auch von Engpässen, z. B. bei Parkständen, ferner der zweckmäßigsten Anordnung von Regalen innerhalb eines Ladens. Erhebungsinstrumente sind die Multimomentbeobachtung (u. U. durch Kameras) und die → Befragung.

Kundentreue

die → Programmpolitik bestimmendes (strategisches) Leitbild, nach dem sich das Leistungsprogramm eines Unternehmens aus Produkten verschiedenster Art für einen oder mehrere bestimmte Kundenkreise zusammensetzt. Es kommt vor allem für Unternehmen des Dienstleistungssektors (z. B. Banken, Großhandlungen, Versicherungen und Touristikunternehmen) in Frage, weil dort eine Zusammenstellung des Angebotsprogramms nach materialtechnischen (→ Materialtreue) oder fertigungstechnischen (→ Wissenstreue) Gesichtspunkten i. d. R. nicht möglich ist. Meist bedarf das Prinzip der Kundentreue jedoch einer weiteren Spezifizierung nach Problembereichen der jeweiligen Kundenkreise (→ Problemtreue).

Kundenwechsel → Rimesse

Kundenzeitschrift

zeitschriftenähnliches Medium der → Werbung im Handel, der die entsprechenden Blätter von Verlagen produzieren läßt bzw. bezieht und zu Zwecken der Beratung und Kundenpflege an seine Kunden i. d. R. kostenlos abgibt. Die monatliche Gesamtauflage aller deutschen Kundenzeitschriften betrug 1978 über 23 Mio. Stück.

Kunstlehre

auf *Eugen Schmalenbach* zurückgehende Interpretation des Charakters der Betriebswirtschaftslehre. Sie besagt, daß die Aufgabe der Disziplin in der Vermittlung praktisch verwertbarer Erkenntnisse besteht. Heute gilt der von *Schmalenbach* seinerzeit nachdrücklich betonte Unterschied zwischen der vorrangig philosophisch ausgerichteten Wissenschaft und der technologisch orientierten Kunstlehre als überholt.   *G. S.*

Kunstökonomie

Anwendung der ökonomischen Analyse auf den Bereich der Kunst und Kultur, da auch er der Knappheit der Ressourcen unterliegt. Auch hier reagieren die Individuen systematisch auf positive und negative Anreize (Rationalverhalten), und das Ergebnis künstlerischer Aktivität läßt sich aus dem Zusammenwirken von Angebot und Nachfrage erklären.

Wie in der traditionellen Nationalökonomie üblich, wird ein theoretisches Modell des menschlichen Verhaltens als Nachfrager und Anbieter von Kunst entwickelt. Die daraus abgeleiteten Hypothesen werden empirisch überprüft. Dabei werden die gemeinsamen Elemente künstlerischen Schaffens hervorgehoben; die grundsätzlich gleichen theoretischen Ansätze sind auf die darstellenden Künste (Schauspiel- und Musiktheater, Ballet, Orchester, Film) und auf die bildende Kunst (Museen, Galerien) anwendbar.

Die Kunstökonomie wird heute vor allem im angelsächsischen Raum betrieben (den Anfang machten *William J. Baumol* und *W. G. Bowen* 1966); es gibt im deutschen Sprachbereich aber bemerkenswerte Vorgänger. Seit einigen Jahren besteht eine einschlägige wissenschaftliche Gesellschaft, die eine Fachzeitschrift (das ‚Journal of Cultural Economics') herausgibt. Die wichtigsten Teilbereiche der Forschung befassen sich mit den Bestimmungsgrößen der Nachfrage und des Angebots sowie mit der staatlichen Unterstützung der Kunst.

Bei der Nachfrage nach Kunst wird besonderes Gewicht auf den Einfluß der Preise gelegt. Neben den Eintrittspreisen spielen auch die übrigen Auslagen (z. B. für den Transport) und die Opportunitätskosten der Zeit eine Rolle sowie die Preise (Kosten) alternativer Freiheitsaktivitäten. In ökonomischen Untersuchungen wurden für unterschiedliche Bereiche der Kunst die entsprechenden Preis- und die Einkommenselastizitäten der Nachfrage bestimmt. Diese Studien gehen somit wesentlich über soziologische Besucherbefragungen hinaus.

Das Angebot an (darstellender) Kunst wird wesentlich durch zwei Faktoren beeinflußt: Bevor ein Theaterstück oder eine Oper gezeigt werden kann, sind hohe Kosten aufzuwenden (Proben, Kostüme, Bühnenbild). Die Durchschnittskosten fallen daher bei einer zunehmenden Zahl von Aufführungen stark; ein kostendeckendes Angebot erfordert eine große Zuschauerzahl. Rationalisierungen und damit Produktivitätsfortschritte sind im künstlerischen Bereich schwer zu erreichen. Die weitaus höchsten Kosten sind für das künstlerische, technische und administrative Personal aufzuwenden; wenn die Löhne mit der allgemeinen Einkommensentwicklung Schritt halten sollen, ergeben sich dauernd steigende Kosten für die künstlerische Produktion (Baumolsche Hypothese). Trotz dieser Schwierigkeiten ist auch in der darstellenden Kunst eine gewinnorientierte Produktion möglich (z. B. Tourneetheater, Boulevard,

Broadway). Vorherrschend ist jedoch das nicht-gewinnorientierte, staatlich geförderte Theater.

Die öffentliche Unterstützung der Kunst läßt sich mit verschiedenen Arten von → externen Effekten begründen. Die auf dem Markt ausgeübte Nachfrage berücksichtigt unzulänglich oder gar nicht Options-, Existenz-, Vermächtnis- und Prestigewerte. In den USA werden die Künste vor allem indirekt gefördert, indem die Zuwendungen von Privatpersonen und Unternehmen steuerlich abzugsfähig sind; die Theater und Museen müssen sich in Konkurrenz um die (potentiellen) Mäzene bemühen. In Europa finden sich verschiedene Arten von direkten Subventionen. Kunstinstitutionen sind oft Teil des öffentlichen Bereichs; ihre Defizite werden im Rahmen des staatlichen Budgets gedeckt. Die kunstökonomische Forschung hat gezeigt, daß die unterschiedlichen Arten von staatlicher Förderung das Verhalten der Kunstanbieter wesentlich beeinflussen und zu beträchtlichen Unterschieden im quantitativen Angebot (Répertoire- oder en suite-Theater), in der Qualität, in den Produktionsverfahren und Eintrittspreisen führen. *B. S. F./W. W. P.*

Literatur: *Baumol, W. J./Bowen, W. G.,* Performing Arts – The Economic Dilemma, Cambridge, Mass. 1966. *Pommerehne, W. W./Frey, B. S.,* Kunstökonomie, erscheint demnächst.

Kuponsteuer → Kapitalertragsteuer

Kuppelkalkulationen

→ Kalkulationsverfahren, die systematisch zur Gruppe der → Divisionskalkulationen gehören. Sie werden jedoch meistens als gesonderte Gruppe behandelt, weil sich ihr Anwendungsbereich, nämlich die Kuppelproduktionsprozesse, von dem der anderen Verfahren unterscheidet. Die üblichen → Divisions- und → Zuschlagskalkulationen gelten für Produktionsprozesse, in denen die verschiedenen Produkte unabhängig voneinander hergestellt werden (unverbundene Produktion).

Daneben gibt es Produktionsprozesse, bei denen aus natürlichen oder technischen Gründen zwangsläufig verschiedene Produkte hergestellt werden (anfallen). Man spricht dann von → Kuppelproduktion: Beispiele für Kuppelprodukte findet man in der Kokerei (Koks, Gas, Teer, Benzol etc.), in der chemischen Industrie (sowohl bei synthetischen als auch analytischen Prozessen), beim Hochofenprozeß (Roheisen, Gichtgas, Schlacke), in Raffinerien (Benzine, Öle, Gase), in der Porzellanindustrie, in Zuckerfabriken oder in Sägewerken.

Der Kuppelproduktionsprozeß kann in starren Mengenrelationen der Kuppelprodukte ablaufen oder in gewissen Grenzen variiert werden. Nach ihrer Entstehung durchlaufen die verschiedenen Produkte grundsätzlich verschiedene Weiterverarbeitungsstufen und werden dort auch wie üblich kalkuliert.

Ziel der Kuppelkalkulation ist es, die Gesamtkosten des Prozesses auf die einzelnen Kuppelprodukte zu verteilen. Eine verursachungsgerechte Kalkulation ist hierbei nicht möglich, denn es läßt sich in keinem Falle feststellen, welche Produkte welchen Anteil an den Gesamtkosten des Kuppelprozesses verursacht haben.

Wenn also das Verursachungsprinzip versagt, dann muß man mit Hilfe des Tragfähigkeits- oder Durchschnittsprinzips eine Näherungslösung anstreben.

In Theorie und Praxis sind zwei Kuppelkalkulationsmethoden entwickelt worden, die beide auf dem Grundgedanken der Divisionskalkulation aufbauen und beide mehr oder minder willkürliche Kalkulationsergebnisse liefern:
● Restwert- oder Subtraktionsmethode,
● Verteilungsmethode.

(1) Die *Restwertmethode* wird angewandt, wenn man die verschiedenen Kuppelprodukte in ein Hauptprodukt sowie ein oder mehrere Nebenprodukte einteilen kann. Das Verfahren besteht darin, die Erlöse der Nebenprodukte (abzüglich noch anfallender Weiterverarbeitungskosten) von den Gesamtkosten des Kuppelprozesses zu subtrahieren und die sich so ergebenden Restkosten durch die Menge des Hauptprodukts zu dividieren.

Bezeichnet man mit

K_K die Gesamtkosten des Kuppelprozesses,
k_H die Herstellkosten pro Einheit des Hauptproduktes,
x_H die Menge des Hauptproduktes,
x_{Ni} die Menge der Nebenproduktart i,
p_{Ni} den Stückpreis der Nebenproduktart i,
k_{Ni} die Weiterverarbeitungskosten pro Einheit der Nebenproduktart i,
i den Index der Nebenprodukte (i = 1, 2, ..., n),

dann erhält man für die Restwertmethode folgende allgemeine Kalkulationsformel:

$$k_H = \frac{K_K - \sum_{i=1}^{n} (p_{Ni} - k_{Ni}) \cdot x_{Ni}}{x_H}$$

Unter dem Begriff Selbstkosten versteht man die gesamten Kosten (einer Periode oder) eines Stücks. Herstellkosten sind kleiner als die Selbstkosten, denn sie enthalten nicht die Vertriebs- und Verwaltungskosten.

Die Selbstkosten des Hauptproduktes errechnet man nach dem normalen Gang der weiteren Zuschlagskalkulation: Es kommen noch die anteiligen Verwaltungs- und Vertriebskosten hinzu sowie evtl. weitere Fertigungskosten bei Weiterverarbeitung. Die Herstellkosten der Nebenprodukte entsprechen ihren Marktpreisen abzüglich evtl. noch anfallender Weiterverarbeitungs- und Vertriebskosten sowie eines durchschnittlichen Gewinnanteils.

(2) Die *Verteilungsmethode* wird angewandt, wenn man nicht eindeutig nach Haupt- und Nebenprodukte unterscheiden kann. Man ermittelt dann eine Reihe von Äquivalenzzahlen, die die Ergebnisse der Kostenverteilung auf die Kuppelprodukte wiedergeben. Das rechnerische Verfahren ist formell das gleiche wie bei der → Äquivalenzziffernkalkulation.

Materiell besteht jedoch ein wesentlicher Unterschied: Bei der Sortenkalkulation sind die Äquivalenzziffern Maßstäbe der Kostenverursachung der einzelnen Sorten; bei der Kuppelkalkulation dagegen sind die Äquivalenzziffern Maßstäbe der Kostentragfähigkeit.

In erster Linie verwendet man die Marktpreise als Äquivalenzziffern, daneben aber auch Heizwerte (cal/kg) oder andere technische Größen, die aber in irgendeiner Form die marktmäßige Verwertbarkeit der Kuppelprodukte widerspiegeln.

Im Ergebnis bleibt festzuhalten, daß die Kuppelkalkulation mit verursachungsgerechter Kalkulation nichts mehr gemeinsam hat. Hier zeigen sich besonders deutlich die Grenzen der Kostenrechnung. Während die Restwertmethode primär vom Durchschnittsprinzip ausgeht – in der Subtraktion der Nebenprodukterlöse läßt sich das Tragfähigkeits-(Deckungs-)Prinzip erkennen –, orientiert sich die *Verteilungsmethode* ausschließlich am Tragfähigkeitsprinzip. Liegt ein Kuppelproduktionsprozeß vor, aus dem mehrere Hauptprodukte und gleichzeitig mehrere Nebenprodukte hervorgehen, dann kann man die Restwert- mit der Verteilungsmethode kombinieren: Die Restwertmethode dient der Ermittlung der „Restkosten" der Hauptprodukte; die Verteilungsmethode verteilt diese Restkosten auf die Hauptprodukte.

Die Kuppelkalkulation wäre überflüssig, benötigte man nicht die Herstellkosten der Kuppelprodukte für die bilanzielle Bestandsbewertung. Für dispositive (insb. preis- und absatzpolitische) Zwecke sind die Ergebnisse der Kuppelkalkulation nicht geeignet. Man wird hier den gesamten Kuppelproduktionsprozeß so steuern, daß die Summe der Deckungsbeiträge aller Kuppelprodukte (des sog.

Kuppelpakets) ihr Maximum erreicht. Gewisse Anhaltspunkte für dispositive Zwecke stehen mit den Schattenpreisen (Dualvariablen) der linearen Programmierung zur Verfügung, die im Prinzip der Schmalenbachschen Betriebswerttheorie entsprechen. *L. H.*

Literatur: *Haberstock, L.,* Kostenrechnung I, Einführung, 7. Aufl., Hamburg 1985. *Haberstock, L.,* Grundzüge der Kosten- und Erfolgsrechnung, 4. Aufl., München 1987. *Kruschwitz, L.,* Die Kalkulation von Kuppelprodukten, in: KRP 5/1973, S. 219 ff.

Kuppelproduktion

(Koppelproduktion, Verbundproduktion) → Vergenztyp, bei dem in demselben Fertigungsprozeß zwangsläufig mehrere Produktarten erzeugt werden. Dabei kann es sich um Haupt- und Nebenprodukte oder um mehrere gemeinsam anfallende Hauptprodukte (Koprodukte) handeln. Beispiele von industriellen Kuppelprozessen sind die Aufspaltung von Erdöl in Benzin, Heizöl, Schweröle u. a. oder die Kraft-Wärme-Koppelung in der Energieerzeugung. Beispiele von landwirtschaftlicher Kuppelproduktion sind Getreide und Stroh oder Milch und Kälber.

Für die Planung von Kuppelprozessen ist wichtig, ob das Verhältnis zwischen den anfallenden Produkten starr oder elastisch ist. Elastische Verhältnisse erlauben eine günstigere Anpassung an die Marktverhältnisse.

Kuppelproduktionsoptimierung

Variante der → Produktionsprogrammoptimierung des → Operations Research. Die meisten Kuppelproduktionsprozesse (Mineralöl, Chemie, Stahl, Schlachtereien und andere Nahrungsmittel etc.) sind zweistufig und bestehen aus einer Zerlegung der Einsatzstoffe in ihre Bestandteile (Kuppelproduktion i. e. S., starr bzw. elastisch, → Input-Output-Funktionen) und aus einer Mischung dieser Bestandteile zu verkaufsfähigen Produkten (nach elastischen oder starren Mischungsrezepturen, Input-Output-Funktionen und → Mischungsoptimierung).

Häufig werden Kuppelproduktionsprozesse über alle Stufen hinweg mit Modellen der → linearen Optimierung optimal gestaltet. Dabei wird das für die Kuppelproduktion unlösbare Problem der logisch richtigen Kostenaufteilung dadurch umgangen, daß allen Einsatzstoffen ihre Beschaffungs- und Verarbeitungskosten, allen marktfähigen Produkten ihre Umsatzerlöse (abzüglich der für sie direkt anfallenden variablen Kosten) in einer alle Stoffe und Produkte umfassenden → Zielfunktion zugeordnet werden.

Bei der Kuppelproduktionsoptimierung geht es insb. um die Ausnutzung von Gestaltungsspielräumen bezüglich alternativer Produktionsverfahren, verschiedener möglicher Aufspaltungen der Ausgangsstoffe, der Herstellung unterschiedlicher Zwischenprodukte und ihrer unterschiedlichen Kombination in den marktfähigen Produkten.

Die in einigen Unternehmungen regelmäßig bearbeiteten Modelle haben eine Größe von bis zu mehreren tausend Variablen und bis zu über tausend → Restriktionen. In vielen Fällen werden die Beschaffung der Einsatzstoffe und der Absatz der Produkte in die Modelle aufgenommen, bei mehrperiodiger Optimierung ferner die Lagerhaltung, so daß die Modelle den gesamten Realgütersektor umfassen. *H. M.-M.*

Literatur: *Biethahn, J.,* Die Planung und Ausführung des optimalen Fleisch-Produktions- und Einkaufsprogrammes und seine praktische Anwendung, Frankfurt a. M., Zürich 1973. *Müller-Merbach, H.,* Operations Research, 3. Aufl., München 1973. *Müller-Merbach, H.,* Die Konstruktion von Input-Output-Modellen, in: *Bergner, H.* (Hrsg.), Planung und Rechnungswesen in der Betriebswirtschaftslehre, Berlin 1981, S. 19 ff.

Kurantmünze → Währung

Kursfeststellung

Feststellung des Preises von Waren oder Wertpapieren an einer Börse. Die Kursfeststellung erfolgt durch den Börsenvorstand oder in Vertretung desselben durch einen amtlichen → Kursmakler. Der Kursmakler notiert die Preise, zu denen durch seine Vermittlung Geschäfte abgeschlossen werden (variable Notiz). Außerdem „rechnet" er Kurse, indem er feststellt, bei welchem Kurs sich aufgrund der bei ihm vorliegenden Aufträge der größte Umsatz ergibt (gerechnete Kurse). Bei Aktien mit geringen Umsätzen werden das Angebot und die Nachfrage in einem Zeitpunkt konzentriert, so daß an einem Tag nur ein Kurs, der sog. → Einheitskurs oder → Kassakurs, festgestellt wird. Aktien mit größeren Umsätzen werden variabel notiert. Auch bei variabel notierten Werten werden Anfangskurs, Kassakurs und Schlußkurs gerechnet. Zur variablen Notiz werden nur Aufträge über eine „Schlußeinheit" (meist 50 Stück oder ein Vielfaches davon) gehandelt. Kleinere Stückzahlen gelangen zur Einheitskursfeststellung. Der Bankkunde hat Anspruch auf Ausführung seines Auftrags zur ersten Notiz, zu der die Ausführung möglich war, soweit der Auftrag auf eine Schlußeinheit lautet, und zum Kassakurs, soweit der Auftrag auf wenige Stücke lautet.

Kurshinweise

finden sich bei Börsen„kursen", zu denen keine Umsätze getätigt wurden, sondern zu denen nur Angebot oder Nachfrage vorlagen oder die Kursschätzungen von Maklern stammen, sog. Taxkurse:

G = Geld: Zu diesem Kurs gab es nur Nachfrage, aber es lagen keine Verkaufsangebote vor;

B = Brief: Zu diesem Kurs bestand nur Angebot, aber es lagen keine Kaufaufträge vor;

– = gestrichen: Ein Kurs konnte nicht festgestellt werden;

T = Taxkurs: geschätzter Kurs einer Aktie, die nicht gehandelt wurde.

Weiter deuten Kurshinweise auf Veränderungen der mit einer Aktie verbundenen Rechte gegenüber dem Vortag hin:

ex D = ohne Dividende: Aktie wird ohne Anspruch auf fällige Dividende gehandelt;

ex BR = ohne Bezugsrecht: alte Aktien werden ohne Anspruch auf den Bezug junger Aktien gehandelt;

ex BA = ohne Berichtigungsaktien: Aktie wird ohne Anspruch auf Bezug von Berichtigungs- oder Zusatzaktien gehandelt;

Z = Ziehung (bei Auslosungen).

Jene Börsenkurse, die infolge von Börsenumsätzen zustande gekommen sind, werden mit → Kurszusätzen gekennzeichnet.

Kursmakler

(amtlicher Makler) für den → amtlichen Handel von der Landesregierung bestellter → Börsenmakler (§ 30 BörsG). Im Gegensatz zum → freien Makler oder dem Börsenhändler einer Bank, die in allen Titeln handeln können, ist der Kursmakler Spezialist, da er sich auf die Wertpapiere beschränkt, die ausschließlich ihm zur Notierung (→ Kursfeststellung) zugewiesen sind. Die kleinen deutschen Börsen haben nur einige wenige, die Frankfurter Börse 30 Kursmakler.

Kurspflege → Offenmarktpolitik

Kursrisiko → Wechselkursrisiko

Kurssicherung

Transaktion zur Ausschaltung des → Wechselkursrisikos. Bei Kreditinstituten, die offene Positionen in Devisen schließen oder nichtfristkongruente Devisenforderungen und -verbindlichkeiten beseitigen, spricht man von Glattstellung. Kurssicherung ist vor allem für Exporteure und Importeure von Bedeutung, da unerwartete Wechselkursveränderungen die Gewinnaussichten vereinbarter und durchgeführter Außenhandelsgeschäfte drastisch verändern können. In der Mehrzahl der Fälle erfolgt Kurssicherung an den → Devisenterminmärkten über → Outright-Termingeschäfte. So kann z.B. ein Exporteur, der in sechs Monaten den Eingang von Fremdwährungsbeträgen erwartet, schon heute durch Terminverkauf der Fremdwährung die Konditionen dieses Umtausches (insb. den Wechselkurs) festlegen.

Kurssicherung ist auch bei Fehlen von → Terminmärkten möglich, z.B. durch Finanzhedging (→ Hedging).

Daneben gibt es vielfältige andere Möglichkeiten der Kurssicherung: die Diskontierung von Fremdwährungswechseln, den Verkauf von kurzfristigen bzw. mittel- bis langfristigen Fremdwährungsforderungen in Form des → Factoring (auf der Basis einer Globalzession) bzw. der → Forfaitierung, die Wechselkursversicherung über die staatliche → Hermes Kreditversicherung AG sowie die in jüngster Zeit entstandenen Instrumente der → Währungsoptionen und „Devisen-Futures"-Geschäfte, die wie Devisentermingeschäfte die Verpflichtung zum Kauf bzw. Verkauf in der Zukunft betreffen, aber fristmäßig und betragsmäßig standardisiert sind und die Bereitstellung von Sicherheitsmargen sowie die laufende Belastung mit Kursverlusten bzw. Gutschrift von Kursgewinnen implizieren. *J. Kä.*

Literatur: *Jahrmann, F.-U.,* Außenhandel, Ludwigshafen 1981. *Scharrer, H.-E./Gehrmann, D./Wetter, W.,* Währungsrisiko und Währungsverhalten deutscher Unternehmen im Außenhandel, Hamburg 1978. *Wermuth, D./Ochynski, W.,* Strategien an den Devisenmärkten, 2. Aufl., Wiesbaden 1984.

Kurszusätze

Zusätze zu den Börsenkursen geben dem Leser des Kursblatts Aufschluß darüber, ob er damit rechnen kann, daß seine Börsenaufträge ausgeführt worden sind. Bei folgenden Kurszusätzen sind alle unlimitierten → Börsenaufträge und alle über dem festgestellten Kurs limitierten Kaufaufträge sowie alle unter dem festgestellten Kurs limitierten Verkaufsaufträge ausgeführt.

b = bezahlt: Alle Aufträge sind ausgeführt;

oder

Kurs

ohne

Zusatz

bG   = bezahlt Geld: Die zum festgestellten Kurs limitierten Kaufaufträge müssen nicht vollständig ausgeführt sein; es bestand weitere Nachfrage;

bB   = bezahlt Brief: Die zum festgestellten Kurs limitierten Verkaufsaufträge müssen nicht vollständig ausgeführt sein; es bestand weiteres Angebot;

ebG   = etwas bezahlt Geld: Die zum festgestellten Kurs limitierten Kaufaufträge konnten nur zu einem geringen Teil ausgeführt werden;

ebB   = etwas bezahlt Brief: Die zum festgestellten Kurs limitierten Verkaufsaufträge konnten nur zu einem geringen Teil ausgeführt werden.

Die folgenden Kurszusätze besagen, daß alle Aufträge nur beschränkt ausgeführt werden konnten:

ratG = rationiert Geld;
ratB = rationiert Brief;
*   = Sternchen: Kleine Beträge konnten nicht gehandelt werden.

Börsenkurse, zu denen keine Umsätze getätigt worden sind, werden mit → Kurshinweisen gekennzeichnet.

Kurzarbeit

vorübergehende Herabsetzung der betriebsüblichen → Arbeitszeit. Meist ist sie aus der wirtschaftlichen Situation der Unternehmung heraus erforderlich (Absatz-, Produktions- oder Beschaffungsschwierigkeiten) und mit einer Lohnminderung verbunden. Kurzarbeiter erhalten vom Arbeitsamt ein → Kurzarbeitergeld. Diese Zahlung trägt dazu bei, den Arbeitnehmern die Arbeitsplätze sowie wesentliche Teile des Einkommens und dem Betrieb die eingearbeiteten, qualifizierten Arbeitnehmer zu erhalten. Urlaubsansprüche und Ansprüche auf vermögenswirksame Leistungen bleiben ebenso bestehen wie eine Anwartschaft der Kurzarbeiter auf betriebliche Altersversorgung. In volkswirtschaftlicher wie in individueller Hinsicht ist der Kurzarbeit bei Arbeitsnachfragerückgang der Vorzug zu geben gegenüber der vollständigen Freisetzung von Arbeitskräften (Zahlenangaben: → Arbeitslosigkeit).

Kurzarbeitergeld

Leistung der → Arbeitslosenversicherung an Arbeitnehmer bei zeitweisem Arbeitsausfall in Betrieben oder Betriebsabteilungen, die es den Betrieben ermöglichen soll, anstelle betriebsbedingter Entlassungen vorübergehend die Arbeitszeit zu reduzieren, indem den davon betroffenen Arbeitnehmern der damit verbundene Verdienstausfall teilweise ersetzt wird, so daß der Betrieb trotz verringerter Lohnzahlung die eingearbeiteten Arbeitnehmer weiter halten kann.

Kurzarbeitergeld wird nur bei für die Bundesanstalt für Arbeit beitragspflichtigen Beschäftigungen (→ Arbeitslosenversicherung) gewährt, bei Betrieben und Arbeitnehmern mit sonst regelmäßiger Arbeitszeit, bei einem unüblichen, unvorhersehbaren und unvermeidbaren Arbeitsausfall, wenn dabei für einen zusammenhängenden Zeitraum von mindestens vier Wochen bei mindestens einem Drittel der Arbeitnehmer (ohne Auszubildende) die Arbeitszeit um mehr als 10% verringert wird. Leistungsvoraussetzung ist weiter, daß Arbeitgeber oder Betriebsrat die Kurzarbeit schriftlich dem → Arbeitsamt anzeigen und dabei Ausmaß und Gründe darlegen. Das Arbeitsamt hat daraufhin unverzüglich das Vorliegen der Voraussetzungen für Kurzarbeitergeld zu prüfen und über ihre Anerkennung Bescheid zu erteilen. Das Kurzarbeitergeld wird nach dem durch Arbeitszeitausfall entgangenen Nettoarbeitsentgelt bemessen und beträgt seit 1984 für Arbeitnehmer ohne Kinder 63% dieses Betrages, für Arbeitnehmer mit Kindern weiterhin 68% (§§ 63–73 AFG).   *H. Sch.*

Kurzfristige Erfolgsrechnung (KER)

Teilgebiet des → betrieblichen Rechnungswesens, das neben anderen Arten betrieblicher Erfolgsrechnung (vgl. Abb. auf S. 1124) eine Erfolgsgröße ermittelt, die insb. dispositiven Zwecken der Unternehmensleitung dient.

Am bekanntesten von den verschiedenen Arten von Erfolgsrechnungen ist die Jahreserfolgsrechnung, mit der im Rahmen der Finanzbuchhaltung der (Gesamt-)Erfolg des Unternehmens als Jahresergebnis durch Aufstellung der → Bilanz sowie der → Gewinn- und Verlustrechnung ermittelt wird (→ Jahresabschluß).

Unabhängig von der Frage, ob der Jahreserfolg der Finanzbuchhaltung zur Information und Rechenschaftslegung gegenüber Außenstehenden ausreicht, als Kontroll- und Lenkungsinstrument für die Geschäftsleitung ist er jedenfalls aus verschiedenen Gründen nicht geeignet:

● Die Jahreserfolgsrechnung wird in ihrer Aussagekraft für interne Zwecke dadurch beeinträchtigt, daß sie einmal auch neutrale Aufwendungen und Erträge enthält und zum anderen ganz generell primär bilanz- und steuerpolitischen Zielen dient.

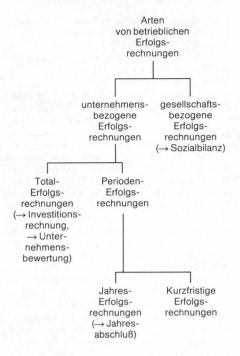

nehmens (Unternehmensergebnis), sondern lediglich der Betriebserfolg ermittelt, der das Ergebnis der „eigentlichen" (typischen) betrieblichen Leistungserstellung und -verwertung wiedergibt. Der neutrale Erfolg interessiert in der KER weniger, wie auch der synonyme Ausdruck „Kurzfristige Betriebsergebnisrechnung" anzeigt.

Die KER wird (seltener) vierteljährlich, meistens monatlich und gelegentlich (insb. in Handelsbetrieben) noch kurzfristiger durchgeführt. Der Monat hat sich als Abrechnungsperiode durchgesetzt, weil die KER vor allem auf der → Kostenrechnung aufbaut, die ihrerseits meist eine Monatsrechnung ist.

In der Praxis haben sich zwei Verfahren zur Ermittlung des Perioden-Erfolges herausgebildet (vgl. Abb.):
- → Gesamtkostenverfahren,
- → Umsatzkostenverfahren.

Verfahren der Kurzfristigen Erfolgsrechnung

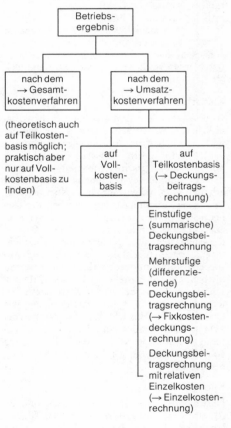

- Da der Erfolg eines Jahres erst im Laufe des folgenden Jahres bekannt ist, kommt das Zahlenmaterial für kurzfristige Dispositionen viel zu spät.
- Die Gliederung der Jahreserfolgsrechnung läßt gewöhnlich nicht erkennen, in welchem Maße einzelne Produkte (und Betriebsbereiche) zum Gesamterfolg beigetragen haben. Die Quellen des Erfolges sind damit (aufgrund des angewandten → Gesamtkostenverfahrens) nicht erkennbar.
- Der Jahresabschluß enthält keine Planwerte; eine echte Erfolgskontrolle mit Hilfe eines Soll-Ist-Vergleichs ist deshalb nicht möglich.

Auch die Total-Erfolgsrechnungen, die den Erfolg während der gesamten Lebensdauer der Unternehmung – meist mit investitionsrechnerischen Methoden – ermitteln, sind für kurzfristige Kontroll- und Lenkungsaufgaben ungeeignet.

Diese Gesichtspunkte haben zur Entwicklung der Kurzfristigen Erfolgsrechnung in verschiedenen Varianten geführt, deren Aufgaben vor allem darin bestehen, eine laufende Kontrolle des (Betriebs-)Erfolges und damit der Rentabilität zu gewährleisten und Zahlenmaterial für dispositive Zwecke (insb. absatzpolitische Entscheidungen) bereitzustellen.

Im Gegensatz zur Finanzbuchhaltung wird in der KER nicht der Gesamterfolg des Unter-

Neben dem Verfahren der KER werden in Analogie zu den → Kostenrechnungssystemen auch verschiedene → Erfolgsrechnungssysteme angewandt.

In der Literatur wird oft die Kostenträgerzeitrechnung (→ Kostenträgerrechnung) mit der KER identifiziert. Bei strenger Betrachtung stellt jedoch die Kostenträgerzeitrechnung lediglich den Abschluß der periodischen Kostenrechnung dar; sie ermittelt die – nach Leistungsarten gegliederten – in der Abrechnungsperiode insgesamt angefallenen Kosten. Zur Erfolgsfeststellung benötigt man jedoch auch noch die Erlöse aus der Finanzbuchhaltung. Insofern stellt also die Kostenträgerzeitrechnung nur eine Seite der KER dar.

Ähnliches gilt für die → Deckungsbeitragsrechnung, die sehr häufig als ein Verfahren der Kostenrechnung bezeichnet und behandelt wird. Es ist auch hierbei zu beachten, daß in einer Kostenrechnung ex definitione ebenso wie in der praktischen Durchführung der Betriebsbuchhaltung keine Erlöse verrechnet und somit auch keine Deckungsbeiträge als Differenz zwischen Erlösen und variablen Kosten ermittelt werden. Die Deckungsbeitragsrechnung ist also kein Verfahren der Kostenrechnung, sondern ein Verfahren der KER, das allerdings eine Teilkostenrechnung (meist eine Grenzkostenrechnung) zur Voraussetzung hat. Über dieser Abgrenzung sollte natürlich nicht vergessen werden, daß die KER die „logische Fortsetzung der Kostenrechnung" *(Konrad Mellerowicz)* darstellt. *L. H.*

Literatur: *Haberstock, L.*, Kostenrechnung I, Einführung, 7. Aufl., Hamburg 1985. *Haberstock, L.*, Kostenrechnung II, (Grenz-)Plankostenrechnung, 7. Aufl., Hamburg 1986. *Haberstock, L.*, Grundzüge der Kosten- und Erfolgsrechnung, 4. Aufl., München 1987.

Kurzfristiger Währungsbeistand der EWG

gegenseitiges Kreditabkommen zwischen den Zentralbanken der Mitgliedstaaten der → Europäischen Gemeinschaft, nach dem die beteiligten Zentralbanken einander kurzfristige Devisenkredite zur Überbrückung vorübergehender Zahlungsbilanzschwierigkeiten gewähren.

Der kurzfristige Währungsbeistand wurde aufgrund eines Beschlusses des EG-Ministerrates am 9. 2. 1970 durch ein Abkommen zwischen den Zentralbanken der EG-Mitgliedstaaten geschaffen. Das Kreditvolumen umfaßte ursprünglich für die damals sechs EWG-Staaten insgesamt 1 Mrd. RE (3,66 Mrd. DM). Bei der Errichtung des → Europäischen Währungssystems (EWS) wurde der kurzfristige Währungsbeistand auf ECU umgestellt und in das Beistandssystem des EWS eingegliedert. Gleichzeitig wurde sein Volumen kräftig erhöht.

In dem Abkommen sind für jedes Land Schuldner- und Gläubigerquoten sowie die Kreditvergabebedingungen festgelegt. Die Schuldnerquote bestimmt den Kreditbetrag, den jede Zentralbank erhalten kann; die Gläubigerquote die Finanzierungsverpflichtung einer Zentralbank im Falle der Inanspruchnahme des Beistands durch eine der anderen Zentralbanken. Darüber hinaus wurden sog. Rallongen festgelegt, um die die Kreditgewährung in Ausnahmefällen erhöht werden kann. Grundsätzlich kann eine Zentralbank Kredite in Höhe ihrer Schuldnerquote zuzüglich der halben Rallongensumme erhalten. Seit dem EG-Beitritt Griechenlands 1981 umfassen die Kreditfazilitäten des kurzfristigen Währungsbeistands in der EWG:

Kreditfazilitäten des kurzfristigen Währungsbeistands

Land	Schuldnerquote in Mio. ECU	Gläubigerquote in Mio. ECU	Anteil am Gesamtvolumen in Prozent
Deutschland	1 740	3 480	21,6
Frankreich	1 740	3 480	21,6
Vereinigtes Königreich*	1 740	3 480	21,6
Italien	1 160	2 320	14,4
Belgien	580	1 160	7,2
Niederlande	580	1 160	7,2
Dänemark	260	520	3,2
Griechenland	150	300	1,9
Irland	100	200	1,3
Summe der Quoten	8 050	16 100	100
Rallongen	8 800	8 800	
insgesamt	16 850	24 900	

* Da für Notenbanken, die nicht am gemeinsamen Interventionssystem des EWS teilnehmen, die bei Errichtung des EWS erhöhten Quoten keine Anwendung finden, beträgt die Schuldnerquote für Großbritannien bis zu seiner Teilnahme am Interventionssystem des EWS nur 720 Mio. ECU und die Gläubigerquote nur 1 440 Mio. ECU.

Die Kredite werden ohne wirtschafts- und währungspolitische Auflagen gewährt. Ihre Laufzeit beträgt i.d.R. drei Monate; eine zweimalige Prolongation um jeweils drei Monate ist möglich. Jede Kreditgewährung erfordert einen einstimmigen Beschluß des → Ausschusses der Zentralbankpräsidenten der EG und löst im → Währungsausschuß Konsultationen über die Wirtschaftslage des Schuldnerlandes aus. Die technische Abwicklung und Verwaltung der bereitgestellten Kredite erfolgt durch den → Europäischen Fonds für währungspolitische Zusammenarbeit.

Insgesamt beträgt das Kreditpotential im Rahmen des kurzfristigen Währungsbeistands maximal rund 14 Mrd. ECU. Die Deutsche Bundesbank kann Kredite bis zu einer Höhe von 6140 Mio. ECU erhalten und ist zu einer Kreditgewährung bis zu maximal 12 280 Mio. ECU verpflichtet. Bisher wurde der kurzfristige Währungsbeistand nur einmal in Anspruch genommen, und zwar 1974 von Italien.

W. H.

Kurzfristplanung → Gesamtplanung

Kurzzeitspeicher → Informationsverarbeitungssystem

Kux

Anteil am Vermögen einer → bergrechtlichen Gewerkschaft. Kuxe unterscheiden sich von → Aktien dadurch, daß sie nicht wie diese auf einen festen Nennbetrag, sondern auf eine bestimmte Quote am Vermögen lauten. Die Zahl der Kuxe einer bergrechtlichen Gewerkschaft, die eine juristische Person ist und deren Rechtsverhältnisse im Preußischen Allgemeinen Berggesetz vom 24. 6. 1865 geregelt sind, beträgt 100, 1000 oder ein Vielfaches von 1000, jedoch höchstens 10 000. Kuxe lauten auf den Namen. Der Eigentümer wird in das Gewerkenbuch eingetragen. Die Übertragung erfolgt durch Abtretung und Umschreibung im Gewerkenbuch. Der Börsenhandel (zur Zeit nur noch an der Düsseldorfer Börse) erfolgt in DM. Der auf die Kuxe verteilte Gewinn wird als Ausbeute bezeichnet. Die Eigentümer der Kuxe (Gewerken) sind zu Nachzahlungen („Zubußen") in unbegrenzter Höhe verpflichtet, haben jedoch ein Abandonrecht, d.h. das Recht, sich durch Rückgabe des Kuxes zur Verwertung (Verkauf, Versteigerung) durch die Gewerkschaft von dieser Verpflichtung zu befreien.

Die Bedeutung der Kuxe als Finanzierungsinstrument hat stark nachgelassen, da die meisten bergrechtlichen Gewerkschaften sich in → Aktiengesellschaften umgewandelt haben.

G. W.

Kuznets-Zyklus

nach *Simon S. Kuznets* benannter mittlerer (heute umstrittener) → Konjunkturzyklus mit einer Zykluslänge von 15–25 Jahren. Er basiert auf Interaktionen zwischen wirtschaftlicher (insb. Bau-) Tätigkeit und demographischen Variablen (Immigration, Erwerbsquote etc.).

W. F.

Kybernetik

befaßt sich mit allgemeinen Problemen der Steuerung und Regelung von natürlichen und künstlichen → Systemen. Kybernetik kann als Sammlung von Denkmodellen und -methoden sowie deren Anwendung auf verschiedene Wissensgebiete verstanden werden. Eine allgemein anerkannte Definition existiert bis heute nicht, doch läßt sich Kybernetik als eine formale Wissenschaft auffassen, die sich mit dem Wirkgefüge (Strukturen) von materiellen Komponenten beschäftigt. Die Strukturen und Komponenten (Elemente) können dabei in hochkomplexen Systemen bestehen, die sich durch allseitige, mehr oder minder intensive Wechselbeziehungen auszeichnen. Komponenten können Teilsysteme eines definierten Systems oder auch Elemente sein. In kybernetischen Teilsystemen existieren gleichfalls Strukturbeziehungen, dagegen lassen sich Elemente nicht weiter unterteilen. Die Struktur eines kybernetischen Systems ist durch die Menge der zwischen Systemkomponenten bestehenden Beziehungen und die Menge der zwischen den Komponenten und dem System bestehenden Kombinationsbeziehungen definiert.

Die reine Kybernetik beschäftigt sich insb. mit der mathematisch-logischen Modellierung und Analyse von Strukturen in Systemen, womit sie fachübergreifend tätig ist. Die anwendungsbezogene Kybernetik versucht Kommunikations- und Regelungsvorgänge in Systemen (Teilbereichen) eines Fachgebietes (z.B. gesamtwirtschaftliches System, Lagerhaltungssystem) darzustellen. Dabei werden die Beziehungen in Form von Regelkreisen abgebildet.

Die Einschätzung der Verwendbarkeit der Kybernetik zur Lösung betriebswirtschaftlicher Problemstellungen ist durch große Unterschiede gekennzeichnet. Vor allem quantitativ orientierte Forscher befürworten ihren Einsatz.

Ch. P.

Literatur: *Niemeyer, G.*, Kybernetische System- und Modelltheorie, München 1977.

L

Laborexperiment → Experiment, → Beobachtung

Labortest → Test, Experiment

Labor-Testmarkt → Testmarktsimulation

Labour-force-Konzept

wurde in den USA zur statistischen Ermittlung der Erwerbsbevölkerung entwickelt (→ Arbeitsmarktstatistik). Erfaßt werden soll die gesamte Erwerbstätigkeit innerhalb eines Berichtszeitraumes, gleichgültig, ob haupt- oder nebenberuflich, von welchem Umfang und von welcher Bedeutung für die wirtschaftliche und soziale Stellung und den Lebensunterhalt des einzelnen (→ Erwerbspersonen).

Ladeeinheit

Transporthilfsmittel; sie dient der Rationalisierung der Güterbeförderung und des -umschlags durch

- Standardisierung der Verpackung (Zusammenfassung von Einzelstücken),
- optimale Nutzung des Frachtraumes eines Verkehrsträgers (LKW-Palette, Flugzeug-Container),
- Erleichterung/Beschleunigung des Güterumschlags (Abstimmung der Ladeeinheit mit der Kapazität der Ladeeinrichtung),
- Koordination verschiedener Transportsysteme (Huckepack-Verkehr).

Ladendiebstahl

manifestes Beispiel einer zunehmenden Legalitätskrise. Beteiligt sind Kunden, Lieferanten und Mitarbeiter. Schätzgrößen für den deutschen Einzelhandel liegen bei über 1% vom Umsatz, d.h. (Mitte der 80er Jahre) 5 Mrd. DM.

Durch Fernsehkameras und Spiegel wird versucht, die Diebstahlrisiken zu reduzieren. Die Festnahme durch jedermann ist möglich, wenn jemand auf frischer Tat ertappt wird (§ 127 StPO). Die Gewährung sog. Aufmerksamkeitsprämien ist zulässig.

Ladengemeinschaft → Ladenunion

Ladenlayout

Warenpräsentation und Ladengestaltung sind bei allen → Handelsbetrieben, die von Kunden aufgesucht werden, auf einen attraktiven Warenkontakt und bequemen Aufenthalt ausgerichtet. Beide Aspekte weisen eine enge Beziehung zur Bedienungsform (Bedienung, Vorwahl und Selbstbedienung) auf.

Beim Ladenlayout werden Kreativität und präzises Kalkül hinsichtlich Plazierung, Warenanordnung, ergonomischer und visueller Festlegung von Höhe der Regale und Gangbreite miteinander verknüpft. Angestrebt wird eine Überwindung des Schluchteneffekts. Bei der Anordnung der Waren auf den Warenträgern wird den Gesetzmäßigkeiten der Aufmerksamkeitswirkung Rechnung getragen.

Besondere Standorte verkörpern Impulszonen, z.B. die Außengänge, die Auflauf- und Wartezonen im Bereich der Bedienungsabteilungen und des Checkout sowie die Stirnseiten der Gondeln, denen ein hoher Aufmerksamkeitswert zukommt.

Ladenöffnungszeit

In der Bundesrepublik Deutschland gibt es eine Limitierung der Ladenöffnungszeiten im Einzelhandel durch das Ladenschlußgesetz (LadschlG) vom 28. 11. 1956. Dieses bietet jedem Betrieb die Möglichkeit, seine Pforten in einem eindeutig festgelegten Zeitraum zu öffnen und zu schließen, wann er will. Der bestehende Zeitrahmen erstreckt sich von Montag bis Freitag auf 07.00 bis 18.30 Uhr und am Samstag bis 14.00 Uhr.

Weiter müssen die Verkaufsstellen geschlossen werden am

- ersten Sonnabend im Monat oder, wenn dieser auf einen Feiertag fällt, am zweiten Sonnabend im Monat sowie an den vier aufeinanderfolgenden Sonnabenden vor dem 24. Dezember um 18.00 Uhr,
- 24. Dezember, wenn dieser auf einen Werktag fällt, um 14.00 Uhr.
  Sonderregelungen gelten u.a. für
- Kioske für den Verkauf von Zeitungen und Zeitschriften (§ 5 LadschlG),
- bestimmte Warenerzeugnisse wie Milch, Konditorei- und Blumen (§ 12 LadschlG),
- Kur- und Wallfahrtsorte mit starkem Fremdenverkehr (§ 10 LadschlG).

Literatur: *Tietz, B.,* Ladenzeitordnungen im Umbruch, Stuttgart 1973.

Ladenpositionierung → Handelsbetriebstypen

Ladenschlußgesetz → Ladenöffnungszeit

Ladentreue

kennzeichnet den Trend der Konsumenten, Stammgeschäfte zu bevorzugen. Heute besteht eine Tendenz, Lebensmittel in drei oder vier Stammgeschäften einzukaufen.

In enger Verbindung damit steht die Produkt- und → Markentreue, da sich bestimmte Betriebe oder Betriebstypen auf bestimmte Marken oder Produktqualitäten konzentrieren.

Ladenunion

Zusammenschluß von nicht mehr als vier Einzelhandelsunternehmen, die ein breites Sortiment im Rahmen der vertretenen Branchen anbieten. In Deutschland bestehen erst wenige solcher Ladengemeinschaften. Das Modell verkörpert einen erfolgreichen Betriebstyp, da die Identität der Betriebe mit Abteilungen gewahrt bleibt (z.B. Hill-Supermärkte mit C&A-Filiale).

Ladeschein

Urkunde, die der Frachtführer über die Annahme des Gutes und die Verpflichtung zur Auslieferung an den Inhaber des Ladescheins ausstellt (§ 445 HGB). Der Ladeschein wird regelmäßig als Orderpapier (→ Wertpapier) ausgestellt und kann durch → Indossament übertragen werden. Üblich ist er in der → Binnenschiffahrt.

Länderfinanzausgleich

Nach Art. 107 Abs. 2 GG ist die unterschiedliche Finanzkraft der Länder angemessen auszugleichen. Hierzu wird ein mehrstufiges Verfahren angewendet: Erstens können bis zu 25% des Länderanteils an der Umsatzsteuer (→ Gemeinschaftssteuern) als Ergänzungsanteile bestimmten finanzschwachen Ländern vorweg zugewiesen werden, und nur der Rest wird nach der Einwohnerzahl verteilt (→ Finanzausgleich in der Bundesrepublik). Zweitens wird anhand der Gegenüberstellung einer → Finanzkraftmeßzahl und einer → Ausgleichsmeßzahl ermittelt, welche Ausgleichsleistungen die ausgleichspflichtigen an die ausgleichsberechtigten Länder zu zahlen haben. Ziel dieses horizontalen Finanzausgleichs ist es, die Steuerkraft der finanzschwachen Länder auf mindestens 95% der durchschnittlichen Pro Kopf-Steuereinnahmen der Länder anzuheben. Das Schaubild gibt einen Überblick über Volumen und Struktur der zweiten Stufe des Länderfinanzausgleichs für 1981 (in Mio. DM).

Ausgleichspflichtige Länder (−)

Baden-Württemberg − 1638

Hamburg − 427

Hessen − 358

Niedersachsen + 1007

Bayern + 268

Saarland + 261

Schleswig-Holstein + 423

Ausgleichsberechtigte Länder (+)

Rheinland-Pfalz + 303

Bremen + 161

Anmerkung: Nordrhein-Westfalen gehört zwar zu den ausgleichspflichtigen Ländern. Allerdings braucht es wegen zu geringer Finanzkraftüberschüsse (seit 1981) keine Ausgleichsbeiträge zu leisten (sog. ausgleichsfreie Zone). Berlin nimmt nicht am Länderfinanzausgleich teil, sondern erhält Bundeshilfen.

Darüber hinaus fließen bestimmten finanzschwachen Ländern im Zusammenhang mit der vertikalen Verteilung des Aufkommens der Umsatzsteuer zwischen Bund und Ländern weitere finanzielle Mittel, die sog. Ergänzungszuweisungen, zu (→ Gemeinschaftssteuern). Im Jahr 1981 haben die Ergänzungszuweisungen 1479 Mio. DM betragen und demnach einen Umfang von gut 60% der zweiten Stufe des Länderfinanzausgleichs erreicht.

Im Juni 1986 hat das Bundesverfassungsgericht entschieden, daß einige der praktizierten Regelungen (z.B. teilweise Berücksichtigung der Förderabgaben; Vernachlässigung einiger Ländersteuern; Berücksichtigung von Sonderlasten) nicht mit Art. 107 Abs. 2 GG vereinbar sind und daß deswegen das Finanzausgleichsgesetz bis zum 1. 1. 1988 entsprechend geändert werden muß.   H. F.

Literatur: *Renner, P.,* Finanzausgleich unter den Ländern und Bundesergänzungszuweisungen, in: *Bundesministerium der Finanzen* (Hrsg.), Die Finanzbeziehungen zwischen Bund, Ländern und Gemeinden aus finanzverfassungsrechtlicher und finanzwirtschaftlicher Sicht, Bonn 1982, S. 327ff.

Länderrisiko

(internationales Risiko) Risiko eines Verlustes bei einer → Auslandsinvestition, einem Auslandskredit oder einem Exportverkauf aufgrund der wirtschaftlichen und politischen Bedingungen im Empfängerland. Die Ursa-

chen hierfür können in drei Gruppen eingeteilt werden:
(1) *Wirtschaftliche Gründe,* die auf Veränderungen der → Eigentumsrechte (z. B. Verstaatlichung, zwangsweise Erhöhung des Anteils
einheimischer Kapitalbesitzer oder erzwunge-
ner Verkauf) und auf Devisenmangel infolge
von Naturkatastrophen (z. B. Überschwem-
mungen oder anhaltender Dürre) zurückgehen.
(2) *Politische Gründe,* die *innerhalb* des Empfängerlandes entstehen. Sie können legal (z. B.
Regierungskrisen, Arbeitskonflikte, Veränderungen von Vorschriften im Außenhandel)
oder illegal (z. B. Aufruhr, Bürgerkrieg, Revolution, Sezession oder Staatsstreich) sein.
(3) *Politische Gründe,* die von *außerhalb* des
Empfängerlandes ausgehen (z. B. Interventionen durch ausländische Mächte, Blockaden,
Grenzstreitigkeiten oder offener Krieg).
    Über die offensichtlichste Form des Länder-
risikos, die erzwungene Verstaatlichung, besteht nur wenig gesichertes Wissen. Eng verwandt mit Verstaatlichung ist der zwangsweise Verkauf von ausländischen Firmen an einheimische und die Neuaushandlung bereits
geschlossener Verträge.
    Eine umfassende empirische Untersuchung
(1500 Enteignungen in 76 Entwicklungsländern in der Periode 1960–76) kommt zum Ergebnis, daß es nur wenige Fälle von „Massen-
verstaatlichungen" gibt, bei denen ganze ausländische Unternehmen in der Folge größerer
politischer Umwälzungen enteignet worden
sind. Derartige Nationalisierungen fanden
z. B. in Tasania (1967), Algerien (1967–72),
Chile (1971–72), Äthopien (1975), Angola
und Mozambique (1975–76) statt. Der größte
Teil der in der Stichprobe enthaltenen Fälle
der erzwungenen Aufgabe von Unternehmen
(89%) wurde selektiv zur Förderung bestimmter interner gesellschaftlicher oder wirtschaftlicher Ziele vorgenommen. Daher sind
die ausländischen Unternehmen und die Wirtschaftszweige in ganz unterschiedlichem Maße betroffen worden. Das Risiko einer Verstaatlichung ist bei Banken und Versicherungen, im Bereich der Rohstoffgewinnung und
in der Infrastruktur (z. B. Eisenbahnen) höher
als anderswo. Die Gefahr einer Enteignung ist
in der Industrie und im Handel kleiner, besonders wenn die Firmen international verfloch-
ten und/oder forschungsintensiv sind.
    Das Länderrisiko läßt sich grundsätzlich
auf zwei verschiedene Weisen erfassen:
(1) Am häufigsten wird auf das Urteil von Experten vertraut. Neben Methoden, die mehr
oder weniger zufällig auf die intuitiven Meinungen über das Länderrisiko von (zuweilen

selbst ernannten) Fachleuten abstellen, gibt es
auch systematische Methoden. Deren bekannteste ist der → BERI-Index. Verschiedene andere Indizes für das Länderrisiko werden nach
ähnlichen Prinzipien erstellt (→ Rating). Ein
Beispiel ist der → Institutional Investor Credit
Rating Index.
(2) Der zweite Ansatz zur Risikoabschätzung
baut auf einer quantitativen Analyse von Vergangenheitsdaten auf, um eine objektivere
Messung als bei Befragungen zu erreichen.
Hierfür werden große Zahlenmengen gesammelt und bestehende Zusammenhänge statistisch erforscht. In einem typischen Beispiel
(*Rummel* und *Heenan*) werden daraus vier
unabhängige Risikodimensionen gebildet: Politische Instabilität im Inland, Konflikte mit
dem Ausland, politisches Klima und wirtschaftliches Klima. Die diese Dimensionen ab-
bildenden Variablen werden nach einem rein
statistischen Kriterium ausgewählt, nämlich
jenen Variablen, die am höchsten miteinander
korreliert sind (→ Clusteranalyse). Nachteil
dieses Ansatzes ist, daß „intuitive", nichtmeßbare (oder bisher noch nichtmeßbare)
Einflüsse vernachlässigt werden. Überdies beziehen sich einige der Variablen auf so weit
zurückliegende Zeiträume, daß sie für die Beurteilung des Länderrisikos zum jeweiligen
Zeitpunkt von geringem Nutzen sind.

B. S. F./H. W.-H.

Literatur: *Frey, B. S.,* Internationale Politische Ökonomie, München 1985, *Herring, R. J.* (Hrsg.), Ma-
naging International Risk, Cambridge 1983.

ländlicher Raum

Region, deren Abgrenzung in der Hauptsache
unter Verwendung von Kriterien der agrari-
schen Produktionsweise (Anteil der Erwerbstätigen in der Landwirtschaft an der Gesamtzahl der Erwerbstätigen = Agrarquote) versucht wird. Da die Agrarquote in den Industrieländern allgemein stark gesunken ist, erreicht sie auch im ländlichen Raum höchstens
die als Grenzwert angenommenen 40%, so
daß zusätzliche Abgrenzungskriterien notwendig werden. Es bieten sich dafür die Be-
völkerungsdichte (ländlicher Raum = unter
200 Einwohner je qkm) oder die Wohnort-
größe (bis 2000 Einwohner) an.
    Die Problematik der Abgrenzung des länd-
lichen Raumes ergibt sich dadurch, daß von
einem herkömmlichen Gegensatz von Stadt
und Land auch hinsichtlich der Siedlungswei-
se und des Sozialgefüges bzw. der gesellschaftlichen Verhältnisse kaum noch gesprochen
werden kann. Dennoch ist eine regionalpoliti-
sche Abgrenzung des „ländlichen Raumes"

dann nötig, wenn er zum →Problemgebiet wird (→Gemeinschaftsaufgabe) oder zum Objekt einer regionalpolitischen Konzeption, wie etwa der räumlichen Aufgabenteilung, der Entballung oder der Agrarpolitik.

Nicht zuletzt ist die Überlappung des ländlichen Raumes mit den Gebietskategorien, die als „periphere" oder „von der Natur benachteiligte Gebiete" bezeichnet werden, häufig anzutreffen; die Problemlösung ist in solchen Fällen gemeinsam anzustreben (→Küstenplan).   *S. K.*

Längsschnittsanalyse →Zeitreihenanalyse

Längsschnittsdaten →Zeitreihendaten

Längsschnittssimulation →mikroanalytische Modelle

Lärm

jede Art von Schall, der vom Menschen als Störung oder Belastung empfunden wird (Gegensatz: Ruhe). Hierunter lassen sich diejenigen Geräuschimmissionen zusammenfassen, die das körperliche, seelische und soziale Wohlbefinden beeinträchtigen.

Gemessen wird i. d. R. der Schalldruck, den eine Schallwelle auf das Trommelfell ausübt. Als Meßgröße für den Schalldruckpegel wird dabei das Dezibel (abgekürzt: dB(A)) verwendet. Dabei ist zu berücksichtigen, daß eine Zunahme von 10 dB(A) eine Verzehnfachung der Zahl der Lärmquellen gleicher Lärmstärke bedeutet. Lärm gehört zu den im →Bundes-Immissionsschutzgesetz genannten schädlichen Umwelteinwirkungen, die geeignet sind, Gefahren, erhebliche Nachteile oder erhebliche Belästigungen für die Allgemeinheit oder die Nachbarschaft herbeizuführen. Daß Lärm kein physikalischer, sondern ein sozialpsychologischer Begriff ist, zeigt sich z. B. bei der Beurteilung von lauter Musik, die von dem einen als Vergnügen und Entspannung empfunden und von dem anderen als belästigend und störend abgetan wird.   *L. W.*

Lärmabgabe

Abgabe, die der Betreiber oder Hersteller von Produkten oder ortsfesten bzw. beweglichen Anlagen zahlen soll, wenn diese bestimmte Lärmgrenzwerte überschreiten.

Am weitesten fortgeschritten ist die Diskussion über eine Kraftfahrzeuglärmabgabe, die der Hersteller pro Dezibel Überschreitung eines Zielwertes (z. B. 70 dB(A)) zahlen muß. Je weiter sich der Fahrzeugtyp in seiner Lärmemission (ermittelt bei der Kraftfahrzeugtyp-

zulassung durch das Kraftfahrtbundesamt) dem Zielwert annähert, desto geringer ist die zu zahlende Abgabe. Dadurch würden die Hersteller von lauten Kraftfahrzeugen verstärkt angehalten, zwecks Vermeidung (von Teilen) der Lärmabgabe alle die lärmmindernden Maßnahmen zu ergreifen, die billiger sind als die Zahlung der entsprechenden Abgabe.

Lärmschutz

Maßnahmen zum Schutz vor belästigendem oder gesundheitsgefährdendem Lärm. Hierzu gehören insb. die Verhinderung von Lärm durch vorsorgende Planung (z. B. sinnvolle Zuordnung von Wohn- und Industriegebieten mit Mitteln der →Bauleitplanung), die Verringerung des Lärms an der Quelle (z. B. durch Konstruktion geräuscharmer Motoren oder Änderung der Betriebsweise), die Verhinderung der Ausbreitung des Lärms (z. B. durch Lärmschutzwände) oder der Schutz des Betroffenen (z. B. durch Schallschutzfenster, Gehörschutz).

Bei allen Lärmschutzmaßnahmen kommt der Aufklärung über die bestehenden Lärmschutzmöglichkeiten eine besondere Bedeutung zu. Durch die Festlegung von Emissionsgrenzwerten, durch Benutzervorteile für lärmarme Motorfahrzeuge und durch →Lärmabgaben kann das Interesse an der Lärmsenkung von Produkten, z. B. Kraftfahrzeugen, beträchtlich aktiviert bzw. die Minderung vorgeschrieben werden.

Laffer-Kurve

stellt die Abhängigkeit des Steueraufkommens von der Höhe des Durchschnitts- oder Grenzsteuersatzes dar, wobei den positiven oder negativen Leistungsanreizen aufgrund der Höhe des Steuersatzes besonderes Gewicht zukommt. Der Kern der Aussage lautet, daß im Grunde jedes Steueraufkommen durch zwei Steuersätze erreicht werden kann: entweder durch einen niedrigen Steuersatz (t_1), der mit einer großen Bemessungsgrundlage verknüpft ist, oder durch einen hohen Steuersatz (t_2), der infolge der negativen Leistungsanreize zu einer geringen Bemessungsgrundlage führt (vgl. Abb.).

Wenn in einem existierenden Steuersystem der „kritische" Wert t^* überschritten ist, würde demzufolge eine Senkung des Steuersatzes nicht zu der im allgemeinen erwarteten Verringerung, sondern vielmehr zu einer Erhöhung des Steueraufkommens führen. Auf diesen Zusammenhang weisen vor allem die Vertreter der →angebotsorientierten Wirtschaftspolitik hin. Sie glauben, daß eine Senkung der

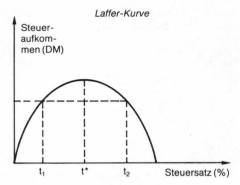

Laffer-Kurve

Steueraufkommen (DM)

t_1 t^* t_2 Steuersatz (%)

Steuersätze wegen der davon ausgehenden positiven Wirkung auf die Leistungsbereitschaft nicht zu einer Verringerung des Steueraufkommens führen würde. Die Probleme der Laffer-Kurve liegen in der Reduzierung eines gesamten Steuersystems auf einen Steuersatz und in der entscheidenden Frage, wo der kritische Steuersatz t^* liegt und ob er überschritten ist oder nicht.   *H. F.*

Literatur: *Issing, O.*, Die Laffer-Kurve, in: WiSt, 10. Jg. (1981), S. 384 ff.

lag → Wirkungsverzögerung

Lagebericht → Geschäftsbericht

Lageparameter   → Mittelwerte,   → Verteilungsparameter

Lager

Ort und zugleich Gegenstand der Vorratshaltung einer Unternehmung (→ Lagerhaltung). In Produktionsbetrieben umfaßt das Lager Roh-, Hilfs- und Betriebsstoffe, Ersatzteile, Halbfabrikate, Zwischen- und Fertigerzeugnisse sowie Zubehör. Demgegenüber bevorraten Handelsbetriebe nur Waren (Warenlager).

Lagerauslastung

Grad der Inanspruchnahme der vorhandenen Lagermöglichkeiten; sie wird im Rahmen der Lagerkontrolle ermittelt. Folgende Kennzahlen sind geläufig:

● Flächennutzungsgrad
$$= \frac{\text{genutzte Lagerfläche}}{\text{vorhandene Lagerfläche}}$$

● Raumnutzungsgrad
$$= \frac{\text{genutzter Lagerraum}}{\text{vorhandener Lagerraum}}$$

● Höhennutzungsgrad
$$= \frac{\text{tatsächliche Nutzungshöhe}}{\text{mögliche Nutzungshöhe}}$$

Ein schlechter Nutzungsgrad wird z.B. dann erzielt, wenn stücklistenbezogen sperrige, kleine, flache Materialien zusammen in einem genormten Regalsystem gelagert werden. Die Analyse der Lagerauslastung liefert Informationen darüber, ob die Lagerkapazität wirtschaftlich genutzt wird.

Lagerausstattung

Bauliche Gestaltung (→ Lagerbauart) und technische Ausstattung von Lagerorten werden in erster Linie von der spezifischen Beschaffenheit der Lagerobjekte (physikalisch-chemische Eigenschaften) bestimmt. Dies gilt insb. für die technische Ausrüstung von Speziallägern und → Gebäudelägern. Bei der sachlichen Ausstattung sind Lagereinrichtungen, Lagerhilfsgeräte und Transportmittel zu unterscheiden.
(1) *Lagereinrichtung:* Zu den festen Einrichtungen gehören die Vorrichtungen, auf bzw. in denen die Lagerobjekte unmittelbar untergebracht sind (z.B. Regale, Ständer, Schränke, Vitrinen, Gestelle). Fest eingebaut können auch Lagerbedienungsgeräte sein. Bewegliche Lagereinrichtungen dienen der Unterstützung des Materialflusses (z.B. Paletten, Stapelkästen, Gitterboxen und Körbe). Es ist zweckmäßig, genormte Elemente zu verwenden, die Variationen ohne Schwierigkeiten zulassen (Baukastensysteme bei Regalkonstruktionen).
(2) *Lagerhilfsgeräte:* Dazu rechnet man Zähl- und Meßgeräte, Waagen, Geräte zur Pflege der eingelagerten Materialien sowie Sicherungs- und Sicherheitsausrüstung.
(3) *Transportmittel:* Dazu zählen alle Einrichtungen zur horizontalen und/oder vertikalen Bewegung von Materialien (z.B. Flurfördermittel, flurfreie Fördermittel, Hebezeug). In automatisierten Lägern bilden Lagereinrichtung, Transportmittel und Lagerbedienungsgeräte ein integriertes System (z.B. automatische Steuerung und Bedienung von Hochregallägern, Palettensilos).   *U. A.*

Lagerautomatisierung

Ein- und Auslagerung laufen hier selbständig ab. Automatisierung von Teilprozessen soll zur Steigerung der Effektivität der → Lagerhaltung insofern beitragen, als sie zu einer Reduzierung der Lagerbestände (Sicherheitsbestand) führt, die Umschlagsrate erhöht und die Lagereinrichtungen besser auslastet.
Voraussetzung dafür ist die Einrichtung eines EDV-gestützten Informationssystems. Bei automatisch gesteuerten Lagerförderungsmitteln muß das System die erforderlichen Bedienungsinformationen (z.B. Fahrbefehle, Adres-

se des Lagerhaltungsplatzes) zur Verfügung stellen und den Steuerungseinheiten zuleiten. Im Hinblick auf den Grad der Automatisierung können zwei Stufen unterschieden werden:

(1) Bei *automatisierten Informationssystemen* kann die → Lagerverwaltung durch EDV-Einsatz erheblich verbessert werden. Wesentliches Element ist die Verknüpfung von Materialkodes (Materialident-Nummern) mit Lagerhaltungsadressen. Bei Abruf bestimmter Materialarten wird gleichzeitig die Anweisung für das Lagerbedienungsgerät erstellt (z.B. durch Lochkarte, Loch- oder Magnetstreifen). Die Steuerung der Lagerentnahme erfolgt in diesem Falle nicht direkt, sondern mittels eines Datenzwischenträgers. Diese sog. Fahrbefehle müssen fallweise in die Steuerungsautomatik der Lagerbedienungsgeräte eingelesen werden. Der feed-back zum EDV-System zum Zwecke der Bestandsfortschreibung erfolgt auf vergleichbare Weise (Off-line-Informationssystem). Bei einem Online-System ist das EDV-System unmittelbar mit den Schaltstellen des Materialflusses verbunden. Die Fahrbefehle werden kontinuierlich an die Ausgabestellen übermittelt, der feed-back erfolgt unmittelbar. Allerdings müssen die Steuerungsinformationen immer noch manuell in die Lagerbedienungsgeräte eingegeben werden.

(2) Ein *On-line-Steuerungssystem* in der Lagerwirtschaft wird durch Automatisierung von Informations- und Materialfluß bewirkt. Datenzwischenträger entfallen völlig. Das Informationssystem zur → Materialdisposition (Bestandserfassung, Lageradressen, Belegübersichten) und die Steuerungseinheiten der Lagerbedienungsgeräte sind unmittelbar miteinander verbunden. Die Steuerung der Lagerprozesse (Aus- und Einlagerung) und der Informationsfluß folgen in Echtzeit (real time processing). *U. A.*

Lagerbauart

Die technische Beschaffenheit eines Lagers wird von den physikalisch-chemischen Eigenschaften der Materialien, von deren Verwaltungs- bzw. Überwachungsbedürftigkeit und von den Anforderungen eines optimalen → Materialflusses bestimmt. Prinzipiell sind zu unterscheiden:

(1) *offene* Läger: Abgegrenzte Areale; die Lagerobjekte sind den Witterungseinflüssen ausgesetzt (→ Freilager, z.B. für Kohle, Baustoffe, Schrott);

(2) *halboffene* Läger: einfache, überdachte Lagerflächen; Lagerobjekte sind nur bedingt

gegen Witterungseinflüsse geschützt (üblicherweise → Bodenlagerung oder → Blocklagerung);

(3) *geschlossene* Läger: baulich nach allen Seiten hin umschlossene Lagerorte (z.B. Lagerhallen). Als Sonderfall geschlossener Läger gelten die

(4) *Spezial*läger: Lagerbehälter und bauliche Umhüllung fallen hier zusammen (z.B. bei Siloanlagen, Tanklägern und Lagerbehältern für gasförmige Stoffe).

Qualitätsempfindliche, überwachungs- und kontrollbedürftige Lagerobjekte werden i.d.R. in geschlossenen Lägern (→ Gebäudelager) eingelagert. Bei der Planung von Lagergebäuden ist entsprechend der Geschoßzahl zwischen Flachlager und → Mehrgeschoßlager zu entscheiden. Die Baukosten und die Forderung nach einem reibungslosen Materialfluß sind die wesentlichen Entscheidungskriterien. Eingeschossige Lagergebäude verursachen geringere Bau- und Betriebskosten als Mehrgeschoßbauten. Die Organisation des Materialflusses ist auf einer Geschoßfläche einfacher als über mehrere Stockwerke hinweg. Bei der Verarbeitung von Fließ- und Schüttgütern kann es sinnvoll sein, das Eingangslager im Obergeschoß einzurichten, um die Schwerkraft für den Materialfluß nutzbar zu machen (z.B. Mühlen, Abfüllbetriebe). *U. A.*

Lagerbehälter

dienen der Aufbewahrung der Lagerobjekte. Sie können etwa im Falle von Flüssigkeiten, Gasen und Schüttgütern technisch bedingt sein (Flaschen, Kübel, Fässer, Tanks) oder aber der leichteren Handhabung von Stückgütern gleicher Art dienen (Boxen, Kisten, Kartons). Genormte Lagerbehälter erfüllen gleichzeitig die Funktion von Meßbehältern; sie erleichtern damit die Bestandserfassung. Die Lagerhaltung wird durch stapelfähige, belastbare Lagerbehälter erleichtert.

Lagerbestand → Bestandsart

Lagerdauer

Kennzahl der → Lagerhaltung, die die Verweildauer eines Objektes im Lager ausdrückt (Zeitspanne zwischen Lagereingang und -ausgang). Die durchschnittliche Lagerdauer ergibt sich durch Division des Berechnungszeitraumes durch die Umschlagshäufigkeit (→ Lagerumschlag).

$$\text{Lagerdauer} = \frac{\text{Berechnungszeitraum (360 Tage)}}{\text{Umschlagshäufigkeit}}$$

Umschlagshäufigkeit =

Lagerumsatz

durchschnittlicher Lagerbestand

durchschnittlicher Lagerbestand =

Jahresanfangsbestand
+ 12 Monatsendbestände
13

Lagereinrichtung → Lagerausstattung

Lagerente → Rentertheorie, → Thünen'sche
Kreise

Lagerhaltung

Teilfunktion der → Materialwirtschaft, die
vor allem dem Ausgleich zwischen asynchronen Materialflüssen und Fertigungsabläufen
zu dienen hat. Läger sind die Einrichtungen,
die der Aufbewahrung und Bevorratung von
Materialien dienen. Diese zusammen mit den
an den Verbrauchsstellen vorgehaltenen Ma-

terialien machen den Lagerbestand aus. Lagerprozesse begleiten den gesamten → Materialfluß vom Wareneingang bis zum Abtrans-
port bzw. Versand der Fertigerzeugnisse.
Demnach können folgende Lagerstufen unterschieden werden (vgl. Abb.):

● Bereich der Materialbeschaffung,
● Produktionsbereich,
● Absatzbereich.

Mit dem Begriff Lager werden die Lagerbestände, die räumlich-technischen Einrichtungen und die spezielle Organisation und Ver-
waltungsaufgabe bezeichnet. Folgende Teilaufgaben hat die Lagerhaltung zu erfüllen:
(1) *Sicherungs- und Versorgungsfunktion*:
Rechtzeitige Versorgung der einzelnen Verbrauchsstellen mit den erforderlichen Materialien; Sicherstellung eines reibungslosen
Produktionsablaufes; Vorhaltung eiserner Bestände für unvorhergesehene Knappheitser-
scheinungen.

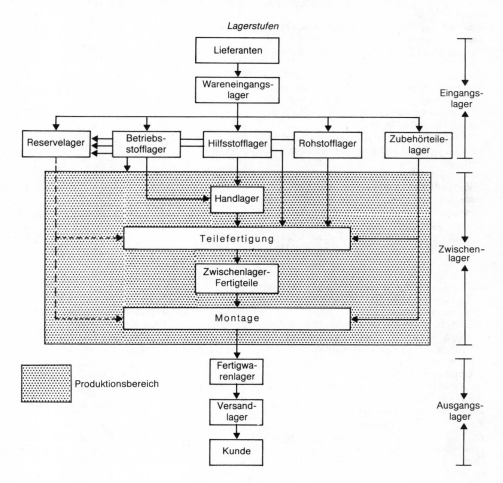

(2) *Ausgleichsfunktion* (Pufferfunktion): Läger gleichen Schwankungen im Beschaffungs- und im Absatzbereich sowie im betrieblichen Leistungsprozeß aus. Zu unterscheiden sind (a) *zeitlicher* Ausgleich zwischen Herstellungs- und Verwendungszeitpunkten; (b) *räumlicher* Ausgleich zwischen Herstellungs- und Verwendungsorten; (c) *quantitativer* Ausgleich zwischen Bezugs- bzw. Herstellungsmengen und den erforderlichen Verbrauchsmengen; (d) *qualitativer* Ausgleich (z.B. durch Mischen unterschiedlicher Rohstoffqualitäten bei Anbauprodukten).

(3) *Sortierungsfunktion:* Sortierung der Bestände entsprechend betriebsinternen und marktlichen Gegebenheiten (z.B. Sortimentsbildung im Handel; Umpacken von Liefereinheiten in bedarfsgerechte Einheiten für die Produktion und/oder für den Verkauf).

(4) *Darbietungsfunktion:* In manchen Handelsbetrieben (z.B. Cash und Carry Großhandel) ist das Lager in den Verkaufsvorgang einbezogen.

(5) *Umformungs-* bzw. *Produktionsfunktion:* Mitunter müssen die Güter vor der weiteren Verwendung einem Reife- oder Lagerungsprozeß unterzogen werden.

(6) *Spekulationsfunktion:* Oft geschieht die Lagerhaltung in der Absicht der Wahrnehmung von Marktchancen (Gelegenheitskäufe) oder in Erwartung von Preissteigerungen (spekulative Einkäufe).

Die Wahrnehmung dieser Teilaufgaben steht im Konflikt mit dem Ziel der Kostenminimierung; denn jede Vorratshaltung verursacht → Lagerkosten.

Im Hinblick auf die Einbindung in den Materialfluß werden folgende Lagerarten unterschieden:

- Das *Hauptlager* dient der Aufnahme der aus externen Quellen beschafften Materialien (Wareneingangsläger) bzw. der Abgabe an externe Abnehmer (Fertigwarenlager).
- Das *Nebenlager* nimmt erstellte Güter auf und gibt diese an nachgelagerte Lager- und Verbrauchsstellen ab.
- Das *Hilfslager* nimmt aus sicherheitstechnischen, räumlichen und anderen Gründen aus dem eigentlich zuständigen Haupt- oder Nebenlager ausgegliederte Güter auf.

Unter dem Aspekt einer effizienten → Lagerverwaltung besteht eine Tendenz zur Einrichtung eines → Zentrallagers; allerdings kann die Zentralisierung eine optimale Gestaltung des Materialflusses behindern. *U. A.*

Literatur: *Enrick, N. L.*, Optimales Lager-Management, München, Wien 1972. *Westermann, D. K.*, Optimale Lagerhaltung, Dortmund 1974.

Lagerhaltungskosten → Lagerkosten

Lagerhaltungsmodell

dient der Bestimmung der optimalen Lösung für Zeitpunkt und Umfang von Lagerergänzungen und -abgängen. Zielfunktion ist zumeist die Minimierung der Kosten. Der Bereich zählt zu den frühen, „klassischen" Anwendungsgebieten quantitativer Methoden in der Betriebswirtschaftslehre. Wichtige Variablen und Parameter entsprechender Modelle haben *C. West Churchman* u. a. zusammengestellt (vgl. Tab.).

Merkmale von Lagerhaltungsmodellen

Merkmale	Ausprägungen
1. Einkaufskosten pro Mengeneinheit 2. Lagerhaltungskosten pro Zeiteinheit 3. Fehlmengenkosten	konstant/variabel;
4. Zeitliche Verteilung der Lagerabgänge	stetig/unstetig; konstante/variable Abgangsrate;
5. Bedarf	bekannt/geschätzt; konstant/variabel;
6. Lieferzeit	null/positiv;
7. Zeitspanne zwischen einzelnen Bestellungen	bekannt/geschätzt; konstant/variabel;
8. Lagerergänzung	diskret/kontinuierlich; konstant/variabel;
9. Zeitliche Verteilung der Eingänge	kontinuierlich/diskontinuierlich; konstant/variabel

Quelle: *Churchman/Ackoff/Arnoff,* Operations Research, Wien, München 1968, S. 190.

Der einfachste Modelltyp führt zur sog. Losgrößenformel von *F. W. Harris:*

- Es gibt bestellfixe Kosten, die pro Einheit im Verhältnis zur Bestellmenge sinken.
- Größere Bestellmengen erhöhen die Lagerkosten (im einfachsten Falle: Zinskosten, proportional zum eingelagerten Bestand).
- Der Lagerabgang erfolgt kontinuierlich, der Lagerzugang konstant und diskret.
- Zielfunktion ist Kostenminimierung.

Die optimale Lösung kann graphisch oder mit Hilfe der Differentialrechnung ermittelt werden (→ optimale Bestellmenge).

Höherstrukturierte Lagerhaltungsmodelle erfassen auch die Auswirkungen von Entscheidungen auf die nachfolgenden Zeitperioden. Hier gibt es oft keine eindeutigen analytischen Lösungen mehr, was es erforderlich macht, auf →heuristische Verfahren auszuweichen. Im weiteren Sinne zählen zu den Lagerhaltungsmodellen auch jene Ansätze, die Lösungen für Transportprobleme und die Raumzuordnung (Layoutplanung) in der Lagerwirtschaft zum Ziel haben.

Literatur: *Klingst, A.,* Optimale Lagerhaltung, Würzburg, Wien 1971.

Lagerhaltungsplanung → Lagerplanung

Lagerhaltungspolitik → Vorratspolitik

Lagerhaltungszyklus

folgt aus der Anpassung von tatsächlicher an gewünschte Lagerhaltung gemäß dem → Akzeleratorprinzip. Eine ungewünschte Lagerhaltung folgt u. a. aus falschen Absatzerwartungen, eine gewünschte u. a. aus dem Transaktionsmotiv (Sicherung von Produktion/Absatz), dem Spekulationsmotiv (bei erwarteten Preissteigerungen), der intertemporalen Arbitrage (bei Saisonschwankungen von Nachfrage oder (Ernte-)Angebot), der gewünschten Stabilisierung von Produktion/Kapazitätsauslastung (bei Konjunkturschwankungen). Lagerhaltungszyklen (→Kitchin-Zyklen) sind aufgrund der Motive bei höherer Flexibilität des Lagerbestandes i. d. R. kürzer als Investitionszyklen (→Juglar-Zyklus), deren Aufschwung/Amplitude (→Überinvestitionstheorie) sie tendenziell verlängern/erhöhen und deren Abschwung sie aufgrund des gewünschten Lagerabbaus verstärken.   *W. F.*

Literatur: *Evans, M. K.,* Macroecomic Activity, New York u. a. 1969. *Richter, R./Schlieper, U./ Friedmann, W.,* Makroökonomik, 4. Aufl., Berlin u. a. 1981.

Lagerinvestition → Vorratsinvestition

Lager-Kapitalanteil

Kennzahl der Lagerwirtschaft, die das Verhältnis von bewertetem Lagerbestand und Gesamtkapital (betriebsnotwendiges Kapital) eines Unternehmens ausdrückt.

Lagerkosten

Teil der Materialgemeinkosten, die in der Lagerwirtschaft anfallen. Sie bilden eine wesentliche Komponente der → optimalen Bestellmenge und lassen sich in drei Gruppen unterteilen:

(1) Kosten, die unmittelbar durch den Lagerprozeß bedingt sind:
● Kosten der Lagerbestände (Kapitalbindungskosten, Versicherungsprämien, Kosten von Lagerverlusten, Kosten für Qualitätsminderungen);
● Kosten der Nutzung der Lagereinrichtungen (Kosten der Lagerräume einschl. Abschreibungen auf die Lagereinrichtungen, Instandhaltungskosten, technische Betriebskosten, anteilige Vermögensteuer);
(2) Kosten der Lagerverwaltung: Personalkosten, Kosten für Entwicklung und Pflege der Software der Lagerhaltungssysteme;
(3) Kosten, die bei der Behandlung der Lagerobjekte anfallen:
● Kosten der Materialbewegung (für Ein-, Um- und Auslagerung; Betrieb der Transport- und Fördermittel);
● Kosten für Qualitäts- und Quantitätserhaltung (Belüftung, Befeuchtung, Wenden der Lagerobjekte, Ausbesserung von Verpackungen);
● Kosten für qualitative Manipulation (Mischen, Bearbeiten usw.);
● Kosten für quantitative Manipulation (Teilen, Zerlegen, Zusammenfügen, Zurichten usw.);
● sonstige Kosten (Ziehen von Prüfproben, Zähl- und Wiegekosten, Auszeichnen, Bemustern, Verpacken).   *U. A.*

Lagerplanung

soll die durch die → Vorratspolitik definierten Vorgaben in wirtschaftlicher Weise umsetzen, also zur Kosteneinsparung in der → Materialwirtschaft beitragen. Die Lagerplanung hat dafür eine leistungsfähige Aufbau- und Ablauforganisation zu schaffen.

Die Planung der Lager*infrastruktur* erfordert folgende Teilplanungen:
● →Lagerstandort,
● →Lagerausstattung (Lagerbauart, Lagereinrichtung, Lagerhilfsgeräte, Lagerordnung),
● →Förder- bzw. Transportmittel,
● Kompetenz-, Weisungs- und Berichtssystem für die Lagerwirtschaft.

Die Planung der *Ablauf*organisation umfaßt:
● Ein- und Auslagerungsprozesse,
● Lagerbewegungen,
● →Lagerverwaltung,
● Software für die Informations- und Steuerungsprozesse in der Lagerwirtschaft (→Lagerautomatisierung).

Die Lagerplanung muß eng mit der Planung von → Materialbedarf und → Materialbestand sowie der →Fertigungsplanung verknüpft sein.

Gelegentlich wird der Begriff Lagerplanung auch zur Kennzeichnung der Mengenplanung für Eingangs-, Zwischen- und Ausgangsläger benutzt.   *U. A.*

Lagerplanungsmodelle

→Planungsmodelle des →Operations Research für den Funktionsbereich →Lagerhaltung (→Funktionsbereichsmodelle). Da die Lagerhaltung alle Realgüterbereiche verbindet, sind Lagerplanungsmodelle häufig in →Beschaffungsplanungsmodelle, →Produktionsplanungsmodelle und →Absatzplanungsmodelle integriert.

Literatur: *Schneeweiß, Ch.*, Modellierung industrieller Lagerhaltungssysteme, Berlin u. a. 1981.

Lagerschein

Urkunde des Lagerhalters über seine Herausgabepflicht (§ 424 HGB). Er kann Order-, Inhaber- oder Namenspapier sein (→Wertpapier).

Lagerstandort

ist so zu bestimmen, daß der Transportaufwand (Transportweg) zwischen Lager und den Verbrauchsorten unter Berücksichtigung der Kosten der →Lagerverwaltung möglichst gering ist. Eine kostenoptimale Standortentscheidung unterliegt z.B. folgenden Restriktionen:

- bauliche Gegebenheiten (Bebauungsplan, Tragfähigkeit von Gebäudeteilen);
- Zwänge des Fertigungsablaufs;
- Anbindung des Lagerstandortes (Verkehrslage, Energieversorgung, Entsorgungsmöglichkeiten);
- Umweltbedingungen (z.B. Immissionsbelastung);
- gesetzliche Vorschriften, Versicherungsbedingungen (Lagerung gefährlicher Materialien, z.B. explosive, feuergefährliche, giftige Stoffe).

Die Modelle zur Bestimmung des optimalen Lagerstandorts unterstellen zumeist, daß sich die Transportkosten proportional zu den sog. →Tonnenkilometern verhalten und die Verbrauchsorte gegeben sind. Bei Neuplanungen können auch die Verbrauchsorte als variabel angesehen werden. Mit Hilfe heuristischer Ansätze wird neuerdings versucht, die strengen Restriktionen verschiedener analytischer Modelle zu überwinden. Im Prinzip bestehen sie aus einer Abfolge von Suboptimierungsrechnungen, z.B. die CRAFT-Methode (computerized relative allocation of facilities technique).   *U. A.*

Lagerstatistik →Einkaufs- und Lagerstatistik

Lagerstufen →Lagerhaltung

Lagerumschlag

Kennzahl der →Lagerhaltung, gebildet aus Lagerumsatz (Lagerabgang) und durchschnittlichem Lagerbestand. Letzterer kann wie folgt ermittelt werden:

$$\frac{\text{Jahresanfangsbestand} + 12 \text{ Monatsendbestände}}{13}$$

oder

$$\frac{\frac{1}{2} \text{ Jahresanfangsbestand} + 11 \text{ Monatsendbestände} + \frac{1}{2} \text{ Jahresendbestand}}{12}$$

Bei einzelnen Waren- oder Materialarten kann sich der Lagerumschlag auf Mengengrößen beziehen. Sollen verschiedene Materialarten zusammengefaßt werden, ist die Ermittlung der Umschlagshäufigkeit nur auf der Basis von Wertgrößen möglich. Je häufiger der Bestand umgeschlagen wird, um so kürzer ist die durchschnittliche →Lagerdauer. Der Lagerumschlag ist wegen den damit verbundenen Kostenwirkungen (Kapitalbindung, Lagerhaltungskosten) von großer Bedeutung. Die Sortimentskontrolle in Handelsbetrieben beruht wesentlich auf dieser Kennzahl.   *U. A.*

Lagerverwaltung

hat eine reibungslose und kostenwirtschaftliche Abwicklung aller Lagerprozesse zu gewährleisten, einmal institutionell als Leitung und Ausführungsorgan der Lagerwirtschaft in einem Betrieb, zum anderen funktional im Sinne von Prüfung, Ausführung und Erfassung aller Ein- und Auslagerungsprozesse. Dazu gehören die Registrierung aller Lagerbestandsveränderungen (Lagerbuchhaltung), Führung der Lagerstatistik, Erhaltung der Betriebsbereitschaft der technischen und informatorischen Lagersystemkomponenten sowie Verwaltung von Mehrwegverpackungen (→Leergut, z.B. Paletten, Container, Kabeltrommeln usw.) und Transporthilfsmitteln.

Lagerwirtschaft →Lagerhaltung

Laissez faire

das Beiwort für Wirtschaft oder →Kapitalismus, mit dem eine in der Zeit nach dem Ersten Weltkrieg zu Ende gegangene Periode wirtschaftspolitischer Programmatik umschrieben wird. Laissez faire ist Ausdruck für eine Maxime, ein politisches Postulat, die Wirtschaft in dem Sinne sich selbst zu überlassen, daß man die Aktivität des privaten Unternehmertums von allen Fesseln befreit.

Mit dieser Devise der Nichteinmischung des Staates verband sich die Vorstellung einer Wirtschaft, die von Regulierungsentscheidungen der staatlichen Administration frei, zugleich aber auch, abgesehen von der rechtlichen Ordnung des bürgerlichen Lebens und der Handelsgebräuche, keinerlei Ordnungskonzepten des Staates unterworfen sein sollte. Diese Variante des Prinzips des Laissez faire entspricht somit der Forderung an den Staat, die Wirtschaft sich selbst zu überlassen. Dann würden die wirtschaftliche Entwicklung und das Wohl der Allgemeinheit am besten gefördert. Es gibt nur wenige Begriffe in der Sprache des Wirtschaftslebens, die in ihrer Bedeutung so weitreichend verfremdet und verformt worden sind wie der des Laissez faire.

Die Entstehung des Laissez faire-Gedankens gehört in die Periode der (Emanzipations-)Bemühungen des Kaufmanns-Standes, seine Belange gegenüber Landesfürstentum, Adel und Klerus zur Geltung zu bringen, in eine Phase, in der die merkantilistische Wirtschaftspolitik des → Colbertismus Frankreich in größte wirtschaftliche Schwierigkeiten gebracht hatte, also in die vorphysiokratische Zeit. Auf Fragen *Jean B. Colberts*, wie am ehesten eine Belebung der Gewerbetätigkeit erzielt werden könnte, soll ihm (1680) von einem Kaufmann die Empfehlung gegeben worden sein: Laissez-nous faire! Der Handel bedürfe nichts weiter, als vom Staat in Ruhe gelassen zu werden. Bei einem (staatlichen) Verzicht auf die Vergabe von Privilegien (Monopolrechte) und auf Disziplinierung der Wirtschaft (→ Merkantilismus) werde sich alles von selbst wieder zum Guten wenden.

Diese Maxime bleibt bis Mitte des 18. Jh. nachhaltig in der Diskussion: Um besser regieren zu können, müsse weniger administriert werden. Laissez faire steht für die Forderung nach Begründung von → Gewerbefreiheit als Eckpfeiler einer Politik der „Modernisierung" von Wirtschaft und Gesellschaft mit dem Ziel einer nachhaltigen Verbesserung sozialer Mobilität und wirtschaftlicher Effizienz (→ Manchestertum). Gedacht ist zusätzlich an internationale Verkehrsfreiheit im Sinne absoluter Zollfreiheit, ein Verkehr der Waren über die Grenze „frei wie die Luft und das Wasser". Ganz Europa habe ein allgemeiner und wirtschaftlicher Markt zu sein *(Marquis d'Argenson)*. Ohne die Formel zu erweitern, war sie damit bereits zu einer

Gesamtforderung nach Gewerbefreiheit und Verkehrsfreiheit ausgewachsen: „Laissez passer" fordert hier die Revision der Irrtümer merkantilistischer Getreidehandelspolitik, speziell des Getreideausfuhrverbots.

Ohne Zweifel erschöpft sich die geistige Haltung, die sich in der Maxime des Laissez faire, laissez passer ausdrückt, nicht allein in der Forderung nach → Freihandel, nach Verkehrsfreiheit. Stets bleibt der erste Teil der Formel, das Postulat der Gewerbefreiheit, dominant, – in dem doppelten Sinne, daß dem wirtschaftlichen Akteur zwar die Chance unbehelligter Initiierung seiner Geschäfte eingeräumt wird, ihm im Fall seines Bankrotts jedoch keinerlei staatliche Hilfe zusteht. So ist Freihandel nur ein Element eines umfassenden wirtschaftspolitischen Systems.

Stark blieb die Position der Anhänger des Laissez faire, solange die stürmische wirtschaftliche Entwicklung mit ihren augenfälligen Wohlfahrtsgewinnen für (fast) alle Teile der Bevölkerung andauerte. Daß diese Doktrin sich verabsolutierte, sich von ihren geistigen Wurzeln abhob und letztlich zu einem lediglich formal argumentierenden Schlagwort entartete, das seine Verfechter der Notwendigkeit, die sozialen Rahmenbedingungen und die Schattenseiten der → industriellen Revolution zu bedenken, enthob, ist das Grundthema der Auseinandersetzung der → historischen Schule mit dem → Manchestertum und der geschichtlichen Entwicklung des → Liberalismus.   *H. G. K.*

Literatur: *Oncken, A.,* Die Maxime ‚Laissez-faire et laissez-passer', ihr Ursprung, ihr Werden, Bern 1886. *Oncken, A.,* Quesnay, François, in: Handwörterbuch der Staatswissenschaften, Bd. VI., 3. Aufl., Jena 1910, S. 1270 ff. *Preiser, E.,* Die Zukunft unserer Wirtschaftsordnung, Göttingen 1960.

LAN

Abk. für → local area network.

Landabgaberente

Im Rahmen der → Alterssicherung der Landwirte konnten hauptberufliche Landwirte bis Ende 1983 einen Anspruch auf eine Landabgaberente erwerben, wenn sie einen nach dem einzelbetrieblichen Förderungsprogramm „nicht entwicklungsfähigen Betrieb" strukturverbessernd abgaben. Entwicklungsfähigen Betrieben wurde hiermit eine Wachstumsmöglichkeit geschaffen, um ihre Konkurrenzfähigkeit zu verbessern. Als Anreiz konnten Land abgebende Landwirte eine Rentenerhöhung bis maximal 175,– DM monatlich erhalten, wenn sie einen Anspruch auf Altersgeld besaßen, so daß sozial- und strukturpolitische Zielsetzungen verknüpft wurden.

Landesbanken/Girozentralen

Teilgruppe der → Universalbanken, die ihrerseits der im deutschen → Bankensystem vorherrschende Banktyp sind. Die elf Landesbanken/Girozentralen verkörpern gleichzeitig regionale Spitzeninstitute der → Sparkassen und Hausbanken des jeweiligen Bundeslandes. Als ihr Spitzeninstitut auf Bundesebene fungierte früher die Deutsche Girozentrale – Deutsche Kommunalbank –, die sich jedoch zu einer eigenständigen Spezialbank für das Großkreditgeschäft entwickelt hat; statistisch wird sie heute als zwölfte Girozentrale behandelt.

Als Girozentralen unterstützen die Institute die ihnen angeschlossenen Sparkassen insb. beim Liquiditätsausgleich. Als Landesbanken sind sie Durchleitstellen für Gelder aus staatlichen Kreditaktionen; sie emittieren auch eigene Schuldverschreibungen, wobei sie den Erlös als Kommunaldarlehen weiterleiten und auf diese Weise den Gemeinden einen Zugang zum organisierten Kapitalmarkt verschaffen. Bei der Kreditvergabe an die Wirtschaft gilt traditionell der Grundsatz der „Priorität der lokal zuständigen Sparkasse".

Seit den 60er Jahren haben sich die Landesbanken/Girozentralen verstärkt von Hilfseinrichtungen zu Instituten mit eigenständigen Geschäftsinteressen entwickelt. Durch Fusion sind einige von ihnen sprunghaft gewachsen und verstehen sich heute als direkte Konkurrenten der privaten → Großbanken. Im Zuge dieser Entwicklung haben sie auch ihre Auslandsaktivitäten stark ausgeweitet.

Gemeinsam mit den regionalen Sparkassenverbänden sind sie im → Deutschen Sparkassen- und Giroverband zusammengeschlossen.

M. H.

Landesentwicklungsplanung

im Jahre 1965 in der Bundesrepublik den Bundesländern übertragene Aufgabe, die Ziele und Grundsätze der Raumordnung in fachlich übergreifenden Landesentwicklungsprogrammen und -plänen zu konkretisieren, mit den Ressortplanungen auf den Gebieten der Wirtschaft, des Verkehrs etc. zu koordinieren und durch landesspezifische Entwicklungsvorstellungen zu erweitern, sofern diese nicht den Grundsätzen des → Bundesraumordnungsgesetzes widersprechen.

Träger der Landesentwicklungsplanung sind hierfür geschaffene Landesministerien bzw. Behörden, denen die Zuständigkeit übertragen worden ist. Die Bundesländer Hessen, Nordrhein-Westfalen, Saarland und

Schleswig-Holstein haben beide Instrumente der Planung angewendet, wobei in das → Landesentwicklungs*programm* (bzw. den Landesraumordnungsplan bzw. die Landesentwicklungsgrundsätze) die allgemeineren, in den Landesentwicklungs*plan* die konkreten, spezifizierten Perspektiven und Maßnahmen aufgenommen wurden. In den meisten Bundesländern (bis auf das Saarland) wird die Landesentwicklungsplanung durch eine → Regionalplanung bzw. Gebietsentwicklungsplanung ergänzt; die Stadtstaaten Bremen, Hamburg und Berlin stellen in dieser Hinsicht Ausnahmen dar.

Die Landesentwicklungsplanung findet ihren Niederschlag in Karten, Texterläuterungen und Tabellen, die als Grundlage für die Haushaltsplanungen der Bundesländer dienen. Insofern besitzt die Landesentwicklungsplanung eine selbstbindende Kraft für alle Behörden des Landes, aber auch für die Gemeinden und alle öffentlichen Planungsträger. Die Landesentwicklungsplanung bindet nicht die Privatpersonen, ist somit ein systemkonformes Instrument der indikativen staatlichen Planung in einer marktwirtschaftlichen Ordnung.

S. K.

Landesentwicklungsprogramm

Festlegung der Ziele der → Landesplanung für das gesamte Gebiet eines Bundeslandes, in Form von Planungsgrundsätzen und Leitlinien für die Entwicklung, dargestellt anhand von Kartenwerken, Tabellen und Texterläuterungen.

Landespersonalvertretungsgesetze   → Personalvertretungsrecht

Landespflege

früher Oberbegriff für die Landschaftspflege und den → Naturschutz; anstelle des Begriffs Landespflege werden neuerdings die Bezeichnungen Umweltvorsorge und → Umweltschutz verwendet. Demzufolge ist bei weiter zurückreichenden historischen Untersuchungen zum Umweltproblem darauf zu achten, daß die entsprechenden Aufgaben im Rahmen der Landespflege vorgenommen wurden.

Landesplanung

ursprünglich die Bezeichnung für den staatlichen Tätigkeitskomplex, der die öffentlichen Zielvorstellungen hinsichtlich einer künftigen Nutzung von Grund und Boden für den Raum einer Gebietskörperschaft (größer als eine Kommune) in Kartendarstellungen und erläuternde Texte umsetzte (allgemeine → Raum-

planung). Seit dem Erlaß des → Bundesraumordnungsgesetzes ist die Landesplanung die
von den Bundesländern wahrzunehmende
Aufgabe der laufenden Aufstellung überge-
ordneter, überörtlicher und zusammenfassen-
der Programme und Pläne für ihr Gebiet, wobei die raumbedeutsamen fachlichen Pläne
und Maßnahmen mit den Grundsätzen der
Raumordnung und Landesplanung abzustimmen sind. Die Grundsätze der Landesplanung
decken sich weitgehend mit denen der Bun-
desraumordnung, werden darüber hinaus
durch Zielvorstellungen ergänzt, die den
Landeseigenarten (Randlage, Flächenstaat
etc.) besonders Rechnung tragen. Die Grundsätze sind in den Landesplanungsgesetzen niedergelegt, die darüber hinaus insb. die Organisation der Landesplanung sowie das Verfahren der Aufstellung von Programmen und
Plänen (→ Raumordnungsverfahren) regeln.
S. K.

Landesrechnungshof → Rechnungshöfe

Landessteuern → Finanzausgleich in der Bundesrepublik

Landesversicherungsanstalt (LVA)

Träger der → Rentenversicherung für Arbeiter
in der Bundesrepublik Deutschland. Sie umfaßt alle in ihrem Bezirk Beschäftigten, soweit
diese nicht in Sonderanstalten versicherungs-
pflichtig sind bzw. von der Versicherungspflicht befreit sind. Eigens geregelt ist ihre Zuständigkeit für selbständige Handwerker.
Aufgaben der LVA sind die Feststellung und
Zahlung der Renten, aber auch die medizinische und berufliche Rehabilitation der Versicherten. Im Bundesgebiet bestehen 18 Landes-
versicherungsanstalten, die nach näherer Bestimmung der Landesregierungen errichtet
sind. Die LVA sind rechtsfähige Körperschaften des öffentlichen Rechts. Sie verwalten sich
durch Organe, die paritätisch mit Versicher-
ten- und Arbeitgebervertretern besetzt sind.
Die Vertreter der Versicherten werden durch
die Sozialversicherungswahlen, die der Arbeitgeber durch die Arbeitgeberverbände be-
stimmt.   *W. G.*

Landesverwaltung

ist analog der → Bundesverwaltung aufgebaut. Die landesunmittelbare Verwaltung
weist Oberste Landesbehörden, Landesmittel-
und Obere Landesbehörden sowie Untere
Landesbehörden auf. Die mittelbare Landesverwaltung besteht ebenfalls aus Körperschaften, Anstalten und Stiftungen des öffentlichen

Rechts sowie aus Privatrechtsträgern. Als eigenständige Institutionen kommen noch die
Landkreise, kreisfreien Städte, kreisangehöri-
gen Gemeinden und Gemeindeverbände hinzu. Schließlich bilden die → Regierungsbezirke in den größten Flächenländern eigenständige staatliche Mittelinstanzen.

Landeszentralbank → Deutsche Bundesbank

Landflucht

Abwanderung von Teilen der Bevölkerung
aus dem → ländlichen Raum, veranlaßt durch
dessen Entwicklungstendenzen (z. B. Änderung der Produktionstechnik, Freisetzung von
Arbeitskräften) und/oder durch die erwarteten Vorteile städtischer Lebens- und Arbeitsweise, die mit der Übersiedlung verbunden
sein können (→ Urbanität, → Verstädterung).

Landgesellschaft

gemeinnützige Institutionen (→ Agrarverwaltung), die in einzelnen Bundesländern mit der
Durchführung von Aufgaben der → Agrarstrukturpolitik betraut sind.

Landschaftspflege → Naturschutz

Landschaftsstruktur

1. geographisch: die durch die individuelle
Lage, Oberflächengestaltung, Bodeneigenar-
ten, Gewässer und Klima gekennzeichneten
Räume (Naturlandschaft, Kulturlandschaft).
2. ökonomisch: die von den geographischen
Gegebenheiten abgeleitete, bezüglich der Art
und Intensität differenzierte Raumnutzung
(→ interregionaler Handel).

Landsoziologie → Agrarsoziologie

Landtausch

Maßnahme der → Agrarstrukturpolitik, um
die Flurzersplitterung aufzuheben (→ Flurbereinigung).

Landwirt

im engeren Sinne ein in der praktischen
→ Landwirtschaft mit leitenden Aufgaben Be-
faßter (Eigentümer, Pächter, Verwalter) eines
Landwirtschaftsbetriebes; im weiteren Sinne
jeder, der eine landwirtschaftliche Ausbildung
genossen hat und für die praktische Landwirtschaft tätig ist (Berater, Fachlehrer, Schätzer).
Der Landwirt (landwirtschaftlicher Unternehmer) ist üblicherweise „Nichtkaufmann";
seit 1976 besteht jedoch die Möglichkeit der
Eintragung in das Handelsregister als
„Kannkaufmann" (§ 3 Abs. 2 HGB).

Landwirtschaftlicher Unternehmer ist der Inhaber (Eigentümer, Pächter) einer Landwirtschaftsunternehmung, der selbständig wirtschaftet und zumindest die wesentlichen Führungsfunktionen wahrnimmt; im Regelfall führt er aber auch noch exekutive Aufgaben selbst aus (Problem der Arbeitsteilung).

Als *landwirtschaftlicher Betriebsleiter* gilt der Leiter (Eigentümer, Pächter, Verwalter) eines Landwirtschaftsbetriebes. Er kann (Eigentümer, Pächter), braucht aber nicht (Verwalter) gleichzeitig landwirtschaftlicher Unternehmer zu sein.

Bauer ist im allgemeinen Sprachgebrauch die Bezeichnung für den selbst leitenden und regelmäßig körperlich mitarbeitenden Besitzer (Eigentümer, Pächter) eines Landwirtschaftsbetriebes.   *H. Se.*

Landwirtschaft

wirtschaftliche Nutzung der Bodenfruchtbarkeit zur Erzeugung von pflanzlichen Nahrungsmitteln, Futtermitteln und technischen Rohstoffen (Bodennutzung, Primärproduktion) sowie deren Umwandlung in höherwertige Nahrungsmittel (tierische Produktion) durch Tierhaltung (Veredlungsproduktion, Sekundärproduktion). Kennzeichnend sind der Ackerbau (jährlich wiederkehrende Bearbeitung des Bodens), die Grünlandwirtschaft, die bodenabhängige Viehwirtschaft (Rinder, Schafe, Pferde usw.) und die bodenunabhängige Viehwirtschaft (Schweine, Geflügel); darüber hinaus zählen auch Sonderkulturen (Obst, Wein, Gemüse, Hopfen usw.) zur Landwirtschaft.

Die Abgrenzung zu Gartenbau, →Forstwirtschaft und anderen Zweigen der Tierhaltung (Reit- und Rennpferde, Hunde, Pelztiere usw.) ist fließend. Neben Bergbau, Fischerei und Forstwirtschaft ist die Landwirtschaft ein Zweig der Urproduktion. In den Gesetzen des Bundes und der Länder finden sich rund 40 teils kongruente, teils unterschiedliche Definitionen des Begriffs „Landwirtschaft"; sie werden maßgeblich von dem Zweck des jeweiligen Gesetzes bestimmt.

Von der Gesamtfläche der Bundesrepublik Deutschland (knapp 25 Mio. ha) wurden bei leicht sinkender Tendenz 1984 rund 12 Mio. ha (48%) landwirtschaftlich genutzt. Von der Gesamtzahl der →Erwerbspersonen waren noch 5% in der Landwirtschaft tätig. Die Nettowertschöpfung der Landwirtschaft betrug 1982/83 20,8 Mio. DM; der Anteil der Landwirtschaft an der Bruttowertschöpfung lag bei rund 2%.   *H. Se.*

landwirtschaftliche Ablauforganisation

Das Ablaufgeschehen in einer →Landwirtschaftsunternehmung gliedert sich in die gleichen Grundfunktionen wie in anderen Unternehmungen, jedoch gibt es einige Besonderheiten:

(1) *Beschaffung:* Ein Teil der Produktionsmittel kommt aus der eigenen Unternehmung (→verbundene Produktion), die meisten Arbeitskräfte werden vom eigenen Haushalt gestellt (→landwirtschaftliche Arbeitskräfte).

(2) *Erzeugung:* Landwirtschaftliche Produktionsprozesse sind biologische Wachstumsprozesse, d.h. an der direkten Entstehung ist der Landwirt gar nicht beteiligt. Hieraus entsteht ein spezifisch landwirtschaftliches Produktionsrisiko (Naturalertragsschwankungen).

(3) *Absatz:* Der Absatz landwirtschaftlicher Produkte umfaßt den Verkauf, den Einsatz als Produktionsmittel im eigenen Betrieb sowie die Lieferung an den eigenen Haushalt. Viele Produkte (z.B. Milch, Eier, Obst, Gemüse) sind von geringer Haltbarkeit; andere können nur begrenzt gelagert werden (z.B. Schlachtvieh). Deshalb ist der Landwirtschaft oftmals ein marktstrategisches Verhalten verwehrt.

(4) *Finanzierung:* Hier ergeben sich folgende Besonderheiten: starke Naturabhängigkeit, relativ lange Produktionsdauer und hoher Anteil des Bodens an den Produktionsmitteln (viel langfristig gebundenes Kapital); Person des Landwirts (sehr guter Techniker, zuweilen weniger guter Kaufmann).

(5) *Führung:* Kennzeichnend sind vor allem die Aufgabenvielfalt und der dauernde Wechsel von dispositiven und exekutiven Aufgaben gerade des landwirtschaftlichen Unternehmers; somit kann das Prinzip der Arbeitsteilung nur in engen Grenzen realisiert werden.   *H. Se.*

landwirtschaftliche Altersversorgung

Kernstück der →Agrarsozialpolitik. Bei der traditionellen Form des Altenteils sichert der den Hof im Generationswechsel übernehmende Nachfolger die Altersversorgung des weichenden Betriebsleiterpaares durch die Gewährung einer angemessenen Unterkunft, Verpflegung und möglicherweise einer Rentenzahlung. Seit 1957 besteht für landwirtschaftliche Unternehmer, deren Betrieb eine dauerhafte Existenzgrundlage bildet, eine Versicherungspflicht mit dem Ziel, das Altenteil durch eine zusätzliche Rente zu ergänzen (→Alterssicherung der Landwirte). Nicht versichert sind dagegen zahlreiche mitarbeitende Familienangehörige, die Hofnachfolger und die Ehegatten der landwirtschaftlichen Erwerbstätigen. Eine Sonderregelung besteht für hauptberuflich mitarbeitende Familienangehörige.   **S. Jü.**

landwirtschaftliche Arbeit

Die Arbeiten in der → Landwirtschaft werden eingeteilt in termin-(zeitspannen-)gebundene, nicht termin-(zeitspannen-)gebundene und laufende (regelmäßig anfallende) Arbeiten.

Zeitspannen sind Frühjahrsbestellung, Hackfruchtpflege-Heuernte, Frühgetreideernte, Spätgetreideernte, Frühherbstarbeiten und Spätherbstarbeiten. Die Länge der einzelnen Zeitspannen ist für die verschiedenen Klimagebiete unterschiedlich; sie werden anhand phänologischer Daten ermittelt.

Maßeinheiten der Arbeit in der Landwirtschaft sind die Arbeitskräftestunde (AKh) und die Arbeitskrafteinheit (AK): 1 AK = eine das Jahr über voll tätige Arbeitskraft (Voll-AK) = 2200 AKh/Jahr. Die Umrechnung der Familienarbeitskräfte in Voll-AK erfolgt nach dem Alter: 14 bis 16 Jahre = 0,7 AK, 17 bis 65 Jahre 1,0 AK, über 65 Jahre 0,3 AK.

Vielfach werden auch die Arbeiten in einer Landwirtschaftsunternehmung von anderen Unternehmungen (Lohnunternehmer, Gemeinschaften) durchgeführt (z.B. Mähdrusch, Transporte, Buchführung); hier spricht man dann von Dienstleistungen.   **H. Se.**

landwirtschaftliche Arbeitskräfte

Sie gliedern sich in:
- männliche – weibliche,
- familieneigene – familienfremde,
- ständige – nichtständige,
- entlohnte – nichtentlohnte,
- vollbeschäftigte – teilbeschäftigte,
- regelmäßig – unregelmäßig beschäftigte Arbeitskräfte.

Mit über 95% stellen die familieneigenen (Familienarbeitskräfte) den überwiegenden Teil des landwirtschaftlichen Arbeitskräftepotentials. Den starken Rückgang des Arbeitskräftebestandes der Landwirtschaft in der Nachkriegszeit macht folgende Übersicht deutlich.   **H. Se.**

Arbeitskräfte in der Landwirtschaft der Bundesrepublik Deutschland (in 1 000 Personen)

	1950	1960	1970	1980	1984
Familien-AK	5 560,0	4 269,0	2 821,0	2 125,7	1 971,5
Fremd-AK	1 216,0	327,0	138,3	97,0	95,6
Landw.-AK	6 776,0	4 596,0	2 959,3	2 222,7	2 067,1

landwirtschaftliche Aufbauorganisation

Bereich der → landwirtschaftlichen Unternehmungs-(Betriebs-)organisation.

(1) Die *vertikale* Aufbauorganisation zeigt die verschiedenen Vermögensgruppen (Vermögensstruktur). Nachfolgende Übersicht gibt die gebräuchlichsten Einteilungen wieder; allerdings fehlt eine gewisse Einheitlichkeit. So enthält z.B. das Anlagevermögen teilweise das Nutzvieh (mehrperiodisches Vieh), während im → Agrarbericht das Viehvermögen (Nutzvieh und Mastvieh = mehrperiodisches und einperiodisches Vieh) neben dem Anlage- und Umlaufvermögen gesondert ausgewiesen ist.

Vermögensarten	Vermögensgruppen				
Boden	Anlagevermögen	Besatzvermögen		Anlagevermögen	unbewegliches Vermögen
Bodenverbesserungen			BV		
Dauerkulturen			BV		
Gebäude bauliche Anlagen			Gebrauchsvermögen stehendes Vermögen		
Maschinen, Geräte					
Nutzvieh				Viehverm.	bewegliches Vermögen
Mastvieh	Umlaufverm.		Verbrauchsvermögen	Umlaufverm.	
Feldvorräte					
Hofvorräte					
Geld					

BV = Bodenvermögen

(2) *Horizontale* Aufbauorganisation heißt Strukturierung einer → Landwirtschaftsunternehmung nach Betriebszweigen (Produktionsrichtungen). Gerade in dieser Hinsicht bietet die praktische Landwirtschaft unter dem Einfluß der integrierenden und differenzierenden Kräftegruppen ein äußerst heterogenes Bild. Unter mitteleuropäischen Verhältnissen können als die wichtigsten Betriebszweige in der Landwirtschaft angesprochen werden:
(a) Bodennutzung (→landwirtschaftliche Betriebsfläche, →landwirtschaftliche Bodennutzungssysteme),
(b) Viehhaltung (→landwirtschaftliche Viehhaltungssysteme)
- Rindvieh; Milchvieh (Abmelk-, Durchhalte-, Ergänzungs- und Zuchtbetriebe), Mastvieh (Kälber-, Bullen-, Färsenmast),
- Schweine (Zucht-, Mastbetriebe),
- Geflügel (Legehennen, Mastgeflügel).

Innerhalb der einzelnen Betriebszweige bzw. Produktionsrichtungen lassen sich noch verschiedene Produktionsprozesse bzw. technische Verfahren erkennen, die ebenfalls für die Aufbauorganisation wichtig sind.

Unter dynamischen Aspekten ist die Betriebsvereinfachung (Spezialisierung) von besonderer Bedeutung. Hierunter wird eine Vereinfachung der heute z.T. noch komplexen Organisation einer Landwirtschaftsunternehmung verstanden. Dabei gibt es grundsätzlich zwei Möglichkeiten:

Horizontale Betriebsvereinfachung heißt Verringerung der Anzahl der Betriebszweige, der Produktionsprozesse und damit auch der Produkte.

Vertikale Betriebsvereinfachung bedeutet Ausgliederung von Funktionen, vor allem im Beschaffungs- und Absatzbereich, d.h. Verkürzung der Produktionsketten. Beide Formen stellen keine Alternative, sondern eine sinnvolle Ergänzung dar.   *H. Se.*

landwirtschaftliche Betriebsfläche

selbstbewirtschaftete Fläche (Eigentumsfläche + zugepachtete Fläche − verpachtete Fläche); vgl. Abb.

Bedeutsam ist die Zusammenfassung von Teilflächen zur Kulturfläche, landwirtschaftlichen Nutzfläche, landwirtschaftlich genutzten Fläche und Dauergrünlandfläche.

Die Gesamtfutterfläche wird unterteilt in:
- Hauptfutterfläche (Dauergrünland − ohne Streuwiesen − und Ackerfutter),
- Zusatzfutterfläche (Marktfrüchte, die als Nebenleistung Futter, z.B. Zuckerrüben, Grassamen und Futterzwischenfrüchte liefern).

Von dem Gesamtareal der Bundesrepublik (24,7 Mio. ha) entfallen 12,2 Mio. ha (49,4%) auf landwirtschaftlich genutzte Flächen; dabei ist jedoch ein jährlicher Rückgang von durchschnittlich 1,4% zu beobachten.
                                        H. Se.

landwirtschaftliche Betriebslehre

Lehre von der ökonomischen Bewirtschaftung der →Landwirtschaftsunternehmung (→Landwirtschaftsbetrieb); sie ist primär mi-

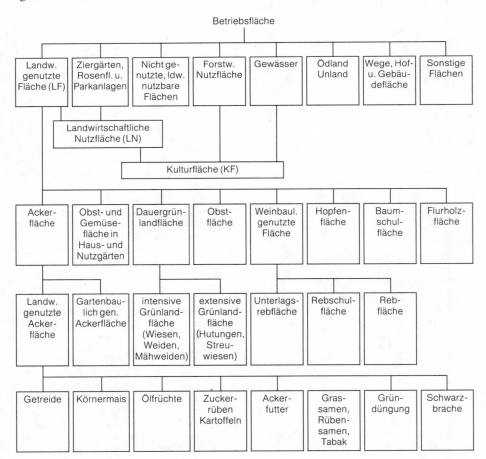

kroökonomisch orientiert. Erkenntnisobjekte sind somit die Aufbau- und Ablaufprozesse in der Landwirtschaftsunternehmung unter ökonomischen Gesichtspunkten im Gegensatz zu dem biologischen und technischen Geschehen, dessen Kenntnis jedoch Voraussetzung für die Bewältigung der ökonomischen Aufgaben ist. Die landwirtschaftliche Betriebslehre hat Mittel und Wege zur optimalen Erreichung der einzelwirtschaftlichen Ziele des → Landwirts aufzuzeigen.

„Die Landwirtschaft ist ein Gewerbe, welches zum Zweck hat, durch Production (zuweilen auch durch fernere Bearbeitung) vegetabilischer und thierischer Substanz Gewinn zu erzeugen oder Geld zu verdienen" (A. Thaer, 1821). Neu formuliert heißt das privatwirtschaftliche Ziel der landwirtschaftlichen Tätigkeit: Einkommenserzielung für alle in der Landwirtschaftsunternehmung Tätigen mittels Bodennutzung und Viehhaltung. Die rein ökonomische Zielsetzung muß jedoch als „Nahziel" verstanden werden; denn gerade für den Landwirt bestehen noch andere Ziele, wie Lebensqualität, Selbständigkeit und Naturverbundenheit. Generell sind ökonomische Ziele Vorziel für metaökonomische bzw. wirtschaftstranszendente Ziele. Auch heute noch besteht das volkswirtschaftliche Ziel der landwirtschaftlichen Tätigkeit in der Versorgung der Bevölkerung mit Nahrungsmitteln (Landwirtschaftsgesetz 1955).

Als Begründer einer wissenschaftlichen landwirtschaftlichen Betriebslehre werden Johann Heinrich von Thünen und A. Thaer (Anfang des 19. Jh.) angesehen. Bedeutsame Impulse erhielt sie Anfang dieses Jahrhunderts durch F. Aereboe, Th. Brinkmann und F. Waterstradt. Traditionsgemäß ist sie in den Studiengängen der Agrarwissenschaften und nicht in denen der Wirtschaftswissenschaften angesiedelt. Sie bildet zusammen mit der → Agrarpolitik und der landwirtschaftlichen Marktlehre (→ Agrarmarktordnung), die vorwiegend makroökonomisch ausgerichtet sind, das Gesamtgebiet der Agrarökonomie. Vom Lehrstoff her wird die landwirtschaftliche Betriebslehre in eine allgemeine (theoretische) und in eine angewandte landwirtschaftliche Betriebslehre eingeteilt. In den agrarökonomischen Studiengängen wird der Inhalt der landwirtschaftlichen Betriebslehre heute regelmäßig in dem Pflichtfach „Landwirtschaftliche Betriebslehre" und dem Pflichtwahlfach „Unternehmungsführung" erfaßt.   H. Se.

Literatur: Brandes, W./Woermann, E., Landwirtschaftliche Betriebslehre, Bd. 1, 2. Aufl., Hamburg, Berlin 1982, Bd. 2., Hamburg, Berlin 1971. Seuster, H., Landwirtschaftliche Betriebslehre, Stuttgart 1966.

landwirtschaftliche Betriebsplanung

befaßt sich mit der systematischen Antizipation des zukünftigen Betriebsgeschehens und dessen Ausrichtung auf das Betriebsziel durch Erfassung aller relevanten Möglichkeiten und Auswahl des Optimalplanes. Aufgrund der komplexen Struktur eines Landwirtschaftsbetriebes als mehrstufige Verbundwirtschaft haben bei der Programmplanung (Rahmenplanung, strategische Planung) die Simultanverfahren größte Bedeutung. Als man noch nicht überall auf EDV-Anlagen zurückgreifen konnte, wurden die auch jetzt noch bei kleineren Problemen einsetzbaren vereinfachten Programmplanungsmethoden verwendet.

Seit nunmehr über 25 Jahren gewinnen aber die auf EDV-Anlagen angewiesenen Programmplanungsmethoden ständig an Bedeutung, insb. Linearplanung mit ihren verschiedenen Varianten (parametrische, → ganzzahlige, stochastische, → dynamische Optimierung). Darüber hinaus werden aber auch nichtlineare Verfahren (z.B. quadratische Programmierung, Gradientenmethode) eingesetzt. Neben den deterministischen Verfahren gelangen mittlerweile die auf heuristischer Grundlage arbeitenden Simulationsverfahren verstärkt zum Einsatz.

Die Organisationsplanung (Voranschlag, Betriebs- und Wirtschaftspläne) geht von einem gegebenen Rahmenplan aus und bestimmt die näheren Einzelheiten (Durchführungsplanung, operative Planung). Entsprechend den verschiedenen Teilrechnungen der Buchhaltung ergeben sich diverse Organisationspläne: Anlagenplan, Anbau- und Ertragsplan, Fruchtfolgeplan, Düngerplan, Futterplan, Arbeitsplan, Finanzplan, Erfolgsplan). Diese Teilpläne werden noch größtenteils manuell, zum geringeren Teil über EDV erstellt.   H. Se.

landwirtschaftliche Betriebssysteme

Die ursprüngliche Absicht, landwirtschaftliche Betriebssysteme aus Bodennutzungs- und Viehhaltungssystemen zu entwickeln, hatte keinen Erfolg. Mittlerweile hat sich dagegen eine Gliederung auf der Basis des → Standard-Deckungsbeitrages durchgesetzt. Der → Agrarbericht kennt folgende Betriebssysteme (Betriebsformen) für den Bereich Landwirtschaft (vgl. Abb. auf S. 18).

Die vorstehenden Betriebssysteme sind noch untergliedert in Betriebstypen. Neben dem Bereich Landwirtschaft gibt es noch Betriebssysteme für die Bereiche Gartenbau,

Betriebs-system	Anteil am Standard-Deckungsbeitrag
Marktfrucht-baubetriebe	Marktfrucht 50% und mehr (Getreide, Kartoffeln, Zucker-rüben usw.)
Futterbau-betriebe	Futterbau 50% und mehr (Milchkühe, Mastrinder, Schafe usw.)
Veredlungs-betriebe	Veredlung 50% und mehr (Mastschweine, Zuchtsauen, Legehennen usw.)
Dauerkultur-betriebe	Dauerkulturen 50% und mehr (Obst, Wein, Hopfen usw.)
Gemischt-betriebe	Marktfrucht, Futterbau, Veredlung und Dauerkulturen jeweils weniger als 50%

Forstwirtschaft und Kombinationsbetriebe (Landwirtschaft-Gartenbau, Landwirtschaft-Forstwirtschaft, Gartenbau-Forstwirtschaft).

H. Se.

landwirtschaftliche Bewertungsmethoden

Sowohl im → landwirtschaftlichen Rechnungswesen selbst als auch von Seiten des Gesetzgebers (z.B. Steuergesetze) gibt es für die Bewertung des landwirtschaftlichen Vermögens einige methodische Besonderheiten. Grundsätzlich muß jedes Wirtschaftsgut bei der Bilanzaufstellung einzeln erfaßt und bewertet werden. Nur ausnahmsweise sind → Gruppenbewertung und → Festbewertung zulässig.

Gruppenbewertung ist zulässig bei Zusammenfassung annähernd gleichwertiger Wirtschaftsgüter, für die ein Durchschnittswert bekannt ist.

Durchschnittsbewertung ist eine besondere Form der Gruppenbewertung (z.B. Viehbestände nach den Durchschnittssätzen der Finanzbehörden).

Bei der Bewertung nach dem Durchschnittsverfahren (z.B. bei nicht markierten Ferkeln oder lose geschütteten Vorräten, deren Herstellungs- oder Anschaffungskosten nicht ermittelbar sind) wird aus dem Jahresanfangsbestand und den Zugängen ein gewogener Durchschnittspreis errechnet, mit dem der Endbestand und die Abgänge bewertet werden.

Festwert: Beim Anlagevermögen ist ein unveränderter Wertansatz für mehrere Jahre zulässig, wenn der Bestand an Anlagegütern laufend entsprechend dem Güterverzehr ergänzt werden muß. Beim Umlaufvermögen ist ein Festwert nur für Hilfs- und Betriebsstoffe zulässig, deren Menge und Preis lediglich geringfügig schwanken.

Beim retrograden Wert erfolgt die Schät-zung der Herstellungskosten aus dem Marktpreis am Bewertungsstichtag abzüglich Gewinnspanne; er ist zulässig bei → Kuppelproduktion.

H. Se.

Literatur: Betriebswirtschaftliche Begriffe für die landwirtschaftliche Buchführung und Beratung, Heft 14 der Schriftenreihe des Hauptverbandes der landwirtschaftlichen Buchstellen und Sachverständigen, 6. Aufl., Bonn 1981.

landwirtschaftliche Bodennutzungssysteme

Die Entwicklung der Bodennutzungssysteme begann mit der sog. Wägezahlmethode, bei der der Flächenumfang der Früchtegruppen Getreide, Hackfrucht und Grünland mit Werten, die das jeweilige „betriebswirtschaftliche Gewicht" ausdrücken sollten, multipliziert wurde (*Busch*, 1936, *Rolfes*, 1948). Inzwischen hat sich jedoch die sog. Prozentzahlmethode durchgesetzt, bei der die Prozentanteile der drei Früchtegruppen ermittelt werden. Dabei gelten folgende Abgrenzungskriterien (vgl. Tab. auf S. 19).

Bodennutzungssysteme sind somit von der Aufwandsseite her determiniert.

H. Se.

landwirtschaftliche Einkommensdisparität

Einkommensunterschiede zwischen Faktoreinkommen in und außerhalb der Landwirtschaft (intersektorale Disparität) oder innerhalb der Landwirtschaft (intrasektorale Disparität). Eine disparitätische Einkommensentwicklung kennzeichnet unterschiedliche Änderungsraten der zu vergleichenden Einkommensgrößen.

Nach dem Landwirtschaftsgesetz von 1955 hat die Bundesregierung alljährlich einen Bericht über die Lage der Landwirtschaft vorzulegen und mit Hilfe einer Ertrags-Aufwandsrechnung auszuweisen, inwieweit in der Landwirtschaft ein den Löhnen vergleichbarer Berufs- und Tarifgruppen entsprechender Lohn für die fremden und familieneigenen Arbeitskräfte – umgerechnet auf notwendige Vollarbeitskräfte –, ein angemessenes Entgelt für die Tätigkeit des Betriebsleiters und eine angemessene Verzinsung des betriebsnotwendigen Kapitals erzielt wurden.

Die Aussagefähigkeit dieser Berechnungen ist strittig.

(1) Auskunft über die soziale Lage der Landwirte kann man dadurch nicht erhalten, da nicht das persönlich verfügbare Einkommen von Landwirten und Nichtlandwirten verglichen wird. Stattdessen vergleicht man den Vergleichsgewinn mit der Summe der Vergleichsansätze. Der Vergleichsgewinn entspricht dem im landwirtschaftlichen Unter-

Abgrenzungskriterien der Prozentzahlmethode

Bodennutzungssystem	Kurz-bezeichnung	Anbau in % der landw. Nutzfläche		
		Hackfrucht	Getreide	Futterbau
Hackfruchtbaugruppe				
Zuckerrübenbaubetriebe	H(Z)[1]	25 u. mehr		
Kartoffelbaubetriebe	H(K)[1]	25 u. mehr		
Hackfruchtbaubetriebe	H	25 u. mehr		
Hackfrucht-Getreidebaubetriebe mit stärkerem Hackfruchtbau	HG I	20 - u. 25	25 - u. 80	0 - u. 50
Hackfrucht-Getreidebaubetriebe mit schwächerem Hackfrucht-bau	HG II	15 - u. 20	30 - u. 85	0 - u. 50
Hackfrucht-Futterbaubetriebe	HF	15 - u. 25	0 - u. 35	50 - u. 85
Getreidebaugruppe				
Getreidebaubetriebe	G	0 - u. 15	60 - 100	0 - u. 40
Getreide-Hackfruchtbaubetriebe	GH	10 - u. 15	30 - u. 60	25 - u. 60
Getreide-Futterbaubetriebe	GF	0 - u. 10	30 - u. 60	30 - o. 70
Futterbaugruppe				
Futterbaubetriebe I	F I	0 - u. 15	0 - u. 30	55 - u. 80
Futterbaubetriebe II	F II	0 - u. 15	0 - u. 20	80 u. mehr
Sonderkulturengruppe Sonderkulturbetriebe	S	10 u. mehr Sonderkulturen		

[1] Zuckerrübenfläche bzw. Kartoffelfläche über 50% der Hackfruchtfläche, mindestens aber 15% der landwirtschaftl. Nutzfläche

nehmen erzielten Gewinn, der um eine besondere Bewertung des Eigenverbrauchs an landwirtschaftlichen Erzeugnissen korrigiert wird. Die Summe der Vergleichsansätze ergibt sich aus einer nach vorgegebenen Ansätzen vorgeschriebenen Bewertung des Arbeitseinsatzes im Unternehmen, dem Betriebsleiterzuschlag und der Verzinsung des Eigenkapitals. Es ist sehr wohl möglich, daß durch diese Berechnung für einen Landwirt eine Disparität ermittelt wird, obwohl sein persönliches Einkommen über dem vergleichbarer Bevölkerungsgruppen liegt. Zum einen werden außerhalb der Landwirtschaft erzielte Einkommen nicht bei der Berechnung des Vergleichsgewinnes berücksichtigt. Ein anderer Grund könnte sein, daß der Landwirt ein überdurchschnittlich hohes Vermögen (Eigenkapital) in der Landwirtschaft einsetzt.
(2) Durchschnittswerte besagen wenig, wenn die Streuung der Einzelwerte sehr groß ist; dies ist z.B. bezüglich des Gewinns je Familienarbeitskraft nach Betriebsform, Betriebsgröße und Region festzustellen. Innerhalb der Landwirtschaft gibt es größere Einkommensunterschiede als in anderen Sektoren.
(3) Es ist fragwürdig, die Einkommen von Selbständigen mit denen von Unselbständigen zu vergleichen. Die individuelle Bewertung eines Arbeitsplatzes wird nicht nur von der Höhe des Einkommens (Lohnwert), sondern auch von der Sicherheit des Arbeitsplatzes, der Zufriedenheit bei der Berufsausübung

(Berufswert), dem Wohnwert und dem Sozialprestige etc. bestimmt.
(4) Es ist wenig sinnvoll, im Agrarbericht Bruttoeinkommen zu vergleichen, wenn die Abgabenbelastung durch Steuern und Versicherungsbeiträgen bei den Landwirten unterhalb der durchschnittlichen Belastung der Nicht-Landwirte liegt.

Die Ursachen der Einkommensdisparität sind mannigfaltig. Sicherlich differiert die Möglichkeit einzelner, Einkommen zu erzielen, wegen unterschiedlicher Kapitalausstattung und unterschiedlichen Fähigkeiten. Doch wird es bei vollkommener Mobilität der Faktoren in einem marktwirtschaftlichen System keine Unterschiede in der Entlohnung für vergleichbare Tätigkeiten geben. Wenn die Faktorentlohnung in einem Sektor niedriger ist als in anderen Sektoren, kann sich dieses Ergebnis unter Marktbedingungen nur einstellen, weil der Sektor insgesamt zu viele Faktoren beschäftigt. Da im Agrarsektor neben Arbeit und Kapital der spezifische Produktionsfaktor Boden eingesetzt wird, für den es kaum eine alternative Verwendung gibt, müßten vor allem weniger Arbeit und weniger Kapital eingesetzt werden.

Die Abwanderung von Arbeitskräften hängt aber in einer von bäuerlichen Familienbetrieben geprägten Landwirtschaft von der Bereitschaft der Betriebsleiter ab, eine Beschäftigung in einem anderen Sektor aufzunehmen. Einkommensdisparitäten sind lediglich ein Ausdruck dafür, daß offensichtlich Landwirte mit einem relativ niedrigen Einkommen nicht abwanderungsbereit sind. Entweder kann außerhalb der Landwirtschaft aufgrund einer geringen Qualifikation ein höheres Einkommen nicht erzielt werden oder es wird ein geringeres Einkommen in Kauf genommen, weil nicht-monetäre Werte der Berufsausübung für eine Tätigkeit in der Landwirtschaft sprechen.

Diese marktwirtschaftliche Diagnose der Einkommensdisparität impliziert nicht, daß staatliche Eingriffe zur Minderung der Einkommensdisparität nicht sinnvoll sein können. Wenn für einzelne Landwirte das Einkommen höher ist als bei einer Tätigkeit außerhalb der Landwirtschaft, so kann es dennoch so niedrig sein, daß eine staatliche Hilfe aufgrund sozialer Erwägungen notwendig ist. Andererseits können Maßnahmen zur Erhöhung der Abwanderung zu einer Effizienzsteigerung in der Agrarproduktion beitragen und damit aus gesamtwirtschaftlicher Sicht erwünscht sein. *U. K.*

Literatur: *Koester, U.,* Grundzüge der landwirtschaftlichen Marktlehre, München 1981.

landwirtschaftliche Genossenschaften

basieren auf der Anwendung des Organisationsprinzips der solidarischen Selbsthilfe. Im Mittelalter organisierten Marktgenossenschaften die Bodennutzung öffentlichen Geländes (→ Allmende); ein anderes Beispiel ist der gemeinsame Kampf in Deichgenossenschaften gegen Naturgewalten. Im Zuge der → Industrialisierung ergaben sich für die einzelnen Landwirte Probleme aus der Eingliederung in eine arbeitsteilige Geldwirtschaft und aus der Einführung des technischen Fortschritts in der Landwirtschaft. Teuerungen in den 40er, Preiskrisen in den 80er Jahren des 19. Jh. verschärften die Verschuldung landwirtschaftlicher Betriebe. Im Hungerjahr 1847 gründete *Friedrich Wilhelm Raiffeisen* im Westerwald den „Flammersfelder Hilfsverein zur Unterstützung unbemittelter Landwirte". Die Keimzelle der heutigen Genossenschaften wies bereits wesentliche Merkmale auf: ehrenamtliche Leitung, Solidarhaft der Mitglieder, Kredit- und Warengeschäfte mit Vorrang der ersteren.

Ideengeschichtlich stehen hinter dem Begriff „Genossenschaft" Vorstellungen von Herrschaftsfreiheit, Wirtschaftsdemokratie und sozialem Fortschritt. Tatsächlich sind die Genossenschaften im Laufe der Zeit zu einflußreichen Wirtschaftsunternehmen geworden, deren Geschäftspolitik praktisch recht autonom vom Vorstand und/oder Geschäftsführer bestimmt wird. Sie produzieren vornehmlich Dienstleistungen im vor- bzw. nachgelagerten Bereich der Landwirtschaft. Absatzgenossenschaften sind dabei vom allgemeinen Verbotsprinzip des Kartellgesetzes ausgenommen.

Eigentliche Produktionsgenossenschaften auf freiwilliger Basis (z. B. Kibbuze in Israel) gibt es in der Bundesrepublik kaum, es sei denn als → Maschinenringe. Dagegen ist in der DDR die Landwirtschaft weitgehend in landwirtschaftlichen Produktionsgenossenschaften (LPG) staatlich organisiert.

Die Rechtsgrundlage des Genossenschaftswesens in der Bundesrepublik bildet das Genossenschaftsgesetz von 1899. Insbesondere ermöglicht es dieses, → Genossenschaften aus Genossenschaften zu bilden. Als Folge entwickelte sich ein heute noch wirksamer mehrstufiger, in zwei ineinander verzahnten Säulen gegliederter Aufbau des Genossenschaftswesens: Geschäftsunternehmungen (Einzel- und Zentralgenossenschaften) und Verbände (insb. zur Revision) auf regionaler und nationaler Ebene. Gegenwärtig sind 60 Zentralgenossenschaften und 12 Landesverbände im → Deutschen Genossenschafts- und Raiffeisenverband e. V. (DGRV) zusammengeschlossen.

Während die Anzahl der Primärgenossenschaften aufgrund von Fusionen bzw. Rationalisierung rückläufig ist, sind Mitgliederzahlen und Umsätze stark gestiegen. Daher wird den Genossenschaften häufig eine gewisse Marktmacht im Wettbewerb mit privaten Landhandelsunternehmen und sogar gegenüber den eigenen Mitgliedern unterstellt. Diese Hypothese ist aufgrund der methodischen und empirischen Schwierigkeiten der Messung von Marktmacht kaum eindeutig zu bestätigen. Es läßt sich lediglich ein steigender Anteil der Genossenschaften an den Landhandelsumsätzen feststellen. Auf der anderen Seite ist jedoch auch die Konzentration der Handelspartner (Vorleistungs- und Ernährungsindustrie) gewachsen. *H. Te.*

Literatur: *Faust, H.,* Geschichte der Genossenschaftsbewegung, Frankfurt a. M. 1977. *Grosskopf, W.,* Tendenzen, Ursachen und Wirkungen der Konzentration im Ernährungssektor, Münster-Hiltrup 1979. *Planck, U./Ziche, J.,* Land- und Agrarsoziologie, Stuttgart 1979.

landwirtschaftliche Institutionen

In den Agrarsektor hineinwirkende Institutionen sind vornehmlich Organisationen der Legislative (z. B. Agrarausschuß des Bundestages) und Exekutive (→ Agrarverwaltung).

Aus dem Agrarsektor heraus wirken die Berufsvertretungen (→ Bauernvereinigungen) und erwerbswirtschaftlichen Organisationen (z. B. Genossenschaftswesen; → Centrale Marketinggesellschaft der deutschen Agrarwirtschaft).
Überwiegend im Agrarsektor wirksam sind betriebswirtschaftlich ausgerichtete Organisationen (→ Maschinenringe, Erzeugerringe, Zuchtverbände, Gewerkschaft Gartenbau, Land- und Forstwirtschaft) sowie soziologisch bestimmte Verbände (Deutscher Landfrauenverband, konfessionelle Landjugendverbände). *H. Te.*

Literatur: *Behr's Verlag* (Hrsg.), 85 Behörden und Organisationen der Land-, Forst- und Ernährungswirtschaft, Hamburg 1983.

landwirtschaftliche Kostenrechnung

Die Kosten- bzw. Betriebsabrechnung steht an der Grenze zwischen der Ist-Rechnung der Buchhaltung und der Soll-Rechnung der Planungsrechnung. Sie analysiert und kontrolliert den Kausalzusammenhang der Produktionsprozesse (→ landwirtschaftliche Produktionstheorie).
Die *Betriebsaufbauanalyse* ergibt zunächst die „natürlichen" Kostenartengruppen (primäre Kostenarten): Arbeitskosten, Materialkosten, Kapitalkosten, Fremdleistungskosten, Kosten der Gesellschaft sowie ihre weiteren Unterteilungen. Kalkulation und Betriebsplanung erfordern jedoch oftmals eine Gliederung nach „zusammengesetzen" Kostenartengruppen (sekundäre Kostenarten): z. B. Zugkraft-, Maschinen-, Gebäude-, Anlagen-, Arbeitserledigungskosten.
Die kostenmäßige *Betriebsablaufanalyse* führt zu Kostenstellen (Hilfs-, Neben-, Hauptkostenstellen) und Kostenträgern (Produkte).
Je nach Umfang der Kostenrechnung wird unterschieden zwischen:
● Vollkostenrechnung mit und ohne innerbetrieblichem Leistungsausgleich,
● Teilkostenrechnung als Einzelkosten- oder Direktkostenrechnung.
Zur Ermittlung der Optimalorganisation ist die Direktkostenrechnung (Deckungsbeitrags-, Blockkosten-, Grenzkostenrechnung) die Methode schlechthin; allerdings gewinnt neuerdings die Vollkostenrechnung wieder an Bedeutung. *H. Se.*

landwirtschaftliche Krankenversicherung

Pflichtversicherung für Personen der landwirtschaftlichen Bevölkerung, die nicht anderweitig pflichtversichert sind. Der Personenkreis umfaßt landwirtschaftliche Unternehmer, mitarbeitende Familienangehörige und Altenteiler. Das Krankenversicherungssystem beruht auf dem Solidarprinzip mit einheitlichen Leistungen für alle Versicherten und nach der wirtschaftlichen Leistungsfähigkeit gestaffelten Beiträgen. Die Kriterien für die Beitragszahlung werden von den Selbstversorgungsorganen der landwirtschaftlichen Krankenversicherung in Eigenregie festgelegt. Diese sind nur mittelbar einkommensbezogen. Die staatlichen Zuschüsse zur landwirtschaftlichen Krankenkasse betrugen Ende der 70er Jahre ungefähr 40% der Leistungsausgaben, die vollkommen auf Leistungen für Altenteiler entfielen. Auch dieser Zuschuß übersteigt das durch den Strukturwandel bedingte Einnahmendefizit.
Der Leistungskatalog der landwirtschaftlichen Krankenversicherung entspricht in weiten Teilen dem der → gesetzlichen Krankenversicherungen. Selbständige Landwirte erwerben aber keinen Anspruch auf Lohnfortzahlung bzw. Krankengeldzahlung. Stattdessen wird den landwirtschaftlichen Unternehmern im Krankheitsfalle ein Betriebshelfer zur Weiterbewirtschaftung ihres Betriebes gestellt. Mitarbeitenden Familienangehörigen steht dagegen ein Krankengeld zu, dessen Bemessung jedoch z. T. von dem der gesetzlichen Krankenversicherung abweicht. *S. Jü.*

landwirtschaftliche Produktionsfaktoren

werden eingeteilt in:
(1) Güter (Boden und → landwirtschaftliches Besatzvermögen).
Der Boden ist in der Landwirtschaft nicht nur Produktionsstandort sondern aufgrund seiner „pflanzenhervorbringenden Kraft" (Bodenfruchtbarkeit) auch ein eigenständiger Produktionsfaktor. Betriebswirtschaftlich zählen zu den Eigenschaften des Bodens: Unvermehrbarkeit, Unbeweglichkeit und Unzerstörbarkeit.
(2) Dienste (Arbeit, Dienstleistungen);
(3) Rechte, Ansprüche gegenüber Dritten auf bestimmte Leistungen oder Leistungsmöglichkeiten sind z. B. Beteiligungen, Brennrechte, Lizenzen, Lieferrechte, Abnahmerechte, Kontingente, Überfahrrechte, Weiderechte, Nutzungsrechte. *H. Se.*

landwirtschaftliche Produktionsgenossenschaften → landwirtschaftliche Genossenschaften

landwirtschaftliche Produktionstheorie

basiert auf der neoklassischen Wirtschaftstheorie. Wegbereiter in der deutschen

Agrarökonomie waren *F. Aereboe* (1917), *Th. Brinkmann* (1922), später *E. Woermann* (1955) und *Weinschenck* (1964). Infolge der Naturabhängigkeit gilt für die Landwirtschaft das → Ertragsgesetz. Dieses im naturwissenschaftlichen Bereich entwickelte Gesetz konnte aufgrund der Stellung des Landwirts als Mengenanpasser direkt auf ökonomische Fragen übertragen werden.

Das ökonomische Geschehen in der Landwirtschaft läßt sich auf drei Fundamentalbeziehungen zurückführen: Faktor-Produkt-Beziehung, Faktor-Faktor-Beziehung, Produkt-Produkt-Beziehung. Im gesamtbetrieblichen Optimum müssen alle drei Teiloptima erreicht sein.

Typisch für die landwirtschaftliche Produktion sind die → Kuppelproduktion und die → verbundene Produktion.

Indessen gelten die theoretischen Überlegungen nur bei freier Teilbarkeit und freier Austauschbarkeit sowie sicheren Daten. In der Praxis sind diese Voraussetzungen aber nicht immer gegeben. Einschränkend wirken deshalb:
(1) Produktionsmitteleinsatz in ganzen Einheiten (z.B. Maschinen),
(2) Faktorlimitation (z.B. Fläche),
(3) hohes Erzeugungsrisiko (Mengen-, Qualitätsschwankungen),
(4) Ertragsermittlung über Schätzungen (z.B. Futterbau),
(5) geringe Haltbarkeit vieler Produkte (z.B. Milch, Obst, Gemüse),
(6) marktwirtschaftliche Besonderheiten (Mengenanpasser, gesetzliche Vorschriften, geringe Nachfrageelastizität).   *H. Se.*

Landwirtschaftliche Rentenbank

im deutschen → Bankensystem eines der → Kreditinstitute mit Sonderaufgaben; sie wurde 1949 als Anstalt des öffentlichen Rechts gegründet. Die Bank ist das Spitzeninstitut für den Agrarkredit. Indirekt (über → Universalbanken) vergibt sie Kredite an Betriebe der Land-, Ernährungs-, Forstwirtschaft und Fischerei. Die Mittel für kurzfristige Kredite beschafft sie sich von anderen Banken, die Mittel für langfristige Kredite durch Ausgabe von Schuldverschreibungen und Aufnahme von Darlehen.

landwirtschaftliche Unfallversicherung

Zu Beginn waren nur Arbeitnehmer bei den landwirtschaftlichen Berufsgenossenschaften einbezogen; 1939 wurde der gesetzliche Versicherungsschutz auf landwirtschaftliche Unternehmer und Familienangehörige ausge-

dehnt (→ Agrarsozialpolitik). Ziele der → Unfallversicherung sind die Vermeidung von Arbeitsunfällen, die Wiederherstellung der Erwerbsfähigkeit nach einem Arbeitsunfall und der Ausgleich einer verminderten Erwerbsfähigkeit durch eine Rentengewährung. Als Besonderheit des Leistungsangebots im Vergleich zur gewerblichen Unfallversicherung existiert die Bereitstellung von Betriebshelfern. Ansonsten sind die enthaltenen Leistungen nahezu identisch. Eine Leistungsgewährung setzt eine ursächliche Verbundenheit des Unfalles mit der landwirtschaftlichen Tätigkeit voraus. Unter den Versicherungsschutz fällt im Gegensatz zum gewerblichen Bereich auch der dem Unternehmen dienende Haushaltsbereich. Ebenfalls gilt für die landwirtschaftliche Unfallversicherung das Solidarprinzip. Dabei decken die Eigenleistungen jedoch nur ungefähr 50% der Leistungsausgaben, während der restliche Betrag seitens des Staates getragen wird.

landwirtschaftliche Unternehmungsorganisation

Die Organisationsvielfalt der realen Landwirtschaftsunternehmungen (-betriebe) resultiert aus den unterschiedlichen Betriebsgrößen (→ Standard-Betriebseinkommen) und den verschiedenen Betriebsrichtungen (→ landwirtschaftliche Betriebssysteme). Maßgebend für die jeweilige Organisation ist das Wirkungsverhältnis zweier antagonistischer Kräftegruppen. Die Kräfte der Integrierung haben das Ziel, durch vielseitige Ausnutzung der Produktionsmittel Kosten zu sparen (Arbeitsausgleich, Arbeitshilfsmittelausgleich, Düngerausgleich, Futterausgleich, Fruchtfolgerücksichten, Risikoausgleich). Die hierdurch hervorgerufene → verbundene Produktion verursacht eine vielseitige Betriebsorganisation. Demgegenüber wirken die Kräfte der Differenzierung in Richtung Spezialisierung und Betriebsvereinfachung (Verkehrslage, natürliche Produktionsbedingungen, Betriebsleiterpersönlichkeit).

Jede im Optimum befindliche Betriebsorganisation muß als standortbedingter Ausgleich der Wirkungen der beiden gegenläufigen Kräftegruppen angesehen werden. Unter dynamischen Aspekten (technischer Fortschritt, Preis-Kosten-Relationen) gewinnen die Kräfte der Differenzierung an Einfluß, die Organisationsformen entwickeln sich somit in Richtung Spezialisierung bzw. Betriebsvereinfachung.

Im Durchschnitt ist jede Landwirtschaftsunternehmung an etwa vier Gemeinschaften (Genossenschaften, Gemeinschaften) betei-

ligt. Somit dominiert heute die Organisationsstruktur der „integrierten Landwirtschaftsunternehmung" (starke Aufgabenerledigung
über Gemeinschaften im Gegensatz zur „isolierten Landwirtschaftsunternehmung", die
alle Aufgaben allein erledigt und deshalb vor
allem am Markt eine ausgesprochen schwache Stellung hat).

Ebenso wie in anderen Unternehmungen
wird auch in der Landwirtschaftsunternehmung zwischen Aufbau- und Ablauforganisation unterschieden.   *H. Se.*

landwirtschaftliche Viehhaltungssysteme

müssen sich festlegen bezüglich Art des Viehs,
Art der Haltung und Umfang der einzelnen
Vieharten. Indessen hat sich keiner der bisherigen Vorschläge für Viehhaltungssysteme im
Gegensatz zu den →landwirtschaftlichen Bo-
dennutzungssystemen durchsetzen können.
Meistens wird die Viehhaltung auf der Basis
von Großvieheinheiten (GV) charakterisiert:
1 GV = 500 kg Lebendgewicht; Abweichungen davon enthält der Vieheinheiten-Schlüssel
(VE) nach dem Bewertungsgesetz. Der Bestand an Rindern, Schafen, Ziegen und Pfer-
den wird auch in Rauhfutter verzehrenden
Großvieheinheiten (RGV) gemessen, der Bestand an Rindern zuweilen in Rindvieh-Groß-
vieheinheiten (RiGV) und der Bestand an
Schweinen in Schweine-Großvieheinheiten
(SGV).   *H. Se.*

*Großvieheinheiten (GV)-Schlüssel der Agrar-
statistik*

Viehart	GV
Pferde, schwer	1,2
Pferde, mittel	1,0
Pferde, leicht	0,8
Fohlen	0,7
Zugochsen	1,2
Zuchtbullen	1,2
Kühe	1,0
Jungvieh über 2 Jahre	1,0
Jungvieh 1–2 Jahre	0,7
Jungvieh unter 1 Jahr	0,3
Schlacht- und Mastvieh über 2 Jahre	1,0
Schafe über 1 Jahr	0,1
Schafe unter 1 Jahr	0,05
Zuchteber	0,3
Zuchtsauen	0,3
Mastschweine über 50 kg Lebendgewicht	0,16
Läufer 20–50 kg	0,06
Ferkel	0,02

landwirtschaftliches Besatzvermögen

wird eingeteilt in:
(1) Gebäude und bauliche Anlagen (Wirt-

schaftsgebäude, Werkswohnungen, von Dritten bewohnte Betriebsgebäude; Wege, Silos,
Hofbefestigungen, Kläranlagen),
(2) Bodenverbesserungen (Meliorationen),
(3) Dauerkulturen (wiederkehrende Leistungen: Obst, Reben, Hopfen),
(4) mehrjährige Kulturen (einmalige Endnut-
zung: z.B. Baumschulen, Stauden),
(5) Maschinen und Geräte,
(6) Vieh (Nutzvieh, Mastvieh),
(7) Feldinventar (alle heranwachsenden ein-
jährigen Pflanzenbestände bzw. die für ihre
Produktion getätigten Aufwendungen),
(8) Vorräte (Zukaufvorräte, Produktvorräte),
(9) Finanzvermögen (Forderungen, Bankgut-
haben, Barkasse).   *H. Se.*

landwirtschaftliches Rechnungswesen

weist infolge der Kennzeichnung der landwirtschaftlichen Produktionsprozesse als biologische Wachstumsvorgänge substantielle,
rechtliche, steuerliche, formale und organisatorische Besonderheiten auf.
(1) Die landwirtschaftliche *Buchführung* gliedert sich in Geld-, Natural- und Anlagenrechnung. Zur *Geldrechnung* gehören Bargeld-
und Abrechnungsverkehr (bargeldloser Verkehr). Die *Naturalrechnung* umfaßt: Vor-
räterechnung, Feldrechnung, Futterrech-
nung, Viehrechnung, Nebenbetriebsrech-
nung, Haushaltsrechnung, Arbeitsrechnung.
Bestandteile der *Anlagenrechnung* sind
Grundbuch (Inventarbuch), Hilfsbuch (Inven-
tarkladde) und Nebenbücher (Inventarver-
zeichnisse).

Allgemein wird das Wirtschaftsjahr in der
Landwirtschaft vom 1. 7. bis 30. 6., in ausgesprochenen Weidebetrieben vom 1. 5. bis
30. 4. angesetzt; allerdings verlangen die Steu-
erbehörden eine Abrechnung nach Kalender-
jahren.
(2) Die wichtigsten Erfolgsbegriffe des landwirtschaftlichen *Buchabschlusses* gehen aus
den Darstellungen auf S. 24 hervor (Agrarbericht 1984); dabei baut die Erfolgsrechnung
für den landwirtschaftlichen Betrieb auf der
Vorstellung (Fiktion) des pacht- und schul-
denfreien Betriebes auf.

Bei einigen Begriffen bzw. Begriffsinhalten
bestehen Unterschiede zwischen dem betriebswirtschaftlichen und dem steuerlichen Buch-
abschluß.
(3) In der landwirtschaftlichen *Betriebsstatistik* wird das Zahlenmaterial in drei Gruppen
erfaßt:
● Allgemeine Kenndaten (z.B. Größe, System, Einheitswert usw.),
● Beziehungsgrößen (z.B. ha landwirtschaft-

lich genutzte Fläche, Arbeitskrafteinheit, Arbeitskräftestunde, DM Vermögen usw.),
● Bezugsgrößen (z.B. Aufwand und Ertrag, Kosten und Leistung, Erfolgsgrößen).

Erfolgsbegriffe
(Landwirtschaftliches Rechnungswesen)

Erfolgsbegriffe im landwirtschaftlichen Unternehmen

Erfolgsbegriffe im landwirtschaftlichen Betrieb

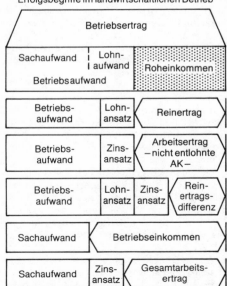

(4) Der landwirtschaftliche *Betriebsvergleich* befaßt sich vor allem mit dem Betriebsergebnis, der Betriebsorganisation, dem Faktoreinsatz und den Standortkräften. Der horizontale Betriebsvergleich (Strukturvergleich) stellt verschiedene Betriebe der gleichen Wirtschaftsperiode einander gegenüber, während der vertikale Betriebsvergleich (Entwicklungsvergleich) den gleichen Betrieb in verschiedenen Perioden untersucht. *H. Se.*

Literatur: *Meimberg, P.,* Landwirtschaftliches Rechnungswesen, Stuttgart 1966.

landwirtschaftliches Steuerwesen

Für den Landwirt sind gemeinhin folgende Steuern von Bedeutung: Einkommensteuer, Umsatzsteuer, Vermögensteuer, Erbschaft- und Schenkungsteuer, Grundsteuer, Grunderwerbsteuer. Davon ist die Einkommensteuer die weitaus wichtigste; für sie gibt es verschiedene Gewinnermittlungsmethoden:
(1) *Buchführung:* Nach § 141 AO sind Landwirte buchführungspflichtig, wenn der Umsatz mehr als 360000 DM/Jahr erreicht oder der Wirtschaftswert (Einheitswert) mehr als 40000 DM beträgt oder der Gewinn 36000 DM/Jahr übersteigt.
(2) *Überschußrechnung:* Nach § 4 Abs. 3 EStG wird der →zu versteuernde Gewinn mittels →Überschußrechnung ermittelt, wenn keine Buchführungspflicht besteht, die Grenzen für die Durchschnittsgewinnermittlung aber überschritten sind.
(3) *Durchschnittsgewinnermittlung:* Nach § 13a EStG erfolgt eine Gewinnermittlung nach Durchschnittssätzen, wenn keine Buchführungspflicht besteht, der Wirtschaftswert (Einheitswert) nicht mehr als 32000 DM beträgt, die Tierbestände 3 Vieheinheiten je regelmäßig landwirtschaftlich genutzter Fläche oder 30 Vieheinheiten nicht übersteigen.

Das steuerliche Betriebsergebnis in der Landwirtschaft stellt das Entgelt für das eingesetzte Eigenkapital, die familieneigene, nicht entlohnte Arbeit sowie die unternehmerische Tätigkeit dar:

Bruttoertrag (Umsatz minus Wareneinsatz)
./. steuerliche Gesamtkosten (ohne Unternehmerlohn, Zinsansatz für Eigenkapital und Wareneinsatz)

= steuerliches Betriebsergebnis *H. Se.*

Landwirtschaftsbetrieb

technisch-organisatorische Einheit, in der →Landwirtschaft betrieben wird. Im Gegensatz zur →Landwirtschaftsunternehmung enthält sie nur die dispositiven Funktionen, die unmittelbar mit den exekutiven verknüpft sind; es fehlen somit gerade die die Selbständigkeit einer Wirtschaftseinheit ausmachenden Führungsfunktionen. Ein Landwirtschaftsbetrieb ist somit Teil einer Landwirtschaftsunternehmung. In unserer Wirtschaftsordnung enthält eine Landwirtschaftsunternehmung meistens aber nur einen Landwirtschaftsbetrieb (anders in sozialistischen Ländern); deshalb werden die Begriffe „Landwirtschaftsbetrieb" und „Landwirtschaftsunternehmung" weitgehend synonym verwendet.

Nach dem Erwerbscharakter werden unterschieden:
(1) Haupterwerbsbetriebe: Der Betriebsinhaber ist vorwiegend im Betrieb tätig, das Erwerbseinkommen stammt überwiegend aus dem landwirtschaftlichen Unternehmen. Sie gliedern sich in:
● *Vollerwerbsbetriebe* (außerbetriebliches Erwerbseinkommen unter 10% des gesamten Erwerbseinkommens),
● *Zuerwerbsbetriebe* (außerbetriebliches Erwerbseinkommen von 10 bis 50%).
(2) Nebenerwerbsbetriebe: Der Betriebsinhaber ist vorwiegend außerbetrieblich tätig, das Erwerbseinkommen entstammt überwiegend außerlandwirtschaftlichen Quellen.

1949 gab es in der Bundesrepublik 1947 000 Landwirtschaftsbetriebe; bis 1965 sank ihre Zahl auf 1 451 600 (75%). Seitdem zeigt sich in den einzelnen Erwerbsgruppen die in der Tabelle wiedergegebene Entwicklung.

Anzahl der Landwirtschaftsbetriebe in der
Bundesrepublik Deutschland
(Angaben in 1 000)

Jahr Erwerbs- charakter	1965	1970	1975	1980	1984
Haupt- erwerb	834,7	700,4	547,5	483,7	436,2
Voll- erwerb	511,8	466,5	409,1	397,3	364,4
Zu- erwerb	322,9	233,9	138,7	86,5	71,8
Neben- erwerb	616,9	382,7	356,9	313,9	296,3
Summe	1 451,6	1 083,1	904,7	797,5	732,5

Steuerrechtlich ist ein „landwirtschaftlicher Betrieb" ein Unternehmen, das
(1) Pflanzen und Pflanzenteile mit Hilfe von Naturkräften erzeugt (§ 24 Abs. 2 UStG),
(2) Tierzucht und Tierhaltung betreibt (§ 24 Abs. 2 UStG), soweit die Anzahl der Tiere

nicht bestimmte Grenzen überschreitet (§ 13 EStG),
(3) fremde Erzeugnisse mit dem Zweck der Wiederveräußerung nachhaltig nur in Höhe von 30% des Gesamtumsatzes zukauft (Abschn. 134 (4) EStR),
(4) Einnahmen aus Dienstleistungen nur in Höhe von maximal einem Drittel des Gesamtumsatzes erzielt (Abschn. 134 (6) EStR).

Die Überschreitung einer dieser Grenzen bewirkt die steuerliche Einstufung als → Gewerbebetrieb.   *H. Se.*

Landwirtschaftskammerforstamt

Dienststelle der → Landwirtschaftskammern, die in Norddeutschland die Beratung und Betreuung des Kleinprivatwaldes durchführt. Die Waldbesitzer sind Pflichtmitglieder und müssen Pflichtbeiträge (Landwirtschaftskammerabgabe) entrichten.

Landwirtschaftskammern

Selbstverwaltungsorgane öffentlichen Rechts, an die auf regionaler Ebene Aufgaben der staatlichen → Agrarverwaltung delegiert sind (→ landwirtschaftliche Institutionen). Sie wurden zuerst in Preußen (1894) gebildet und nach 1945 in den nördlichen und mittleren Bundesländern wieder gegründet. In Baden-Württemberg und Bayern teilen sich Landwirtschaftsministerium und Bauernverband in die Kammeraufgaben. In Hessen wurde die Landwirtschaftskammer 1971 wieder aufgelöst und ihre Aufgaben wurden einem Landesamt für Landwirtschaft als staatliche Mittelinstanz übertragen.

Im Vordergrund der Arbeit stehen die betriebswirtschaftliche Förderung der Landwirtschaft sowie die gutachterliche Unterstützung von Gesetzgeber, Verwaltung und Gerichten. Schwerpunkte sind die Berufsfortbildung, die Verbreitung des technischen Fortschritts in der Landwirtschaft und die Marktbeobachtung (Preisberichterstattung). Darüber hinaus sind den meisten Kammern regionale Forschungs- und Versuchsanstalten, Pflanzenschutz-, Tierzucht-, und Tiergesundheitsämter angeschlossen. Die Finanzierung der Kammern erfolgt aus Staatszuschüssen, Gebühren und der sog. Kammerumlage, die bei den landwirtschaftlichen Betrieben erhoben wird.   *H. Te.*

Landwirtschaftssoziologie → Agrarsoziologie

Landwirtschaftsunternehmung

rechtlich und finanziell selbständige Wirtschaftseinheit, in der → Landwirtschaft betrieben wird. Sie umfaßt alle dispositiven und exekutiven Funktionen, die zur Aufgabenbewältigung notwendig sind. Eine Landwirtschaftsunternehmung kann aus einem oder mehreren → Landwirtschaftsbetrieben bestehen.

Unter organisatorischen Aspekten ist die herkömmliche Landwirtschaftsunternehmung als zweistufige Mehrproduktunternehmung anzusprechen; denn die Produkte der Primärproduktion (Bodenproduktion) werden oftmals als Produktionsmittel in der Sekundärproduktion (Viehhaltung, Veredlungswirtschaft) eingesetzt. Da der landwirtschaftliche Produktionsvorgang in Form von biologischen Wachstumsvorgängen abläuft, stellt die Landwirtschaftsunternehmung ein sozio-biotechnisches System dar.   *H. Se.*

langfristige Kostenfunktion

→ Kostenfunktion, welche die Abhängigkeit der Kosten von der Beschäftigung unter Zugrundelegung einer mehrperiodigen Betrachtungsweise abbildet. Für die Aufstellung langfristiger Kostenfunktionen sind die Änderungen der Betriebsgröße im Zeitablauf bedeutsam. Mutative Betriebsgrößenvariationen bestehen in der Veränderung der Betriebsgröße um artverschiedene Potentialgüter, die unterschiedliche fertigungstechnische Verfahren einschließen. Für jedes fertigungstechnische Verfahren bzw. jede Betriebsgröße ist die zugehörige Kostenfunktion bestimmbar. Betriebsgrößenvariationen schließen demnach eine Abfolge von Kostenfunktionen mit zu jeder Betriebsgröße gehörigen fixen und variablen Kosten ein. Für jede Beschäftigung oder Ausbringungsmenge kann die Betriebsgröße bzw. das Fertigungsverfahren bestimmt wer-

den, die zu minimalen Gesamtkosten führt. Die Verbindungslinie der Punkte der minimalen Kosten stellt die langfristige Kostenfunktion dar (vgl. Abb.). Sie wird auch als long run cost curve oder → Umhüllungskurve bezeichnet. Anstelle der → Gesamtkosten kann sich die langfristige Kostenfunktion auch auf die → Durchschnittskosten beziehen.

Verbreitet ist die Annahme, daß bei zunehmender Betriebsgröße die → Fixkosten steigen, während die → variablen Kosten pro Ausbringungsmengeneinheit abnehmen. Die langfristige Kostenfunktion verläuft dann unterproportional und unterlinear. Ein im weiteren Verlauf evtl. angenommener überproportionaler Verlauf wird mit einer starken Zunahme der Organisations- und Vertriebskosten begründet. Für die Verfeinerung der Aussagen über den Verlauf langfristiger Kostenfunktionen hat die → Kostentheorie weitere empirische Untersuchungen vorzunehmen.
                                   G. H.

Literatur: *Gutenberg, E.,* Grundlagen der Betriebswirtschaftslehre, Bd. 1; Die Produktion, 23. Aufl., Berlin 1979. *Schweitzer, M./Küpper, H.-U.,* Produktions- und Kostentheorie der Unternehmung, Reinbek bei Hamburg 1974.

Langfristplanung → Gesamtplanung

Langholz

nach der Handelsklassensortierung (HKS), der Sortierungsvorschrift für Rohholz, → Rohholz, dessen Masse stückweise gemessen und in Festmetern (fm) angegeben wird. Dazu gehören Stammholz (Stämme und Stammteile), Stangen und Pfähle. Gegensatz: Schichtholz.

Langzeitspeicher   → Informationsverarbeitungssystem

Langzeiturlaub

über längere Perioden angesammelter (bezahlter oder unbezahlter) Sonderurlaub (Sabbatical) zur Verlängerung des Erholungsurlaubs, für die Weiterbildung, zum Hausbau oder für andere Zwecke, wie soziale Aktivitäten. Das Arbeitsverhältnis bleibt während dieser Zeit bestehen (Arbeitsplatzgarantie). Bei längerer Abwesenheit mehrerer Mitarbeiter muß vom Betrieb Vorsorge getroffen werden, sollen organisatorische Schwierigkeiten wegen der vakanten Arbeitsplätze sowie der Wiedereingliederung der Mitarbeiter nach Urlaubsende vermieden werden. Erfahrungen über die Akzeptanz und die Auswirkungen des Langzeiturlaubs liegen bisher noch nicht vor. Zu beach-

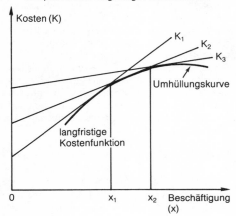

Beispiel für eine langfristige Kostenfunktion

ten sind die sozialversicherungsrechtlichen Folgen.

Laplace-Prinzip

→ Entscheidungsregel für → Ungewißheitssituationen im Rahmen der präskriptiven → Entscheidungstheorie. Danach ist für jede Handlungsalternative a_i die Summe

$$\Sigma_i = \sum_{j=1}^{n} e_{ij}$$

aller bei den alternativ möglichen → Umweltzuständen s_j erzielbaren Ergebnisse e_{ij} zu ermitteln. Als optimale Alternative gilt dann diejenige mit dem „besten", also z.B. dem höchsten oder dem niedrigsten Σ_i-Wert. (vgl. das Beispiel unter → Entscheidungsregel.)

M. B.

Lash-Schiff → Containerschiff

Laspeyres-Effekt → Preisindex für die Lebenshaltung

Laspeyres-Index

erstmals von dem Statistiker *Etienne Laspeyres* (1834–1913) aufgestellte Formeln zur Berechnung von Werten für → Preis- oder → Mengenindizes. Ein Laspeyres-Preisindex Lp gibt die prozentuale Änderung der Ausgaben für einen festen, in der Basisperiode ausgewählten → Warenkorb an, die sich aus der Änderung der Preise in der Vergleichsperiode gegenüber der Basisperiode ergibt. Folglich lautet die Formel:

$$Lp = \frac{\sum_{i=1}^{N} p_i^1 x_i^0}{\sum_{i=1}^{N} p_i^0 x_i^0} \cdot 100.$$

p_i^0 und p_i^1 stehen für die Preise des Gutes i in der Basis- bzw. Vergleichsperiode, x_i^0 für die Menge des Gutes i und N für die Gesamtzahl der Güter, die im Warenkorb der Basisperiode 0 enthalten sind.

Diese in der statistischen Praxis hauptsächlich verwendete Formel zur Berechnung von Preisindexwerten hat allerdings den Nachteil, daß der Warenkorb für weit entfernte Vergleichsperioden die gegenwärtige Nachfragestruktur nur mehr ungenau erfaßt. Aus diesem Grunde werden in Abständen von ca. fünf Jahren die meisten Preisindizes „umbasiert", d.h. den Index-Berechnungen wird ein neuer, der jeweiligen Nachfragestruktur besser entsprechender Warenkorb zugrundegelegt.

Bei der Berechnung von Mengenindexwerten nach der Laspeyres-Formel wird die prozentuale Wertänderung ermittelt, die sich ergibt, wenn ein Warenkorb der Vergleichsperiode und ein Warenkorb der Basisperiode jeweils zu Preisen der Basisperiode bewertet werden. Die Laspeyres-Mengenindexformel L_M lautet daher:

$$L_M = \frac{\sum_{i=1}^{N} p_i^0 x_i^1}{\sum_{i=1}^{N} p_i^0 x_i^0} \cdot 100.$$

F. H.

Literatur: *Bleymüller, J./Gehlert, G./Gülicher, H.*, Statistik für Wirtschaftswissenschaftler, 4. Aufl., München 1985. *Eichhorn, W./Henn, R./Opitz, O./Shephard, R. W.* (Hrsg.), Theory and Applications of Economic Indices, Würzburg 1978. *Haslinger, F.*, Volkswirtschaftliche Gesamtrechnung, 4. Aufl., München, Wien 1986.

Lasswell'sche Formel → Kommunikationspolitik

Lastenausgleich

ein heute hauptsächlich nur noch geschichtlich bedeutsamer Bereich der → sozialen Sicherung in der Bundesrepublik Deutschland. Für Vermögensschäden im Zusammenhang mit dem Zweiten Weltkrieg, mit der Vertreibung von Deutschen aus ihrer Heimat oder mit der Einrichtung neuer politischer Machtverhältnisse in den Ostgebieten des Deutschen Reichs sowie für Sparerschäden durch die → Währungsreform 1948 werden staatliche Entschädigungsleistungen und Kriegsschadensrenten gewährt, ergänzend auch Beihilfen und Darlehen zum Aufbau neuer Lebensgrundlagen.

Zur Finanzierung dieser Leistungen wurde ein Ausgleichsfond des Bundes geschaffen (→ Lastenausgleichsfonds), der durch besondere, zeitlich weit gestreckte Ausgleichsabgaben auf die zum Zeitpunkt der Währungsreform (30. 6. 1948) vorhandenen Vermögensbestände sowie auf die Währungsumstellungsgewinne von Kreditschuldnern und ergänzend durch Zuschüsse von Bund und Ländern gespeist wurde.

Zur Durchführung wurde mit den heute noch bestehenden Lastenausgleichsämtern ein besonderer Verwaltungszweig geschaffen. Diese sozialpolitische Leistung des staatlich organisierten, solidarischen Schadensausgleichs dürfte maßgeblich dazu beigetragen haben, daß die soziale Integration von Millionen von Kriegsgeschädigten und Heimatvertriebenen in der Bundesrepublik Deutschland gelang und der wirtschaftliche Wiederaufbau in sozialem Frieden rasch einsetzen konnte.

H. Sch.

Lastenausgleichsbank → Deutsche Ausgleichsbank

Lastenausgleichsfonds

von der Bundesregierung geschaffener Fonds, aus dem die Ausgleichsleistungen des → Lastenausgleichs – teilweise mit dem Ziel des Wiederaufbaus der Wirtschaft (→ Industriefinanzierungspolitik) – gezahlt werden. Der Lastenausgleich beabsichtigte eine möglichst gleichmäßige Verteilung der Kriegs- und Kriegsfolgeschäden der Heimatvertriebenen und Kriegssachgeschädigten auf alle. Diejenigen, die ihren Besitz ganz oder teilweise bewahrt hatten, mußten an den Lastenausgleichsfonds Abgaben entrichten, aus dem an die Vertriebenen und Geschädigten Ausgleichsleistungen gewährt wurden.

Durch das Soforthilfegesetz vom 8. 8. 1949 wurde für den Bereich des damaligen Vereinigten Wirtschaftsgebietes ein Fonds als → Sondervermögen des Bundes zum Zwecke des Lastenausgleichs gebildet. Diesem Sondervermögen flossen die Soforthilfeabgaben sowie das Aufkommen aufgrund des Gesetzes zur Sicherung von Forderungen für den Lastenausgleich vom 2. 9. 1949 zu.

Mit Inkrafttreten des Lastenausgleichsgesetzes am 14. 8. 1952 wurden die einzelnen Soforthilfefonds dem „Ausgleichsfonds" als unselbständigem Sondervermögen des Bundes zugeführt. Der Ausgleichsfonds erhielt daneben die Ausgleichsabgaben (Vermögensabgabe, Hypothekengewinnabgabe, Kreditgewinnabgabe), die Erträge des Ausgleichsfonds, Zuschüsse aus den Haushalten des Bundes und der Länder und Einnahmen aus von der Lastenausgleichsbank aufgelegten Anleihen (→ Deutsche Ausgleichsbank). Die Abgabenpflicht lief 1979 aus.

Verwaltet wird der Ausgleichsfonds vom Bundesausgleichsamt; auf Landes- und Kommunalebene liegt die Durchführung bei den Landesausgleichsämtern und den örtlichen Ausgleichsämtern (→ Ausgleichsverwaltung). Die Leistungen des Lastenausgleichsfonds haben z. T. Entschädigungscharakter (z. B. Hauptentschädigung, Hausratsentschädigung, Entschädigungsrente), z. T. den Charakter sozialer Hilfeleistungen (z. B. Wohnraumhilfe, Ausbildungshilfe) und zu einem weiteren Teil den Charakter von Finanzierungshilfe für die kriegsgeschädigte Wirtschaft (z. B. Wohnungsbaudarlehen, Aufbaudarlehen für die gewerbliche Wirtschaft und die freien Berufe, Arbeitsplatzdarlehen).

Das Aufkommen der Lastenausgleichsmittel bis Ende 1979 belief sich auf insgesamt 50 Mrd. DM; hinzu kamen Zuschüsse von Bund und Ländern. Die Leistungen betrugen bis Ende 1979 107 Mrd. DM; laufende Zahlungen werden derzeit noch an Rentner geleistet.

H. Ba.

Lastenheft → Anforderungsdefinition

Lastenverschiebungshypothese

zielt auf die Frage ab, ob sich durch die Aufnahme → öffentlicher Kredite die (gesellschaftlichen Opportunitäts-)Kosten staatlicher Ausgaben in die Zukunft verschieben lassen. Dies wurde seit der klassischen Nationalökonomie mit der Begründung verneint, daß der durch die Kreditfinanzierung staatlicher Ausgaben verbundene Entzug von Ressourcen aus dem privaten Bereich jeweils in vollem Umfang in der Gegenwart anfalle (neoklassische Modellannahmen). Bei interner Verschuldung werden durch die Kreditaufnahme keine größeren Ressourcen für eine Volkswirtschaft geschaffen, anders als bei externer Kreditaufnahme, durch die – temporär – die verfügbaren Güter vermehrt werden können. Der dabei zugrundegelegte „Lastbegriff" wurde von *James M. Buchanan* (1958) kritisiert: Last sei nicht gesamtwirtschaftlich, sondern als Nutzeneinbuße individuell zu interpretieren (Nutzenansatz). Im Gegensatz zur Steuerfinanzierung (zwangsweise Reduktion der verfügbaren Einkommens) ist die Übernahme staatlicher Schuldtitel freiwillig und insofern nicht mit einer Nutzeneinbuße (im Sinne eines Verlustes an individueller Wohlfahrt) verbunden. Die Last entsteht erst in der Zukunft mit der Zahlung von Steuern für den Schuldendienst (→ Schuldendienstquote) und läßt sich folglich – bei dieser Sichtweise – auf zukünftige Generationen übertragen.

Die Kritik an diesem Ansatz richtet sich auf die bekannten mit dem Nutzen-Konzept verbundenen Probleme (Meßbarkeit und wohlfahrtstheoretische Implikationen). Außerdem können die Käufer öffentlicher Schuldtitel einer Schuldenillusion unterliegen, wenn sie bei der Zeichnung der Titel nicht berücksichtigen, daß der Schuldendienst zu einem späteren Zeitpunkt aus anderen, von allen Bürgern zu tragenden Abgaben (vor allem Steuern) geleistet werden muß.

Ein weiteres Konzept stellt der Wachstumsansatz (aggregate investment approach) dar. Dabei ist entscheidend, bei welcher Finanzierungsalternative die für das Wachstum vorrangigen privaten Investitionen stärker verdrängt werden (Last als differentieller Wachstumseffekt). Werden bei Steuerfinanzierung eher der Konsum, bei Kreditfinanzierung eher die Investitionen getroffen, wäre der im zweiten Fall für die zukünftige Generation vorhandene Kapitalstock niedriger als im ersten Fall. Die „Last" besteht dann in der Reduktion zukünftigen Realeinkommens. Ganz entscheidend sind dabei die zugrundegelegten Investitions- und Konsumfunktionen.

Beide Konzepte führen somit zu dem Ergebnis, daß es grundsätzlich möglich ist, mit Hilfe der Kreditfinanzierung die sozialen Opportunitätskosten öffentlicher Ausgaben in die Zukunft zu verlagern. Damit wäre auch dem → Pay-as-you-use-Prinzip Genüge getan. Wegen der mit beiden Ansätzen verbundenen Probleme läßt sich nach dem bisherigen Stand des Wissens eine Regel, die eine gleichmäßige Lastverteilung zwischen den Generationen gewährleisten würde (→ Inter-generation-equity-Prinzip), nicht formulieren. *W. A. S. K.*

Literatur: *Gandenberger, O.*, Theorie der öffentlichen Verschuldung, in: *Neumark, F.* (Hrsg.), Handbuch der Finanzwissenschaft, Bd. III, 3. Aufl., Tübingen 1981, S. 28 ff.

Lastenverteilungsgrundsatz → Finanzausgleich in der Bundesrepublik

Lastquotient → Abhängigenquotient

Lastschrift

→ bargeldlose Zahlung, bei der der Zahlende den Zahlungsempfänger ermächtigt hat, regelmäßig einen bestimmten oder einen wechselnden Betrag für bestimmte Leistungen (z. B. Telefongebühren) von seinem Konto abzuziehen. Das Einverständnis des Zahlenden mit einem solchen begrenzten Zugriff in sein Guthaben wird hier also nicht wie beim → Scheck auf einem Inkassopapier zum Ausdruck gebracht, sondern durch eine generelle, bis auf Widerruf geltende Erklärung gegenüber dem Zahlungsempfänger, die dieser über seine Bank der Bank des Zahlenden vorlegt. *M. H.*

Literatur: *Fallscheer-Schlegel, A.*, Das Lastschriftverfahren, Köln u. a. 1977.

Lastverbund

Form der Verknüpfung von EDV-Anlagen über ein → Rechnernetz, bei dem die Arbeitslast eines Rechners auch auf einen oder mehrere andere Rechner des Netzes verteilt werden kann. Diese Verteilungsfunktion wird durch ein spezielles → Betriebssystem des Rechnernetzes sichergestellt. Je homogener die einzelnen Rechner sind (z. B. Rechner eines Typs), desto einfacher ist ein Lastverbund zu realisieren.

latente Steuern

Der in der handelsrechtlichen → Gewinn- und Verlustrechnung ausgewiesene Ertragsteueraufwand wird auf Basis einkommen-, körperschaft- und gewerbeertragsteuerlicher Vorschriften ermittelt. Durch unterschiedliche Zielsetzungen und → Bilanzierungs- bzw. → Bewertungskriterien von Handels- und Steuerrecht bedingt, weichen Handelsbilanz- und Steuerbilanzgewinn regelmäßig voneinander ab mit der Folge, daß der Steueraufwand in keinem erklärbaren Zusammenhang mit dem handelsrechtlichen Ergebnis steht. Durch den Ansatz latenter Steuern soll diese Beziehung wieder hergestellt werden.

Die latente Steuer berechnet sich als Differenz zwischen der fiktiven Steuer auf den handelsrechtlichen Gewinn und den tatsächlich gezahlten Steuern auf den Steuerbilanzgewinn. Wird z. B. bei den Kosten der Ingangsetzung des Geschäftsbetriebs vom handelsrechtlichen Aktivierungswahlrecht Gebrauch gemacht, während in der Steuerbilanz diese Aufwendungen zwingend sofort erfolgswirksam zu verrechnen sind, so wird in der Aktivierungsperiode ein im Verhältnis zum handelsbilanziellen Gewinn zu niedriger Steueraufwand ausgewiesen, während in den Folgeperioden gemäß der handelsrechtlichen Abschreibung der aktivierten Position ein im Verhältnis zu hoher Steueraufwand zum Ausweis gelangt. Durch die Passivierung einer Rückstellung für latente Steuern, die dann in den Folgeperioden sukzessiv aufzulösen ist, gelangt immer der mit dem handelsrechtlichen Gewinn korrespondierende Steueraufwand zum Ausweis.

Aus diesem Beispiel wird jedoch auch deutlich, daß der Ansatz der Rückstellung für latente Steuern nur für zeitlich begrenzte Differenzen zwischen Handels- und Steuerbilanzgewinn sinnvoll ist. Eine latente Steuerabgrenzung für zeitlich unbegrenzte Differenzen, die sich z. B. erst bei der Liquidation des Unternehmens ausgleichen (z. B. Wegfall der Gründe für eine außerplanmäßige Abschreibung eines Grundstücks, der in der Handelsbilanz zu einer freiwilligen Zuschreibung genutzt wird, während in der Steuerbilanz der niedrigere Wert beibehalten wird), würde nämlich nur das Ergebnis der Passivierungsperiode verzerren.

Zeitlich begrenzte Differenzen können jedoch nicht nur zu einem latenten Steueraufwand, sondern auch zu einem latenten Steuerertrag führen (Steuerbilanzergebnis > Handelsbilanzergebnis). Der Ausweis einer Steuerforderung verstößt zwar gegen das → Realisationsprinzip, trotzdem gestattet § 274 Abs. 2

HGB wegen des verbesserten Einblicks in die Vermögens-, Finanz- und Ertragslage den Ansatz aktiver latenter Steuern als Bilanzierungshilfe (→ Bilanzierungswahlrechte). Dem Gläubigerschutz wird dadurch Rechnung getragen, daß in Höhe des aktiven latenten Steuerpostens Gewinnrücklagen von der Ausschüttung ausgeschlossen werden.

Latente Steuern können auch im Konzernabschluß auftreten, weil sich der ausgewiesene Steueraufwand an den Einzelabschlüssen und nicht am Konzernergebnis orientiert. Latente Steuern treten deshalb zum einen indirekt durch Übernahme der latenten Steuern aus dem Einzelabschluß, zum anderen aber auch direkt durch Konsolidierungsvorgänge auf. Dies trifft insb. für die Ableitung der nationalen Vorschriften entsprechenden Handelsbilanz II (Währungsumrechnung, Anpassung an die nationalen GoB und Rechnungslegungsvorschriften) und die erfolgswirksame Konsolidierung zu (→ Zwischengewinneliminierung und → Schuldenkonsolidierung und die ab 1990 anzuwendende Kapitalkonsolidierung nach der Purchase-Konsolidierungsmethode). Nach dem Bilanzrichtlinien-Gesetz sind in der konsolidierten Bilanz sowie Gewinn- und Verlustrechnung latente Steuern zu berücksichtigen, wenn sich der zu hohe oder der zu niedrige Steueraufwand in späteren Geschäftjahren voraussichtlich wieder ausgleicht (§ 306 HGB). *W. E.*

laterale Diversifikation → Diversifikation

Laufbahnplanung → Karriereplanung

laufende Übertragungen → Transfereinkommen

Launhardt-Hotelling-Lösung → Oligopoltheorie

Launhardtscher Trichter

nach dem deutschen Ingenieur *Wilhelm Launhardt* (1832–1918) benannte graphische Darstellung des Einflusses der Entfernung auf den Ortspreis eines Gutes. Für den Ortspreis p_0 gilt die Gleichung: $p_0 = p + t\,e$, wobei p den Preis ab Werk, t die Transportkosten pro Mengeneinheit und Kilometer sowie e die Entfernung des Absatzortes vom Produktionsort bedeuten. Vollziehen sich alle Transporte zwischen diesen beiden Orten auf dem geometrisch kürzesten Weg, so liegen alle Absatzorte mit „dem gleichen Ortspreis auf dem Kreis um das Produktionszentrum C als Mittelpunkt mit dem Radius e" (*Erich Schneider*, S. 78). Hierdurch erhält man ein trichterför-

miges Gebilde, den sog. Launhardtschen Trichter (vgl. Abb.).

Launhardtscher Trichter

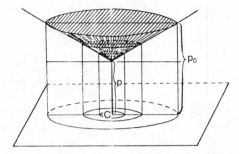

Die Darstellung wird zur Bestimmung der Konkurrenzbeziehung zwischen Anbietern unterschiedlicher Produktionsorte verwendet. Anbieter 1 produziert in Ort C_1, Anbieter 2 in C_2; p_1 und p_2 sind jeweils die Preise ab Werk. Die Steigungen der Strecken S_1 und S_2 geben die Höhe der Transportkosten an. Alle Orte, die links von A und rechts von B liegen, gehören zum Absatzgebiet von C_1, alle Orte, die sich zwischen A und B befinden, zu C_2. Alle diejenigen Orte, die sich in A und B befinden, gehören zur Konkurrenzgrenze, es sind alle Orte, in denen die Ortspreise gleichwertiger Mengen bei den Produktionszentren gleich sind (vgl. Abb.). *P. O.*

Konkurrenzbeziehung zwischen Anbietern unterschiedlicher Produktionsorte

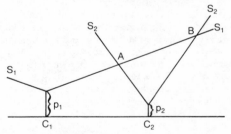

Literatur: *Schneider, E.,* Einführung in die Wirtschaftstheorie, 2. Teil, 13. Aufl., Tübingen 1972.

Lausanner Abkommen

vom 9. 7. 1932 beendet die deutschen Reparationszahlungen mit einer Schlußzahlung von 3 Mrd RM (→ Young-Plan). Das Abkommen wird nicht mehr ratifiziert, die Zahlung nicht mehr geleistet.

Lausanner Schule

von *Léon Walras* begründeter Zweig der → Grenznutzenschule. *Walras* stellt sich die

Frage, ob in einem System interdependenter Märkte sich diese zugleich im Gleichgewicht befinden können, d. h. es geht ihm um die Existenz des allgemeinen Gleichgewichts. Wie die anderen Grenznutzentheoretiker unterstellt er Rationalverhalten, d. h. er geht von der Nutzenmaximierung der Individuen aus, nimmt weiterhin die Präferenzen in Form kardinaler Nutzenfunktionen als gegeben an und arbeitet mit jeweils gegebenen Beständen an Faktorleistungen (Arbeit, Boden, Kapital) sowie mit gegebener Technik. Auf der Basis dieser Prämissen leitet er zunächst die individuellen Angebots- und Nachfragefunktionen in bezug auf die einzelnen Güter und Faktorleistungen ab, die er sodann zu Marktangebots- und Marktnachfragefunktionen aggregiert. Dabei unterstellt er → vollkommene Konkurrenz bzw. Mengenanpasserverhalten, d. h. die Preise sind für die Individuen jeweils Datum, und die Unternehmen erzielen im Gleichgewicht weder Verlust noch Gewinn.

Zusammen mit der Forderung, daß auf allen Märkten Angebot und Nachfrage übereinstimmen, erhält er daraus ein System von Gleichungen, aus dem sich wegen des → Walras-Gesetzes nur die Relativpreise bestimmen lassen. Das Zustandekommen dieses Gleichgewichts veranschaulicht *Walras* durch das sog. Tâtonnement: Ein Auktionator ruft Preise aus und variiert sie so lange, bis auf allen Märkten Gleichgewicht herrscht. Erst dann wird getauscht. Die Börsenpreisbildung wird somit zum Muster für die Preisbildung schlechthin. Der zur → Cambridge-Schule gehörende englische Nationalökonom *Francis Y. Edgeworth* ersetzte die Tâtonnement-Vorstellung später durch diejenige des Rekontrahierens d. h. alle Kaufverträge gelten so lange als nur vorläufig, bis die Gleichgewichtspreise gefunden sind.

Vilfredo Pareto übernimmt die Grundstruktur dieses Ansatzes, ersetzt jedoch unter Verwendung von → Indifferenzkurven das kardinale durch das ordinale Nutzenkonzept (→ Nutzenmessung) und macht die von *Walras* als konstant angenommenen → Produktionskoeffizienten faktorpreisabhängig. Außerdem legt er auf der Basis des Walras-Modells wichtige Grundlagen für die → Wohlfahrtsökonomik (→ Pareto-Optimum).

Enrico Barone überträgt das Konzept des allgemeinen Gleichgewichts im Sinne von *Walras* auf die zentral gelenkte Wirtschaft und liefert damit einen frühen Beitrag zur Diskussion um den → Konkurrenzsozialismus. Der Schwede *Gustav Cassel* schließlich trägt durch gewisse Vereinfachungen – unter Verzicht auf eine nutzentheoretische Fundierung

arbeitet er unmittelbar mit Angebots- und Nachfragefunktionen – erheblich zur Popularisierung des Walras-Modells, vor allem in Deutschland, bei. Präzisiert und axiomatisch fundiert wird der Ansatz dann in der neueren → Neoklassik.   *U. F.*

Literatur: *Issing, O.* (Hrsg.), Geschichte der Nationalökonomie, München 1984. *Stavenhagen, G.*, Geschichte der Wirtschaftstheorie, 4. Aufl., Göttingen 1969.

lautes Denken

(Gedankenprotokoll) Methode zur empirischen Verfolgung der → Informationsverarbeitung, die in der Psychologie eine längere Tradition hat. In den 70er Jahren wurde die Technik von *James Bettman* erstmals zur Analyse von → Kaufentscheidungsprozessen eingesetzt; später wurden auch unternehmerische → Entscheidungen (z. B. über die Einführung eines neuen Produktes) mit dieser Methode untersucht.

Bei der gebräuchlichsten Variante, der unstrukturierten Gedankenprotokollierung, werden die Probanden gebeten, alle Denkvorgänge wie Zielformulierung, Informationssuche, Vergleichen, Bewerten und Auswählen während ihres Entscheidungsprozesses zu artikulieren. Die Äußerungen werden auf Tonband aufgenommen und anschließend inhaltsanalytisch ausgewertet.

Die Methode des lauten Denkens soll den eigentlichen Entscheidungsprozeß, das Problemlösen, beobachtbar machen, während → Informationstafel und → Blickaufzeichnung nur die Informationsaufnahme messen können. Diesem Vorteil stehen verschiedene Nachteile gegenüber, besonders Probleme der Auswertung der Protokolle (→ Entscheidungsnetze).

Law of Indifference → Gesetz der Unterschiedslosigkeit

lead

zeitlicher Vorlauf einer Zeitreihe (→ Indikator), so z. B. Vorlauf des Auftragseingangs vor der Produktion. Als lead bezeichnet man insb. auch die Veränderungen der Zahlungsgewohnheiten im Außenhandel (→ terms of payment), die eintreten, wenn in Erwartung einer → Aufwertung der Währung, in der fakturiert wird, Rechnungen für Importe vor Fälligkeit bezahlt werden.

Leasing

bestimmte Miet- und Pachtverhältnisse, die meist über industrielle Investitionsgüter abge-

schlossen werden. Wegen der vielfältigen Erscheinungsformen in der Praxis ist der Begriff
des Leasing-Vertrages nicht eindeutig und abschließend geklärt. Generell läßt sich dieser
als besondere Form des → Mietvertrages qua-
lifizieren, bei dem der Leasing-Geber zivil-
rechtlicher Eigentümer des vermieteten Objektes bleibt. Leasing-Verträge werden vor allem nach drei Kriterien unterteilt:
(1) Nach der Art des Leasing-Objektes unterscheidet man
● *Mobilien-Leasing* (Verträge über bewegliche Wirtschaftsgüter, d.h. Konsumgüter
  und Investitionsgüter) und
● *Immobilien-Leasing* (Verträge über unbe-
  wegliche Wirtschaftsgüter, d.h. Grundstücke).
(2) Je nach Stellung des Leasing-Gebers handelt es sich um
● *direktes Leasing* (Verträge, die direkt mit
  dem Hersteller des Leasing-Objektes abgeschlossen werden) oder
● *indirektes Leasing* (Verträge, bei denen
  zwischen den Hersteller des Leasing-Objektes und den Leasing-Nehmer eine selbständige Leasing-Gesellschaft als Finanzie-
  rungsgesellschaft geschaltet ist, die das Lea-
  sing-Objekt beim Hersteller kauft).
(3) Der Verpflichtungscharakter der Leasing-
Verträge ist Unterscheidungsmerkmal der
● → *Operate-Leasing-Verträge* (normale
  Mietverträge im Sinne des BGB, die von
  beiden Seiten sofort oder unter Einhaltung
  einer relativ kurzen Kündigungsfrist gekündigt werden können, d.h. der Leasing-Geber übernimmt das Investitionsrisiko) und
● → *Finance-Leasing-Verträge* (Verträge, die
  für eine zwischen dem Leasing-Geber und
  dem Leasing-Nehmer vereinbarte Grundmietzeit unkündbar sind). Je nach der Gestaltung der Verträge werden Finance-Leasing-Verträge z.T. als verdeckte Teilzah-
  lungsverträge oder als andere Verträge interpretiert.   *H. Ku.*

Literatur: *Wöhe, G.,* Leasing-Verträge, Prüfung der,
in: *Coenenberg, A. G./v. Wysocki, K.* (Hrsg.),
HWRev, Stuttgart 1983, Sp. 923 f.

Least Developed Countries (LLDC)

im Rahmen der → Entwicklungsländertypologien gebildete Untergruppe innerhalb der Entwicklungsländer.
Zum Zeitpunkt der ersten Einordnung von
Ländern in die LLDC-Kategorie im Jahre
1971 legten die Vereinten Nationen folgende
drei Kriterien zugrunde:
● Pro-Kopf-Einkommen von weniger als
  100 US-$,

● Anteil der gewerblichen und industriellen
  Wertschöpfung am Bruttoinlandsprodukt
  von weniger als 10%,
● Alphabetisierungsquote in der Altersgrup-
  pe über 15 Jahren von weniger als 20%.
Diese Kriterien wurden zunächst von 25
Ländern erfüllt. Nach mehreren Erweiterun-
gen zählen seit 1982 36 Volkswirtschaften zur
Gruppe der LLDC (u.a. Äthiopien, Niger,
Tansania, Tschad, Uganda, Haiti, Afghani-
stan, Bangladesch).   *H.-R. H./H.-J. Te.*

Literatur: *Krugmann-Randolf, J.,* LLDC-Elefanten-
jagd in Paris, in: Entwicklung und Zusammenarbeit, 22. Jg. (1981), Heft 11.

leave-them-as-you-find-them-rule   → Edin-
    burgh-Regel

Lebensarbeitszeit → Arbeitszeit

Lebenseinkommen   → Life-cycle-Hypothese,
    → Humankapitaltheorie

Lebenserwartung → Sterblichkeit

Lebenshaltungskosten   → Preisindex für die
    Lebenshaltung

Lebenslauf

Auflistung der wichtigsten Personenstandsda-
ten sowie Darlegung der allgemeinen und beruflichen Bildung und des beruflichen Werde-
gangs. Als Teil der → Bewerbung wird bei der
Analyse des Lebenslaufs auf wahrheitsgetreue
und in zeitlicher Hinsicht lückenlose Angaben
Wert gelegt.

Lebensqualität

„Konstellation der objektiven Lebensbedingungen und des subjektiven Wohlbefindens
von Individuen und Gruppen" in einer Gesellschaft (*Glatzer/Zapf*). Der Begriff Lebensqualität ist im Umkreis der Wohlfahrtsforschung
entwickelt worden (→ Wachstumsziel). Dabei
existiert eine Kontroverse zwischen „Objekti-
visten" (Messung durch objektive, „harte"
Daten) und „Subjektivisten" (Messung durch
subjektive Zufriedenheitsdaten). Nichtsdesto-
weniger wird der Begriff häufig unreflektiert
als bloßes Schlagwort verwendet und bleibt
oft mit gesellschaftlichen Teilinteressen verbunden.
In das Konzept gehen – und auch dies ist
problematisch – sehr heterogene Meßgrößen
ein: Entwicklungsstand im allgemeinen,
Wohnbedingungen, Erholungsmöglichkeiten,
Formen der politischen Teilhabe, Gesund-
heitszustand, Arbeitssituation, Einflüsse der

natürlichen und der sozialen Umwelt etc. Entsprechend dieser komplexen Konstellation wird das Konzept mit einem differenzierten System von → Sozialindikatoren gemessen.

G. Wi.

Literatur. *Glatzer, W./Zapf, W.*, (Hrsg.), Lebensqualität in der Bundesrepublik. Objektive Lebensbedingungen und subjektives Wohlbefinden, Frankfurt a. M., New York 1984.

Lebensstandard

Ausstattungsgrad von Haushalten mit materiellen und immateriellen Versorgungsgütern.

Hier geht es also um die Menge und Qualität von Waren und Dienstleistungen, die einer Person oder Gruppe zur Verfügung stehen und deren Lebensführung bestimmen. Als wichtigste Einflußgrößen kommen ökonomische Daten (Einkommen, Vermögen) in Betracht. Die Messung (ausgedrückt meist in der Form des → Warenkorbes) dient häufig zum Vergleich von Gesellschaften, Gruppen und Personen oder zum Zeitreihenvergleich.

Der primär vom Ökonomischen her gedachte Begriff des Lebensstandards ist abzuheben von inhaltlich weiter gefaßten Konzepten wie → Lebensstil oder → Lebensqualität.

G. Wi.

Lebensstil

kennzeichnet die im Konsum- und Sozialverhalten beobachtbare qualitative Bedarfsstruktur und Mittelverwendung.

Während der → Lebensstandard weitgehend durch wirtschaftliche Einflußfaktoren geformt wird, kennzeichnet der Begriff Lebensstil einen eher qualitativen und werthaltigen Sachverhalt; er unterliegt daher insb. dem Einfluß kultureller Werte und Normen. Das Konzept wird dabei in unterschiedlichem Kontext verwendet, z.B. bei der Registrierung → sozialen Wandels, im Zusammenhang mit spezifischen (z.B. alters- oder schichtspezifischen) Lebensstilen oder auch etwa im Rahmen des Marketing für Zwecke der → Marktsegmentierung.

Wegen der qualitativen Komponenten ist das Konzept schwer operationalisierbar. Vergleiche zwischen dem Lebensstil verschiedener Schichten oder Gesellschaften sind daher oftmals problematisch, zumal der Status des Lebensstils als abhängiger, unabhängiger oder intervenierender Variablen häufig unklar bleibt.

G. Wi.

Lebensversicherung

mit 37,84 Mrd. DM Prämieneinnahme, 67,43 Mio. Verträgen, einer versicherten Summe von 1049,1 Mrd. DM und 262,5 Mrd. DM Kapitalanlagen (alle Werte von 1984) der von der wirtschaftlichen Bedeutung her größte → Versicherungszweig. In der Lebensversicherung wird Schutz für Risiken gewährt, die sich aus der Ungewißheit über die Lebensdauer von Menschen ergeben. Auszahlungen erfolgen im Falle des Todes der versicherten Person(en) oder bei Erleben eines bestimmten Zeitpunktes. Bei den Auszahlungen kann es sich um eine einmalige Kapitalleistung handeln (Kapitallebensversicherung) oder um Renten (Rentenversicherung). Gemeinsam mit der gesetzlichen → Rentenversicherung und der → betrieblichen Altersversorgung bildet die private Lebensversicherung den Hauptbestandteil des Hinterbliebenen- und Alterssicherungssystems der Bundesbürger. Die wichtigsten Formen der Lebensversicherung sind:

- *gemischte Lebensversicherung:* Kapital- oder Rentenzahlung nach dem Tod der versicherten Person oder im Erlebensfall bei Ablauf der Versicherung.
- *Risikolebensversicherung* (kurze Todesfallversicherung): Über begrenzte Dauer abgeschlossene Versicherung zur Hinterbliebenenversorgung bei Tod der versicherten Person oder zur Kreditsicherung.
- *lebenslängliche Todesfallversicherung:* Kapital- oder Rentenzahlung nach dem Tod der versicherten Person zur Hinterbliebenenversorgung oder zur Bereitstellung von Kapital, z.B. für Beerdigungskosten, Erbschaftsteuer, Schuldentilgung usw.
- *Lebensversicherung mit festem Auszahlungstermin* (Term-fix-Versicherung): I.d.R. Kapitalleistung zu einem festgelegten Termin (z.B. Ausbildungsfinanzierung der Kinder). Prämienzahlung erfolgt nur bis zum Tod des Versicherungsnehmers.
- *Aussteuerversicherung:* Kapitalleistung zur Heirat, spätestens zum 25. Lebensjahr der Tochter. Prämienzahlung erfolgt nur bis zum Tod des Versicherungsnehmers.
- *Leibrentenversicherung:* Verrentung eines Kapitalbetrages zu einer lebenslangen Rente.
- *Pflegerentenversicherung:* Zahlung einer lebenslangen Altersrente, beginnend zwischen dem 80sten und 85sten Lebensjahr des Versicherten, unabhängig von dessen Pflegebedürftigkeit oder bei vorher eintretendem Pflegefall Gewährung einer Pflegerente, abgestuft nach dem Grad der Pflegebedürftigkeit (sog. Pflegestufe) oder bei Tod des Versicherten Gewährung einer Todesfalleistung in Höhe von 24—36 Monatsrenten der höchsten Pflegestufe abzüglich bereits gewährter Rentenzahlungen.

Neben dieser Aufgliederung des Versicherungszweiges Lebensversicherung kann eine Trennung nach der Höhe der Versicherungssumme vorgenommen werden, nämlich in Klein-Lebensversicherung (Versicherungssumme kleiner als 5000 DM) und Groß-Lebensversicherung (Versicherungssumme größer als 5000 DM).

Falls eine Personenmehrheit durch einen Versicherungsvertrag versichert wird und die Gruppenspitze den Beitragseinzug durchführt oder die Beiträge für die Gruppe entrichtet, handelt es sich um eine Gruppenversicherung im Gegensatz zur Einzelversicherung. Gruppenversicherungsverträge sind in der betrieblichen Altersversorgung als Direktversicherung vorzufinden (Stand: 1.1. 1984: 2,72 Mio. Direktversicherungen, davon 34 443 Gruppenversicherungsverträge mit 1 833 561 versicherten Personen und 831 990 Einzel-Direktversicherungen). Der Betrieb schließt für seine Mitarbeiter Lebensversicherungsverträge ab und zahlt die Prämien. Im Versicherungsfall erhalten die Mitarbeiter oder ihre Hinterbliebenen die Auszahlungen direkt vom Versicherungsunternehmen.

Der Abschluß einer Groß-Lebensversicherung ist häufig mit dem Abschluß einer → Zusatzversicherung zur Absicherung des Unfalltodes (Unfalltodzusatzversicherung) oder der Berufsunfähigkeit (Berufsunfähigkeitszusatzversicherung) verbunden.

Mit Ausnahme der Risikolebensversicherung liegt bei der Lebensversicherung eine Kombination von Risikoprozeß und Spar- oder Entsparprozeß vor. Zusammen mit der vorsichtigen → Tarifierung des Risikoprozesses entstehen so Überschüsse, an denen die Versicherungsnehmer beteiligt werden (Überschußbeteiligung). Überschußbeteiligungssysteme sind

● Barauszahlung oder Verrechnung der Überschüsse mit fälligen Beiträgen,
● verzinsliche Ansammlung der Überschüsse beim Versicherungsunternehmen,
● Verwendung der Überschüsse als Beitrag zur Erhöhung der Versicherungssumme oder zur Verkürzung der Laufzeit.

Wurden bisher die vom Lebensversicherungsunternehmen erwirtschafteten Überschüsse zunächst der → Rückstellung für Beitragsrückerstattung zugeführt und anschließend gemäß dem Geschäftsplan auf die einzelnen Versicherten verteilt, ergibt sich durch Einführung der Direktgutschrift insofern eine Änderung, als ein Teil der Überschüsse den Versicherten sofort, also ohne zunächst in die Rückstellung für Beitragsrückerstattung eingeführt zu werden, gutgeschrieben wird. Die

sog. Beispielrechnungen sind Hochrechnungen über die zukünftige Entwicklung der Überschüsse bei Zugrundelegung der momentanen Überschußverhältnisse.

Bei Lebensversicherungen handelt es sich um langfristige Vertragsbeziehungen. Kündigt der Versicherungsnehmer den Vertrag, erfolgt die Auszahlung des Rückkaufswertes, einer Geldsumme, die sich aus dem sog. Deckungskapital der Lebensversicherung ergibt, d. h. dem Kapital, welches das Lebensversicherungsunternehmen aus dem Sparbeitrag verzinslich angesammelt hat. Bis zur Höhe dieses Rückkaufswertes kann eine gemischte Lebensversicherung in Form eines Policendarlehens beliehen werden. Auch Bauvorhaben sind durch Baudarlehen über eine gemischte Lebensversicherung zu finanzieren; die Tilgung erfolgt nur bei Ablauf der Versicherung, und es besteht Todesfallschutz.

Bei dynamischen Lebensversicherungen wird während der Vertragslaufzeit in regelmäßigen Abständen eine Erhöhung der Versicherungssumme und des Beitrages vorgenommen oder dem Versicherten angeboten, um inflationäre Auszehrungen des Versicherungsschutzes zu vermeiden. *E. H./E. S.*

Literatur: *Hagelschuer, P. B.*, Lebensversicherung, Wiesbaden 1983. *Greb, W.*, Lebensversicherung, Wiesbaden o. J.

Lebenszyklus

Lebensweg eines Subjektes oder eines Objektes, unterteilt in typische Abschnitte bzw. Phasen (Beispiele: → Produktlebenszyklus, → Marktphasen).

Lebenszykluskurve → Produktlebenszyklus

Leber-Modell

von dem im Arbeitskampf der Metallindustrie zum Schlichter bestellten ehemaligen Bundesverteidigungsminister *Georg Leber* unterbreiteter und von den Tarifparteien schließlich akzeptierter Kompromißvorschlag (Juni 1984).

Den Kern des Leber-Modells bildet die Verkürzung der Wochenarbeitszeit von 40 auf 38,5 Stunden. Die konkrete Ausgestaltung ist betrieblichen Vereinbarungen überlassen; die Wochenarbeitszeit der einzelnen Beschäftigten kann zwischen 37 und 40 Stunden variieren, die 38,5 Stunden müssen also nur im Durchschnitt erreicht werden.

Das Leber-Modell ist ein Beitrag zur → Arbeitszeitverkürzung, der den Betrieben eine gewisse Flexibilität einräumt und Modellcharakter für die gesamte Wirtschaft besitzt (Industrie).

Leergut

gebrauchte Verpackungsmaterialien und Transporthilfsmittel, die bei der Waren- bzw. Materialanlieferung anfallen. Zu unterscheiden sind wiederverwendbares, für andere Zwecke verwendbares und nicht wieder verwendbares Leergut. Die → Lagerverwaltung hat zu veranlassen, daß wiederverwendbares Leergut an den Lieferanten zurückgeleitet wird. Es ist zweckmäßig, dafür Sammelstellen im Betrieb einzurichten. Manche Einwegverpackungen können anderen Verwendungen im Betrieb zugeführt werden (Zweitnutzen), ggf. lassen sie sich weiterveräußern. Leergut, das keinen weiteren betrieblichen Zweck erfüllen kann, muß als → Abfall behandelt und entsorgt werden.

Leerkosten

Teil der → Fixkosten, der für die Bereitstellung nicht in Anspruch genommener Kapazitäten entsteht *(Erich Gutenberg)*. Die Fixkosten werden rechentechnisch nach der möglichen Kapazitätsauslastung linear in Leerkosten und Nutzkosten aufgeteilt. Die Leerkosten ergeben sich somit als Differenz zwischen den Fixkosten und den Nutzkosten.

Leerverkauf

Verkauf einer Ware oder eines Wertpapiers per Termin (→ Termingeschäft), wobei der Verkäufer die zu liefernden Gegenstände bei Vertragsabschluß noch nicht besitzt, sondern sich bis zum vereinbarten Liefertermin damit einzudecken beabsichtigt; bei Aktien in den USA Verkauf geliehener Aktien. Leerverkäufe schließen ein Risiko in Höhe der Differenz zwischen dem fest vereinbarten Terminkurs und dem ungewissen, evtl. höheren Kurs ein, zu dem der Terminverkäufer sich später eindecken muß.

Leerzeit → Kapazitätsauslastung

legal tender → Geldangebot

Lehen

(Lehnswesen, lat. „feudum", → Feudalismus) Gut, das vom Eigentümer (Lehnsherr) einem Lehnsmann (Vasall) im Wege der gegenseitigen Schutz- und Treueverpflichtung überlassen wird. Aus zunächst auf Lebenszeit verliehenen Fallehen wurden im Zeitablauf unbefristete, jederzeit widerrufbare Schupflehen und schließlich Erblehen. Weiterverleihung durch den Lehensnehmer war möglich (Afterlehen). Durch die Belehung sollte der Lehensnehmer eng an den Lehnsherrn gebunden werden.

Umgekehrt kam zur Erlangung herrschaftlichen Schutzes auch die freiwillige „traditio", die Besitzübergabe und Unterwerfung, vor. Die geforderte Treueverpflichtung (Kriegs- und Hofdienst) wurde nach und nach durch Abgaben ersetzt; neben Grundeigentum konnten auch Rechte (→ Regalien) zu Lehen vergeben werden.

Neben dem Lehen stand als freies Eigentum das Allod (Allodialland), über das ohne Rücksicht auf den Lehnsherr verfügt werden konnte. Über Afterlehen und Vergabe von Allodialland konnte der Lehensnehmer selbst wieder Lehensherr werden. So entsteht eine Lehenspyramide, die neben weltlichem auch den geistlichen Grundbesitz umfaßt (vor allem durch Schenkungen an Klöster etc. entstanden). Seit dem 16. Jh. verstärkte Allodifizierung, d.h. Umwandlung von Lehensgut in freies Eigentum gegen Entschädigung des Lehnsherrn. Das Lehenswesen erlischt im 19. Jh. (→ Bauernbefreiung).   *H. Wi.*
Literatur: *Ganshof, F. L.,* Was ist das Lehenswesen?, Darmstadt 1983.

Lehmann-Modell → Trommsdorff-Modell

Lehrstellenmarkt → Bildungsmarkt

Leibeigenschaft

(Leibherrschaft) persönliche Abhängigkeit von einem Herrn, ohne daß ein dingliches Abhängigkeitsverhältnis (Grund und Boden) vorliegen muß. Ursprünglich Ergebnis kriegerischer Unterwerfung, Gefangenschaft, Schuldknechtschaft, später vielfach ergänzende Einnahmequelle der → Grundherrschaft (→ Kopfsteuer); Aufhebung im Zuge der → Bauernbefreiung.

Schärfere Ausprägung in der „Erbuntertänigkeit" der ostdeutschen → Gutsherrschaft, wo der Bauer als Leibeigener zur „Ware" wird. Aufhebung im Zuge der → Stein-Hardenbergschen Reformen.

Leibrente → Rente

Leibrentenversicherung   → Lebensversicherung

Leiharbeit → Zeitarbeit

Leistungsabstimmung

umfaßt als Teilproblem der → Ablauforganisation die Festlegung der Arbeitsgeschwindigkeit je Arbeitsgang und die Koordination der Arbeitsgeschwindigkeiten aufeinanderfolgender Arbeitsträger. Mit der Entscheidung über die Arbeitsgeschwindigkeit oder Intensität werden die Arbeitszeiten je Bearbeitungseinheit (Stück) festgelegt. Eine Koordination oder Abstimmung der Leistungen mehrerer Arbeitsträger ist zweckmäßig, wenn diese nacheinander dieselben Aufträge bearbeiten. Durch diese Leistungsabstimmung lassen sich unerwünschte Wartezeiten der Aufträge oder Leerzeiten der Arbeitsträger vermeiden. Aufeinander abgestimmte Leistungstakte können insb. durch Änderung der Arbeitsgeschwindigkeit, der → Arbeitsverteilung oder der Auftragsfolgen und durch Einfügen von Arbeitspausen erreicht werden.

Besondere Bedeutung hat die Leistungsabstimmung bei → Taktfertigung. Eine Fließbandabstimmung (→ Fließbandabgleich) führt dazu, daß allen Arbeitsstationen eines Bandes derselbe Takt zur Durchführung ihres Arbeitsganges vorgegeben wird. Sie ist erreichbar, indem man unter Beachtung vorgegebener Reihenfolgebedingungen die Arbeitsteile so auf die Stationen der Fertigungslinie verteilt, daß überall die Arbeitsgangzeit die Taktzeit möglichst wenig unterschreitet. Das Ziel der Abstimmung ist i.d.R. die Maximierung des Bandwirkungsgrades, der als Verhältnis zwischen der Summe der Bearbeitungszeiten und der Taktzeiten aller Stationen definiert ist.

Zur Fließbandabstimmung kann man einmal für eine vorgegebene Taktzeit die minimale Stationenzahl und günstigste Arbeitsverteilung suchen. Zum anderen kann man die Stationenzahl vorgeben und dann eine Arbeitsverteilung mit möglichst niedriger Taktzeit ermitteln. Dabei sind vorgegebene Reihenfolgebedingungen für die Bearbeitung der Arbeitselemente und die technologisch bedingten Fertigungsdauern zu beachten. Eine weniger strenge Verkettung der Stationen liegt vor, wenn man zwischen ihnen → Pufferlager einrichtet. In der Praxis werden zur Lösung dieser Probleme vor allem → heuristische Verfahren eingesetzt, die eine Zuordnung der Arbeitsteile nach Kennzahlen aus Zeit- oder Kostengrößen vornehmen. Im → Operations Research sind auch exakte Optimierungsverfahren entwickelt worden, deren Einsatz jedoch zumeist an der Komplexität der praktischen Problemstellung scheitert.   *H.-U. K.*

Leistungsanreiz → Leistungsmotivation

Leistungsbeteiligung → Erfolgsbeteiligung

Leistungsbilanz
Teilbilanz der → Zahlungsbilanz. Auf der Aktivseite der Leistungsbilanz i.w.S. werden die Exporte von Waren und Dienstleistungen sowie der Wert der vom Ausland empfangenen unentgeltlichen Leistungen ausgewiesen, auf der Passivseite erscheinen die Importe von Waren und Dienstleistungen sowie der Wert der an das Ausland übertragenen unentgeltlichen Leistungen. Die Leistungsbilanz i.w.S. stellt also eine Zusammenfassung von Handels-, Dienstleistungs- und → Übertragungsbilanz dar. Der Saldo der Leistungsbilanz in dieser Abgrenzung gibt die Änderung der Vermögensposition des Inlands gegenüber dem Ausland an.

In einer engeren, heute in der amtlichen Statistik nicht mehr benutzten Abgrenzung wird als Leistungsbilanz nur die Zusammenfassung von Handels- und Dienstleistungsbilanz verstanden. Der Saldo der Leistungsbilanz in dieser engeren Abgrenzung ist weitgehend mit dem → Außenbeitrag der Volkswirtschaftlichen Gesamtrechnung identisch.   *J. Kl.*

Leistungsbilanzmultiplikator → Exportmultiplikator

Leistungsdokumentation

umfaßt alle Maßnahmen und Instrumente zur schriftlichen Leistungserfassung und -beurteilung, wie etwa Arbeitszeitkarten in Verbindung mit Stechuhren, Arbeits- und Lohnzettel in der Fertigung, Arbeitsstatistiken, Klassifikationsschemata für die analytische Arbeitsbewertung oder Fragebogen, die als Grundlage für periodische Mitarbeitergespräche dienen. Die Leistungsdokumentation soll die Transparenz der Leistungsbeurteilung, Gehaltsfindung und Beförderungsregelung erhöhen und eine Versachlichung bewirken.   *T. S.*

Leistungsfähigkeitsprinzip

der heute in der praktischen Steuerpolitik weithin akzeptierte Grundsatz der Steuerverteilung. Die dem einzelnen zugemutete Steuerbelastung soll seiner individuellen Leistungsfähigkeit entsprechen. Steuerpflichtige mit gleicher steuerlicher Leistungsfähigkeit sollen gleich (horizontale Gerechtigkeit), Steuerpflichtige mit verschiedener steuerlicher Leistungsfähigkeit sollen entsprechend auch unterschiedlich besteuert werden (vertikale Gerechtigkeit). Es muß demnach ein Indikator bestimmt werden, der die steuerliche Leistungsfähigkeit zum Ausdruck bringt; daneben gilt es, die vertikale Differenzierung der Steuerbelastung, also einen → Steuertarif, zu ermitteln.

Als Indikatoren der steuerlichen Leistungsfähigkeit werden vor allem das Einkommen, das Vermögen und der Konsum vorgeschlagen. Nach weithin akzeptierter Auffassung gilt das Einkommen als wichtigster Indikator, so daß die persönliche → Einkommensteuer bei der Besteuerung nach der Leistungsfähigkeit eine zentrale Rolle spielen muß. Dabei muß das Einkommen so weit gefaßt werden, daß alles, was im wirtschaftlichen Sinn Einkommen ist, eingeschlossen wird. Einkommensteile, die keine Leistungsfähigkeit darstellen, müßten in Form von → Steuerfreibeträgen (z. B. für das Existenzminimum, außergewöhnliche Belastungen) von der Steuer freigestellt werden.

Einige Autoren (so vor allem *John St. Mill, Irving Fisher, Nicholas Kaldor*) verwerfen das Einkommen als Indikator und sehen in den Konsumausgaben den Maßstab steuerlicher Leistungsfähigkeit. Folgerichtig plädieren sie für eine → Ausgabensteuer. Mitunter wird auch das Vermögen (meist ergänzend zum Einkommen) als Indikator steuerlicher Leistungsfähigkeit angesehen, so daß die Einkommensteuer durch eine → Vermögensteuer ergänzt werden müßte.

Ist das Indikatorproblem gelöst und sind damit die Individuen in eine Rangfolge steuerlicher Leistungsfähigkeit gebracht, muß die vertikale Differenzierung der Steuerbelastung ermittelt werden. Hierzu sind die → Opfertheorien entwickelt worden. Mit diesem Ansatz – wie mit vielen anderen – ist es bis heute nicht gelungen, einen wissenschaftlich begründbaren Steuertarif herzuleiten. Über die Steuertarife, die der Verwirklichung der Besteuerung gemäß der persönlichen Leistungsfähigkeit dienen sollen, wird politisch entschieden; die Ergebnisse sind wissenschaftlich nicht überprüfbar.   *R. P.*

Literatur: *Haller, H.,* Die Steuern, 3. Aufl., Tübingen 1981.

Leistungsgruppen

Merkmale zur Aufgliederung der Verdienstangaben der Arbeitnehmer in der Einkommensstatistik nach dem Kriterium der Berufsausbildung und der ausgeübten Tätigkeit. Bei den Arbeitern entsprechen die Leistungsgruppen 1–3 jeweils weitgehend den Facharbeitern, den angelernten Arbeitern und den Hilfsarbeitern. Die Angestellten sind in ähnlicher Weise in fünf Leistungsgruppen eingeteilt. Sie reichen von Angestellten in leitender Stellung mit Aufsichts- und Dispositionsbefugnis bis zu Angestellten mit einfacher Tätigkeit ohne Berufsausbildung.

Leistungskosten → Bereitschaftskosten

Leistungskurve → Zeitmanagement

Leistungslohn   → Akkordlohn,   → Prämienlohn

Leistungsmotivation

Von → Motivation wird gesprochen, wenn die Vielzahl von Verhaltensbereitschaften (Motiven) aktiviert wird, die in einer komplexen Situation als Beweggründe des Verhaltens von Individuen angesehen bzw. von den Individuen als solche empfunden werden. Der Motivationsbegriff kann somit zur Beschreibung und Erklärung des menschlichen Verhaltens in allen Lebenssituationen herangezogen werden. Konsequenterweise existiert eine Fülle heterogener motivationstheoretischer Ansätze (z. B. Bedürfnistheorien, Anreiztheorien, kognitive Theorien); eine einheitliche Motivationstheorie ist nicht in Sicht.

Für betriebswirtschaftliche Zwecke ist lediglich der Bereich der Leistungsmotivation von Interesse. Für die Unternehmensleitung (→ Management, → Unternehmensführung) besteht hierbei die Notwendigkeit, Bedingungen zu schaffen, die die Mitarbeiter zur Erfüllung der ihnen übertragenen Aufgaben motivieren. Ausgangspunkt für die Schaffung von Anreizen zur Leistungsmotivation sind in der Betriebswirtschaftslehre häufig die → Bedürfnishierarchie von *Abraham H. Maslow* und die Zwei-Faktoren-Theorie von *Frederick Herzberg*.

Der Zwei-Faktoren-Ansatz unterscheidet Hygienefaktoren und Motivatoren, die einen qualitativ unterschiedlichen Charakter aufweisen. Hygienefaktoren sind im Unternehmen diejenigen Bedingungen, deren Fehlen bei den Mitarbeitern Unzufriedenheit schafft, ohne daß ihr Vorhandensein Leistungsmotivation hervorruft. Diese Motivation zur Leistung bewirken Motivatoren (z. B. Anerkennung, Verantwortung, Aufstiegsmöglichkeiten), die außerdem auch verantwortlich sind für die Zufriedenheit des Mitarbeiters am Arbeitsplatz.

Die Unternehmung besitzt die Möglichkeit, über die Schaffung von Anreizen bei den Mitarbeitern Motive zu aktivieren (→ Führungssysteme). Finanzielle Anreize stehen hierbei an erster Stelle, wenn sie auch im Sinne *Herzbergs* keine Motivatoren darstellen. Anreize wie direkte Entlohnung, betriebliche Sicherungs- und Versorgungssysteme oder Werkswohnungen dienen zur Befriedigung der unteren Bedürfniskategorien *Maslows;* Defizite in diesem Bereich schaffen nach *Herzberg* Unzufriedenheit am Arbeitsplatz. Der Vermeidung von Unzufriedenheit dienen auch Lohnerhöhungen oder die gerechte relative Lohnhöhe (→ betriebliche Entgeltpolitik).

Eine zweite Gruppe stellen soziale Anreize dar. Hierunter fällt in erster Linie das → Betriebsklima, also die Quantität und Qualität der Kontakte zu Vorgesetzten, Gleichgestellten und Untergebenen. Die bislang genannten Anreize sowie Anreize des organisatorischen Umfeldes wie Standort, Größe und Ansehen des Unternehmens oder die interne Organisationsstruktur sind extrinsische Motivationen, die dem Individuum von außen vorgegeben werden. Sie stellen im Sinne *Herzbergs* tendenziell eher Hygienefaktoren dar.

Anreize aus der Arbeit selbst aktivieren beim Mitarbeiter intrinsische Motivationen. Durch die Gestaltung des Arbeitsplatzes, interessante und novative Arbeitsinhalte, die Vergrößerung von Autonomie und Entscheidungsbefugnissen oder die Schaffung von Aufstiegsmöglichkeiten kann beim Mitarbeiter eine dauerhafte Leistungsmotivation hervorgerufen werden. Hier werden die oberen Bedürfnishierarchien *Maslows* angesprochen; *Herzberg* versteht die zuletzt genannten Anreize als Motivatoren.

Moderne kognitive Motivationstheorien (*John W. Atkinson, Heinz Heckhausen, Bernd Weiner*) stellen den unmittelbaren funktionalen Zusammenhang zwischen den genannten Aktionsvariablen und den sich ergebenden Handlungsfolgen in Frage. Diesen Theorien zufolge ist der Grad der Leistungsmotivation stark an Persönlichkeitsvoraussetzungen wie Erfolgs- oder Mißerfolgsorientierung des Mitarbeiters, sein Fähigkeitspotential und Rollenverhalten gebunden.

Es ist daher in der Praxis sehr schwierig, zuverlässig Motivationsfaktoren zu isolieren und zu messen. Anwendungsreife Verfahrensrichtlinien für den Einsatz von Aktionsvariablen zur Aktivierung der Leistungsmotivation sind daher nicht verfügbar.   *H. Ho.*

Literatur: *v. Rosenstiel, L.*, Die motivationalen Grundlagen des Verhaltens in Organisationen, Berlin 1975. *Hoffmann, F.*, Führungsorganisation, Bd. 1, Tübingen 1980.

Leistungsort

Ort, an dem der Schuldner seine Leistungshandlung zu erbringen hat (im Gesetz oft als Erfüllungsort bezeichnet). Zu unterscheiden ist dieser vom Erfolgsort, d.h. dem Ort, an dem der Leistungserfolg eintreten muß. Im Zweifel ist der Leistungsort der Ort des Wohnsitzes oder der gewerblichen Niederlassung des Schuldners (§ 269 I BGB). Bedeutsam ist der Leistungsort u. a. für den Gerichtsstand des § 29 ZPO.   *M. J.*

Leistungsprinzip

Zuteilungsnorm der → Einkommensverteilungspolitik, nach der jede Wirtschaftseinheit derart entlohnt werden soll, daß ihr Einkommen mit der individuellen Leistung übereinstimmt, die die Wirtschaftseinheit zur Sozialprodukterstellung beiträgt. Dieses Verteilungsprinzip wird als distributive Gerechtigkeit verstanden, solange gleichwertige Leistungen gleich – keine Lohndifferenzierung zwischen den Geschlechtern und Rassen – und ungleiche Leistungen nach ihrer Verhältnismäßigkeit entgolten werden.

Dem Leistungsprinzip entspricht die Entlohnung nach den Grundsätzen der → Grenzproduktivitätstheorie. Die leistungsgerechte Einkommenszuteilung muß mithin über die Märkte der Produktionsfaktoren ohne staatliche Eingriffe erfolgen. Allerdings setzt die volle Verwirklichung des Leistungsprinzips vollständige Konkurrenz auf allen Märkten voraus. Aufgabe der → Verteilungspolitik ist es deshalb, diese idealen Rahmenbedingungen soweit wie möglich herzustellen und zu sichern.

Von dieser Verteilungsnorm gehen zugleich Anreize auf die privaten Wirtschaftseinheiten aus, möglichst hohe → Berufsqualifikation zu erwerben und berufliche Leistungen zu erbringen. Ausreichende Einkommensdifferenzierungen tragen auf diese Weise zur Steigerung der Produktivität des → Arbeitsvermögens und damit zum Wachstum des Sozialproduktes bei, also zu der Gütermenge, die überhaupt verteilt werden kann.

Die Einhaltung des Leistungsprinzips wird vom → Liberalismus gefordert, weil es die wirtschaftliche Freiheit des einzelnen am ehesten garantiert und zugleich zum optimalen Einsatz des Produktionsfaktors Arbeit führt. Aber auch andere wirtschaftspolitische Leitbilder (freiheitlicher Sozialismus, katholische Soziallehre) können nicht ganz auf den ökonomischen Ansporn und damit auf eine leistungsorientierte Einkommensdifferenzierung verzichten. Andererseits ist eine nur an dieser Norm ausgerichtete Verteilung nicht denkbar, weil sie auf die Unterschiede der Menschen in ihren objektiven wirtschaftlichen Leistungsfähigkeiten keine Rücksicht nimmt und deshalb den Anspruch auf ein menschenwürdiges Dasein verletzen kann. Komponenten des → Bedarfsprinzips müssen hinzutreten.

Das Leistungsprinzip steht in zweifacher Hinsicht im Mittelpunkt einer kritischen Diskussion: Einesteils wird beklagt, daß unsere Leistungsgesellschaft unangemessene oder inhumane Strukturen und Verhaltensweisen fördere; andererseits wird betont, daß gegenwärtig angesichts des Wertewandels ein allgemeiner Leistungsverfall mit abnehmender → Arbeitsmotivation einsetze.

Soziologen stellen überdies den behaupteten Funktionszusammenhang von Leistungsinitiative, Leistungsnorm, gesellschaftlicher Produktivität und legitimierten Privilegien infrage, indem sie auf Verteilungsfehler im Hinblick auf leistungsbezogene Schädigungen hinweisen. Psychologen betonen die Schwierigkeiten der einwandfreien Leistungsbeurteilung und Erfolgsmessung angesichts komplexer Arbeitsstrukturen. *J. Si./G. Wi.*

Literatur: *Offe, C.,* Leistungsprinzip und industrielle Arbeit, Frankfurt a.M. 1975. *Werner, J.,* Verteilungspolitik, Stuttgart 1979.

Leistungsrechnung → Kostenrechnung, → innerbetriebliche Leistungsverrechnung

Leistungsstörungen

beeinträchtigen oder verhindern die vertragsgemäße Abwicklung eines Schuldverhältnisses. Folgende Fallgruppen sind beim Kauf zu unterscheiden:
(1) Unfähigkeit des Lieferanten, die vereinbarte Menge überhaupt (→ Unmöglichkeit) oder rechtzeitig (→ Verzug) oder vollständig zu liefern (sog. Lieferverzug);
(2) → Annahmeverzug des Abnehmers;
(3) → Schlechterfüllung (Qualitätsmängel);
(4) Falschlieferung (Lieferung nicht bestellter Ware);
(5) Schadensverursachung durch sonstige Pflichtverletzungen einer Vertragspartei (positive Forderungsverletzung).

Leistungstest → psychologischer Test

Leistungstransaktion → Transaktion

Leistungsverrechnung   → innerbetriebliche Leistungsverrechnung

Leistungsverwaltung

umfaßt vor allem Leistungen im Bereich der Daseinsvorsorge. Sie unterscheidet sich damit von der → Hoheitsverwaltung als eingreifender Verwaltung. Aufgaben der Leistungsverwaltung werden überwiegend von den Gemeinden übernommen und umfassen z.B. Straßenbau, Feuerwehr, Einrichtungen der Kultur-, Gesundheits-, Jugendpflege sowie Sozialwesen, Wirtschaftsförderung, Wohnungsbau, Freizeiteinrichtungen und Sport.

Leistungsvoraussetzungen

Gesamtheit der zur Ausführung von Arbeitshandlungen erforderlichen physischen und psychischen Eigenschaften des arbeitenden Menschen, deren tätigkeitsspezifische Ausprägung über → Arbeitsanalysen bestimmt und mit Verfahren der → Eignungsdiagnostik in ihrem individuellem Vorhandensein ermittelt werden können. In dieser engen Sichtweise können Leistungsvoraussetzungen nur als Elemente eines übergreifenden Qualifikationsbegriffs verstanden werden. *W. Ka.*

Leistungswucher → Wucher

Leitbild der Wirtschaftspolitik → wirtschaftspolitische Konzeptionen

Leitbildwerbung → Werbung

leitende Angestellte

Teilgruppe der → Arbeitnehmer eines Unternehmens, die von der Anwendung des → Betriebsverfassungsgesetzes infolge ihrer „Zwitterstellung" grundsätzlich ausgenommen ist (§ 5 Abs. 3 BetrVG). Ihre Abgrenzung im Rahmen des → Betriebsverfassungsgesetzes 1972 und des → Mitbestimmungsgesetzes 1976 bereitet jedoch Probleme. Nach herrschender Rechtsprechung wird diesem Personenkreis zugerechnet, wer
• eine unternehmerische Tätigkeit ausübt, d.h. maßgeblichen Einfluß auf die Unternehmenspolitik hat,
• über einen eigenen, erheblichen Entscheidungsspielraum verfügt,
• von seiner Tätigkeit her in einer Interessenpolarität zur sonstigen Arbeitnehmerschaft steht.
Strittig ist deshalb ihre Repräsentanz als Arbeitnehmervertreter im Aufsichtsrat (→ Mitbestimmungsgesetz 1976). Zu den Arbeitsgerichten können sie als Vertreter der Arbeitgeberseite berufen werden (§ 22 Abs. 2 Nr. 2 ArbGG). Sie genießen zwar → Kündigungsschutz (§ 14 Abs. 2 KSchG), an die Kündigungsgründe werden jedoch aufgrund gesteigerter Treuepflicht geringere Anforderungen gestellt. Sie sind in erhöhtem Maß zur Arbeitsleistung verpflichtet und genießen dann, wenn sie Vorgesetzte von mindestens zwanzig Arbeitnehmern sind, keinen → Arbeitszeitschutz (§ 1 Abs. 2 Nr. 2 AZO). Die Sonderstellung in der Arbeitnehmerschaft verdeutlicht ferner ihr Bestreben um eine distanzierte, eigenständige Interessenvertretung (→ Union der Leitenden Angestellten, „Sprecherausschüsse" im Rahmen der → Betriebsverfassung). *E. Ge.*

Literatur: *Fitting, K./Auffarth, F./Kaiser, H.,* Betriebsverfassungsgesetz, 15. Aufl., München 1987,

Pross, H./Boetticher, K., Manager im Kapitalismus, Frankfurt a. M. 1971.

Leitindikator → Indikatormethode

Leitkurs

(central rate) Bezeichnung, die heute im allgemeinen für ein offiziell fixiertes Austauschverhältnis (→ Parität) der nationalen Währung zu einem gemeinsamen internationalen Nenner (z. B. → Sonderziehungsrechte, → Europäische Rechnungseinheit, → Europäische Währungseinheit) und für die sich daraus ergebenden bilateralen Wechselkursverhältnisse (bilaterale Leitkurse) zwischen den einzelnen Währungen verwendet wird.

Leitung → Führung, → Management

Leitungsspanne

(Subordinations-, Kontroll-, Überwachungsspanne, span of control, span of management) drückt die Breite der Leitungsgliederung aus und wird durch die Anzahl der → Stellen bestimmt, die von einer Instanz geleitet werden. Die Versuche, mit mathematischen Modellen die optimale Leitungsspanne zu ermitteln, haben bisher kaum befriedigende Ergebnisse erbracht. Empirische Untersuchungen zeigen, daß sowohl zwischen Organisationen als auch innerhalb einer Organisation die Leitungsspannen erheblich variieren.

Ein Zusammenhang scheint jedoch mit dem Einsatz bestimmter → Koordinationsinstrumente zu bestehen. Die Verwendung unpersönlicher Koordinationsinstrumente läßt größere Leitungsspannen zu. Als weitere Einflußfaktoren gelten die zu bewältigende → Aufgabe, der → Führungsstil des Vorgesetzten, die Qualifikation von Vorgesetzten und Untergebenen und die Verfügbarkeit technischer Hilfsmittel (z. B. EDV).

Den wesentlichen Faktor bei der Festlegung der Leitungsspanne stellt letztlich die Beherrschbarkeit, d. h. die Inanspruchnahme einer Instanz durch Leitungsaufgaben und nicht delegierte Ausführungsaufgaben dar, die dem qualitativen und quantitativen Leistungsvermögen von Leitungsstelleninhabern angepaßt sein muß.   *M. Li.*

Literatur: *Bleicher, K.,* Zentralisation und Dezentralisation von Aufgaben in der Organisation von Unternehmungen, Berlin 1966. *Frese, E.,* Aufbauorganisation, Gießen 1976. *Schneider, P.,* Kriterien der Subordinationsspanne, Berlin 1972.

Leitungssystem

(Konfiguration) Gesamtheit der mit Leitungsfunktionen befaßten Personen einer Unternehmung. Neben → Spezialisierung und Koordination bildet das Leitungssystem die dritte große Strukturvariable zur Beschreibung → formaler Organisation (→ Organisationsstruktur).

Unternehmungen lassen sich als sozio-technische Systeme begreifen, die aus mehreren Elementen zusammengesetzt sind und als Gesamtheit am Gewinnziel orientierte wirtschaftliche Leistungen erbringen. Leitung (Führung, Management) hat die Funktion, diesen Prozeß zu steuern. Im einzelnen ergeben sich daraus folgende Aufgaben für das Leitungssystem: Willensbildung (Problemstellung, Alternativsuche, Beurteilung von Alternativen, Entscheidung), Willensdurchsetzung (Implementation, Motivation, Gruppenführung, Konfliktlösung, soziale Kontrolle) und Willenssicherung (Kontrolle). Leitungsaufgaben setzen sich aus sachgebundenen (Planung, Organisation, Kontrolle) und personengebundenen Elementen (Menschenführung) zusammen. Beide Arten sind in der Realität eng miteinander verknüpft.

Idealtypisch werden zwei Grundformen von Leitungssystemen unterschieden, deren Anwendung in Organisationen sich an den Situationsbedingungen und der Effizienz orientiert: → Einliniensystem und → Mehrliniensystem.   *R. N.*

Literatur: *Kieser, A./Kubicek, H.,* Organisation, 2. Aufl., Berlin, New York 1983, *Staehle, W. H.,* Management, 2. Aufl., München 1985.

Leitungsvermittlung → Datex

Leitwährung

Bezeichnung für eine Währung, an der sich andere Länder bei ihren währungs-, wechselkurs- und geldpolitischen Entscheidungen ausrichten. Dies kann dadurch geschehen, daß sie den Wechselkurs ihrer eigenen Währung in dieser Leitwährung fixieren (→ Parität, → Leitkurs), daß sie ihre → Währungsreserven ganz oder teilweise in Guthaben in dieser Leitwährung halten (→ Reservewährung) oder daß sie sich in ihren geld- und zinspolitischen Entscheidungen mehr oder minder eng an entsprechende Entscheidungen im Leitwährungsland anlehnen.

Die wichtigste Leitwährung der Welt vor dem Ersten Weltkrieg war das Pfund Sterling. In der Zwischenkriegszeit büßte es diese Funktion allmählich ein und hat sie seit dem Zweiten Weltkrieg und danach vollständig verloren. Seit dem Zweiten Weltkrieg ist der US-Dollar zur wichtigsten Leitwährung der Welt geworden. Während der Periode fester Wechselkurse im Rahmen des → Bretton-

Woods-Systems bis 1973 fixierten fast alle Länder die Parität ihrer Währungen in US-Dollar. Der US-Dollar war fast die einzige Interventions- und Reservewährung. Geld- und zinspolitische Maßnahmen der USA hatten und haben weltweite Signalwirkungen. Seit dem Übergang zu flexiblen Wechselkursen ist die weltweite Leitwährungsfunktion des US-Dollars etwas zurückgegangen.

Zumindest für die europäischen Währungen läßt sich inzwischen von einer Leitwährungsfunktion der D-Mark sprechen. Sie kommt darin zum Ausdruck, daß zum einen international vermehrt Währungsreserven in D-Mark gehalten werden und daß zum anderen mehrere Länder ihre Wechselkurspolitik an dem Verhältnis ihrer Währung zur D-Mark orientieren. Auch im → Europäischen Währungssystem spielt die D-Mark kraft ihres Gewichts eine bedeutende Rolle, wenn nicht gar die Leitwährungsrolle.   *M. F.*

Leitwerk → Steuerwerk

Leitzins → Diskontpolitik, → Libor

lender of last resort
wesentliche Funktion jeder Notenbank. Diese steht dabei vor einem grundlegenden Dilemma *(Charles Kindleberger):* Besteht ein lender of last resort, so sinkt die private Eigenverantwortlichkeit (der Banken, des Publikums) für Währungsstabilität; gibt es keinen lender of last resort, so kann man sich über die davon ausgehende Gefahr und die Konsequenzen eines run täuschen. Deshalb gilt als Voraussetzung für das Eingreifen eines lender of last resort mit zusätzlicher Liquidität: discounting freely, but at a penalty rate, also unbedingte Bereitstellung von Zahlungsmitteln, jedoch zu hohen Zinssätzen, um nur den unabdingbaren Bedarf zu decken.

Manchmal wird dem lender of last resort auch die Funktion einer normalen Refinanzierungsstelle zugeschrieben, also nicht nur für Krisensituationen. Er hat damit für ausreichende
- *Trendliquidität,* also für die reibungslose Abwicklung des normalen Zahlungsverkehrs sowie
- *Krisenliquidität,* also zur Beeinflussung von run-Situationen,

zu sorgen.

Diese Vorstellungen eines nationalen lender of last resort können auch international angewendet werden. Wenn → Notenbanken die Nachfrage nach → Währungsreserven aus ihrem Bestand nicht mehr erfüllen können, besteht der Bedarf an einem internationalen

lender of last resort, der Trendliquidität in Form von → Gold, → Sonderziehungsrechten (→ Währungsordnung) und Krisenliquidität in Form von Kreditfazilitäten zur Verfügung stellt. Solche Krisensituationen bestehen insb. bei einer umfangreichen, einseitigen Devisennachfrage (→ Devisenspekulation), u.U. mit selbstverstärkendem Effekt. Die Funktion eines solchen internationalen lender of last resort nehmen gegenwärtig, zumindest teilweise, der → Internationale Währungsfonds wie auch für die Mitgliedsländer der → Europäischen Gemeinschaften der → Europäische Fonds für währungspolitische Zusammenarbeit EFWZ wahr.   *M. Bo.*

Literatur: *Kindleberger, Ch. P.,* Mamas, Pamies, and Crashes, New York 1978. *Bagehot, W.,* Lombard Street (London 1873), Homewood, Ill. 1962. *Hawtrey, R. G.,* The Art of Central Banking, 2. Aufl., New York 1962.

Leninismus → Marxismus-Leninismus

Lenkungsfunktion → Preisfunktionen

Leontief-Paradoxon
Ergebnis eines empirischen Tests der → Faktorproportionentheorie. Im Rahmen einer Input-Output-Studie für die USA (*Wassily Leontief,* 1953) wurden Arbeits- und Kapitalgehalt der amerikanischen Export- und Importkonkurrenzprodukte (als Substitute der Importprodukte) ermittelt. Festgestellt wurde, daß die USA als unbestreitbar kapitalreichstes Land der Erde arbeitsintensive Produkte exportieren und kapitalintensive Erzeugnisse importieren. Die Prognosefähigkeit der Faktorproportionentheorie erschien hierdurch in Frage gestellt.

Untersuchungen zum Handel zwischen Indien und den USA (1962) und zum Warenaustausch zwischen Japan und seinen Handelspartnern bestätigten das Leontief-Paradoxon. Da jedoch 75% des japanischen Exports in arbeitsreiche Entwicklungsländer und nur 25% in relativ kapitalreiche Länder fließen, wurde deutlich, daß der Leontief-Test auf einer nach Handelspartnern disaggregierten Basis bilateraler Austauschbeziehungen erfolgen muß. Es scheint, daß die Faktorproportionentheorie (Heckscher-Ohlin-Theorem) in ihrer einfachen Form nicht hinreichend empirisch abgesichert werden kann und somit einer differenzierteren Formulierung (→ Neo-Faktorproportionentheorem) bedarf.   *F. P. L.*

Leontief-Produktionsfunktion
mathematisch einfachster Grundtyp von → Produktionsfunktionen. Die nach *Wassily*

Leontief benannte Produktionsfunktion ist outputorientiert formuliert und geht von einer →Limitationalität der Einsatzgüter aus. Die Menge eines Einsatzgutes in einem Produktionsprozeß hängt daher nicht von den Mengen anderer Einsatzgüter ab. Zudem wird bei der Leontief-Produktionsfunktion angenommen, daß außer der im Rahmen des betrachteten Produktionsprozesses anfallenden Ausbringungsmenge keine anderen Größen den Verbrauch der Einsatzgüter beeinflussen. Daher kann der Zusammenhang einfach durch das Output-Input-Verhältnis zwischen Endergebnis und Einsatzgut gekennzeichnet werden. Von diesem Verhältnis wird angenommen, daß es unabhängig von der Ausbringungsmenge ist, so daß sich insgesamt ein konstanter →Produktionskoeffizient ergibt. Die →Transformationsfunktion zur Bestimmung der Einsatzmenge r_{ij} von Gut i zur Herstellung der Menge r_j von Gut j hat also die einfache lineare Gestalt: $r_{ij} = a_{ij} \cdot r_j$, wobei a_{ij} der betreffende Produktionskoeffizient ist. Das bei zwei Einsatzgütern und einem Ausbringungsgut entstehende →Ertragsgebirge ist pyramidenförmig.

Zur vollständigen Kennzeichnung einer Leontief-Funktion genügt die Kenntnis des entsprechenden Koeffizienten. Daher lassen sich auch die Produktionsbeziehungen bei mehrstufiger Mehrproduktfertigung übersichtlich darstellen. Bei n Güterarten gibt es n^2 Produktionskoeffizienten a_{ij} für i,j = 1, ..., n (einige a_{ij} sind Null), die in einer →Direktbedarfsmatrix A zusammengefaßt werden können. Die Produktionsmenge r_i jedes Gutes i kann bei mehrstufiger Produktion sowohl als Input wie auch als Output angesehen werden. Soll von Gut i die Menge x_i letztlich an den Markt abgegeben werden, gelten folgende Gleichungen für den Güterfluß der wiedereingesetzten und abgesetzten Mengen:
$r_i = a_{i1}r_1 + a_{i2}r_2 + ... + a_{in}r_n + x_i$
für i = 1, ..., n.

Mit den Vektoren
$r = (r_1, r_2, .., r_n)$ und
$x = (x_1, x_2, ..., x_n)$
lautet dieses Gleichungssystem:
$r = A \cdot r + x$.

Hieraus können, falls die Struktur der Direktbedarfsmatrix A nicht entartet ist, die Produktionsmengen $r = (r_1, r_2, ..., r_n)$ explizit bestimmt werden: $r = (E - A)^{-1} \cdot x$ (E sei die Einheitsmatrix). Die Matrix $G := (E - A)^{-1}$ heißt →Gesamtbedarfsmatrix. Durch die Werte der Gesamtbedarfsmatrix ist jede Leontief-Produktionsfunktion eindeutig gekennzeichnet: $r = G \cdot x$. Leontief-Produktionsfunktionen sind für volkswirtschaftliche

Analysen, wo der Anwendungsbereich ursprünglich lag, aber auch für betriebswirtschaftliche Anwendungen von einiger Bedeutung. Eine Vielzahl industrieller Produktionsprozesse läßt sich mit Leontief-Produktionsfunktionen erfassen. Diese bilden auch die produktionstheoretische Grundlage vieler betriebswirtschaftlicher Planungsrechnungen, so z.B. der →Stücklistenauflösung. *E. T.*

Literatur: *Schweitzer, M./Küpper, H.-U.*, Produktions- und Kostentheorie der Unternehmung, Reinbek bei Hamburg 1974.

Lernen

Veränderung des Erlebens bzw. Verhaltens durch Erfahrung. Insbesondere kognitive Inhalte, Emotionen und Motive bzw. Verhaltensintentionen können gelernt, d.h. durch Erfahrung erworben oder modifiziert werden.

(1) Lernen von *kognitiven Inhalten:* Nach dem sog. Drei-Speicher-Modell gelangen Teile der Informationen aus der Umgebung über den sensorischen Speicher der Sinnesorgane (den Ultrakurzzeitspeicher) in den Arbeits- bzw. Kurzzeitspeicher, wo sie bewußt wahrgenommen werden (→Wahrnehmung), und von dort ggf. in den Langzeitspeicher. Welche Informationen in den Langzeitspeicher kommen und wie gut sie dort gespeichert werden, hängt u.a. auch von den subjektiven Erwartungen, Vorerfahrungen, Wünschen und Bedürfnissen der betreffenden Person ab: Informationen, die mit diesen subjektiven Hypothesen übereinstimmen, werden i.d.R. leichter, länger und weniger verfälscht gespeichert als dissonante Informationen.

(2) Lernen von *Emotionen* (klassisches Konditionieren): Tritt ein „neutraler" Reiz ausreichend oft annähernd zeitgleich zusammen mit einem Reiz auf, der bei der Person eine spezifische Emotion hervorruft, dann löst auch der ursprünglich neutrale Reiz allein dieses Gefühl aus. So erscheint z.B. der Name oder die Verpackung einer Seife – oft genug zusammen mit dem Bild eines hübschen Mädchens auf einer Südseeinsel wahrgenommen – erotischer und exotischer; ein ursprünglich neutrales Zimmer wirkt unangenehm, wenn man darin mit Reizen konfrontiert worden ist, die Angst ausgelöst haben.

(3) Lernen von *Motiven* bzw. *Verhaltensintentionen* (Lernen am Erfolg): Handlungen, denen (häufig) positive Konsequenzen (wie Erfolg, Belohnung, Bedürfnisbefriedigung) gefolgt sind, werden mit einer höheren Wahrscheinlichkeit wiederholt als Handlungen, die keine positiven, evtl. sogar negative Folgen (wie Mißerfolg, Bestrafung, Frustration) gehabt haben.

Für die Wirtschaftswissenschaften sind besonders die Reiz-Reaktions-Theorien und die Theorien des kognitiven Lernens von Bedeutung. Zu ersteren gehören die klassische Konditionierung, die durch die Pawlowschen Experimente mit Hunden bekannt geworden ist, und die Theorien des instrumentellen und operanten Konditionierens, für die vor allem die Arbeiten von *B. F. Skinner* stehen. Nach diesen Theorien besteht Lernen in der Herausbildung von Gewohnheiten durch Versuch und Irrtum, wobei diese durch das Verstärkungsprinzip gesteuert wird.

Nach den kognitiven Theorien, die z. T. dieselben Phänomene erklären wollen, entsteht Lernen eher durch die Herausbildung von kognitiven Strukturen (im → Informationsverarbeitungssystem), durch Einsicht in Zusammenhänge, durch Attribuierung von Konsequenzen zu Ursachen.

Lerntheoretische Konzepte finden sich in den Wirtschaftswissenschaften in der → Produktions- und Kostentheorie (Produktivitätsfortschritte durch Lernprozesse), in der Literatur zur → strategischen Planung (→ Erfahrungskurve) und in den Theorien des → Konsumentenverhaltens (→ emotionale Konditionierung, → Markenwahl).

In vielen lerntheoretischen Experimenten haben sich typische S-förmige oder durchgängig degressive → Lernkurven ergeben.

P. N./K. P. K.

Literatur: *Foppa, K.,* Lernen, Gedächtnis, Verhalten, Köln, Berlin 1970.

Lernersches Monopolmaß → Monopolgrad

Lernkurve

funktionale (graphische) Beziehung, welche die Abhängigkeit der Lernleistung einer Person oder einer Organisation von der Lernerfahrung oder, wenn diese im Zeitablauf gleichförmig zunimmt, von der Zeit beschreibt. Zahlreiche empirische Untersuchungen zeigen, daß Lernkurven entweder s-förmig oder durchgängig degressiv verlaufen. Das bedeutet, daß der Lernfortschritt mit zunehmender Erfahrung zunächst zu- und dann abnimmt, bzw. von Anfang an abnimmt.

(1) Für die → Arbeitswissenschaft sind Lernkurven von Bedeutung, weil sich die Struktur, die Dauer und die Koordination von Griffbewegungen und Teilarbeitsgängen unter dem Einfluß der Übung verändert. Dies muß bei Zeit- und Bewegungsstudien berücksichtigt werden.

(2) In der Literatur zur strategischen Unternehmensplanung bezieht sich die Lern- und Erfahrungskurve (*Bruce Henderson*) auf Ko-

stensenkungen durch organisationales Lernen. Mit jeder Verdoppelung des kumulierten Outputs einer Unternehmung sollen die Stückkosten um 20–30% sinken (→ Erfahrungskurve).

(3) In der Werbeforschung (→ Werbung) wird die Veränderung von Indikatoren der Werbewirkung (z. B. der Erinnerungsleistung eines Konsumenten in Bezug auf eine Produktinformation) in Abhängigkeit von der Zahl der Werbekontakte (oder von der Dauer der Werbekampagne) als Lernkurve interpretiert und abgebildet.

K. P. K.

Lernstatt

Gruppenarbeitsmodell, das allen offensteht, die sich freiwillig mit aktuellen Problemen ihres Arbeitsplatzes befassen und einen Beitrag zur Verbesserung der Organisation leisten wollen. Obwohl die Einrichtung der Lernstatt unabhängig vom Konzept des → Qualitätszirkels zu Beginn der 70er Jahre entstanden ist, weisen beide Ausbildungs- und Organisationsentwicklungskonzepte Gemeinsamkeiten auf. Das Lernstatt-Konzept wurde ursprünglich von Firmen wie Bosch, BMW, Hoechst usw. dazu eingesetzt, um insb. die sprachliche und soziale Kompetenz ausländischer Mitarbeiter zu fördern.

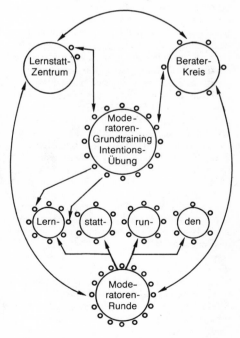

Die Bosch-Lernstattorganisation

Quelle: *Kirchhoff, B./Gutzan, P.,* S. 37.

Wesentliche Ziele des Lernstatt-Konzepts sind: Lösung aktueller Probleme, Kostenreduzierung (Steigerung des Leistungsgrades) und Humanisierung der Arbeitsbedingungen.

Zentrale Bedeutung haben dabei die sog. Moderatoren (vgl. Abb. auf S. 43), die von Lernstatt-Beratern aus dem Bereich einer Problemlösungsgruppe gewonnen werden. Sie sollen die einzelnen Lernstattrunden strukturieren und insb. die Kommunikationsfähigkeit der Teilnehmer fördern. Die Sitzungen finden grundsätzlich während der Arbeitszeit im Betrieb statt.

Eine Weiterentwicklung sind die sog. Werkstattzirkel, die sich auf die Lösung von Qualitäts- und Produktionsproblemen beschränken und damit größere Ähnlichkeit mit den Qualitätszirkeln aufweisen. *U. A.*

Literatur: *Dunkel, D.* (Hrsg.), Lernstatt, Köln 1983. *Kirchhoft, B./Gutzan, P.,* Die Lernstatt, Grafenau 1982. *Manch, H.,* Werkstattzirkel, Quickborn 1981.

Lerntheorien → Lernen

Leuchtmittelsteuer → Bagatellsteuer

Leverage-Effekt

Das in einer Unternehmung eingesetzte Kapital wird entweder als → Eigen- oder als → Fremdkapital zur Verfügung gestellt. Eigenkapitalgeber können über die Verwendung des nach Steuern verbliebenen Gewinnes entscheiden, während das Fremdkapital unabhängig von der Ertragslage in vorher vertraglich vereinbarter Höhe zu verzinsen ist. Ist die in einer Periode erzielte Verzinsung für das gesamte eingesetzte Kapital (Gesamtkapitalrentabilität) höher als der feste Fremdkapitalzins, so fällt den Eigenkapitalgebern auch der Betrag zu, der vom Fremdkapital erwirtschaftet wurde, aber nicht für die Bezahlung des festen Fremdkapitalzinses benötigt wird.

Die Auswirkungen auf die → Eigenkapitalrentabilität sind um so größer, je höher die Differenz zwischen festem Fremdkapitalzins und Gesamtkapitalrentabilität einerseits und je höher der Verschuldungsgrad einer Unternehmung (je höher also der Anteil des Fremdkapitals – und damit je niedriger der Anteil des Eigenkapitals – am Gesamtkapital) andererseits sind. In der Literatur bezeichnet man die Erhöhung der Eigenkapitalrentabilität infolge einer über dem Fremdkapitalzins liegenden Gesamtkapitalrentabilität als Leverage-Effekt, da die zunehmende Verschuldung in diesem Fall eine „Hebelwirkung" auf die Eigenkapitalrentabilität ausübt.

Es ist allerdings zu beachten, daß der Lever-age-Effekt auch in umgekehrter Richtung wirkt. Liegt der Fremdkapitalzins über der Gesamtkapitalrentabilität, so sinkt die Eigenkapitalrentabilität um so stärker, je höher die negative Differenz zwischen festem Fremdkapitalzins und Gesamtkapitalrentabilität einerseits und je höher der Verschuldungsgrad der Unternehmung andererseits sind. Dieser Effekt führt sogar zu einem Verlust, also zu einer Verminderung des Eigenkapitals, wenn die negative Differenz zwischen Fremdkapitalzins und Gesamtkapitalrentabilität nicht durch einen Überschuß der Periodenerträge über die übrigen Periodenaufwendungen kompensiert werden kann (→ Fremdkapital-Struktur-Planung). *H. Bi.*

Literatur: *Engels, W.,* Leverage-Effekt, in: *Büschgen, H. E.* (Hrsg.), HWF, Stuttgart 1976, Sp. 1264 ff. *Wöhe, G./Bilstein, J.,* Grundzüge der Unternehmensfinanzierung, 4. Aufl., München 1986, S. 312 ff.

Lewin'sche Formel → Feldtheorie

lexikographische Auswahlregel

→ Entscheidungsregel für Zielkonflikte (→ Zielbeziehung). Danach sind die möglicherweise konfliktären Ziele zunächst nach ihrer Bedeutung für das Entscheidungssubjekt zu ordnen. Dann wird die Menge derjenigen Handlungsalternativen ermittelt, die dem → Optimierungskriterium für das wichtigste Ziel entsprechen. Führt dieser Auswahlprozeß zu einer einzigen Optimalalternative, ist das Entscheidungsproblem gelöst; die übrigen Ziele bleiben unberücksichtigt. Erfüllen hingegen mehrere Handlungsalternativen das entsprechende Optimierungskriterium, so werden aus dieser Teilmenge im nächsten Schritt diejenigen Alternativen ausgewählt, die das zweitwichtigste Ziel am besten erfüllen. In entsprechender Weise fährt man fort, bis entweder eine einzige Optimalalternative bestimmt ist oder alle maßgeblichen Zielgrößen berücksichtigt worden sind. *M. B.*

lexikographisches Entscheidungsmodell → Entscheidungsheuristiken

Liaison

→ Kommunikationsrolle der → Gruppenkommunikation mit der Aufgabe, die Gruppenmitglieder kommunikativ zu verbinden. Der Träger dieser Rolle faßt u. a. die Beiträge der einzelnen Gruppenmitglieder resümierend zusammen bzw. animiert diese, aktiv an der Gruppenkommunikation teilzunehmen.

A. P./W. K. R.

Liberalismus

im weitesten Sinne jene Lehre, die die reale
Chance zur Verwirklichung menschlicher
Freiheit in der Gesellschaft konstatiert und
darüber hinaus menschliche Freiheit für den
Wert hält, der alle anderen Werte dominiert.

Die Geschichte der modernen europäischen
Kultur muß stets (auch) als die Geschichte des
Kampfes um individuelle Freiheiten in der jeweils historisch gegebenen Konstellation angesehen werden. Am Anfang des Kampfes um
individuelle Freiheiten stand die Forderung
nach religiöser Toleranz, die Forderung nach
Meinungs- bzw. Gedankenfreiheit. Sie begründete eine Besonderheit der holländischen
Entwicklung im 17. und 18. Jh. Holland wurde zu einer Oase der Religionsfreiheit. In diesem Land mit dem ausgesprochen städtischen
Charakter eines Handels- und Schiffahrtsstaa-
tes entfaltete sich dann bald unter Anwendung
freiheitlicher Methoden zur Entfesselung
wirtschaftlicher Kräfte eine Liberalisierung
und Rationalisierung des Handels, des Geld-
und Bankenverkehrs und ein landwirtschaftlicher Rationalismus, alles fundiert durch Maßnahmen zur Begründung politischer Freiheit:
eine frühe Beseitigung des → Feudalismus, der
Hörigkeit und der inneren Monopole. Freiheit
des Marktes und Freiheiten im Staat wurden
somit für Holland zu einer Lebenspraxis.

Die Auseinandersetzung um die Freiheitsidee beginnt also mit der Forderung nach religiöser Freiheit. Ihr folgt im 17. Jh. mit dem
Naturrecht die Forderung nach politischer
Freiheit. Deutlich voneinander zu unterscheiden sind der politische Liberalismus und der
ökonomische (besser: der wirtschaftspolitische) Liberalismus. Politischer Liberalismus
bedeutet Befürwortung einer parlamentarischen Regierung, eines freien Wahlrechts sowie der Verallgemeinerung des Wahlrechts,
Forderung nach Pressefreiheit, Trennung zwischen geistlicher und weltlicher Macht,
Schwurgerichtsverfahren, Einschränkung der
Staatsausgaben und nach einer friedlichen
(wenn auch nicht notwendigerweise pazifisti-
schen) Außenpolitik.

Im Vergleich zu Holland greift die wirtschaftliche Liberalisierung in England sehr
viel später. Mit der Beseitigung der ständi-
schen Barrieren vollzieht sich dort eine starke
→ Industrialisierung des Landes, wobei Pionierunternehmer in völlig neuartige Beschäfti-
gungsbereiche eindringen. Die englischen
Schriftsteller sind es nun, die ihre Zeit über
ausformulierte gedankliche Systeme des Liberalismus unterrichten und beeinflussen.

Erst im späten 18. Jh. erhebt sich die wirtschaftspolitische Freiheitsforderung des Libe-

ralismus (→ Klassik). Die Fortschrittsidee ist
Basis für die Entfaltung des Liberalismus im
Sinne einer Lebenshaltung. Der Glaube an
Markt- und Goldmechanismen fundiert das
Vertrauen auf die Chance einer freien Ordnung aller Lebensbereiche. Damit säkulari-
siert sich die liberale Bewegung in Richtung
auf Ideensysteme, die die Werte des Geistigen
und Politischen nachrangig einstufen. Harmo-
nieglaube und Heilserwartung auf die tendenzielle Herstellung der natürlichen Ordnung
des wirtschaftlichen Daseins ließen einen ökonomischen Liberalismus entstehen, der den
Gedanken enthielt, das Politische, den Macht-
und Gewalteinsatz entbehrlich zu machen.
Man glaubte, die Gewähr menschlicher Freiheit, ihre Sicherung, der realen Ordnung der
Tauschinteressen überlassen zu können. Aus
der Glaubenskraft entlassen, übersah der Liberalismus seine eigenen geistigen Voraussetzungen, wandelte sich zu einem liberalen For-
malismus und suchte die Begründung der
Freiheitsidee in einer Art Interessen- und Ent-
wicklungsautomatik.

Gründlich unterschätzt wurde hinfort die
ordnungspolitische Notwendigkeit der verfas-
sungsmäßigen Sicherung von Grundrechten
und -werten, vor allem das Erfordernis, wirtschaftliche Grundrechte vor wirtschaftlicher
Übermacht zu schützen. Das Dogma von der
selbsttätigen wirtschaftlichen Entwicklung zu
weiterem Fortschritt enthielt oft stillschweigend die Erwartung, alle sozialen Probleme
zumindest in der Zukunft gelöst zu sehen.

Der geschichtliche Ablauf enthüllte die Illu-
sionshaftigkeit einer Einstellung, die in einem
bestimmten Wirtschaftsprogramm letzte Le-
benserwartungen erfüllt wissen wollte. → Unternehmenskonzentration, → Verstädterung,
Unpersönlichkeit und soziale Härte der Fa-
brikarbeit, Verlust an Bodenständigkeit konnten als Problemlagen sozialer Existenz ausge-
blendet werden. Diese Version von „Liberalismus" entartete zu einer reinen Wirtschafts-
ideologie.

Mit dem Zusammenbruch des → Goldstandards und der → Weltwirtschaftskrise ergaben sich – rasch von allen antiliberalen Strömungen genutzte – Anhaltspunkte, „Liberalismus" gleichzusetzen mit einer unsozialen
individualistisch-kapitalistischen Ordnung, in
der höhere Gesamtinteressen rücksichtslos
aus egoistischer Wirtschaftssicht negiert wurden (→ Manchestertum). Der klassische Liberalismus meinte, wenn er von Freiheit der
Wirtschaft sprach, die Freiheit des einzelnen
zur Leistung. Für ihn ist nur derjenige frei, der
in jeder Situation zwischen verschiedenen
Möglichkeiten wählen kann. Die Freiheit des

Ausweichens in die Alternative bzw. der bewußten Entscheidung für eine Alternative ist ein entscheidender Aspekt liberalen Denkens. Deshalb muß einem Vertragspartner das gewährt werden, was man selbst gewährleistet haben möchte. Jedem Vertragspartner ist jene Freiheit einzuräumen, die man für sich selbst begehrt bzw. vernünftigerweise begehren kann.

Einem nur formal argumentierenden Liberalismus (pacta sunt servanda) muß es gleichgültig sein, ob Zwänge zum Abschluß eines Vertrages auferlegt werden können oder nicht. Eine nur an Vertragstreue gebundene, formaljuristisch gesehene Freiheit läßt selbst Kartellismus als ein „echtes Kind des Liberalismus" erscheinen. Wenn „im Namen der Freiheit die Freiheit des Kollektivs, die die Freiheit des Einzelnen durch Macht erwirbt", zulässig bleibt, folgt auf die Automatismusvergötzung die Vergötzung der Wirtschaftsmacht *(Adolf Lampe)*. Wirtschaftsfreiheit kann nicht nur formal gesichert werden; diesen Grundsatz, der für den → Neoliberalismus konstitutiv wird, hatte die → Laissez faire-Variante des Liberalismus bezüglich der Gestaltung der wirtschaftlichen Freiheit übersehen.

H. G. K.

Literatur: *Boelcke, W. A.,* Liberalismus, in: HdWW, Bd. 5, Stuttgart, New York 1980, S. 32 ff. *Müller-Armack, A.,* Religion und Wirtschaft, Stuttgart 1959. *Rüstow, A.,* Das Versagen des Wirtschaftsliberalismus, 2. Aufl., Bad Godesberg 1950.

Libid

Abk. für London interbank bid rate (→ Libor).

Libor

(London interbank offered rate) Zinssatz, zu dem führende Banken in London bereit sind, am → Eurogeldmarkt an andere erste Adressen unter den Banken Gelder auszuleihen. Dieser Zins übt die Funktion eines Leitzinses für den Eurogeldmarkt aus. Als Referenzzins für → Roll-over-Kredite und → Euronotes oder am → Eurokapitalmarkt für → zinsvariable Anleihen wird Libor i. d. R. ermittelt, in dem vier bis fünf Banken vertraglich als Referenzbanken benannt werden. Aus ihren Zinsmeldungen zu einem bestimmten Tag und Zeitpunkt, meist 11 Uhr Londoner Zeit, wird der jeweilige Libor als arithmetisches Mittel bestimmt. Entsprechend der Fristenstruktur am Eurogeldmarkt dominieren Liborsätze für Laufzeiten von einem bis zu zwölf Monaten.

Stark gewachsen ist in den letzten Jahren die Bedeutung von Libid (London interbank bid rate), dem Zins, zu dem die entsprechen-

den Banken Interbankeinlagen aufzunehmen bereit sind, sowie Limean (London interbank mean rate), dem arithmetischen Mittel zwischen Libid und Libor. Ähnliche Zinssätze an anderen Euromarktzentren blieben bislang weitgehend unbedeutend (→ Fibor) *W. G.*

Lichtstift

bleistiftähnliche, bewegliche Zusatzeinrichtungen an einem Datensichtgerät, mit deren Hilfe auf dem → Bildschirm zu manipulierende Datenfelder durch Antippen gekennzeichnet werden. Photozellen auf Bildschirmebene empfangen dabei die Lichtsignale aus der Stiftspitze.

Lichtwellenleiter → Übertragungstechnik

Lichtwerbung → Werbeträger

Lieferantenauswahl

unternehmerisches Entscheidungsproblem, wenn ein bestimmtes Gut erstmals beschafft oder ein Lieferantenwechsel beabsichtigt wird. Die Auswahlentscheidung ist das Ergebnis eines komplexen Bewertungsprozesses (→ Lieferantenbewertung), bei dem verschiedenen Kriterien Rechnung zu tragen ist.

Literatur: *Mai, A.,* Lieferantenauswahl, Thun, Frankfurt a. M. 1982.

Lieferantenbewertung

(vendor rating) Vergleich verschiedener Beschaffungsquellen. Die dafür erforderlichen Bewertungsmaßstäbe sollten mit den Selektionskriterien bei der → Lieferantenauswahl korrespondieren. Die → Lieferantenbewertung erfolgt in zwei Schritten:

● Festlegung von Bewertungskriterien, z. B. Einstandspreis, Bezugskosten, Qualität, Zusatzleistungen, Zuverlässigkeit, Beeinflussungsmöglichkeiten,

● Feststellung der Einzelwerte und deren Verknüpfung zu einem Globalurteil, zumeist mit Hilfe eines Punktbewertungsmodells.

Literatur: *Tanew-Iliitschew, G.,* Lieferantenbewertung, Diss., Wirtschaftsuniversität Wien 1979.

Lieferantenförderung

dient der Erschließung von Kosten- oder Qualitätsreserven bei Lieferanten oder von neuen Beschaffungsquellen (→ strategische Beschaffungsplanung). Für die Betroffenen ist damit die Gefahr verbunden, daß Abhängigkeiten geschaffen werden, insb. dann, wenn die Lieferantenförderung über die reine Beratung hinausgeht und eine leistungswirtschaftliche Verflechtung zur Folge hat.

Lieferantenkredit

Wenn ein Betrieb Lieferungen oder Leistungen von einem anderen Betrieb erhält, dann entsteht zwischen den Beteiligten eine Kreditbeziehung, sofern der Betrieb seine Schulden nicht umgehend begleicht. Ein solcher Lieferantenkredit kann entweder durch Vereinbarung eines Zahlungsziels ausdrücklich gewährt oder auch „erzwungen" werden, wenn der Abnehmer seine Rechnungen nur schleppend bezahlt, ohne daß der Lieferant geeignete Gegenmaßnahmen (z. B. angesichts der Bedeutung des Kunden für ihn) ergreifen kann.

Seinem Wesen nach ist der Lieferantenkredit ein Mittel der Absatzförderung. Für den Kreditnehmer hat er den Vorteil, daß er ohne Formalitäten und i. d. R. ohne Hingabe von → Kreditsicherheiten gewährt wird. Zur Sicherung seiner Forderung behält sich der Lieferant aber bis zur Bezahlung das Eigentum an den gelieferten Sachen vor (→ Eigentumsvorbehalt). Für den Lieferantenkredit wird zwar kein Zins gezahlt, aber er wird dann, wenn für den Fall der unverzüglichen Zahlung ein → Skonto eingeräumt wird, nicht umsonst gewährt, weil sich in Höhe des gewährten Skontos der zu bezahlende Betrag vermindert. Insofern müssen für den Lieferantenkredit „Zinsen" bezahlt werden, wenn ein möglicher Skonto nicht in Anspruch genommen wird. *H. Ku.*

Literatur: *Wöhe, G./Bilstein, J.,* Grundzüge der Unternehmensfinanzierung, 4. Aufl., München 1986, S. 209 ff.

Lieferbedingungen → Lieferungsbedingungen

Lieferbereitschaftsgrad → Bestandsplanung

Lieferbindung

Auflage zur Verwendung der gewährten öffentlichen → Kapitalhilfe zum Kauf von Waren/Leistungen aus dem Geberland. Die Lieferbindung wird häufig mit der Notwendigkeit der Wahrung des Zahlungsbilanzausgleichs für das Geberland begründet. Hintergrund dieser Politik dürfte aber oftmals die Unterstützung der Exportindustrie des Geberlandes sein. Sind die Produkte des Geberlandes im internationalen Maßstab vergleichsweise teurer, so führt die Lieferbindung zu einer Verminderung des Realwerts der Kapitalhilfe.

Lieferdiskriminierung → Diskriminierung, → Vernichtungswettbewerb

Liefermenge → Beschaffungsmengenplanung

Lieferungsbedingungen

vertragliche Ergänzungen oder Bestandteile des → Kaufvertrags, in denen die Nebenleistungen des Anbieters spezifiziert werden (→ Konditionenpolitik). Diese betreffen vor allem

- Ort und Zeit der Warenübergabe,
- Modalitäten der Warenzustellung,
- Serviceleistungen des Verkäufers nach dem Kauf,
- Übernahme der Kosten für Verpackung und Transport,
- Umtausch- und Gewährleistungsrechte des Käufers,
- Vertriebsbindung beim Wiederverkauf,
- Pflichten des Wiederverkäufers (Ersatzteillagerung, Kundendienst etc.) sowie
- formalrechtliche Bestimmungen für den Streitfall.

Da die Minderung des Kaufrisikos, Übernahme des Transports, Lieferfrist und andere Gegenstände der Lieferungsbedingungen direkte oder indirekte Leistungen des Verkäufers bzw. Käufers betreffen und damit (opportunitäts-)kosten- bzw. preiswirksam sind, spielen sie über die rechtliche Absicherung hinaus vor allem im Investitionsgüterbereich akquisitorisch eine Rolle. Ein nicht zu unterschätzender Vorteil liegt dabei in der Möglichkeit der individuellen Ausgestaltung und der Vertraulichkeit dieser Bestimmungen, soweit sie in Verhandlungen festgelegt und nicht in standardisierter Form angewendet werden. Die Grenzen des → Diskriminierungsverbots (§§ 15 bzw. 18 GWB) sind dabei zu beachten. *H. D.*

Lieferverweigerung → Behinderungsmißbrauch, → Diskriminierung

Lieferverzug → Leistungsstörungen, → Verzug

Lieferzeit

umfaßt als wichtiges bereichsspezifisches → Marketingziel für die → physische Distribution die Zeitspanne zwischen dem Ausgang der Bestellung und dem Eingang der Lieferung beim Kunden.

Life-Cycle-Hypothese

von *Franco Modigliani, Richard Brumberg* und *Albert Ando* entwickelte Hypothese zur → Konsumgüternachfrage, nach der ein Wirtschaftssubjekt versucht, seinen optimalen (erwarteten) Konsumpfad für sein gesamtes Leben zu realisieren. Damit wird der Konsum nicht nur vom Einkommen der laufenden Periode, sondern auch von dem in der Zukunft erwarteten Einkommen, vom Vermögen („Vorsorge für das Alter") und von der Altersstruktur bestimmt. Eine Ergänzung erfährt die Life-Cycle-Hypothese durch das „Vererbungsmotiv", nach dem der heutige Konsumverzicht nicht nur der Sicherung der eigenen Zukunft, sondern auch der Zukunft nachfolgender Generationen dient. *J. R.*

Literatur: *Ott, D. J./Ott, A. F./Yoo, J. H.*, Macroeconomic Theory, New York u. a. 1975.

Lifo-Verfahren → Sammelbewertung, → Bestandsrechnung

Likelihood-Funktion → Eingleichungsmodell-Schätzung

Likert-Ratings

Instrument der von *Rensis Likert* 1932 entwickelten Methode der summierten Einschätzungen. Dieses Verfahren, das heute noch als bekanntestes und vielfach auch als leistungsfähigstes eindimensionales → Skalierungsverfahren angesehen wird, baut auf Ratingskalen auf, die wie Intervallskalen operationalisiert werden. Durch die Methode der summierten Einschätzungen soll die Einstellung der Testperson als ablehnende oder zustimmende Haltung zum Einstellungsobjekt ermittelt werden. Es stellt also ausschließlich auf die affektive Komponente der Einstellung ab.

Die Methode umfaßt fünf Schritte:
1. Schritt: Es wird eine bestimmte Anzahl geeigneter diskriminierender Aussagen (Items) über das Einstellungsobjekt gesammelt (normalerweise sind 20–25 Items erforderlich).
2. Schritt: Jedem Item wird eine fünfstellige Rating-Skala zugeordnet, wobei jeder der fünf Antwortmöglichkeiten ein numerischer Wert zugewiesen wird, z.B. +2, +1, 0, −1, −2, mit nachfolgender inhaltlicher Zuordnung:

starke Zustimmung   (+2)
schwache Zustimmung   (+1)
unentschiedene Haltung (0)
schwache Ablehnung   (−1)
starke Ablehnung   (−2)

3. Schritt: Die Items werden einem Pretest unterzogen, um sicherzustellen, daß sie eine Diskriminierung der Testpersonen nach deren Einstellungen bewirken.
4. Schritt: Die ausgewählten, geeignet erscheinenden Items werden den Testpersonen vorgelegt, die jedem Item einen Zahlenwert zuordnen, wobei stets gilt: positiver Zahlenwert = Zustimmung; negativer Zahlenwert = Ablehnung.
5. Schritt: Für jede Testperson wird der Summenwert der Zahlen über alle Items errechnet.

Dieser stellt den Meßwert für die Einstellung des Befragten dar.   *W. Fei.*

Ergebnis eines Likert-Tests

Stimulus	Einschätzungen	
	Person A	Person B
1	+1	1
2	+2	−2
3	0	−1
4	+1	0
5	0	0
6	+1	−1
7	+1	−1
Summe der Einschätzungen	6	−4

Literatur: *Andritzky, K.*, Die Operationalisierbarkeit von Theorien zum Konsumentenverhalten, Berlin 1976, S. 65 ff. *Hammann, P./Erichson, B.*, Marktforschung, 2. Aufl., Stuttgart, New York 1987. *Kerlinger, F. N.*, Foundations of Behavioral Research, New York 1973.

Limean

Abk. für London interbank mean rate (→ Libor).

Limitationalität

von Einsatzgütern in einem Produktionsprozeß bedeutet, daß zur Herstellung einer bestimmten Ausbringungsmenge die (effiziente) Einsatzmenge jedes der diskutierten Einsatzgüter einzeln eindeutig feststeht und nicht von den Einsatzmengen anderer Einsatzgüter abhängt (→ Produktionsfunktion). Insbesondere kann die Verringerung der Menge eines Einsatzgutes nicht durch die Erhöhung der Mengen anderer Einsatzgüter ausgeglichen werden, wie dies bei → Substitutionalität der Fall ist.

limitierte Kaufentscheidung → Kaufentscheidung

Limitrechnung

kurzfristiges Planungs- und Kontrollsystem zur Lagerbestands- und Sortimentssteuerung, das gleicherweise der Kostensenkung und der Liquiditätssicherung dient. Sie wirkt als Koordinationsinstrument zwischen der Faktoreinsatz- und der Finanzplanung und basiert in Handelsbetrieben auf den Grunddaten über Umsatz, Wareneinsatz und Lagerbestände der kurzfristigen Erfolgsrechnung.

Die Warenlimitrechnung beruht auf der Feststellung der auf der Basis eines Planumsatzes unter Berücksichtigung der Auftragsbestände noch disponierbaren Beschaffungswerte. Als Plangrößen werden angesetzt: Umsatz, Lagerbestand und Handelsspanne.

Der Einkaufsbetrag bzw. das Einkaufslimit ergibt sich als Differenz aus Umsatz und Handelsspanne unter Berücksichtigung des Planlagers und der erteilten Aufträge, die in der Planperiode ausgeliefert werden. Das Limit ist der in einer Periode verfügbare Einkaufsbetrag. Wird das Planlager überschritten (unterschritten), tritt eine Kürzung (Erhöhung) des Einkaufslimits ein.

Das Limit wird aufgrund des effektiven Bestandes, des Planlagers und des Soll-Umsatzes festgelegt. Erteilte und noch nicht ausgelieferte Aufträge werden vom Soll-Wareneingang abgezogen. Daraus ergibt sich das freie Limit, das zur Sicherheit um eine Limitreserve, z. B. einen bestimmten Prozentsatz des Soll-Umsatzes, gekürzt wird. Das Ergebnis ist das freigegebene Limit.

Beispiel zur Limitrechnung

	TDM
Ist-Lager	80
Planlager	100
Lagerdifferenz	20
Soll-Umsatz zu Einstandspreis	300
Soll-Wareneingang	320
Erteilte Aufträge (Auftragsrückstand)	40
Limit I (freies Limit)	280
Limitreserve	40
Limit II (freigegebenes Limit)	240

Vororderkäufe sowie Käufe mit Valutierung sind im Auftragsbestand zu berücksichtigen. Auftragsstornierungen sowie Termin-, Bestell- und Verkaufspreisänderungen sind ebenfalls zu erfassen. Durch Abschreibungen verringert man den Lagerbestand und erhöht das Limit.

Falscher Einkauf ist durch Vorgabe von Limits nicht zu verhindern, auch nicht durch komplette Sortimentsbücher, nach denen ausschließlich geordert werden darf. Durch derartige Fehlentscheidungen wird ein Teil des Spielraums verloren. Die starre Limitrechnung verhindert somit, daß die Kunden die von ihnen gewünschten Waren vorfinden. Dadurch wird ein kumulativer Prozeß bewirkt, da Limits an den Umsatz geknüpft werden: Je weniger umgesetzt wird, desto niedriger ist das Limit; je geringer das Limit, desto geringer die Lagerhaltung; je geringer die Lagerhaltung, desto geringer die Verkaufsbereitschaft; je geringer die Verkaufsbereitschaft, desto niedriger der Umsatz. Daher ist die Limitrech-

nung im Hinblick auf die Warenaktualität zu ergänzen, z. B. nach sog. lebenden oder toten Lagerbeständen, auch unter Beachtung einer saisonal unterschiedlichen Verkäuflichkeit der Waren.   *B. T.*

Linder-Hypothese → Außenhandelsursachen

lineare Einfachregression → Regressionsanalyse

lineare Mehrfachregression → Regressionsanalyse

lineare Optimierung

(lineare Planungsrechnung, lineare Programmierung) wichtige Teildisziplin der → mathematischen Optimierung und → Planungsmathematik und → Operations Research. Die Modelle der linearen Optimierung bestehen aus einer linearen → Zielfunktion und einer Vielzahl linearer → Restriktionen. Zahlreiche → Unternehmungsmodelle, → Absatzplanungsmodelle und → Transportmodelle, → Finanzplanungsmodelle und → Produktionsplanungsmodelle sind vom Typ der linearen Optimierung. Die größte Bedeutung hat die lineare Optimierung für die → Fertigungsplanung (→ Input-Output-Funktion, → Produktionsprogrammoptimierung, → Kuppelproduktionsoptimierung, → Mischungsoptimierung, → Verschnittoptimierung).

Die Zielfunktion heißt:
Maximiere bzw.
Minimiere

$$Z + \sum_j c_j x_j = 0$$

Die Restriktionen lauten:

$$y_i + \sum_j a_{ij} x_j = b_i \quad i = 1, 2, \ldots, m$$

Ferner gilt die Nichtnegativitätsbedingung:

$$y_i, x_j \geq 0 \quad \begin{array}{l} i = 1, 2 \ldots, m \\ j = 1, 2 \ldots, n \end{array}$$

Das System der Restriktionen enthält m Gleichungen und m + n Variablen, nämlich alle y_i und x_j. Wenn n Variablen gleich Null sind, lassen sich die restlichen m Variablen – von gewissen Ausnahmefällen abgesehen – bestimmen. Jede derartige „Basislösung" bildet einen Eckpunkt in der geometrischen Darstellung des Restriktionensystems. Es läßt sich zeigen, daß die optimale Lösung ebenfalls eine Basislösung ist. Es gilt also, den richtigen Satz an n Variablen gleich Null zu setzen, um die optimale Lösung zu erhalten.

Auf dieser Idee baut das Simplex-Verfahren von *George B. Dantzig* von 1947 auf. Anfangs werden alle n Variablen x_j gleich Null gesetzt, und es ergeben sich die Werte der y_i aus den b_i. Die gleich Null gesetzten Variablen nennt man „Nichtbasisvariablen", die anderen „Basisvariablen". Nun wird pro Rechenschritt (Iteration) jeweils eine Nichtbasisvariable gegen eine Basisvariable ausgetauscht, wobei jeweils der Zielfunktionswert z vergrößert wird. Im Zusammenhang damit wird das System der Zielfunktion und Restriktionen nach Regeln der linearen Algebra so umgewandelt, daß die gegenwärtigen Basisvariablen nur in jeweils einer einzigen Restriktion mit dem Koeffizienten 1 erscheinen. Die Iterationen werden fortgesetzt, bis keine Verbesserung des Zielfunktionswertes mehr möglich ist, was sich aus den Vorzeichen der Zielfunktionskoeffizienten schnell erkennen läßt.

Für das Simplex-Verfahren gibt es zahlreiche leistungsfähige Standardrechenprogramme für EDV-Anlagen. Auf entsprechend großen EDV-Anlagen lassen sich Modelle mit einigen tausend Restriktionen und Variablen ohne besondere Schwierigkeiten bearbeiten.

H. M.-M.

Literatur: *Dantzig, G. B.*, Lineare Programmierung und Erweiterungen, Berlin u.a. 1966. *Müller-Merbach, H.*, Operations Research, 3. Aufl., München 1973. *Gass, S. I.*, Linear Programming, 5. Aufl., New York 1984.

lineare Planungsrechnung → lineare Optimierung

lineare Programmierung → lineare Optimierung

lineare Transformation → Transformation

linearer Kostenverlauf

ergibt sich, wenn jede zusätzliche Einheit der Ausbringungsmenge die gleiche Menge an Einsatzgütern erfordert und die Kostenwerte der eingesetzten Güter konstant sind. Bei derartigen → Kostenverläufen sind die → Grenzkosten konstant. Bei Einproduktfertigung wird ihr graphisches Bild durch Kostengeraden wiedergegeben.

Linear-Homogenität → Homogenität

Linearkombination

Unter einer Linearkombination Y der Variablen X_j (j = 1, 2, ..., p) versteht man den Ausdruck

$$Y = w_1X_1 + w_2X_2 + \ldots + w_pX_p = \sum_{j=1}^{p} w_jX_j,$$

wobei die Koeffizienten w_j (j = 1, 2, ..., p) reelle Zahlen sind, die in der Statistik oft als Gewichte der einzelnen Variablen interpretiert werden können.

Linearkombinationen treten in vielen Modellen der → multivariaten Analyse auf.

linear-kompensatorische Entscheidungsmodelle → Entscheidungsheuristiken

linear-kompensatorisches Einstellungsmodell → Einstellungsmodelle

Linienkonferenz → Schiffahrtskonferenzen

Linienorganisation → Stab-Linien-Organisation

Linienschiffahrt → Seeschiffahrt

Linienverkehr

wird grundsätzlich unabhängig von konkreten Transportaufträgen fahrplanmäßig zwischen zwei oder mehreren Orten durchgeführt und kommt als gebrochener (mit festgelegten Zwischenaufenthalten) oder als ungebrochener Verkehr (ohne Aufenthalt) vor. Außer im Straßenfernverkehr ist der Linienverkehr anmeldepflichtig und regelmäßig mit Beförderungspflicht verknüpft (öffentliche Konzession). Die Transportleistung ist unabhängig von der Nachfrage zu erbringen.

link

Koppelung von → Sonderziehungsrechten und → Entwicklungshilfe; die Gewährung dieser von den Entwicklungsländern häufig geforderten Form der öffentlichen → Kapitalhilfe könnte dadurch erfolgen, daß
(1) die → Internationale Entwicklungs-Assoziation (IDA) einen bestimmten Prozentsatz der den Industrieländern zugeteilten Sonderziehungsrechte (SZR) erhält, durch deren Umtausch in konvertible Währung sich die IDA Finanzmittel für die Entwicklungshilfe verschafft (direkter „link");
(2) die Industrieländer der IDA den Gegenwert eines Teiles der ihnen zugeteilten Sonderziehungsrechte in ihrer Landeswährung zur Verfügung stellen (indirekter „link").

Zwar könnte die Realisierung dieses „link"-Vorschlages zu einer Erhöhung des bisherigen Entwicklungshilfevolumens führen, doch spricht unter dem Aspekt einer funktionsfähigen internationalen Währungsordnung dagegen, daß die Schaffung und Verwendung der SZR von wesensfremden Gesichtspunkten beeinflußt würden. Weiterhin ist kritisch einzuwenden, daß die Gefahr einer internationalen inflationistischen Entwicklung erhöht würde.

H.-R. H./H.-J. Te.

Literatur: *Donges, J. B.,* Außenwirtschafts- und Entwicklungspolitik, Berlin u. a. 1981.

Linking-pin-Modell

(Partizipationsmodell) Modell von *Rensis Likert,* demzufolge eine direkte (eigene Gruppe) und eine indirekte (über „linking pins") Partizipation aller Organisationsmitglieder an den Entscheidungen der Organisation institutionell durch ein System überlappender Gruppen realisiert werden soll. Dabei wird vom Prinzip der Integration ausgegangen, das die aktive, verantwortliche Partizipation des einzelnen am Entscheidungsprozeß fordert, damit sowohl die Ziele der Organisation als auch die individuellen Bedürfnisse der Organisationsmitglieder in gleicher Weise Berücksichtigung finden. Nach partizipativen Vorstellungen geht das Organisationsmitglied mit der Organisation einen psychologischen Kontrakt ein, der ihm als Gegenleistung für seine Arbeitskraft wirtschaftliche und soziale Sicherheit, Selbstachtung und Selbstverwirklichung anbietet.

Die Interaktionen zwischen den Organisationsmitgliedern sind bei *Likert* dadurch geprägt, daß sie auf gegenseitigem Vertrauen und wechselseitiger Unterstützung und Hilfe beruhen und in den Organisationsmitgliedern stets das Gefühl für den Wert des einzelnen Menschen wachhalten (Prinzip der „supportive relationships"). Diese Interaktionen finden im partizipativen Modell nicht in einer straffen →Hierarchie statt, sondern in einem Netz vermaschter Arbeitsgruppen, die das Rückgrat der Organisation bilden (vgl. Abb.).

Organisationsstruktur im partizipativen Modell

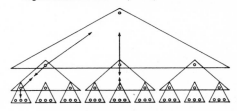

(Die Pfeile zeigen die „linking pin" Funktion)

Den Arbeitsgruppen, die nach Fachwissen zusammengesetzt sind und idealerweise einen hohen Grad an Gruppenkohäsion aufweisen, wird die Lösung jeweils einer aufgrund von Arbeitsteilung und Spezialisierung gewonnenen Teilaufgabe zugewiesen. Die Koordination der einzelnen Gruppen erfolgt mittels eines Gruppenkoordinators („linking pin"), der als Mitglied zweier Arbeitsgruppen für den notwendigen Informationsaustausch sorgt.

Diese Koordinatoren lösen den traditionellen Vorgesetzten ab und bilden damit die Schlüsselfiguren des neuen Systems; mit ihnen steht und fällt die gesamte Organisationsstruktur nach dem partizipativen Modell. Während die Koordination in der Hierarchie abwärts gerichtet ist, soll das Linking-Pin-Modell eine Aufwärts-Integration gewährleisten. In einer späteren Arbeit hat *Likert* (1967) noch horizontale (laterale) Kommunikationswege in sein Modell aufgenommen.

Entscheidungen werden nach diesem Modell in der Gruppe gefällt (Prinzip des „group decision making"); der →Führungsstil ist partizipativ. Dennoch kann der Gruppenleiter nach der Gruppendiskussion auch gegen die Gruppenmeinung entscheiden; dafür ist er auch der allein Verantwortliche. Durch die Teilnahme möglichst vieler Organisationsmitglieder am Entscheidungsprozeß wird primär darauf abgestellt, daß diese sich auch für eine erfolgreiche Implementation der gemeinsam getroffenen Entscheidung einsetzen.

Alle Konflikte sollen innerhalb der eigenen Gruppe und nicht durch die Hierarchie gelöst werden. Voraussetzung dafür ist jedoch, daß die Organisationsmitglieder, vor allem die Koordinatoren, zum Kooperieren und nicht zum Konkurrieren motiviert sind.

Kritisch wird zum partizipativen Modell der überlappenden Gruppen ausgeführt, daß es in formeller Hinsicht lediglich die Auflösung der straffen klassischen Hierarchie in ein Geflecht untereinander vermaschter Teams, die jedoch nach wie vor in hierarchischen Beziehungen zueinander stehen, anbietet.

Der aus der Sicht der Organisationspraxis anfälligste Punkt im gesamten partizipativen Modell ist der Gruppenkoordinator („linking pin"). Stellt man sich an diesen entscheidenden strategischen Punkten autoritäre Vorgesetzte im klassischen Stil vor, die den Informationsaustausch zwischen den beiden Gruppen, in denen sie jeweils Mitglieder sind, zu ihren Gunsten filtern, färben oder gar verhindern, um dadurch eigene Machtpositionen auf- und auszubauen, so fallen die Vorteile des partizipativen Modells weg. Diese Gefahr hat auch *Likert* gesehen und als Korrektiv vorgeschlagen, daß jede Basisgruppe ein gewähltes Mitglied als Beobachter in die nächsthöhere Gruppe delegiert. Durch diesen zusätzlichen Kommunikationsweg soll gewährleistet werden, daß der Gruppenkoordinator seine hervorgehobene Position nicht zum Nachteil der Gruppe mißbraucht.

Literatur: *Likert, R.,* New patterns of management, New York etc. 1961. *Likert, R.,* The human organization, New York etc. 1967.

Liquidation

(Abwicklung) planmäßige Verflüssigung der Vermögenswerte eines Unternehmens mit dem Ziel, aus dem Erlös die Gläubiger zu befriedigen und den evtl. verbleibenden Rest an die Gesellschafter oder Eigentümer zu verteilen. Die Liquidation kann *still* erfolgen (z.B. beim Einzelkaufmann) und unterliegt dann keinen besonderen Abwicklungsvorschriften. Für viele Unternehmen ist jedoch eine *offene* Abwicklung vorgeschrieben, für die ein förmliches Abwicklungsverfahren vorgesehen ist (z.B. für die AG in den §§ 264ff. AktG, für die KGaA in den §§ 289f. AktG, für die GmbH in den §§ 66ff. GmbHG, für die KG in den §§ 161 Abs. 2, 145ff. HGB, für die OHG in den §§ 145ff. HGB).

Die offene Abwicklung wird nach der rein rechtlichen Maßnahme der Auflösung der Gesellschaft durch die Abwickler (Liquidatoren) vorgenommen. Abwickler sind grundsätzlich die bisherigen gesetzlichen Vertreter. Den Abwicklern obliegt auch die Rechnungslegung im Abwicklungsverfahren (→ Liquidationsbilanz).

Auflösungsgründe für eine AG sind z.B. der Ablauf der in der Satzung bestimmten Zeit, ein Hauptversammlungsbeschluß mit einer Mehrheit, die mindestens drei Viertel des bei der Beschlußfassung vertretenen Grundkapitals umfaßt, oder die Eröffnung des → Konkursverfahrens. *M. E.*

Liquidationsbilanz

aus Anlaß einer → Liquidation (Abwicklung) zu erstellende Bilanz. Liquidationsbilanzen (Abwicklungsbilanzen) sind nur im Rahmen einer offenen Liquidation aufzustellen. Die Abwickler haben für den Beginn der Abwicklung eine Liquidations*eröffnungs*bilanz sowie nach erfolgter Abwicklung eine Liquidations*schluß*bilanz (Schlußrechnung) zu erstellen. Bei längerer Dauer der Abwicklung ist für Kapitalgesellschaften darüber hinaus die Aufstellung von Liquidations*zwischen*bilanzen erforderlich (vgl. z.B. § 270 Abs. 1 AktG).

Liquidationseröffnungs- und -zwischenbilanz sollen Informationen über den jeweiligen Stand des Vermögens und der Schulden vermitteln. *M. E.*

Literatur: *Förster, W.,* Die Liquidationsbilanz, Köln 1972. *Institut der Wirtschaftsprüfer in Deutschland e. V.,* Wirtschaftsprüfer-Handbuch 1985/86, Bd. 1. Düsseldorf 1985.

Liquidationserlös

Einnahmen aus einer → Investition, die zu einem bestimmten Zeitpunkt während der Projekt-Lebensdauer (häufig am Ende der Lebensdauer) durch Veräußerung von zum Projekt gehörenden Gegenständen des Anlage- und Umlaufvermögens erzielt werden können.

Liquidationsvergleich → Vergleich

Liquidität

1. Fähigkeit von Wirtschafts*subjekten* (Haushalten, Unternehmen), allen Zahlungsverpflichtungen termingerecht nachzukommen (Zahlungsfähigkeit).
2. Eignung eines Vermögens*objektes,* selbst als Zahlungsmittel akzeptiert zu werden oder in ein solches umgewandelt werden zu können. In diesem Sinne ist Geld das Gut mit der höchsten Liquidität. An der „Geldnähe", d.h. dem Grade der Schwierigkeit der Umwandlung in Geld, mißt sich der Liquiditätsgrad der einzelnen Vermögensobjekte. Ein kurzfristiges Terminguthaben ist also z.B. sehr liquide, der Liquiditätsgrad eines Halbfertigfabrikates oder eines Grundstückes dagegen relativ gering. In gesamtwirtschaftlicher Sicht beschreibt die → Liquiditätstheorie die Bedeutung der Liquidität für die Entwicklung der Ausgabentätigkeit und des Preisniveaus.
3. *Verhältnis* zwischen verfügbaren Geldmitteln und fälligen Verbindlichkeiten. Mit Hilfe dieses Liquiditätsbegriffs wird häufig die Zahlungsfähigkeit gemessen, indem bestimmte Gruppen von Aktiv- und Passivposten zueinander in Beziehung gesetzt werden (→ Liquiditätskennzahlen). Dieses Deckungsverhältnis läßt sich statisch, d.h. stichtagsbezogen (z.B. orientiert am Bilanzstichtag), oder dynamisch als Entwicklung der künftigen Liquidität eines Betriebes (→ Liquiditätsplanung) ermitteln.

Eine besondere Rolle spielt die Liquidität für die *Kreditinstitute.* Deren *Primärliquidität* wird durch den Bestand an → Zentralbankgeld verkörpert; die *Sekundärliquidität* umfaßt alle Aktiva, die jederzeit und ohne Verluste in Zentralbankgeld umgewandelt werden können, sowie die Refinanzierungsmöglichkeiten bei der Notenbank. Dazu zählen etwa Wertpapiere, die jederzeit an die Notenbanken zurückgegeben werden können, oder unausgenutzte Rediskontkontingente (→ freie Liquiditätsreserven).

Die Zahlungsfähigkeit einer Volkswirtschaft kommt in ihrer → internationalen Liquidität zum Ausdruck. *M. Bo./H. Ku.*

Literatur: *Langen, H.,* Liquidität, in: *Lück, W.* (Hrsg.), Lexikon der Betriebswirtschaft, Landsberg/Lech 1983, S. 706f. *Stützel, W.,* Liquidität, in: HdSW, Bd. 6, Stuttgart u.a. 1959, S. 622ff. *Wöhe, G./Bilstein, J.,* Grundzüge der Unternehmensfinanzierung, 4. Aufl., München 1986, S. 21ff.

Liquiditätsanalyse

Teil der →Bilanzanalyse mit der Aufgabe, anhand des Jahresabschlusses die Zahlungsfähigkeit einer Unternehmung zu untersuchen. Liquidität kann dabei zum einen zeitpunktorientiert verstanden werden als die Möglichkeit, Zahlungsverpflichtungen durch vorhandene finanzielle Mittel bzw. nach Veräußerung von Vermögensgegenständen abzudecken (Liquidität als Liquidierbarkeit, *statische* Liquidität), zum anderen aber auch zeitraumorientiert als die Fähigkeit einer Unternehmung, jederzeit ihren Zahlungsverpflichtungen nachzukommen (*dynamische* Liquidität). Danach lassen sich bei der Liquiditätsanalyse bestands- und stromgrößenorientierte Methoden unterscheiden.

(1) Die *bestandsorientierten* Methoden analysieren die Zahlungsfähigkeit zeitpunktbezogen durch Gegenüberstellung von Aktiv- und Passivposten. Hierzu bildet man horizontale →Kennzahlen, die gleichfristige Zahlungsverpflichtungen mit liquidierbaren Vermögenspositionen saldieren.

Als langfristige Deckungskennzahl wird i.d.R. der Deckungsgrad in drei Ausprägungen verwendet:

$$\text{Deckungsgrad A} = \frac{\text{Eigenkapital}}{\text{Anlagevermögen}}$$

$$\text{Deckungsgrad B} = \frac{\text{Eigenkapital} + \text{langfristiges Fremdkapital}}{\text{Anlagevermögen}}$$

$$\text{Deckungsgrad des gebundenen Vermögens} = \frac{\text{Eigenkapital} + \text{langfristiges Fremdkapital}}{\text{Anlagevermögen} + \text{langfristig gebundenes Umlaufvermögen}}$$

Zur Beurteilung der kurzfristigen Liquiditätssituation werden sog. Liquiditätsgrade (→Liquiditätskennzahlen) oder das →working capital herangezogen.

Allen diesen Kennzahlen ist gemeinsam, daß sie die künftige Zahlungsfähigkeit an dem Verhältnis der Höhe der Zahlungsverpflichtungen zu liquidierbaren Vermögenspositionen messen.

(2) Die *stromgrößenorientierten* Methoden werden zur Beurteilung der zeitraumorientierten Liquidität herangezogen, indem aus den Zahlungsströmen der Vergangenheit auf die Zukunft geschlossen wird. Dies führt jedoch nur bedingt zu aussagefähigen Ergebnissen, weil künftige Zahlungsströme nur aus dem Finanzplan abgeleitet werden können, der jedoch i.d.R. nur Unternehmensinternen zur Verfügung steht.

Mit Hilfe des →cash flow wird versucht, den Überschuß der betrieblichen Einnahmen über die Ausgaben anhand der Posten des Jahresabschlusses zu ermitteln. Der cash flow soll also das (Innen-) Finanzierungspotential der Unternehmung wiedergeben, wobei die Quellen der Außenfinanzierung unberücksichtigt bleiben.

Eine weitere stromgrößenorientierte Methode sind die Kapitalflußrechnungen (→Bewegungsbilanz) in den wichtigsten Formen der Beständedifferenzenbilanz, Bewegungsbilanz und Fondsrechnung.

Die Beständedifferenzenbilanz (Veränderungsbilanz) stellt Vermögens- und Kapitalbestandsdifferenzen zweier aufeinanderfolgender Bilanzen gegenüber, wobei die ausgewiesenen Differenzen sowohl Mehrungen als auch Minderungen der entsprechenden Bestände zum Ausdruck bringen. Werden die Bestandsminderungen jeweils auf der Gegenseite hinzuaddiert, entsteht aus der Veränderungsbilanz die Bewegungsbilanz, deren Seiten als Mittelverwendung und Mittelherkunft interpretiert werden können.

Durch eine Gliederung nach der Fristigkeit zugeflossener Mittel und nach der Bindungsdauer verwendeter Mittel und durch Einbeziehung von Daten der Gewinn- und Verlustrechnung läßt sich die Aussagefähigkeit der Bewegungsbilanz noch weiter steigern. Wird darüber hinaus aus der Bewegungsbilanz ein Fonds (zweckorientierte Zusammenfassung von Konten, z.B. der flüssigen Mittel) ausgegliedert, so können dadurch weitergehende Einblicke in das Finanzgebaren des Unternehmens gewonnen werden.   W.E.

Literatur: *Coenenberg, A.G.,* Jahresabschluß und Jahresabschlußanalyse, 8. Aufl., Landsberg am Lech 1985. *Leffson, U.,* Bilanzanalyse, 3. Aufl., Stuttgart 1984. *Schult, E.,* Bilanzanalyse, 6. Aufl., Freiburg i. Br. 1986.

Liquiditätsbilanz

wird im Zusammenhang mit Aussagen über →Zahlungsbilanzausgleich verwendet. Danach liegt ein Zahlungsbilanzüberschuß (-defizit) vor, wenn die Zusammenfassung der →Leistungsbilanz i.w.S. und der →Kapitalbilanz i.w.S. unter Ausschluß der Veränderung der Auslandsforderungen und -verbindlichkeiten der inländischen Banken (einschl. der Zentralbank) einen Überschuß (ein Defizit) ausweist. Dies ist gleichbedeutend mit einer Verbesserung (Verschlechterung) der Nettoauslandsposition des gesamten inländischen Bankensystems einschl. der Zentralbank.

Liquiditätseffekt →Zinstheorie

Liquiditätsfalle → Spekulationskasse

Liquiditätsgrad → Liquidität, → Liquiditätskennzahlen

Liquiditätshilfe → Entwicklungshilfe

Liquiditätskennzahlen

(Liquiditätsgrade) wichtiges Hilfsmittel, um im Rahmen der → Liquiditätsanalyse zu Aussagen über die Liquidität von Unternehmen zu kommen. Dabei werden bestimmte Vermögensposten zu bestimmten Kapitalposten in Beziehung gesetzt, um Erkenntnisse darüber zu gewinnen, ob und in welchem Maße die kurzfristigen Verbindlichkeiten in ihrer Höhe und Fälligkeit mit den Zahlungsmittelbeständen und anderen kurzfristigen Deckungsmitteln übereinstimmen.

Die gebräuchlichsten Liquiditätskennzahlen sind:

Liquidität 1. Grades =
$$\frac{\text{Zahlungsmittel}}{\text{kurzfristige Verbindlichkeiten}} \cdot 100$$

Liquidität 2. Grades (quick ratio) =
$$\frac{\text{Zahlungsmittel + kurzfristige Forderungen}}{\text{kurzfristige Verbindlichkeiten}} \cdot 100$$

Liquidität 3. Grades =
$$\frac{\text{Zahlungsmittel + kurzf. Forder. + Vorräte}}{\text{kurzfristige Verbindlichkeiten}} \cdot 100$$

Der Aussagewert der Liquiditätskennzahlen ist aus folgenden Gründen begrenzt:
(1) Sie zeigen nur die Deckungsverhältnisse am Bilanzstichtag auf.
(2) Sie geben nur ein durchschnittliches Deckungsverhältnis wieder, sagen aber nichts über die genaue Fälligkeit kurzfristiger Forderungen und Verbindlichkeiten aus.
(3) Es können neben den ausgewiesenen Verbindlichkeiten noch andere, nicht aus der Bilanz ersichtliche Auszahlungen (z.B. Lohnzahlungen, Steuernachzahlungen) anfallen, die mithin von diesen Kennzahlen nicht erfaßt werden.
(4) Aus der Bilanz ist nicht zu erkennen, ob Teile des Vermögens als Sicherheitsleistung übertragen, verpfändet oder abgetreten worden sind.
(5) Bilanzposten können unter Liquiditätsgesichtspunkten nicht richtig bewertet sein.
(6) Die Stichtagsliquidität kann mit Hilfe bilanzpolitischer Mittel beeinflußt werden (z.B. Wahl des Bilanzstichtages bei Saisonbetrieben, Wahl von Beschaffungsterminen, Ge-

währung von Krediten im Konzernbereich kurz vor dem Stichtag).
(7) Die dem Betrieb zur Verfügung stehenden Prolongations- und Substitutionsmöglichkeiten kurzfristiger Kredite sind aus der Bilanz nicht zu ersehen.   *H. Ku.*

Literatur: *Kußmaul, H.,* Liquiditätskennzahlen, in: *Lück, W.* (Hrsg.), Lexikon der Betriebswirtschaft, Landsberg/Lech 1983, S. 707 f., *Wöhe, G./Bilstein, J.,* Grundzüge der Unternehmensfinanzierung, 4. Aufl., München 1986, S. 24 ff.

Liquiditäts-Konsortialbank GmbH

im deutschen → Bankensystem eines der → Kreditinstitute mit Sonderaufgaben. Gegründet wurde die Bank 1974 von Instituten aller drei Gruppen von → Universalbanken sowie der → Deutschen Bundesbank. Aufgabe der Bank ist es, bonitätsmäßig intakten Kreditinstituten im Falle von Zahlungsschwierigkeiten Mittel bereitzustellen, die sie sich durch Kreditaufnahme (u.a. bei der Bundesbank) beschaffen kann.

Literatur: *Fischer, O.,* Funktion und Wirkungsweise der Liquiditäts-Konsortialbank GmbH, in: Österreichisches Bank-Archiv, 1975, S. 2 ff.

Liquiditätskontrolle → Finanzplanung

Liquiditätskosten → Überliquidität

Liquiditätsmechanismus → Transmissionsmechanismus

Liquiditätsmessung

erfolgt entweder dadurch, daß man die Liquidierbarkeit der Vermögensgegenstände feststellt (Vermögensliquidität), oder aber dadurch, daß man die Fähigkeit eines Unternehmens zur Begleichung seiner fälligen Verbindlichkeiten mißt (Zahlungsfähigkeitsliquidität). Für die Beurteilung der → Liquidität eines Unternehmens ist die zuletzt aufgezeigte Fähigkeit maßgeblich. Ob ein Unternehmen liquide ist oder nicht, konkretisiert sich in einer „Ja-Nein"-Antwort. Diese kann grundsätzlich nur tagesbezogen gegeben werden, wobei der Versuch unternommen wird, auch die zukünftige Liquidität zu ermitteln (→ Liquiditätsplanung). Über die Bestimmung des „Ja-Nein" hinaus können die „zu viel" (→ Überliquidität) oder „zu wenig" (→ Unterliquidität) vorhandenen finanziellen Mittel quantifiziert werden, indem die Differenzbeträge gegenüber dem Fall, daß die finanziellen Mittel genau zur Begleichung der fälligen Verbindlichkeiten ausreichen, errechnet werden.   *H. Ku.*

Literatur: *Witte, E.*, Liquidität, betriebswirtschaftliche, in: HWF, Stuttgart 1976, Sp. 1283 ff.

Liquiditätspapier → Offenmarktpolitik

Liquiditätsplanung → Finanzplanung

Liquiditätspolitik

Gesamtheit aller Maßnahmen zur Sicherung der → Liquidität. Bei einem drohenden Liquiditätsengpaß, der aus der Liquiditätsplanung erkennbar sein kann, müssen liquiditätspolitische Maßnahmen ergriffen werden. Dabei handelt es sich um Aktivitäten, die nur im Falle einer gefährdeten Liquidität (Liquiditätsrisiko) in Frage kommen. Wichtig ist dabei, die erforderlichen Maßnahmen rechtzeitig und mit der erforderlichen Wirkungsdauer zu treffen. Als liquiditätspolitische Maßnahmen für den beschriebenen Engpaßfall kommen vor allem in Betracht:
(1) Senkung und Verzögerung von Auszahlungen: Verzicht auf Ersatzinvestitionen (z.B. bei Maschinen oder durch Abbau der eisernen Bestände bei Vorräten), auf Rationalisierungsinvestitionen, auf leistungsverändernde Investitionen oder auf Investitionen im Finanzvermögen.
(2) Erhöhung und Beschleunigung von Einzahlungen: Desinvestition von Beständen des Umlaufvermögens (z.B. vorzeitiger Verkauf vorhandener Bestände an Fertigfabrikaten und Waren), von Vermögensbeständen durch Leistungsänderung (z.B. durch Sortimentsänderung), von Beständen des Finanzvermögens oder Notliquidation von Anlagen (z.B. durch Anlagenverkauf mit anschließendem „Zurück-Leasing"; → Leasing).   *H. Ku.*

Literatur: *Witte, E.*, Liquiditätspolitik, in: HWF, Stuttgart 1976, Sp. 1322 ff.

Liquiditätspräferenz → Spekulationskasse

Liquiditätsprämientheorie → Zinsstrukturtheorie

Liquiditätsquote

Anteil der → freien Liquiditätsreserven (in Prozent) am Volumen der Einlagen der Banken. Solange die freien Liquiditätsreserven als Ausdruck der → Bankenliquidität gelten konnten, signalisierte eine Zu- oder Abnahme der Liquiditätsquote die Veränderungen des Expansionsspielraumes der Banken. Durch eine Intensivierung der Interbankgeschäfte konnten sich die Kreditinstitute in der Bundesrepublik allerdings den Auswirkungen eines Rückgangs der Liquiditätsquote weitgehend entziehen.

Liquiditätsquoten auf betrieblicher Ebene werden durch → Liquiditätskennzahlen ausgedrückt.   *O. I.*

Liquiditätsrechnung → Finanzplan

Liquiditätsreserven → freie Liquiditätsreserven, → Überliquidität

Liquiditätsrisiko → Liquiditätspolitik

Liquiditätssaldo

Summe aller Liquiditätsreserven der Kreditinstitute; neben den → freien Liquiditätsreserven schließt der Liquiditätssaldo folglich auch die Mindestreserveguthaben der Banken ein.
Die Gesamtheit aller liquiden Mittel, d.h. das aktuelle und potentielle → Zentralbankgeld, begrenzt die Möglichkeiten der Banken zur Kreditgewährung. Über geldpolitische Maßnahmen, z.B. durch eine Erhöhung der Mindestreservesätze, zwingt die Notenbank die Kreditinstitute zu einer Umstrukturierung des Liquiditätssaldos; dies führt zu einer Anpassung der Kreditgewährung an Nichtbanken, so daß schließlich auch Einflüsse auf den realen Sektor der Wirtschaft ausgeübt werden können.
Nach *Claus Köhler* stellt der Liquiditätssaldo den entscheidenden Ansatz zur Erkennung des → Transmissionsmechanismus der Geldpolitik dar (→ Liquiditätstheorie).   *O. I.*

Liquiditätstheorie

weist insb. auf die Bedeutung der → Liquidität der Wirtschaftssubjekte hin. Steigen z.B. bei zunehmender Konjunktur die Investitionsvorhaben, so werden Forderungsrechte durch Geschäftsbanken monetisiert, deren → Geldangebot sich damit erhöht. Wie die → Banking-Theorie wird also auch von der Liquiditätstheorie das Geld als passives Medium gesehen, das nicht selbst irgendwelche wirtschaftlichen Aktivitäten anregt. Vielmehr setzt eine steigende Geldmenge eine erhöhte Wirtschaftsaktivität voraus. Aber nicht nur die Geldmenge ist entscheidend für die Umsatzmöglichkeiten in einer Volkswirtschaft, sondern auch die Geldsubstitute (Geldsurrogate), die ebenso wie Geld als Zahlungsmittel dienen. Als Geldsubstitute gelten Zahlungsanweisungen (→ Schecks, Reiseschecks), Zahlungsverpflichtungen (→ Wechsel) und → Kreditkarten, die also nach traditioneller Auffassung nicht zu den Geldmengenarten gerechnet werden. Kreditkarten stellen dabei eine Besonderheit dar, da sie nicht eigentlich zu einer Zahlung führen, sondern eher zu einer

Kreditaufnahme; diese wird zusammen mit anderen Forderungen und Verbindlichkeiten verrechnet, und nur in Höhe des Saldos aller Kontenvorgänge eines Wirtschaftssubjektes führt sie bei einer Verrechnungsstelle erst zu einer Zahlung.

Die Liquidität der Wirtschaftssubjekte, die unmittelbar zu Zahlungen eingesetzt werden kann, setzt sich sowohl aus Geld wie auch aus Geldsubstituten zusammen. Es wird deshalb für die → Geldnachfrage auch manchmal eine Kreislaufgeschwindigkeit der Liquidität formuliert, der die gleiche Bedeutung wie der → Umlaufgeschwindigkeit des Geldes zukommt.

Die Liquiditätstheorie beschreibt die Beziehung zwischen monetärem und realwirtschaftlichem Bereich einer Volkswirtschaft durch das Liquiditätssaldo-Konzept, das Kreditverfügbarkeitskonzept und das Konzept der subjektiven Liquidität(seinschätzung individueller Wirtschaftssubjekte).

(1) Nach dem *Liquiditätssaldo-Konzept* ist die Beziehung zwischen gebundener Liquidität und der Summe aller Liquiditätssalden (Summe aus aktuellen und potentiellen Beständen an Zentralbankgeld, also im Prinzip: Mindestreserveeinlagen der Geschäftsbanken einschl. der → freien Liquiditätsreserven, d. h. die Zentralbankgeldmengenbereitstellung) für monetäre Wirkungen entscheidend. Steigt der Liquiditätssaldo durch restriktive geldpolitische Maßnahmen an, so sinkt tendenziell das Kreditangebot bei steigendem Zinsniveau. Diese steigenden Kreditkosten führen so zu einer Reduktion der Kreditnachfrage und damit des → Kreditvolumens auf dem Kreditmarkt.

(2) Aber auch das → *Kreditverfügbarkeitskonzept* mit seiner Wirkung auf das Kreditangebot spielt eine Rolle. Danach sinkt bei steigendem Kreditangebot das Zinsniveau, so daß für Kreditgeber die Opportunitätskosten für alternative Anlagen steigen; statt Kredite zu vergeben, werden nun die potentiellen Kreditanbieter ihre Nachfrage nach Wertpapieren steigern, so daß das Kreditangebot tendenziell wieder reduziert wird. Im Prinzip gehen in dieses Konzept also auch Überlegungen der → Portfoliotheorie ein.

(3) Nach dem *Konzept der subjektiven Liquidität* schließlich werden das „Gefühl finanzieller Bewegungsfreiheit" (*Günter Schmölders*) der Wirtschaftssubjekte und damit ihr Verhalten durch geldpolitische Maßnahmen beeinflußt.

Die Liquiditätstheorie geht auf Untersuchungsergebnisse des → Radcliffe-Reports von 1959 zurück. Ihre deutschen Begründer

sind *Claus Köhler, Günter Schmölders* und *Wolfgang Stützel.*   M. Bo.

Literatur: *Committee on the Working of the Monetary System,* Report, London 1959. *Schmölders, G.,* Von der „Quantitätstheorie" zur „Liquiditätstheorie" des Geldes, in: *Dürr, E.* (Hrsg.), Geld- und Bankpolitik, Köln, Berlin 1969, S. 77 ff. *Deutsche Bundesbank,* Zentralbankgeldmenge und freie Liquiditätsreserven der Banken, Monatsberichte, 26. Jg. (1974), Nr. 7, Frankfurt a. M., S. 14 ff.

Little-Kriterium

Weiterentwicklung der → Kompensationskriterien durch *Jan M. D. Little.* Er hält es für unbefriedigend, daß beim → Kaldor-Hicks-Kriterium die Veränderungen in der → Einkommensverteilung unberücksichtigt bleiben. Ob eine Änderung der Einkommensverteilung, die mit einer wirtschaftspolitischen Maßnahme verbunden ist, erwünscht sei oder nicht, sei zwar ein politisches Werturteil, das wissenschaftlich nicht bewiesen werden könne. Wohl aber sei es möglich, wissenschaftlich zu entscheiden, ob eine Maßnahme wohlfahrtssteigernd wirkt, wenn bekannt ist, ob die zu erwartende Veränderung in der Einkommensverteilung von den Politikern gutgeheißen wird. *Little* schlägt deshalb vor, neben dem Kaldor-Hicks- und dem Scitovsky-Test (→ Scitovsky-Kriterium) zusätzlich zu überprüfen, ob die Maßnahme zu einer von den Politikern erwünschten Umverteilung führe und ob ggf. eine Kompensation – wenn erwünscht – auch politisch realisiert werden könne. *Little* kommt so zu 16 denkmöglichen Fällen, von denen 14 eindeutig auf ihren Wohlfahrtseffekt überprüft werden können. Dadurch wurde der Anwendungsbereich der Kompensationskriterien erweitert. Allerdings läßt sich nachweisen, daß auch das Little-Kriterium bei bestimmten Voraussetzungen ähnlich wie das Kaldor-Hicks-Kriterium zu logischen Widersprüchen führen kann. Will man diese ähnlich wie beim Scitovsky-Kriterium vermeiden, kommt es wiederum zu einer starken Einengung des Anwendungsbereiches der Kompensationskriterien.   B. K.

Lizenz

Überlassung des Rechts zur Nutzung von → gewerblichen Schutzrechten, i. d. R. einer patentgeschützten Erfindung (→ Patentverwertung). Lizenzverträge zwischen dem Lizenzgeber und dem Lizenznehmer können sehr unterschiedlich gestaltet sein und über den eigentlichen Gegenstand hinaus auch die Übertragung von Wissen (know how), Bindung an bestimmte Zeichen, weitere Finanzierung von Entwicklungspatenten etc. umfassen. Nach § 15 Abs. 2 PatG vom 1. 1. 1981 unterscheidet man den ausschließlichen Lizenzvertrag vom nicht-ausschließlichen (oder einfachen) Lizenzvertrag. Der *ausschließliche Lizenzvertrag* verleiht ein sachlich, zeitlich oder räumlich begrenztes, nur einem Lizenznehmer zustehendes Recht an der Erfindung. Der *einfache Lizenzvertrag* gestattet mehreren Lizenznehmern die Nutzung desselben Patents gleichzeitig und in gleichem räumlichen Gebiet. Dabei können Meistbegünstigungsklauseln vereinbart werden.

Beschränkungen von Lizenzen kommen als Gebietslizenz (räumlich), Zeitlizenz (zeitlich), Betriebslizenz (Betriebsgebundenheit des Lizenznehmers), Quotenlizenz (Beschränkung der Höchst- oder Mindestmenge), Import- oder Exportlizenz sowie als Benutzungslizenz (Beschränkung auf Herstellung, Vertrieb oder Gebrauch) vor. Der Gegenwert für die Lizenz heißt Lizenzgebühr. Sie kann als Pauschale oder als nutzungsabhängige Zahlung (Stücklizenz, preisabhängige Lizenzgebühr, gewinnabhängige Lizenzgebühr) vereinbart werden.

Die Unternehmen verfolgen aktive und passive → Lizenzpolitik. Besonders hervorzuheben ist die wechselseitige Lizenzierung von Weiter- oder Alternativentwicklungen. Dies ist in manchen → Technologien nahezu zwingend geworden, weil eine einzelne Erfindung kaum mehr ohne Rückgriff auf andere, patentierte Erfindungen wirtschaftlich auszuwerten ist. Eine Gefahr der Wettbewerbsbeschränkung wird dann gesehen, wenn Großunternehmen sich gegenseitig ganze Technologien zugänglich machen und damit den Marktzugang erschweren. Im öffentlichen Interesse kann es zur Beschränkung eines Patents oder zur Zusprechung einer Zwangslizenz (§ 24 PatG: einer der Fälle sog. vertragsloser Lizenzen) kommen, doch ist dazu noch keine rechtskräftige Entscheidung ergangen. Zehn Fälle (1961–1982) wurden gütlich geregelt.

K. B.

Literatur: *Borrmann, C.,* Erfindungsverwertung, 4. Aufl., Bad Wörishofen 1973. *Greipl, E./Täger, U.,* Wettbewerbswirkungen der unternehmerischen Patent- und Lizenzpolitik, Berlin, München 1982. *Schulte, R.,* Patentgesetz, 3. Aufl., Köln u. a. 1981.

Lizenzpolitik

umfaßt als Bestandteil der → Produktpolitik im wesentlichen die Bestimmung des Zeitpunktes der Einräumung und des Gegenstandes der → Lizenz, die Suche und Auswahl eines kompetenten, interessierten und hinsichtlich seiner Ziele und Mittel geeigneten Lizenznehmers bzw. -gebers sowie die Lizenzvertragsverhandlungen. Bei letzteren geht es vor allem um die Höhe und Form der Lizenzgebühr und den Umfang zusätzlicher Leistungen des Lizenzgebers (z. B. technische oder Marketing-Beratung). Oft werden auch Beschränkungen der Lizenznutzung festgelegt (z. B. hinsichtlich der Anwendungsbereiche, Produktionsmengen, Exportmöglichkeiten oder des Qualitätsspielraumes). Dem Lizenzgeschäft kommt heute insb. im → Exportmarketing als Instrument des Technologietransfers und der Unternehmenskooperation eine große Bedeutung zu. Der Lizenzgeber kann dabei nämlich mit relativ geringem Mittelbedarf, Zeitaufwand, Marktwissen und Kapitalverlustrisiko und trotz eventueller Import- oder Investitionsbeschränkungen neue (Auslands-)-Märkte erschließen. Seine Forschungs- und Entwicklungskosten werden rascher amortisiert, das Umsatzwachstum beschleunigt. Will sich ein Unternehmen auf neue Technologien konzentrieren, ohne vorhandene Kapazitäten zu überlasten, oder sich von einem traditionellen Markt zurückziehen, so bietet sich ebenfalls eine Produktionsverlagerung auf Lizenzbetriebe an. Häufig kann aber auch die eigene technologische Basis durch Weiterentwicklungen und Erfahrungen des Lizenzpartners oder durch Lizenzaustausch verstärkt werden. Durch Absatzsteigerungen über Lizenzvergabe läßt sich schließlich die eigene Technologie im Markt oft besser durchsetzen. Insbesondere die Lizenznehmer werden dabei u. U. von eigenen Forschungsanstrengungen abgehalten, die langfristig die Wettbewerbsfähigkeit des Lizenzgebers gefährden könnten.

Da der Einfluß auf den Lizenznehmer i. d. R. umfangmäßig und zeitlich begrenzt ist, nimmt der Lizenzgeber aber auch Gefahren in Kauf:

● Konkurrenz durch den Lizenznehmer in dessen Land sowie auf dem Weltmarkt nach und bei Vertragsbruch auch schon vor Vertragsablauf,
● Preisgabe von wettbewerbsrelevantem Know how,
● imageschädigende Mängel der Produktqualität, des Kundendienstes usw.,
● Probleme der Realisierung einer eigenständigen internationalen Strategie.   *K. Lo.*

Literatur: *Weihermüller, M.,* Die Lizenzvergabe im internationalen Marketing, München 1982.

Lloyd's

Versicherungsbörse, 1688 erstmals erwähnt, ging aus dem Kaffeehaus von *Edward Lloyds* hervor, in dem sich Kaufleute, die Schiffsversicherungen abschließen wollten, mit Versicherungsgebern trafen. Die 1871 gegründete

Firma Lloyd's stellt auch heute noch lediglich einen organisatorischen Rahmen für das Versicherungsgeschäft dar: Versicherungspolicen werden nicht durch die Gesellschaft, sondern durch ein einzelnes Mitglied oder mehrere zusammen (Syndikate) unterschrieben, wobei jedes Mitglied für die von ihm gezeichnete Summe haftet. Die Versicherungsmitglieder werden sorgfältig ausgewählt und kontrolliert. Träger von Lloyd's, also Gesellschafter, sind die Versicherer selbst.

LM-Funktion

gibt in dem → IS-LM-System die Menge aller Kombinationen von Zinssatz i und Realeinkommen y an, bei denen unter Voraussetzung einer exogen gegebenen realen Geldmenge M/P Gleichgewicht auf dem Geldmarkt herrscht. Teilt man gedanklich die gesamte reale → Geldnachfrage in eine zinsabhängige „Spekulationskasse" (l^S, im 2. Quadranten) und eine einkommensabhängige „Transaktions- und Vorsichtskasse" (l^{T+V}, im 4. Quadranten) auf, so erhält man die graphische Ableitung der LM-Funktion durch die Berücksichtigung der Gleichgewichtsbedingung im dritten Quadranten:

$$\frac{M}{P} = l^S + l^{T+V}.$$

Der Verlauf der Nachfragefunktion nach Spekulationskasse ist unterteilt in einen „extrem keynesianischen" Bereich (→ Liquiditätsfalle, vollkommen zinselastische Geldnachfrage), einen keynesianischen Bereich (endlicher Wert der Zinselastizität) und einen neoklassischen Bereich (keine Zinsabhängigkeit der Geldnachfrage).

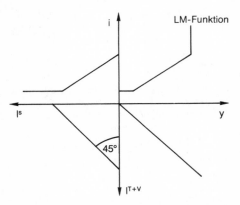

Entsprechend diesen Bereichen ist die Steigung der LM-Funktion Null, positiv mit endlicher Steigung oder unendlich. Die LM-Funktion verschiebt sich nach rechts bzw. nach un-

ten, wenn das reale Geldangebot steigt, wenn die Geldnachfrager niedrigere Normalzinsvorstellungen haben oder wenn für ein gegebenes Transaktionsvolumen ein geringerer Geldbedarf entsteht (Änderung der Zahlungssitten).   *J. R.*

Literatur: *Dornbusch, R./Fischer, S.,* Macroeconomics, 2. Aufl., New York u. a. 1981. *Fuhrmann, W./Rohwedder, J.,* Makroökonomik, München, Wien 1983.

Loanable Funds-Theorie → Zinstheorie

local area network (LAN)

(lokales Netzwerk) Datenkommunikationssystem, das die Kommunikation zwischen mehreren unabhängigen Geräten, insb. im Bereich → organisationaler Kommunikation, ermög-

local area network

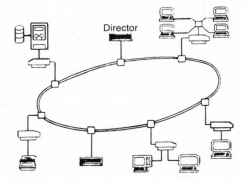

licht (→ electronic mail). Aufgrund einer hohen Übertragungsrate der verwendeten Koaxial- oder Glasfaserkabel sind viele → Kommunikationsformen darstellbar.

Im Gegensatz zu Fernnetzen ist die Kommunikation auf ein relativ kleines geographisches Gebiet beschränkt (Bürogebäude, Werksgelände). Das Netz befindet sich im Besitz einer einzelnen Organisation. Die Kommunikation zwischen zwei angeschlossenen Stationen ist jedoch nur möglich, wenn diese nach den gleichen Kommunikationsregeln (→ Protokoll) arbeiten. LAN zeichnen sich durch hohe Übertragungsraten aus: ca. 1 Mbps (Million bits pro Sekunde) bis mehrere 100 Mbps.

Im → office of the future erfolgt die technische Integration der unterschiedlichen Informationstechnologien über LAN. Als Bestandteil von Systemen der → Bürokommunikation können hiermit sowohl strukturierte Daten der EDV, als auch Informationen zwischen Arbeitsplätzen ausgetauscht werden. LAN haben wegen ihrer herstellerabhängigen Konzeption eine nur begrenzte →Kompatibilität; sie erzeugen die Außenverbindungen daher oft über spezielle →Gateway-Rechner. Über internationale Standards, z.B. Protokolle im ISO/OSI-Schichtenmodell, wird künftig die Kompatibilität erhöht werden können.

Typisch für LAN sind Ring- bzw. Busstrukturen (vgl. Abb.). Hier werden adressierte Informationen in das Netz geschickt, die vom richtigen →Terminal als zutreffend erkannt und empfangen werden. Die Menge gleichzeitig ins Netz übertragbarer Informationen ist somit ein wichtiges Leistungskriterium für LAN.

Lochkarte

→Datenträger aus Karton mit genormten Abmessungen. Eine Lochkarte besteht im allgemeinen aus 80 Spalten und 12 Zeilen. Daten werden durch runde oder eckige Lochungen verschlüsselt, wobei jede Spalte nur ein Zeichen aufnehmen kann. Somit ist man auf max. 80 Zeichen pro Karte beschränkt. Zum Lesen werden sog. →Lochkartenleser verwendet. War die Lochkarte früher der klassische Datenträger der EDV, kommt ihr heute fast nur noch historische Bedeutung zu.

Lochkartenbuchführung   →Maschinenbuchführung

Lochkartenleser

Dateneingabegerät, das nach dem fotoelektrischen Prinzip arbeitet. Mit Hilfe von Lichtstrahlen, die beim Vorhandensein von Lochungen (durch Lochkartenstanzer angebracht) auf Fotozellen treffen, werden die Lochungen in digitale Signale umgewandelt. Maximal werden ca. 2000 Karten pro Minute bewältigt. Die Lochkartentechnik ist eines der

ältesten Verfahren, Daten in ein EDV-System einzugeben oder von diesem ausgeben zu lassen.

Lochstreifen

→Datenträger aus Papier, auf dem ein Zeichen durch Anordnung von Löchern quer zur Streifenrichtung codiert wird. Neben den 5 oder 8 Lochspuren (5-Kanal- oder 8-Kanal-Lochstreifen) existiert immer eine eigene Transportspur. Lochkarten werden u.a. bei der →NC-Programmierung verwendet.

Locking-in-Effekt →Portfoliotheorie

Lockvogelangebot

liegt nach ständiger Rechtsprechung zu §§ 1 und 3 UWG dann vor, wenn mit dem meist besonders günstigen, aber nicht zwingend unter dem Einstandspreis (→Untereinstandspreisverkauf) liegenden Preis einer Ware geworben wird und wenn
● die Ware vom Werbenden nicht in ausreichendem Umfang verfügbar gehalten wird und/oder
● der Werbende den Kunden im Verkaufsgespräch zum Kauf anderer, teurerer Artikel drängt und/oder
● der objektiv falsche Eindruck erweckt wird, das gesamte Warenangebot des Werbenden sei ähnlich preisgünstig kalkuliert.

H. D.

Lofo-Verfahren →Sammelbewertung

logging

Protokollierung von Vorgängen in einem EDV-System. Besondere Bedeutung erlangt das logging beim Testbetrieb zur Verfolgung von Fehlersituationen und bei Systemzusam-

Ziffernlochkarte

menbrüchen zur Wiederherstellung der → Datenintegrität. Insbesondere → Datenbanksysteme verfügen hier über Techniken (before- und after-images), die sämtliche Veränderungen seit der letzten → Datensicherung in einer eigenen log-file (Protokolldatei) zu dokumentieren erlauben.

Logistik

1. philosophische Richtung, die sich mit der Lehre von den Begriffen, Urteilen und Schlüssen beschäftigt. Gegenstand der klassischen Logik sind seit *Aristoteles* Eigenschaften und Beziehungen in Sachverhalten, die gedacht und benannt werden, nicht jedoch der psychische Denkakt selbst. Um der Gefahr des „Psychologismus in der Logik" *(Edmund Husserl)*, des „Ontologismus in der Logik" *(von Freytag-Löringhoff)* zu entrinnen, wurde von einer neueren Richtung postuliert, daß lediglich Tatsachen einer wissenschaftlichen Beschreibung (und nicht Erklärung!) zugänglich sind. Jedem Phänomen werden Zeichen, Symbole zugeordnet, und es kommt nur darauf an, die formalen Beziehungen zwischen den Zeichen festzustellen *(Moritz Schlick, Rudolf Carnap, Hans Reichenbach)*.

Die klassische Logik wird nach mathematischem Vorbild zu einem Kalkül (Aussagenkalkül) umgestaltet, den man Logistik nennt. Logisches Denken vollzieht sich nach Art der Mathematik als Rechnen mit Symbolen. Die Logistik als mathematische und/oder symbo-

lische Logik greift Überlegungen von *Gottfried Wilhelm Leibniz* auf und verarbeitet unmittelbar mathematische Strukturen, wie z.B. die Boole-Schroeder'sche Algebra. Als wesentliche Vertreter der Logistik sind zu nennen: *Gottlob Frege, David Hilbert, Bertrand Russell*.

2. → militärische Logistik.

3. (business logistics) Die amerikanische Managementlehre hat den Begriff dem militärischen Sprachgebrauch entlehnt und kennzeichnet damit sämtliche Transport-, Lager- und Umschlagsvorgänge im Realgüterbereich in und zwischen Betrieben/Organisationen. Es handelt sich also um Prozesse der Raum- und Zeitüberbrückung von Sachgütern einschl. der zugehörigen Steuerungs- und Regelungsabläufe. Logistik wird als ein zu gestaltendes Flußsystem von Waren, Materialien und Energie aufgefaßt, das die Beschaffungsmärkte mit den Produktionsstätten und konsumtiven Verbrauchsorten verbindet. Systemelemente sind Menschen, Sachgüter und Informationen. Weiterhin bezeichnet Logistik die wirtschaftswissenschaftliche Teildisziplin, die sich mit der Beschreibung, Erklärung und Gestaltung der vorgenannten Prozesse beschäftigt.

Die integrative, ganzheitliche und systemüberschreitende Perspektive der Logistik mit dem Ziel, Material-, Waren- und Energieflußsysteme zu optimieren, geht über den einzelbetrieblichen Bereich hinaus. Logistische

Logistik

Aspekte sind bereits bei der Gestaltung produktiver bzw. konsumtiver Basisprozesse zu beachten. Somit berührt die Logistik auch Probleme z.B. der Standortwahl, der „logistikgerechten" Produktgestaltung und Verpackung, der Verknüpfung von Produktionsprozessen usw. Wird Logistik gedanklich so aufgespannt, treten zwangsläufig Konflikte mit traditionellen Problemzuordnungen auf.

Logistik berührt den Bereich der → Verkehrsbetriebslehre, → Materialwirtschaft, Standorttheorie und → physischen Distribution. In der Literatur werden die Begriffe physical distribution, business logistics, industrial logistics, materials management und market logistics deshalb synonym verwandt. Im Hinblick auf die Gestaltung und Beherrschung logistischer Systeme erscheint die Unterscheidung zwischen externer und interner Logistik zweckmäßig (vgl. Abb. auf S. 60). _U. A._

Literatur: _Ballon, R. H.,_ Business Logistics Management, Englewoods Cliffs, N. J. 1985. _Kirsch, W.,_ u.a., Betriebswirtschaftliche Logistik, Wiesbaden 1973. _Ihde, G. B.,_ Transport, Verkehr, Logistik, München 1984.

logistische Funktion

häufig benutzte Prognosefunktion für langfristige → Prognosen (→ Wachstums- und Sättigungsfunktionen). Grundlage der logistischen Funktion ist die Annahme, daß das Wachstum des betrachteten Prozesses (z.B. des Pkw-Bestandes in einem Land) proportional ist

- dem zum Zeitpunkt t erreichten Niveau x(t) und
- der Differenz zwischen dem erreichten Niveau x(t) und dem absoluten Sättigungsniveau S

$$\frac{dx}{dt} = ax(t) [S - x (t)],$$

wobei a der Proportionalitätsfaktor und dx/dt das Wachstum pro Zeiteinheit sind. Aus der Wachstumsgleichung ergibt sich durch Integration und nach mehreren Umformungen die Gleichung der logistischen Funktion:

$$x(t) = \frac{S}{1 + e^{-aSt-C}} \quad (e = 2, 71828 ..)$$

Die Parameter S, a und C müssen aus den Vergangenheitsdaten der Zeitreihe geschätzt werden. Die Abbildung zeigt die Prognose des Pkw-Bestandes je 1000 Erwachsene in der Bundesrepublik mit Hilfe der logistischen Funktion, für die folgende Parameter geschätzt wurden: S = 542, a = 0,0003, C = −2,9386. _K. W. H._

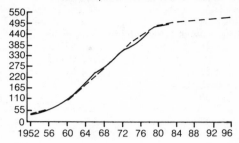

Prognose des Pkw-Bestandes je 1000 Erwachsene in der Bundesrepublik bis zum Jahre 1996

Logit-Choice-Analyse (LCA)

dient der Untersuchung von individuellem Entscheidungsverhalten bei diskreten Entscheidungsproblemen, d.h. einer endlichen (meist geringen) Anzahl von qualitativ unterschiedlichen Entscheidungsalternativen. Das ihr zugrunde liegende multinomiale Logit-Modell bildet ein probabilistisches Konzept für individuelles Entscheidungsverhalten (choice behavior), das auf einer von _R. D. Luce_ (1959) entwickelten Axiomatik basiert.

Formal bildet die LCA ein multivariates und multinomiales statistisches Schätzverfahren zur Quantifizierung von Beziehungen zwischen qualitativen Entscheidungsalternativen und meist quantitativen erklärenden Variablen sowie zur Berechnung von Auswahlwahrscheinlichkeiten aufgrund vorgegebener Werte für die erklärenden Variablen. Diese, z.B. subjektive Beurteilungen der Alternativen hinsichtlich relevanter Kriterien variieren zwischen den Individuen wie auch Alternativen. Daraus resultiert eine dreidimensionale Datenmatrix.

Empirische Anwendungen der LCA betreffen z.B. das Entscheidungsverhalten bei der Auswahl zwischen alternativen Konsumgütern, Verkehrsmitteln, Informations- oder Bildungsangeboten. Die Ergebnisse der LCA geben Aufschluß über die Wichtigkeit der untersuchten Variablen für das Entscheidungsverhalten. Weiterhin ermöglichen sie die Prognose veränderter Auswahlwahrscheinlichkeiten bei Modifikation der erklärenden Variablen oder Hinzukommen einer neuen Alternative, z.B. einem neuen Produkt. Die gewonnenen individuellen Wahrscheinlichkeiten lassen sich sodann zu Marktanteilen verdichten, die statistische Güte (Signifikanz) der geschätzten Parameter durch Berechnung von Standardfehlern und t-Werten, die globale Güte des Modells durch Bestimmung von Likelihood-Ratios überprüfen.

Dem multinomialen Logit-Modell liegt die

Annahme zugrunde, daß die Präferenzrelationen jeweils zwischen zwei Alternativen unabhängig von den übrigen Alternativen sind (Constant Ratio Rule). Es enthält deshalb keine alternativenspezifischen Parameter. Diese der Realität oft nicht entsprechende Annahme wird im multinomialen Probit-Modell aufgehoben. Die große Anzahl der zu schätzenden Parameter schränkt jedoch die Anwendbarkeit des Probit-Modells für Prognosezwecke ein. Dies gilt insb. beim Hinzukommen von neuen Alternativen, deren spezifische Parameter noch nicht empirisch geschätzt werden können.   *B. E.*

Litertur: *Daganzo, C. F.*, Multinomial Probit: The Theory and its Application to Demand Forecasting, San Francisco 1979. *Luce, R. D.*, Individual Choice Behavior, New York 1959. *McFadden, D.*, Conditional Choice Analysis of Qualitative Choice Behavior, in: *Zarembka, P.* (Hrsg.), Frontiers in Econometrics, New York 1974.

logrolling → Stimmentausch

Lohmann-Ruchti-Effekt → Finanzierung aus Abschreibungen

Lohn

Entgelt für geleistete → Arbeit, zugleich Einkommen im Sinne von Subsistenzmitteln für den Arbeitenden und Kosten im Sinne eines Produktionsaufwands für den Arbeitgeber. Sowohl der Begriff Arbeit als auch der Begriff Entgelt lassen sich sehr weit fassen. So kann Lohn sowohl unselbständig Beschäftigten (→ Arbeitslohn) als auch Selbständigen („Unternehmerlohn") zufließen. Im letzteren Fall ist dieser Einkommensbestandteil des Selbständigen, zumindest gedanklich, von seinen übrigen Einkommensteilen, insb. dem Unternehmergewinn i. e. S., zu trennen.

Weiterhin kann man dem Entgelt alle Aufwendungen eines Arbeitgebers für den Faktor Arbeit subsumieren; man erhält dann wiederum einen weiten Lohnbegriff, der sich mit einem wichtigen Teil der volkswirtschaftlich relevanten Produktionskosten deckt. Soll demgegenüber unterschieden werden, in welcher Weise und in welchem Maße die Wohlstandssituation des Lohnempfängers durch Höhe und Entwicklung des Lohnes berührt wird, so wird eine Reihe von Abgrenzungen qualitativer und quantitativer Art erforderlich. Genauere Aussagen sind erst möglich, wenn geklärt ist, ob
- nur ausgezahlte Arbeitslöhne oder zusätzlich alle für betriebliche Kollektivgüter (Sozialleistungen bestimmter Art) verwendete Arbeitskosten betrachtet werden,

- es um Löhne vor oder nach Steuerabzug und mit oder ohne geldliche Sozialleistungen geht,
- Sozialversicherungsbeiträge der Unternehmer sowie der Arbeitnehmer selbst in die Lohnbeträge eingerechnet sind,
- lediglich die vom Arbeitnehmer beliebig verwendbaren oder auch die für investive Zwecke zurückbehaltenen Lohnbeträge betrachtet werden.

Schematisch ergibt sich folgende Untergliederung:

Lohn = Arbeitskosten
./. Sachleistungen

Geldlohn
./. Arbeitgeber- und Arbeitnehmerbeiträge zur Sozialversicherung
./. Lohnsteuer

Nettolohn
./. vermögenswirksame Leistungen

---

verfügbarer Barlohn
= konsumierbares Einkommen

Da mit den Schwankungen des Preisniveaus auch die Kaufkraft des Lohneinkommens Veränderungen unterliegt, ist es sinnvoll, zwischen Nominal- und Reallohn zu unterscheiden. Zur Berechnung des Reallohns wird der Nominallohn auf einen Preisindex bezogen; die Reallohnentwicklung ergibt sich als Differenz der Nominallohn- und der Preisniveauentwicklung. Der Reallohn ist von besonderer Bedeutung für den Wirtschaftsablauf. Er ist sowohl für die Kaufentscheidungen der Lohnempfänger relevant als auch für deren Entscheidungen, ihre Arbeitskraft auf Kosten ihrer Freizeit auf dem → Arbeitsmarkt anzubieten (→ Arbeitsangebot), ferner für die Entscheidungen der Unternehmer, Arbeitskräfte einzustellen (→ Arbeitsnachfrage). Die Bereitschaft hierzu wird tendenziell um so größer sein, je günstiger sich die Relation zwischen Nominallohn und Güterpreisen für sie entwickelt, also je schwächer die Reallohnentwicklung ausfällt.

Die Unterscheidung der → Effektivlöhne von den → Tariflöhnen schließlich ist wichtig im Hinblick auf die Ergebnisse der → Lohntheorie. Sowohl auf der Kosten- als auch auf der Einkommensseite sind die Effektivlöhne die wichtigere Größe. Die volkswirtschaftliche → Lohnsumme als Produkt aus Effektivlohnsatz und eingesetztem Arbeitsvolumen schlägt sich einerseits in der Gewinnermittlung nieder und vergrößert oder verringert damit die Anreize für wirtschaftliche Aktivitäten der Unternehmer. Sie beeinflußt andererseits je nach Sparneigung die Konsumnachfrage und gibt entsprechende Produktionsimpulse, die sich in entgegengesetzter Richtung auswirken. Die Gesamtwirkung ergibt sich erst unter Berücksichtigung aller Gegebenheiten im Gesamtsystem. In jedem Fall kommt der → Lohnpolitik wegen dieser Doppelwirkung der Löhne besondere Bedeutung zur Erreichung der gesamtwirtschaftlichen Ziele zu.

J. K.

Literatur: *Deutschmann, C.* u.a., Lohnentwicklung in der Bundesrepublik 1960–1978, Frankfurt a.M., New York 1983. *Hofmann, W.*, Wert- und Preislehre, Berlin 1964. *Weigang, A.*, Lohndynamik und Arbeitsmarktstruktur, Frankfurt a.M., New York 1982.

Lohn- und Gehaltsindizes

haben die Aufgabe, die durchschnittliche Veränderung des Lohn- und Gehaltsniveaus zu messen. Das → Statistische Bundesamt veröffentlicht eine Reihe verschiedener Lohn- und Gehaltsindizes, wie etwa den Index der tariflichen Stundenlöhne, den Index der tariflichen Wochenlöhne, den Index der durchschnittlichen Bruttostundenverdienste und den Index der durchschnittlichen Bruttomonatsverdienste.

Interessiert die preisbereinigte (reale) Entwicklung des Lohn- und Gehaltsniveaus, so ist der sog.

$$\text{Reallohn- oder -gehaltsindex} = \frac{\text{Nominallohn- oder Gehaltsindex}}{\text{Preisindex für die Lebenshaltung}} \cdot 100\%$$

zu berechnen; angesichts zunehmender Steuern und Sozialabgaben läßt dieser → Index allerdings noch keine sichere Beurteilung der Entwicklung der verfügbaren Realeinkommen zu.

Literatur: *Schulz, U.*, Indizes in der Lohnstatistik auf der Basis 1976, in: Wirtschaft und Statistik, 1979, S. 865 ff.

Lohn- und Gehaltsstatistik → Personalstatistik

Lohndifferenzierung → betriebliche Entgeltpolitik

Lohndrift → wage drift, → betriebliche Entgeltpolitik

Lohndruck → Kostendruck, → Lohn-Preis-Spirale

Lohndrückerei → Allgemeinverbindlichkeitserklärung

Lohnersatzleistungen → Arbeitslosenversicherung, → Schlechtwettergeld

Lohnfondstheorie

klassische Theorie zur Erklärung des Arbeitslohnes und wesentlicher Bestandteil der → Verteilungstheorie *David Ricardos.* Grundlage der Lohnfondstheorie ist die auf die Physiokraten zurückgehende Vorstellung, daß die Güter als Ergebnis der Arbeit erst am Ende der Produktionsperiode anfallen, die Arbeiter aber bereits während dieser Periode entlohnt werden müssen. Eine solche Struktur ist vor allem im Agrarsektor zu erwarten, in welchem die Produktionsperiode durch die Abfolge der Jahreszeiten determiniert wird. Der laufenden Entlohnung der Arbeiter dient ein Lohnfonds, der durch die Ersparnis der Kapitalisten gebildet wird; diesen fällt das Gesamtprodukt zu, das sich nach Abzug der → Grundrente ergibt (→ Rententheorie).

In der kurzen Frist bestimmt der Umfang des Lohnfonds zusammen mit der Anzahl der Arbeiter den durchschnittlichen Lohnsatz. Langfristig wird der Umfang des Lohnfonds durch das Verhalten der Kapitalisten bestimmt, die ihren Kapitalstock ausdehnen, solange die → Profitrate, d.h. das Verhältnis zwischen Nettoeinkommen der Kapitalisten und Lohnfonds, ein akzeptables Minimum nicht unterschreitet.

Der durchschnittliche Lohnsatz orientiert sich langfristig am Subsistenzminimum, worunter nicht einfach das physische → Existenzminimum zu verstehen ist, sondern ein gewohnheitsmäßiger → Lebensstandard, der örtlich und zeitlich verschieden sein kann. Überschreitet der durch die Aufteilung des Lohnfonds bestimmte Lohnsatz diesen Subsistenzlohn, dann wachsen die Bevölkerung und damit das Arbeitsangebot durch geringere Kindersterblichkeit und eine Zunahme der Geburtenrate. Fällt der Lohnsatz unter das Subsistenzminimum, geht umgekehrt die Bevölkerung zurück. Zusammen mit dem Akkumulationsverhalten der Kapitalisten wird hierdurch die Entwicklung der Bevölkerung bestimmt.

Die Lohnfondstheorie kann zwar den Umfang des in der Landwirtschaft tätigen Teils der Bevölkerung erklären, ihre Übertragung auf Industriegesellschaften ist jedoch problematisch: Die industrielle Fertigung unterliegt nicht einem starren Schema fixer Produktionsperioden; die Notwendigkeit eines Lohnfonds verschwindet mit wachsendem Anteil des industriellen Sektors, da die Arbeiter aus dem laufenden Produktionsergebnis entlohnt werden können. Darüber hinaus treten bei der

Erklärung des Subsistenzminimums Index-probleme auf. Elemente der Lohnfondstheorie finden sich in der Marxschen Wirtschafts-theorie wieder (→ Mehrwerttheorie).   *K. M.*

Literatur: *Stavenhagen, G.*, Geschichte der Wirt-schaftstheorie, 4. Aufl., Göttingen 1969.

Lohnformen

Entscheidungsgegenstand der → betrieblichen Entgeltpolitik. Zwecks Systematisierung der unterschiedlichen Lohnformen lassen sich Sy-steme mit und ohne leistungsabhängige Lohn-differenzierung unterscheiden. Die erste Kate-gorie wird durch den reinen → Zeitlohn be-legt, dessen Höhe durch den geldlich bewerte-ten Anforderungsgrad (→ Arbeitsbewertung) bestimmt ist. Die Gruppe der Lohnformen mit leistungsabhängiger Lohndifferenzierung ent-hält Entlohnungssysteme mit Entgeltfestset-zung nach erfüllter und nach erwarteter Lei-stung. Voraussetzung für die leistungsabhän-gige Entlohnung ist die → Vorgabezeitermitt-lung (→ Work Factor-Verfahren, → Methods-Time-Measurement-Verfahren).

Während innerhalb der ersteren der lei-stungsabhängige Lohnanteil erst am Ende der Abrechnungsperiode auf der Basis der bis da-hin tatsächlich erbrachten Leistung quantifi-zierbar ist, wird bei den Entlohnungssystemen nach erwarteter Leistung der leistungsbezoge-ne Lohnanteil ex ante bestimmt und in der Erwartung gezahlt, daß der Mitarbeiter das anvisierte Leistungsergebnis, Leistungsziel oder Leistungspensum erreicht bzw. schafft.

Zur Entlohnung nach erfüllter Leistung zählen die klassischen Entlohnungssysteme wie → Akkordlohn und → Prämienlohn sowie im weiteren Sinne der → Zeitlohn mit Lei-stungszulage. Zur → Entlohnung nach erwar-

```
                  ┌─ ohne leistungs-  ──────   reiner
                  │  abhängige Ent-            Zeitlohn
                  │  geltdifferen-
                  │  zierung
                  │
                  │                            Zeitlohn
                  │                            mit
Lohn-             │                          ┌─ Leistungs-
formen ───────────┤                          │  zulage
                  │              erfüllte     │  Akkord-
                  │            ┌─ Leistung ───┤─ lohn
                  │            │              │  Prämien-
                  │            │              └─ lohn
                  │  mit lei-  │
                  │  stungsab- │
                  │  hängiger  │              Vertrags-
                  └─ Entgelt- ─┤            ┌─ lohn
                     differen-  │            │  Measured-
                     zierung    │  erwartete │  Day-Work-
                                └─ Leistung ─┤  Lohn
                                             │  Programm-
                                             └─ lohn
```

teter Leistung rechnen die neueren Lohnsyste-me wie → Vertragslohn, → Measured-Day-Work-Lohn und → Programmlohn.

Da es eine in allen Fällen zweckmäßige Lohnform nicht gibt, gilt es bei der Entschei-dung über die geeignete Lohnform eine Reihe von Gesichtspunkten zu beachten. So ist der betriebliche Gestaltungsspielraum teilweise durch tarifvertragliche Festschreibung von Vorgaben beschränkt. Bei Fehlen derartiger Regelungen hat der → Betriebsrat bezüglich der Einführung, Anwendung und Änderung des Entlohnungsgrundsatzes und der Entloh-nungsmethode ein Mitbestimmungsrecht.

Innerhalb dieser Grenzen wird der Gestal-tungsspielraum weiterhin durch die Art der zu entlohnenden Tätigkeit bestimmt. Dabei sind sowohl die objektiven als auch die subjektiven Leistungsbedingungen zu berücksichtigen. Die objektiven Leistungsbedingungen werden weitgehend durch die Aufgabenstruktur so-wie das Mensch-Maschine-System determi-niert und wirken über beeinflußbare und un-beeinflußbare Verrichtungszeiten wesentlich auf die Wahl der Lohnform ein. Bezüglich der subjektiven Leistungsbedingungen sind physi-ologische, psychologische und soziologische Aspekte zu beachten.

Aus personalpolitischer Perspektive wird mit der Entscheidung über das Entlohnungs-system wesentlich die Art des finanziellen Lei-stungsanreizes festgelegt. Da die Wahl der Lohnform in bedeutendem Maß die Ver-dienstmöglichkeiten und relative Höhe des Gesamteinkommens der einzelnen Beleg-schaftsmitglieder beeinflußt, muß sie im Kon-text der gesamten betrieblichen Personalpoli-tik beurteilt werden. So kann z. B. das gewähl-te Lohnsystem die Möglichkeiten der Perso-nalbeschaffung erheblich beeinflussen. Aus betriebswirtschaftlicher Sicht ist weiterhin zu berücksichtigen, daß die einzelnen Lohnfor-men unterschiedliche Einführungs- und Ver-waltungskosten verursachen.   *W. La.*

Literatur: *v. Eckardstein, D.*, Betriebliche Personal-politik, 4. Aufl., München 1987. *Paasche, J.*, Zeit-gemäße Entlohnungssysteme, Essen 1978.

Lohnfortzahlung

Versicherte, die wegen Krankheit, einer nicht rechtswidrigen Sterilisation oder eines nicht rechtswidrigen Abbruchs der Schwanger-schaft arbeitsunfähig (→ Arbeitsunfähigkeit) sind, haben gegenüber dem Arbeitgeber einen Lohnfortzahlungsanspruch bis zur Dauer von höchstens sechs Wochen. Bei wiederholter Ar-beitsunfähigkeit wegen derselben Krankheit besteht Anspruch innerhalb von zwölf Monaten nur einmal. Die Höhe der Zahlung richtet sich nach dem Arbeitsentgelt, das dem Arbeitnehmer bei regelmäßiger Arbeitszeit zusteht.

Endet die Lohnfortzahlungspflicht des Arbeitgebers und besteht weiter Arbeitsunfähigkeit, wird → Krankengeld gewährt. Da die durchschnittliche Dauer der Arbeitsunfähigkeit wegen Krankheit erheblich unter sechs Wochen liegt, kommt es in der überwiegenden Zahl der Krankheitsfälle nicht mehr zum Bezug von Krankengeld. Deshalb führt die Lohnfortzahlung zu einer Kostenentlastung der Krankenversicherungsträger und entsprechend steigt die Kostenbelastung für die Arbeitgeber. Eine Ausgleichsregelung entlastet kleinere lohnintensive Betriebe. Die Belastung der Arbeitgeber wegen ihrer Verpflichtung zur Lohnfortzahlung im Krankheitsfall betrug im Jahr 1983 20,2 Mrd. DM, bei Heilverfahren 2,4 Mrd. DM und bei Mutterschaft 0,87 Mrd. DM. 1984 stiegen die Aufwendungen im Vergleich zum Vorjahr um 6,4%. *H. W.*

Lohngruppen

Instrument zur Einstufung von Arbeitsleistungen im Dienste der Bemessung des → Lohnes. Soll eine Staffelung der Arbeitsentgelte nach dem Schwierigkeitsgrad der einzelnen Arbeitsverrichtungen erfolgen, so ist es Aufgabe der → Arbeitsbewertung, sämtliche Arbeitsverrichtungen nach den wichtigsten Anforderungsarten in entsprechende Lohngruppen einzureihen. Wird ein Lohngruppenkatalog zu schematisch gehandhabt, besteht die Gefahr, daß die individuellen Verhältnisse eines Betriebes zu wenig Berücksichtigung finden. *J. K.*

Lohnindexierung

Bindung der Löhne und Gehälter an einen → Preisindex, um deren Realwert vor der → Inflation zu schützen. Wenn alle Beschäftigungskontrakte im Hinblick auf den Lohnsatz durch Indexklauseln abgesichert würden, hätten unvorhersehbare Änderungen der Inflationsrate geringere realwirtschaftliche Störungen zur Folge.

Liegen den Lohnvereinbarungen niedrigere → Inflationserwartungen zugrunde als die tatsächlich eintretende Inflationsrate, so erhalten die Arbeitnehmer ohne Indexierung niedrigere Reallöhne als ursprünglich erhofft. Im Ausmaß der unterschätzten Inflation haben sie dann im nachhinein gesehen mehr Arbeitsstunden geleistet, als sie bei vorhersehbar niedrigeren Reallöhnen zu leisten bereit gewesen wären (→ Phillips-Kurve).

Fällt dagegen die tatsächliche Inflationsrate niedriger als erwartet aus, so haben die Ar-

beitgeber im Endeffekt höhere Reallöhne zu zahlen als ursprünglich einkalkuliert. Im Ausmaß der überschätzten Inflation haben sie dann mehr Beschäftigung angeboten, als sie bei vorhersehbar höheren Reallöhnen anzubieten bereit gewesen wären. Bei geringer ausfallenden Gewinnsteigerungen und tatsächlich höheren Reallohnsteigerungen als zuvor erwartet, werden sie dann im nachhinein die Produktion und das Beschäftigungsangebot einschränken.

In gesamtwirtschaftlicher Hinsicht könnte die Lohnindexierung stabilisierend wirken, indem sie im → Inflationszyklus temporäre Booms bei unerwarteter Inflationsakzeleration ebenso unterdrückt wie temporäre Rezessionen bei unerwarteter Inflationsdezeleration. Durch Lohnindexierung könnten zugleich die negativen Beschäftigungseffekte einer monetären Antiinflationspolitik gesenkt werden. *R. Ca.*

Lohnkosten → betriebliche Lohnstruktur

Lohnkostensubvention

Instrument der → Arbeitsmarktpolitik oder auch der Struktur- bzw. Regionalpolitik. Lohnkostenzuschüsse an Arbeitgeber durch die → Bundesanstalt für Arbeit sind insb. im Rahmen der → Arbeitsförderung für mehrere besondere Zwecke vorgesehen, nämlich bei → Arbeitsbeschaffungsmaßnahmen, bei der Förderung der Arbeitsaufnahme oder als → Einarbeitungszuschuß.

Lohnkostenzuschuß → Lohnkostensubvention, → Arbeitsbeschaffungsmaßnahmen, → Einarbeitungszuschuß

Lohn-lag-Hypothese

(Wage-lag-Hypothese) behauptet das Zurückbleiben der Lohnsteigerungen hinter den Preis- und Gewinnsteigerungen bei akzelerierter → Inflation. Über den → Inflationszyklus hinweg wechseln sich jedoch wage lags (profit leads) und wage leads (profit lags) ab, so daß sich im längerfristigen Durchschnitt nur unwesentliche Umverteilungen zwischen Lohn- und Gewinneinkommensbeziehern ergeben. Bei vollständiger → Inflationsantizipation in den Nominallohnkontrakten (→ Lohnindexierung) treten auch kurzfristig keinerlei reale Umverteilungseffekte auf. *R. Ca.*

Lohnleitlinien

Instrument der staatlichen → Lohnpolitik, bei dem der Staat den → Tarifparteien empfiehlt, den → Lohn im Interesse gesamtwirtschaftlicher Ziele nicht über einen bestimmten Prozentsatz hinaus anzuheben. Da in der Bundesrepublik Deutschland eine Lohnpolitik der leichten Hand betrieben wird, kommt die verbindliche Festsetzung einer Lohnleitlinie durch den Staat nicht in Frage. Die bekannteste Form einer lohnpolitischen Leitlinie ist die produktivitätsorientierte Lohnpolitik (Ausrichtung der Erhöhung des durchschnittlichen Lohnsatzes an der Erhöhung der → Arbeitsproduktivität), die unter bestimmten Bedingungen (Konstanz des Bruttoaufschlags auf die Stücklohnkosten) einen Anstieg des Preisniveaus zu verhindern vermag.

Die kostenniveau-neutrale Lohnpolitik enthält als Kern das Konzept der produktivitätsorientierten Lohnpolitik, zeigt darüber hinaus aber die Modifikationen auf, die sich im Fall eines konstanten Nettoaufschlags bei Veränderungen der Kostenstruktur sowie der terms of trade für die Lohnpolitik unter der Zielsetzung der Preisniveaustabilität ergeben. So müssen etwa bei exogener Erhöhung anderer Kosten die Löhne in ihrer Entwicklung entsprechend zurückgehalten werden. Dies kann besondere Verteilungskonflikte hervorrufen.

Sollen bestimmte Verteilungsziele allerdings Priorität erhalten, müssen weitere Modifikationen an der Lohnleitlinie angebracht werden. Im Falle verteilungsorientierter Lohnaufschläge ergeben sich dann jedoch tendenziell negative Wirkungen auf das Preisniveau oder/und die Beschäftigung. Derartige Gefahren sind auch einer kaufkraftorientierten, expansiven Lohnpolitik zuzuschreiben, sofern nicht sichergestellt ist, daß gerade durch sie eine Senkung anderer Stückkostenkomponenten und/oder des Gewinnaufschlags bewirkt wird und auf diese Weise Preisniveau- und Beschäftigungsneutralität gewährleistet bleiben.   *J. K.*

Lohnnebenkosten → betriebliche Lohnstruktur, → Sozialkosten

Lohnpolitik

alle Maßnahmen betrieblicher, verbandlicher und staatlicher Instanzen, die auf eine Beeinflussung von Höhe, Struktur und Entwicklung der Löhne gerichtet sind (→ Lohn, → Lohntheorie). Schlüsselgrößen sind dabei:

● Tariflöhne oder Effektivlöhne,
● Nominal- oder Reallöhne,
● Brutto- oder Nettolöhne,
● Lohnsätze, Lohnsummen oder Lohnquoten.

Die Ziele, denen ein bestimmtes lohnpolitisches Ergebnis dienen soll, liegen zwar stets auf den Gebieten der Einkommenssicherung, der Einkommensmehrung und der „gerechten" Einkommensverteilung, doch treten je nach Interessendominanz und wirtschaftlicher Situation auch betriebliche, verbandliche und wirtschaftspolitische Zwecksetzungen in den Vordergrund. Zielkonflikte sind hier nicht auszuschließen.

Zu den Maßnahmen der Lohnpolitik gehören zunächst diejenigen, die unmittelbar eine Fixierung von Lohngrößen zum Inhalt haben (z. B. → Lohnstop), jedoch darüber hinaus auch ein weiter Bereich von Einflußnahmen auf die Bedingungen der Lohnbildung (→ Arbeitsmarkt), um so mittelbar lenkend einzuwirken. Welche Steuerungsinstrumente hier vorzugsweise Anwendung finden bzw. befürwortet werden, richtet sich nach den Lohnbildungsformen (z. B. → Effektivlohn als Marktlohn oder → Tariflohn als vertraglicher Mindestlohn) und hängt ganz wesentlich ab von der ordnungspolitischen Haltung der Verbände und der staatlichen Instanzen.

Im Hinblick auf die Träger der Lohnpolitik sind drei Ebenen zu unterscheiden: Für das betriebliche Verhandlungssystem ist nach dem Betriebsverfassungsgesetz neben dem Management der Betriebsrat wesentliche Instanz. Die Lohnpolitik bezieht sich vor allem auf die betriebsgerechte Ausgestaltung des Entlohnungssystems (→ betriebliche Entgeltpolitik), → Lohnzuschläge, Bildung von → Lohngruppen, → Lohnformen. Dies wird in dem Maße um so erforderlicher, wie die → Tarifverhandlungen in regionaler, zeitlicher und funktioneller Hinsicht nur übergreifende und nicht genügend differenzierte Ergebnisse erbringen (können).

Die Lohnverhandlungen auf der Ebene der Arbeitsmarktverbände vollziehen sich in der Bundesrepublik Deutschland zwischen Industriegewerkschaften (in ihrer jeweiligen regionalen Untergliederung bzw. auch auf Bundesebene) und den entsprechenden Arbeitgeberverbänden (→ Tarifparteien, → Tarifverhandlungen). Ziel ist der Abschluß von → Tarifverträgen mit fest vereinbarten Untergrenzen der Lohnentwicklung. Je größer der Tarifbereich, desto weniger können die im Tarifvertrag ausgehandelten Ergebnisse den betrieblichen Besonderheiten Rechnung tragen bzw. die Lohnsteigerungsspielräume ausschöpfen (z. B. intramarginale Gewinnzonen).

Ein hoher Zentralisierungsgrad der Lohnverhandlungen (→ Bargaining-Theorie) läßt die volkswirtschaftliche Bedeutung der Tarifergebnisse besonders augenfällig werden. Damit wird in den Augen vieler die gesellschaftliche Bedeutung der → Gewerkschaften als

Mitspieler oder Gegenspieler der Wirtschaftspolitik erhöht, andererseits auch ihre Lohnpolitik der stärkeren Gegenmacht gesamtwirtschaftlicher Restriktionen bzw. Argumente unterworfen. Schließlich haben jedoch zentralisierte Arbeitsmarktverbände vielfältige Möglichkeiten, auch abseits von Kampfmaßnahmen (→Streik, →Aussperrung) Einfluß auf die Marktdaten zu gewinnen und auf diese Weise die Lohnentwicklung ihren Zielen gemäß zu verändern (→Konjunkturpolitik, →Arbeitsmarktpolitik).

Lohnpolitik auf staatlicher Ebene umfaßt, soweit es sich nicht um die unmittelbare Festsetzung der Entlohnung staatlicher Bediensteter handelt, vor allem eine Beeinflussung des Verhaltens der Arbeitsmarktpartner, im besonderen der Tarifparteien. Generell stehen dafür drei Gruppen von Maßnahmen zur Verfügung:

- autoritäre Lohnbindung, vor allem verbindliche →Lohnleitlinien, →Lohnstops, Indexbindung der Löhne (alle diese Maßnahmen oft in Verknüpfung mit entsprechender Preisbindung);
- Koordinations- und Orientierungshilfen, vor allem Information und Regierungsempfehlungen, Schaffung sozialer Dialogmöglichkeiten (→Konzertierte Aktion), Rahmenpaktvorschläge;
- ordnungspolitische Veränderungen von Rahmenbedingungen, vor allem Verbesserung des Wettbewerbs auf den Faktor- und Gütermärkten, Mobilitäts- und Arbeitsmarktförderung (→Arbeitsmarktpolitik), Tarifrechtgestaltung.

Sofern der Staat nicht die →Tarifautonomie außer Kraft setzen will, werden sich seine einkommenspolitischen Intentionen auf die beiden letzten Maßnahmengruppen stützen, um Impulse zur Einpassung der Lohnentwicklung in die wirtschaftspolitische Gesamtstrategie sicherzustellen.

Um ein Richtmaß zu haben, in welcher Weise die Lohnentwicklung Rücksicht auf gesamtwirtschaftliche Zielsetzungen nehmen sollte, wurden verschiedene Konzeptionen der Lohnpolitik vorgelegt; eine besondere Rolle spielen die produktivitätsorientierte, die kostenniveauneutrale, die verteilungsneutrale und die kaufkraftorientierte Lohnpolitik (→Lohnleitlinien). Jede dieser Konzeptionen baut auf unterschiedlichen Annahmen auf und stellt auf unterschiedliche Ziele ab (z.B. Preisniveaustabilität, Stabilisierung der Einkommensverteilung, Nachfragesicherung).

Aufgrund der Verschiedenheit der Interessenlage und der wirtschaftspolitischen Gesamthaltung werden die ersten beiden Konzeptionen stärker von seiten der Arbeitgeber, die anderen beiden stärker von seiten der Gewerkschaften befürwortet.   J. K.

Literatur: *Dall'Asta, E. R.,* Theorie der Lohnpolitik, Berlin 1971. *Lipp, E.-M.,* Finanzpolitik und Lohnpolitik, Köln u. a. 1980. *Teichmann, U.,* Lohnpolitik, Stuttgart u. a. 1974.

Lohn-Preis-Leitlinien

(wage-price guide posts) Instrument der →Einkommenspolitik, das aus der mehr oder weniger verbindlichen Vorgabe höchstzulässiger Lohn- und Preissteigerungen besteht, um den inflationsbedingten →Verteilungskampf zu entschärfen und die daraus resultierende →Lohn-Preis-Spirale zu beenden.

Administrative Eingriffe in das Preis- und Lohngefüge führen jedoch bei unterschiedlicher Produktivitätsentwicklung einzelner Sektoren nur zu verzerrten Preisrelationen, ohne die Inflationsausbreitung auf Güter- und Faktormärkten dauerhaft aufhalten zu können. Verbindliche Lohn-Preis-Leitlinien sind außerdem weder mit der Tarifautonomie noch mit dem Grundsatz der Ordnungskonformität wirtschaftspolitischen Handelns in einem marktwirtschaftlichen System vereinbar (→Lohnleitlinien). Als Mittel der Inflationsbekämpfung sind sie ohnehin untauglich, weil sie lediglich an Symptomen kurieren.   R. Ca.

Literatur: *Cassel, D./Thieme, H. J.,* Einkommenspolitik, Köln 1977.

Lohn-Preis-Spirale

(Preis-Lohn-Spirale) in der nichtmonetären →Inflationstheorie entwickelte Vorstellung, daß es durch sich aufschaukelnde Preiserhöhungen auf dem Güter- und Arbeitsmarkt zu einer akzelerierten →Inflation (→Inflationszyklus) kommen könne (→Angebotsdruck): Lohnerhöhungen, die von den Gewerkschaften durchgesetzt werden und über die Produktivitätssteigerungen hinausgehen (→core inflation), führen danach zwangsläufig zu Preissteigerungen (→Kostendruck), die wiederum Anlaß zu noch höheren, den Preisauftrieb verschärfenden Lohnerhöhungen geben usw. Als treibende Kraft wird dabei der →Verteilungskampf zwischen den sozialen Gruppen, insbesondere zwischen Lohn- und Gewinneinkommensbeziehern, angesehen.

In Wirklichkeit ist die Lohn-Preis-Spirale keine eigenständige →Inflationsursache, sondern lediglich die Umschreibung der Anpassungsvorgänge auf dem Güter- und Arbeitsmarkt, wenn eine →Inflation durch überschüssiges Geldmengenwachstum in Gang gekommen ist (→Inflationsantizipation). Statt realeinkommenssichernde Lohnerhöhungen immer wieder neu durchzusetzen, wäre auch eine Indexierung der Löhne möglich (→ Lohnindexierung). *D. C.*

Lohnquote

mißt den Anteil am Volkseinkommen, der dem Produktionsfaktor Arbeit als Entlohnung zufließt. Ihre Veränderung kennzeichnet die Entwicklung der funktionellen → Einkommensverteilung.

Die aus der Volkswirtschaftlichen Gesamtrechnung ermittelte *tatsächliche* Lohnquote ist gleich dem relativen Anteil des Bruttoeinkommens aus unselbständiger Arbeit (einschl. der Sozialbeiträge der Arbeitgeber) am Volkseinkommen. Sie ist langfristig gestiegen. Daraus darf nicht der Schluß gezogen werden, daß sich die Einkommensverteilung zugunsten der einzelnen Arbeitnehmer verbessert hat. Im gleichen Zeitraum ist nämlich der Anteil der abhängig Beschäftigten an der Gesamtzahl der Erwerbstätigen (Arbeitnehmerquote) gewachsen. Die Bedeutung dieses Strukturwandels macht die *bereinigte* Lohnquote sichtbar. Sie gibt an, wie sich die Lohnquote im Zeitablauf entwickelt hätte, wenn – ausgehend von einem Basisjahr – keine Umschichtung in der Erwerbsbevölkerung eingetreten wäre.

Auch der Unternehmerlohn ist Arbeitseinkommen. Setzt man für die unabhängig Beschäftigten das durchschnittliche Arbeitnehmereinkommen als Unternehmerlohn an und rechnet dieses dem Einkommen aus unselbständiger Arbeit zu, erhält man die *ergänzte* Lohnquote, die den Anteil am Volkseinkommen widerspiegeln soll, der insgesamt funktional dem Produktionsfaktor Arbeit zuzuordnen ist.

Lohnquote (in %)

Jahr[1]	tatsächlich	bereinigt[2]	ergänzt
1870	43,0	43,0	76,5
1890	43,2	41,8	74,2
1910	45,2	41,6	73,9
1950	58,6	58,6	85,7
1960	60,4	60,4	78,2
1970	68,0	62,9	81,5
1975	73,1	66,1	85,7
1980	73,3	64,7	83,9
1984	71,0	62,9	81,5

[1] 1870-1910: Deutsches Reich; 1950-1983: Bundesrepublik Deutschland.
[2] 1870-1910: Basisjahr 1870; 1960-1983: Basisjahr 1960.
Quelle: *Jeck, A.,* Wachstum und Verteilung des Volkseinkommens, Tübingen 1970; Sachverständigenrat zur Begutachtung der gesamtwirtschaftlichen Entwicklung, lfd. Jge.

Lohnsatzdifferenzierung → betriebliche Entgeltpolitik

Lohnschutz

Teil des → Arbeitsschutzes. Beim Lohnschutz geht es nicht um Regelungen zur Festlegung von Lohnhöhen (das ist Angelegenheit der Tarifpartner), sondern um die Sicherstellung der ordnungsgemäßen Auszahlung des Lohnes; Lohnschutz ist also Lohnzahlungsschutz. Heute besteht der Lohnschutz vor allem in der Form eines Truckverbotes (→ Trucksystem), des Verbotes, Lohnzahlungen in Gaststätten vorzunehmen, ferner darin, den Lohnempfänger bei der Lohnzahlung vor Aufrechnungen durch den Arbeitgeber, Teile des Arbeitseinkommens vor Pfändungen sowie die Lohnansprüche durch die Feststellung ihrer Erstrangigkeit im Falle des Konkurses zu schützen. Da diese Privilegierung der Lohnansprüche nicht als ausreichend erachtet wurde, brachte das Gesetz über das → Konkursausfallgeld eine weitergehende Sicherstellung. *H. W.*

Lohnsteuer

ist vom Aufkommen (1982: 123,4 Mrd. DM) her die größte Komponente der → Einkommensteuer; sie ist die Einkommensteuer auf Einkünfte aus nichtselbständiger Tätigkeit (Lohneinkommen), insoweit also keine eigenständige Abgabe, sondern eine besondere Erhebungsform der Einkommensteuer. Sie wird im Quellenabzugsverfahren (→ Quellensteuer) erhoben. Inländische Arbeitgeber sind verpflichtet, für ihre Arbeitnehmer bei jeder Lohnzahlung die Lohnsteuer einzubehalten und an den Fiskus abzuführen.

Die Lohnsteuer wird anhand von Lohnsteuertabellen ermittelt, die für die verschiedenen Steuerklassen (I bis VI) die Steuerbeträge bei alternativer Höhe des Lohnes enthalten. Die Lohnsteuerpflichtigen werden entsprechend ihrem Familienstand in die Steuerklassen eingeordnet. Bei der Aufstellung der Steuertabellen werden bestimmte → Steuerfreibeträge und Pauschalen (z.B. → Arbeitnehmerfreibetrag, Werbungskostenpauschbetrag) bereits berücksichtigt.

Mit dem Steuerabzug ist das Besteuerungsverfahren für die Lohnbezieher im allgemeinen abgeschlossen, es sei denn, es liegen bestimmte Voraussetzungen (z.B. andere Einkünfte, Höhe des Lohneinkommens, Überschreiten der in die Lohnsteuertabellen eingearbeiteten Pauschalen) vor, die am Jahresende eine Veranlagung (→ Quellensteuer) oder einen → Lohnsteuerjahresausgleich erforderlich machen. Am Aufkommen der Lohnsteuer sind die Gemeinden derzeit mit15% beteiligt; der Rest steht je zur Hälfte dem Bund und den Ländern zu (Art. 106 Abs. 3 GG).   *R. P.*

Lohnsteuerjahresausgleich

Die →Lohnsteuer wird im Quellenabzugsverfahren monatlich oder vierteljährlich von den Einkünften aus nichtselbständiger Arbeit durch den Arbeitgeber einbehalten. Grundlagen der Lohnsteuerberechnung sind die Eintragungen auf der Lohnsteuerkarte (z.B. Steuerklasse, Freibetrag). Zwischen der endgültigen Jahreslohnsteuer und der Summe der einbehaltenen Lohnsteuerbeträge kann es Abweichungen geben bei

(1) schwankenden Arbeitslöhnen,
(2) Zeiten der Nichtbeschäftigung,
(3) Änderung der Lohnsteuerklasse (z.B. Heirat),
(4) Antrag auf Lohnsteuerermäßigung im Laufe des Jahres (zusätzliche →Werbungskosten oder →Sonderausgaben),
(5) höheren Werbungskosten als Pauschbeträge,
(6) höheren →Vorsorgeaufwendungen als Vorsorgepauschale.

Der hieraus resultierende Unterschiedsbetrag wird, soweit positiv, zugunsten des Arbeitnehmers im Lohnsteuerjahresausgleich erstattet (§§ 42, 42a, 42b EStG).
Der Lohnsteuerjahresausgleich muß bis zum 30. 9. des folgenden Jahres beim zuständigen Finanzamt beantragt werden. Unter besonderen Voraussetzungen führt der Arbeitgeber bereits einen Jahresausgleich durch (§ 42b EStG). Pauschalbesteuerte Einkünfte aus nichtselbständiger Arbeit werden nicht in den Lohnsteuerjahresausgleich einbezogen.
                                                                    W. H. W.

Literatur: *Oeftering, H./Görbing, H.,* Das gesamte Lohnsteuerrecht, Kommentar, Loseblattausgabe, 6. Aufl., München 1985.

Lohnsteuerkarte

eine Urkunde (§ 39 EStG): öffentlich mit den amtlichen Eintragungen der Gemeinde und privat, soweit Eintragungen des Arbeitgebers vorliegen. Sie enthält alle für die Besteuerung des Arbeitnehmers wesentlichen Merkmale und bildet damit die Grundlage für den Steuerabzug vom Arbeitslohn (Bescheinigungsverfahren). Die zuständige Gemeindebehörde (Hauptwohnung, gewöhnlicher Aufenthalt) stellt die amtlich vorgegebenen Lohnsteuerkarten jeweils für ein Kalenderjahr aus. Diese werden den Arbeitnehmern ohne Aufforderung bis zum 31. 10. des Vorjahres zugesandt. Die Eintragungen umfassen Familienstand, Steuerklasse und Zahl der Kinder. Maßgeblich sind die Verhältnisse zu Beginn des Kalenderjahres. Möglich ist auch die Eintragung von besonderen →Werbungskosten oder Verlusten aus Vermietung und Verpachtung (Lohnsteuerfreibetrag). Änderungen der Eintragungen können bis zum 30. 11. des laufenden Kalenderjahres beim Finanzamt (Kinder über 18 Jahre) oder der Gemeinde (Heirat, Geburt) erfolgen.   *W. H. W.*

Lohnsteuerklasse

Grundlage des Lohnsteuerabzugs vom Arbeitslohn (§ 38b EStG); vgl. Tab.
Neben dem →Grundfreibetrag berücksichtigen die Lohnsteuertabellen den →Arbeitnehmerfreibetrag, Weihnachtsfreibetrag, Werbungskosten-Pauschbetrag, Sonderausgaben-Pauschbetrag, die Vorsorgepauschale sowie den →Haushaltsfreibetrag (Klasse II) und →Kinderfreibetrag (Klassen II, III, IV).
Bei Verheirateten führt die Wahl der Kombination III/V zu einem geringeren Lohnsteuerabzug als die Kombination IV/IV, wenn ein Ehegatte mindestens 60% des Gesamtlohns verdient. Durch den →Lohnsteuerjahresausgleich oder die Einkommensteuerveranlagung ergibt sich jedoch unabhängig von der

Lohnsteuerklassen

Steuerklasse		Personengruppe	Tarif
Kombinationen:	I	Alleinstehende	Grundtarif
IV/IV oder	II	Alleinstehende mit Kind	Grundtarif
III/V	III	Verheiratete (nur ein Ehegatte bezieht Lohn oder der andere Ehegatte wählt V)	Splittingtarif
	IV	Verheiratete (beide Ehegatten beziehen Lohn)	Grundtarif
	V	Verheiratet (beide Ehegatten beziehen Lohn und ein Ehegatte wählt III)	Grundtarif
	IV	Für die zweite und jede weitere Tätigkeit bei Arbeitnehmern mit mehreren Beschäftigungsverhältnissen	Grundtarif

Steuerklassenwahl die gleiche steuerliche Belastung.

Lohnstop

generelles Verbot, die Lohneinkommen von einem bestimmten Stichtag ab zu erhöhen (Null-Norm). Dieses Instrument staatlicher →Einkommenspolitik bzw. →Lohnpolitik wird i. d. R. in Kombination mit einem →Preisstop angewandt und ist durch die höchste Eingriffsintensität gekennzeichnet. Lohn- und Preisstops greifen direkt in den Preisbildungsprozeß auf Produkt- und Faktormärkten ein und heben für ihre Geltungsdauer die →Tarifautonomie auf.

Erfahrungen mit Lohnstops der jüngsten Vergangenheit hat man in verschiedenen Ländern gewonnen. Die Niederlande (Ende 1970), Großbritannien (November 1972 – März 1973), die Vereinigten Staaten (August 1971 – November 1971) und Frankreich (Juni 1983 – September 1983) versuchten mit zum Teil kombinierten Lohn- und Preisstops einen Ausweg aus den Schwierigkeiten der →Stabilitätspolitik zu finden. Man versprach sich davon eine Behebung der Zahlungsbilanzprobleme und die Eindämmung inflationärer Preis- und Einkommensentwicklungen, ohne allzu große Einbußen bezüglich des Vollbeschäftigungs- und Wachstumsziels hinnehmen zu müssen.

Eine generelle Beurteilung der Wirksamkeit von Lohnstops wird dadurch erschwert, daß man nicht sagen kann, wie die Entwicklung ohne diese Maßnahme verlaufen wäre, und die Ausgangsbedingungen bzw. die Vorge-

hensweisen von Land zu Land stark differieren. Ein Blick auf die Tabelle läßt aber die Schlußfolgerung zu, daß Lohnstops allenfalls kurzfristig Wirkungen zeigten und deren Aufhebung einen verteilungspolitischen Nachholbedarf schaffte.

Schwerwiegend sind auch die prinzipiellen Bedenken gegen dieses Instrument: Aufhebung der Tarifautonomie; Verlagerung des Verteilungskonflikts vom Markt in die politische Sphäre; ungenügende Vorbereitung der Durchführung, um Ankündigungseffekte zu vermeiden; erhöhter Planungs- und Überwachungsaufwand; Verzerrung der Marktlöhne und Preise mit der Folge der Fehlallokation von Ressourcen. *M. Wi.*

Literatur: *Kuntze, O.-E.,* Preiskontrollen, Lohnkontrollen und Lohn- Preis-Indexierungen in den europäischen Ländern, Ifo-Institut für Wirtschaftsforschung, Bd. 81, Berlin 1973.

Lohnstruktur

1. →betriebliche Lohnstruktur.
2. Ausdruck der Tatsache, daß in einer Volkswirtschaft zu jedem Zeitpunkt viele Lohnsätze nebeneinander existieren (vor allem in beruflicher, sektoraler und regionaler Hinsicht). Ein Maß für die Lohnstruktur ist etwa die Relation zwischen Einzellöhnen und Durchschnittslohn. Gründe für Lohnsatzdifferenzen liegen zunächst in Leistungs- und Qualifikationsunterschieden der einzelnen Arbeitnehmer selbst sowie in dem Produktivitätsgefälle zwischen Arbeitsplätzen, Sektoren und Regionen. Zusätzliche Verdienste während des Arbeitslebens eines qualifizierten Arbeiters oder

Lohn- und Preisentwicklungen in ausgewählten Ländern, 1968-1984
(Veränderungen gegenüber dem Vorjahr in %)

Jahr	USA Löhne	USA Preise	Niederlande Löhne	Niederlande Preise	Großbritannien Löhne	Großbritannien Preise	Frankreich Löhne	Frankreich Preise
1968	6,4	4,2	7,9	4,1	7,6	4,7	12,5	6,4
1969	6,0	5,4	10,4	7,5	5,5	5,4	11,1	4,8
1970	5,3	5,9	9,9	4,4	10,0	6,4	10,7	5,3
1971	6,0	4,3	12,5	7,6	12,5	9,4	11,2	5,5
1972	7,0	3,3	13,6	7,8	13,6	7,1	12,4	6,0
1973	6,8	6,2	14,3	8,1	13,0	9,2	21,1	7,4
1974	8,1	11,0	18,0	9,6	17,1	14,9	18,6	13,6
1975	9,1	9,2	13,7	10,2	30,1	24,2	17,0	11,8
1976	8,1	5,8	8,9	8,8	19,8	15,8	13,1	9,6
1977	8,8	6,4	7,3	6,4	4,8	16,0	13,2	9,4
1978	8,7	7,6	5,7	4,1	18,2	9,0	12,9	9,1
1979	8,5	11,4	4,3	4,2	14,8	13,2	12,8	10,7
1980	8,7	13,5	4,6	6,5	17,2	18,4	15,1	13,6
1981	9,8	10,4	3,0	6,7	9,7	11,9	14,5	13,4
1982	6,4	6,2	6,8	5,9	7,1	8,5	15,2	11.8
1983	4,3	3,2	2,7	2,8	5,4	4,7	9,8	9,3
1984	3,7	4,3	0,9	3,3	8,6	5,0	6,8	7,4

Quelle: UN, Monthly Bulletin of Statistics; OECD, Main Economic Indicators.

Angestellten müssen zudem Anreize bieten, Kosten und entgangene Einkünfte während der Schulungszeit in Kauf zu nehmen. Desgleichen haben Lohnunterschiede vielfach die Funktion, die Arbeitskräfte in den weniger begehrten (gefährlichen, anstrengenden, unbeliebten) Berufen bzw. an solchen Arbeitsplätzen für Nachteile der betreffenden Tätigkeit zu entschädigen.

Die Höhe der Lohndifferenzen ist sowohl Ergebnis der →Tarifverhandlungen als auch des Zusammenspiels von →Arbeitsangebot und →Arbeitsnachfrage. Ihre wesentliche volkswirtschaftliche Funktion besteht darin, in einer dynamischen, sich stets verändernden Wirtschaft die Arbeitskräfte in die wirtschaftlich sinnvollsten Verwendungen zu lenken (Allokationsfunktion). Marktunvollkommenheit kann allerdings bewirken, daß die Allokationsfunktion ebenfalls nur unvollkommen wahrgenommen werden kann. Desgleichen kann ein Konflikt zwischen ökonomischen Erfordernissen und sozialpolitischen Zielen im Hinblick auf die Lohnstruktur bestehen.

J. K.

Literatur: *v. Knorring. E.,* Lohn- und Beschäftigungstruktur, Berlin 1978. *Ross, H.,* Theorie der internen Lohnstruktur, Frankfurt a. M., Bern 1978.

Lohnstückkosten

ergeben sich, wenn man die gesamten Lohnkosten (und u. U. Lohnnebenkosten), die in einer Rechnungsperiode an einer oder mehreren →Kostenstellen, bedingt durch die Erstellung einer bestimmten Leistung, angefallen sind, durch die Ausbringung (in Mengeneinheiten, Stücken etc.) dividiert. Die resultierende Kennzahl läßt erkennen, in welchem Maße ein Produkt oder eine Dienstleistung mit Lohnkosten belastet, damit auch für durch Tarifabschlüsse bedingte Preissteigerungen anfällig ist.

Lohnsumme

Bruttobetrag aller während einer Zeitperiode in einem Betrieb oder in der Volkswirtschaft bezahlten Löhne und Gehälter einschl. der Zulagen und Zuschläge. Die Lohnsumme ist Hauptbestandteil der betrieblichen Personalkosten wie auch des in einem Betrieb entstandenen Arbeitnehmereinkommens (→Lohn).

Lohnsummensteuer →Gewerbesteuerreform

Lohnsysteme →Lohnformen

Lohntheorie

Hypothesenrahmen für die Erklärung der Höhe und der Entwicklung des →Lohnes, insb.

des Lohnsatzes je Arbeitsstunde, aber auch der →Lohnsumme und der →Lohnstruktur. Die Annahmen in den unterschiedlichen lohntheoretischen Ansätzen spiegeln stets die als wichtig angesehenen sozialen, institutionellen und ordnungspolitischen Gegebenheiten wider.

Das Vertrauen auf das freie Spiel der Marktkräfte weist bei der älteren klassischen Schule *(David Ricardo)* dem Lohn die Funktion des Ausgleiches zwischen →Arbeitsangebot und →Arbeitsnachfrage auf dem →Arbeitsmarkt zu. Die Lohnhöhe bestimmt sich längerfristig nach den Kosten für die Erhaltung der Arbeitskraft und der arbeitenden Bevölkerung. Das →Existenzminimum gibt damit als Untergrenze den „natürlichen Preis" der Arbeit an. Um diesen Preis kann zwar der Marktpreis schwanken, jedoch führen die durch die unterschiedliche Lohnsituation ausgelösten Bevölkerungsbewegungen zu einer entsprechenden Änderung des Arbeitsangebots und bewirken damit eine Bindung des Lohnes an die genannte Untergrenze (→ehernes Lohngesetz). In etwas anderer Argumentation gelangt die →Lohnfondstheorie *(John Stuart Mill)* zu einem ähnlichen Ergebnis.

Die klassische Lohntheorie stieß im Laufe der Zeit auf vielfältige Kritik. Besonders scharf abgelehnt wurden die Annahmen und die Folgerungen von seiten der Sozialisten.

Zu anderen Ergebnissen gelangte die →Grenzproduktivitätstheorie. Sie leitete ausgehend von Vollbeschäftigung und vollständigem Wettbewerb sowie dem Gewinnmaximierungsverhalten der Unternehmer die Nachfrage nach Arbeit aus den Produktionsbedingungen der Unternehmer her (abnehmender Grenzertrag des Faktors Arbeit führt zu einer inversen Abhängigkeit der Arbeitsnachfrage vom Lohnsatz). Bei gegebenem Arbeitsangebot, das von den individuellen Nutzenabwägungen hinsichtlich der Konsummöglichkeiten einerseits, vermehrter Freizeit andererseits bestimmt wird, ergeben sich der Arbeitsmarktausgleich sowie der Gleichgewichtslohn aufgrund des freien Spiels der Marktkräfte. Vollbeschäftigung ist hier in dem Sinne gewährleistet, daß jeder, der zum herrschenden Lohnsatz seine Arbeitskraft anbieten will, auch Arbeit findet. Über die Lohnhöhe selbst läßt sich zunächst nur feststellen, daß sich der Lohnsatz in Höhe des Grenzprodukts der Arbeit einstellt.

Für die Bildung der →Effektivlöhne, die aufgrund individueller Arbeitsverträge u. U. stark von den →Tariflöhnen abweichen, kann man die skizzierten ökonomischen Zusammenhänge vielfach zur Erklärung heranziehen.

In mikroökonomisch orientierten Weiterentwicklungen der Grenzproduktivitätstheorie wird der Einfluß unvollständiger Information, unterschiedlicher Risikoneigung und Ausbildungsinvestitionen auf Lohnniveau, -struktur und -flexibilität berücksichtigt. In makroökonomischer Sicht greift die neoklassische Wachstumstheorie die Grenzproduktivitätsorientierung auf und leitet die Lohnentwicklung aus den Angebotsbedingungen und den Prozeßeigenschaften des Wachstumsgleichgewichtes ab.

Eine derartige Marktbestimmtheit des Lohnes lehnt die Segmentationstheorie ab, bei der die institutionellen Bedingungen, vor allem Hierarchien und Mobilitätsbarrieren, die Marktkräfte relativieren.

Da auf den Arbeitsmärkten infolge natürlicher Konstellationen und/oder infolge von Zusammenschlüssen Monopolstellungen zu beobachten sind, hat man bereits zeitig versucht, die Ergebnisse der → Monopoltheorie auf die Lohnbildung anzuwenden. Dabei rückte insb. auch die Theorie des bilateralen Monopols in den Vordergrund, bei der die Lohnhöhe nur innerhalb relativ weiter Grenzen ökonomisch bestimmt werden kann und das konkrete Ergebnis aus Verhandlungen, der relativen Machtstellung und dem taktischen Geschick der Arbeitsmarktparteien resultiert.

Für die Beantwortung der Frage nach den Determinanten der Lohnbildung im Fall der → Tarifverhandlungen zwischen → Gewerkschaften und → Arbeitgeberverbänden wurden die Ansätze der → Bargaining-Theorie entwickelt.

Die Frage, ob „Macht oder ökonomisches Gesetz" (*Eugen v. Böhm-Bawerk*) dominierenden Einfluß auf das Lohnergebnis habe, muß vom Blickwinkel der gegenseitigen Interdependenz von Marktsituation und Verhandlungsstärke aus gesehen werden. Stets sind die Entwicklung der Effektivlöhne (als Marktergebnis) und diejenige der Tariflöhne (als „Macht"ergebnis) miteinander verknüpft, weil die in dem einen Bereich realisierten Ergebnisse jeweils die Abläufe und Ergebnisse in dem anderen beeinflussen; darüber hinaus haben beide Bereiche eine Anzahl gemeinsamer Bestimmungsgründe. Deshalb ist für eine realitätsnahe Lohntheorie zu fordern, daß anstelle der isolierten Analyse immer auf die Verknüpfungen der marktlichen und der verbandlichen Wirkungszusammenhänge geachtet wird. Je nach wirtschaftlicher (und politischer) Situation müssen dann eventuelle Gewichtsverschiebungen in den Einflußfaktoren zusätzlich in Rechnung gestellt werden.

In der jüngeren Zeit wird durch Rezeption von Gedanken der → Neuen Politischen Ökonomie versucht, politische Determinanten der Lohnentwicklung aus der parteilich-ideologischen Konstellation von Gewerkschaften und Regierung sowie aus der Rücksichtnahme auf den Wahlzyklus abzuleiten. Empirische Untersuchungen zeigen, daß derartige Tatbestände als zusätzliche Bestimmungsgründe neben die bereits skizzierten Determinanten treten und einen eigenständigen Erklärungsbeitrag für die Lohnentwicklung bieten können.

Für die Kalküle der Nachfrager und der Anbieter von Arbeitskraft ist stets (auch) die Relation von Lohnhöhe zu Preisniveau, d.h. der Reallohn relevant. Neben der eigenständigen Bildung der Nominallöhne ist somit auch die Bestimmung des Preisniveaus näher zu untersuchen. Damit sind theoretische Aussagen über den Reallohn unter modernen Bedingungen nur auf der Basis eines komplexen volkswirtschaftlichen Gesamtmodells möglich. *J. K.*

Literatur: *Bartmann, H.*, Verteilungstheorie, München 1981. *Külp, B.*, Lohntheorie, in: HdWW, Bd. 5, Stuttgart u.a. 1980, S. 73 ff. *Rothschild, K. W.*, Lohntheorie, Berlin, Frankfurt a. M. 1963.

Lohnwerk → Verlagswesen

Lohnzusatzkosten → betriebliche Lohnstruktur, → Sozialkosten

Lohnzuschlag
im → Arbeitsvertrag fixiertes, zusätzliches, über den Grundlohn hinausgehendes Entgelt als Mittel der betrieblichen → Lohnpolitik. Mit Lohnzuschlägen läßt sich die meist sehr grobe Tariflohnskala an individuelle Bedürfnisse des Betriebes anpassen. Anlaß für einen Lohnzuschlag sind aber vielfach auch die Arbeitsbedingungen (z.B. Zulagen für gesundheitsschädigende Arbeiten, Schicht- und Sonntagsarbeitszulagen, Montagezuschläge, etc.) und/oder die persönlichen Umstände des Arbeitnehmers (z.B. Familienzuschläge, Treueprämien, Dienstalterszulagen, etc.). Ein Teil der Zuschläge, wie etwa Dienstalterszulagen, erhöht die Verbundenheit des Arbeitnehmers mit dem Betrieb und vermindert auf diese Weise die → Fluktuation der Arbeitskräfte.
J. K.

Lohnzuschlagskalkulation → Zuschlagskalkulationen

lokales Netzwerk → local area network

Lokomotivtheorie
Auffassung, daß einige führende Länder durch eine expansive Wirtschaftspolitik einen

Prozeß einleiten können bzw. sollen, der schließlich die gesamte Weltwirtschaft aus der Rezession herausführt. Hinter diesen Überlegungen steht die keynesianische Ansicht, daß ein steigendes Volkseinkommen zu steigenden Importen führt und auf diese Weise expansive Impulse von einem Land auf andere Länder übertragen werden.

Solche Überlegungen standen z.B. im Mittelpunkt von Forderungen auf dem Weltwirtschaftsgipfel 1978, wonach sich die Bundesrepublik und Japan mit expansiven Maßnahmen der Geld- und Fiskalpolitik als „Lokomotiven vor den internationalen Konjunkturzug spannen" sollten.   *U. T.*

Lombardkredit → Realkredit

Lombardpolitik

Teil der → Geldpolitik. Mit ihr legt die → Deutsche Bundesbank im Rahmen ihrer → Refinanzierungspolitik die Bedingungen fest, zu denen die Geschäftsbanken zum Lombardsatz Darlehen in → Zentralbankgeld gegen die Hergabe von Pfändern erhalten. Die Höhe des Lombardsatzes liegt i.d.R. um 1% über dem Diskontsatz (→ Diskontpolitik). Ein Lombardkredit soll nur für die kurzfristige Überbrückung eines Liquiditätsengpasses gewährt werden; er kann aus geldpolitischen Gründen eingeschränkt oder ganz ausgesetzt werden.

Die Bundesbank gewährt bei geldpolitischem Bedarf nach Ankündigung auch Lombardkredite zu einem Sonderlombardsatz, der täglich geändert werden kann. Die Bereitschaft zum Gewähren eines solchen Sonderlombardkredites kann täglich widerrufen werden.

Die für Lombardkredite von der Bundesbank akzeptierten Pfänder sind in § 19 Abs. 1 Nr. 3 BBankG näher spezifizierte Wertpapiere und Schuldbuchforderungen. Die Beleihungsgrenzen sind im „Verzeichnis der bei der Deutschen Bundesbank beleihbaren Wertpapiere (Lombardverzeichnis)" aufgelistet. Wechsel, die nicht für Rediskontkredite verwendet werden können, sind auch kein Pfand im Rahmen der Lombardpolitik. Eine Ausnahme davon stellen allein die → Solawechsel der → AKA Ausfuhrkredit GmbH-Gesellschaft – im Rahmen des Plafonds A – und der GmbH zur Finanzierung von Industrieanlagen – im Rahmen des Plafonds I – dar; diese können zwar lombardiert (verpfändet), nicht aber auch diskontiert (verkauft) werden.   *M. Bo.*

Literatur: *Jarchow, H.-J.,* Theorie und Politik des Geldes, II: Geldmarkt, Bundesbank und geldpoliti-

sches Instrumentarium, 4. Aufl., Göttingen 1983. *Woll, A.,/Vogl, G.,* Geldpolitik, Stuttgart 1975.

Lombardverzeichnis → Lombardpolitik

Lomé-Abkommen

umfassendes Abkommen zwischen der → Europäischen Gemeinschaft (EG) und derzeit (Stand: Juni 1984) 64 Entwicklungsländern Afrikas, der Karibik und des Pazifik, in dem (1) die EG diesen sog. → AKP-Staaten einseitige Zollpräferenzen einräumt, die diesen Ländern die zollfreie Einfuhr von über 99% ihrer Industrie- und Agrarexporte in die EG ermöglichen,

(2) ein → System zur Stabilisierung der Ausfuhrerlöse dieser Staaten für bestimmte Grundstoffe geschaffen wurde („Stabex"-System) und

(3) eine umfangreiche finanzielle und technische Zusammenarbeit zwischen der EG und den AKP-Staaten zur Förderung der Industrie und Landwirtschaft dieser Entwicklungsländer vereinbart wurde, wobei die EG aus dem → Europäischen Entwicklungsfonds und über die → Europäische Investitionsbank den AKP-Staaten umfassende finanzielle Hilfe gewährt (für 1981–1985 insgesamt über 5,5 Mrd. ECU).

Das erste Lomé-Abkommen („Lomé I") wurde am 28.2.1975 von damals 46 AKP-Staaten unterzeichnet und trat am 1.4.1976 in Kraft. Es war auf fünf Jahre befristet und löste zwei frühere Abkommen von Jaunde aus den Jahren 1963 und 1969 zwischen der EG und den ehemaligen Kolonialgebieten der EG-Mitgliedstaaten, die eine Assoziation dieser Gebiete mit dem Gemeinsamen Markt der EG zum Inhalt hatten, ab. Das erste Lomé-Abkommen wurde am 1.1.1981 durch das am 31.10.1979 unterzeichnete zweite Lomé-Abkommen („Lomé II") abgelöst, das seinerseits am 28.2.1985 auslief. Das Nachfolgeabkommen („Lomé III"), das von 1985 bis 1990 gelten soll, steht kurz vor seinem Abschluß. Das Lomé-Abkommen gilt als beispielhaft für die wirtschaftliche und technische Zusammenarbeit zwischen Industrie- und Entwicklungsländern, da in ihm viele Forderungen, die die Entwicklungsländer im Zusammenhang mit der Schaffung einer neuen → Weltwirtschaftsordnung erheben, verwirklicht werden konnten.   *W. H.*

Literatur: *Becker, J.,* Die Partnerschaft von Lomé, Baden-Baden 1979. *Cosgrove-Twitchett, C.,* A Framework for Development, The EEC and the ACP, London 1981.

London interbank offered rate → Libor

London Stock Exchange

Im 18. Jh. trafen sich die Londer Stock-Broker in verschiedenen Kaffeehäusern, 1773 bekommt ihr Treffpunkt die Bezeichnung „Stock Exchange", 1802 den Status einer privaten Gesellschaft. Die Mitglieder unterteilen sich in zwei Gruppen: →Broker, die grundsätzlich als Kommissionäre für ihre Kunden handeln, sowie →Jobber oder Dealer, die grundsätzlich auf eigene Rechnung mit den Brokern oder mit anderen Jobbern Geschäfte abschließen. Die Jobber sind auf einzelne Wertpapiere oder Gruppen von Wertpapieren spezialisiert und nennen auf Anfrage zwei Preise für eine Aktie: den niedrigeren Geldkurs, zu dem sie die Aktie ankaufen, und den höheren Briefkurs, zu dem sie die Aktie verkaufen. Wenn ein Broker einen Auftrag von einem Kunden bekommt, so wendet er sich an einen Jobber (market maker) und nennt die Menge der Aktien, die er zu handeln wünscht, ohne aber zu sagen, ob er die Aktien kaufen oder verkaufen will. Der Jobber nennt Geld- und Briefkurs und erst dann erklärt der Broker, ob er kaufen oder verkaufen will, sofern ihm der Preis zusagt. Die Erfüllung der Verträge erfolgt an bestimmten Stichtagen in vierzehntägigem Abstand (account system). Im 19. Jh. war die London Stock Exchange die führende Börse der Welt. Inzwischen hat sie diese Rolle an die →New York Stock Exchange abgegeben.

Londoner Schuldenabkommen

am 27. 2. 1953 unterzeichnetes Abkommen zwischen der Bundesrepublik Deutschland und (zunächst) 18 Gläubigerländern zur Regelung der deutschen Auslandsschulden aus der Vorkriegszeit.

Das Abkommen, dem später zahlreiche weitere Länder beigetreten sind, wurde nach zähen Verhandlungen, die von deutscher Seite aus unter Leitung des Bankiers *Hermann Josef Abs* geführt wurden, 1952 in London geschlossen, nachdem die Bundesregierung am 6. 3. 1951 in einem Schreiben an die Hohen Kommissare der westlichen Alliierten anerkannt hatte, daß die Bundesrepublik Deutschland als Rechtsnachfolgerin des Deutschen Reiches für die früheren Reichsschulden einstehe.

Das Abkommen regelt die Anerkennung, Verzinsung und Tilgung öffentlicher und privater deutscher Vorkriegsschulden. Außerdem wurden in dem Abkommen die Verbindlichkeiten der Bundesrepublik gegenüber den USA, Großbritannien und Frankreich festgelegt, die im Zusammenhang mit der bis zum

30. 6. 1951 empfangenen Nachkriegswirtschaftshilfe entstanden waren, sowie die Erstattung der Aufwendungen in Verbindung mit dem Aufenthalt deutscher Flüchtlinge in Dänemark von 1945 bis 1949.

Das Abkommen legte Zahlungsverpflichtungen in Höhe von 7 Mrd. DM fest. Da ein Teil der Schulden auf Fremdwährung lautete, beliefen sich die effektiven Zahlungen infolge von DM-Aufwertungen nur auf 5,6 Mrd. DM. 1980 waren die Verpflichtungen aus dem Abkommen, u. a. wegen vorzeitiger Tilgung, voll erfüllt.   W. H.

Literatur: *Coing, H.*, Londoner Schuldenabkommen von 1953, in: *Strupp, K./Schlochauer, H.-J.*, Wörterbuch des Völkerrechts, Bd. 2, Berlin 1961, S. 425 ff.

Long LAG-Hypothese → Wirkungsverzögerungen

Lorenz-Kurve

graphische Wiedergabe einer Häufigkeitsverteilung, die ein anschauliches Bild der Konzentration der betrachteten Verteilung vermittelt (→ Konzentrationsmessung) und deshalb häufig zur Darstellung der personellen → Einkommensverteilung verwendet wird (*Max O. Lorenz*).

Die Tabelle zeigt die Verteilung des verfügbaren Einkommens der privaten Haushalte im Jahre 1981. Die Merkmalsträger (Einkommensbezieher, Spalte 2) werden nach dem auf sie entfallenden Merkmalsvolumen (Einkommenshöhe) geordnet und gegebenenfalls (→ Einkommensschichtung) zu Merkmalsklassen zusammengefaßt (Einkommensklassen, Spalte 1). Die Lorenz-Kurve stellt die kumulierten prozentualen Anteile der Merkmalsträger an deren Gesamtheit (Spalte 4) den prozentualen Anteilen an der gesamten Merkmalsmasse gegenüber, die auf diese kumulierten Gruppen jeweils entfallen (Spalte 7).

Bei vollkommen gleichmäßiger Verteilung des Merkmals stimmen die beiden kumulierten Anteilsreihen stets überein. Die Lorenz-Kurve wird in diesem Falle zu einer Geraden, der Linie vollkommener Gleichverteilung in der nachfolgenden Graphik. Je ungleicher bzw. konzentrierter die Verteilung ist, desto ausgeprägter ist die Abweichung der Lorenz-Kurve von der Gleichverteilungs-Geraden. Die Abbildung läßt erkennen, daß die Verteilung des verfügbaren Einkommens (Kurve b) gleichmäßiger ist als die Verteilung des Bruttoeinkommens (Kurve a).

Ein Konzentrationsmaß, das die Abweichung der empirischen Lorenz-Kurve von der Gleichverteilungs-Geraden erfaßt, ist der

Schichtung und prozentuale Verteilung des verfügbaren Einkommens der privaten Haushalte in der
Bundesrepublik Deutschland 1981

1	2	3	4	5	6	7
bis 1 000	1 287	5,2	5,2	13 635	1,4	1,4
1 000 - 1 500	3 343	13,6	18,8	50 208	5,2	6,6
1 500 - 2 000	3 172	12,9	31,7	66 580	6,9	13,5
2 000 - 2 500	3 270	13,3	45,0	88 197	9,1	22,6
2 500 - 3 000	3 026	12,3	57,3	99 542	10,3	32,9
3 000 - 3 500	2 552	10,4	67,7	99 132	10,2	43,1
3 500 - 4 000	2 014	8,2	75,9	90 220	9,3	52,4
4 000 - 5 000	2 472	10,0	85,9	132 252	13,7	66,1
5 000 - 6 000	1 431	5,8	91,7	93 530	9,7	75,8
6 000 - 7 000	816	3,3	95,0	63 220	6,5	82,3
7 000 - 8 000	463	1,9	96,9	41 678	4,3	86,6
8 000 - 9 000	242	1,0	97,9	24 736	2,6	89,2
9 000-10 000	150	0,6	98,5	17 000	1,8	90,9
10 000 oder mehr	362	1,5	100,0	87 880	9,1	100,0
Insgesamt	24 600	100,0		967 810	100,0	

[1] Monatliches Haushaltseinkommen von ... DM bis unter ... DM; [2] Anzahl der Haushalte in der jeweiligen
Einkommensklasse in 1 000; [3] Prozentualer Anteil der Haushalte an deren Gesamtzahl; [4] Kumulierter prozentualer Anteil der Haushalte; [5] Einkommen aller Haushalte in der jeweiligen Einkommensklasse in Mill.
DM; [6] Prozentualer Anteil der Einkommensklasse am Gesamteinkommen; [7] Kumulierter prozentualer Anteil der Einkommensklasse am Gesamteinkommen.

Quelle: *Deutsches Institut für Wirtschaftsforschung*, Wochenbericht 1983, Berlin 1983, Heft 30, S. 367ff.

→Gini-Koeffizient. Ein Vergleich der Konzentration zweier Verteilungen anhand der Lorenz-Kurven bzw. der Gini-Koeffizienten ist allerdings schwierig, wenn die Lorenz-Kurven sich schneiden.   *J. Si.*

Lorenz-Kurven der Einkommensverteilung
in der Bundesrepublik 1981
kumulierter %-Anteil der Einkommen

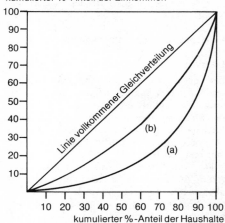

kumulierter %-Anteil der Haushalte

(a) Brutto-Erwerbs- und Vermögenseinkommen der privaten Haushalte; (b) verfügbares Einkommen der privaten Haushalte.

Quelle: *Deutsches Institut für Wirtschaftsforschung*, Wochenbericht 1983, Berlin 1983, Heft 30, S. 367ff.

Loseblattbuchführung →Durchschreibebuchführung

Losgröße

(Fertigungslos) gibt die Anzahl gleichartiger Objekte oder Produkteinheiten an, die ohne Umrüstung des Arbeitsträgers von ihm nacheinander bearbeitet werden (→Losgrößenplanung).

Losgrößenplanung

Planung der →Losgrößen in der →Ablauforganisation bei →Serien- und →Sortenfertigung. Man ist bestrebt, die in einer Periode herzustellende Produktmenge so in Lose, Aufträge bzw. Serien aufzuspalten, daß die Stückkosten und damit zugleich die Periodenkosten minimal werden. Die Höhe der →optimalen Losgröße wird durch zwei gegenläufige Kostentendenzen bestimmt. Einerseits nehmen die auf ein Stück entfallenden losgrößenunabhängigen Rüstkosten entsprechend dem Diagramm auf S. 76. Andererseits steigen bei konstanter Absatzgeschwindigkeit der durchschnittliche Lagerbestand und damit die Lager- und Zinskosten je Stück um so mehr an, je größer die Lose gebildet werden.

Unter den wenig realistischen Prämissen einer einstufigen Einproduktfertigung, vollkommener Information und konstanter Daten läßt sich die optimale Losgröße analytisch und grafisch relativ einfach herleiten. Das

Grundmodell ist aber in vielfacher Hinsicht erweitert worden. So sind u. a. endliche Fertigungsgeschwindigkeiten, Fehlmengenkosten, Kapazitäts- und Absatzbeschränkungen, deterministisch schwankende sowie stochastische Bedarfsmengen eingeführt worden. Durch diese Erweiterungen nimmt die Modellkomplexität deutlich zu.

Besondere Probleme bildet die Berücksichtigung der Mehrproduktfertigung, weil diese bei endlicher Fertigungsgeschwindigkeit eine simultane Durchführung der Losgrößen- und der → Reihenfolgeplanung erfordert. In diesem Fall sind nämlich die Losgrößen so zu wählen, daß die Lose nacheinander von dem Arbeitsträger bearbeitet werden können. Relativ gute Lösungen lassen sich finden, wenn man mehrere Lose zu einem Produktionszyklus zusammenfaßt, in dem die Produktarten nur einmal (strenge Zyklen) oder mehrfach auftreten. So könnten drei Lose in der zyklischen Folge 123, 123, ... oder 1213, 1213, ... gefertigt werden. Meist unterstellt man dabei identische Zyklen. _H.-U. K._

Verlauf der Stückkostenkurve zur Bestimmung der optimalen Losgröße

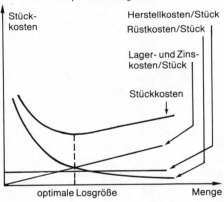

loss-leader → Untereinstandspreisverkauf

low interest product → Produkttypologie

Lower-Management

unterste Managementebene in der → Unternehmenshierarchie, also jene Entscheidungsstellen, denen keine weiteren Instanzen, sondern nur noch ausführende Stellen untergeordnet sind. Dem Lower-Management gehören z. B. Büroleiter oder Werkmeister an. Aufgrund der unmittelbaren Nähe zu den ausführenden Aktionseinheiten sind die untersten Instanzen selbst in erheblichem Umfang ausführend tätig. Sie unterscheiden sich jedoch von

den Realisationsstellen durch einige Entscheidungs- und Anordnungsrechte. Zu den Aufgaben des Lower-Management zählen die Erläuterung von Anordnungen der übergeordneten Instanzen, das Vorführen bestimmter Tätigkeiten und vor allem die Beaufsichtigung der untergeordneten Aktionseinheiten. _B. E.-H._

LPG

Abk. für landwirtschaftliche Produktionsgenossenschaft (→ landwirtschaftliche Genossenschaften).

lucky buy → angelsächsische Kapitalkonsolidierungsmethode

Lückenanalyse → Gap-Analyse

Luftfahrtversicherung

organisatorisch verselbständigter → Versicherungszweig, in dem Risiken versichert werden, die sich aus dem Transport von Menschen und Gütern in der Luft sowie aus dem Verlust oder der Beschädigung des Fluggerätes ergeben. Formen der Luftfahrtversicherung sind:
- Luftfahrt-Kaskoversicherung,
- Luftfahrt-Haftpflichtversicherung,
- Luftfahrt-Unfallversicherung.

Die Luftfahrtversicherung wird in der Bundesrepublik Deutschland durch den Deutschen Luftpool betrieben, einem Zusammenschluß von Erst- und Rückversicherern in Form einer → Gesellschaft des bürgerlichen Rechts.

Luftfahrzeugbau → Fahrzeugbau

Luftpost

Beförderung von Luftpostsendungen (zugelassenen Briefen, Paketen); hat in der Entwicklung der → Luftverkehrsgesellschaften zu Beginn eine wichtige Rolle gespielt, da die Entschädigung für die Beförderung als Subventionierung des → Luftverkehrs ausgestaltet war bzw. noch ist.

Der Anteil der Luftpostsendungen an allen internationalen Briefpostsendungen steigt, ist aber, je nach räumlicher Ausdehnung und internationaler Verflechtung der Volkswirtschaften, unterschiedlich hoch. _S. K._

Luftreinhaltung → Immissionsüberwachung

Luftstraße

Bezeichnung für den Luftraum, der entlang den Hauptverkehrswegen des → Luftverkehrs nach Breite und Höhe festgelegt sowie durch Funk- und Ansteuerungsfeuer gekennzeichnet ist. Bei der Benutzung von Luftstraßen sind international einheitliche Verkehrsregeln zu beachten (→ Verkehrswege).

Luftverkehr

Beförderung von Personen, Fracht und Postgut auf dem Luftwege. Der zivile Luftverkehr gliedert sich in drei Bereiche: den Linienverkehr (tarif-, routengebunden, planmäßig), den Charterverkehr (→ Charterflüge) und den sonstigen Luftverkehr (Sportfliegerei, privater Geschäftsflugverkehr). Den drei Bereichen des Luftverkehrs entspricht die Unterteilung der Fluggesellschaften insgesamt in → Luftverkehrsgesellschaften, Unternehmen des Charterluftverkehrs und solchen des sonstigen Luftverkehrs.

Technisch-ökonomische Grundlagen des Luftverkehrs sind die Verkehrswege (→ Flughäfen, → Luftstraßen) und die von Fluggesellschaften betriebenen Luftfahrzeuge (→ Verkehrsmittel). Der Luftverkehr hat nach 1945 insb. im Personenverkehr gegenüber anderen Verkehrsträgern (z.B. der → Seeschiffahrt) an Bedeutung gewonnen. Dies liegt an der herausragenden Eigenschaft der hohen Reisegeschwindigkeit. Daneben wird die Nachfrage nach Luftverkehrsleistungen, je nach Reisezweck (Geschäfts-, Urlaubs-, sonstige Flugreisen), von den anderen Merkmalen der → Beförderungsqualität und den Tarifen unterschiedlich beeinflußt.

Die Angebotsleistungen der Luftverkehrsinfrastruktur können seit über einem Jahrzehnt der technischen wie kommerziellen Entwicklung im mobilen Betrieb (den Luftfahrzeugen) nur unzureichend folgen. Engpaßsituationen sind an Wartezeiten, Warteschlangen in der Luft, Beinahezusammenstößen erkennbar und haben kollektive Reaktionen (Fluglotsenstreiks) ausgelöst. Anpassungsversuche des Flughafenangebots (Verlängerung von Start- und Landebahnen, Erweiterungen, Neubauten) geraten seit Jahren in Zielkonflikte mit dem verstärkten Umweltbewußtsein.

Das Aufkommen und die Verkehrsleistungen des Luftverkehrs konnten in den letzten Jahrzehnten erheblich gesteigert werden. So wuchs das Verkehrsaufkommen im Weltluftverkehr von 1970 mit 383 Mio. Passagieren (und 460 Mrd. Passagierkilometern) bis 1983 auf 785 Mio. Passagiere (und 1187 Mrd. Passagierkilometern). Ähnlich verlief die Entwicklung bei den deutschen Fluggesellschaften (vgl. Tab.). Neben der Erhöhung der Reisegeschwindigkeit haben dazu die Steigerung

der Sitzplatzkapazität und der zeitlichen Nutzung der Luftfahrzeuge infolge verbesserter Wartung und Navigation, sowie eine gewisse Liberalisierung des Luftverkehrs beigetragen.

Um die möglicherweise entstehende ruinöse Konkurrenz auf den Luftverkehrsmärkten zu verhindern, ist das Angebot weitgehend kartellisiert (→ International Air Transport Association, IATA). Allerdings haben auf internationale Zusammenschlüsse und Vereinbarungen auch die technischen Einrichtungen gedrängt, da Flugzeuge, aufgrund ihrer hohen Geschwindigkeit, sehr schnell die häufig kleinen nationalen Hoheitsgebiete verlassen. Die wichtigste Institution des internationalen Luftverkehrs ist die ICAO (International Civil Aviation Organization), die 1944 durch das Chicagoer Abkommen zustande kam, in dem die allgemeinen Bedingungen des Luftverkehrs vereinbart wurden. Die wichtigsten sind in den „Freiheiten der Luft" angesprochen, von denen die folgenden Vertragsgegenstand der IATA sind:

● das Recht, das Gebiet eines Vertragsstaates ohne Landung zu überfliegen,
● das Recht auf Landung im Gebiet eines Vertragsstaates zu nicht-gewerblichen Zwecken (also aus technischen Gründen, z.B. Treibstoffergänzung).

Die Freiheit des Luftverkehrs ist insoweit eingeschränkt, als z.B. die → Kabotage bilateralen Verträgen der Einzelstaaten (Luftverkehrspolitik) vorbehalten bleibt.   *S. K.*

Luftverkehr der Fluggesellschaften[1]

	1960	1970	1984
Verkehrsaufkommen Beförderte Personen (1 000)	1 290	9 450	22 812
Beförderte Güter[2] (1 000 t)	20	210	608
Verkehrsleistungen Personenkilometer (Mio.)	1 450	11 660	37 080
Tonnenkilometer (Mio.)	45	550	2 469
Erwerbstätige (1 000)	10	23	36
Einnahmen[3] (Mio. DM)	370	2 340	12 800

[1] Unternehmen der Bundesrepublik Deutschland ohne Berlin-West;
[2] Fracht einschließlich Post;
[3] Einschl. Beförderungs- und Umsatzsteuer bzw. Mehrwertsteuer.

Quelle: *Bundesminister für Verkehr* (Hrsg.), Verkehr in Zahlen 1985, Bonn 1985.

Luftverkehrsgesellschaft

Unternehmen, das den Linien-Luftverkehr (im Gegensatz zu → Charterflügen und sonstigem privaten wie geschäftlichen Luftverkehr) durchführt und als Instrument der staatlichen Luftverkehrspolitik (→ Luftverkehr) eingesetzt wird. In der Bundesrepublik Deutschland ist dies die → Deutsche Lufthansa AG.

Luftverschmutzung → TA Luft

lump-sumtax → Kopfsteuer

Luxusguthypothese   → Umlaufgeschwindigkeit des Geldes

LVA

Abk. für → Landesversicherungsanstalt.

M

Macht

Chance, innerhalb einer sozialen Beziehung den eigenen Willen auch gegen Widerstreben durchzusetzen, gleichviel worauf diese Chance beruht *(Max Weber)*. Je nach der Art der Faktoren, die solche „Chancen" begründen, können verschiedene Formen von Macht unterschieden werden, z.B. psychische („charismatische"), politische, ökonomische Macht. Wirtschaftliche Macht bezieht sich auf Interaktionen im Rahmen der Produktion und Verteilung von Gütern und Dienstleistungen. Da letztere nicht nur über das Marktsystem, sondern – als → Kollektivgüter – auch über das politische System (→ gesellschaftliche Entscheidungsverfahren) bereitgestellt werden, ist eine scharfe Abgrenzung zwischen wirtschaftlicher und politischer Macht nicht immer möglich.

Darüber hinaus kommt es zu Wechselbeziehungen zwischen beiden gesellschaftlichen Subsystemen und damit auch zwischen den verschiedenen Varianten von Macht. Zum einen nämlich ist politische Macht – über ihre institutionalisierte Form als Herrschaft – Grundvoraussetzung bei der Gestaltung der Wirtschaftsordnung und der Durchsetzung wirtschaftspolitischer Maßnahmen, d.h., politische Macht beeinflußt die Spielräume ökonomischer Macht. Zum anderen versuchen die Staatsbürger, durch Einsatz ökonomischer Macht im politischen Prozeß (→ Neue Politische Ökonomik) politische Macht aufzubauen, um die Handlungsrechtsstrukturen (→ Eigentumsrechte) zu ihren Gunsten zu verändern.

Die Schwierigkeit, das Phänomen „Macht" adäquat zu erfassen, resultiert aus deren Janusköpfigkeit. Dies zeigt sich exemplarisch bei ihrer extremen Variante, dem staatlichen Gewaltmonopol. Ohne einen solchen Machteinsatz sind eine staatliche Ordnung im allgemeinen und eine Wirtschaftsordnung im besonderen nicht aufzubauen bzw. zu erhalten. Auf der anderen Seite führt diese absolute „Chance" der Durchsetzung zur potentiellen Bedrohung der Freiheit des Individuums bzw. von Gruppen, weshalb man als Vorkehrung die Macht- bzw. Gewaltenteilung ersonnen hat. Die Abtrennung eines ökonomischen Subsystems in Form des Marktsystems und damit die prinzipielle Trennung von politischer und ökonomischer Macht stellen so gesehen selbst schon ein Stück Machtteilung und somit Freiheitssicherung dar.

Innerhalb des Marktsystems zeigt sich nun freilich die gleiche Doppelgesichtigkeit des Machtphänomens. Damit die Wirtschaftssubjekte handeln können, müssen ihnen Spielräume eröffnet, muß ihnen „Handlungsmacht" eingeräumt werden. Auf der Basis solcher Handlungsrechte bilden sich im marktlichen Interaktionsprozeß nun aber unterschiedliche faktische „Chancen der Durchsetzung", d.h., unterschiedliche Marktstellungen, heraus. Soweit sich solche Machtdifferentiale in Vermögenskonzentration niederschlagen, kann auch hier eine Art von Machtteilung vorgenommen werden, nämlich durch Redistribution. Kann oder will man Machtdifferentiale nicht auf diese Art beseitigen oder reduzieren, so kann versucht werden, die überlegene Machtposition durch den Aufbau von Gegenmacht (→ Gegenmachtprinzip) zu neutralisieren. Diese Strategie ist vom übergeordneten Gesichtspunkt aus nicht unproblematisch, da die Gefahr der Einigung zu Lasten Dritter besteht.

Im Falle der nachträglichen Reduktion oder Beseitigung von Machtdifferentialen muß mit Nebenwirkungen gerechnet werden, denn der Anreiz zum Aufbau von Macht- und Leistungsdifferentialen kann beeinträchtigt werden, wobei freilich zu beachten ist, daß nicht alle Machtdifferentiale auf Leistungsdifferentialen beruhen. Wegen dieser Nebenwirkungen kann auch das Modell der vollkommenen Konkurrenz, in dem die Akteure alle ohne (Markt-)Macht sind, nicht als Zielvorgabe für den Marktprozeß dienen.

Adäquater erscheint es, dem Marktprozeß eine solche Rahmenordnung zu geben, die gleichsam selbsttätig auf eine Begrenzung der Machtdifferentiale – die sich in unterschiedlicher Firmengröße, Finanzstärke, verschieden großen Marktanteilen, Kostendifferenzen usw. manifestieren können – hinwirkt, vor allem aber – was viel wichtiger ist – dafür sorgt, daß Marktmachtpositionen dann nicht perpetuiert werden, wenn sie nicht auf entsprechenden Leistungen beruhen. Dies geschieht in erster Linie durch ein System abstrakter, allgemeiner und vorhersehbarer Regeln, die es den Akteuren des Marktsystems u.a. verbieten,

den Wettbewerb zu beschränken, also Marktmacht zur Behinderung anderer Marktteilnehmer einzusetzen (→ Marktbeherrschung).

Phänomene wirtschaftlicher Macht treten
schließlich im Kontext des internationalen
Handels in spezifischer Ausprägung auf: So
können multinationale Konzerne die nationale Gesetzgebung der Länder teilweise über-
spielen. Im Verhältnis der Industrieländer zu
den Entwicklungsländern bestehen anhaltende Entwicklungsdifferentiale, die entsprechend dauerhafte Machtdifferentiale nach
sich ziehen.   *U. F.*

Literatur: *Arndt, H.,* Wirtschaftliche Macht, München 1974. *Schneider, H. K./Watrin, Ch.* (Hrsg.),
Macht und ökonomisches Gesetz, Berlin 1973. *Stützel, W.,* Preis, Wert und Macht, Aalen 1972.

Macht eines Tests → statistische Testverfahren

Machtkonzentration

ungleichmäßige Verteilung von Handlungs-
chancen, ökonomische Transaktionen zum
relativen Nachteil anderer oder zum eigenen
Vorteil zu beeinflussen. Wirtschaftliche
→ Macht beruht auf → Verfügungsrechten
über knappe Ressourcen einschl. Humanvermögen und Informationen. Ihre Ausübung ist
nicht an die personelle Identität von Eigentümer und ökonomischer Entscheidungsinstanz
gebunden, sondern ist auch ohne Eigentum
möglich und kann sich – wie bei der → Managerherrschaft – auch gegen die Interessen des
Eigentümers richten.

Machtkonzentration kann nicht eindeutig
bestimmt werden, weil exakte Meßkonzepte
fehlen. Als Indikatoren werden u. a. verwendet: die Konzentration des gesamten privaten
Vermögens, des Eigentums an gewerblichen
Unternehmen und des Produktiv- und Geldvermögens, Umsatzanteile, Bilanzsumme, Beschäftigtenzahl, Anzahl der Unternehmenszusammenschlüsse. Da wirtschaftliche Macht
nicht notwendig auf → Privateigentum beruht, kann durch Vergesellschaftung eine
gleichmäßige Machtverteilung nicht gewährleistet werden. Vielmehr bedarf es der Machtkontrolle durch staatliche Ordnungsmacht,
intensiven Wettbewerb, durch Organisation
von Gegenmacht, → Wirtschaftsdemokratie
usw.

Aufgrund der Organisation des politischen
und wirtschaftlichen Systems sind in sozialistischen → Zentralverwaltungswirtschaften
die Verfügungsrechte an knappen Ressourcen
auf wenige Personengruppen konzentriert.
Dazu gehören die politischen Führungsgre-
mien, die Leiter der Staatsorgane sowie die

Leiter der Staatsbetriebe. Die Konzentration
wirtschaftlicher Macht ist für die Funktionsfähigkeit dieser Wirtschaftsordnungen notwendige Voraussetzung.   *K.-H. H.*

magisches Dreieck

Forderung nach gleichzeitiger Realisierung
der drei Ziele Vollbeschäftigung, Preisniveaustabilität und Zahlungsbilanzausgleich. Unter
Hinzufügung des Postulates eines befriedigenden Wirtschaftswachstums wird es zum „ma-
gischen Viereck" erweitert.

„Magisch" wird das Zieldreieck der Konjunkturpolitik deshalb genannt, weil man
glaubt, ohne ein bißchen Zauberei nicht aus-
kommen zu können. Man hält die Forderungen nicht für gleichzeitig erfüllbar. Die Vollbeschäftigung zieht Lohnsteigerungen nach
sich, die die Stabilität gefährden. Restriktionen gegen den Preisanstieg führen in die Rezession. Inflationiert das Ausland, dann bringen stabile Preise im Inland Exportüberschüs-
se. Will man diese aber vermeiden, so muß
man die Preise notgedrungen im Gleichschritt
mit dem Ausland steigen lassen (oder den
Wechselkurs anpassen).

Magnetband

→ Speichermedium, das in Aussehen und Beschaffenheit den Magnetbändern zur Tonauf-
zeichnung gleicht. Datenträger ist ein Kunst-
stoffband, das einseitig mit einer magnetisier-
baren Schicht (Eisenoxyd) versehen ist. Die
Abmessung eines Magnetbands ist genormt
(12,7 mm breit und i. a. 730 m lang). Bandan-
fang und -ende werden durch Reflektormar-
ken (z. B. aufgedampftes Aluminium) kenntlich gemacht. Die Informationsaufzeichnung
erfolgt in 7 oder 9 parallel liegenden Spuren.
Die → bits eines → Zeichens werden senkrecht
zur Bewegungsrichtung in Sprossen untergebracht. Eine Sprosse geht über alle Spuren eines Magnetbandes. Die Daten auf einem Magnetband werden zu Blöcken zusammengefaßt. Je höher der Blockungsfaktor ist, desto
mehr Daten sind auf einem Magnetband speicherbar (vgl. Abb.).

Ein Magnetband wird beschrieben bzw. gelesen, indem es in einem Magnetbandgerät an
einem feststehenden Schreib-/Lesekopf vor-
beigeführt wird. Moderne Bandeinheiten gestatten das Lesen in Vorwärts- und Rück-
wärtsrichtung. Die Schreibdichte kann gewählt werden und beträgt z. B. 800, 1600
oder 6250 → Bytes pro inch (bpi) (1 inch =
2,54 cm). Magnetbänder ermöglichen bei geringen Kosten die Speicherung großer Datenmengen (bis ca. $12 \cdot 10^8$ bit pro Band). Au-

Aufbau der Magnetbandeinheit

Bandrolle   Maschinenrolle

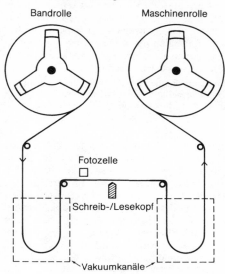

Fotozelle

Schreib-/Lesekopf

Vakuumkanäle

Block und Kluft

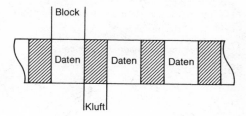

Block

Daten   Daten   Daten

Kluft

ßerdem können sie mit hoher Geschwindigkeit gelesen und beschrieben werden (bis ca. $6 \cdot 10^6$ bit pro Sekunde). Sie werden vorwiegend zur Archivierung großer Datenbestände (→Datensicherung) eingesetzt. Das Magnetband ist ein technisch sicherer Datenträger, seine Verträglichkeit zwischen den verschiedenen Herstellern von Magnetbandeinheiten ist als hoch zu bezeichnen.

Magnetplatte

externes →Speichermedium eines EDV-Systems. Mittlere und größere EDV-Systeme verfügen heute über Magnetplatten, da diese die schnellste Zugriffszeit unter den externen Speichergeräten aufweisen und bezüglich der →Zugriffsmethoden die meisten Möglichkeiten eröffnen. Man unterscheidet zwischen

- Festplatten (fest in eine Hardwareeinheit eingebaut) und
- Wechselplatten (austauschbar).

Die Daten selbst befinden sich auf den Flächen von rotierenden Magnetplatten, von de-

Aufbau des Schreib-/Lesekopfes

Band

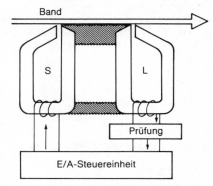

S   L

Prüfung

E/A-Steuereinheit

Datenspeicherung auf Magnetband

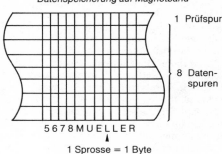

1 Prüfspur

8 Datenspuren

5 6 7 8 M U E L L E R

1 Sprosse = 1 Byte

Magnetplatte mit Zugriffskamm
(hier: für 6 Platten/Stapel)

Spindel

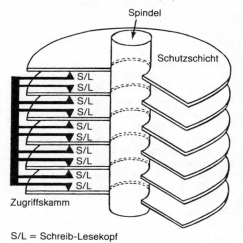

Schutzschicht

S/L
S/L
S/L
S/L

S/L
S/L
S/L
S/L

S/L
S/L

Zugriffskamm

S/L = Schreib-Lesekopf

nen meist mehrere übereinander angeordnet werden (Plattenstapel). Die Speicherkapazität beträgt zwischen 10 und mehreren hundert Mio. bytes je Plattenstapel.

Aufteilung einer Magnetplattenoberfläche

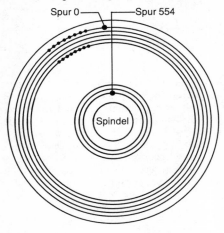

Spur 0 ————————Spur 554

Spindel

Magnettrommel

→ Speichermedium eines EDV-Systems. Auf der Oberfläche eines ständig rotierenden Zylinders werden Daten abgespeichert. Die Zugriffszeit zu den Daten auf einer Magnettrommel beträgt im Mittel 1/100 Sekunde. Wegen ihres geringen Speichervolumens von ca. 10 Mio. Zeichen werden sie heutzutage kaum noch eingesetzt.

Magnitude-Skalierung

Methode der Antwortaufzeichnung, die es den Befragten erlaubt, ihre Zustimmung oder Ablehnung bei bestimmten Fragen wesentlich feiner zu differenzieren, als dies bei verbalen Antwortkategorien möglich wäre. Dabei werden die herkömmlichen Intervallskalen durch physikalische Reize abgelöst, die der Befragte entsprechend seiner inneren Erregung variiert. Die Steuerung der notwendigen technischen Einrichtungen übernimmt ein Computer, weshalb die Magnitude-Skalierung vor allem bei → Bildschirmbefragungen Anwendung findet. In einer Übungsphase zu Beginn des Interviews drückt die Testperson einen verbal formulierten Erregungszustand (z.B. starke Zustimmung) durch die Länge einer Linie auf dem Bildschirm, die Helligkeit einer Lampe oder die Dauer eines Tones aus. Der Computer vergleicht die auf die gleiche Weise erhaltenen Antworten im Verlauf der Befragung mit diesen normierten Vorgaben und errechnet daraus für alle Testpersonen aggregierbare

Daten. Die abwechselnde Verwendung der drei genannten Antworttechniken erhöht die Validität der Ergebnisse. Der besondere Vorteil des Verfahrens liegt in der spontanen Reaktion der Befragten. Die geringere gedankliche Kontrolle der Antworten senkt die Gefahr kognitiver Verzerrungen.

G. Ko.

Literatur: *Behrens, G.,* Magnitudeskalierung, in: *Forschungsgruppe Konsum und Verhalten* (Hrsg.), Innovative Marktforschung, Würzburg 1983.

Mahnbescheid

gerichtliche Zahlungsaufforderung im Rahmen eines abgekürzten Verfahrens zur Erlangung eines rechtskräftigen und vollstreckbaren Titels (§§ 688 ff. ZPO). Er wird auf Antrag des Gläubigers durch das Amtsgericht erlassen, in dessen Bezirk der Gläubiger seinen Wohnsitz hat. Dabei prüft das Gericht nicht die sachliche Berechtigung des geltend gemachten Anspruchs. Wird gegen den Mahnbescheid innerhalb von zwei Wochen Widerspruch eingelegt, so gibt das Amtsgericht den Rechtsstreit an das nach §§ 12 ff. ZPO zuständige Gericht ab, und das normale Gerichtsverfahren wird eingeleitet. Wird kein Widerspruch eingelegt, so ergeht auf Antrag Vollstreckungsbescheid. Dieser steht einem Versäumnisurteil gleich und kann innerhalb von zwei Wochen mit Einspruch angefochten werden. Bleibt er unangefochten, dient er als Vollstreckungstitel.

mail box-system → electronic mail

mainframes → Universalrechner

MAIS

Abk. für → Marketinginformationssystem.

make or buy

(Eigenfertigung oder Fremdbezug) prinzipielle Entscheidungsalternative bei der Deckung eines Faktorbedarfs (speziell bei Sachgütern). Sofern ein Unternehmen überhaupt zur Eigenfertigung in der Lage ist, sind folgende Aspekte maßgebend:
(1) *Kosten:* Beim Vergleich der Fertigungs- mit den Beschaffungskosten spielt insb. die Kapazitätsauslastung eine wesentliche Rolle.
(2) *Liquidität:* Im Falle einer wegen Eigenherstellung erforderlichen Kapazitätsausweitung fallen i.d.R. zusätzliche Auszahlungen an, die die Liquidität beeinträchtigen.
(3) *Qualität:* Die strikte Einhaltung besonderer Qualitätsanforderungen oder auch Geheimhaltungsgründe können den Ausschlag für Eigenfertigung geben.

(4) *Zeit:* Welche Strategie führt schneller zum Ziel?

(5) Erwartungen hinsichtlich des eigenen Angebotes: Ist z. B. das Qualitätsimage eines Lieferanten für die Einschätzung des herzustellenden Produktes wesentlich, würden bei der Eigenfertigung Abnehmerpräferenzen beeinträchtigt. Umgekehrt kann die Erwartung der Kunden, ein breit sortiertes Angebot vorzufinden, den Zukauf von Handelsware bedingen.

Ist die Eigenfertigung nur unter der Voraussetzung von Investitionen in Sachanlagevermögen und ggf. auch Umlaufvermögen möglich, handelt es sich um eine spezielle Investitionsentscheidung. Deren finanzielle Vorteilhaftigkeit kann mit Hilfe einer Investitionsrechnung überprüft werden. Im folgenden wird beispielhaft die → Kapitalwertrechnung angewandt.

Bei der Ermittlung des Kapitalwertes wird zugunsten der Übersichtlichkeit der Darstellung von einigen vereinfachenden Annahmen ausgegangen:

- Die Investition I_o erfolgt in einer Summe zum Zeitpunkt t = 0.
- Neben den Investitionsausgaben gibt es nur produktmengenabhängige Ausgaben, die bei Eigenfertigung $a_t \cdot x_t$ in Periode t betragen.
- Ein Liquidationserlös ist nicht zu erwarten.
- Bei Fremdbezug sind alle damit zusammenhängenden Ausgaben produktmengenabhängig; in Periode t betragen sie $p_t \cdot x_t$.

Mit Hilfe dieser Angaben läßt sich die relative Vorteilhaftigkeit einer Investition zur Eigenfertigung bestimmen. Einzahlungen dieser Investition sind die bei Eigenfertigung entfallenden Ausgaben für den Fremdbezug. Für den Kapitalwert vor Steuern C_o gilt:

$$C_o = \sum_{t=0}^{T} (p_t - a_t) \cdot x_t \cdot (1 + i)^{-t} - I_o.$$

Berücksichtigt man die Ertragsteuerzahlungen, so ergibt sich;

$$C_o^s = \sum_{t=0}^{T} [(p_t - a_t) \cdot x_t (1 - s) + s \cdot A_t]$$
$$(1 + i^s)^{-t} - I_o.$$

Ist der Kapitalwert positiv (C_o bzw. $C_o^s > 0$), dann bedeutet dies, daß Eigenfertigung vorteilhafter ist als Fremdbezug. Damit ist allerdings über die absolute Vorteilhaftigkeit der Eigenfertigung noch nichts ausgesagt. Sie läßt sich überhaupt nur beurteilen, wenn das gefertigte bzw. bezogene Produkt marktfähig ist und einen Marktpreis e_t besitzt. Für diesen Fall gilt:

- Falls $e_t \geq p_t$ (t = 0, ..., T) und C_o (bzw. C_o^s) > 0, dann ist Eigenfertigung auch absolut vorteilhaft.

- Falls $e_t \leq p_t$ (t = 0, ..., T) und C_o (bzw. C_o^s) < 0, dann ist Eigenfertigung nicht absolut vorteilhaft. Eigenfertigung und Fremdbezug sind gleichermaßen unvorteilhaft.

- Falls $e_t \geq p_t$ (t = 0, ..., T) und C_o (bzw. C_o^s) < 0, ist der Fremdbezug gegenüber der Eigenfertigung relativ vorteilhafter. Ob er auch absolut vorteilhaft ist, wäre zu prüfen.

- Falls $e_t \leq p_t$ (t = 0, ..., T) und C_o (bzw. C_o^s) > 0, ist die Eigenfertigung gegenüber dem Fremdbezug relativ vorteilhafter. Ob sie auch absolut vorteilhaft ist, wäre zu prüfen.

Eine wesentliche Determinante für die Vorteilhaftigkeit von Eigenfertigung gegenüber Fremdbezug ist die je Zeitabschnitt benötigte Menge x_t. Bei Unsicherheit über diese Größe oder bei voraussichtlich im Zeitablauf stärker schwankenden Mengen empfiehlt sich die Durchführung einer → Sensitivitätsanalyse zur Ermittlung der kritischen Menge x_t^{kr}. Kritisch in diesem Sinne ist derjenige Wert x_t, bei dem der Kapitalwert C_o (bzw. C_o^s) = 0 ist und bei dessen Überschreiten die Eigenfertigung vorteilhaft wird. Der kritische Wert für die Produktmenge läßt sich im Fall $x_t = $ const. für alle t = 0, ..., T besonders einfach bestimmen. Es gilt dann:

$$x^{kr} \cdot \sum_{t=0}^{T} (p_t - a_t) (1 + i)^{-t} - I_o = 0$$

$$x^{kr} = \frac{I_o}{\sum_{t=0}^{T} (p_t - a_t) (1 + i)^{-t}}$$

K. L.

Literatur: *Männel, W.,* Die Wahl zwischen Eigenfertigung und Fremdbezug, 2. Aufl., Stuttgart 1981.

Makler

Personen, die geschäftsmäßig den Abschluß von Verträgen vermitteln oder die Gelegenheit zum Abschluß von Verträgen nachweisen (§§ 652 ff. BGB). Der Makler kann Vergütung nur für erfolgreiche Vermittlungs- oder Nachweistätigkeit, d. h. bei Vertragsschluß, beanspruchen. Zu unterscheiden sind Zivilmakler und → Handelsmakler. Zivilmakler sind Interessenvertreter ihres Auftraggebers. Zu ihnen zählen Ehevermittler und vor allem Grundstücksmakler (Immobilienmakler). Diese bedürfen zur Aufnahme ihrer Tätigkeit einer Genehmigung (§ 34c GewO), die bei Unzuverlässigkeit versagt werden kann. In diesem Bereich wurden zum Schutz der Immobilienkäufer die Makler- und Bauträger-VO vom 11. 6. 1975 (BGBl. I, 1351), zum Schutze der Wohnungssuchenden das Wohnungsvermittlungsgesetz vom 4. 11. 1971

(BGBl. I, 1747) geschaffen; beide regeln die Tätigkeit der Makler auf diesem Gebiet. *M. J.*

Literatur: *Glaser, H./Warncke, Th.,* Das Maklerrecht in der Praxis, 6. Aufl., Berlin 1978. *Schwerdtner, P.,* Maklerrecht, 2. Aufl., München 1979.

Maklerlohn → Maklervertrag

Maklerordnung

von der Landesregierung gemäß § 30 Abs. 2 Börsengesetz erlassene Verordnung, die insb. Rechte, Pflichten, Bestellung und Vertretung der → Kursmakler regelt.

Maklervertrag

Vertrag, bei dem sich der Auftraggeber unter der Voraussetzung des Zustandekommens eines Vertrages verpflichtet, dem → Makler für den Nachweis der Abschlußgelegenheit oder für die Vertragsvermittlung eine Vergütung (Maklerlohn) zu entrichten (§ 652 BGB). Die Vergütungspflicht entsteht nur, wenn der Vertrag infolge des Nachweises oder infolge der Vermittlung des Maklers zustandekommt.

makroanalytische Methoden → Strukturgleichungsmethoden

Makromarketing

Ansatzpunkt der → Marketingtheorie, bei dem keine einzelwirtschaftliche, sondern – wie in der → Binnenhandelspolitik – eine makroökonomische Perspektive gewählt wird. Das Makromarketing entspricht einer pluralistischen Grundhaltung der Marketingwissenschaft und zielt unter Verwertungsaspekten vor allem auf die → Wettbewerbs- und die → Verbraucherpolitik ab.

Makroökonomik

umfaßt die – wesentlich auf *John Maynard Keynes* (→ Keynesianismus) zurückgehenden – volkswirtschaftlichen Theorien, die gesamtwirtschaftliche Zusammenhänge durch Rückgriff auf eine im Verhältnis geringe Anzahl von institutionell definierten Gruppen bzw. Sektoren (z. B. Haushalte, Unternehmen, Staat) und funktionell bestimmten Aggregaten (z. B. Volkseinkommen, Konsum, Sparen, Investitionen) zu erklären versuchen, indem Relationen zwischen diesen Größen im Rahmen des grundlegenden Konzepts des volkswirtschaftlichen → Kreislaufs analysiert werden.

Makroökonomische Theorien befassen sich insb. mit der Bildung und Verteilung des → Volkseinkommens, mit der → Beschäftigung und der → Konjunktur sowie mit dem Preisniveau, dem Wachstum und dem Außenhandel. In Verfeinerung des ursprünglichen Ansatzes versucht man in jüngster Zeit, die makroökonomische Analyse auch mikroökonomisch zu fundieren, also nicht nur aggregierte Wertsummen bei eingefrorenen Preisrelationen zu betrachten.

Literatur: *Claassen, E.-M.,* Grundlagen der makroökonomischen Theorie, München 1980. *Richter, R./Schlieper, U./Friedmann, W.,* Makroökonomik, 4. Aufl., Berlin u. a. 1981.

makroökonomische Modellanalyse

Beschreibung und Untersuchung gesamtwirtschaftlicher Zusammenhänge mit Hilfe eines formalisierten Systems von Hypothesen, auf deren Grundlage im Rahmen einer → komparativ-statischen oder → dynamischen Analyse Aussagen über die Auswirkungen der Veränderungen exogener Variablen auf die im Modell erklärten endogenen Variablen (Güterproduktion, Beschäftigung, Einkommen, Preisniveau, Zinssatz und Reallohnsatz) ermöglicht werden. Im Grundmodell werden Angebots- und Nachfragehypothesen für Gütermarkt, Geldmarkt und Wertpapiermarkt formuliert und die Wirkungen exogener → Schocks untersucht, wobei der Wertpapiermarkt im allgemeinen aufgrund des → Walras-Gesetzes vernachlässigt wird.

Unterscheidet man die Sektoren der Unternehmungen, der privaten Haushalte und des Staates, so erhält man für eine geschlossene Volkswirtschaft das folgende Grundmodell:

	Angebot	Nachfrage
Gütermarkt	$y\left(\dfrac{W}{P}, K\right)$	$= c\,(y, i, v)$ $+ j\,(i, K) + g$
Geldmarkt	$\dfrac{M}{p}$	$= l\,(i, y, v)$
Arbeitsmarkt	$N^A\left(\dfrac{W}{P}\right)$	$= N^N\left(\dfrac{W}{P}, K\right)$
Wertpapiermarkt	b^A	$= b\,(i, y, v)$
Vermögensdefinition	$v = \dfrac{M}{P} + b + qK$	

Aus der Budgetrestriktion folgt:

$$d\left(\frac{M}{P}\right) + db^A = j\,(i, K) + g - t$$

Auf dem Gütermarkt herrscht Gleichgewicht, wenn das vom Reallohnsatz (W/P) und dem Sachkapitalbestand (K) abhängige → gesamtwirtschaftliche Angebot gleich der Summe aus einkommens- (y), zins- (i) und vermögens- (v) abhängiger → Konsumgüternachfrage (c), zins- und sachkapitalbestandsabhängiger → Investitionsgüternachfrage (j) und exogener → Staatsnachfrage (g) ist. In der → Neoklassik bildet sich auf diesem Markt der reale Zinssatz, im → Keynesianismus das Güterpreisniveau. In der offenen Volkswirtschaft sind zusätzlich das Güterangebot (Importe) und die Güternachfrage (Exporte) des Auslandes zu berücksichtigen. Im einfachsten keynesianischen Grundmodell wird – mit entsprechenden Modifikationen der gesamtwirtschaftlichen Angebotsfunktion – angenommen, daß das Güterangebot vollkommen preiselastisch reagiert, die Produktion (und damit gemäß Produktionsfunktion die Beschäftigung) also von der Güternachfrage bestimmt wird (→ Fix-Preis-Modell). Vermögens- und Zinsabhängigkeit der Konsumgüternachfrage werden vernachlässigt. Im neoklassischen Ansatz wird grundsätzlich unterstellt, daß die Nachfrage und das Angebot auf Güter- (und Arbeits-) Markt von allen (Vermögens-) Beständen und allen Preisen abhängen. Das Einkommen wird also in seine Bestandteile (reallohnabhängiges) Arbeitseinkommen und Besitzeinkommen aufgespalten. Zur besseren Vergleichbarkeit mit dem keynesianischen System wird – zurückgehend auf *John R. Hicks* – auf diese Aufspaltung jedoch im allgemeinen verzichtet.

Auf dem Geldmarkt herrscht Gleichgewicht, wenn bei exogen fixierter nomineller Geldmenge (M) das reale Geldangebot (M/P) gleich der realen Geldnachfrage (l) ist. Nach keynesianischer Interpretation bildet sich auf diesem Markt der Zinssatz, im → Monetarismus, der eine Zinsabhängigkeit der Geldnachfrage ablehnt (→ Quantitätstheorie) oder zumindest für vernachlässigbar klein hält, das Preisniveau (P).

Auf dem Arbeitsmarkt herrscht Gleichgewicht, wenn die reallohn- und sachkapitalabhängige gesamtwirtschaftliche Arbeitsnachfrage, die simultan mit der → gesamtwirtschaftlichen (Güter-) Angebotsfunktion abgeleitet wird, gleich dem gesamtwirtschaftlichen Arbeitsangebot ist. In neoklassisch orientierten Modellen (Monetarismus) wird grundsätzlich unterstellt, daß das Gleichgewicht durch Lohnsatzveränderungen wiederhergestellt wird und damit Nachfrageschocks nicht zu Produktions- und Beschäftigungsschwankungen führen können (→ Fix-Mengen-Modell), während keynesianische Ansätze davon ausgehen, daß der Lohnsatz kurzfristig zumindest nach unten inflexibel ist und damit über längere Anpassungsprozesse ein Über-

schußangebot auf dem Arbeitsmarkt herrschen kann (→ Fix-Lohn-Modell). Wertpapierangebots- (b^A) und -nachfragefunktionen ergeben sich aufgrund der → Adding-up-Restriktion automatisch aus der Summe der vorher formulierten Funktionen.

Zusätzliche Modifikationen dieses Grundmodelles ergeben sich in der → Ungleichgewichtstheorie, in der Preisanpassungen auf Güter- und Arbeitsmarkt ausgeschlossen werden und deshalb → Ausstrahlungseffekte von (nicht-befriedigter) Überschußnachfrage auf andere Märkte berücksichtigt werden müssen.

Die → Neue Klassische Makroökonomik schließlich variiert Angebots- und Nachfragefunktionen durch die explizite Einführung eines Risikos in Verbindung mit rationaler → Erwartungsbildung. Sie kann damit (vorübergehende) Beschäftigungs- und Produktionsschwankungen als Folge von Nachfrageschocks auch bei Wirksamkeit des → walrasianischen Anpassungsmechanismus auf allen Märkten erklären.

Mit Hilfe einer → Stabilitätsanalyse kann untersucht werden, ob es Anpassungsprozesse gibt, die nach einem exogenen Schock zu einem neuen Gleichgewicht hinführen (stabiles Gleichgewicht) oder von ihm wegführen (labiles Gleichgewicht).   *W. F./J. R.*

Literatur: *Fuhrmann, W./Rohwedder, J.*, Makroökonomik, München, Wien 1983. *Richter, R./Schlieper, U./Friedmann, W.*, Makroökonomik, 4. Aufl., Berlin u. a. 1981.

Malthusianismus

Bezeichnung für eine Gruppe von Hypothesen und Folgerungen, die auf der These des Engländers *Thomas Robert Malthus* (1766 bis 1834) beruhen, nach der die Nahrungsmittelproduktion nur linear gesteigert werden könne, während die Bevölkerung exponentiell zunehme (→ Wachstumsgrenzen). Die sich daraus zwangsweise ergebende Überschußnachfrage nach Nahrungsmitteln wird durch „checks" beseitigt. Historisch habe dabei die Entstehung von Elend, Seuchen und Krankheiten (→ Sterblichkeit) sowie Kriegen ein Bevölkerungswachstum verhindert, das über das Nahrungsmittelwachstum hinausgegangen sei. Während in den Industrieländern der technische Fortschritt die These von *Malthus* widerlegt hat (→ Geburtenentwicklung, → Fertilitätsökonomik), stehen die Entwicklungsländer vor dem Problem, ihre rasch wachsende Bevölkerung zu ernähren. Die Forderung nach einer Geburtenkontrolle in den Entwicklungsländern basiert nicht zuletzt auf den Überlegungen von *Malthus*.   *P. S.*

managed floating

Fall eines prinzipiell → flexiblen Wechselkurses, dessen Höhe durch Interventionen der Währungsbehörden jedoch beeinflußt wird. Teilweise spricht man auch vom „schmutzigen Floating", weil solche Interventionen zur Erlangung von Vorteilen für die eigene Wirtschaft – vor allem zur Förderung des Exports – zu Lasten anderer Länder gehen.

Management

Die Begriffe → Unternehmensführung und Management werden weitgehend synonym verwendet. Vereinzelt vorzufindende Unterscheidungen zwischen beiden Begriffen basieren auf einer unterschiedlichen Betonung personeller und materieller Aspekte der Gestaltungs- und Steuerungsprobleme in der Unternehmung. Für eine Gleichsetzung von Unternehmensführung und Management spricht, daß beide Begriffe sowohl institutional als auch funktional verstanden werden können.

Als Institution umfaßt das Management (→ Unternehmenshierarchie) alle leitenden Instanzen, d.h. alle Personen in der Unternehmung, die Entscheidungs- und Anordnungskompetenzen haben. Je nach der Stellung in der Unternehmenshierarchie lassen sich drei Managementebenen unterscheiden (vgl. Abb.):

- → Top-Management (oberste Führungsebene: Vorstand, Geschäftsführung),
- → Middle-Management (mittlere Führungsebene: Werksleiter, Abteilungsdirektoren),
- → Lower-Management (unterste Führungsebene: Büroleiter, Werkmeister).

Ausgewählte Tätigkeits-(Aufgaben-)schwerpunkte des Top-, Middle- und Lower-Management

Quelle: In Anlehnung an *Grochla, E.,* Unternehmungsorganisation, Reinbek bei Hamburg 1972, S. 66

Als Funktion umfaßt das Management (→ Managementfunktionen) alle zur Steuerung einer Unternehmung notwendigen Aufgaben, d.h. alle Tätigkeiten, die nicht allein ausführender Natur sind. Unter Ausführung

wird die Gesamtheit jener Aufgaben verstanden, bei denen die wesentlichen Entscheidungen in bezug auf Ziele, Maßnahmen und Mittel bereits getroffen wurden und vorgegeben sind. Als Hauptfunktionen des Managements gelten Planung, Organisation und Kontrolle
B. E.-H.

Literatur: *Staehle, W. H.,* Management, 2. Aufl., München 1985. *Steinle, C.,* Führung, Stuttgart 1978. *Ulrich, P./Fluri, E.,* Management, 2. Aufl., Bern, Stuttgart 1978.

management accounting → führungsorientiertes Rechnungswesen

Management Audit

umfassende, systematische und regelmäßige Überprüfung der Planungs-, Organisations-, Durchführungs- und Controlling-Maßnahmen einer Unternehmung in bezug auf ein bestimmtes Anspruchsniveau (Soll).

Literatur: *Staehle, W. H.,* Management, 2. Aufl., München 1985, S. 105 ff.

Management by Decision Rules

Konzept, um die Probleme von → Delegation und Koordination im betrieblichen Entscheidungsprozeß mit Hilfe bestimmter Entscheidungsregeln zu handhaben. Bei der Delegation von Aufgaben werden dem Mitarbeiter vom Vorgesetzten gleichzeitig Regeln vorgegeben, nach denen er seine Entscheidungen fällen muß. Die vorgesetzte Stelle delegiert dabei in erster Linie Routineaufgaben. Höherrangige Entscheidungen kann sich der Vorgesetzte selbst vorbehalten. Zweck dieser Regelung ist es zu gewährleisten, daß alle zu treffenden Entscheidungen im Sinne der Gesamtzielsetzung der Unternehmung gefällt werden.

Dieses Konzept ist jedoch als problematisch zu beurteilen, da über die Auswahl der Entscheidungsregeln sowie über die möglichen Koordinationsmechanismen und ihre Operationalität klare Aussagen fehlen. Ferner ist die Voraussetzung der vollkommenen Information über Entscheidungssituationen unrealistisch. Die Frage nach den relevanten Entscheidungsträgern wird in dieser Konzeption ebenfalls nicht problematisiert. *A. M.*

Management by Delegation

Führung durch Übertragen von Aufgaben und die damit verbundene Übernahme von Verantwortung. Ziel ist dabei zum einen die Entlastung des Vorgesetzten; auf der anderen Seite werden beim Mitarbeiter ein Motivationserfolg und damit eine Leistungssteigerung angestrebt, die aus der Möglichkeit resultiert,

Aufgaben eigenständig und in eigener Verantwortung zu erfüllen.

Die permanente → Delegation setzt entsprechende organisatorische Regelungen voraus (z. B. Stellenbeschreibungen, Kommunikationsstruktur), die die Gefahr in sich bergen, daß die Struktur erstarrt und die Motivation der Betroffenen beeinträchtigt wird. Das Management by Delegation hat im deutschsprachigen Raum als Bestandteil des → Harzburger Führungsmodells große Verbreitung gefunden.   *A. M.*

Management by Exception (MbE)

Das Konzept der Führung im Ausnahmeeingriff besagt, daß alle Aufgaben, die nicht reine Führungsaufgaben (→ Managementfunktionen) sind, auf untere Hierarchieebenen delegiert werden, und ein Eingriff des Vorgesetzten nur in Ausnahmefällen erfolgt. Der Mitarbeiter führt Routineaufgaben aus und entlastet somit den Vorgesetzten. Innerhalb fixierter Toleranzgrenzen kann der Mitarbeiter selbst entscheiden. Werden diese Grenzen überschritten oder treten unvorhergesehene Ereignisse ein, muß die übergeordnete Instanz informiert werden und diese die Entscheidung fällen.

Bei der Einführung des MbE müssen folgende Voraussetzungen erfüllt sein:

● Es müssen vorhersehbare Entscheidungen vorliegen.
● Routineaufgaben und Führungsaufgaben müssen klar getrennt sein.
● Zuständigkeiten müssen geregelt sein.
● Alle Regelungen über Ziele, Abweichungstoleranzen und Ausnahmefälle sollen den Beteiligten offengelegt werden und nachvollziehbar sein.
● Es muß ein Kommunikationssystem vorliegen, das die notwendigen Kontroll- und Berichtsinformationen verarbeiten kann.

Sind diese Voraussetzungen erfüllt, erscheint das Ziel des MbE, die Entlastung des Vorgesetzten von Routineaufgaben, erreichbar. Nachteilig bei dieser Konzeption kann jedoch die Wirkung auf die Mitarbeiter sein. Sie sind ausgeschlossen von der Bearbeitung anspruchsvoller Arbeiten. Kreativität, Initiative und Verantwortungsgefühl werden unterdrückt. Die Ausnahmesituationen konkretisieren sich häufig in negativen Ergebnissen, der Mitarbeiter muß Mißerfolge melden und erfährt Kontrolle und mögliche Eingriffe des Vorgesetzten als Willkür und damit als demotivierend und leistungsmindernd. Eine Einflußmöglichkeit der Mitarbeiter auf die Abfassung der notwendigen Regelungen ist nicht vorgesehen. Diese Negierung verhaltenswissenschaftlicher Forschungsergebnisse läßt Zweifel an der wissenschaftlichen Begründbarkeit des MbE aufkommen.   *A. M.*

Management by-Konzepte

Der Begriff Managementkonzept ist in den Bereich der → Führungstechnologie einzuordnen, der in der Führungslehre neben der → Führungslogik, der → Führungstheorie und der → Führungsphilosophie eine besondere Bedeutung zukommt. Die Führungstechnologie problematisiert Ziel-Mittel-Zusammenhänge und leitet daraus praxeologische Aussagen im Sinne von Handlungsempfehlungen und Problemlösungen ab. Management by-Konzepte entsprechen dieser praxeologischen Sicht und werden als Organisationsempfehlungen für die Praxis verstanden.

In der Literatur wird eine Vielzahl von Management by-Konzepten vorgeschlagen. Das → Management by Objectives, → Management by Exception, → Management by Delegation, → Management by Systems und → Management by Results finden dabei relativ große Beachtung. Aber auch Konstrukte wie → Management by Motivation, Management by Alternatives, Management by Breakthrough, Management by Communication und Management by Cooperation werden diskutiert.

Diese Aufzählung ist nicht vollzählig und erfaßt nur die wesentlichen Konzepte. Ihnen allen ist jedoch gemeinsam, daß sie nur als Partialmodelle verstanden werden können. Das Management by Objectives gilt dabei als umfassendere Führungskonzeption, während andere wie Management by Results oder Management by Motivation nur Teilaspekte dieses Konzeptes enthalten und damit nicht als inhaltlich befriedigende Führungskonzepte verstanden werden können.   *A. M.*

Literatur: *Wild, J.,* Betriebswirtschaftliche Führungslehre und Führungsmodelle, in: *Wild, J.* (Hrsg.), Unternehmungsführung, Berlin 1974, S. 141 ff.

Management by Motivation

Der verhaltensorientierte Ansatz der Lehre vom → Management bestimmt die Konzeption des Management by Motivation. Leitbild ist hierbei der „mündige Mitarbeiter". Es wird angenommen, daß nicht monetäre Anreize die Leistungsbereitschaft des Mitarbeiters positiv beeinflussen, sondern die Bedürfnisse nach Selbstverwirklichung im Vordergrund stehen. Maßnahmen materieller Art wird nur eine kurzfristige Anreizfunktion zugeschrieben. Eine dauerhafte Aktivierung des

Mitarbeiters kann mit Mitteln wie Vergrößerung des Aufgabenbereichs, Eigen- statt Fremdkontrolle, Partizipation bei der Erarbeitung von Entscheidungsunterlagen und Einräumung größerer Autonomie erreicht werden. Die Bedürfnisse des Mitarbeiters müssen erkannt werden und im Unternehmen Befriedigung finden können, um zu einer Leistungssteigerung zu führen. *A. M.*

Management by Objectives (MbO)

Die Führung durch Zielorientierung ist eines der am häufigsten verwendeten →Führungssysteme. Der Kern des MbO besteht in der Vorgabe von Zielsetzungen für alle Führungsebenen bzw. im gemeinsamen Erarbeiten der vorzugebenden Ziele durch Vorgesetzte und ihre Mitarbeiter, wobei jeweils die Maßnahmenkataloge zur Realisierung der Ziele den verantwortlichen Mitarbeitern zur freien Entscheidung überlassen sind.

In Anlehnung an *Gertrud Fuchs-Wegner* lassen sich beim MbO folgende Hauptbestandteile unterscheiden:
- Führung durch Zielorientierung,
- regelmäßige Zielüberprüfung und Zielanpassung,
- ggf. Partizipation der Mitarbeiter an der Zielerarbeitung und Zielentscheidung,
- Kontrolle der Zielrealisation bzw. Leistungsbeurteilung der Führungspersonen anhand von Soll-Ist-Vergleichen.

Um eine wirksame Orientierung der Mitarbeiter an Zielen zu bewirken, muß das Generalziel der Unternehmung in widerspruchsfreie Einzelziele aufgespalten werden, die auf den unteren Hierarchieebenen immer konkreter werden. Im übrigen gilt für die Zielformulierung, daß sie operational, transparent und vollständig zu sein hat.

Um der dynamischen Umwelt gerecht zu werden, müssen die Ziele ständig überprüft, ergänzt und notfalls revidiert werden.

Die Partizipation der Mitarbeiter an der Zielbildung ist zwar erwünscht, aber nicht unumgänglich. Auch die autoritäre Zielvorgabe ist mit dem MbO-Prinzip vereinbar, obwohl die Vorteile der Partizipation (z.B. Erhöhung der →Leistungsmotivation und Kreativität der Mitarbeiter, Entlastung der Führungsspitze, größere Realitätsnähe der Einzelziele, schnellere Anpassung an Datenänderung) dadurch verlorengehen.

Der Soll-Ist-Vergleich liefert im Falle von objektiven Abweichungsursachen Anlässe zu Gegenmaßnahmen oder zur Zielkorrektur; im Fall von in der Person der Mitarbeiter liegenden Ursachen hingegen wird angestrebt, Ab-

hilfe durch Weiterbildung, Umbesetzung oder sonstige Maßnahmen zu schaffen. Ferner ergeben sich durch die Leistungsbeurteilung der Führungspersonen Ansatzpunkte für die →Karriereplanung und die Festsetzung der Bezüge.

Die Effizienzbeurteilung des MbO stützt sich auf folgende Einzelpunkte:
(1) Die Steuerwirkung von Zielen wird allgemein überschätzt.
(2) Es wird ein hochentwickeltes Planungs- und Kontrollsystem vorausgesetzt.
(3) MbO ist nur mit wenigen Organisationsformen verträglich.
(4) Unablässiger Leistungs- und Beurteilungsdruck können die Motivationswirkung unterlaufen.
(5) Die Flexibilität des MbO ist hoch.
(6) Mitarbeiterbeteiligung kann weitgehend erreicht werden.

Zwar läßt sich ein konvergenter, widerspruchsfreier Zielkatalog aufstellen, doch sind, sofern man die entsprechenden Maßnahmenbündel den Mitarbeitern überläßt, Reibungserscheinungen zu erwarten, die die Zielrealisierung erschweren. Dies ist nur durch ein hochentwickeltes Planungs- und Kontrollsystem zu verhindern, über dessen Beschaffenheit das MbO keine Aussagen macht.

Um zu gewährleisten, daß die Zielerreichung einer Person nicht diejenige anderer behindert, müssen autonome Entscheidungsräume vorhanden sein. Dies ist nur bei wenigen Organisationsstrukturen (z.B. →divisionale Organisation) gegeben.

Die häufige Zielerreichungskontrolle wirkt sich negativ aus, weil Entlohnungshöhe und Karriere von der Zielerfüllung abhängen. Die Motivation wird u.U. durch Leistungsdruck und Konkurrenzdenken beeinträchtigt.

Das MbO ist so flexibel, daß es sich nahezu für jedes Unternehmen, auch für außerökonomische Institutionen – Beispiele sind die Kommunalverwaltungen von Duisburg und Hamburg – verwenden läßt, falls Planung, Kontrolle und passende Organisationsform vorhanden sind.

Das MbO bietet durch Mitarbeiterbeteiligung eine Reihe von Vorzügen: Motivation mittels Zielerfüllung, Möglichkeit objektiver Gehaltsforderungen, Ausbildungs- und Beförderungschancen aufgrund von Zielerfüllung, Aktivierung kreativer Fähigkeiten, Steigerung der Eigenkontrolle. *A. K.*

Literatur: *Fuchs-Wegner, G.*, Management by. ...., in: BFuP, 25. Jg. (1973), S. 678 ff. *Kuhn, A.,* Unternehmensführung, München 1982. *Odiorne, G. S.,* Management by Objectives, München 1967.

Management by Results

stellt das ergebnisorientierte Führen in den Vordergrund. Die Vorgesetzten sollen nicht nur Aufgaben auf die Untergebenen übertragen, sondern auch ständig die Aufgabenerfüllung überwachen. Hohe Leistungsanforderungen und ergebnisorientierte Leistungskontrollen bedingen eine Leistungssteigerung und stellen damit eine effiziente Führung dar.

Die Verfolgung dieser Konzeption kann einerseits einen autoritären → Führungsstil zur Folge haben, andererseits kann das Management by Results ein ausgefeiltes Anreizsystem notwendig machen. Problematisch erscheinen weiterhin die Erfassung und Bestimmung von Maßgrößen, die eine Ergebniskontrolle ermöglichen. Ausführungen über die notwendige Organisationsform (z. B. → divisionale Organisation) fehlen.   *A. M.*

Management by Systems

Führung mit Systemorientierung kann aus zwei Perspektiven betrachtet werden:
(1) *Systematische Führung* bedeutet, daß durch die Schaffung eines Netzes von Vorschriften die auszuführenden Tätigkeiten in eine vernünftige Ordnung gebracht werden. Als Ziele werden dabei vor allem Kostensenkung, Leistungssteigerung und Kontrollerleichterung angestrebt.
(2) *Führung durch Systemsteuerung* stellt einen Bezug zur Systemtheorie (→ system dynamics), → Informationstheorie und → Kybernetik her. Über ein computergestütztes Informations- und Steuerungssystem soll eine Selbstregulierung der Subsysteme bei einer möglichst weitgehenden → Delegation der Aufgaben erreicht werden. Dies erscheint aber mit den heute zur Verfügung stehenden Mitteln nicht erreichbar.   *A. M.*

Management Control

im Sprachgebrauch der amerikanischen Managementliteratur die Gesamtheit aller Führungsaufgaben, die der Durchsetzung und Überwachung geplanter Entscheidungen dienen. In sinngemäßer Übersetzung kann man von „Unternehmenssteuerung" sprechen (vgl. Abb.). „Control" ist also mehr als „Kontrolle". → Controlling bedeutet im amerikanischen Sprachgebrauch Wahrnehmung von Control. Controlling im deutschen Sinne wird im amerikanischen mit → Controllership bezeichnet.

Literatur: *Horváth, P.,* Internes Kontrollsystem, allgemein, in: HWRev, Stuttgart 1983, Sp. 628 ff.

Phasen von Management Control

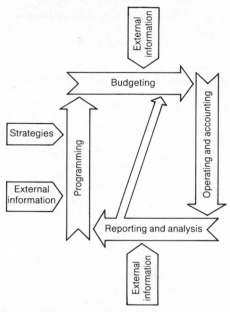

Quelle: *Anthony, R. N./Dearden, J.,* Management Controlsystems – Text and Cases, 3. Aufl., Homewood, III. 1976.

Management-Development

innerhalb der Unternehmung betriebene kontinuierliche Bereitstellung des notwendigen Leitungspersonals. Es umfaßt die gezielte und geplante Entdeckung und Förderung von Nachwuchskräften sowie die Planung des Einsatzes von Führungspersonen im Unternehmen. Das Management Development stellt somit neben den klassischen Funktionen wie Planung, Kontrolle und Organisation eine wichtige Führungsaufgabe im Rahmen der → Personalentwicklung dar.

Ausgangspunkt ist die Überlegung, daß eine Unternehmung ohne geeignete Führungspersonen nicht leistungsfähig ist. Angesichts steigender Anforderungen an das Leitungspersonal entsteht ohne die systematische Sicherstellung eines qualifizierten Kadernachwuchses die Gefahr einer Management-Lücke im Unternehmen.

Da lange Zeit die Meinung vorherrschte, Führungsfähigkeiten seien angeborene, nicht erlernbare Eigenschaften, und ein konkretes Berufsbild der Leitungsperson fehlte, wurde die systematische Schulung von Führungskräften vernachlässigt. Das Schwergewicht der Aufgaben des Management-Development liegt heute in der Entwicklung einer geschlossenen Konzeption bezüglich folgender Fragen:

- Wann werden welche Leitungskräfte benötigt?
- Wo sind im Unternehmen geeignete Kandidaten und welche Stärken und Schwächen weisen sie auf?
- Wie sind die geeigneten Kandidaten zu fördern?

Diese Fragen führen zu einer Planung des Kaderbedarfs, zur Erfassung des vorhandenen Führungspotentials und zur Bildung individueller Karrierepläne. Management-Development ist Aufgabe aller Führungspersonen im Unternehmen. Jede Leitungsperson muß für ihren Bereich den Bedarf an Führungsnachwuchs ermitteln und geeignete Personen suchen und fördern. Die Funktion einer zentralen Management-Development-Stelle ist es, den gesamten Kaderbedarf der Unternehmung festzustellen und dem vorhandenen Führungspotential gegenüberzustellen.

Aus diesem Vergleich leitet sich eine entsprechende Ausbildungs- und Einsatzplanung ab. Ziel einer auch außerhalb des individuellen Arbeitsplatzes stattfindenden Ausbildung ist neben der Vermittlung von Wissen die Erfassung der Gesamtheit der leistungs- und persönlichkeitsrelevanten Faktoren des Führungspotentials. Die Einsatzplanung für Nachwuchskräfte bezieht sich auf die individuelle → Karriereplanung. Hierbei sind mit Hilfe von → job rotation alle diejenigen Funktionen zu durchlaufen, die zur Erfüllung der im Karriereplan vorgesehenen Positionen notwendig sind. *H. Ho.*

Literatur: *Berthel, J.*, Personalmanagement, Stuttgart 1979. *v. Eckardstein, D.*, Betriebliche Personalpolitik, 4. Aufl., München 1987. *Ulrich, P./Fluri, E.*, Management, 2. Aufl., Bern, Stuttgart 1978.

Managementfunktionen

(Führungsfunktionen) umfassen alle zur Steuerung einer Unternehmung notwendigen Aufgaben, d.h. alle Tätigkeiten, die nicht allein ausführender Natur sind, sondern deren Erfüllung das Vorhandensein von Entscheidungs- und Anordnungskompetenz erfordert. Grundlegende Managementfunktionen sind Planen, Organisieren und Kontrollieren.

(1) *Planen* (→ Planung) umschreibt die zukunftsbezogene gedankliche Festlegung der Unternehmung zum Zwecke der Vorbereitung von Entscheidungen. Da jedwede Planungstätigkeit zielorientiert ist, muß das Management zunächst das Globalziel bzw. das formale Unternehmensziel in Teilziele untergliedern, die in ihrer Gesamtheit die Erfüllung des Oberzieles gewährleisten. An diese Ent-

scheidung über die zu erreichenden Handlungsergebnisse schließt sich die Planung der zur Zielerreichung notwendigen Aktivitäten und dafür einzusetzenden Mittel an.

Grundlage der Planungsprozesse sind Informationen über die Situation der Unternehmung sowie Prognosen über die künftige Entwicklung. Auf dieser Basis werden Handlungsideen erzeugt und einer Bewertung unterzogen.

(2) *Organisieren* bezieht sich auf das Strukturieren von Daueraufgaben, d.h. von Vorgängen mit Wiederholungscharakter. Es werden generelle Regelungen getroffen, nach denen sich diese Vorgänge jetzt und in der Zukunft vollziehen sollen, um eine kontinuierliche Durchführung der betrieblichen Prozesse zu sichern. Das Ergebnis dieser Strukturierungstätigkeit wird als Organisation bzw. Organisationssystem bezeichnet.

(3) *Kontrollieren* schließlich umfaßt die Aufdeckung von Abweichungen durch eine Gegenüberstellung von Plan- und Realisationsgrößen sowie die Analyse der Abweichungsursachen. Die → Kontrolle dient somit der Ermittlung der Ausgangssituation für die Planung. Außer der ergebnisorientierten gibt es auch noch eine verfahrensorientierte Kontrolle, die die Umsetzung bestimmter Entscheidungen überwacht. *B. E.-H.*

Literatur: *Staehle, W. H.*, Management, 2. Aufl., München 1985. *Steinle, C.*, Führung, Stuttgart 1978.

Managementinformationssystem (MIS)

Die Anfangsphasen des → Informationssystemmanagement sind geprägt durch die Idee des MIS. Ein MIS ist ein computergestütztes → Informationssystem, das vorzugsweise auf die Aufbereitung und Verknüpfung von Massendaten mit Hilfe des Transaktionssystems abzielt. Im Zentrum der Verarbeitungsprozesse steht die Information, weniger eine spezifische Entscheidung. Grundlage bildet eine breit angelegte Datenbasis (Datenbanken und → Dateien; vgl. Abb.). Diese Form der Datenverarbeitung eignet sich speziell zur Automatisierung wohlstrukturierter Routineaufgaben, bei deren Bearbeitung die betrieblichen Abläufe, Entscheidungsregeln und Informationsflüsse bekannt sind. Dadurch läßt sich die vornehmlich präskriptive Vorgehensweise bei der MIS-Gestaltung rechtfertigen.

Selbst bei funktionsbereichsspezifischer Ausrichtung eines MIS erscheint dessen Bedeutung für die unternehmerischen Führungsprozesse begrenzt. Der Einfluß eines MIS auf den Entscheidungsträger ist insofern nur indirekt, als es hauptsächlich periodische Berichte liefert und/oder den Zugriff auf Massendaten zuläßt, die in der zentralen bzw. dezentralen Datenbank abgespeichert sind. Derartige Informationsversorgungsprozesse sind nicht in der Lage, den problemspezifischen Informationsbedarf des mittleren und gehobenen Managements zu befriedigen (vgl. Abb.). *E. Z.*

Literatur: *Murdick, R. G.,* MIS: Concepts and Design, Englewood Cliffs, N. J. 1980. *Thierauf, R. J.,* Decision Support Systems for Effective Planning and Control, Englewood Cliffs, N. J. 1982.

Managementkonzepte → Führungssysteme, → Management by-Konzepte

Managementprinzipien → Führungssysteme

Managerherrschaft

weitgehend autonome Kontrolle angestellter Manager über die Produktionsmittel. Diese Vorstellung wendet sich gegen eine der zentralen Funktionsbedingungen der marktwirtschaftlichen Ordnung, nämlich die der Einheit von Eigentum und Verfügungsgewalt, und spielt daher in der Diskussion um die Reform der → kapitalistischen Unternehmensverfassung eine bedeutende Rolle. Vor allem in großen Publikumsaktiengesellschaften seien die Aktionäre nicht mehr in der Lage, der liberalen Konstruktionslogik der Unternehmensverfassung entsprechend die Kontrolle über die Unternehmung auszuüben, d. h. die Grundzüge der Unternehmenspolitik im Sinne der Eigentümerinteressen zu prägen. Vielmehr seien es angestellte Manager, die, ohne Eigentümer zu sein, relativ autonom die Verfügungsgewalt über die Produktionsmittel ausübten.

Die klassische Begründung dieser These rekurriert auf die faktische Kontrollsituation in großen Publikumsgesellschaften. Die große Zahl der Aktionäre (nicht selten mehr als hunderttausend) und deren, vor allem aus dem jeweils geringen Kapitalanteil resultierenden, Indolenz erlaubten keine hinreichende Kontrolle des Managements durch die Eigentümer, weder direkt durch die Hauptversammlung noch indirekt über den Aufsichtsrat. Derartige Unternehmen werden als „managerbeherrscht" bzw. als „managerkontrolliert" bezeichnet, da in diesen Gesellschaften das Management selbst die Richtlinien der Unternehmenspolitik bestimmt. Weitere Argumente für die These der Managerherrschaft sind: der strukturell bedingte Informationsvorsprung des Managements, die durch wachsende Komplexität notwendig gewordene Professionalisierung des Managements sowie der Aufbau einer Managementhierarchie im Gefolge der Arbeitsteilung innerhalb der Managementprozesse und die damit verbundene Diffusion des Entscheidungsprozesses.

Empirische Untersuchungen wurden bereits

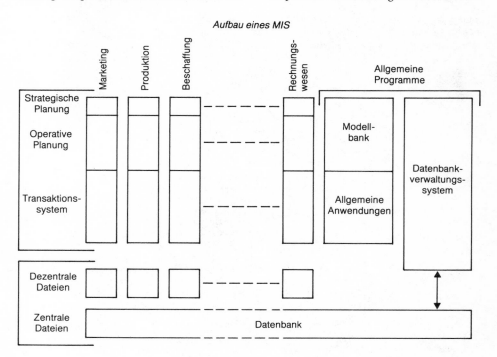

Aufbau eines MIS

Ende der 20er Jahre von *Adolf A. Berle* und *Gardino C. Means* für die USA und in den 60er Jahren von *Helge Pross* für Deutschland durchgeführt. Eine Studie der 300 größten deutschen Unternehmen aus dem Jahr 1979 zeigt, daß bereits 57% dieser Unternehmen aufgrund ihrer Eigentümerstruktur als „managerbeherrscht" einzustufen sind.

Im Zusammenhang mit dieser These werden vor allem zwei Problemkreise aufgeworfen. Zum einen resultiert aus der faktischen Trennung von Eigentum und Verfügungsgewalt nach wirtschaftsliberaler Auffassung die Gefahr der Misallokation von Ressourcen, da die Manager, die den Ressourceneinsatz steuern, nicht gleichzeitig die vollen finanziellen Konsequenzen ihrer Entscheidung tragen. Zum anderen werden das Problem der Legitimation der Managerherrschaft und damit gleichzeitig die Frage nach der Eignung der bestehenden Unternehmensverfassung aufgeworfen. Das Management hat auf dieses Legitimationsdefizit mit dem Postulat seiner → gesellschaftlichen Verantwortung reagiert.

Neuerdings erfährt die These der „Managerherrschaft" eine radikale Kritik vor dem Hintergrund der Theorie der → Eigentumsrechte. Das Herrschaftsphänomen wird dabei zu einer wohlkalkulierten Delegation von Teilrechten der Aktionäre an das Management umgedeutet.

Neben der engeren Betrachtungsweise der These der Managerherrschaft sei noch auf einen weiteren, eher gesellschaftspolitischen Ansatz verwiesen, der vor allem auf *James Burnham* zurückzuführen ist. Dabei wird die Ablösung der Kapitaleigner durch die Manager unter einem breiteren soziologischen Aspekt beleuchtet, um so die Einflußnahme dieser neuen herrschenden Klasse auf die gesellschaftliche Entwicklung zu dokumentieren.

B. O.

Literatur: *Berle, A. A./Means, G. C.,* The modern corporation and private property, New York 1932. *Burnham, J.,* Das Regime der Manager, Stuttgart 1949. *Pross, H.,* Manager und Aktionäre in Deutschland, Frankfurt a. M. 1965. *Steinmann, H./ Schreyögg, G./Dütthorn, C.,* Managerkontrolle in deutschen Großunternehmen – 1972 und 1979 im Vergleich, in: ZfB, 53. Jg. (1983), S. 4ff.

managerial grid

zweidimensionales Verhaltensgitter zur Ableitung verschiedener → Führungssysteme (für eine Unternehmung bzw. für Unternehmensbereiche) in Abhängigkeit von den Dimensionen „Betonung der Produktion" und „Betonung des Menschen" (vgl. Abb.).

Managerkapitalismus → Kapitalismus, → Managerherrschaft

Managerkontrolle → Managerherrschaft

Manchestertum

Im (wirtschafts-) politischen Meinungskampf ist es üblich geworden, die → Laissez-faire-Idee mit Manchestertum gleichzusetzen, als Lehre von der absoluten Einfuhr- und Ausfuhrfreiheit, die einseitig die Interessen der

managerial grid

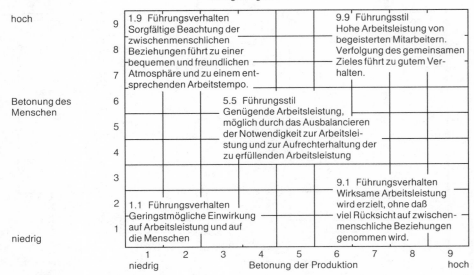

| | | 1.9 Führungsverhalten Sorgfältige Beachtung der zwischenmenschlichen Beziehungen führt zu einer bequemen und freundlichen Atmosphäre und zu einem entsprechenden Arbeitstempo. | | 9.9 Führungsstil Hohe Arbeitsleistung von begeisterten Mitarbeitern. Verfolgung des gemeinsamen Zieles führt zu gutem Verhalten. |

Diagramm-Beschriftung: hoch – 9, 8, 7; Betonung des Menschen – 6, 5, 4; niedrig – 3, 2, 1.

5.5 Führungsstil Genügende Arbeitsleistung, möglich durch das Ausbalancieren der Notwendigkeit zur Arbeitsleistung und zur Aufrechterhaltung der zu erfüllenden Arbeitsleistung

1.1 Führungsverhalten Geringstmögliche Einwirkung auf Arbeitsleistung und auf die Menschen

9.1 Führungsverhalten Wirksame Arbeitsleistung wird erzielt, ohne daß viel Rücksicht auf zwischenmenschliche Beziehungen genommen wird.

Achse: 1 2 3 4 5 6 7 8 9 — niedrig / Betonung der Produktion / hoch

Kaufleute und Fabrikanten (eines Landes oder einiger Länder) fördert und soziale Probleme, die im Industrialisierungsprozeß (auch in anderen Ländern) auftreten, ausklammert (→ historische Schule, → Kathedersozialismus). Als politische Marksteine auf dem Weg des Manchestertums gelten die Aufhebung der Einfuhrzölle auf Getreide (1846) und der Handelsvertrag (→ Cobden-Vertrag) zwischen England und Frankreich (1869); beides maßgeblich beeinflußt durch die Führer der → Anti-Corn-Law-League, *Richard Cobden* und *John Bright* (Kattunfabrikanten in Manchester).

Übersehen wird in dieser einseitigen (das Gesamtkonzept des Laissez faire verfälschenden) Manchester-Interpretation, daß die Regierung, welche sich diese Politik-Variante zu eigen machte, weitgehend aus Grundbesitzern bestand, die offensichtlich bewußt gegen den eigenen Vorteil (hoher Getreidepreis) handelten. Vorher hatten englische Regierungen bereits die Gewerbefreiheit (1813/14) durchgesetzt, die rechtliche Monopolstellung der großen Außenhandelsgesellschaften (1825, 1833) beseitigt, die Armengesetze zur Verbesserung der räumlichen Mobilität der Arbeitskräfte (1834) geändert und Kapitalmarktförderung betrieben; alles Maßnahmen, die zeigen, daß auch in der politischen Anwendung – jedenfalls in England – das Prinzip der Gewerbefreiheit im Konzept des Laissez faire-laissez passer Vorrang besaß.

Andererseits ist nicht zu bestreiten, daß Manchester-Ideologien – im Sinne der umschriebenen verkürzten Auslegung des Laissez faire-Konzepts – in wirtschaftspolitischen Auseinandersetzungen oft einflußreiche Befürworter fanden.   *H. G. K.*

Literatur: *Gehrig, H.,* Die Begründung des Prinzips der Sozialreform, Jena 1914. *Kruse, A.,* Manchesterschule, in: HdSW, Bd. 7, Stuttgart u. a. 1961, S. 113 ff. *Rüstow, A.,* Das Versagen des Wirtschaftsliberalismus, 2. Aufl., Bad Godesberg 1950.

Manipulation

spezifische Form der Beeinflussung. Manipulation ist dadurch gekennzeichnet, daß der Beeinflussende seinen Einfluß willentlich, eigennützig, ohne Rücksicht auf den Vorteil des Beeinflußten ausübt und sich dabei bewußt undurchschaubarer Techniken bedient, die dem Beeinflußten das Gefühl lassen, sich frei entschieden zu haben.

Als typisches Beispiel einer Manipulation gilt die sog. unterschwellige → Werbung, deren bewußter Einsatz jedoch in vielen Medien technisch undurchführbar, in jedem Falle aber ethisch nicht verantwortbar ist. Unabhängig

davon wäre die Wirkung unterschwelliger Werbung, wenn überhaupt gegeben, nur relativ gering: Die berühmt-berüchtigte Vicary-Studie, in der Werbeappelle für den Bruchteil einer Sekunde in einen Kinofilm eingeblendet worden sein sollen, wäre aufgrund der fehlenden Kontrolle aller Störvariablen methodisch völlig unzulänglich, wenn sie nicht ohnehin – und dafür sprechen einige Fakten – eine Erfindung des Autors dieser „Studie" wäre, einem Hersteller von Geräten für kurzzeitige Werbeeinblendungen.   *P. N.*

Literatur: *Brand, H. W.,* Die Legende von den „geheimen Verführern", Weinheim 1978.

Mannheimer Akte

internationale Vereinbarung über die Rheinschiffahrt. Die Akte geht auf die Rheinschiffahrts-Ordnung aus dem Jahre 1831 zurück; die „Revidierte Rheinschiffahrtsakte von 1868" (offizielle Bezeichnung) sichert auch heute noch allen anliegenden Ländern freien Marktzutritt und abgabenfreie Güterschiffahrt von Basel bis zur Rheinmündung. In den letzten Zusatzprotokollen von 1979 wurde der Geltungsbereich auf die Nebenflüsse des Rheins sowie die Wasserstraßen, die den Rhein auf niederländischem und belgischem Gebiet mit der offenen See verbinden, ebenso auf alle „zur Rheinschiffahrt gehörigen Schiffe" des internationalen Verkehrs ausgedehnt.   *S. K.*

Manufaktur

älteste großbetriebliche und auf Arbeitsteilung basierende Fertigung für überlokale Märkte (dadurch Unterscheidung vom → Handwerk). Von der industriellen Fertigung (→ Industrie) unterscheidet sie sich dadurch, daß noch keine Antriebs- und Arbeitsmaschinen verwendet wurden. Im Gegensatz zum → Verlagswesen erfolgte bei der Manufaktur eine Zentralisierung der Erzeugung. Die Manufakturen wurden von absolutistischen Staaten im 17./18. Jh. (→ Merkantilismus) als Großproduktionsstätten errichtet, und zwar zur Deckung des militärischen Bedarfs (Tuche, Waffen), zur Erzeugung von Luxusgütern (u. a. Porzellan, Kunstmöbel, wertvolle Textilien) speziell für den höfischen Bedarf sowie aus fiskalischen Gründen (z. B. Tabak). Heute bestehen keine Manufakturen mehr; die Porzellan- und Tabakmanufakturen z. B. tragen nur noch die Bezeichnung.   *H. Ba.*

MAPI-Methode

vom US-amerikanischen Machinery and Allied Products Institute entwickeltes, spezielles

dynamisches Verfahren der → Investitionsrechnung, das zur Beurteilung von Ersatz-
und Rationalisierungsinvestitionen, aber auch
von Erweiterungsinvestitionen eingesetzt werden kann. Seine praktische Bedeutung ist allerdings, auch in der Maschinenbauindustrie,
gering geblieben.
Literatur: *Blohm, H./Lüder, K.,* Investition,
5. Aufl., München 1983, S. 98 ff.

Margin Requirements → Kreditplafondierung

Marginal Efficiency of Capital-Funktion
→ Investitionsgüternachfrage

Marginalanalyse
Vorgehensweise, bei der die Auswirkungen einer geringfügigen (marginalen) Änderung einer (oder mehrerer) Variablen auf die Ausgangssituation untersucht werden, z.B. wenn
die → Grenzkosten einer zusätzlichen Pro-
dukteinheit dem → Grenzumsatz gegenübergestellt werden, um die Wirkung der Produk-
tionssteigerung auf den Gewinn zu ermitteln.
Das Denken in kleinen Änderungen ermöglicht es den Akteuren, den Ausgangszustand
sukzessive zu verbessern, d.h. lokale Maxima
oder Minima aufzufinden. Auf der Modell-
ebene wird dieser Kalkül vor allem mit Hilfe
der Differentialrechnung ausgedrückt, aber
auch die → lineare Optimierung läßt sich als
Variante der Marginalanalyse deuten.
Die Marginalanalyse findet ihre Rechtfertigung darin, daß es bei ökonomischen Entscheidungen überwiegend nicht um Alles-
oder-Nichts geht, sondern um Verbesserun-
gen einer bereits bestehenden Ausgangslage,
die man – was Veränderungen betrifft – nur
in einer gewissen Variationsbreite abschätzen
kann. Sie basiert insoweit auf der Konstanz
bestimmter Daten (→ Ceteris-paribus-Klausel). Damit sind zugleich die Grenzen dieser
Methode abgesteckt.

Mark
1. als Gewichtseinheit (Markierung eines Sil-
berbarrens, ‚marca') erlangt die ‚kölnische
Mark' von 233,855 g Bedeutung, seit dem
11. Jh. geteilt in 8 Unzen = 16 Lot = 64
Quentchen; abweichende Markgewichte
kommen vor. Im 16. Jh. als Münzbezeich-
nung verwendet (Lübeck); seit 1873 Reichs-
währung (1 Gold-Mark = 100 Pfennig =
0,3544 g Feingold).
2. Bezeichnung eines Grenzbezirks im frühen
Mittelalter (z.B. Mark Brandenburg), verwaltet von einem ‚Markgrafen' zur Grenzsiche-
rung.

Marke → Warenzeichen

Markenartikel
Erzeugnisse, die von Produzenten (Herstellermarken) oder Händlern (→ Handelsmarken)
mit einem ihre Herkunft kennzeichnenden
Merkmal (Marke, i.d.R. als → Warenzeichen
geschützt) an die Abnehmer verkauft werden.
Marken können Namen (z.B. Persil), Bildzei-
chen (z.B. das Lacoste-Krokodil), eine Buch-
stabenfolge (z.B. HB) oder Elemente des Designs, wie bestimmte Materialien, Farben
oder Formen (z.B. Odol-Flasche), sein. Der
Kennzeichnung werden in Funktionslehren
Herkunfts-, Unterscheidungs-, Garantie-,
Schutz-, Monopolisierungs- und Werbefunk-
tionen zugewiesen.
Zur Durchsetzung der im Rahmen der
→ Markenpolitik verfolgten Ziele bedarf ein
Markenartikel über die Markierung hinaus eines Absatzsystems, das ihn qualitätsmäßig
dauerhaft gegenüber anonymer Ware hervorhebt und den Käufern damit Qualitätssicher-
heit vermittelt, ferner einen gewissen Be-
kanntheitsgrad und eine ggf. auch von psychi-
schen Nutzenelementen (→ Image) geprägte
Verkehrsgeltung (→ Marktgeltung). Diese
baut i.d.R. wiederum auf einer breiten Distribution, u.U. sogar einer nahezu ubiquitären
Erhältlichkeit (z.B. Coca Cola) und intensiver
Verbraucherwerbung auf. Der Umsatz der
Markenartikel betrug 1983 in der Bundesrepublik Deutschland 237 Mrd. DM, 95 Mrd.
DM davon entfielen auf das Exportgeschäft.
H. D.

Markendach → Umbrella-Effekt

Markenkenntnis → Markenwahl

Markenpiraterie
widerrechtliche Nachahmung zumeist bekannter → Markenartikel, vornehmlich bei
höherwertigen Konsumgütern wie Haushalts-
geräten, Nahrungsmitteln und Uhren, aber
auch bei Pharmazeutika, Kraftfahrzeug- und
Flugzeugteilen sowie mechanischen Ausrü-
stungen. Durch diese vor allem von Anbietern
in Taiwan, Hongkong und Südkorea geübte
Praxis entgehen den Markenartikelherstellern
beachtliche Erlöse, während die davon betroffenen Länder Arbeitsplätze in erheblichem
Ausmaß verlieren.
E. Di.

Markenpolitik
zu Zwecken der Differenzierung und Profilierung der → Produktpolitik betriebenes Ab-

satzsystem, das Erzeugnissen den eigenständigen Charakter eines →Markenartikels verleiht.

Im Gegensatz zu anonymer, d.h. markenloser Ware erlaubt die Wiedererkennbarkeit der Markenware dem Endabnehmer gezielte Wiederholungskäufe. Dies gilt zumal dann, wenn das markierte Produkt in im wesentlichen einheitlicher und gleichbleibender Aufmachung und Menge in einem größeren Absatzmarkt weitgehend erhältlich (→Ubiquität) und bekannt (→Marktgeltung) ist. Die Markierung gestattet aber auch bewußten Nichtkauf und Beschwerden; sie gibt dem Käufer insofern quasi eine Garantie für konstante (oder verbesserte) Produktqualität und trägt damit zur →Markttransparenz bei.

Die Anbieter versuchen mit der Markierung i.d.R. ein bestimmtes →Image aufzubauen, indem sie sich mit einer den Handel überspringenden Produktwerbung („Sprungwerbung") direkt an die Endverbraucher wenden und dabei die Marke mit bestimmten Teilqualitäten im Grund- oder Zusatznutzenbereich verknüpfen. Der Markenname soll auf diese Weise zum Synonym für ganz bestimmte Produktanmutungen werden. Damit können Produktpräferenzen geschaffen und →Markentreue erzeugt werden. Die Markierung sollte zu diesen Zwecken

● gut erkennbar, verständlich, einprägsam und von konkurrierenden Marken zu unterscheiden,

● rechtlich schutzfähig sein (→Markenschutz, →Warenzeichen),

● auf die Produktgattung, herausragende Produkteigenschaften oder das angestrebte Image verweisen.

Für den Hersteller ist die Marke somit ein Mittel zur Einflußnahme sowohl auf die Endabnehmer als auch auf den Handel. Letzterer ist damit zwar in seiner Marketingautonomie eingeschränkt, wird aber auch in seiner Informations- und Werbefunktion entlastet („Vorverkauf der Marke"). Nur Waren mit allen genannten Merkmalen nennt man Markenartikel. Obgleich dieser Begriff häufig auf Sachgüter für den privaten Konsum beschränkt wird, findet das Konzept des Markenartikels zunehmend auch im Dienstleistungs- und Investitionsgütersektor Verbreitung. Darüber hinaus versucht der Groß- und Einzelhandel das Markenkonzept durch sog. →Handelsmarken in eigener Regie für sich nutzbar zu machen.

Manche Unternehmen bieten auf demselben Markt neben einer Hauptmarke eine oder mehrere Zweitmarken, häufig als sog. Billigmarken, an. Mit einer solchen Multimarken-strategie lassen sich u.U. zusätzliche Absatzwege und Regalflächen erschließen und verschiedene Marktsegmente gezielt bearbeiten. Ineffizient wird eine solche Strategie jedoch dann, wenn die einzelnen Marken nur ein jeweils kleines Marktsegment bedienen, miteinander konkurrieren oder negativ aufeinander ausstrahlen. Eine andere Markenstrategie ist die Vereinigung mehrerer, meist komplementärer Artikel unter einer einheitlichen Markenbezeichnung, der sog. Dachmarke (→Umbrella-Effekt). *K. Lo.*

Literatur: *Angehrn, O.,* Handelsmarken und Herstellermarken im Wettbewerb, Stuttgart 1969. *Hansen, P.,* Der Markenartikel – Analyse seiner Entwicklung und Stellung im Rahmen des Markenwesens, Berlin 1970. *Meffert, H./Bruhn, M.,* Markenstrategien im Wettbewerb, Wiesbaden 1984.

Markenschutz

im Warenzeichenrecht verankerter Schutz des Eigentümers einer Marke vor der Verwendung einer zur Verwechslung geeigneten Marke durch einen anderen Anbieter der gleichen oder auch – im Falle einer berühmten Marke – einer anderen Produktgattung.

Geschützt sind beim Deutschen →Patentamt in die Zeichenrolle eingetragene →Warenzeichen, aber auch nicht eingetragene Marken, falls letztere Verkehrs- bzw. →Marktgeltung genießen. In beiden Fällen besteht der Schutz jedoch nur dann, wenn sich die Marke von bereits länger geschützten Marken stark genug unterscheidet, auch nicht in anderer Weise täuscht und nicht längerfristig ungenutzt bleibt. Auch Markennamen, die für andere Anbieter unentbehrlich sind, weil sie z.B. zum Gattungsbegriff wurden (z.B. Nylon) oder Ortsangaben enthalten, sind i.d.R. nicht schutzfähig. International ist eine Marke grundsätzlich nur in den Staaten geschützt, in denen sie auch eingetragen ist. Eine Schutzmarke kann einem anderen Unternehmen im Wege einer Markenlizenz zur Nutzung überlassen oder verkauft werden.

K. Lo.

Literatur: *Hefermehl, W.,* Warenzeichenrecht und internationales Wettbewerbs- und Zeichenrecht, 12. Aufl., München 1985.

Markentreue

(Produkttreue) Ausmaß, in dem sich die Präferenzen eines Konsumenten für eine Marke in (oft habitualisierten) Wiederholungskäufen niederschlagen (→Markenwahl). Als Maße für die Markentreue werden verschiedene Kennzahlen verwendet, die sich aus den Ergebnissen von →Haushaltspanels oder aus retrospektiven →Befragungen ermitteln lassen.

Sie knüpfen z.B. an der Folge der Wiederholungskäufe im Zeitablauf an oder an den Budgetanteilen, die auf eine Marke entfallen.

In empirischen Untersuchungen konnte man nachweisen, daß die Tendenz zur Markentreue mit zunehmendem Alter und sinkendem sozialen Status steigt. Ältere und sozial schwache Konsumenten verfügen über geringere Marktinformationen und empfinden ein höheres →subjektives Kaufrisiko, welches sie an der Erprobung neuer Marken hindert. Diese Konsumentengruppen erweisen sich bei der Einführung neuer Produkte als Nachzügler, die eine →Innovation erst übernehmen, wenn sie sich am Markt durchgesetzt hat (→Diffusionsprozeß). Schließlich sind Marken- und Geschäftstreue auch das Resultat von Lernprozessen (→Lernen) im Zuge der Gewohnheitsbildung, zu der Menschen nicht nur in ihrem Verhalten als Konsumenten neigen. So gesehen ist Markentreue eine Form der →Kaufentscheidung, die nicht nur Risiken mindert, sondern auch Zeit und Mühe spart (→Markenpolitik).   *K. P. K.*

Literatur: *Weinberg, P.,* Die Produkttreue der Konsumenten, Wiesbaden 1977.

Markenverband e. V

Zusammenschluß der deutschen Markenartikelindustrie. Der Verband beschäftigt sich mit allen Fragen, die sich aus der Herstellung und dem Absatz von →Markenartikeln ergeben. Der Markenverband wurde 1903 als „Verband von Fabrikanten von Markenartikeln" gegründet und konstituierte sich 1948 neu. Sitz ist Wiesbaden.   *W. G.*

Markenwahl

Entscheidung eines Konsumenten für eine von mehreren konkurrierenden Marken einer Produktgruppe. Sie ist mit der Entscheidung, ob und wann ein Produkt überhaupt gekauft werden soll, und mit der Einkaufsstättenwahl ein Teil der →Kaufentscheidung. Bei häufig gekauften Verbrauchsgütern des täglichen Bedarfs kann sich der →Kaufentscheidungsprozeß praktisch ganz auf die Markenwahl reduzieren.

Die Markenwahl, die sich bei aggregierter Betrachtung in der Verteilung der →Marktanteile niederschlägt, ist zunächst vom →Marketingmix der beteiligten Marken abhängig (→Markenpolitik). Die individuelle Markenwahl eines Konsumenten erfolgt innerhalb des sog. „awareness set" von Marken, die ihm bekannt sind. Markenkenntnis kann vor allem durch →Marktkommunikation vermittelt werden. Innerhalb des „aware-

ness set" kann man weiter unterscheiden zwischen dem „inept set" abgelehnter und dem „evoked set" kaufrelevanter Marken. Letzteres umfaßt solche Marken, zu denen der Konsument durch die Wirkung der →Preis- und Qualitätspolitik und der beeinflussenden →Werbung hinreichend positive →Einstellungen hat. Innerhalb des „evoked set", das selten mehr als 4–5 Marken enthält, erfolgt dann die Markenwahl vor allem auf Grund situativer Variablen (z.b. Verfügbarkeit der richtigen Packungsgröße), die besonders durch die →Distributionspolitik beeinflußt werden können. Unabhängig von der Wirkung des Marketingmix gibt es generelle, in bestimmten Produkt- und Konsumentengruppen unterschiedlich stark ausgeprägte Tendenzen zur →Markentreue.   *K. P. K.*

Markenzeichen → Markenartikel

market maker

Händler, der während der Geschäftszeit stets bereit ist, bestimmte vertretbare Handelsobjekte, insb. Effekten, auf Anfrage entweder zu einem von ihm genannten Kurs zu kaufen (Geldkurs, engl.: bid) oder zu einem gleichzeitig von ihm genannten Kurs (Briefkurs, engl.: ask) zu verkaufen. Den gleichzeitig genannten Geld- und Briefkurs für eine Schlußeinheit nennt man Spanne oder besser Spannungskurs (engl.: quote) des market maker (→Kursfeststellung). Er nennt sie, ohne zu wissen, ob der Anfragende kaufen oder verkaufen möchte. Prototyp eines market maker ist der Jobber der →London Stock Exchange. Die größte Bedeutung haben market makers jedoch auf dem amerikanischen →Over-the-counter market erlangt, wo viele Brokerfirmen auch als market maker tätig sind. Das Market-Maker-Prinzip ist neben dem Auktionsprinzip eines der beiden Prinzipien börslicher Kursermittlung und beruht darauf, daß der market maker einen starken finanziellen Anreiz hat, marktgerechte Kurse zu stellen. Im Gegensatz zum Auktionsprinzip sichert es auch bei wenig umgesetzten Handelsobjekten den sofortigen Abschluß während der gesamten Geschäftszeit und erleichtert damit den fortlaufenden Handel.   *Ha. Sch.*

Literatur: *Mildenstein, E.,* Die Kurspolitik der Marketmaker auf Aktienzirkulationsmärkten, Schwarzenbek, Hamburg 1982. *Schmidt H./Schurig, M./ Welcker, J.,* Bank- und Börsenwesen, Bd. 1, München 1981, S. 153 ff.

Marketing

im ursprünglichen und engeren Sinne die Ausrichtung aller mittelbar oder unmittelbar den

→Absatzmarkt einer Unternehmung berührenden Entscheidungen an den Bedürfnissen der tatsächlichen oder potentiellen Abnehmer mit dem Bemühen um Schaffung von Präferenzen (akquisitorisches Potential) und damit Wettbewerbsvorteilen durch systematischen, kreativen und aktiven Einsatz des →Marketinginstrumentariums. Als wesensbestimmende Merkmale des Marketing ergeben sich aus dieser Definition

● eine unternehmenspolitische Grundhaltung (Marketing als *Maxime*),

● die aktive und kreative Erforschung und Bearbeitung der Absatzmärkte mit Hilfe eines spezifischen →Marketinginstrumentariums (Marketing als *Mittel*) und

● das planmäßige und in spezifischen Organisationsstrukturen institutionalisierte Management absatzpolitischer Entscheidungsprozesse (Marketing als *Managementmethode*; vgl. *Robert Nieschlag, Erwin Dichtl, Hans Hörschgen*, 1985, S. 8 ff.).

(1) Der Maximecharakter des Marketing steht im Gegensatz zur früher üblichen Produktionsorientierung (Gewinnsteigerung durch kostengünstigere Produktion) bzw. zur Verkaufsorientierung (Einsatz aggressiver Verkaufstechniken zur Vermarktung der Produktion bei wachsenden Marktwiderständen). Eine langfristige Sicherung der Unternehmensziele kann bei Vorliegen sog. →Käufermärkte nur dann erreicht werden, wenn die Bedürfnisse der Abnehmer oder bestimmter Abnehmergruppen (→Marktsegmentierung) zum zentralen Angelpunkt nicht nur der Absatzpolitik, sondern der gesamten Unternehmenspolitik gemacht werden. Diese unternehmenspolitische Perspektive „vom Markt her" und „zum Markt hin" impliziert, daß das Marketing keine Teilfunktion der Unternehmenspolitik, sondern eine integrative Funktion im Sinne einer Unternehmensphilosophie darstellt.

(2) Die im Unterschied zur traditionellen Absatzpolitik aktive und kreative Komponente des Marketing kommt im Einsatz der Marketinginstrumente zum Ausdruck (Mittelcharakter des Marketing). Zum einen geht es hierbei um die Ausschöpfung der Methoden der →Marktforschung, mit deren Hilfe z.B. latente, d.h. noch nicht durch ein Güterangebot abgedeckte Bedürfnisse entdeckt, Ursachen der Unzufriedenheit mit dem eigenen Güterangebot oder dem der Konkurrenten offengelegt oder neuartige Absatzaktivitäten getestet werden können (*Informationsseite* des Marketing). Zum anderen gilt es, die Vielzahl der absatzpolitischen Instrumente (→Marketinginstrumentarium), die zur Beeinflussung

des Marktverhaltens der Marktteilnehmer, also der Absatzmittler, Konkurrenten und Nachfrager, zur Verfügung stehen, kreativ zu nutzen (*Aktionsseite* des Marketing).

(3) Je besser es dabei gelingt, die produkt-, preis-, distributions- und kommunikationspolitischen Aktivitäten ein in ein in sich geschlossenes, gegenüber den Konkurrenten profiliertes und auch unter Wirtschaftlichkeitsgesichtspunkten optimales →Marketingmix zu integrieren, um so größer sind die Erfolgschancen der Unternehmung. Die Bewältigung dieser Aufgabe ist Inhalt des →Marketingmanagements. Darüber hinaus bedingt vor allem der integrative Charakter der Marketingfunktion eine Institutionalisierung des Marketing in der Unternehmensorganisation (→Marketingorganisation) und eine Unterstützung des Managements durch ein entscheidungsorientiertes →Marketinginformationssystem.

Die beschriebenen Prinzipien des Marketing wurden in breitem Umfang zunächst (etwa ab Anfang der 60er Jahre) in der Konsumgüterindustrie und im Handel verwirklicht. In zunehmendem Maße findet das Marketingdenken aber auch Eingang in Investitionsgüter- und Dienstleistungsunternehmen (→Investitionsgütermarketing), →Dienstleistungsmarketing). Darüber hinaus wurde das Konzept auch auf die Aufgaben nicht-kommerzieller Organisationen, etwa Kulturinstitutionen, Parteien oder Wohlfahrtsverbände, übertragen (*Philip Kotler*, 1978). Im Rahmen eines solchen sog. Non-Business (Non-Profit-) Marketing stehen häufig nicht Sachgüter oder Dienstleistungen, sondern ideelle Werte (z.B. Verkehrssicherheit, Nächstenliebe, Patriotismus o.ä.) im Mittelpunkt der Betrachtung. Soweit es sich dabei um soziale Ideen handelt, spricht man deshalb auch von Sozio-Marketing.

Nicht zuletzt hat diese Ausweitung des Anwendungsbereichs der ursprünglich auf die ökonomische Sphäre beschränkten Prinzipien des Marketing manche Vertreter der Marketingtheorie zu einer sehr viel weiter gefaßten Interpretation des Marketingbegriffs veranlaßt. Dies wird als generisches Marketing (generic concept of marketing) bezeichnet (*Kotler* 1972). Danach liegt der Kern des Marketing in der Anbahnung, Aufrechterhaltung und/oder Abwicklung von Transaktionsprozessen zwischen zwei oder mehreren beliebigen Partnern, von denen ideelle oder materielle Werte ausgetauscht werden. Obgleich eine solche Marketingperspektive des menschlichen Verhaltens durchaus nützliche Einsichten vermitteln kann, hat sie sich bis heute sowohl aus wissenschaftstheoretischen als auch aus pragmatischen Gründen nicht durchgesetzt.

Nicht zuletzt wegen der wachsenden Bedeutung ökologischer Probleme für Markttransaktionen wird jedoch zunehmend die Ausweitung der Marketingziele um gesellschaftliche und ethische Normen als sinnvoll angesehen, auch wenn diese nicht zu den unmittelbaren individuellen Bedürfnissen der Abnehmer zählen. Durch ein solches „humanes" oder „gesellschaftsfreundliches" Marketing (human concept of marketing) soll auch der wachsenden Bedeutung der Konsumerismus-Bewegung Rechnung getragen werden. Die individuelle Zufriedenheit mit dem Güterangebot wird damit um das Leitbild der gesellschaftlichen Lebensqualität ergänzt. Das Marketing erhält dadurch eine zusätzliche, vor allem für die langfristige → Marketingstrategie wichtige Perspektive.   *H. D.*

Literatur: *Kotler, Ph.,* Marketing Management, 4. Aufl., Stuttgart 1982. *Kotler, Ph.,* Marketing für Nonprofit-Organisationen, Stuttgart 1978. *Kotler, Ph.,* A Generic Concept of Marketing, in: Journal of Marketing, Vol. 36 (April 1972), S. 46 ff. *Meffert, H.,* Marketing, 7. Aufl., Wiesbaden 1986. *Nieschlag, R./Dichtl, E./Hörschgen, H.,* Marketing, 14. Aufl., Berlin 1985.

Marketing-Audit

erweitertes Konzept der → Marketingkontrolle, bei dem nicht allein die Wirkung der Marketinginstrumente, sondern im Sinne einer grundlegenden Marketingrevision, das gesamte Marketingsystem mit seinen Zielen, Strategien, Informations- und Planungsmethoden, Konzeptionen sowie der strukurellen Systemorganisation umfassend und grundsätzlich überprüft wird.

Marketingbudget

schriftliche Zusammenfassung der im Rahmen der → Marketingplanung abgeleiteten, in Geldeinheiten quantifizierten Sollergebnisse bestimmter Einheiten der → Marketingorganisation. Das Marketingbudget dient insb. der finanziellen Koordination und Planung aller Unternehmensbereiche und gliedert sich auf in eine differenzierte Darstellung der Gewinngrößen (Nettogewinne, verschiedene Deckungsbeiträge) sowie wichtige Finanzkennzahlen über den angestrebten Markterfolg.

Marketinginformationssystem (MAIS)

als spezielle Form eines Informationssystems eine planvoll entwickelte und geordnete Gesamtheit von organisatorischen Regelungen bezüglich der

- Träger informatorischer Aufgaben,
- Informationswege zwischen ihnen,
- Informationsrechte und -pflichten sowie
- Methoden der Informationsbearbeitung in diesem Gefüge

zur Befriedigung des Informationsbedarfs im → Marketingmanagement.

Marketinginformationssystemen kommt die angesichts zunehmender Komplexität und Dynamik der → Marketingumwelt immer bedeutsamere Aufgabe eines Intelligenzverstärkers für die → Marketingplanung zu. Vor allem durch die Nutzbarmachung der EDV kann man die Informationsflut kanalisieren, die Aktualität der Informationsversorgung sichern und die tatsächliche Nutzung der verfügbaren Informationen in einer problem- und organisationsgerechten Aufbereitungsform fördern.

Voraussetzungen dafür sind

- eine hinreichende, auf den Informationsbedarf des Managements abgestimmte Datenbasis;
- ein flexibles System der (automatischen) Datenaufbereitung für unterschiedliche Fragestellungen der Systembenutzer; hierbei kommt es vor allem auf die Möglichkeit der hierarchischen Datenverdichtung bzw. Disaggreation an;
- ein hinreichendes Reservoir an Methoden und Modellen, die die problemorientierte Verknüpfung der Datenbestände ermöglichen;
- eine leistungsfähige Computer-Hardware mit möglichst direkten Datenzugriffsmöglichkeiten und benutzerfreundlichen Kommunikationsformen.

Die technische Entwicklung erlaubt dabei eine zunehmende Verlagerung von Informationsaufgaben auf dezentrale Personal Computer, die über Schnittstellen mit Zentralcomputern und entsprechende Datenbestände (evtl. auch im externen Rechnerverbund) verfügen.

Die Abbildung zeigt die Grundkomponenten eines MAIS: Die aus der Unternehmung selbst sowie von außen beschafften (häufig durch Datenträgeraustausch schon EDV-gerechten) Informationen werden laufend über ein Datenbankmanagementsystem in die Datenbank eingespeichert und bei Bedarf (Abfragesystem) bzw. automatisch in regelmäßigen Abständen (Berichtssystem) über zentrale oder dezentrale Peripheriegeräte (Bildschirm, Drucker) dem Management bereitgestellt. Fehlen weitere Systemkomponenten, so spricht man von einem Retrievalsystem.

Fortgeschrittene MAIS verfügen darüber hinaus über eine → Methodenbank oder sogar

Strukturelemente und Verknüpfung eines MAIS

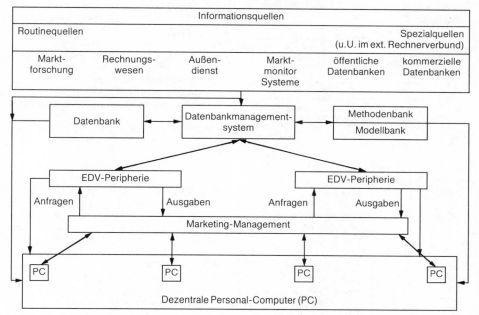

→Modellbank, die eine statistische Aufbereitung (z.B. Graphiken, frei gestaltbare Tabellen) und Verknüpfung der Daten (z.B. in Form von Regressionsanalysen) erlauben. Als Methodenbanken kommen häufig auch kauf- oder mietbare Standardsoftwarepakete (SPSS, Express etc.) zum Einsatz. Die Entwicklung umfassenderer elektronisch gestützter Marketingmodelle ist hingegen noch weit weniger fortgeschritten.

Hauptprobleme der Entwicklung von MAIS sind die Ermittlung und Strukturierung der relevanten Daten, die Entwicklung eines leistungsfähigen Systems der Dateiverwaltung und die organisatorische Durchsetzung neuer Kommunikationsstrukturen.   *H. D.*

Literatur: *Meffert, H.,* Computergestützte Marketing-Informationssysteme, Wiesbaden 1975. *Mertens, P./Griese, J.,* Industrielle Datenverarbeitung, Bd. II: Informations- und Planungssysteme, 3. Aufl., Wiesbaden 1982. *Diller, H.,* Produkt-Management und Marketing-Informationssysteme, Berlin 1975.

Marketinginstrumentarium

Als Managementaufgabe umfaßt →Marketing eine Informations- und eine Aktionsseite. Dementsprechend lassen sich die vom Management einsetzbaren Instrumente, d.h. alle kontrollier- und steuerbaren Handlungsmöglichkeiten (Aktivitäten) zur Erreichung der →Marketingziele, in die Gruppe der Marke-

tingforschungsinstrumente   (→Marktforschung) und die der absatzpolitischen Instrumente unterteilen (vgl. Abb. auf S. 100). Letztere dienen ganz allgemein der Beeinflussung der →Absatzmärkte im Sinne der jeweiligen Marketingziele.

Die Systematisierung der absatzpolitischen Instrumente bereitet wegen des integrativen Charakters von Marketingkonzeptionen sowie der Fülle und stetigen Erneuerung einzelner Aktionsparameter erhebliche Schwierigkeiten. Die vielfältigen Aufgliederungen erfolgen deshalb vordringlich unter theoretisch-analytischen Aspekten. Weit verbreitet ist die Unterteilung in ein Produkt-, Distributions-, Preis- und Kommunikationsmix (vgl. Abb.). Die Bezeichnung „Mix" soll dabei andeuten, daß eine Unternehmung innerhalb der jeweiligen Gruppe über Freiheitsgrade bezüglich der Auswahl, Intensität und Ausgestaltung der Einzelinstrumente verfügt. Andererseits wird dieser Gestaltungsfreiraum durch produktspezifische Faktoren, etwa die Stellung des Produktes im →Produktlebenszyklus, sowie Eigenheiten des Käuferverhaltens oder andere Charakterisitika des jeweiligen Absatzmarkts eingeengt. Analoge Probleme treten bei der Verknüpfung der vier Submixbereiche zu einem umfassenden →Marketingmix auf. Die Gestaltungsmöglichkeiten innerhalb der vier Submixbereiche werden im Rahmen der

→ Produktpolitik, → Distributionspolitik, → Preispolitik und → Kommunikationspolitik dargestellt. *H. D.*

Aufgliederung des Marketinginstrumentariums

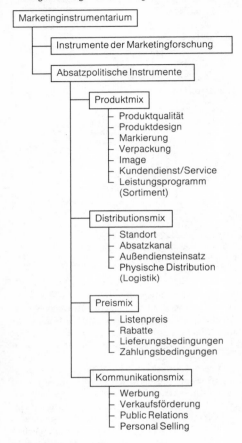

Marketingkontrolle

im Sinne der „Philosophie" des Marketing speziell → Kontrolle der marktorientierten Führung von Unternehmungen (→ Marketing-Audit). Vielfach werden auch Marketing- und Absatzkontrolle als Synonyme angesehen oder die Marketingkontrolle wird in einem engen Sinne auf die Beurteilung der Wirksamkeit spezieller Marketingmaßnahmen (z.B. Anzeige oder Produktgestaltung) bezogen. Da „Marketingprüfung" ungebräuchlich ist, werden oft auch → Überwachungen, die nicht fest in den betrieblichen Ablauf eingebaut sind (d.h. → Prüfungen i.e.S.), als Marketing--„Kontrollen" bezeichnet.

Kontrolliert werden insb. Absatzerlöse, Absatzmengen, Kosten bzw. Aufwendungen sowie – als Differenz zwischen Erlösen und Ko-sten bzw. Aufwendungen – Absatzerfolge. Diese Größen können i.d.R. nach unterschiedlichen Kontrollgruppen aufgefächert werden, z.B. nach Abnehmern, Produkten oder Absatzwegen. Auch nach der Art der Verrechnung (z.B. ob alle Erlöse und Kosten bzw. Aufwendungen nur als Einzelerlöse bzw. Einzelkosten/-aufwendungen zu verrechnen sind oder ob sie geschlüsselt werden dürfen) sind vielfältige → Absatzsegmentrechnungen möglich.

Häufig ist die Erlös- bzw. Erfolgswirkung einer einzelnen Marketingmaßnahme nicht oder nicht exakt meßbar. In diesem Falle versucht man die Wirkung aufgrund von Indikatoren zu bestimmen (z.B. an der Zahl eingehender Kupons bei Kupon-Anzeigen). Solcher Hilfen (z.B. → Kennzahlen) bedient man sich oft auch deshalb, um (komplexe) Sachverhalte analysieren sowie knapp und anschaulich darstellen zu können. *R. Hö.*

Marketingkonzeption

das in sich möglichst geschlossene und im Rahmen der → Marketingplanung entwickelte Programm der für eine Planperiode gültigen → Marketingziele und des → Marketingmix.

Marketingleitbild → Marketingstrategie

Marketinglogistik → physische Distribution

Marketingmanagement

verantwortlicher Träger (institutionelle Begriffsfassung) bzw. Inhalt (funktionale Begriffsfassung) der zur Erfüllung der im → Marketing anfallenden Aufgaben. Unter institutionellen Aspekten umfaßt das Marketingmanagement mehrere Subsysteme, die in Anlehnung an *Heribert Meffert* (1980) in der Abbildung auf S. 101 dargestellt sind. Die in Klammern beigefügten Ergänzungen kennzeichnen die typischen Aufgabenstellungen dieser Subsysteme.

Marketingmanagement umfaßt die generellen Aufgaben:
(1) → Marketingplanung,
(2) → Marketingkontrolle,
(3) Koordination der innerbetrieblichen Funktions- und Unternehmensbereiche im Hinblick auf die Erfordernisse der Marketingkonzeption,
(4) Entwicklung einer effizienten → Marketingorganisation,
(5) Führung der Mitarbeiter im Marketingbereich und
(6) Repräsentation des Marketingbereichs nach innen und außen, wie sie im Konzept der → corporate identity verankert ist.

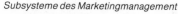

Subsysteme des Marketingmanagement

Neben dieser allgemein-abstrakten Charakterisierung des Marketingmanagement läßt sich dessen Inhalt auch marktbezogen konkretisieren (→ Marketingziele): Unabhängig von produkt- oder unternehmensspezifischen Faktoren ist es Aufgabe des Marketingmanagement, das Niveau, die zeitliche Verteilung und die Art der Nachfrage nach Produken des Unternehmens in Übereinstimmung mit den Unternehmenszielen zu regulieren. Je nach Konstellation der Nachfrage ergeben sich daraus acht mögliche Marktaufgaben (*Philip Kotler*, 1982, S. 24):

• *Umkehrung* einer negativen Nachfrage (Ablehnung bestimmter Leistungen, z.B. Gesundheitsberatung, Flugreisen) in eine positive,

• *Generierung* von Nachfrage durch Abbau von Produktdesinteresse oder Aufbau der Voraussetzungen für die Nutzung eines Produktes,

• *Stimulierung* der Nachfrage durch neue Problemlösungsangebote für latente Bedürfnisse,

• *Revitalisierung* stagnierender oder schrumpfender Nachfrage, beispielsweise durch → Produktvariation oder Preissenkung,

• *Synchronisierung* schwankender Nachfrage durch zeitliche Differenzierung der Marketingaktivitäten,

• *Erhaltung* eines optimalen Nachfrageniveaus, z.B. durch Aufbau von → Marktzutrittsschranken,

• *Reduzierung* permanent oder zeitweilig überhöhter Nachfrage (→ Demarketing),

• *Eliminierung* von individuell oder gesellschaftlich schädlicher Nachfrage im Rahmen des Sozio-Marketing.   *H. D.*

Literatur: *Kotler, Ph.*, Marketing-Management, 3. Aufl., Stuttgart 1982. *Meffert, H.*, Marketing, 7. Aufl., Wiesbaden 1986. *Nieschlag, R./Dichtl, E./ Hörschgen, H.*, Marketing, 14. Aufl., Berlin 1985.

Marketingmix

von einer Unternehmung bzw. für ein bestimmtes Element des Leistungsprogramms im Rahmen der → Marketingplanung für einen bestimmten Planungszeitraum ausgewählte Kombination absatzpolitischer Instrumente (→ Marketinginstrumentarium). Es besitzt eine inhaltliche (Art der Instrumente), intensitätsmäßige (Aktivitätsniveau), zeitliche (Verteilung der Aktivitäten) und ausrichtungsspezifische (Segmentbezug) Dimension.

Die Bestimmung des optimalen Marketingmix ist eines der schwierigsten Planungsprobleme im Marketing. Dies hat eine erste Ursache im qualitativen Charakter vieler Komponenten des Marketingmix, die eine Modellierung des Problems in einer multiplen → Marktreaktionsfunktion erschwert (Operationalisierungsproblem).

Ferner kann man nicht ohne weiteres davon ausgehen, daß sich die Gesamtwirkung des Marketingmix additiv aus der Summe der Teilwirkungen einzelner Instrumente zusammensetzt. Vielmehr existieren meist sowohl gegenläufig als auch komplementär wirkende Interdependenzen (→ Ausstrahlungseffekte). So verstärkt z.B. breite Distribution die Wirkung von Preisänderungen. Dieses Interdependenzproblem kann auch als Imagephänomen gesehen werden, da letztlich der ganzheitliche, in sich konsistente („konvergente") subjektive Eindruck vom Marketingmix seitens der Abnehmer für dessen Erfolg entscheidend ist (→ Image).

Damit ergibt sich auch ein Meßproblem hinsichtlich der Wirkung unterschiedlicher Marketingmixes. Diese wird üblicherweise in Gewinngrößen zu modellieren versucht, was für viele absatzpolitische Aktionsparameter jedoch kaum erreichbar ist.

Darüber hinaus divergiert die zeitliche Verteilung der Wirkung verschiedener Instrumente im Marketingmix und beschränkt sich u. U.

nicht auf eine Planperiode (Carryover-Effekt). Daraus erwächst ein zeitliches Zurechnungsproblem für Optimierungskalküle des Marketingmix.

Eine zusätzliche Schwierigkeit taucht dann auf, wenn Ausstrahlungseffekte zwischen verschiedenen Elementen eines Sortimentes existieren, d.h. wenn der Instrumenteneinsatz für ein bestimmtes Produkt auch negativ oder positiv auf den Erfolg anderer Erzeugnisse der Unternehmung wirkt (→ Sortimentsverbund).

Schließlich ist die grundsätzliche Problematik rationaler Entscheidungen im Fall der Marketingmixbestimmung wegen der Fülle der Kombinationsmöglichkeiten, der Vielzahl von Umweltbedingungen und der damit verbundenen Unsicherheiten besonders stark ausgeprägt.

Angesichts dieser Palette von Problemen kann es nicht verwundern, daß die bisher entwickelten Lösungsansätze zur Optimierung des Marketingmix unter Anwendungsaspekten noch nicht befriedigen. Grundsätzlich bieten sich folgende Möglichkeiten:
- Marginalanalytische Modelle (Optimierungsbedingung: Grenzgewinne aller Instrumentaleinsätze unter Berücksichtigung von Kreuzelastizitäten gleich 0),
- Verfahren der → mathematischen Optimierung (Optimierung der Ressourcenallokation bei einem System von → Marktreaktionsfunktionen unter Einhaltung bestimmter Restriktionen),
- Computersimulation umfassender Marktmodelle, verbunden mit → Sensitivitätsanalysen,
- → heuristische Verfahren, z.B. mehrstufige Optimierung von Submixbereichen und anschließende Gesamtoptimierung, oder inkrementale Verbesserungsstrategien mit einer konkurrenzorientierten Ausgangskombination.

Die marginalanalytischen Ansätze – eines der bekanntesten Modelle dafür ist das → Dorfman-Steiner-Theorem – stoßen ebenso wie die mathematischen Programmierungsverfahren mit steigender Komplexität schnell an schätztechnische Grenzen, insb. wenn sie auf (realistischen) nichtlinearen Wirkungsfunktionen aufbauen. Computersimulationen sind insb. im Rahmen der Modellentwicklung und der EDV-technischen Implementierung aufwendig und für den Anwender in der Praxis oft auch nicht durchschaubar. Dort behilft man sich deshalb in aller Regel mit einfachen Heuristiken und adaptiven Strategien („Politik der kleinen Schritte"), die von Fall zu Fall (z.B. bei der Einführung neuer Produkte)

durch empirische Tests (→ Markttest) abgesichert werden.   *H. D.*

Literatur: *Buchmann, K.-H.,* Quantitative Planung des Marketing-Mix auf der Grundlage empirisch verfügbarer Informationen, Berlin, New York 1973. *Köhler, R./Zimmermann, H.* (Hrsg.), Entscheidungshilfen im Marketing, Stuttgart 1977. *Schmalen, H.,* Marketing-Mix für neuartige Gebrauchsgüter, Wiesbaden 1979.

Marketingorganisation

aufbauorganisatorische Regelungen, die zur Erfüllung der im Marketing anfallenden Aufgaben getroffen werden. Dabei ist zwischen der organisatorischen Verankerung des → Marketing als Führungsmaxime und der Zuordnung von Teilfunktionen des → Marketingmanagements zu einzelnen Stellen oder Abteilungen zu unterscheiden. Die erstgenannte Aufgabe verlangt zum einen eine organisatorische Verankerung der Marketingleitung in der Führungsspitze eines Unternehmens und zum anderen eine Unterordnung aller Marketingaktivitäten, also z.B. auch der oft in anderen Organisationsbereichen angesiedelten Neuproduktentwicklung, Verkäuferschulung, Preisfindung oder Absatzfinanzierung unter die Marketingleitung.

Als Strukturierungsmerkmale für die Untergliederung der Marketingorganisation kommen grundsätzlich in Frage:
- Teilfunktionen des Marketing,
- Produkte bzw. Produktgruppen,
- Abnehmer bzw. Abnehmergruppen und/oder
- Absatzgebiete.

Diese vier Kriterien lassen sich auch miteinander kombinieren, wodurch mehrdimensionale → Organisationsstrukturen entstehen, die wiederum entweder streng hierarchisch (Linien- oder Stab-Liniensysteme) oder matrix- bzw. teamorientiert ausgestaltet werden können.

Vor allem für kleinere Unternehmen bietet sich eine funktionsorientierte Struktur (vgl. Abb.) an, weil diese am ehesten die Vorteile der Spezialisierung zur Geltung bringen kann. Andererseits liegt die marktorientierte Koordinierung aller Funktionen allein in der Hand des Marketingleiters. Das kreative und innovative Potential der einzelnen Stellen wird u.U. nicht genügend aktiviert und die schwerfälligen Instanzenwege beeinträchtigen oft die Flexibilität der Organisation.

Vor allem bei Unternehmen mit breitem Leistungsprogramm birgt die funktionsorientierte Organisation außerdem in besonderem Maße die Gefahr des Funktionsegoismus der Ressortleiter in sich. Eine vor diesem Hintergrund vor allem in der Konsumgüterindustrie häufig vertretene Variante der Funktionsorganisation ist deshalb das → Produktmanagement.

Eine primär produktorientierte Struktur ist dann gegeben, wenn für jedes Produkt bzw. jede Produktgruppe (Sparte) ein eigenverantwortliches Management eingesetzt ist, dem jeweils wichtige Marketingfunktionen zugewiesen sind (Spartenorganisation vgl. Abb.). Daneben existieren i. d. R. zentrale Stabsabteilungen, die Serviceleistungen für alle Sparten erbringen. Tragen die einzelnen Sparten auch Gewinnverantwortung gegenüber der Geschäftsleitung, so spricht man von Profit Centers bzw. → divisionaler Organisation.

In formal analoger Weise können abnehmer- oder gebietsbezogene Organisationsstrukturen gebildet werden, wenn sich einzelne Kundengruppen bzw. Absatzgebiete in marketingrelevanten Merkmalen stark unterscheiden. Die gebietsbezogene Untergliederung wird jedoch – außer im Exportgeschäft – meist nur auf unteren Hierarchieebenen, insb. bei der Außendienstorganisation (→ Außendienststeuerung) angewandt. Dagegen gewinnt die abnehmerorientierte Strukturierung bei anspruchsvollen technischen Problemen

oder auf Grund eines differenzierten → vertikalen Marketing gegenüber Absatzmittlern zunehmend an Bedeutung (→ Kundengruppenmanagement).

Großunternehmen können die vielfältigen Koordinationserfodernisse des Marketing oft nur noch mit mehrdimensionalen Organisationsstrukturen bewältigen. Neben funktional definierten Linienstellen und Stäben existieren dann Integrationsmanager hinsichtlich bestimmter Produkte, Abnehmergruppen oder Regionen, die ebenfalls mit Anweisungskompetenz und u. U. auch eigenen Stabsstellen ausgestattet sind. Die Abbildung auf S. 104 zeigt als Beispiel dafür eine → Matrixorganisation nach Funktionen und Produkten. Da das Prinzip der einheitlichen Leitung hierbei verletzt wird (Mitarbeiter der Logistik können z. B. vom Leiter Logistik und von den Produktdirektoren Weisungen erhalten), ergeben sich zwar oft organisatorische Konflikte, die jedoch durch eine Entscheidungsfindung in Gremien, durch Teamarbeit und einen zielorientierten Führungsstil in gewissem Ausmaß umgangen werden können.   *H. D.*

Literatur: *Meffert, H.*, Marketing, 7. Aufl., Wiesbaden 1986. *Nieschlag, R./Dichtl, E./Hörschgen, H.*, Marketing, 14. Aufl., Berlin 1985.

Funktionsorientierte Marketingorganisation

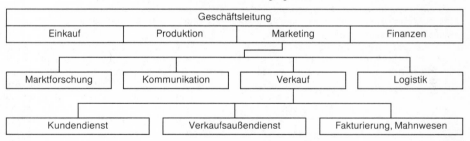

Produktorientierte Marketingorganisation

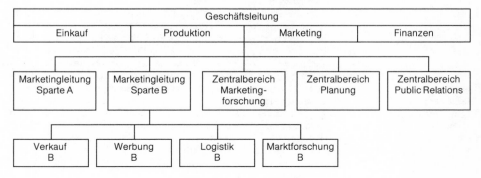

Matrixartige Marketingorganisation

Geschäftsleitung			
Einkauf	Produktion	Marketing	Finanzen

	Marketing-Stab
	Planung Marktforschung EDV

Funktions-management / Produkt-Management	Werbung	Logistik	Verkauf	Forschung und Entwicklung
Produkt A	0	0	0	0
Produkt B	0	0	0	0
Produkt C	0	0	0	0

0 = untergeordnete Linieneinheiten

Marketingphilosophie → Marketing

Marketingplanung

(Absatzplanung) Formulierung absatzmarktbezogener Zielsetzungen und Entscheidung über den künftigen Einsatz des → Marketinginstrumentariums unter gedanklicher Vorwegnahme und Abwägung der Wirkungen der zu treffenden Maßnahmen. Dieses planmäßige, vom Modell rationaler Entscheidung geprägte Vorgehen ist für das → Marketingmanagement wesensimmanent, weil es
- zu einer gründlicheren Durchdringung der Marktgestaltungsproblematik beiträgt und zum Denken in Alternativen anhält,
- die integrative und koordinierende Funktion des Marketing unterstützt,
- motivierende Kräfte freisetzt bzw. lenkt und
- die Voraussetzung für die Kontrolle vor allem dezentralisierter Marketingentscheidungen schafft.

Das Ergebnis der Marketingplanung ist der Marketingplan, der auf Käufermärkten nach dem Engpaßgesetz der Planung eine Schlüsselfunktion für die gesamte Unternehmensplanung besitzt. In der Praxis ist die Marketingplanung freilich immer noch unterentwickelt. Viele Unternehmen planen ihre Marketingaktivitäten gar nicht oder begnügen sich mit einem weitgehend finanzwirtschaftlich orientierten Budgetierungssystem. Größere Unternehmen praktizieren dagegen bereits häufiger eine systematische Jahresplanung, in der detailliert marktbezogene Ziele und Aktivitäten festgelegt werden. An die Integration strategischer Pläne in das Planungssystem und die systematische Nutzung von Marketingmodellen wagen sich allerdings erst relativ wenige Unternehmen heran.

Gegenstand der Marketingplanung können das gesamte Leistungsprogramm, einzelne Produktsparten, Produkte oder Produktvarianten (Artikel) sein. Diese verschiedenen Teilpläne müssen untereinander und mit den anderen Planungsbereichen der Unternehmung abgestimmt werden. Die Koordination erfolgt in der Praxis meist durch die Vorgabe von allgemeinen Zielen durch die Unternehmensspitze und die darauf abgestimmte Entwicklung von Marketingprogrammen seitens untergeordneter Organisationseinheiten, die dann gegenseitig abgestimmt werden (gemischter „Top-down"- und „Bottom-up"-Ansatz).

Nach der zeitlichen Perspektive unterscheidet man eine strategische, operative und taktische Marketingplanung. Aufgabe der *strategischen* Marketingplanung ist die Formulierung einer langfristigen → Marketingstrategie, in der das Marketingleitbild, die langfristigen Ziele und die grundsätzlichen Merkmale künftiger Marketingprogramme festgelegt sind. Die zumeist für einen Einjahreszeitraum abgegrenzten *operativen* Marketingpläne enthalten die mittelfristigen Absatzziele, das Aktivitätsniveau sowie die inhaltliche, zeitliche, intensitätsmäßige und segmentspezifische Ausgestaltung der Marktforschungsaktivitäten, der → Produktpolitik, → Preispolitik, → Distributionspolitik und → Kommunikationspolitik. Kurzfristige Aktivitäten wie Verkaufsförderungsaktionen oder Messebeteiligungen werden im Detail im Rahmen der *taktischen* Marketingplanung vorbereitet. Daneben betreiben manche Unternehmen von Fall zu Fall eine Projektplanung für umfangreichere, nichtrepetitive und zeitlich befristete Marketingaufgaben, etwa die Entwicklung und Einführung neuer Produkte oder die Umstellung des Vertriebssystems (→Projektmanagement).

Der idealtypische Ablauf der Marketingplanung beginnt mit einer Situationsanalyse der →Marketingumwelt. Dabei werden die jüngste Umsatz-, Kosten- und Gewinnentwicklung bei einem Produkt, das Marktverhalten der Konkurrenten, Absatzmittler und Abnehmer sowie die makroökonomischen Rahmenbedingungen analysiert und unter der Annahme einer unveränderten Marktpolitik zu einem Profil der Chancen und Bedrohungen des künftigen Markterfolges verdichtet. Darauf aufbauend erarbeitet man im nächsten Planungsschritt allgemeine Ziele, Strategieempfehlungen und Vorgaben für die einzelnen Organisationseinheiten (→Marketingziele, →Marketingstrategien). Die dritte Phase umfaßt die Erarbeitung von Vorschlägen für konkrete Maßnahmen zur Erreichung dieser Ziele. Da die Einschätzung der Wirksamkeit dieser Maßnahmen mit hohen Risiken verbunden ist, stellen sich in dieser Phase der Marketingplanung die größten methodischen Probleme.

Im Kern geht es dabei stets darum, →Marktreaktionsfunktionen für den Instrumenteneinsatz am Markt zu erstellen und daraus ein optimales →Marketingmix abzuleiten. Dies erfordert eine profunde Kenntnis der Wirkungszusammenhänge (Marketingmodelle), vielseitige Analysen der Wirtschaftlichkeit und des Risikos bestimmter Maßnahmen und eine überlegte Aufteilung der Ressourcen einer Unternehmung. In der Entscheidungsphase wird das sich aus diesen Überlegungen ergebende Marketingprogramm verbindlich verabschiedet und in einem →Marketingbudget sowohl finanziell als auch organisatorisch (Planungsverantwortung) verankert. Als letzte Teilaufgabe der Marketingplanung sind schließlich Kontrollmaßnahmen zu entwickeln, mit deren Hilfe die Planerreichung schon während der Planperiode abgeschätzt und eventuelle Korrekturen eingeleitet werden können. *H. D.*

Literatur: *Nieschlag, R./Dichtl, E./Hörschgen, H.,* Marketing, 14. Aufl., Berlin 1985. *Kotler, Ph.,* Marketing-Management, 4. Aufl., Stuttgart 1982, S. 251 ff. *Diller, H.* (Hrsg.), Marketingplanung, München 1980.

Marketingpsychologie

Teilgebiet der →Wirtschaftspsychologie; sie untersucht die erlebnis- und verhaltensmäßigen Reaktionen der Nachfrager auf die absatzpolitischen Maßnahmen der Anbieter von kommerziellen und – dies gilt speziell für die Sozio-Marketingpsychologie – nicht-kom-

merziellen Produkten, Dienstleistungen oder Ideen. Ihre Erkenntnisse ermöglichen es, dem Anbieter bzw. einem von ihm beauftragten Dritten, diese Maßnahmen in ihren psychologischen Wirkungen zu optimieren (→Marktpsychologie). *P. N.*

Literatur: *Kroeber-Riel, W.,* Konsumentenverhalten, 3. Aufl., München 1985.

Marketingsoziologie

befaßt sich mit den sozialen Determinanten des →Konsumentenverhaltens. Ziel dieses Forschungsbereichs sind effizientere →Marketingstrategien auf der Basis bestehender und sich ändernder sozial-struktureller Bedingungen sowie differentieller sozio-demographischer Aspekte der →Marktsegmentierung.

Literatur: *Specht, K. G./Wiswede, G.,* (Hrsg.), Marketing-Soziologie, Berlin 1976.

Marketingstatistik

Teil der →Betriebsstatistik, der die zur Analyse der Absatzsituation notwendigen →Kennzahlen umfaßt. Angesichts der großen Bedeutung des Absatzmarktes ist die Marketingstatistik für jedes Unternehmen unerläßlich. So müssen z. B. Umsatzschwankungen im Hinblick darauf analysiert werden, ob diese lediglich saisonal bedingt oder aber ein Zeichen geänderter Einkaufsgewohnheiten sind. Während im ersten Fall geeignete Maßnahmen zur Verlagerung von Verkaufsspitzen in verkaufsruhige Zeiten zu erwägen sind, müßten im zweiten Fall Veränderungen des Angebotsprogramms (z. B. neue Produkte) oder der Art der Darbietung in Betracht gezogen werden.

Der wichtigste Teil der Marketingstatistik ist die →Vertriebs- und Umsatzstatistik, die sowohl die Auftragslage als auch die Umsätze umfaßt. Zur Beurteilung der Umsatzverläufe gehört auch die statistische Verfolgung der Verkaufspreise einzelner Angebote sowie des Gesamtsortiments.

Einen weiteren Schwerpunkt der Marketingstatistik bildet die Erfassung des Kundenstammes. Eine wichtige Kontrollgröße hierfür ist die →Distributionsquote.

Für Unternehmen, die international tätig sind, stellt die Exportquote, nach Ländern gegliedert, eine wichtige Kennzahl dar.

Im Rahmen einer erfolgsorientierten Vertriebskostenrechnung ist es weiter notwendig, die Vertriebskosten und -erlöse nach Kundenklassen aufzuteilen. Die einzelnen Kundenklassen können dann differenziert bearbeitet werden. Schon bei einer sehr einfachen Einteilung in drei Klassen analog der →ABC-Analyse und einer unterschiedlich intensiven Bearbeitung der A-, B- und C-Kunden lassen sich meist erhebliche Einsparungen erzielen bzw. Mittel effizienter einsetzen.

Der → Bekanntheitsgrad eines Unternehmens und/bzw. seiner Produkte ist eine Kennzahl, die zur Beurteilung der Wirksamkeit von Werbemaßnahmen herangezogen wird. Die → Wiederkaufrate (als Anteil der Wiederholungskäufe an der Gesamtzahl der Käufe) ist ein Indikator für die → Markentreue der Nachfrager. Ist diese hoch, so wird sich das Produkt auch ohne großen Werbeaufwand im Markt halten können. Die Wiederkaufrate stellt somit für einen großen Teil der Verbrauchsgüter eine Schlüsselgröße dar.

Für die Auftragsbearbeitung und den Tätigkeitsbereich des Außendienstes bildet man weitere Kennzahlen, die – richtig eingesetzt – eine laufende Überprüfung der Effizienz der Mitarbeiter zulassen. Sie geben u. a. Antwort auf folgende Fragen:

● Wieviel % der Angebote führen zu Aufträgen?
● Wieviel % der Aufträge können fristgerecht erfüllt werden?
● Wieviel % der Reisendenbesuche führen zu Aufträgen?
● Wieviel % der Gesamtauftragssumme sind Sofort- bzw. Terminaufträge?
● Wieviel % der Sofortaufträge können nicht erfüllt werden? *E. M.*

Marketingstrategie

im Rahmen der langfristigen → Marketingplanung entwickelte Zusammenstellung von globalen und ganzheitlichen Grundsätzen und Verhaltensplänen, mit denen eine Unternehmung am Markt agieren will, um die langfristig angestrebte Wettbewerbsposition zu erreichen. Sie umfaßt:

● Marketingleitbilder, d. h. generelle Verhaltensnormen für das Marketing, in denen das unternehmerische Selbstverständnis (→ corporate identity) zum Ausdruck kommt,
● generelle und langfristige Imperative für die Wahl der Absatzmärkte sowie Art und Inhalt der Marktaktivitäten,
● wesentliche Bezugspunkte aus der zukünftigen → Marketingumwelt, an denen die Marketingpolitik auszurichten ist, sowie
● Grundsatzentscheidung über die Entwicklung und Verteilung der Marketingressourcen.

Zielsetzungen einer solchen strategischen Verankerung des Marketing sind vor allem:

● die rechtzeitige Antizipation langfristiger Chancen und Bedrohungen aus der Marketingumwelt, insb. der → Wettbewerbsdynamik, der technologischen und absatzwirtschaftlichen Produktdynamik (→ Produktlebenszyklus) und der gesamtwirtschaftlichen Entwicklung sowie der branchenspezifischen → Marktevolution,
● die bestmögliche Nutzung von → Synergieeffekten,
● die planvolle Ausrichtung und Abstimmung aller operativen und taktischen Marketingpläne, durch die der strategische Handlungsrahmen konkretisiert und ausgefüllt wird.

Kernstücke der Marketingstrategie sind die Auswahl → strategischer Geschäftsfelder und die – dadurch mitbedingte – grundsätzliche Ausrichtung der → Produkt- und → Programmpolitik. Die grundsätzlichen Alternativen hierfür lassen sich anhand der sog. Produkt-Markt-Matrix darstellen (vgl. Abb.).

Produkt-Markt-Matrix

Pro-dukt \ Absatz-märkte	vorhanden	neu
vorhanden	Marktausweitung und -penetration	Marktschaffung durch Segmentierung und Differenzierung
neu	Erschließung von Marktlücken	Diversifikation

Wegen der zunehmenden Sättigung vieler Märkte kommt der → Marktsegmentierung und der → Diversifikation unter den in der Abbildung genannten Strategien steigende Bedeutung zu. Darüber hinaus sind auch Desinvestitionsentscheidungen (Marktaustritt) zunehmend in Betracht zu ziehen.

Als spezifische analytische Hilfsmittel zur Entwicklung von Marketingstrategien dienen vor allem die → Portfolio-Planung, Langfristprognosen und → Simulationsmodelle. *H. D.*

Literatur: *Abell, D. F.*, Strategic Marketing Planning, Englewood Cliffs, N. J. 1979. *Pümpin, C. B.*, Langfristige Marketingplanung – Konzeption und Formalisierung, Bern, Stuttgart 1970.

Marketingtheorie

Versteht man unter einer Theorie in Übereinstimmung mit der modernen → Wissenschaftstheorie ein eigenständiges System nomologischer Hypothesen über einen bestimmten Realitätsausschnitt (Objektbereich), so hat sich eine Marketingtheorie bis heute noch nicht entwickelt. Wie die unterschiedlichen Definitionen des →Marketing zeigen, ist selbst der Objektbereich einer solchen, noch zu entwickelnden Theorie umstritten.

Die Marketingwissenschaft versucht nach allgemeinem Verständnis jedoch prinzipiell keine möglichst allgemeingültigen Aussagen abzuleiten, sondern wird als „anwendungsorientierte Querschnittswissenschaft interpretiert, die sich ... in erster Linie durch eine extensive Ausnutzung vorhandener Theorien von Nachbardisziplinen (z.B. Psychologie, Soziologie, Statistik, Kybernetik etc.; Anm. d. Verf.) auszeichnet und so mit konstruierten Modellen ‚informationsbezogene Überbrückungshilfen‘ in bezug auf die konkrete praktische Anwendung allgemeiner Theorien leistet" (*Bodo Abel*, 1977, S. 21).

In diesem Bemühen wurden im Marketing verschiedene Theorieansätze eher strukturierender und beschreibender Art entwickelt:

(1) Der *institutionelle Ansatz* legt seinen Schwerpunkt auf klassifikatorische Aussagen über die Organe der Absatzwirtschaft und „lebt" methodisch vom Betriebsvergleich, was den induktiven Charakter dieser, vor allem in der frühen Handelsbetriebslehre gepflegten Denkweise unterstreicht.

(2) Im *warenorientierten Ansatz* (commodity approach) wurde, wie z.B. die Unterscheidung zwischen convenience-, specialty- und shopping-goods (→Produkttypologie) zeigt, auf dem Wege einer absatzwirtschaftlichen Produkttaxonomie bereits versucht, explikative verhaltenswissenschaftliche Elemente in die Marketingtheorie einzubringen. Im Mittelpunkt dieses traditionsreichen, aber trotz der heutigen Spezialisierung des Marketing auf bestimmte Wirtschaftsbereiche letztlich gescheiterten Ansatzes stand das Bemühen, spezifische Regelmäßigkeiten im marktrechtlichen Transaktionsprozeß durch Abgrenzung bestimmter Güterarten und deren Zuordnung zu Funktionen und Institutionen des Marketing herauszuarbeiten.

(3) Im *entscheidungstheoretischen Ansatz* wird eine technologisch orientierte, d.h. bereits stark explikative Ausrichtung gewählt. Neben der Klassifikation von Zielen, Aktionsparametern und Umweltbedingungen des Marketing dominieren hier praktisch-normative Aussagen über die Zweckeignung bestimmter Marketingaktivitäten. Methodologische Basis derartiger Aussagen waren zunächst oft nur Definitionen (tautologische Transformationen), die jedoch zunehmend durch verhaltenswissenschaftliche Hypothesen und induktiv gewonnene Erkenntnisse ergänzt wurden.

(4) Die Vertreter des in den 70er Jahren in den Vordergrund getretenen *verhaltenstheoretischen Ansatzes* verschrieben sich stark der explikativen Funktion im Sinne des →kritischen Rationalismus unter Anwendung der Methode der abnehmenden Abstraktion allgemeiner verhaltentheoretischen Hypothesen. Das Konzept des generischen Marketing (→Marketing) kommt diesem theoretischen Approach sehr entgegen.

(5) Parallel zu den bisher genannten Ansätzen wurde zunehmend eine *systemtheoretische Interpretation* von Marketingprozessen vorangetrieben, die dem managementorientierten Denken in Steuerungs- und Regelungskreisen entspricht.

Trotz einer Vielzahl von auch praktisch verwertbaren Detailerkenntnissen, die – teilweise auch empirisch bewährt im Sinne des kritischen Rationalismus – aus diesen Theorieansätzen erwuchsen, ist es bisher noch nicht gelungen, ein geschlossenes System der Marketingtheorie zu entwerfen. Dies ist nicht zuletzt dadurch bedingt, daß die Basiswerturteile der Marketingwissenschaftler einem bemerkenswerten Wandel unterworfen waren. Die Marketingtheoretiker bekennen sich heute zu einem großen Teil zu einer emanzipatorischen, d.h. nicht positivistischen, sondern kritisch-aufklärerischen, zu einer pluralistischen, d.h. von allen Interessen und nicht nur Anbietern verwertbaren (z.B. →Makromarketing), und zu einer universellen, d.h. nicht auf die ökonomische Perspektive eingeengten, sondern alle Bedürfnisaspekte umfassenden Perspektive ihrer noch jungen Disziplin (*Hans Raffée/Günter Specht*, 1974).   H.D.

Literatur: *Raffée, H.*, Grundprobleme der Betriebswirtschaftslehre, Göttingen 1974. *Raffée, H./ Specht, G.*, Basiswerturteile der Marketingwissenschaft, in: ZfbF, 26.Jg. (1974), S. 373 ff. *Abel, B.*, Plädoyer für eine aufklärungs- und gestaltungsorientierte Marketingwissenschaft, in: *Fischer-Winkelmann, W.F./Rock, R.* (Hrsg.), Marketing und Gesellschaft, Wiesbaden 1977.

Marketingumwelt

Der Begriff entspringt einer entscheidungstheoretischen Perspektive der →Marketingplanung und kennzeichnet die Gesamtheit aller Faktoren, die direkt oder indirekt Einfluß auf die Wirkung des →Marketinginstrumentariums nehmen können, ohne daß sie selbst zu den Aktionsparametern des →Marketingmanagements zählen.

Abgrenzung und Untergliederung der Marketingumwelt erfolgen häufig unter Rückgriff auf systemtheoretische Konzepte. Danach lassen sich verschiedene Subsysteme mit teils (re-)

agierenden, teils passiven Elementen unterscheiden. Für die Zwecke der Marketingplanung ist eine Untergliederung wie in der Abbildung zweckmäßig, wobei die dort genannten Umweltgrößen jeweils nur als Beispiele zu sehen sind.

Die sorgfältige Analyse und Prognose der Umweltvariablen und ihrer gegenseitigen Beziehungen erfüllen wichtige Funktionen im Rahmen der Marketingentscheidungsprozesse:

- Sie zeigen auf, welchen Restriktionen die Marktbeeinflussung unterworfen ist (Beispiel: Regelungen des Marktrechts).
- Sie liefern Aufschluß über die bei der Prognose der Wirkungen des Marketinginstrumentariums zu berücksichtigenden Einflußfaktoren (Beispiel: Einfluß des spezifischen Mediaverhaltens der Zielgruppe auf die Resonanz von Werbeanzeigen in Illustrierten).
- Sie vermitteln Anregungen für innovative Marketingkonzeptionen (z.B. für die modisch orientierte Produktgestaltung) und zeigen Anpassungszwänge für die Marketingkonzeption auf (z.B. Ausrichtung der Außendienstorganisation auf die Schlüsselkunden bei Konzentration der Absatzmittler).
- Sie erlauben eine analytisch fundierte Einschätzung des Risikos bestimmter Marktaktivitäten (Beispiel: Einschätzung des wechselkursbedingten Preisrisikos im Export). *H. D.*

Marketingziel

im Rahmen der → Marketingplanung entwickelte Sollvorstellung über das durch den Einsatz des → Marketinginstrumentariums zu erreichende Ergebnis. Es dient der Bewertung absatzpolitischer Alternativen und der marktorientierten Führung der Unternehmensorganisation, insb. der Motivation der Mitarbeiter und der Koordination der Unternehmensprozesse.

Ihre Bewertungsfunktion können Marketingziele nur dann erfüllen, wenn sie operational definiert, d.h. hinsichtlich ihres Inhalts, Ausmaßes, zeitlichen und segmentmäßigen Bezugs genau spezifiziert sind. Dies schafft gleichzeitig die Voraussetzung für eine nachträgliche Messung des Zielerreichungsgrades im Rahmen der → Marketingkontrolle. Zur Gewährleistung der motivierenden Funktion sind die Marketingziele unter Berücksichtigung der gegebenen (internen und externen) Umweltsituation, d.h. realistisch, und der faktischen Beeinflußbarkeit durch den Aufgabenträger zu formulieren.

Da untere Managementebenen nicht allein für generelle Oberziele wie den Unternehmensgewinn verantwortlich gemacht werden können, ergibt sich daraus die Notwendigkeit eines hierarchisch, d.h. im Sinne von Ziel-Mittel-Ketten geordneten Marketingzielsystems (vgl. Abb.). Auf höheren Ebenen dominieren dabei die Formalziele (Nettogewinn, Deckungsbeitrag, Umsatz etc.), auf den unteren die Sachziele (z.B. Erhöhung der → Wie-

Systemtheoretische Untergliederung der Marketingumwelt

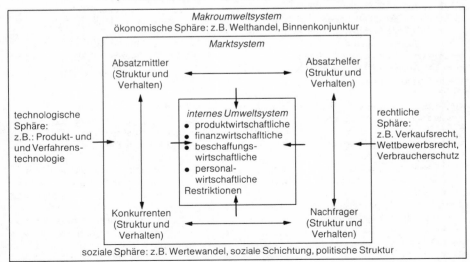

derkaufrate, Steigerung der erzielten Durch-
schnittspreise). Formalziele sind im allgemeinen in ökonomischen, Sachziele oft in psycho-

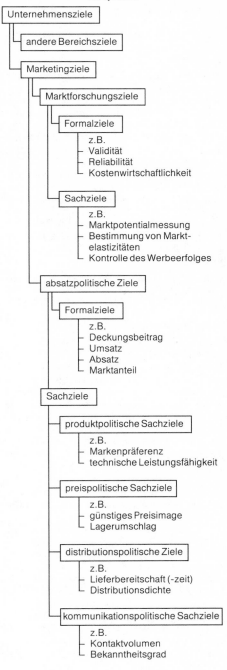

*Inhalt und Untergliederung eines Marketing-
zielsystems*

graphischen Größen operationalisiert. Damit
soll auch der Koordinationsfunktion Rechnung getragen werden: Die horizontale Abstimmung der Teilpäne zwischen den Unter-
nehmensbereichen erfolgt an Hand abstrakter
Formalziele auf relativ hoher hierarchischer
Ebene, die vertikale Abstimmung durch sukzessive Konkretisierung der Ziele. Generell
wichtige Marketingziele lassen sich nur auf
der Formalzielebene nennen. Einige Beispiele
sind in der Abbildung aufgeführt.

In aller Regel treten bei der Formulierung
eines Marketingzielsystems vielfältige Zielkonflikte auf. Inhaltlich betreffen diese vor allem Kosten und Erträge (Beispiel: Sortiments-
straffung zur Erhöhung der Kostenwirtschaft-
lichkeit in der Produktion gegenüber Sorti-
mentsausweitung zur Erhöhung der Pro-
grammattraktivität). In der Praxis behilft man
sich hier durch unterschiedliche Zielprogram-
me für die lang- und die kurzfristige Marketingplanung und durch multivariable Zielfunktionen.   *H. D.*

Markoff-Modelle

mathematische Modelle zur Abbildung und
Analyse einer bestimmten Klasse → stochastischer Prozesse.

Markoff-Prozesse sind dadurch gekennzeichnet, daß der Zustand eines Systems (z.B.
die Höhe eines Lagerbestands) im Zeitpunkt t
+ 1 nur von seinem Zustand in der Vorperiode t abhängt. Für den Fall einer endlichen
Zahl möglicher Zustände eines solchen Systems kann seine Entwicklung durch Übergangswahrscheinlichkeiten beschrieben werden, mit denen ein Zustand i in die Zustände j
(j = 1, ..., J) übergeht. Die Folge der Übergangswahrscheinlichkeiten W_{ij}^t (t = 1, ..., T)
heißt Markoff-Kette. Falls diese für alle t
gleich sind, liegt eine homogene Markoff-Kette vor.

Gelegentlich wird in → Absatzplanungsmodellen der Markenwechsel oder die Markenwahl von Käufern als Markoff-Kette dargestellt; sie dient hierbei als Basis für die Berechnung von → Marktanteilen.

Die Abb. zeigt eine sog. Übergangsmatrix
für eine Anwendung des Markoff-Modells auf
die → Markenwahl von problemlosen Verbrauchsgütern. Beim Kauf solcher Produkte

*Matrix der Übergangswahrscheinlichkeiten
in einem Markoff-Modell der Markenwahl*

Kauf in Woche t	Kauf in Woche t−1	
	Marke A	Marke B
Marke A	0,8	0,2
Marke B	0,4	0,6

(z. B. Zahnpasta oder Limonade) sind so viele unkontrollierbare Einflußfaktoren im Spiel, daß man die Markenwahl als zufallsbedingt ansehen kann. Die Übergangswahrscheinlichkeiten für die beiden „Zustände" Kauf der Marke A oder B können mit Hilfe von → Haushaltspanels empirisch ermittelt werden.

Den Daten des Beispiels ist zu entnehmen, daß die → Markentreue bei A größer als bei B ist. Erstere wird von 80% der Käufer, die sie in der Vorwoche gekauft haben, wieder gekauft; bei letzterer sind es nur 60%.

Markoff-Modelle gehören zu einer größeren Gruppe von → stochastischen Modellen der Unternehmensforschung (→ Operations Research), die Ersatzmodelle, Warteschlangenmodelle (→ Warteschlangentheorie), Simulationstechniken (→ Simulation) u. a. umfaßt. Auch in der Konsumentenforschung sind weitere stochastische Modelle des Kaufverhaltens entwickelt worden (→ Konsumentenverhalten). Zu den bekannteren gehören das lineare Lernmodell von *Alfred Kuehn*, ebenfalls ein Modell der Markenwahl, und das Kaufeintrittsmodell von *A. S. C. Ehrenberg* zur Erklärung und Prognose von Erstkäufen bei → Produktinnovationen. *K. P. K.*

Literatur: *Kohlas, J.*, Stochastische Methoden zu Operations Research, Stuttgart 1977. *Meffert, H./ Steffenhagen, H.*, Marketing-Prognose-Modelle, Stuttgart 1977. *Müller-Merbach, H.*, Operations Research, 3. Aufl., München 1973.

Markt

der ökonomische Ort des → Tausches. Durch das Zusammentreffen von Angebot und Nachfrage kommt es zur → Preisbildung. In einer → Marktwirtschaft sind Märkte und die sich dort bildenden Preise von zentraler Bedeutung: Sie stimmen die Einzelpläne der Haushalte und der Unternehmen aufeinander ab (Koordinationsfunktion des → Preismechanismus). Märkte lassen sich einteilen nach sachlichen (Sachgüter, Dienstleistungen), räumlichen (regionale Märkte), zeitlichen (Zeitpunktbezogene Märkte: Börse; saisonale Märkte: Ostermarkt), qualitativen (vollkommene und unvollkommene Märkte) und quantitativen (Anzahl der Marktteilnehmer) Merkmalen (→ Marktformen). Wettbewerbspolitisch wichtig ist die Abgrenzung des → relevanten Marktes.

Markt- und Branchenanalyse

Teilbereich der → Strukturanalyse, die die informationellen Voraussetzungen für die → sektorale Wirtschaftspolitik sowie für → Marketingstrategien bereitstellen soll. Die Analyse umschließt sowohl verhaltensrelevante marktstrukturelle Elemente innerhalb einer Branche wie Unternehmensgrößenstruktur, Marktzugang und Marktnachfrage als auch die binnen- und außenwirtschaftlichen Verflechtungen einer Branche insgesamt.

Marktabgrenzung → Absatzmarkt

Marktanteil

Verhältnis des von der Unternehmung im Planungszeitraum realisierten Absatz- bzw. Umsatzvolumens (in Mengen- bzw. Geldeinheiten) zum → Marktvolumen des Produkts. Der Marktanteil ist eine wichtige Zielgröße der Unternehmung sowie ein Indikator für die Wettbewerbs- und Machtverhältnisse der jeweiligen Marktseite (→ PIMS-Modell). Die Ermittlung kann in Konsumgütermärkten auf der Produzenten-, Händler- und Konsumentenebene erfolgen, wobei man häufig Daten aus → Handelspanels und → Haushaltspanels verwendet. Im Zusammenhang mit der Prognose des Marktanteils bei neuen Konsumgütern werden u. a. das → Parfitt-Collins-Modell und das → Eskin-Modell genutzt. *P. H.*

Literatur: *Hammann, P./Erichson, B.*, Marktforschung, 2. Aufl., Stuttgart, New York 1987. *Hill, W.*, Marketing, Bd. I, 3. Aufl., Stuttgart, Bern 1973.

Marktaustrittsbarrieren

(barriers to exit, Marktaustrittsschranken, Marktaustrittshemmnisse) Umstände und Verhaltensweisen, die verhindern, daß es in einer Branche zu einem zügigen und im Umfang ausreichenden Kapazitätsabbau kommt, wenn die Nachfrage nach den hier angebotenen Produkten im Prozeß des sektoralen Strukturwandels dauerhaft zurückgeht. Ursachen dieses strukturellen, also nicht lediglich saisonal oder konjunkturell bedingten Nachfrageschwunds können ein Wandel der Verbrauchsgewohnheiten (Konsumentenpräferenzen), das Auftreten neuer Anbieter (etwa aus sog. → Schwellenländern) oder die Markteinführung überlegener Substitute sein.

Unterbleibt in einer Branche, deren traditionelle Märkte an Ergiebigkeit einbüßen, die erforderliche Anpassung der Produktionsprogramme, Kapazitäten, Standorte und Verfahren, dann kommt es hier zu einer → Strukturkrise. Es bilden sich in erheblichem Umfang bei der Mehrzahl der Branchenmitglieder Überkapazitäten. Es sind dauerhaft hohe Verluste hinzunehmen; die Arbeitslosigkeit liegt deutlich über dem Durchschnitt aller Branchen (Beispiele: Stahlindustrie; Steinkohlebergbau; Schiffsbau; Chemiefaserindustrie in der Bundesrepublik Deutschland).

Die Marktaustrittsbarrieren, die in Branchen der betrachteten Art eine zügige Anpassung von Niveau und Struktur des Angebots an das (niedrigere) Niveau und die (veränderte) Struktur der Nachfrage verhindern, sind zumeist auf eine Vielzahl von Gründen zurückzuführen:

(1) „Reife" Industrien und Märkte, die in ihre Stagnations- oder Rückbildungsphase eingetreten sind, bieten → dynamischen Unternehmern (Pionierunternehmern) keine sonderlich attraktiven Chancen; es dominiert hier folglich der konservative, immobile Unternehmer (Ernst Heuss), der „statische Wirt" (Joseph A. Schumpeter). Dadurch bleiben Innovationsaktivität und Anpassungsflexibilität unzureichend. Es kommt zu „Unternehmerversagen": Der Versuch, in neue Märkte einzutreten, unterbleibt oder mißlingt.

(2) Möglich ist auch, daß der Strukturwandel nicht rechtzeitig oder nicht in der ganzen Tragweite seiner Wirkungen erkannt wurde: Was sich im Nachhinein als struktureller, also dauerhafter Nachfragerückgang erweist, wird als Ausdruck einer lediglich temporär ungünstigen Konjunktur genommen. Die erforderliche Kapazitätsanpassung unterbleibt.

(3) Denkbar ist ferner, daß ein wechselseitiges Abwarten stattfindet. Kein Unternehmen scheidet aus dem Markt aus, weil alle hoffen, daß es jeweils andere sein werden, die durch ihren Marktaustritt den erforderlichen Kapazitätsabbau bewirken und damit Angebotskapazität) und Nachfragevolumen) wieder in ein Gleichgewicht bringen.

(4) Schließlich werden notwendige Maßnahmen zur „Umstrukturierung" auch dadurch erschwert, daß die dazu erforderlichen Investitionsmittel bei fehlenden Gewinnen auf einem Kapitalmarkt beschafft werden müssen, auf dem das Interesse der Anleger nicht schrumpfenden Sektoren, sondern Wachstumsbranchen gilt; auch besteht kaum jemals die Möglichkeit, das vorhandene Sachkapital mit vertretbarem Aufwand umzuwidmen oder es zu akzeptablen Preisen zu veräußern.

(5) Vor allem aber wird es vielfach die Erwartung sein, der Staat werde der in Bedrängnis geratenen Branche mit Subventionen zu Hilfe kommen, die dazu veranlaßt, Anpassungsmaßnahmen zu verzögern oder zu unterlassen. Wenn die Unternehmen einer unter Anpassungsdruck geratenen Branche ihren Standort in einer Region haben, die in ihrem wirtschaftlichen Wachstum hinter dem gesamtwirtschaftlichen Durchschnitt zurückbleibt, und wenn von diesen Unternehmen ein wesentlicher Teil der in dieser Region verfügbaren Arbeitsplätze angeboten wird, dann besteht eine hohe Wahrscheinlichkeit dafür, daß Politiker, die ihr Verhalten am Wahlkalkül orientieren, die geforderten Subventionen und den damit zumeist verbundenen Schutz vor überlegener Auslandskonkurrenz auch gewähren werden. Diese Hilfen werden zwar i. d. R. als Maßnahmen zur Anpassungsförderung ausgegeben, tatsächlich wird der Anpassungsprozeß aber im Vergleich zur Lösung, die bei unbeschränktem Leistungswettbewerb zustande kommen würde, erheblich verzögert.

Das Bestehen von Marktaustrittsbarrieren markiert somit vor allem in Phasen eines geringen wirtschaftlichen Wachstums ein wirtschaftspolitisches Problem von hoher Relevanz. Die Lösung dieses Problems ist dabei erfahrungsgemäß nicht durch die Gewährung sog. Anpassungssubventionen, sondern nur durch staatliche Ordnungspolitik zu bewirken, die konsequent darauf abzielt, mit der Förderung dynamischer, marktwirtschaftlicher Wettbewerbsprozesse auch jene Innovationsaktivität und jene Anpassungsdynamik zu gewährleisten, die damit verbunden sind und die dem Entstehen von Strukturkrisen am wirksamsten vorbeugen können.   H. B.

Literatur: Eickhof, N., Strukturkrisenbekämpfung durch Innovation und Kooperation, Tübingen, 1982.

Marktbeherrschung

ist nach der Legaldefinition des § 22 GWB dadurch gekennzeichnet, daß ein Unternehmen als Anbieter oder Nachfrager einer bestimmten Art von Waren oder gewerblichen Leistungen ohne Wettbewerber ist oder keinem wesentlichen Wettbewerb ausgesetzt ist oder eine im Verhältnis zu seinen Wettbewerbern überragende Marktstellung aufweist. Als marktbeherrschend gelten nach dieser Vorschrift auch zwei oder mehr Unternehmen (Oligopolgruppe), soweit zwischen ihnen wesentlicher Wettbewerb nicht besteht und sie auch in ihrem Außenverhältnis entweder keinem wesentlichen Wettbewerb ausgesetzt sind oder gegenüber ihren Wettbewerbern eine überragende Marktstellung innehaben.

Um der Wettbewerbsbehörde den Nachweis des Bestehens von Marktbeherrschung zu erleichtern, enthält § 22 GWB Vermutungtatbestände. So wird vermutet, daß ein Unternehmen marktbeherrschend ist, wenn es für eine bestimmte Art von Waren oder gewerblichen Leistungen einen Marktanteil von mindestens einem Drittel hat. Die Vermutung gilt nicht, wenn das Unternehmen im letzten abgeschlossenen Geschäftsjahr Umsatzerlöse von weniger als 250 Mio. DM hatte.

Eine Oligopolgruppe, die im Innenverhältnis nicht durch das Bestehen von wesentlichem Wettbewerb gekennzeichnet ist, gilt als marktbeherrschend, wenn drei oder weniger Unternehmen zusammen einen Marktanteil von 50% oder mehr haben oder wenn fünf oder weniger Unternehmen zusammen einen Marktanteil von zwei Dritteln oder mehr aufweisen. Die Vermutung gilt nicht, soweit es sich um Unternehmen handelt, die im letzten abgeschlossenen Geschäftsjahr Umsatzerlöse von weniger als 100 Mio. DM hatten.

Um festzustellen, ob ein Unternehmen eine im Verhältnis zu seinen Wettbewerbern überragende Marktstellung aufweist, sind gemäß § 22 Abs. 1 Satz 2 GWB außer seinem Marktanteil insb. seine Finanzkraft, sein Zugang zu den Beschaffungs- oder Absatzmärkten, Verflechtungen mit anderen Unternehmen sowie rechtliche oder tatsächliche Schranken für den Marktzutritt anderer Unternehmen zu berücksichtigen.

Im Rahmen der → Zusammenschlußkontrolle des § 24 GWB werden weitere Marktbeherrschungsvermutungen geltend gemacht. So wird in § 23a GWB vermutet, daß durch einen Unternehmenszusammenschluß eine überragende Marktstellung entsteht oder verstärkt wird, wenn sich ein Unternehmen, das im letzten vor dem Zusammenschluß endenden Geschäftsjahr Umsatzerlöse von mindestens zwei Mrd. DM hatte, mit einem anderen Unternehmen zusammenschließt, das

- auf einem Markt tätig ist, auf dem kleine und mittlere Unternehmen insgesamt einen Marktanteil von mindestens zwei Dritteln und die am Zusammenschluß beteiligten Unternehmen insgesamt einen Marktanteil von mindestens 5% haben, oder das
- auf einem oder mehreren Märkten marktbeherrschend ist, auf denen insgesamt im letzten abgeschlossenen Kalenderjahr mindestens 150 Mio. DM umgesetzt wurden (§ 23a Abs. 1 Satz 1 GWB).

Vermutet wird das Entstehen oder die Verstärkung einer marktbeherrschenden Stellung ferner, wenn die am Zusammenschluß beteiligten Unternehmen im letzten vor dem Zusammenschluß abgeschlossenen Geschäftsjahr insgesamt Umsatzerlöse von mindestens 12 Mrd. DM und mindestens zwei der am Zusammenschluß beteiligten Unternehmen Umsatzerlöse von mindestens 1 Mrd. DM hatten (§ 23 Abs. 1 Satz 2 GWB).

Wirksamer Wettbewerb verhindert, daß ein Marktteilnehmer seine Dispositionsspielräume zu Lasten Dritter ungebührlich ausweitet. Nur bei überlegener Leistung besteht die Chance, sich der Entmachtung durch die anonyme Kontrollinstitution Wettbewerb zu entziehen. Doch ist der Marktzuwachs, den der erfolgreiche Pionierunternehmer durch Innovationen und die dadurch begründete Monopolstellung gewinnt, nicht von Dauer. Er geht verloren, wenn konkurrierende Unternehmen ihren zeitlich befristeten Wettbewerbsnachteil wieder ausgleichen.

Die Erfahrung lehrt jedoch, daß Marktmacht auch durch leistungsfremde Praktiken gewonnen wird. Ein im Wettbewerbsprozeß gewonnener Vorsprung kann ausgebaut werden; er geht dann nicht durch das Aufholen der anderen wieder verloren. Potentiellen Imitatoren mag es an der erforderlichen Kapitalkraft oder Management-Qualifikation fehlen. Bestehende Patente können sie daran hindern, das zur Verfolgung des Pioniers erforderliche know how zu erwerben; möglich ist auch, daß ihnen der Zugang zu wichtigen Rohstoffmärkten versperrt ist. Der Pionier kann seinen Vorsprung somit vergrößern. Aus dem zeitlich befristeten Monopol, das durch seine Innovationsleistung gesellschaftlich gerechtfertigt war, wird eine dauerhafte marktbeherrschende Position. Das Leistungseinkommen, das ihm zunächst in Form von Pioniergewinnen zuteil wurde, wandelt sich zur Monopolrente.

Auch dort, wo das Instrument einer → Zusammenschlußkontrolle gegeben ist und die Möglichkeit der → Entflechtung besteht, läßt sich das Entstehen marktstarker oder gar marktbeherrschender Positionen erfahrungsgemäß nicht stets verhindern. Kann die Wettbewerbspolitik auf die Marktstruktur und damit auf das Ausmaß bestehender Marktmacht keinen Einfluß nehmen, dann muß sie sich mit einer korrektiven → Mißbrauchsaufsicht begnügen. Sie hat zu verhindern, daß Marktmacht dazu mißbraucht wird, schwächere Partner auszubeuten (→ Ausbeutungsmißbrauch). Sie hat nach Möglichkeit alle Versuche zu unterbinden, den verbliebenen „Restwettbewerb" durch Behindern von tatsächlichen oder potentiellen Konkurrenten weiter zu reduzieren und damit bestehende Machtpositionen abzusichern (→ Behinderungsmißbrauch). *H. B.*

Literatur: *Cox, H./Jens, U./Markert, K.* (Hrsg.), Handbuch des Wettbewerbs, München 1981. *Schmidt, I.*, US-amerikanische und deutsche Wettbewerbspolitik gegenüber Marktmacht, Berlin 1973. *Möschel, W.*, Recht der Wettbewerbsbeschränkungen, Köln u. a. 1983.

Marktdiversifikationszusammenschluß

(pure conglomerate) Form eines konglomeraten → Unternehmungszusammenschlusses, der dadurch gekennzeichnet ist, daß zwischen den beteiligten Unternehmen zuvor weder horizontal noch vertikal beschaffene Beziehungen bestanden (Beispiel: Versicherungsunternehmen erwirbt Brauerei).

Marktdurchdringung → Marktvolumen, → Parfitt-Collins-Modell

Marktdurchdringungsstrategie → Preisstrategie

Markteintrittsschranken → Marktzutrittsschranken

Marktentwicklungsphasen → Marktevolution

Marktergebnis

(market performance, market result) bezeichnet im Konzept des → funktionsfähigen Wettbewerbs Maßstäbe, die ein Urteil darüber ermöglichen sollen, wieweit auf dem betrachteten Markt das Ziel bestmöglicher Konsumentenversorgung erreicht wird.

Von der Anwendung des Marktergebnistests spricht man dann, wenn der Versuch unternommen wird, durch die Bewertung des Marktergebnisses zugleich auch die Frage zu beantworten, ob dem betrachteten Markt funktionsfähiger Wettbewerb zuerkannt werden kann oder ob hier das Bestehen von in diesem Sinne „wesentlichem" Wettbewerb zu bestreiten ist.

Kriterien zur Bewertung des Marktergebnisses sind etwa Innovationsleistung, Anpassungsflexibilität, Produktqualität, Produktionseffizienz, Produktivitätsfortschritt, Gewinn-Niveau, Werbeaufwand, Bereitschaft zur Reduzierung der Umweltbelastung, Ausmaß gewährter Garantien, Güte angebotener Serviceleistungen u. a. m.

Diese Aufzählung macht deutlich, daß objektive Maßstäbe zur Beurteilung der Qualität der Marktversorgung zumeist fehlen, so daß subjektive Wertungen unvermeidbar sind: Sind die erzielten Gewinne „angemessen" oder „zu hoch"? Ist der Werbeaufwand „vertretbar" oder als „Verschwendung knapper Ressourcen" anzusehen? Wird den Verbrauchern eine „genügend große" Anzahl von Alternativen geboten? Haben die Unternehmen auf Datenänderungen „hinreichend rasch" und „auf richtige Weise" reagiert? Ist die Innovationsleistung „eindrucksvoll", „befriedigend" oder eher „enttäuschend"? Wurden

Möglichkeiten zur Kostensenkung „konsequent" genutzt und zeigt das Unternehmerverhalten die erwünschte „Dynamik"? Das alles sind Fragen, über deren Beantwortung es im konkreten Fall zu erheblichem Dissens kommen kann.

Einwände gegen die Eignung von Marktergebniskriterien als Bewertungsmaßstäben eines Wettbewerbstests ergeben sich aus der Erfahrung, daß ein durch intensiven Wettbewerb gekennzeichnetes Marktverhalten nicht zwingend immer auch ein befriedigendes Marktergebnis zur Folge haben muß, wie auch umgekehrt eine gute Konsumentenversorgung durchaus noch nicht Gewißheit dafür bietet, daß „dieses Marktergebnis durch Wettbewerb zustande gekommen ist. Möglich ist vielmehr, daß Wettbewerb zu Faktorverschwendung führt; möglich ist auch, daß ein Unternehmen als „guter Monopolist" ein Angebot bereitstellt, das in Vielfalt, Preis, Qualität, Innovationsgehalt und Service die Konsumenten zufriedenstellt. Beide Fälle sind zwar als atypische Ausnahme anzusehen; aber sie sind deswegen als Möglichkeit durchaus auch nicht auszuschließen.

Die Einwände, die gegen eine isolierte Betrachtung der → Marktstruktur, des → Marktverhaltens und des Marktergebnisses erhoben werden können, verlieren an Gewicht, wenn diese Verfahren miteinander kombiniert gebraucht werden. Diese Verbindung kennzeichnet folglich auch die Praxis der Wettbewerbspolitik. Dabei dominiert der Marktstrukturtest, während der Marktergebnistest wegen seiner besonderen Problematik nur mit Zurückhaltung zur Begründung wettbewerbspolitischer Entscheidungen herangezogen wird.   *H. B.*

Literatur: *Bartling, H.,* Leitbilder der Wettbewerbspolitik, München 1980. *Schmidt, I.,* Wettbewerbstheorie und -politik, Stuttgart 1981.

Markterweiterungszusammenschluß

Form eines konglomeraten → Unternehmungszusammenschlusses, bei dem die Unternehmen entweder gleichartige Produkte für räumlich getrennte Märkte herstellen (market extension merger) oder verschiedene Erzeugnisse für denselben räumlich → relevanten Markt produziert werden (product extension merger).

Marktevolution

theoretisches Konzept zur Erfassung der langfristigen Dynamik von Absatzmärkten. Modelle der Marktevolution beziehen wichtige Struktur- und Verhaltensmerkmale aller

Marktteilnehmer in eine Zeitreihenbetrachtung ein und dienen damit vor allem der Planung einer → Marketingstrategie. Ähnlich wie Produkte verschiedene Phasen eines → Produktlebenszyklus durchlaufen, lassen sich z.B. auch typische evolutorische Marktentwicklungsphasen unterscheiden. *Philip Kotler* (1982, S. 313 ff.) nennt sie:

- Marktkristallisationsphase,
- Marktexpansionsphase,
- Marktfragmentierungsphase,
- Marktrekonsolidierungsphase,
- Marktterminierungsphase.

Literatur: *Kotler, Ph.,* Marketing-Managment, 4. Aufl., Stuttgart 1982.

Marktfähigkeit → Schuldformen

Marktformen

Klassifikaton der Märkte nach Eigenschaften, die für die Erklärung der → Preisbildung im Rahmen der Preistheorie relevant sind. Es kann nach quantitativen und qualitativen Merkmalen unterschieden werden (vgl. Abb.).
(1) Bei der Klassifikation nach quantitativen Merkmalen wird auf die Anzahl der Anbieter und Nachfrager sowie deren relative Größe abgestellt. Diese morphologische Einteilung unterscheidet zwischen einem (→ Monopol,

Monopson), wenigen (→ Oligopol, Oligopson) und vielen (→ Polypol) Anbietern und Nachfragern. Durch Kombination dieser drei möglichen Situationen auf jeder Marktseite werden Marktformen gebildet. Dieses Grundschema kann beliebig ergänzt werden.
(2) Die Kennzeichnung nach qualitativen Merkmalen führt zu vollkommenen (homogene) und unvollkommenen (heterogene) Märkten. Kriterien für einen vollkommenen Markt sind: Nutzenmaximierung der Nachfrager, Gewinnmaximierung der Anbieter, homogene Güter, keine persönlichen, räumlichen oder zeitlichen Präferenzen der Marktteilnehmer, → Punktmarkt, vollkommene → Markttransparenz sowie unendlich schnelle Reaktion der Marktteilnehmer (vollständiger Wettbewerb; → Reaktionsgeschwindigkeit).

Auf einem vollkommenen Markt gilt ein einheitlicher Preis (→ Gesetz der Unterschiedslosigkeit der Preise). Diese Preiseinheitlichkeit ist Ergebnis eines Marktprozesses und nicht dessen Voraussetzung, wie dies in der statischen Marktformenlehre unterstellt wird.

Ein unvollkommener Markt liegt vor, wenn mindestens eine der Bedingungen des vollkommenen Marktes nicht erfüllt ist. Man spricht dann auch von → unvollkommener

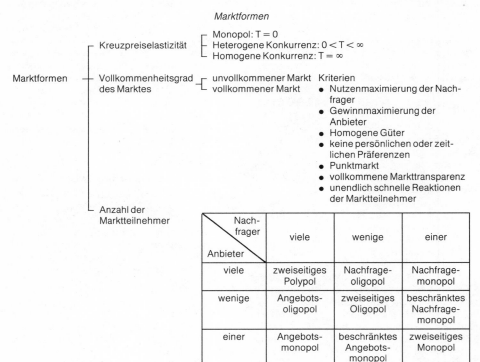

Marktformen

Marktformen —
— Kreuzpreiselastizität — Monopol: T = 0
  — Heterogene Konkurrenz: 0 < T < ∞
  — Homogene Konkurrenz: T = ∞
— Vollkommenheitsgrad des Marktes — unvollkommener Markt
  — vollkommener Markt

Kriterien
- Nutzenmaximierung der Nachfrager
- Gewinnmaximierung der Anbieter
- Homogene Güter
- keine persönlichen oder zeitlichen Präferenzen
- Punktmarkt
- vollkommene Markttransparenz
- unendlich schnelle Reaktionen der Marktteilnehmer

— Anzahl der Marktteilnehmer

Anbieter \ Nachfrager	viele	wenige	einer
viele	zweiseitiges Polypol	Nachfrageoligopol	Nachfragemonopol
wenige	Angebotsoligopol	zweiseitiges Oligopol	beschränktes Nachfragemonopol
einer	Angebotsmonopol	beschränktes Angebotsmonopol	zweiseitiges Monopol

Konkurrenz oder unvollständigem Wettbewerb.

(3) *Robert Triffin* klassifiziert die Märkte nach dem Ausmaß der Interdependenz zwischen Anbietern (bzw. Nachfragern). Kriterium hierfür bildet der Triffin'sche Koeffizient, der identisch ist mit der → Kreuzpreiselastizität:

$$T = \frac{\Delta x_1}{x_1} : \frac{\Delta p_2}{p_2}$$

Ein reines Monopol liegt vor, wenn T = 0 ist, d.h. eine Preisänderung des Anbieters 2 keinerlei Einfluß auf den Absatz des Anbieters 1 hat. Homogene Konkurrenz ist dann gegeben, wenn Anbieter 1 bei einer sehr kleinen Preissenkung des Anbieters 2 seinen gesamten Absatz einbüßt, d.h. T = ∞.
Zwischen diesen beiden Extremen befindet sich der Bereich der heterogenen Konkurrenz, d.h. ∞ > T > 0.

(4) Von den Vertretern der traditionellen Preistheorie wurde von der morphologischen Marktform auf die → Verhaltensweise geschlossen. Dieser Ansatz hat sich als zu eng erwiesen; denn das Verhalten der Marktteilnehmer hängt von den marktprozessualen Gegebenheiten ab; die Marktform ist hierbei nur ein Element.   *P. O.*

Literatur: *Willeke, R. J.*, Marktformen, in: HdSW, Bd. 7, Stuttgart u.a. 1961, S. 136ff. *Ott, A. E.*, Grundzüge der Preistheorie, 3. Aufl., Göttingen 1979.

Marktforschung

systematische, empirische Untersuchungstätigkeit, die das Ziel verfolgt, Informationen über objektiv bzw. subjektiv bedingte Markttatbestände und -phänomene zu gewinnen bzw. zu verbessern. Sie verkörpert die Grundlage beschaffungs- und absatzpolitischer Entscheidungen. In diesem Sinne unterscheidet man auch zwischen → Absatzmarktforschung und → Beschaffungsmarktforschung. Nach *Karl Christian Behrens* (1966, 1974) läßt sich die Vielfalt der Formen der Marktforschung in zwei große Kategorien einteilen:

● Mit *ökoskopischer* Marktforschung (objektbezogen) wird der Aufgabenbereich der Erforschung ökonomischer Marktgrößen umschrieben.

● *Demoskopische* Marktforschung (subjektbezogen) umfaßt die Erforschung der Wirtschaftssubjekte hinsichtlich ihrer äußeren (z.B. Verhaltensweisen, demographische oder soziographische Merkmale) und inneren psychischen Merkmale (z.B. Wahrnehmungen, Einstellungen, Motive, Wünsche). Marktinformationen fallen nicht nur bei

gezielten Erhebungen im Markt an, sondern auch im Rahmen des innerbetrieblichen Informations- und Rechnungswesens. So können z.B. Informationen des Außendienstes über das Bestellverhalten von Kunden der demoskopischen, Informationen aus der Kosten- und Erlösrechnung der ökoskopischen Marktforschung zugerechnet werden.

Marktforschung zielt auf die Gewinnung und Überprüfung von → Hypothesen über Markttatbestände und Phänomene ab. Diese Hypothesen bilden zugleich die Grundlage für → Prognosen der Marktentwicklung.

Die Tätigkeiten im Bereich der Marktforschung kann man in folgende vier Kategorien zusammenfassen:

(1) Ermittlung des Informationsbedarfs
Dieser ergibt sich aus einer Analyse der künftig anstehenden Entscheidungsprobleme.

(2) Beschaffung von Informationen (→ Datenerhebung)
Hierzu können zwei Strategien (auch kombiniert) eingeschlagen werden: → Durch *Primär*erhebungen im Markt gelangt man zu neuen bzw. neuartigen Daten, über die die Unternehmung bisher nicht bzw. nicht im erforderlichen Umfang verfügt. Liegt andererseits bereits Datenmaterial vor, so kann in vielen Fällen der Informationsstand durch eine → *Sekundär*erhebung verbessert werden, indem das in der Unternehmung vorhandene, möglicherweise für andere Zwecke beschaffte Material erneut oder nach anderen Gesichtspunkten aufbereitet und analysiert wird. Beide Strategien können sowohl innerhalb als auch außerhalb der Unternehmung eingesetzt werden.

Als Verfahren der Informationsbeschaffung kommen → Befragung und → Beobachtung in Betracht. Soll eine Kausalhypothese überprüft werden, so können Befragung und Beobachtung auch als → Experiment durchgeführt werden.

(3) Informationsverarbeitung
Die beschafften Daten lassen sich auf zweifache Weise verarbeiten:

(a) Durch → Datenreduktion sollen große Datenmengen auf wenige überschaubare Größen komprimiert und dadurch der Aussagewert für den Entscheidungsträger gesteigert werden. Zwar geht damit einerseits ein objektiver Informationsverlust einher, der jedoch durch geeignete Verfahren in Grenzen gehalten werden kann. Andererseits ergibt sich infolge der Transparenz ein subjektiver Informationszuwachs.

Die Verfahren der Datenreduktion lassen sich in zwei Gruppen einteilen. Geht es um die Reduzierung des Objektraums (mit dem Ziel der Klassenbildung), so gelangen Methoden der → Clusteranalyse zum Einsatz. Steht hingegen die Reduzierung des Variablenraumes im Vordergrund (zum Zwecke der Verdichtung zu hypothetischen, unkorrelierten Variablen), kann man die Methoden der → Faktorenanalyse anwenden. Interessiert man sich jeweils nur für einzelne Variablen (bzw. deren Ausprägungen) an Meßobjekten, so erfolgt eine Datenreduktion durch die Bildung von Maßzahlen, wie z.B. → Mittelwerten, Streuungsmaßen, → Kenn- und Indexzahlen oder → Konzentrationsmaßen. Die Methoden der Datenreduktion werden auch als Verfahren der → Interdependenzanalyse bezeichnet.

(b) Durch → Datenanalyse werden die Beziehungen zwischen Variablen der Meßobjekte untersucht. Hierzu wird die Variablenmenge in zwei Untermengen geteilt: abhängige und unabhängige Variable(n).

Mit den Verfahren der Dependenzanalyse können die Existenz und Intensität einer assoziativen Beziehung zwischen i.d.R. einer abhängigen und mehreren unabhängigen Variablen geprüft werden. Alle Verfahren der Dependenzanalyse basieren auf einem gemeinsamen Grundmodell, dem allgemeinen linearen Modell:

$$y = b_1x_1 + b_2x_2 + \ldots + b_Jx_J + u.$$

y = abhängige Variable
x_j = unabhängige Variable ($j = 1, \ldots, J$)
b_j = unbekannte Parameter ($j = 1, \ldots, J$), die die Stärke der Dependenzbeziehung zwischen y und der Variablen x_j messen
u = Störgröße (→ Zufallsvariable).

Nach dem Skalenniveau der untersuchten Variablen kann man die Verfahren der Dependenzanalysen wie folgt einteilen:

Abhängige Variablen	Unabhängige Variablen	
	metrisch	nominal
metrisch	→ Regressions-analyse	→ Varianz-analyse
nominal	→ Diskriminanz-analyse	→ Kontingenz-analyse

(4) Informationssynthese
Die gewonnenen Informationen bedürfen schließlich noch der Abstimmung, Zusammenführung und Interpretation, ehe sie im Wege einer Präsentation den Entscheidungsträgern zugänglich gemacht werden können. Die Notwendigkeit der Interpretation verdeutlicht zugleich einen gewissen Spielraum für den Analytiker im Hinblick auf die sachkundige Abwägung aller erlangten Erkenntnisse.

Das systematische Vorgehen im Rahmen der Marktforschung erfordert die Koordination aller Aktivitäten in einem → Marktforschungsplan, der auch die Voraussetzung für eine Kontrolle der Marktforschungstätigkeit bildet. *P. H.*

Literatur: *Green, P. E./Tull, D. S.,* Methoden und Techniken der Marketingforschung, 4. Aufl., Stuttgart 1982. *Hammann, P./Erichson, B.,* Marktforschung, 2. Aufl., Stuttgart, New York 1987. *Schäfer, E./Knoblich, H.,* Grundlagen der Marktforschung, 5. Aufl., Stuttgart 1978.

Marktforschungsabteilung → Marktforschungsorganisation

Marktforschungsausgaben → Marktforschungsbudgetierung

Marktforschungsbudgetierung

Die Planung eines Marktforschungsbudgets für einzelne Projekte oder die Gesamtheit aller Tätigkeiten vollzieht sich im wesentlichen in fünf Schritten:
(1) *Kontrolle des Budgets* der Vorperiode nach Art und Umfang der einzelnen Projekte (Positionen) im Hinblick auf entstandene Planabweichungen;
(2) *Übertragung offener Posten* (insb. im Hinblick auf wiederkehrende Marktforschungsaufgaben);
(3) *Ermittlung des* allgemeinen und speziellen *Finanzbedarfs* für die in Aussicht genommenen Projekte. Hier werden zunächst die projektspezifischen inner- und außerbetrieblichen Einzelkostenarten bestimmt (z.B. Personal-, Reise-, Datenverarbeitungs-, Fremdleistungs- und Schulungkosten) und diese dann aggregiert. Hinzu kommen die Gemeinkosten der Marktforschungstätigkeit (z.B. Abonnements, Mieten, Mitgliedsbeiträge und Materialgemeinkosten).
(4) Überprüfung und Begründung der *Abweichungen* gegenüber der Vorperiode;
(5) *Suche nach Einsparungsmöglichkeiten.*
Grundlage der Budgetierung ist in jedem Fall der → Marktforschungsplan, dessen einzelne Elemente den Finanzbedarf bedingen. *P. H.*

Literatur: *Hammann, P./Erichson, B.,* Marktforschung, 2. Aufl., Stuttgart, New York 1987.

Marktforschungskontrolle → Marktforschungsplan

Marktforschungsorganisation

Das Problem der → Aufbauorganisation bezieht sich auf die Möglichkeiten der Institutionalisierung der Funktion im hierarchischen

Gefüge der Unternehmung. Hierzu existieren primär drei (eindimensionale) Alternativen:
(1) Einrichtung einer selbständigen Abteilung im Absatz- bzw. Beschaffungsbereich der Unternehmung bei laufender, selbständiger Marktforschungstätigkeit;
(2) Einrichtung einer Stabsstelle bei der Geschäftsleitung oder bei der Leitung der Absatz- bzw. Beschaffungsbereiche in Fällen nur geringer betrieblicher Marktforschungstätigkeit;
(3) Einrichtung eines funktionalen Informationsbereiches mit einem Teilfunktionsbereich Marktforschung im Falle der Zentralisierung der Informationsbeschaffungs- und -verarbeitungsfunktionen bei entsprechendem Arbeitsanfall.

Strategische Marketingentscheidungen erfordern jedoch oftmals die Anwendung mehrdimensionaler Organisationsformen (z.B. → Matrix- oder Projektorganisation). Die Organisation der Abläufe (→ Ablauforganisation) im marktbezogenen betrieblichen Informationswesen bezeichnet man als → Marketinginformationssystem (vgl. Abb.). Elemente dieses Systems sind neben den Entscheidungsträgern als Systembenutzern und der jeweiligen Absatz- bzw. Beschaffungsmarktumwelt
● Datenbank als Speicher der Primär- und Sekundärdaten,
● → Methodenbank mit mathematisch-statistischen Methoden zur Reduktion und Analyse der Daten,
● → Modellbank, welche Marketing-Modelle, d.h. Beschreibungs-, Erklärungs-, Prognose- und Entscheidungsmodelle zur Analyse und Vorbereitung der Marketingentscheidungen enthält.

Elemente des Systems sind ferner alle diejenigen Einrichtungen, die die Systembenutzer als Kommunikationsinstrumente verwenden (z.B. EDV-Geräte).   *P. H.*

Struktur eines Marketinginformationssystems

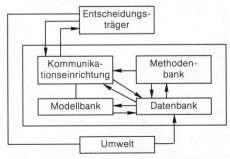

Quelle: In Anlehnung an *Montgomery, D. B./Urban, G. L.*, Management Science in Marketing, Englewood Cliffs, N. J., 1969, S. 18f.

Literatur: *Hammann, P./Erichson, B.,* Marktforschung, 2. Aufl., Stuttgart, New York 1987. *Montgomery, D. B./Urban, G. L.,* Management Science in Marketing, Englewood Cliffs, N. J. 1969. *Schäfer, E./Knoblich, H.,* Grundlagen der Marktforschung, 5. Aufl., Stuttgart 1978.

Marktforschungsplan

Die Gesamtheit der Marktforschungsaktivitäten im Rahmen eines Projekts bedarf der Koordination durch unternehmungsinterne bzw. -externe Instanzen. Sie wird erleichtert und unterstützt durch eine eingehende und umfassende Planung, die damit die Grundlage für eine inhaltliche und formale Kontrolle der Projektdurchführung bildet. Die Zusammenfassung aller Plandaten erfolgt im Marktforschungsplan, der folgende Elemente enthält:
● Skizzierung des Entscheidungsproblemes (wenn möglich in Form eines → Entscheidungsmodells),
● Kurzbeschreibung des Marktforschungsproblems,
● Kennzeichnung des gegenwärtigen Informationsstandes,
● Forschungshypothesen (bzw. Erläuterung des Vorgehens zu ihrer Gewinnung),
● Kurzdarstellung der einzusetzenden Methoden,
● Zeitbedarf bzw. Zeitplan der Durchführung,
● Finanzbedarf.

Zeit- und Finanzplan werden häufig unter Verwendung von Netzplänen (→ Netzplantechnik) erstellt und kontrolliert.   *P. H.*

Literatur: *Berekoven, L./Eckert, W./Ellenrieder, P.* Marktforschung, Wiesbaden 1977. *Hammann, P./Erichson, B.,* Marktforschung, 2. Aufl., Stuttgart 1987. *Tull, D. S./Hawkins, D. I.,* Marketing Research, 3. Aufl., New York 1984.

Marktforschungsstabsstelle   → Marktforschungsorganisation

Marktgeltung

Im rechtlichen Sinne genießt eine Marke Markt- bzw. Verkehrsgeltung, wenn sie ein nicht unerheblicher Teil, d.h. mindestens etwa 15–35% der beteiligten Verkehrskreise, kennt und als Hinweis auf ein bestimmtes Produkt oder Unternehmen versteht. Sie genießt in diesem Falle → Markenschutz, auch wenn sie nicht in die Warenzeichenrolle eingetragen ist. Als Verkehrskreise gelten i. d. R. die nach ihren Verwendungsgewohnheiten bzw. ihrem Sortiment in Frage kommenden Endabnehmer und Händler im Absatzgebiet (forensische → Marktforschung).

Die Marktgeltung ist nicht nur von juristischer Bedeutung, sondern auch eine tragende Säule der → Markenpolitik. Man mißt sie in diesem Zusammenhang mit Hilfe des zielgruppenspezifischen → Bekanntheitsgrades oder mittels Indikatoren der → Markentreue bzw. Markenpräferenz der Abnehmer.

K. Lo.

Marktgleichgewicht → Gleichgewichtstheorie

Marktintervention

Bezeichnung für einen Komplex von Instrumenten der → sektoralen Wirtschaftspolitik zur Beeinflussung der Marktprozesse. Mit Marktinterventionen i.e.S. sind besondere Beschränkungen gemeint, denen potentielle und/oder aktuelle Anbieter oder Nachfrager unterworfen werden, wobei i.d.R. hoheitlicher Zwang ausgeübt wird. Bei weiter Begriffsfassung werden auch Änderungen der Marktdaten durch → Informations- und → Mobilitätspolitik einbezogen, die ihrerseits die Marktprozesse modifizieren.

Interventionen in Marktprozesse erfolgen durch Preis- und Mengenregulierung. Da diese Instrumente sich wechselseitig bedingen, müssen sie vielfach gemeinsam eingesetzt werden. So führen → Mindestpreise regelmäßig zu Produktionsüberschüssen, die von staatlichen Stellen aufgekauft werden müssen (vgl. → Butterberg der EG) und zu Abschirmungsmaßnahmen (z.B. → Abschöpfungen im Rahmen der EG-Marktordnungen). Der Überproduktion könnte zwar durch → Produktionskontrollen (z.B. → Kapazitätsbeschränkungen und Kürzung von → Rohstoffzuteilungen) oder durch → Absatzkontrollen (z.B. → Absatzkontingente) begegnet werden, doch würde das strukturpolitische Ziel der Einkommenssicherung eines Wirtschaftszweiges dadurch jedoch verfehlt. Dies gelingt eher durch Marktinterventionen, ohne daß eine Mindestpreisregulierung vorangegangen sein müßte, wie → Einfuhrkontingente (z.B. bei Kohle und Textilien) und „freiwillige" → Selbstbeschränkungsabkommen (z.B. Einschränkung japanischer Automobilexporte). Bei staatlichen Höchstpreisen sind als flankierende Maßnahmen Rationierungen sowie Produktions- und Ablieferungsgebote erforderlich. In der sektoralen Wirtschaftspolitik sind diese Marktinterventionen jedoch von untergeordneter Bedeutung, weil ihre dominierende Zielsetzung in der Minderung des Anpassungsdrucks besteht und diese durch Subventionen zu erreichen versucht wird.

E. Gö.

Literatur: *Seidenfus, H. St.,* Sektorale Wirtschaftspolitik, in: *Ehrlicher, W.* u.a. (Hrsg.), Kompendium der Volkswirtschaftslehre, Bd. 2, 4. Aufl., Göttingen 1975, S. 287ff.

Marktkanal → Absatzweg

Marktkommunikation

Übermittlung von Informationen zwischen Marktpartnern, soweit sie für die Erklärung, Prognose und Gestaltung des Marktgeschehens relevant sind. Kommunikationsprozesse lassen sich nach den beteiligten Akteuren (Sender und Empfänger), nach ihrem Inhalt, nach den Kommunikationskanälen und nach ihrer Wirkung kennzeichnen. An der Marktkommunikation sind nicht nur Hersteller, Händler und Konsumenten beteiligt, sondern auch „neutrale" Instanzen wie öffentliche Institutionen, z.B. Aufsichtsbehörden, Einrichtungen der → Verbraucherpolitik wie die → Stiftung Warentest u.a. Zwischen ihnen fließen in allen Richtungen – auch innerhalb einer Gruppe – vielfältige Informationen über sehr unterschiedliche Kanäle. Die Analyse der Marktkommunikaton und besonders ihrer Wirkungen gehört deswegen zu den schwierigsten Gebieten des → Marketing und der Forschung zum → Konsumentenverhalten.

Üblicherweise unterscheidet man → Massenkommunikation und → persönliche Kommunikation. Erstere ist eine Form der einseitigen, an ein disperses Publikum gerichteten Kommunikation, die sich der modernen Massenmedien bedient. Zur Massenkommunikation gehört der überwiegende Teil der → Kommunikationspolitik der Unternehmen, insb. die → Werbung. Die persönliche Kommunikation ist i.d.R. ein zweiseitiger, direkter Austausch ohne Einschaltung technischer Medien. Zu ihr zählen der → persönliche Verkauf, bestimmte Formen der → Verkaufsförderung und die → persönliche Kommunikation unter den Konsumenten.

Nach einer von *Elihu Katz* und *Paul Lazarsfeld* stammenden Hypothese wirken Massenkommunikation und persönliche Kommunikation in einen zweistufigen Prozeß zusammen. Die → zweistufige Kommunikation ist vor allem für die Erklärung und Prognose von → Diffusionsprozessen bedeutsam.

K. P. K.

Marktkonformität → Ordnungspolitik

Marktkrise

Marktsituation, die laut Marktordnung für Obst und Gemüse vorliegt, wenn der Preis auf repräsentativen Märkten der Gemeinschaft an drei aufeinanderfolgenden Tagen unter den um 15% des → Grundpreises erhöhten → Ankaufspreis fällt. Liegt eine Marktkrise vor, sind staatliche → Interventionen vorgesehen (→ Agrarmarktordnung).

Marktlagengewinn

(windfall profit, Q-Gewinn) besondere Form
des → Unternehmergewinns. Marktlagen-
winne sind auf zufällige günstige Umstände
und nicht auf besondere unternehmerische
Leistungen zurückzuführen. Als Beispiel für
einen derartigen „Überraschungsgewinn" gelten zusätzliche Erlöse im Export, die durch
unerwartete Wechselkursänderungen verursacht werden.

Nach *John M. Keynes* liegen windfall pro-
fits vor, wenn die freiwilligen Investitionen
das freiwillige Sparen überschreiten. Die gesamtwirtschaftliche Nachfrage übersteigt in
dieser Situation das gesamte Angebot (zu gegebenen Preisen); über die davon verursachten Preissteigerungen erzielen die Unternehmen entsprechende Gewinne.

In der Terminologie *Erich Preisers* liegen
sog. Q-Gewinne vor. Diese „Übergewinne"
wirken als Anreiz zur Expansion, der so lange
anhält, bis über eine Ausdehnung des Angebots die Preise wieder fallen und die Q-Gewinne verschwinden.   *O. I.*

Literatur: *Preiser E.*, Bildung und Verteilung des
Volkseinkommens, Göttingen 1970, S. 124 ff.

Marktlebenszyklus → Marktphase

Marktmacht → Marktbeherrschung

Marktmechanismus → Preismechanismus

Marktmonitorsystem

Erhebungsinstrumentarium im Rahmen der
→ Marktforschung, mit dessen Hilfe regelmäßig bestimmte, vor allem qualitative Merkmale von Absatzmärkten (z. B. Produktwissen,
Werberesonanz, Produkteinstellungen) erhoben und in der Art eines → Panels verfolgt
werden. Fortschrittliche Marktmonitorsyste-
me liefern diese Daten in EDV-gerechter Form
zur Verknüpfung mit anderen Daten in
→ Marketinginformationssystemen, um auf
diese Weise → Marktreaktionsfunktionen ermitteln zu können.

Marktneuheit → Produktinnovation

Marktnische

Teil eines → Absatzmarktes, der durch das
bisherige Produktangebot nicht aktiviert werden konnte (manifeste Nische) bzw. mit Erzeugnissen bedient wird, die nicht den Ideal-
vorstellungen der Käufer entsprechen (latente
Nische), und die man deshalb mit einer Strategie der → Marktsegmentierung an ein Unternehmen zu binden versucht.

Marktordnung

staatlich gesetzte oder spontan gewachsene
und allgemein akzeptierte Regeln des Tausches in arbeitsteiligen Wirtschaften, die erforderlich sind, um für einen Ausgleich der im
Tauschverkehr aufeinanderstoßenden Interessen zu sorgen. Insofern ist eine Marktordnung
notwendiger Bestandteil einer jeden umfassenden → Wirtschaftsordnung.

Mit dieser Begriffsbestimmung vereinbar
sind verschiedene Auffassungen: Zum einen
wird unter Marktordnung die Gesamtheit jener direkten staatlichen Eingriffe verstanden,
mit denen Marktprozesse und -ergebnisse reguliert werden sollen. Zum anderen bezeichnet Marktordnung sämtliche Maßnahmen,
die – zumeist in Form staatlich gesetzter Rahmenbedingungen – Wettbewerb ermöglichen
und sichern sollen. Beiden sich grundsätzlich
widersprechenden Auffassungen ist gemeinsam, daß sie Marktprozesse als organisations-
bedürftige Veranstaltung begreifen; demgegenüber werden Marktordnungen von anderer Seite als spontan gewachsene Normen interpretiert.

Diese Begriffsvielfalt ist nicht zuletzt Ausdruck des Tatbestandes, daß der Marktordnung je nach zugrunde liegender → Planungsordnung in unterschiedlichen Wirtschaftsordnungen eine jeweils andere Bedeutung zukommt: Während bei zentraler Planung
Marktprozesse prinzipiell staatlich reguliert
sind und lediglich Hilfsfunktionen erfüllen,
gewährleistet bei dezentraler Planung eine
wettbewerbliche Marktordnung mit funktionsfähigem Preissystem eine optimale Erfüllung der ihr zugedachten Koordinations-,
Lenkungs-, Allokations- und Verteilungsfunktionen. Das schließt weder aus, daß in
der Realität auch bei zentraler Planung einige
Märkte wettbewerblich organisiert sind bzw.
sich spontan regulierungsfreie Märkte bilden,
noch bedeutet es, daß bei dezentraler Planung
neben wettbewerbsfördernden und -absi-
chernden Maßnahmen nicht auf Einzelmärkten auch Wettbewerbshemmnisse errichtet
bzw. staatliche Regulierungen eingesetzt werden.   *R. St.*

Literatur: *Woll, A.*, Marktordnung, in: HdWW,
Bd. 5, Stuttgart u. a. 1980, S. 127 ff.

Marktphase

zentraler Begriff des sog. Marktphasensche-
mas, eines Ansatzes der Wettbewerbstheorie,
der auf der Annahme basiert, ein Markt
durchlaufe in seiner Entwicklung typische
Phasen, von denen wesentlicher Einfluß auf
die → Marktstruktur und das → Marktverhalten ausgehen.

Gelingt es einem Pionierunternehmer, durch eine erfolgreiche → Produktinnovation einen neuen Markt zu kreieren, dann wird sich der sog. → Einführungsphase dieses Marktes eine → Expansionsphase anschließen, die durch überdurchschnittliche Zuwachsraten von Nachfrage und Produktion gekennzeichnet ist und die wegen dieser attraktiven Eigenschaften „Imitatoren" zum Markteintritt veranlaßt.

Hohe → Marktzutrittsschranken, die das Ausführen dieser Absicht vereiteln könnten, sind für Märkte, die in ihre Expansionsphase eingetreten sind, eher die Ausnahme als die Regel; denn zumeist gelingt es einem Pionier nicht, seine Innovation patentrechtlich so wirksam abzusichern, daß es zu einer dauerhaften Monopolisierung des Marktes kommt.

Der Expansions- folgt die → Ausreifungsphase, die wiederum ihre Fortsetzung durch das Eintreten des betrachteten Marktes in seine Stagnationsphase erfährt. Verharrt die Nachfrage nicht auf dem damit erreichten Niveau, weil nun regelmäßig in weitgehend gleichbleibendem Umfang Ersatzkäufe getätigt werden, dann folgt der Stagnationsphase (oder auch unmittelbar der Ausreifungsphase) eine Rückbildungsphase, in der die Nachfrage absolut zurückgeht, etwa weil die auf dem betrachteten Markt angebotenen Produkte bei wachsendem Einkommen und dem dadurch bewirkten Wandel der Konsumentenpräferenzen zunehmend als inferior befunden werden.

Die Zahl erfolgreicher Markteintritte geht erfahrungsgemäß in der Ausreifungsphase stark zurück; in der Stagnationsphase finden nur noch in Ausnahmefällen Markteintritte statt.

In dieser Phase kommt es vielmehr zu Marktaustritten, ein Prozeß, der sich in der Rückbildungsphase verstärkt und auch erforderlich ist, wenn das Entstehen dauerhafter Überkapazitäten vermieden werden soll. In den späten Phasen eines Marktes kommt es nicht allein deshalb so selten zu Markteintritten, weil der Markt durch das Erlahmen seiner Wachstumsdynamik nicht mehr jene attraktiven Expansions- und Gewinnchancen zu bieten vermag, die ihn in der Expansionsphase kennzeichneten; es kommt vielmehr die Erfahrung hinzu, daß sich mit Beginn der Ausreifungsphase Marktzutrittsschranken bilden oder an Gewicht gewinnen: Neue Anbieter, die durch zu geringe Losgrößen Kostennachteile hinzunehmen haben, müssen damit rechnen, im nun drohenden Verdrängungswettbewerb rasch wieder zum Marktaustritt gezwungen zu werden. Häufig haben die etablierten Anbieter für ihr Sortiment im Zeitab-

lauf in zunehmendem Maße Präferenzen geschaffen, so daß es neuen Konkurrenten immer schwerer fällt, ihnen Nachfrage abzugewinnen.

Die Wettbewerbspolitik hat die Aufgabe, in der Einführungs- und Expansionsphase den Marktzugang offen zu halten und in der Stagnations- oder Rückbildungsphase Verhaltensabstimmung und Monopolisierung zu verhindern. Die Strukturpolitik sieht sich zum Handeln aufgerufen, wenn ein Markt, der in seine Rückbildungsphase eingetreten ist, sog. → Marktaustrittsbarrieren aufweist, eine flexible Anpassung des Angebots an das reduzierte Nachfrageniveau also unterbleibt. Erhebliche Überkapazitäten und das damit verbundene Auftreten von struktureller Arbeitslosigkeit können in dieser Situation wirtschaftspolitische Maßnahmen zur Förderung der Strukturanpassung erforderlich machen.

Zur Erklärung von Marktstruktur und Marktverhalten hat sich das Marktphasenschema als grundsätzlich sehr leistungsfähig erwiesen. Seine Anwendung wird jedoch häufig dadurch erschwert, daß Unternehmen mit hohem Diversifikationsgrad vielfach zur gleichen Zeit auf Märkten sehr unterschiedlicher „Reifegrade" tätig sind und daß auf einem Markt zum selben Zeitpunkt Produkte gehandelt werden können, die sich in ihrem → Produktlebenszyklus nicht alle in derselben Phase befinden.   H. B.

Literatur: *Heuß, E.,* Allgemeine Markttheorie, Tübingen 1965.

Marktpotential

in einem Zeitraum im Gesamtmarkt bestenfalls absetzbare Menge. Als hypothetische Größe entzieht sie sich der Beobachtung. Sie kann als Ausdruck der unter gegebenen Bedingungen absoluten Aufnahmefähigkeit des → relevanten Marktes und damit als Obergrenze des → Marktvolumens angesehen werden.

Zur Ermittlung des Marktpotentials bedient man sich Indikatoren, wie Kaufkraftindizes, Bevölkerungszahl oder Verbrauchsausgaben bzw. -häufigkeit, die ggf. miteinander verknüpft werden. Im Konsumgütersektor finden zur Marktpotentialbestimmung von Verbrauchsgütern z.B. die → Querschnittsanalyse, Kaufanteilsmethode oder Repräsentativbefragungen Anwendung. Letztere eignen sich auch bei Gebrauchsgütern. Allerdings ist hier der Ersatzbedarf zu berücksichtigen, welcher wiederum von der durchschnittlichen (ökonomischen bzw. technischen) Lebensdauer abhängt.

Das Marktpotential von Investitionsgütern, insb. Anlagegütern, ist durch die Potentiale der nachgelagerten Verwenderstufen (derivative Nachfrage) mitbestimmt, die ihrerseits durch die (inter-)nationale Wirtschafts- und Technologieentwicklung beeinflußt werden.

P. H.

Literatur: *Cox, E.,* Industrial Marketing Research, New York u.a. 1979. *Hammann, P./Erichson, B.,* Marktforschung, 2. Aufl., Stuttgart, New York 1987. *Hill, W.,* Marketing, Bd. 1, 3. Aufl., Bern, Stuttgart 1973.

Marktpreis → Marktwert

Marktpsychologie

Teilgebiet der → Wirtschaftspsychologie, welches das Erleben und Verhalten aller an einem Markt beteiligten Personen zum Gegenstand hat. Die Beteiligung kann dabei direkt (als Anbieter bzw. Nachfrager von Produkten, Dienstleistungen oder Ideen) oder indirekt (z.B. als gesetzgebender Politiker, als rechtsprechender Jurist oder als Funktionär eines Verbandes) sein.

Zur Psychologie der Nachfrager, insb. zu den erlebnis- und verhaltensmäßigen Reaktionen der Konsumenten auf die absatzpolitischen Maßnahmen der Anbieter (z.B. Aktivierungswirkung von Werbemaßnahmen, Qualitätsbeurteilung bei bestimmten Preisvorgaben, Reaktionen auf Veränderungen von Produkteigenschaften, Image von Vertriebswegen), liegt eine Vielzahl empirischer Ergebnisse vor. Fragen der Psychologie des Anbieters (z.B. Reaktionen der Produzenten auf die Sättigung eines Marktes) oder der indirekt am Markt Beteiligten (z.B. Informationsverarbeitung beim Gesetzgeber, Motivation von Verbraucherschützern) sind dagegen noch relativ selten empirisch analysiert worden.

In marktpsychologischen Studien werden z.B. folgende Fragen untersucht (in Klammern verwendbare Meßinstrumente):

(1) Wie weit kommen die Informationen der absatzpolitischen Maßnahmen bei der Zielgruppe an? Gelangen sie in den
- Ultrakurzzeitspeicher (Untersuchung der Mediennutzung in Mediaanalysen),
- Kurzzeitspeicher (z.B. Blickregistrierung),
- Langzeitspeicher (z.B. Wiedererkennung (recognition) oder ungestützte (unaided recall) bzw. gestützte (aided recall) Erinnerung)?

(2) Welche Wirkungen haben die in die einzelnen Speicher gelangenden Informationen hinsichtlich
- der → Wahrnehmung (z.B. Verfahren der gelockerten Reizbindung, etwa die kurzzei-

tige Darbietung mit einem → Tachistoskop),
- der kognitiven Verarbeitung (z.B. Messung des inneren oder äußeren Lesewiderstandes),
- der allgemeinen → Aktivierung (z.B. psychophysiologische Meßgeräte),
- der spezifischen Aktivierung (z.B. Schnellgreifbühne),
- des → Image und des → Lernens (z.B. Interview, Polaritätenprofil, Zuordnungsverfahren),
- des Verhaltens (direkte Beobachtung oder Analyse der Verhaltensergebnisse)?

Ob in einem konkreten Fall ein Meßinstrument für die Datenerhebung geeignet ist, wird von seiner Wirtschaftlichkeit, Objektivität, → Reliabilität und vor allem → Validität bestimmt.

P. N.

Literatur: *v. Rosenstiel, L./Neumann, P.,* Einführung in die Markt- und Werbepsychologie, Darmstadt 1982.

Marktreaktionsfunktion

bildet den Zusammenhang zwischen ökonomischen oder psychographischen → Marketingzielen und der Einsatzintensität bestimmter absatzpolitischer Instrumente (→ Marketinginstrumentarium) sowie u.U. auch situativer Einflußgrößen des Markterfolges in mathematischer Form ab. Ein typisches Beispiel ist die → Preisabsatzfunktion.

Marktreaktionsfunktionen basieren auf generellen Reaktionshypothesen und sind die Grundlage für quantitative Optimierungsüberlegungen im Rahmen der → Marketingplanung. Ihre praktische Brauchbarkeit hängt von der analytisch geschickten Operationalisierung der Funktionsvariablen, der Verfügbarkeit einer reliablen Datenbasis (z.B. → Panels) und der statistischen Schätzbarkeit der Funktionsparameter mittels ökonometrischer Verfahren (insb. → Regressionsanalysen), ab. Besondere Schwierigkeiten bei der Modellierung bereiten → Ausstrahlungs- und Carryover-Effekte. Aus theoretischer Perspektive stellen Marktreaktionsfunktionen wichtige Bausteine für eine instrumentell orientierte → Marketingtheorie dar, weil sie die Erklärungsgrundlage für instrumentelle Wirkungsprognosen abgeben.

H. D.

Literatur: *Steffenhagen, H.,* Wirkungen absatzpolitischer Instrumente, Stuttgarte 1978. *Naert, Ph./Leeflang, P.,* Building Implementable Marketing Models, Leiden, Boston 1978.

Marktregulation

schränkt als Instrument der → Industrieordnungspolitik (Preis-, Mengen- oder Absatzgebietsregulierungen) den Wettbewerb entweder durch die staatliche Zulassung privater Absprachen (→ Kartelle) oder durch direkte Preiseingriffe (→ Mindestpreise) oder Mengenzuteilungen (→ Quotenregelung) auf der Erzeuger- oder Handelsstufe teilweise oder ganz ein.

Marktregulationen werden meist für eine begrenzte Dauer vorgenommen; auf Märkten mit einem strukturellen Wettbewerbsversagen werden sie als Bestandteil eines zeitlich unbegrenzten Ausnahmebereichs eingeführt. Die Ziele bestehen in einer Abschwächung des Wettbewerbsdrucks in der Gewährung eines Produzentenschutzes, bis strukturelle Überkapazitäten abgebaut und durch Harmonisierung der Wettbewerbsbedingungen die Voraussetzungen für eine Wettbewerbsallokation wieder geschaffen sind. Rechtsgrundlage für Marktregulationen sind spezielle Gesetze (Gesetz gegen Wettbewerbsbeschränkungen, EGKS-Vertrag, Übergangsgesetz über Preisbildung und Preisüberwachung von 1948).

Durch eine regulierende Begleitung des Anpassungsprozesses sollen mögliche Fehlentwicklungen einer wettbewerblichen Marktbereinigung vermieden werden, z.B. technisch-ökonomische Auszehrung von Unternehmen, Kapitalvernichtung, Abkürzung der Selbstreinigungsprozesse und Milderung der damit verbundenen sozialen Härten, Versagen des Selektionsprinzips nach den ökonomischen Leistungsfähigkeit der Unternehmen sowie Gefährdung gesamtwirtschaftlich erhaltungswürdiger Anbieter.

Marktregulationen sind zweckmäßig und problemadäquat, wenn sie kurzfristig das Marktungleichgewicht beseitigen. Dabei muß insb. bei international übergreifenden Anpassungsprogrammen wegen des Kompromißcharakters meist hingenommen werden, daß keine Angebotsstrukturierung nach dem Kriterium maximaler Wirtschaftlichkeit erfolgt. Wenn jedoch die Harmonisierung der Wettbewerbsvoraussetzungen sowie die Kapazitätsanpassung nicht gelingen und die Regulationsordnung sich verfestigt, können Marktregulierungen gesamtwirtschaftlich unerwünschte Wirkungen hervorrufen: Sie nehmen keine Rücksicht auf Effizienzunterschiede der Unternehmen, Anpassungsvorleistungen werden bei der Quotenzuteilung nicht honoriert, Produktivitäts- und Innovationsanstrengungen werden verringert. Bevorteilt werden die Unternehmen, die große Kapazitäten aufgebaut haben; Anreize zur Diversifizierung werden dadurch gemindert. Traditionelle Lieferbeziehungen können evtl. wegen der Mengenbeschränkung nicht mehr aufrechterhalten werden.

Regulationsbedingte Preiserhöhungen verstärken Substitutionsprozesse und locken Drittländerproduzenten an. Die Kosten von Fehlinvestitionen in den Krisenbereichen werden der Weiterverarbeitenden Industrie aufgebürdet. Die Gefahr weiterer dirigistischer Maßnahmen in vor- und nachgelagerten Bereichen wächst. Der Anpassungsdruck läßt nach, das Umstrukturierungsziel (→ Umstrukturierungspolitik) wird verfehlt.   *H. Ba.*

Literatur: *Baum, H.,* Staatlich administrierte Preise als Mittel der Wirtschaftspolitik, Baden-Baden 1980. *Woll, A.,* Preise, III: Preisregulierung, staatliche, in: HdWW, Bd. 6, Stuttgart u.a. 1981, S. 202 ff.

Marktregulierungsabkommen

Instrument der → internationalen Rohstoffabkommen. Sie greifen nicht direkt in das Marktgeschehen ein, sondern wollen durch erhöhte → Markttransparenz und bessere Information für Anbieter über bürokratische Abwicklungsprozeduren (z.B. Normen, Einfuhrvorschriften) die Marktflexibilität erhöhen, um dadurch dem Entstehen von Marktungleichgewichten vorzubeugen.   *W. S.*

Marktsättigung → Sättigung

Marktsegmentationstheorie → Zinsstrukturtheorie

Marktsegmentierung

analytische Aufteilung eines Absatzmarktes in intern homogene und extern heterogene Abnehmergruppen (Informationsaspekt) sowie die konzentrierte bzw. differenzierte Marktbearbeitung einer bzw. mehrerer dieser Gruppen, der sog. Marktsegmente (Aktionsaspekt). Sie stellt eine → Marketingstrategie dar, mit der vor allem
- die Akquisition neuer oder die stärkere Bindung vorhandener Abnehmer durch spezielle, auf die jeweiligen Bedürfnisse zugeschnittene Problemlösungen erreicht und
- ein auf die jeweilige(n) Zielgruppe(n) abgestimmter und damit produktiverer Einsatz der absatzpolitischen Instrumente ermöglicht werden sollen (Vermeidung von Streuverlusten).

Die Marktsegmentierung steht im Gegensatz zum undifferenzierten Massenmarketing, dessen Vorteile (kostengünstige Produktion und Vermarktung standardisierter Produkte) in gewissem Umfang bewußt zu Gunsten der genannten Ziele aufgegeben werden. Vielen

Unternehmen gelang es auf diese Weise, → Marktnischen zu besetzen, sich dort zu profilieren und ein hohes → akquisitorisches Potential aufzubauen (Beispiel: BMW in der Kategorie „sportlicher" PKWs). *Philip Kotler* sieht in der Marktsegmentierung eine typische Phase der → Marktevolution in fortgeschrittenen Phasen des Lebenszyklus einer Produktgattung.

Als Managementaufgabe umfaßt die Marktsegmentierung auf der Informationsseite die Auswahl relevanter Segmentierungsmerkmale soziodemographischer, ökonomischer oder psychologischer Art (→ Konsumententypologien), die empirische Erfassung der Gegebenheiten durch Sekundär- oder Primärforschung und die analytische Typenbildung mit Hilfe von → Faktoren-, → Diskriminanz- und vor allem → Clusteranalysen. Gelingt es dabei tatsächlich, in sich homogene und untereinander heterogene Gruppen herauszukristallisieren, die mit den absatzpolitischen Instrumenten differenziert bearbeitet werden können, so stellt sich die Frage, ein (konzentrierte Strategie) oder mehrere Segmente (differenzierte Strategie) als Zielgruppe(n) auszuwählen und darauf abgestimmte Marketingmixes zu entwickeln (Aktionsseite). Die Produktangebote sowie die werbliche und distributive Ansprache sind hierbei so auszugestalten, daß man den Vorstellungen der Zielgruppe von einer idealen Problemlösung ihrer Bedürfnisse möglichst nahekommt. Als analytisches Hilfsmittel dafür dient die → Produktpositionierung.   *H. D.*

Literatur: *Kaiser, A.,* Die Identifikation von Marktsegmenten, Berlin 1978. *Freter, H.,* Marktsegmentierung, Stuttgart u. a. 1983.

Marktsoziologie

befaßt sich mit sozialen Aspekten von → Marktstrukturen und Marktprozessen. Probleme des Marktes sind traditionell Gegenstand der ökonomischen Theoriebildung. Während diese jedoch die sozialen Aspekte des Marktgeschehens in den Datenkranz verweist, befaßt sich die soziologische Analyse explizit mit dem Markt als wirtschaftlichem und gesellschaftlichem Lenkungsmechanismus. Insbesondere geht es um den Markt als Ordnungsform, in dessen Mittelpunkt die Idee des Tauschs steht. Sogenannte Austauschtheorien bilden daher das theoretische Bezugsfeld. Demgegenüber bezeichnet der Plan (Planwirtschaft) eine alternative Ordnungsform. Die möglichen Vorteile und Nachteile beider Ordnungsformen unter bestimmten Randbedingungen sind Gegenstand

der wissenschaftlichen und ideologischen Auseinandersetzung.

Die Soziologie hat sich insb. mit zwei Teilmärkten befaßt, mit dem Arbeits- und dem Konsumgütermarkt. Hinsichtlich des Arbeitsmarktes verweist sie auf dessen Heterogenität und die arbeitsmarktspezifischen Besonderheiten einer Einschränkung des freien Tauschprinzips. Neuerdings werden verstärkt Modelle der Arbeitsmarktsegmentierung diskutiert, insbesondere der Gedanke eines dualen Arbeitsmarktes (primärer Arbeitsmarkt mit hohen Chancen und guter Arbeitsplatzsicherheit; sekundärer Arbeitsmarkt mit geringer Qualifikation und geringem gewerkschaftlichen Organisationsgrad).

Hinsichtlich des Konsumgütermarktes steht dessen Funktionstüchtigkeit im Hinblick auf Wettbewerb und Informationsstand im Vordergrund. Wandlungen des Konsumgütermarktes sind namentlich unter dem Aspekt sich ändernder Verbrauchergewohnheiten und Lebensstile behandelt worden (→ Konsumentenverhalten).   *G. Wi.*

Literatur: *Wiswede, G.,* Marktsoziologie, in: *Irle, M.* (Hrsg.), Marktpsychologie als Sozialwissenschaft, Göttingen u. a. 1983, S. 151 ff.

Marktstruktur

(market structure) Gesamtheit jener Größen, die das → Marktverhalten der Unternehmen eines → relevanten Marktes bestimmen, diesen als Datum vorgegeben sind, also von der einzelnen Firma nicht fühlbar beeinflußt werden können, und für die sich geltend machen läßt, daß sie zumindest auf kurze und mittlere Sicht weitgehend konstant sind.

Wichtige Elemente der Marktstruktur sind die Zahl der Anbieter und Nachfrager, die Höhe und Streuung der Marktanteile, die Verflechtung der Anbieter eines Marktes mit Unternehmen vor- oder nachgelagerter Stufen, der Diversifikationsgrad, die Art der Produktionstechnologie, die Höhe sog. → Marktzutrittsschranken und die → Marktphase.

Die Anzahl der Anbieter und Nachfrager sowie die Höhe und Streuung der Marktanteile werden i. d. R. herangezogen, um das Ausmaß horizontaler → Unternehmenskonzentration des betrachteten Marktes zu bestimmen. Das Strukturmerkmal Verflechtung mit vor- oder nachgelagerten Stufen dient der Erfassung vertikaler Unternehmenskonzentration. Der Diversifikationsgrad kann Aufschluß darüber geben, ob auf dem analysierten Markt Anbieter tätig sind, die als → Konglomerate mehrere Märkte bedienen, auf denen möglicherweise sehr unterschiedliche Erzeugnisse angeboten werden.

Über Ursachen der Unternehmenskonzentration können die Strukturdaten „Art der Produktionstechnologie" (Relevanz sog. →Skaleneffekte) und „Höhe der Marktzutrittsschranken" Aufschluß geben. So kann etwa die für einen Markt zu beobachtende Dominanz einer geringen Anzahl sehr großer Unternehmen dadurch zu erklären sein, daß hier Massenproduktionsvorteile von erheblichem Gewicht gegeben sind. Hohe →Marktzutrittsschranken können zur Folge haben, daß der Markteintritt neuer Anbieter unterbleibt. Die Folge wird ein im Zeitablauf ansteigender →Konzentrationsgrad sein, weil die Abnahme der Anbieterzahl, zu der es durch →Unternehmenszusammenschlüsse und Marktaustritte kommt, nicht durch das Auftreten sog. „newcomers" ausgeglichen wird. Auch entfällt bei hohen Marktzutrittsschranken die Bedrohung der etablierten Anbieter eines Marktes durch potentielle Konkurrenten. Die Höhe der Marktzutrittsschranken variiert erfahrungsgemäß mit der jeweils durchmessenen Marktphase, die auch für die Art der vorherrschenden Produktionstechnologie, für den Diversifikationsgrad und für das Ausmaß an →Produktdifferenzierung bedeutsam ist.

Der Versuch, aus der Analyse der Marktstruktur zu gesicherten Aussagen darüber zu gelangen, ob der Wettbewerb auf dem betrachteten Markt „wirksam" oder „funktionsfähig" ist, wird als Marktstrukturtest bezeichnet. Das damit gewählte Vorgehen ist nicht unproblematisch. Eine bestimmte Marktstruktur läßt zwar Vermutungen über das Marktverhalten zu, die sich bei einer empirischen Überprüfung häufig sogar als begründet erweisen mögen. Doch ist die Art dieser Abhängigkeiten nicht so eindeutig, die Strenge dieser Beziehungen nicht so stark, daß eine bestimmte Kombination von Strukturmerkmalen nur eine Art von Wettbewerbsverhalten zuließe. Gelockert wird der hier bestehende Zusammenhang vor allem dadurch, daß für das Wettbewerbsgeschehen auch eine Vielzahl von Faktoren von Bedeutung ist, die mit den üblichen Kriterien der Marktstruktur nur unzulänglich oder überhaupt nicht erfaßt werden, obwohl sie gleichermaßen als Mikro- und als Makrodaten von erheblicher Relevanz sein können.

Beispiele derartiger Mikrodaten sind die bei den Unternehmen des betrachteten Marktes vorherrschende Rechtsform, Vereinbarungen oder gesetzliche Vorschriften zur →Mitbestimmung oder zur →Erfolgsbeteiligung der Arbeitnehmer, →Organisationsstruktur und →Führungsstil sowie der Einfluß „großer" Unternehmerpersönlichkeiten.

Als Makrodaten können von Bedeutung sein: Bestimmungen zum Umweltschutz, Sicherheitsnormen, Vorschriften des Steuer-, Arznei- und Lebensmittelrechts, Stärke und Relevanz konjunktureller Schwankungen, Art und Ausmaß konjunkturpolitischer Aktivität, Umfang staatlicher Subventionen und Kriterien ihrer Vergabe, Gewerkschaftsverhalten, Grad des Protektionismus, Relevanz und Formen der Exportförderung, Umfang und Ausgestaltung der Entwicklungshilfe, Ausgestaltung des Systems sozialer Sicherung, Maßnahmen zur Förderung der Mobilität, zur Steigerung der Qualifikation und zur Erhöhung der Erwerbsquote u. a. m.

Empirische Studien zur Wettbewerbssituation einzelner Branchen und Märkte vermögen die hier jeweils relevanten Elemente der Marktstruktur und die zur Ergänzung heranzuziehenden Mikro- und Makrodaten zumeist nur unvollständig zu erfassen; auch sind ihre Gewichtung und die Art ihres Einflusses auf das Marktverhalten vielfach nur durch Mutmaßen und grobe Plausibilitätsüberlegungen zu bestimmen. Dennoch ist die Analyse der Marktstruktur ein Ansatz, von dem in der Praxis der Wettbewerbspolitik und hier vor allem im Rahmen der →Zusammenschlußkontrolle regelmäßig Gebrauch gemacht wird. *H. B.*

Literatur: *Böbel, I.,* Wettbewerb und Industriestruktur, Berlin 1984. *Oberender, P.* (Hrsg.), Marktstruktur und Wettbewerb in der Bundesrepublik Deutschland, München 1984. *Scherer, F. M.,* Industrial Market Structure and Economic Performance, 2. Aufl., Chicago 1980.

Markttest

probeweise Einführung eines neuen Produktes in einem lokalen oder regionalen Testmarkt. Er ermöglicht einen →Test der gesamten Marketingkonzeption, die neben dem neuen Produkt auch die übrigen Elemente des Marketing-Mix umfaßt. Primär dient der Markttest der Prognose des Markterfolges auf dem Gesamtmarkt und somit der Entscheidung, ob das Testprodukt national eingeführt werden soll. Zusätzlich liefert der Markttest diagnostische Informationen, die zur Beseitigung vorhandener Schwachstellen in der Marketingkonzeption dienen können.

Der Markttest stellt das letzte Glied in der Kette von Tests dar, die bei der Einführung von neuen Produkten zum Einsatz kommen (→Konzepttest, →Produkttest). Die klassische Form bildet der regionale Markttest. Er erstreckt sich i. d. R. über ein Bundesland oder Nielsen-Gebiet. Der lokale Markttest dagegen beschränkt sich auf eine oder mehrere Städte oder Stadtteile.

Nach dem Testaufbau läßt sich zwischen projektiven und experimentellen Markttests unterscheiden. Der projektive Markttest dient zur Überprüfung einer Marketingkonzeption, deren Ergebnis sodann auf den Gesamtmarkt hochgerechnet wird. Als Erfolgskriterium dient das Absatzvolumen oder der → Marktanteil im Testgebiet. Die Messung erfolgt über Fabrikverkäufe, → Handelspanels und/oder → Haushaltspanels. Er sollte auf 10 bis 12 Monate angelegt sein.

Die Reliabilität eines Markttests kann mit abnehmender Dauer sehr schnell sinken. Seine Validität hängt weniger von der Größe des Testgebietes als von der Repräsentanz hinsichtlich Bevölkerungs-, Handels- und Medienstruktur ab.

Bei einem experimentellen Markttest werden die Wirkungen alternativer Marketingkonzeptionen, z.B. bezüglich Preis, → Werbung oder → Verkaufsförderung, getestet. Andere Marketing-Mix-Elemente, wie z.B. Verpackung, Werbemittel oder das Produkt selbst, sollten bereits vor Durchführung eines Markttests hinreichend geprüft worden sein. Die Variation der experimentellen Variablen kann über Teilgebiete (z.B. um die Wirkung von Probenverteilungen oder Werbemedien zu testen) oder über ausgewählte Geschäfte im Testgebiet (→ Store-Test) erfolgen (z.B. wenn alternative Preise oder Verkaufsförderungsmaßnahmen am Kaufort getestet werden sollen). Bei Testaufbau und -analyse kann man auf die Methoden zur Durchführung von → Experimenten zurückgreifen. Für die Auswahl vergleichbarer Testgebiete oder -geschäfte eignet sich die → Clusteranalyse.

Hinsichtlich der Realitätsnähe wird der Markttest von keinem anderen Testverfahren (für neue Produkte) übertroffen. Als einziges Verfahren testet er die Gesamtheit aller Marketingvariablen simultan. Seine Anwendung wird aber infolge der Konzentration im Handel, dessen Mitwirkung erforderlich ist, immer schwieriger. Weitere Nachteile sind die hohen Kosten sowie die beträchtliche Dauer, die einen Innovationsvorsprung gegenüber den Konkurrenten rasch dahinschmelzen läßt. Ein Flop kann neben dem monetären Verlust überdies einen Imageverlust des Herstellers bei Handel und Konsumenten nach sich ziehen. Als Alternativen zum Markttest wurden daher in neuerer Zeit die → Testmarktsimulation und der → Mini-Testmarkt entwickelt.

B. E.

Literatur: *Rehorn, J.*, Markttests, Neuwied 1977. *Urban, G. L./Hauser, J. R.*, Design und Marketing of New Products, New Jersey 1980. *Wind, Y. J.*, Product Policy: Concepts, Methods, and Strategy, Reading, Mass. 1982.

Markttransaktion → Transaktion

Markttransparenz

Vollständige Markttransparenz liegt vor, wenn die Wirtschaftssubjekte (Marktteilnehmer) alle wesentlichen Informationen über das Marktgeschehen, insb. hinsichtlich der → Preisbildung, besitzen. Je höher die Markttransparenz ist, desto rascher können die Marktteilnehmer auf Datenänderungen reagieren (→ Aktions-Reaktions-Verbundenheit). Für Marktprozesse ist der Grad der Transparenz der Marktgegenseite (Nachfrager) und der Marktnebenseite (Konkurrenten) von Bedeutung. Eine Zunahme der Transparenz der Marktgegenseite wirkt sich positiv auf den Wettbewerb aus, während eine Erhöhung von Transparenz der Marktnebenseite einen negativen Einfluß auf den Wettbewerb hat. Im ersten Fall kommt es zu einer Erhöhung der Alternativen (Wahlmöglichkeiten) für die Marktpartner auf der Marktgegenseite; im zweiten Fall führt dies zur Identifikation der Aktions-Reaktions-Verbundenheit (Glaskasten-Situation).

Somit ist Markttransparenz ambivalent hinsichtlich der Wirkung auf die Marktprozesse.

P. O.

Literatur: *Hoppmann, E.*, Preismeldestellen und Wettbewerb, in: Wirtschaft und Wettbewerb, 16. Jg. (1966), S. 97 ff. *Tuchtfeldt, E.*, Organisierte Markttransparenz und Wettbewerb, in: Schweizerische Zeitschrift für Volkswirtschaft und Statistik, Bd. 101 (1966), S. 42 ff. *Oberender, P./Väth, A.*, Markttranspares und Verhaltensweise, in: Wisu, 15. Jg. (1986), S. 191 ff.

Marktunvollkommenheit

bezeichnet Abweichungen realer Märkte von den Voraussetzungen des Modells vollständiger Konkurrenz auf einem vollkommenen Markt. Typische Marktunvollkommenheit in diesem Sinne stellen etwa die Verletzung des Postulats eines vollkommen homogenen Angebots durch → Produktdifferenzierung dar, ferner das Bestehen von Markteintrittshemmnissen, das Fehlen vollkommener → Markttransparenz und Abweichungen von der → Marktform des Polypols.

Solange vollständige Konkurrenz (perfect competition) als wettbewerbspolitisches Leitbild anerkannt wurde, galt Marktunvollkommenheit als grundsätzlich unerwünscht, ihre Beseitigung durch wettbewerbspolitische Maßnahmen erschien geboten. Das Konzept des →funktionsfähigen Wettbewerbs hat zu einem Wandel dieser Auffassung geführt. Mittlerweile wird nicht mehr bestritten, daß Marktunvollkommenheit das Zustandekommen von funktionsfähigem Wettbewerb auch fördern kann und in diesem Falle wettbewerbspolitisch durchaus erwünscht ist.

Als Beispiel für die dieser Argumentation zugrunde liegenden Prämissen seien die Verletzung der im Modell der vollständigen Konkurrenz geforderte „vollständige Information" und die (streng genommen unendlich) rasche Anpassung der Marktteilnehmer an eine Änderung relevanter Daten genannt: →Dynamische Unternehmer erhalten die Chance, durch einen erfolgreichen Wettbewerbsvorstoß Vorsprungsgewinne zu erzielen, erst durch die Gewißheit, daß ihre Konkurrenten zumeist nicht in der Lage sind, erfolgreiche →Innovationen ohne zeitliche Verzögerung nachzuvollziehen. Auch eine wettbewerbspolitisch erwünschte Preissenkung ist i. d. R. einzelwirtschaftlich nur sinnvoll und damit nur zu erwarten, wenn das in diesem Sinne vorstoßende Unternehmen sicher sein kann, daß diese Maßnahme nicht durch entsprechende Aktivitäten der anderen Anbieter unverzüglich pariert und damit unwirksam gemacht wird.

Daß Marktunvollkommenheit der Funktionsfähigkeit des Wettbewerbs im Einzelfall auch abträglich sein kann, wird damit nicht bestritten: Hohe Markteintrittsschranken, die die etablierten Anbieter eines Marktes sehr weitgehend vor dem Wirksamwerden potentieller Konkurrenz schützen, sind ein Beispiel für Marktunvollkommenheit, die als wettbewerbspolitisch unerwünscht anzusehen und somit nach Möglichkeit zu beseitigen ist.

H. B.

Marktveranstaltung →Distributionspolitik

Marktverflechtung →institutionelle Input-Output-Tabellen

Marktverhalten

(Wettbewerbsverhalten, market conduct, market behavior) Art und Weise, in der die Unternehmen eines →relevanten Marktes ihre wirtschaftlichen Ziele zu verwirklichen versuchen. Eine Analyse des Marktverhaltens erfordert, daß für alle wichtigen Aktionsparameter (Wettbewerbsparameter) geprüft wird, ob und wie von ihnen Gebrauch gemacht wird. Untersucht werden somit →Preis- und →Produktpolitik, Distribution- und →Kommunikationspolitik, die Innovationsaktivität,

die Reaktion auf eine Änderung relevanter Daten usw.

Der wettbewerbstheoretische Ansatz des →funktionsfähigen Wettbewerbs ist dabei bemüht, zwischen wettbewerbspolitisch erwünschten und unerwünschten Verhaltensweisen zu unterscheiden. Erwünscht sind dabei alle Verhaltensweisen, die der Funktonsfähigkeit des Wettbewerbs förderlich, unerwünscht alle Aktivitäten, die der Erreichung dieses Zieles abträglich sind. Strategien der →Wettbewerbsbeschränkung etwa durch Verhaltensabstimmung, bewußtes Parallelverhalten oder Versuche der Monopolisierung gelten in diesem Sinne als unerwünscht, weil sie „non-kompetitiv" oder sogar „anti-kompetitiv" sind, also dem Prozeß eines dynamischen Wettbewerbs keine stimulierenden Impulse versetzen oder diesen Wettbewerb bewußt außer Kraft zu setzen bestrebt sind. Eine hohe Innovationsrate und überzeugend demonstrierte Anpassungsflexibilität werden ebenso ausschließlich durchweg positiv bewertet, weil sie als wesentliche Attribute dynamischer Unternehmer gelten.

Die Möglichkeit, zu derart eindeutigen Bewertungen zu gelangen, ohne im Rahmen einer umfassenden Analyse auch →Marktstruktur und →Marktergebnis zu würdigen, ist jedoch begrenzt. Bei isolierter Anwendung ist der sog. Marktverhaltenstest, also das Verfahren, zur Überprüfung der Funktionsfähigkeit des Wettbewerbs allein Aspekte des Marktverhaltens heranzuziehen, somit problematisch.

Das wird vor allem durch die Erfahrung belegt, daß es nur eine relativ geringe Anzahl von Verhaltensweisen gibt, die sich eindeutig und generell entweder als wettbewerbsfördernd oder als wettbewerbshemmend klassifizieren lassen.

So wird eine Preissenkung der Funktionsfähigkeit des Wettbewerbs abträglich sein, wenn mit ihr primär der Zweck verfolgt wird, einen lästigen Wettbewerber vom Markt zu verdrängen. Die gleiche Maßnahme kann die Wirksamkeit des Wettbewerbs steigern, wenn ein Pionier-Unternehmen damit anzeigt, daß er den Übergang zu einem kostengünstigeren Verfahren vollzogen hat. Intensiv betriebene Werbung wird dort wettbewerbspolitisch erwünscht sein, wo sie ein „newcomer" betreibt, der dadurch sein überlegenes Angebot genügend bekanntzumachen versucht, um es im Wettbewerb mit den traditionellen Sortimenten der etablierten Anbieter durchzusetzen. Ein Werbeaufwand gleicher Höhe kann dagegen wettbewerbspolitisch bedenklich stimmen, wenn der Einsatz dieses Aktionspa-

rameters Preiswettbewerb, Qualitätsverbesserung und innovatorische Aktivität nicht lediglich ergänzt, sondern weitgehend an deren Stelle tritt und vor allem darauf abzielt, vorhandene Präferenzen zu festigen und zu verstärken, um dadurch potentiellen Konkurrenten den Marktzutritt zu erschweren.   *H. B.*
Literatur: *Schmidt, I.,* Wettbewerbstheorie und -politik, Stuttgart 1981.

Marktverkettungszusammenschluß

(reciprocal dealings) Form eines konglomeralen → Unternehmenszusammenschlusses. Er wird von vertikal hintereinander liegenden Unternehmen vollzogen, wobei eine Produktionsstufe ausgelassen wird. Für das Unternehmen der ausgelassenen Produktionsstufe hat das zur Folge, daß ihm das neu entstandene Konglomerat zugleich als Lieferant und Abnehmer entgegentritt.

Marktversagen

kennzeichnet Fälle, in denen der Markt nicht zur optimalen → Allokation führt, d. h. der → Preismechanismus versagt. Wird Marktversagen erkannt, dann ist der Staat gefordert. Mit wettbewerbspolitischen Instrumenten wird er eingreifen, wenn die Konkurrenz behindert, durch Monopole ausgeschaltet oder der Zugang zum Markt versperrt ist (→ Regulierung).

Auch → externe Effekte der Produktion und des Konsums fordern eine korrigierende wirtschaftspolitische Aktivität. Externe Kosten werden dem Käufer nicht über den Preis abgefordert. Erst wenn die externen Kosten durch staatliche Eingriffe den Produzenten angelastet werden (gemäß dem → Verursacherprinzip), gehen sie in den Preisbildungsprozeß ein. Bei externem Nutzen kann der Staat die entsprechende private Aktivität subventionieren.

Kein Markttausch findet statt, wenn nichtzahlende Dritte (→ „Trittbrettfahrer") von der Nutzung des Angebots nicht ausgeschlossen werden können. Diese → Kollektivgüter können nicht über den Markt, sie müssen vom Staat angeboten werden. Eine Marktversorgung findet hier nicht statt.   *U. T.*

Marktvolumen

in einem Zeitraum von allen Anbietern im relevanten Markt realisierte Nachfrage- bzw. Absatzmenge eines Gutes. In gesättigten Märkten stimmen Marktvolumen und → Marktpotential im Grunde überein. Das Verhältnis von Marktvolumen zu Marktpotential nennt man Marktdurchdringung.

Marktwert

wird aus dem Marktpreis abgeleitet (§ 253 Abs. 3 HGB) und dient der Realisierung des strengen → Niederstwertprinzips, d. h. der Sicherstellung des Ausweises nicht realisierter, am Bilanzstichtag aber bereits bestehender Verluste (sekundärer Bewertungsmaßstab, → Bewertungskriterien). Der Marktpreis ist der Preis, der an einem Handelsplatz für Waren einer bestimmten Gattung von durchschnittlicher Art und Güte zu einen bestimmten Zeitpunkt im Durchschnitt bezahlt wurde. Die Ermittlung des Marktpreises orientiert sich dabei an den Wiederbeschaffungskosten von Roh-, Hilfs- und Betriebsstoffen und am Veräußerungserlös für Halb- und Fertigfabrikate.

Marktwirtschaft

ein → Wirtschaftssystem dezentraler Planung und Lenkung, in der Kombination mit dominierendem Gesellschafts- oder Staatseigentum → sozialistische Marktwirtschaft, in Verbindung mit vorherrschendem Privateigentum privatwirtschaftliche Marktwirtschaft genannt. Letztere beruht in ihrer Grundkonzeption auf der Sozialphilosophie des englischen → Liberalismus.

Die primären Koordinationsformen sind Preise und Privatverträge, Märkte und Privatunternehmen. Grundvoraussetzung für die Entstehung und Funktionsfähigkeit der privatwirtschaftlichen Marktwirtschaft ist eine staatliche Rahmenordnung mit vielfältigen Aufgaben (vgl. Abb. auf S. 128). Gleichwohl sind ihr funktionaler Aufbau und Gesamtcharakter durch die Spontaneität des Tauschverkehrs zwischen den autonom planenden Wirtschaftseinheiten gekennzeichnet. Die Abbildung verdeutlicht, daß es zwischen staatlicher Rahmenordnung, → Marktstruktur, → Marktverhalten und → Marktergebnissen Haupt- und Nebenbeziehungen und zwischen diesen Rückkoppelungen gibt, die in ihrem Zusammenwirken ein äußerst komplexes Marktsystem entstehen lassen.

Die im → Systemvergleich empirisch nachweisbare Effizienzüberlegenheit des Marktsystems gegenüber dem systemkonträren Lenkungssystem der → Zentralverwaltungswirtschaft beruht vor allem auf der

(1) schnelleren, genaueren und umfassenderen Verarbeitung von Informationen über die sich ständig ändernde relative Knappheit und die Möglichkeiten ihrer Minderung durch das Preissystem;

(2) Verteilung von → Verfügungsrechten aufgrund individueller Neigungen und Fähigkei-

ten unter dem Gesichtspunkt wechselseitiger Vorteilhaftigkeit. Dabei können – wie in keinem anderen Wirtschaftssystem – auch die Wünsche und Lebensauffassungen von Minderheiten zur Geltung kommen;

(3) wettbewerblichen Koordination und Kontrolle des eigeninteressierten Handelns, wodurch das individuelle Gewinn- und Nutzenstreben ungewollt und unbewußt (Smith'sches Konkurrenzparadoxon der „invisible hand") in den Dienst der unüberschaubaren Bedürfnisvielfalt einer Großgesellschaft gestellt werden kann.

(4) Wahlfreiheit zwischen direkter und indirekter Marktkoordination (als „Selbständiger" oder als „Arbeitnehmer");

(5) Offenheit des Marktsystems für Experimente und Neuerungen.

Die Marktwirtschaft bedarf der wirtschaftspolitischen Gestaltung durch den Staat. Die verschiedenen Leitbilder der Wirtschaftspolitik auf der Grundlage der privatwirtschaftlichen Marktwirtschaft unterscheiden sich in der Aufzählung und Betonung ihrer Leistungsdefizite und der Ansatzpunkte zu ihrer Beseitigung. Mit der Heraushebung der Wettbewerbspolitik setzt die → soziale Marktwirtschaft an der Marktstruktur an; ihr sozialpolitisches Programm ist auf eine mäßige Korrektur der Marktergebnisse mit marktkonformen Mitteln gerichtet. Einen sehr viel weitergehenden Bedarf an Korrekturen und Ergänzungen der Marktergebnisse unterstellen die Leitbilder des → Wohlfahrtsstaates, wobei in Kauf genommen wird, daß die Wettbewerblichkeit der Marktstruktur und des Marktverhaltens beeinträchtigt wird.   *A. S.*

Das System der Marktwirtschaft

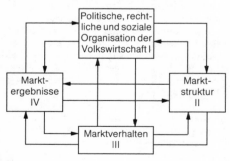

Literatur: *Gutmann, G.,* Volkswirtschaftslehre, Stuttgart u.a. 1981. *Schüller, A.,* Das Marktgeschehen, in: *Fisch, H.* (Hrsg.), Sozialwissenschaften, 5. Aufl., Frankfurt a.M. 1983, S. 241 ff.

Marktzutritt → Marktzutrittsschranken

Marktzutrittsschranken

(barriers to entry, barriers to new competition, Markteintrittsschranken, Markteintrittshemmnisse) (Kosten-) Nachteile neu in einen Markt eintretender Unternehmen („newcomer(s)") gegenüber den etablierten Anbietern auf diesem Markt. Im Anschluß an *Joe S. Bain* ist es üblich, drei mögliche Ausformungen von Markteintrittsschranken zu unterscheiden:

(1) Über *Produktdifferenzierungsvorteile* verfügen die etablierten Anbieter gegenüber neuen Konkurrenten immer dann, wenn für ihr Angebot etwa als Folge entsprechender Werbung Präferenzen bestehen. Das Gegenstück zu diesen Vorteilen ist für „newcomer" ein entsprechender Wettbewerbsnachteil, der sich darin ausdrückt, daß sie sich entweder mit niedrigeren Preisen begnügen oder höhere Ausgaben für Werbung und „sales promotion" tätigen müssen als die am Markt eingeführten Hersteller.

(2) *Absolute Kostenvorteile* können daraus resultieren, daß sich ein „newcomer" weniger kostengünstigerer Produktionsverfahren bedienen muß als die bereits etablierten Hersteller, etwa weil es ihm am erforderlichen „know how" fehlt oder weil Patentrechte ihm die Anwendung der modernsten Technologie verwehren. Möglich ist auch, daß die bereits am Markt vertretenen Anbieter Zugang zu wichtigen Rohstoffen haben, der dem „newcomer" versperrt ist, und daß dieser auch auf anderen Beschaffungsmärkten zu weniger günstigen Bedingungen kontrahieren muß, also etwa Schwierigkeiten bei der Anwerbung von qualifizierten Arbeitskräften und bei der Kapitalbeschaffung hat oder Kapital nur zu höheren Zinsen aufnehmen kann, als sie den „established firms" abverlangt werden.

(3) *Betriebsgrößenvorteile* ergeben sich zugunsten der Unternehmen, die den betrachteten Markt bereits erfolgreich bedienen, vor allem dann, wenn die Produktion der hier angebotenen Güter das Nutzen von Skalenerträgen ermöglicht. Die Relevanz derartiger Betriebsgrößenvorteile ist nach *Bain* um so größer, je höher der Marktanteil ist, den ein neuer Anbieter erreichen muß, um bei wachsender Ausbringungsmenge bietende Kostenersparnisse gleich weitgehend zu nutzen wie die Unternehmen, die am Markt ansässig sind.

Das Ausmaß der bestehenden Produktdifferenzierungs-, Betriebsgrößen- und absoluten Kostenvorteile bestimmt nach *Bain* die Markteintrittsbedingungen und damit das Ausmaß potentieller Konkurrenz. Je größer das Gewicht der genannten Markteintrittsschranken, desto größer ist auch die Möglichkeit der etablierten Produzenten, Preise zu fordern, die über dem Minimum ihrer Stückkosten liegen, ohne dadurch Markteintritte zu induzieren.

Bezeichnet man den Preis, der diesem Stückkostenminimum entspricht, mit P_c und den höchsten noch eintrittsverhindernden Preis (limit price, critical price) mit P_e, dann gibt der folgende Ausdruck nach *Bain* die Höhe der für den betrachteten Markt bestehenden „barriers to entry" (B_E) an:

$$B_E = \frac{P_e - P_c}{P_e} \times 100$$

Die wettbewerbspolitische Relevanz von Markteintrittsbarrieren ergibt sich aus der Erfahrung, daß bei blockiertem Markteintritt in hohem Maße die Gefahr besteht, daß der Wettbewerb dort, wo er zunächst bestand, im Zeitablauf immer mehr an Dynamik einbüßt, um schließlich in einen Zustand friedlichen Oligopolverhaltens oder in eine dauerhafte Monopolisierung des Marktes einzumünden. Denn bei blockiertem Marktzutritt kommt es erfahrungsgemäß durch Marktaustritt und Unternehmenszusammenschlüsse zu einer Abnahme der Anbieterzahl. Der → Konzentrationsgrad steigt; es bilden sich → „enge" Oligopole. Dadurch wächst die Möglichkeit, → Wettbewerbsbeschränkungen wirksam zu organisieren; gleichzeitig wächst auch die Neigung zur Verhaltensabstimmung, weil die → Reaktionsverbundenheit bei geringer Anbieterzahl hoch ist, so daß unbeschränkter Wettbewerb für die Unternehmen Risiken schafft, die das Management zu vermeiden sucht.

Das Gesetz gegen Wettbewerbsbeschränkungen (GWB) enthält ein grundsätzliches → Kartellverbot (§ 1); es untersagt aufeinander → abgestimmtes Verhalten (§ 25), gestattet eine → Mißbrauchsaufsicht über marktbeherrschende Unternehmen (§ 22) und eröffnet die Möglichkeit einer → Zusammenschlußkontrolle (§ 24). Alle diese Instrumente sind direkt oder mittelbar geeignet, die Eintrittsbedingungen für neue Wettbewerber zu verbessern.

Dies kann u.a. durch Maßnahmen der Wachstumspolitik (Förderung von Neugründungen) geschehen.

Die Wettbewerbspolitik kann nicht nur darauf abzielen, die Möglichkeit der etablierten Anbieter, Markteintritt zu verhindern oder zu erschweren, zu verringern; sie kann auch versuchen, die Fähigkeit zum Markteintritt zu steigern. Das GWB eröffnet dazu in seinem § 5b die Möglichkeit, Koopera-

tionsvereinbarungen, die die Leistungsfähigkeit kleiner oder mittlerer Unternehmen fördern, vom Kartellverbot des § 1 GWB auszunehmen.   *H. B.*

Literatur: *Bain, J. S.,* Barriers to New Competition. Their Character and Consequences in Manufacturing Industries, Cambridge, Mass. 1956. *Berg, H.,* Markteintrittsbarrieren, potentielle Konkurrenz und wirksamer Wettbewerb, in: WISU, 7. Jg. (1978), S. 282 ff.

mark-up inflation → Gewinndruck

mark-up pricing

Form der betrieblichen → Preispolitik, bei der die Preisfestsetzung über einen Aufschlag auf bestimmte Kostengrößen erfolgt; wird auch als Kosten-plus-Regel bezeichnet (→ Preiskalkulation).

Marshall-Lerner-Bedingung

Theorem der → Wechselkurstheorie. Es gibt an, unter welchen Umständen die → Leistungsbilanz einer Volkswirtschaft normal auf Wechselkursänderungen reagiert. Unter einer normalen Reaktion der Leistungsbilanz versteht man hierbei, daß deren Saldo (Differenz zwischen Exporten und Importen) bei einer → Abwertung zunimmt (Verbesserung) und bei einer → Aufwertung abnimmt (Verschlechterung). Die Marshall-Lerner-Bedingung lautet formal:

$$\frac{X}{M} \eta_x + \eta_m > 1.$$

Hierbei sind X bzw. M der Export bzw. Import des betreffenden Landes, jeweils ausgedrückt in heimischer Währung. η_x ist die Preiselastizität der Auslandsnachfrage für die inländischen Exportgüter, η_m die Preiselastizität der inländischen Importnachfrage. (Beide Elastizitäten, da negativ, sind mit einem negativen Vorzeichen definiert und somit positiv; die Angebotselastizitäten werden als unendlich angenommen, es herrscht somit vollkommen elastisches Angebot.) Bei ausgeglichener Leistungsbilanz (X = M) ist für deren normale Reaktion demnach erforderlich, daß die Summe der Nachfrageelastizitäten größer Eins ist.

Die Marshall-Lerner-Bedingung läßt sich in folgender Weise erklären. Erstens verbilligt eine Abwertung die inländischen Güter für Ausländer, so daß die Exportnachfrage zunimmt; zweitens verteuert eine Abwertung ausländische Güter für Inländer, so daß die nachgefragten Importmengen zurückgehen. Diese beiden Teileffekte bewirken für sich genommen eine normale Reaktion der Leistungsbilanz. Drittens muß aber nach einer Abwertung für die Importgüter ein höherer Preis in inländischer Währung bezahlt werden, was tendenziell zu einer Zunahme des Importwertes und damit einer Verschlechterung der Leistungsbilanz führt. Wenn die Marshall-Lerner-Bedingung erfüllt ist, wird dieser dritte Effekt von den beiden ersten überkompensiert, und die Leistungsbilanz reagiert normal.

Die Marshall-Lerner-Bedingung ist insofern recht speziell, als für das In- und Ausland ein vollkommen elastisches Angebot unterstellt wird. Diese restriktive Annahme wird durch die → Robinson-Bedingung aufgehoben. Beide Bedingungen weisen jedoch das für den Elastizitätenansatz typische Manko der partialanalytischen Betrachtung auf. Es werden nur die direkten Preiswirkungen einer Wechselkursänderung betrachtet. Dies mag bei einer Betrachtung von Einzelmärkten noch statthaft sein. Bei einer volkswirtschaftlichen Gesamtschau ist ein solcher Ansatz nicht ausreichend. *St. H.*

Literatur: *Jacob, K.-D.*, Wechselkurs und Leistungsbilanz, Berlin, New York 1972.

Marshall-Plan

ein auf Anregung des US-Außenministers *George C. Marshall* (Rede in der Harvard Universität vom 5.6. 1947) geschaffenes Hilfsprogramm für das kriegszerstörte Europa. Zwischen April 1948 und Ende 1952 flossen im Rahmen des European Recovery Program (ERP) 13,9 Mrd. $ nach Europa; Westdeutschland erhielt davon 1,32 Mrd. $, die zunächst zur Sicherung der Nahrungsmittelversorgung, dann zur Beschaffung von Rohstoffen, Maschinen etc. eingesetzt wurden. Hinzu kamen bis 1952 2,7 Mrd. $ aus anderen Hilfsprogrammen.

Besondere Bedeutung erlangte der ERP-Gegenwert-Fonds (→ Sondervermögen), der die zurückfließenden DM-Mittel verwaltete und für Wiederaufbaukredite einsetzte (ERP-Kredite). Aus dem 1952 bereits auf rd. 5 Mrd. DM angewachsenen Fonds werden noch heute zinsverbilligte Darlehen für Infrastrukturprogramme, strukturschwache Regionen oder Branchen, Wiederaufbaudarlehen für Flüchtlinge u. a. vergeben.

Literatur: *Mayer, H. C.*, German Recovery and the Marshall-Plan 1948–1952, Bonn 1969.

Marxismus

Gesamtheit der Lehren von *Karl Marx* und *Friedrich Engels* mit folgenden Bestandteilen:
(1) → Dialektischer Materialismus, nach dem das menschliche Denken und Handeln nur als Reflex der materiellen Produktion verstanden wird;
(2) → Historischer Materialismus, nach dem nicht Ideen, sondern → Produktionsweisen den geschichtlichen Verlauf bestimmen;
(3) „Kritik der politischen Ökonomie", in der es um die „Enthüllung der Bewegungsgesetze der modernen Gesellschaft", insb. des → Kapitalismus geht;
(4) Aussagen über die künftige Gesellschafts- und Wirtschaftsordnung und Methoden zu ihrer Verwirklichung.

Kernstück dieser Lehren ist die „Kritik der politischen Ökonomie". Dem Konkurrenzoptimismus der englischen → Klassik setzt *Marx* eine pessimistische Einschätzung der sozial-ökonomischen Wirkungen der → Marktwirtschaft entgegen. Die sozial wohltätige „unsichtbare Hand" des Wettbewerbsmechanismus in der Lehre von *Adam Smith* führt nach *Marx* zu unerträglichen wohlfahrtszerstörenden Lebensbedingungen für die Masse der Bevölkerung und zur notwendigen revolutionären Beseitigung des Kapitalismus (→ marxistische Krisentheorien). Gleichwohl könne nur auf dem vom Kapitalismus geschaffenen beispiellosen Wohlstandsniveau eine sozialistische Ordnung entstehen. Den Weg dorthin versucht er zu erklären mit Hilfe der → Arbeitswertlehre, der → Mehrwert-, → Ausbeutungs- und → Verelendungstheorie sowie mit der Lehre vom Klassenkampf und der daraus hervorgehenden Idee der „Diktatur des Proletariats", der Vorstufe zum → Kommunismus.

Der Marxismus ist durch die tatsächliche Entwicklung (z.B. der Masseneinkommen, der Einkommensverteilung, der Arbeitszeit- und Arbeitsmarktbedingungen, der Stabilität des Marktsystems) vielfach widerlegt worden. Allerdings versteht er sich nicht nur als Wissenschaft, sondern auch als politisch-ideologische Programmatik zur Durchsetzung sozialistischer Gesellschaftsordnungen.

Die Wege und Ziele waren und sind jedoch zwischen den verschiedenen Richtungen des Marxismus heftig umstritten. Zunächst entstand der sozial-reformistische Marxismus der Arbeiterbewegung mit der Sozialistischen Internationale und der Deutschen Sozialdemokratie. Ihre Vertreter beriefen sich auf *Marx*, der für Länder wie England, Frankreich und die USA eine friedlich-demokratische Form der proletarischen Revolution für möglich hielt. Dieser als „revisionistisch" kritisierten Richtung setzte *Wladimir I. Lenin* den Sowjetkommunismus (→ Marxismus-Leninismus) mit einer eigenen Dialektik von Ideologie und politisch-revolutionärer Aktion entgegen, ebenfalls unter Berufung auf den Marxismus.

Was aus wissenschaftstheoretischer Sicht eine Schwäche darstellt, nämlich die Unbestimmtheit und beliebige Deutbarkeit der Marx'schen Erklärungen und Vorhersagen, erweist sich für die Praxis sozialistischer Bestrebungen als Vorteil, weil sich diese Lehren, wie die Interpretationen zum →Spätkapitalismus und die vielfältigen weltweiten Strömungen des Marxismus zeigen, dem jeweiligen Handlungsbedarf der Politiker mit Hilfe von Ad-hoc-Erklärungen anpassen lassen. *U. Fr.*

Literatur: *Kolakowski, L.,* Die Hauptströmungen des Marxismus, Bd. 1 und 2, 2. Aufl., München 1981.

Marxismus-Leninismus

Bezeichnung für die Weiterentwicklung und Anwendung der Lehre von *Karl Marx* und *Friedrich Engels* (→Marxismus) zunächst durch *Wladimir I. Lenin* und dann durch *Josef W. Stalin.* Die „Lenin'sche Etappe der Entwicklung des Marxismus" weist folgende Spezifika auf:
(1) Modifizierung der Marx'schen Formationenlehre durch Einfügung der Zwischenstufe des →Imperialismus und des →Stamokap mit dem Ziel, die offensichtliche Fehlprognose des Marxismus hinsichtlich der Lebensfähigkeit des Kapitalismus gegen Einwände zu immunisieren. Wie die andauernde Diskussion zum →Spätkapitalismus zeigt, läßt sich dieses Prinzip der Stufenteilung beliebig fortsetzen.
(2) Schaffung der „Partei neuen Typs" mit der Aufgabe, das „politische Bewußtsein in die Arbeiterklasse hineinzutragen" und den Staat mit Hilfe einer nach dem Prinzip des →demokratischen Zentralismus organisierten elitären Kaderpartei von Berufsrevolutionären – als die „geschichtlich gegebene Form" der Diktatur des Proletariats – zu führen und zu kontrollieren.
(3) Schaffung eines umfassenden sowjetischen Staatssozialismus im Gefolge der bolschewistischen Revolution von 1917 (mit der Beseitigung des Privateigentums an den Produktionsmitteln und an Grund und Boden, der Verstaatlichung der Industriebetriebe, der Banken und des Außenhandels) sowie pragmatische, nur der Sicherung des Überlebens der revolutionären Herrschaft bestimmte Umwandlung zum „Staatskapitalismus" in der Phase der →Neuen ökonomischen Politik (NEP) in einer Form, die nach 1928 die problemlose Rückkehr zum Staatssozialismus durch *Stalin* erlaubte.
(4) Aufbau einer sowjetischen Großmachtstellung durch die auf dem 2. Weltkongreß

der „Komintern" (Kommunistische Internationale) 1920 erweiterte Konzeption der „Partei neuen Typs" zur „Weltpartei neuen Typs", organisatorisch und ideologisch dem sowjetischen Muster angepaßt, mit Sitz in Moskau.

Nach *Lenins* Tod (1924) beginnt die „Stalin'sche Etappe der Entwicklung des Marxismus-Leninismus". Er setzte die unangefochtene Vormachtstellung der russischen kommunistischen Partei gegenüber allen kommunistischen Parteien in der Welt durch, nachdem es ihm ab 1927 gelungen war, in der UdSSR eine unumschränkte Diktatur zu etablieren, wobei er es verstand, seine eigenen Ideen nach Bedarf als *Lenins* auszugeben. Von vielen unbemerkt hat *Stalin* auf diese Weise bis 1938 die Parteigeschichte und -ideologie faktisch ganz auf sein Verständnis vom „Marxismus-Leninismus" umgeschrieben. Dazu gehören auch die fortgeltenden Ordnungsbedingungen des →sowjetischen Wirtschaftssystems mit dem Programm einer forcierten Industrialisierung und mit einer wirtschaftlichen Autarkiepolitik nach seiner These vom „Aufbau des Sozialismus in einem Land". Dieses Ordnungskonzept wurde nach dem Zweiten Weltkrieg auf die zum politischen Einflußbereich der UdSSR zählenden Länder des heutigen →Rats für gegenseitige Wirtschaftshilfe übertragen und inzwischen auch von einigen Entwicklungsländern übernommen. *U. Fr.*

Literatur: *Kolakowski, L.,* Die Hauptströmungen des Marxismus, Bd. 1 und 2, 2. Aufl., München 1981.

marxistische Krisentheorien

führen als historisch-ökonomische →Konjunkturtheorien Begriff und Ursache der →Konjunktur auf die kapitalistische Wirtschaftsordnung zurück. Die Konjunktur wird systemimmanent bzw. endogen erklärt über das Auseinanderfallen der aus Gewinninteressen der Unternehmer resultierenden Kapitalakkumulation und Produktionsplanung, d. h. der Produktionssphäre und den marktmäßigen Tauschhandlungen von Gütern und Diensten infolge der Kapitalverwertung, d. h. der Zirkulationssphäre. Die Erscheinung der Konjunktur variiert mit den Phasen des (Früh-, Hoch-, Spät-) Kapitalismus. Die Stärke des Kapitalismus ist die Ursache der Konjunktur: Das Profit- bzw. Gewinnstreben der Unternehmen führt bei einzelwirtschaftlicher Konkurrenz und Rationalität zu einer ständigen Kapitalakkumulation bei steigender Produktivität, sei es, um im Aufschwung den Gewinn zu steigern oder um im verstärkten Konkurrenzkampf der Krise sein Sinken zu verhindern.

Um den am Markt realisierbaren Profit zu erhöhen, akkumulieren die Unternehmen, d.h. sie erhöhen Kapitalbestand und Produktion. Der wachsende Sachkapitalbestand führt in einer wirtschaftlichen Normalsituation zu einer überproportionalen Expansion der Investitionsgüterindustrie sowie der Produktionsmöglichkeiten. Diese Überakkumulation entsteht in Relation zur möglichen Kapitalverwertung, d.h. zur Entwicklung des Absatzes insb. aufgrund des bei gegebenen Profiterwartungen mit der Akkumulation einhergehenden technischen Fortschrittes bzw. Produktivitätsanstiegs. Die stets steigende Produktion läßt sich immer schwerer und dann bei sinkenden Preisen nicht mehr zu den inkorporierten Kosten verwerten bzw. absetzen. In einer (Reinigungs-) Krise wird bei einer tendenziellen Erhöhung der Monopolisierung bzw. Konzentration das (insb. technisch alte) bestehende Kapital entwertet. Diesem Dilemma versucht jeder Unternehmer individualistisch rational zu entgehen, indem er versucht, die Löhne als unmittelbaren Kostenfaktor (absolut oder im Anstieg) zu senken sowie über neue, fortschrittliche Güter oder Prozesse (→ Innovationszyklus) und damit eine erneute Akkumulation seine Produktion zu rationalisieren. Die Unternehmen insgesamt verkennen den Kaufkrafteffekt der Löhne und Gehälter und fördern den technischen Fortschritt, der über nachgefragte neue Investitionsgüter den nächsten Aufschwung bedingt und damit für die Zukunft systemimmanent im Rahmen der Verwertung des neuen Kapitals den zukünftigen Abschwung programmiert. Der aus der konkurrenzgebundenen, die Produktivität steigernden Kapitalakkumulation folgende tendenzielle Fall der Profitrate ist (über die Zirkulationssphäre) periodisch bzw. zyklisch (→ Mehrwerttheorie). *W. F.*

Literatur: *Hickel, R.,* Konjunktur und Krise – neu betrachtet, in: *Diehl, K./Momberg, P.* (Hrsg.), Wirtschaftskrisen, Frankfurt a. M. u.a. 1979. *Shaikh, A.,* Eine Einführung in die Geschichte der Krisentheorien, in: Prokla, 1978, S. 3 ff.

maschinelle Datenerfassung

kann in der → Marktforschung bei der → Beobachtung insb. dann eingesetzt werden, wenn die zu gewinnenden Daten entweder nicht besonders vielschichtig sind (z.B. Kundenzählung per Lichtschranke) oder die Beobachtungsergebnisse keiner durch menschliche Fachkräfte (z.B. Psychologen) vorzunehmenden Umsetzung in verarbeitbare Informationen bedürfen. Die mit dem Einsatz einfacher Erfassungsgeräte verbundenen geringen Kosten und deren von der menschlichen Arbeits-

kraft nicht beschränkter Einsatzzeitraum gestatten die vollständige Ausschöpfung des Datenanfalls an einem Beobachtungspunkt, z.B. Zählung sämtlicher Kunden innerhalb beliebiger Zeiträume (→ scanning). Bei bestimmten Panelformen (→ Hörer- und Seherpanel; → Audimeter) entlasten die Geräte die Panelteilnehmer bei der routinemäßigen Aufzeichnung ihrer Verhaltensdaten und erhöhen ihre Bereitschaft zur Mitarbeit sowie die Genauigkeit der Ergebnisse.

Einfache Meßapparaturen (z.B. Zählwerke, Lichtschranken) lassen sich unauffälliger für die Beobachteten installieren als z.B. verdeckte Kabinen für das Beobachtungspersonal. In einer solchen Situation ist auch der Einbau einer Videokamera denkbar, jedoch kann man bei → Film- und Videoaufzeichnung nicht auf die menschliche Umsetzung der Informationen in verarbeitungsfähige Daten verzichten. Vielmehr liegt hier der Vorteil in der Möglichkeit der zeit- und ortsversetzten Auswertung.

Maschinelle Erfassungsverfahren bewähren sich auch zunehmend bei Beobachtungen, bei denen die Probanden über die Werte der gemessenen Indikatoren keine verbale Auskunft geben können und zugleich das Erhebungspersonal die benötigten Daten nicht ohne den Einsatz von Meßgeräten ermitteln kann. Da verschiedene Forschungsansätze davon ausgehen, daß emotionale Erregungszustände sehr gut durch Indikatoren wie Hautwiderstand oder -temperatur wiedergegeben werden, gewinnt die Messung bewußtseinsunabhängiger Körperfunktionen (→ psychophysiologische Meßverfahren) an Bedeutung. Einen Nachteil vieler einfacher Erfassungsgeräte, die längere Zeit ohne menschliche Überwachung eingesetzt werden, stellt ihre häufig zu geringe Differenzierungsfähigkeit bei Abweichungen vom Regelfall dar. Eine Lichtschranke erkennt z.B. nicht, ob sie von einer oder zwei Personen nebeneinander passiert wird. *G. Ko.*

Maschinenbau

Zweig der → Investitionsgüterindustrie. Der Maschinenbau zählte nach dem Zweiten Weltkrieg zu den ausgeprägten Wachstumsbranchen, wobei die langfristige Expansion als Folge der Konjunkturabhängigkeit der Investitionen allerdings erheblichen zyklischen Schwankungen unterlag. Außer der in den 50er und 60er Jahren anhaltend hohen Inlandsnachfrage wirkte der Export als entscheidende Produktionsdeterminante; der Anteil des Auslandsumsatzes am Gesamtumsatz stieg von 20% (1950) über 30% (1960) auf

43% (1980). Im Jahre 1980 entfielen auf den Maschinenbau mit rd. 1 Mio. Personen 14% aller in der Verarbeitenden Industrie Beschäftigten.

Das langfristige Wachstum war verbunden mit erheblichen Verschiebungen in der Produktionsstruktur, in denen sich Veränderungen der Nachfragestruktur widerspiegeln. Schrumpfende Bereiche innerhalb des Maschinenbaus waren insb. Maschinen für die Schuh-, Leder-, Textil- und Bekleidungsindustrie, Landmaschinen und Bergbaumaschinen, während Nahrungsmittelmaschinen, Spezialmaschinen z.B. für die Chemische Industrie, Verbrennungsmotoren, Präzisionswerkzeuge und Armaturen Anteilsgewinne verzeichneten.   *E. Gö.*

Literatur: *Baumann, H.,* Maschinenbau. Strukturelle Probleme und Wachstumschancen, Berlin, München 1965.

Maschinenbeitrag

Im Zusammenhang mit den Finanzierungsproblemen im System der sozialen Sicherheit wird vorgeschlagen, die Arbeitgeberbeiträge zur → Sozialversicherung (insb. zur Rentenversicherung) nicht nur auf der Basis des versicherungspflichtigen Bruttoarbeitsentgelts zu berechnen, sondern eine breitere Bemessungsgrundlage zu wählen: Neben dem Lohn sollen weitere Bestandteile der volkswirtschaftlichen Wertschöpfung (z.B. Kapitalerträge) einbezogen werden. Da hierdurch die Beiträge auch von der Höhe des eingesetzten Kapitals (z.B. Maschinen) abhängen würden, hat sich der Begriff „Maschinenbeitrag" eingebürgert. Dabei ist allerdings umstritten, welche Wertschöpfungsgröße (Nettowertschöpfung, Bruttowertschöpfung, Bruttoumsatz, Lohnsumme plus Kapitalerträge usw.) herangezogen werden soll.

Von einem solchen Maschinenbeitrag erwartet man positive Wirkungen auf den Wettbewerb und auf den Arbeitsmarkt. Während beim derzeitigen Finanzierungsverfahren arbeitsintensiv produzierende Unternehmen relativ stark belastet werden, würde die Ausweitung der Bemessungsgrundlage auch auf die Erträge des Kapitals eine gleichmäßige Belastung der Unternehmen mit sich bringen und wäre damit wettbewerbsneutral. Positive Wirkungen auf den Arbeitsmarkt werden erwartet, weil durch die Änderung der Bemessungsgrundlage der Anreiz abgeschwächt wird, arbeitssparende Produktionsverfahren einzuführen. Hiervon verspricht man sich einen Abbau der Arbeitslosigkeit. Gegner des Maschinenbeitrags weisen allerdings darauf hin, daß durch die Behinderung der Rationalisie-

rung die internationale Wettbewerbsfähigkeit und dadurch Wachstum und Beschäftigung beeinträchtigt werden können.

Welcher Nettoeffekt sich durchsetzt, ist schwer zu prognostizieren und hängt entscheidend von der Wahl der Bemessungsgrundlage ab. Ein wesentliches Argument gegen den Maschinenbeitrag ist darin zu sehen, daß in die Rentenversicherung ein systemfremdes Element tritt: Das Versicherungsprinzip von Leistung und Gegenleistung wird (weiter) zugunsten eines Steuer-Transfer-Systems verändert.   *R. P.*

Maschinenbelegung

umfaßt einerseits als Bestandteil der → Arbeitsverteilung die Zuordnung der Aufträge zu den Maschinen, durch die sie bearbeitet werden sollen (→ Maschinenbelegungsplanung). Andererseits rechnet man zu ihr die Festlegung der Auftragsreihenfolge auf der jeweiligen Maschine (→ Reihenfolgeplanung).

Maschinenbelegungsplanung

kombinatorisches Optimierungsproblem aus der → Fertigungsplanung bei → Werkstattfertigung (→ Produktionsplanungsmodelle). Gegenüber der *Mengen*planung (→ Produktionsprogrammoptimierung) geht es hier um die *Termin*planung der Produktion, nämlich um die Frage, wann welcher Auftrag (bzw. welches Produkt) an welchem Arbeitsplatz (bzw. auf welcher Maschine) bearbeitet werden soll (→ Reihenfolgeplanung).

Zur Durchführung der Planung sind Modelle der → ganzzahligen Optimierung entwickelt worden, die aber wegen zu geringer algorithmischer Effizienz für den betrieblichen Einsatz wenig geeignet sind. Zum praktischen Einsatz kommen vor allem → heuristische Verfahren, insb. → Prioritätsregeln.

Der Schwierigkeitsgrad der optimalen Maschinenbelegungsplanung bei Werkstattfertigung entspricht jenem des → Fließbandabgleichs bei der → Fließfertigung.   *H. M.-M.*

Literatur: *Seelbach, H.,* Ablaufplanung, Würzburg, Wien 1975. *Siegel, Th.,* Optimale Maschinenbelegungsplanung, Berlin 1974.

Maschinenbuchführung

umfaßt alle Buchführungsformen, die mit Hilfe von Buchführungsmaschinen oder maschinellen Anlagen durchgeführt werden, wobei jene mittels elektronischer Datenverarbeitungsanlagen (→ EDV-Buchführung) häufig ausgeklammert und als eigenständige Buchführungsform behandelt wird.

Der Maschinenbuchführung liegt fast ausschließlich die →Durchschreibebuchführung zugrunde, da sich diese für den Einsatz von Buchungsmaschinen besonders gut eignet. Sie setzt damit allerdings eine Loseblattbuchführung voraus, bei der die Verbuchung nicht mehr in gebundenen Büchern erfolgt, sondern auf losen bzw. gesonderten Kontenblättern abgewickelt wird. Die Ausgestaltung der Maschinenbuchführung ist weitestgehend von der Beschaffenheit bzw. Kapazität der Buchungsmaschinen bestimmt. Der Einsatz von Buchungsmaschinen stellt hohe Anforderungen an die Belegorganisation. Die Geschäftsvorfälle sind maschinengerecht zu systematisieren. Die wichtigsten Voraussetzungen hierfür sind: ein systematischer Kontenplan sowie die Vorkontierung der Belege und Kontrollstreifen mit Belegnummer, Konto, Gegenkonto und Betrag.

Eine Weiterentwicklung der üblichen Maschinenbuchführung stellt die Lochkartenbuchführung dar. Bei ihr wird der Buchungsstoff auf Lochkarten abgespeichert und dann mittels spezieller Lese- und Verarbeitungsgeräte gebucht. Infolge der Entwicklung auf dem Gebiet der Elektronischen Datenverarbeitung besitzt die Lochkartenbuchführung heute fast nur noch historische Bedeutung.

W. E.

Literatur: *Eisele, W.,* Technik des betrieblichen Rechnungswesens, 2. Aufl., München 1985. *Falterbaum, H./Beckmann, H.,* Buchführung und Bilanz, 11. Aufl., Achim 1985. *Vormbaum, H.,* Grundlagen des betrieblichen Rechnungswesens, Stuttgart u. a. 1977.

Maschinengemeinschaft

Zusammenschluß von Landwirten zur gemeinschaftlichen Nutzung von Maschinen. Die Mitglieder der Gemeinschaft sind Anteilseigner.

Maschinenprogramm → Objektprogramm

Maschinenring

Zusammenschluß von Landwirten zum Zweck des überbetrieblichen Maschineneinsatzes. Mitglieder des Maschinenrings setzen ihre eigenen Maschinen gegen Bezahlung in anderen Mitgliedsbetrieben ein.

Maschinenschutzgesetz

(Gesetz über technische Arbeitsmittel vom 24. 6. 1968) hat wesentliche Teile des →Unfallschutzes umfassend modifiziert. Die Regelungen greifen dabei über den betrieblichen →Arbeitsschutz hinaus. Nach dem Gesetz sind Hersteller und Importeure verpflichtet, nur noch unfallgeschützte technische Arbeits-

mittel auf den Markt zu bringen. Ergänzt werden die Vorschriften durch die Arbeitsstoffverordnung und spezielle Vorschriften über den Umgang mit radioaktiven Stoffen. Sie sehen eine umfassende Regelung für den Umgang mit diesen Substanzen vor sowie ein Beschäftigungsverbot für bestimmte Personengruppen und Bestimmungen über die gesundheitliche Überwachung.

Maschinensprache →Programmiersprache, →Übersetzungsprogramm

Maschinensteuer → Maschinenbeitrag

Maschinenstundensatzrechnung →Platzkostenrechnung

Maschinisierung → Mechanisierung

Massegläubiger → Konkursverfahren

Massekosten → Konkursverfahren

Massenfertigung

programmbezogener →Produktionstyp (→Programmtypen), bei dem eine vorab nicht beschränkte Menge eines Erzeugnisses in ununterbrochener Folge hergestellt wird.

Massenkommunikation

Kommunikation, bei der Informationen von einem definierten →Sender an eine anonyme Anzahl von →Empfängern übermittelt werden. Traditionelle Massenkommunikationsmittel sind neben öffentlicher Rede oder Kundgebung vor allem Zeitungen, Zeitschriften, Plakate und andere allgemein zugängliche Mitteilungen an Anschlagtafeln, Litfaßsäulen usw. (Printmedien). Mit der Entwicklung der Fotografie und der Realisation der Nachrichtenübertragung mittels elektromagnetischer Wellen traten weitere Massenkommunikationsmittel hinzu: Film, Rundfunk und Fernsehen (→Massenmedien). Im Bereich der →Telekommunikation wird Massenkommunikation über Verteilnetze abgewickelt (→Kommunikationsnetze). Das Angebot an Massenkommunikation ergänzen Möglichkeiten der Telekommunikation, wobei die Grenzen zur Individualkommunikation z. T. verschwimmen (→Kabeltext). Die Sender der Massenkommunikation können öffentlichrechtlich oder privatrechtlich verankert bzw. organisiert sein. Wegen ihrer gesellschaftlichen Bedeutung unterliegt Massenkommunikation in vielen Ländern einer besonderen öffentlichen Kontrolle (Meinungsvielfalt).

In Organisationen, insb. Unternehmungen, stellt die Massenkommunikation ein wichtiges Instrument für → Werbung und → Public Relations dar. Durch eine bewußte Auswahl verschiedener → Medien mit unterschiedlich strukturierten Empfängerkreisen ist es möglich, zielgruppengerecht zu werben (→ Marktsegmentierung).   *A. P./W. K. R.*

Massenmedien

umfassen aus der Sicht der → Werbung all jene unpersönlichen → Werbeträger, durch die im Unterschied zur → persönlichen Kommunikation kein eng begrenzter, personell definierter Adressatenkreis, sondern eine relativ breite und inhomogene Empfängerschaft ohne Möglichkeit zur direkten Rückkopplung erreicht wird. Beispiele sind Fernsehen, Funk, Anschlagtafeln oder überregionale Zeitungen und Publikumszeitschriften.

Massenproduktion → Massenfertigung

Massenproduktionsvorteile → Skaleneffekte

Masseschulden → Konkursverfahren

Maßgeblichkeitsprinzip

1. Das Prinzip der Maßgeblichkeit der Handelsbilanz für die Steuerbilanz ist in § 5 EStG verankert. Die steuerliche → Gewinnermittlung für Gewerbetreibende basiert auf der nach den → Grundsätzen ordnungsmäßiger Buchführung erstellten Handelsbilanz (abgeleiteter → Betriebsvermögensvergleich). Soweit die Ansätze der Handelsbilanz den steuerlichen Spezialvorschriften über Entnahmen, Einlagen, Bilanzierung, Bewertung, Betriebsausgaben und Abschreibungen nicht entsprechen, sind sie formfrei zu korrigieren oder auf eine gesonderte Steuerbilanz umzusetzen. In allen anderen Fällen sind die Ansätze der Handelsbilanz für die Steuerbilanz bindend. Sollen steuerliche Wahlrechte oder Vergünstigungen (z.B. → Sonderabschreibungen) in Anspruch genommen werden, so setzt dies einen entsprechenden Ansatz in der Handelsbilanz voraus (umgekehrte Maßgeblichkeit). 2. → Konsolidierungsgrundsätze.   *W. H. W.*

Maßnorm → Normung

Maßzahl → eindimensionale Datenreduktionsmethoden

Materialanalyse

Ausgangspunkt von Entscheidungsprozessen in der → Materialwirtschaft. Die Materialanalyse liefert Informationen über

● die Art und Güte der benötigten Materialien,
● die Zusammensetzung des Materialsortimentes nach Menge und Wert,
● die → Verbrauchsstruktur der Materialien.

Auf der Kenntnis der qualitativen Zusammensetzung des Materialsortimentes basieren Überlegungen und Maßnahmen zur → Materialrationalisierung. Die Vielfalt des Materialsortimentes soll auf den unbedingt notwendigen Umfang beschränkt werden, um die Beschaffungs- und Bereitstellungskosten sowie die Kosten der Materialverwaltung möglichst gering zu halten. So ist zu prüfen, ob durch eine Einschränkung der Breite und Tiefe des Materialsortimentes mit Hilfe von → Normung und Standardisierung eine Kostensenkung erzielt werden kann, ohne den Produktionsprozeß selbst und das angestrebte Produktionsergebnis zu beeinträchtigen. Oft enthält der von der technischen Seite spezifizierte → Materialbedarf einen qualitativen Spielraum. Die → Wertanalyse ist eine Methode, die zur Aufspürung unangemessener Qualitätsstandards bei einzelnen Komponenten des Produktes eingesetzt werden kann.

Das Streben nach einer Begrenzung der Materialvielfalt wird besonders bei der → Produktinnovation bedeutsam. Häufig werden bei der Produktentwicklung neue Materialien eingesetzt, ohne daß dies technisch zwingend erforderlich wäre. Dies führt jedoch zu einer Ausweitung des Materialsortimentes.

Das Art-Mengen-Wert-Verhältnis der Materialien läßt sich mit Hilfe der → ABC-Analyse ermitteln. Die Kenntnis der relativen Bedeutung der einzelnen Materialarten erlaubt einen optimalen Einsatz der dispositiven, planerischen Ressourcen in der Materialwirtschaft. Maßnahmen zur Materialkosteneinsparung durch Rationalisierung, genauere Bedarfs- und Vorratsplanung sowie Anstrengungen zur Verbesserung der Beschaffungsbedingungen setzen zweckmäßigerweise bei den relativ bedeutsamsten Materialien an. Nur diese weisen ein wesentliches Kosteneinsparungspotential auf.

Die Kenntnis der Verbrauchsstruktur ist insb. für die → Lagerhaltung und → Lagerplanung von Bedeutung. In Abhängigkeit von dem Grad der Gleichförmigkeit des Verbrauchsverlaufes wird die Form der Materialbereitstellung festgelegt. So werden z.B. Materialien, die unregelmäßig verbraucht werden, erst im Bedarfsfalle beschafft und nicht bevorratet. Die Materialanalyse mit Hilfe der ABC-Analyse und der Analyse der Verbrauchsstruktur liefert ein Raster für den Einsatz maschineller Planungs- und Steuerungssysteme (EDV-gestützte Materialwirtschaft). Vollautomatische Dispositionssysteme sind dann besonders wirkungsvoll, wenn Materialien mit hohem Verbrauchswert und regelmäßigem Verbrauch einbezogen werden.   *U. A.*

Literatur: *Grochla, E.*, Grundlagen der Materialwirtschaft, 3. Aufl., Wiesbaden 1978. *Hartmann, H.*, Materialwirtschaft, Gernsbach 1978.

Materialausgabe

letzte Phase des → Materialflusses: Aushändigung der Materialien an die Verbrauchsstellen (Bedarfsträger). Eine korrekte Bestandsrechnung ist dann gewährleistet, wenn die Materialausgabe gegen Beleg erfolgt.

Die Überbrückung der Distanz zwischen Lager- und Verbrauchsort erfolgt auf zwei Wegen. Einmal können die Bedarfsträger die benötigten Materialien an bestimmten Ausgabestellen abholen, wobei zur besseren organisatorischen Abwicklung bestimmte Zeiten (Uhrzeit, Wochentag, z. B. für Büromaterialien, Werkzeuge) festgelegt werden. Wartezeiten lassen sich dabei durch vorherige Bestellaufgabe reduzieren; das Lager kann die Materialien rechtzeitig bereitstellen. Material kann aber auch am Verbrauchsort ausgegeben werden: Der innerbetriebliche Transport fällt in die Zuständigkeit der Lagerorganisation oder einer selbständigen Transportstelle. Dies erlaubt eine bessere Abstimmung des Materialflusses mit den Transportmitteln des Betriebes, verlangt allerdings eine Koordination.
U. A.

Materialbedarf

Ausweis der in einer bestimmten Periode in der Fertigung (Leistungserstellung) benötigten Materialien, aufgeschlüsselt nach Art, Qualität, Menge und zeitlicher Struktur. Das Problem der Materialbedarfsplanung besteht darin, die laufende Versorgung kostenoptimal zu gewährleisten, d. h. zu vermeiden, daß der Materialverbrauch die verfügbaren Materialmengen übersteigt (Folge: Stillstands-, Leerkosten) oder unterschreitet (Folge: vermeidbare Kapitalbindungs- und Lagerhaltungskosten). Die Gegenüberstellung von Materialbedarf (Bruttobedarf) und → Materialbestand zeigt den Beschaffungsbedarf (Nettobedarf; Bestellbedarf) auf.

In qualitativer Sicht geht es um die Gestaltung des Materialsortiments. Folgende Probleme sind hierbei zu lösen:
- genaue Spezifikaton der benötigten Materialqualitäten,
- Begrenzung der Materialarten und -qualitäten durch Maßnahmen der → Normung

und Standardisierung (Folge: Straffung des Materialsortiments; → Materialanalyse),
- Ermittlung von Substitutionsmöglichkeiten,
- Entscheidung für Eigenfertigung oder Fremdbezug (→ make or buy).

Bei gegebenem Materialsortiment basiert der quantitative Materialbedarf auf dem geplanten Produktionsprogramm, den vorliegenden Kundenaufträgen, den Ergebnissen der Arbeitsvorbereitung und dem Materialverbrauch der Vorperioden. Entsprechend der Datenlage wird das → Materialdispositionsverfahren gewählt:

Ist das Produktionsprogramm für die Planungsperiode fixiert, bestimmt der Primärbedarf der im Planungszeitraum zu erstellenden Produkte den Materialbedarf (deterministisches Verfahren; → Programmsteuerung) und dessen zeitliche Verteilung.

Können keine Aussagen über die Entwicklung des Primärbedarfs getroffen werden, muß der voraussichtliche Materialbedarf auf der Grundlage von Vergangenheitswerten geschätzt werden (→ Verbrauchssteuerung). Soweit mathematisch-statistische Verfahren zur Erstellung einer → Materialbedarfsprognose eingesetzt werden, spricht man von stochastischer Bedarfsermittlung. Fehlt es an entsprechenden Daten, so muß der Entscheidungsträger auf intuitive Verfahren (heuristische Bedarfsermittlung) zurückgreifen.   *U. A.*

Literatur: *Wiessebach, B.*, Beschaffung und Materialwirtschaft, Herne, Berlin 1977. *Grochla, E.*, Grundlagen der Materialwirtschaft, 3. Aufl., Wiesbaden 1978. *Kahle, E.*, Industrielle Materialeinsatzplanung, Göttingen 1978.

Materialbedarfsarten

Aus methodischen Gründen ist es zweckmäßig, folgende Materialbedarfsarten zu unterscheiden:

(1) Nach dem Planungsobjekt:
- *Primärbedarf:* Geplanter Output an Fertigerzeugnissen, Ersatzteilen, verkaufsfähigen Halbzeugen nach Maßgabe des Fertigungsplanes bzw. der Auftragsstatistik für eine Planungsperiode.
- *Sekundärbedarf:* Nur in Handelsbetrieben ist der Primärbedarf zugleich Planungsgrundlage für den Beschaffungsbedarf. In Fertigungsbetrieben muß aus dem Primärbedarf der für die Produktion erforderliche Bedarf an Rohstoffen, Baugruppen, Ersatzteilen usw. abgeleitet werden. Zur Ermittlung des Sekundärbedarfs dienen → Stücklisten, → Rezepte, Bauvorschriften usw.
- *Tertiärbedarf:* Bedarf an Betriebs- und Hilfsstoffen sowie Verschleißwerkzeugen

für eine Planungsperiode; wird mittels technischer Kennzahlen aus dem Primär- bzw. Sekundärbedarf abgeleitet (z. B. Schmiermittelverbrauch pro Fertigungslos) oder aber mit Hilfe von Vergangenheitswerten geschätzt.

(2) Nach den Planungsfolgen:
- *Bruttobedarf:* Periodenbezogener Primär-, Sekundär- bzw. Tertiärbedarf.
- *Nettobedarf:* Bruttobedarf abzüglich frei verfügbarem Lagerbestand, Bestellbestand, Vormerkungen, Zusatzbedarf.
- *Zusatzbedarf:* Ungeplant auftretender Materialbedarf; er wird verursacht durch ungenaue Ermittlung des Primärbedarfs, Ungenauigkeiten in den Stücklisten, zusätzlichen Materialverbrauch infolge von Ausschuß oder Schwund, Materialbedarf für Versuche, Prüfzwecke usw.

Materialbedarfsprognose

ist immer dann erforderlich, wenn der Materialbedarf einer Planungsperiode nicht aus einem fest definierten Produktionsprogramm errechnet werden kann. Dies kann Folge mangelhafter bzw. fehlender Programmplanung sein oder daraus resultieren, daß aus dem Primärbedarf keine eindeutige Ableitung des Materialbedarfs möglich ist (fehlende → Stücklisten, Tertiärbedarf, nicht geplante C-Teile). Unter Bezug auf Vergangenheitswerte des Materialverbrauchs wird dann der voraussichtliche Bedarf der Planungsperiode geschätzt (→ Verbrauchssteuerung).

die Güte der Materialbedarfsprognose hängt von der Wahl eines geeigneten → Prognoseverfahrens und vom Datenmaterial (Anzahl und Verlauf der Vergangenheitswerte) ab. Die Anwendung mathematisch-statistischer Verfahren ist nur möglich, wenn die Verbrauchswerte über einen längeren Zeitraum hinweg kontinuierlich verlaufen.
- Bei *konstantem* Bedarfsverlauf schwanken die tatsächlichen Verbrauchswerte um einen gleichbleibenden Durchschnittswert. Die Verbrauchsdaten müssen also um die zufallsbedingten Schwankungen bereinigt werden, um einen gleichförmigen Verlauf erkennen zu können. Als Methoden kommen in Betracht: Bildung einfacher → Mittelwerte, bei stärkerer Bewertung der neueren Verbrauchswerte gleitende und gewichtige Mittelwerte.
- Bei *saisonabhängigem* Bedarfsverlauf treten Bedarfsspitzen bzw. -minima nach dem üblichen Saisonmuster auf. Diese deutlich erkennbaren Verbrauchsschwankungen lassen sich erklären, die Ursachen wirken auch in der Zukunft fort.

- Bei *trendbeeinflußtem* Bedarfsverlauf zeigt der um zufällige und saisonale Schwankungen bereinigte Bedarf über den Beobachtungszeitraum hinweg eine steigende oder fallende Tendenz, die sich auf graphischem Wege, durch die Methode der → exponentiellen Glättung oder aber durch eine → Regressionsanalyse feststellen bzw. quantifizieren läßt.   *U. A.*

Materialbereitstellung

Teilaufgabe der → Fertigungssteuerung, die dazu dient, die für die Durchführung eines Auftrags jeweils erforderlichen Einzelteile, Baugruppen und Einbauteile auf jeder Stufe des Fertigungsprozesses verfügbar zu machen. Dies geschieht durch Reservierung von Teilmengen an irgendwelchen Beständen oder durch Veranlassung von Beschaffungs- und Lagerhaltungsmaßnahmen.

Materialbeschaffung → Beschaffung

Materialbestand

dient dazu, den kontinuierlichen Verlauf der Fertigungsprozesse zu sichern. Die Gegenüberstellung von Materialbestand und Bruttobedarf an Materialien zeigt den Grad der Bedarfsdeckung auf. Übersteigt der Bruttobedarf den Materialbestand in einer Planungsperiode, entsteht eine Bedarfsunterdeckung (Nettobedarf): Es wird eine Bestandsergänzung erforderlich. Die → Bestandsplanung ist die wesentliche Grundlage der Materialdisposition. Dies gilt insb. für den Fall der verbrauchsgesteuerten Bedarfsermittlung.

Die Erfassung und Fortschreibung der Bestände erfolgen nicht nur mengenmäßig, zum Zwecke der Materialdisposition (Verfügbarkeit), sondern auch wertmäßig, zum Zwecke der Betriebsabrechnung. Folgende Teilaufgaben sind zu bewältigen:
(1) Bereitstellung aktueller Informationen über die Bestände nach Menge und Wert für die gesamte Materialdisposition,
(2) Nachweis von Änderungen bei allen lagermäßig geführten Materialien,
(3) Gewährleistung des handels- und steuerrechtlich geforderten körperlichen Bestandsnachweises (→ Inventur),
(4) Durchführung von Bestandskontrollen,
(5) Überwachung des Materialverbrauchs in der Fertigung,
(6) Überwachung von Ausschuß- und Schwundmengen und von Zusatzbedarf,
(7) Kontrolle der Bestellabwicklung.

Die Bestandrechnung erfaßt alle Materialbewegungen und -bestände. Sie verbindet und koordiniert die Bedarfs-, Lagerbestands- und Bestellrechnung. Dazu ist es erforderlich, zwischen verschiedenen → Bestandsarten zu unterscheiden.   *U.A.*

Literatur: *Oeldorf, G./Olfert, K.,* Materialwirtschaft, 3. Aufl., Ludwigshafen 1983. *Wissebach, B.,* Beschaffung und Materialwirtschaft, Herne, Berlin 1977.

Materialbewegungsstatistik → Verbrauchssteuerung

Materialdisposition

hat die Aufgabe, den → Materialbedarf für eine Planungsperiode zu ermitteln, die Versorgung zu gewährleisten und den Prozeßablauf insgesamt zu kontrollieren. Sie muß Bedarfs-, Bestands- und Bestelldispositionen koordinieren. In der Praxis wird diese Aufgabe vielfach von einer Abteilung Materialdisposition ausgeführt. Berührungspunkte bestehen vor allem mit der Produktions-, Marketing- und Einkaufsabteilung.

Die Wahl eines geeigneten Materialdispositionsverfahren hängt von der Planungsgrundlage und der → Materialbedarfsart ab:

- Ist der Primärbedarf durch die Absatz- bzw. Produktionsplanung festgelegt und erlauben vorliegende → Stücklisten, → Rezepte usw. eine → Bedarfsauflösung, dann ist eine programmgesteuerte Ermittlung des Sekundärbedarfs möglich (→ Programmsteuerung). Der Bedarf an Sekundärmaterial ist insoweit determiniert.
- Fehlt eine exakte Planung des Primärbedarfs oder geht es um die Ermittlung des nicht direkt erzeugnisabhängigen Tertiärbedarfes (Hilfs-, Betriebsstoffe), muß der voraussichtliche Materialverbrauch auf der Grundlage der Verbrauchswerte der Vergangenheit disponiert werden (→ Verbrauchssteuerung). → Materialbedarfsprognosen sind auf der Grundlage des historischen Verbrauchs zu erstellen.
- Fehlen Aufzeichnungen über die Vergangenheitswerte des Materialverbrauchs oder lassen diese keine Regelmäßigkeiten erkennen, können allenfalls intuitive Verfahren eingesetzt werden.   *U.A.*

Literatur: *Trux, W.R.,* Einkauf und Lagerdisposition mit Datenverarbeitung, 2. Aufl., München 1972. *Zeigermann, I.R.,* Elektronische Datenverarbeitung in der Materialwirtschaft, Stuttgart 1970.

Materialeingang

erste Phase des innerbetrieblichen → Materialflusses. Nach Passieren der Werksgrenzen werden die eingehenden Materialien der Material- bzw. Warenannahme zugeleitet. Es fallen hier folgende Aufgaben an:

- buchmäßige Erfassung der eingehenden Materialien;
- Identitäs-, Mengen- und Lieferzeitkontrolle; Vergleich der Lieferung mit den Angaben auf den Warenbegleitpapieren (Lieferschein, Packschein, Transportpapiere) und den Bestellangaben (Bestell- oder Auftragssatz); formale Rechnungskontrolle;
- Zuleitung von Materialstichproben an die → Materialprüfung zum Zwecke der Qualitätskontrolle;
- Zwischenlagerung der eingegangenen Materialien bis zur Freigabe durch die Materialprüfung (→ Eingangslager);
- Erstellen der Wareneingangspapiere, Weiterleitung der Materialien an die Materialläger bzw. Verbrauchsorte;
- Weitergabe der kontrollierten Eingangsrechnung bzw. des Lieferscheines an die Finanzbuchhaltung;
- Entscheidung über die Behandlung von Unter- oder Über-, Falsch- und beanstandeten Lieferungen.

Die Aufgaben des Materialeingangs können zentralisiert oder dezentralisiert bewältigt werden:

(1) Funktionelle und räumliche Trennung von den anderen Phasen des Materialflusses. Es ist sichergestellt, daß nur geprüfte und freigegebene Materialien in die Läger und an die Verbrauchsorte gelangen. Allerdings entstehen zusätzliche innerbetriebliche Umlade- und Transportprozesse.

(2) Sofortige und direkte Anlieferung an die Materialläger und Verbrauchsorte. Dadurch verringern sich die Durchlaufzeiten der Materialien und die innerbetrieblichen Logistikkosten. Man wird diese Form insb. bei den regelmäßig und in größerer Menge anzuliefernden Rohstoffen (Grundmaterialien wie z.B. Kohle, Erze, Grundchemikalien) wählen. Dezentralisierung kann aber auch von lagertechnischen Gegebenheiten erzwungen werden. Wichtig ist, daß die noch ungeprüften Materialien bis zum Abschluß der Materialprüfung separat gelagert werden und erst nach Freigabe in den Fertigungsprozeß gelangen können.   *U.A.*

Materialfluß

Abfolge von Lager-, Transport- und Bearbeitungsprozessen, von denen die Materialien in einem Betrieb betroffen werden. Aufgabe der Materialflußplanung ist es, durch rationelle Gestaltung der Teilprozesse Eingang, Prüfung, Lagerung und Ausgabe zur Optimierung der materialwirtschaftlichen Kosten bei-

zutragen. Die Aufgabenstellung überschneidet
sich zum großen Teil mit jener der → Logistik.
Lager- und Transportvorgänge sind in einem
engen Zusammenhang mit Produktionsprozeß, Betriebsmitteln und Standortgegebenhei-
ten zu sehen.

Ansatzpunkte für Kosteneinsparungen und
Materialflußoptimierung bieten auch die
Transport- und Förderhilfsmittel: Bänder,
Leitungen und genormte Ladeeinheiten (Be-
hälter, Paletten) beschleunigen den Güterum-
schlag in der Transportkette, erleichtern eine
automatisierte Gestaltung der innerbetrieblichen Lager- und Förderprozesse. Nach Möglichkeit soll die Liefereinheit identisch mit der
Verpackungs-, Transport- und Lagereinheit
sein. Bei der optimalen Gestaltung des Materialflusses muß jedoch auch die externe Logistik berücksichtigt werden. So sollte bei trans-
portkostenintensiven Gütern die Entscheidung über Transportweg und → Transportmittel nicht allein vom Lieferanten gefällt
werden.   *U. A.*

Literatur: *Bahne, E.* u. a., Materialflußsysteme,
Bd. 1–3, Mainz 1974, 75, 76.

Materialinformationssystem

Materialbewegungen werden von Informa-
tionsflüssen überlagert, die jenen zuweilen
vorausgehen (z. B. Bedarfsermittlung, Informationen über Beschaffungsquellen usw.),
sich z. T. mit diesen decken (z. B. Informationen über → Materialeingang) oder an abgeschlossenen Tätigkeiten anknüpfen (z. B. Materialentnahme). Eine wichtige Aufgabe des
Materialmanagement ist deshalb die effiziente
Gestaltung eines bereichsspezifischen → Informationssystems. Dieses muß sämtliche relevante Informationen erfassen, speichern und
in geeigneter Form den Entscheidungsträgern
zur Verfügung stellen. Dazu gehören externe
(Beschaffungsmärkte, Lieferanten, Wettbewerber) sowie interne Informationen (Materialbedarf, Materialfluß und -bestände).

Generell sind manuelle und EDV-gestützte
Materialinformationssysteme zu unterscheiden; angesichts der Fülle interner Daten ist es
nicht verwunderlich, daß die Material- und
Warenwirtschaft zu den frühen Anwendungs-
feldern maschineller Datenverarbeitung zählte.
(1) Ein manuelles Materialinformationssystem besteht im Prinzip aus verschiedenen
Karteien bzw. Dateien zur Erfassung der Materialbestände, -bewegungen, -kosten, Be-
darfsdaten, Bezugsquellen usw. Veränderungen werden mit Hilfe interner Belege dokumentiert. Vom Aufbau her ist eine Integration

der verschiedenen Datenbestände kaum möglich. Ansatzweise geschieht dies durch Vervielfachung von Belegen im Wege des Durch-
schreibe- oder Übertragungsaufschreibever-
fahrens.
(2) Bei einem EDV-gestützten Materialinformationssystem werden die entscheidungsrele-
vanten Informationen in verschiedenen Datei-
en bereitgestellt, so daß sie ggf. über ein Terminal am Arbeitsplatz abrufbar sind. Änderungen werden unmittelbar in die Teilsysteme
eingespeist: Eine Materialentnahme vom Lager führt direkt zur Korrektur der Lagerbe-
standsrechnung und berührt die Dispositi-
onsrechnung. Wesentliche Elemente eines integrierten Materialinformationssystems sind
die Datei für die Teilestammdaten (Teil-
stammsatz) und Erzeugnisstrukturdaten, die
Materialbestandsdatei sowie die Lieferanten-
und Bezugsquellendatei.

Die Effizienz des Materialinformationssystems läßt sich durch eine automatische Registrierung der Materialbewegungen erhöhen.
Warenein- und -ausgänge werden z. B. in
Handelsbetrieben optisch-elektronisch erfaßt
und direkt in das Materialinformationssystem
(→ Warenwirtschaftssystem) eingelesen
(→ scanning). Es liegt nahe, die Leistung des
Materialinformationssystems auch durch Implementierung von Entscheidungsroutinen zu
verbessern. Dies ist z. B. in der Weise möglich,
daß bei Erreichung des Meldebestandes automatisch ein Bestellsatz ausgefertigt und dem
Disponenten vorgelegt wird. Die Ausgestaltung zum Online-System erlaubt es den Entscheidungsträgern, im Dialog mit den verschiedenen Teilinformationssystemen Entscheidungen zu treffen. Neuerdings werden
bereits externe Verknüpfungen vorgenommen
und z. B. Lieferanten in das Materialinformationssystem einbezogen. Bestellentscheidun-
gen werden dann unmittelbar in das Informationssystem des Lieferanten eingegeben.
                                                           U. A.

Materialintensität → innerbetriebliche Produktionsstatistik

Materialkontrolle

Endphase aller Planungs- und Realisierungs-
prozesse in der → Materialwirtschaft. Formal
besteht ihre Aufgabe in der Ermittlung von
Ist-Werten, die den Planungswerten (Soll) gegenüberzustellen sind. Die Analyse von Soll-
Ist-Abweichungen und die damit verbundene
Ursachenanalyse liefern wesentliche Informationen für zukünftige Planungsprozesse.
(1) Kontrolle des → *Materialbedarfs*
(a) Sortimentskontrolle:

- Übereinstimmung des geplanten Materialsortiments mit dem tatsächlichen Bedarf in der Produktion,
- Einhaltung von Formen und Standards.

(b) Bedarfsmengenkontrolle:
- Feststellung von Differenzen zwischen geplanten und tatsächlichen Bedarfsmengen,
- ggf. Korrektur der → Stücklisten, Verbesserung der Bedarfsprognosen,
- Feststellung der Materialausbeute zur Kontrolle von produktionsbedingten Materialverlusten (Verschnitt, Abbrand, Verdunsten),
- detaillierte Ermittlung von Ausschußmengen und Analyse von deren Ursachen (material-, konstruktions-, betriebsmittel-, bedienungsbedingt).

(2) Kontrolle der *Materialbeschaffung*
(a) Bestellkontrolle: Überprüfung der erteilten Bestellungen mit den betrieblichen Anforderungen, Liefertterminüberwachung.
(b) Materialprüfung: Prüfung von → Materialeingang, Menge(n) und Qualität(en).
(c) Rechnungskontrolle: Vergleich von Auftragsbestätigung bzw. Bestellung und Lieferantenrechnung. Zur materiellen Kontrolle müssen Materialeingangsmeldung und Bericht über die Mengen- und Qualitätskontrolle vorliegen. Die formale Kontrolle stellt auf mögliche Rechenfehler, Doppelberechnung usw. ab.
(d) Erfolgskontrolle: Analyse der wesentlichen Erfolgskomponenten; im Vordergrund steht dabei die Kontrolle der beschaffungsbezogenen Kosten.

(3) Kontrolle der *Materialvorräte*
(a) Bestandsrichtgrößen: Überprüfung und gegebenenfalls Modifikation der Richtgrößen Höchst-, Melde-, Sicherheitsbestand usw., speziell in Abhängigkeit von konjunkturellen Einflüssen.
(b) Umschlagshäufigkeit: Wert- oder mengenbezogene Ermittlung (Materialverbrauch in der Periode : durchschnittlicher Materialbestand).
(c) Reichweite der Materialvorräte: Sie gibt an, wie lange der gegenwärtige Materialvorrat zur Deckung des Bedarfs ausreicht (Bestand zum Kontrollzeitpunkt: Bedarf pro Zeiteinheit).

Die → Materialrechnung und → Materialstatistik sind wichtige Informationsquellen für die Materialkontrolle. *U. A.*

Literatur: *Hartmann, H.,* Materialwirtschaft, Gernsbach 1978.

Materialkosten → Werkstoffkosten, Materialrechnung

Materiallagerung → Vorratspolitik

Materialmanagement

alle Planungs-, Organisations- und Kontrollaufgaben, um einen Betrieb mit den erforderlichen sachlichen Inputfaktoren zu versorgen (→ Materialwirtschaft).

Materialnumerierung

Ordnungssystem zur Erfassung und Klassifikation eines Materialsortimentes. Größere Material- bzw. Warenbestände können kaum unter den verkehrs- oder handelsüblichen Bezeichnungen geordnet werden. Die sprachlichen Begriffe sind unhandlich, damit nicht EDV-gerecht, bergen Verwechslungsmöglichkeiten in sich. Deshalb werden Kurzbezeichnungen mit Hilfe eines Schlüsselsystems für die einzelnen Materialpositionen geschaffen. Als Schlüssel können Zahlensysteme (dekadischer Schlüssel, → Nummernschlüssel), Buchstabenkombinationen und alpha-numerische Systeme (→ Verbundschlüssel) eingesetzt werden. Die einfachste Form der Kodierung ist die fortlaufende Numerierung der Materialarten. Sie ermöglicht zwar eine exakte Identifikation, nicht aber eine sachliche Klassifikation.

Klassifikatorische Schlüssel sind stets mehrstellig. Bei einem dekadischen Schlüssel benennen die einzelnen Ziffern bzw. Ziffernfolgen die Hauptgruppe (z.B. den Lagerort), Materialgruppe oder Materialeinheit (Abmessung). Die Anzahl der Stellen des Schlüssels bestimmt den Grad der Detaillierung des Ordnungssystems. Von Nachteil ist, daß Gruppenmerkmale und Identifikationsschlüssel hinsichtlich eines bestimmten Materials zusammengefaßt sind. Änderungen in der Reihenfolge der Merkmale läßt das System nicht zu. Eine Parallelverschlüsselung mit Hilfe eines fortlaufenden Zähl- und eines veränderlichen Kennzeichnungssystems vermeidet diesen Nachteil. *U. A.*

Materialprüfung

Teilaufgabe der → Materialkontrolle, die im Rahmen des Wareneingangs und der Warenannahme anfällt. Die Eingangsprüfung erstreckt sich auf die Kontrolle der Menge (Vergleich mit der Bestellung oder Auftragsbestätigung), der einzelnen Lieferpositionen (Identitätsprüfung, Auftragserteilung) und der vereinbarten Material- oder Warenqualität. Die qualitative Materialprüfung soll möglichst frühzeitig erfolgen, ggf. bereits beim Lieferanten. Je später Materialfehler aufgedeckt werden, um so höher sind die durch sie bedingten

Kosten (z.B. Produktion von Ausschuß, Beschädigung von Betriebsmitteln, Reklamationen von Kunden, „Rückruf"-Aktionen).

Im Hinblick auf den Umfang sind Voll- oder Teilprüfungen zu unterscheiden. Eine vollständige qualitative Kontrolle wird nur bei jenen Materialien, Einbauteilen usw. vorgenommen, die die Sicherheit des Fertigproduktes in besonderem Maße beeinflussen. Werden zerstörende Prüfverfahren eingesetzt, etwa Zerreiß-, Verformungs- oder Ermüdungstests, muß man sich zwangsläufig mit Stichprobenprüfungen begnügen. Dies ist bei umfangreichen Beschaffungslosen oder kontinuierlicher Belieferung (einsatzsynchrone Beschaffung) aus Zeit- und Kostengründen generell geboten.

Es kann für Lieferant und Abnehmer zweckmäßig sein, ein gemeinsam akzeptiertes Prüfschema anzuwenden und dies in den Liefer- bzw. Bezugsbedingungen vertraglich abzusichern. Festzulegen sind dabei: Verfahren zur Auswahl der Prüflose, Stichprobengröße und -Entnahme, Prüfkriterien, Prüftoleranzen (Anzahl der Fehler pro Prüfeinheit, Anzahl der fehlerhaften Prüfeinheiten pro Lieferung), technische Prüfprozedur sowie Behandlung beanstandeter Prüfeinheiten. Oft empfiehlt es sich, eine neutrale Prüfinstanz als Schiedsstelle zu benennen, z.B. eine unabhängige Materialprüfungsanstalt. Mit dem AQL-System (acceptable quality level) steht ein international akzeptiertes Prüfungssystem zur Verfügung, das z.B. auch von der European Organization für Quality Control (EOQC) empfohlen wird.   *U. A.*

Materialrationalisierung

Die Bemühungen richten sich in erster Linie auf eine Reduzierung der Vielfalt der eingesetzten Materialien (→ Materialanalyse). Dadurch sollen Kosten bei Materialverwaltung, Materialprüfung und Lagerhaltung eingespart werden (→ Materialwirtschaft). Voraussetzung sind eine lückenlose Erfassung und hinzureichende Kennzeichnung des bestehenden Materialsortiments mit Hilfe eines Schlüsselsystems (→ Materialnumerierung), das eine Klassifikation der Teilsortimente nach Art und Qualität erlaubt. Eine lediglich fortlaufende Numerierung ist dafür ungeeignet. In Handelsbetrieben stehen z.T. schon überbetriebliche Systeme zur → Warenkennzeichnung zur Verfügung.

Eine Begrenzung des Materialsortiments läßt sich insb. durch systematische Auswahl und Vereinheitlichung der Materialien hinsichtlich Größe, Abmessung, Form, Farbe, stofflicher Zusammensetzung (Rezeptur),

technischen Leistungsparametern usw. erzielen (→ Normung, → Typung). Die vielseitige Verwendung vorhandener Materialien bewirkt allerdings, daß im Einzelfalle höherwertige (und damit teurere) Materialien in der Fertigung eingesetzt werden, sofern die Kosteneinsparung durch Rationalisierung des Materialsortiments dies rechtfertigt. Materialstandards und -normen werden von einzelnen Betrieben oder aber, mit überbetrieblicher Geltung, von nationalen und/oder internationalen → Gütesicherungsinstitutionen definiert.   *U. A.*

Literatur: *Zeigermann, I. R.,* Elektronische Datenverarbeitung in der Materialwirtschaft, Stuttgart 1970.

Materialrechnung

wesentliche Informationsquelle der → Materialkontrolle. Gemäß den unterschiedlichen Informationsanliegen gibt es vielfältige Erscheinungsformen und Zwecksetzungen:

(1) *Geschäftsbuchhaltung:* Die Materialrechnung liefert auf der Basis von Inventuren die Daten über Materialbestände für die Bilanz; ferner ermittelt sie den Materialaufwand für die Gewinn- und Verlustrechnung. Zur differenzierten Erfassung der Materialkosten steht die Klasse 3 des Gemeinschaftskontenrahmens zur Verfügung.

(2) *Betriebsbuchhaltung:* Die Kosten- und Leistungsrechnung benötigt die Daten der Materialrechnung zur Ermittlung des Betriebserfolges, die Kalkulationsrechnung bedarf ihrer für die Ermittlung der Stückkosten. Die Verbrauchsrechnung dient der Ermittlung des Mengengerüsts der Materialkosten, bildet somit die Grundlage für die periodische Kostenrechnung und die Stückkostenrechnung. Der Materialverbrauch kann durch Rückrechnung, Befundrechnung (Anfangsbestand + Zugänge ./. Endbestand = Verbrauch) oder Fortschreibung (→ Skontration) erfaßt werden. Die letztgenannte Methode erfaßt die einzelnen Verbrauchsmengen detailliert mittels Belegen, die eine genaue Zuordnung zu Kostenträgern bzw. Kostenstellen erlauben.

Zur Kostenermittlung müssen Verbrauchsmengen bewertet werden. Als Wertansätze kommen in Frage:

- Anschaffungswerte (z.B. Einstandspreis, Buchbestandspreis),
- Tageswerte (z.B. Preis am Verarbeitungstag, Tag der Wiederbeschaffung usw.),
- Innerbetriebliche Verrechnungspreise.

(3) *Materialkontrollrechnung:* Wert- und mengenmäßige Überwachung der Materialbewegungen und -bestände als Grundlage für die Optimierung der Materialdisposition

(→ Verbrauchssteuerung). In zeitlicher Sicht sind laufende Materialrechnungen und → Inventur zu unterscheiden. *U. A.*

Materialrücknahme

Rückgabe von Materialien, die von den Verbrauchsstellen nicht (mehr) benötigt werden, an die Lagerorte. Gründe können sein: Fehldisposition bei der Materialentnahme; Änderung des Fertigungsprogrammes und damit des → Materialbedarfs.

Die Materialrücknahme muß belegmäßig erfaßt werden (Rücknahmeschein), um die Bestandsrechnung korrigieren zu können. Die Analyse der Materialrücknahme liefert Kontrollinformationen zur Verbesserung der Materialdisposition und des → Materialflusses.

Materialsortiment → Materialbedarf, → Materialanalyse

Materialstatistik

ergänzt die → Materialrechnung durch ständige oder fallweise Erfassung bestimmter Vorgänge in der → Materialwirtschaft. Zur laufenden Materialstatistik zählen z.B. die Ermittlung der Umschlagsraten einzelner, wichtiger Materialarten (oder Materialklassen), die Feststellung der tatsächlichen Bedarfsentwicklung an wichtigen Verbrauchsorten und die Beobachtung des Lieferbereitschaftsgrades.

Materialtreue

ein traditionell die → Programmpolitik bestimmendes (strategisches) Leitbild, nach dem das Leistungsprogramm eines Unternehmens ausschließlich aus Produkten eines bestimmten Grundmaterials (z.B. Textilien, Kunststoff, Metall, Holz oder Keramik) besteht. Sie verschafft Spezialisierungsvorteile in der Beschaffung und Fertigung, enthält jedoch das Risiko der materialtechnischen Veraltung bestimmter Problemlösungen (→ Problemtreue) und des darauf folgenden Verlustes von Stammkunden (→ Kundentreue).

Materialverbrauchsstatistik → innerbetriebliche Produktionsstatistik

Materialwirtschaft

umfaßt alle Aktivitäten von Organisationen, die auf das Management realer Sachgüter gerichtet sind. Die Abgrenzung setzt an den stofflich gebundenen Produktionsfaktoren an, die zur Leistungserstellung benötigt werden. Die Objektorientierung ergänzt bzw. überlagert die funktionale Sichtweise in der Be-

triebswirtschaftslehre. In der Praxis setzt sich Materialwirtschaft zunehmend als Bezeichnung für jenen Bereich durch, der auch Beschaffung, Einkauf und Transport umfaßt. Ihre Bedeutung in Organisationen kommt im Anteil der Materialkosten an den Kosten der Leistungserstellung bzw. am Umsatz zum Ausdruck.

Einen wesentlichen Materialkostenanteil weisen insb. rohstoffnahe Veredlungs- (z.B. Erdölraffinerien) und industrielle Fertigungsbetriebe mit mechanisch-synthetischer Struktur auf (z.B. Automobilfabriken). Die Materialkosten verschlingen in der Automobilindustrie ca. 50% der Erlöse.

Bei reinen Dienstleistungsbetrieben sind die Materialkosten unbedeutend, während sie bei Handelsbetrieben zwischen 80% und 95% erreichen können. Demzufolge bilden die Warenkosten den zentralen Erfolgsfaktor im institutionellen Handel.

Es ist nicht zweckmäßig und üblich, alle realen Sachgüter dem Objektbereich der Materialwirtschaft zuzuordnen. So werden regelmäßig die Güter des Anlagevermögens (Betriebsmittel) ausgeklammert; diese stellen Entscheidungsobjekte der Investitionspolitik dar. Als Materialien gelten die Werkstoffe, also die Verbrauchsgüter in der Produktion (Roh-, Hilfs- und Betriebsstoffe), sowie die Einbauteile in unterschiedlichem Bearbeitungszustand. Dies können Zulieferteile, Halbzeug und Fertigwaren, die unbearbeitet weiterveräußert werden (Handelswaren, „resale"), sein. Üblicherweise beschränkt sich die Betrachtung auf Einsatzmaterialien und Verschleißwerkzeuge für die verschiedenen Verbrauchsorte im Fertigungsprozeß von Industriebetrieben.

Die Aufgabe der Materialwirtschaft, die Ver- und Entsorgung von Fertigungsbetrieben sicherzustellen, hat eine reale, technische und eine formale, ökonomische Seite. Die reale, technische Aufgabe dient der Realisierung einer komplexen Zielfunktion: Die für die Leistungserstellung benötigten Materialien sollen in der geforderten Menge, in ausreichender Qualität, zum richtigen Zeitpunkt und am richtigen Verbrauchsort bereitgestellt, die Abfallstoffe einer angemessenen Verwertung zugeführt werden (→ Recycling). Folgende materialwirtschaftliche Teilfunktionen, die oft auch als Anhaltspunkte bei der Abteilungsbildung dienen, lassen sich unterscheiden:

- Ermittlung des → Materialbedarfs,
- Materialbeschaffung (→ Beschaffung),
- Kontrolle des → Materialeinganges (Wareneingangskontrolle),
- → Lagerhaltung,

- →Materialbereitstellung am Verbrauchsort,
- →Entsorgung der Verbrauchsorte,
- Verwertung des →Abfalls.

Die Aufgabe des Transportes zwischen den einzelnen Lager- und Verbrauchsorten wird gelegentlich auch unter dem Begriff →Logistik zusammengefaßt.

In formaler, ökonomischer Sicht soll die Materialwirtschaft die Optimierung der materialwirtschaftlichen Kosten sicherstellen. Materialwirtschaftliche Entscheidungen lösen verschiedene Kostenwirkungen aus. Die Bevorratung von Materialien zur Sicherstellung der Versorgung bzw. Lieferbereitschaft bedingt eine Kapitalbindung und verursacht damit Zinskosten. Eine Reduzierung der Materialvorräte läßt dagegen das Risiko von Produktionsunterbrechungen bzw. Lieferengpässen entstehen und verursacht entsprechende Stillstands- bzw. Ausfallkosten. Wichtige Kostenarten der Materialwirtschaft sind z.B. Zins-, Transport-, Prüf-, Lagerhaltungs-, Wagnis- und Verwaltungskosten. Das sog. materialwirtschaftliche Optimum wird durch Entscheidungen in folgenden Teilbereichen bestimmt:

- Materialmenge,
- Materialsortiment,
- Raumüberbrückung,
- Zeitüberbrückung,
- Kapitalkosten.

Das Materialmanagement hat Planungs-, Realisations- und Kontrollaufgaben zu lösen. Zur Planung gehören die Definition materialwirtschaftlicher Ziele, die Entwicklung strategischer/taktischer Handlungsprogramme und die Festlegung einer geeigneten Aufbaustruktur. Weiterhin zählt dazu die Gestaltung eines leistungsfähigen Informationssystems. Planungs- und Realisationsprozesse werden durch Ablaufkontrollen ergänzt bzw. von diesen überlagert. Im Sinne von Feed-back-Informationen wirken diese auf die Planungs- und Entscheidungsprozesse ein.   *U. A.*

Literatur: *Grochla, E.,* Grundlagen der Materialwirtschaft, 3. Aufl., Wiesbaden 1978. *Ammer, D. S.,* Materials-Management, 3. Aufl., Homewood, Ill. 1974.

mathematisch-deduktive Methode

Verfahren, bei dem von allgemeinen Tatbeständen (z.B. dem Ertragsgesetz) auf logisch-deduktivem Wege spezielle Sachverhalte abgeleitet werden (→Deduktion). Als „mathematisch" wird die Methode deshalb bezeichnet, weil dabei mathematische Verfahren eine Rolle spielen (→Operations Research). In die Betriebswirtschaftslehre wurde diese Vorstel-

lung von der dem Fach angemessenen Vorgehensweise von *Erich Gutenberg* im Rahmen seines faktortheoretischen Ansatzes eingeführt. *Konrad Mellerowicz* hat ihr die →empirisch-induktive Methode gegenübergestellt.
                                                          G. S.

mathematische Entscheidungsvorbereitung
→Operations Research

mathematische Optimierung

(Planungsrechnung, Programmierung) Sammelbegriff für verschiedene Modelle und Verfahren der →Planungsmathematik des →Operations Research. Die Modelle der mathematischen Optimierung bestehen überwiegend aus einer →Zielfunktion (teilweise auch aus mehreren: →Mehrzieloptimierung) und einer Vielzahl von →Restriktionen.

Die Rechenverfahren der mathematischen Optimierung variieren mit dem Modelltyp (→lineare Optimierung, →nichtlineare Optimierung, →ganzzahlige Optimierung, →kombinatorische Optimierung, →dynamische Optimierung).   *H. M.-M.*

mathematische Planungsrechnung →mathematische Optimierung

Matrikularbeiträge

Bezeichnung für finanzielle Leistungen der einzelnen Stände bzw. später der Gliedstaaten an das Reich. Leistungspflichtige und Verteilungsschlüssel waren in einem „Reichsmatrikel" genannten Verzeichnis zusammengefaßt. Eintragung und Zahlung eines Matrikularbeitrags waren seit 1521 gleichzeitig Beweis für die Reichsunmittelbarkeit.

Im Deutschen Bund (1815–1866) führten die Länder nach der Kopfzahl ihrer Einwohner Matrikularbeiträge an die Bundesmatrikularkasse ab. Im Kaiserreich (1871–1918) waren die Matrikularbeiträge der Länder – ab 1909 ebenfalls nach der Bevölkerungszahl gestaffelt – neben den Zöllen die wichtigste Einnahmequelle des Reichshaushalts (Reich als „Kostgänger der Länder"). Ihre Unzulänglichkeit führte dazu, nach 1918 die Steuerhoheit des Reiches wesentlich zu stärken, so daß nunmehr die Länder „Kostgänger des Reiches" wurden.   *H. Wi.*

Matrixorganisation

Neben der →funktionalen Organisation und der →divisionalen Organisation bildet sie die dritte Grundform von Organisationen. Hierbei kommen mehrere Gliederungsprinzipien gleichzeitig zur Anwendung, d.h. es können

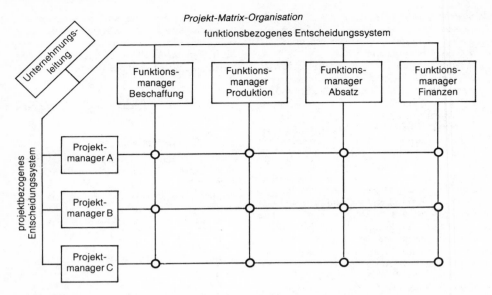

Projekt-Matrix-Organisation
funktionsbezogenes Entscheidungssystem

z.B. Markt- und Verrichtungsgesichtspunkte kombiniert werden (Produkt-Matrix-Organisation, Projekt-Matrix-Organisation).

In dem Beispiel (vgl. Abb.) wird eine Funktionsgliederung (Verrichtungsprinzip) von einer Projektgliederung (Objektprinzip) überlagert, so daß eine Matrix entsteht. Durch diese Struktur werden die Entscheidungs- und Weisungsbefugnisse zwischen Funktions- und Projekt- bzw. Produktmanagern (→ Projektorganisation) aufgeteilt, und es kommt zu Mehrfachunterstellungen (→ Leitungssystem, → Mehrliniensystem). Der Produkt- bzw. Projektmanager ist in erster Linie für Planung, Koordination und Kontrolle der Projektarbeit (problembezogenes Weisungsrecht) zuständig, wobei sein Projekt Priorität genießt. Die Funktionsmanager zeichnen für die Ressourcenbereitstellung verantwortlich und nehmen für alle Projekte Koordinationsaufgaben wahr.

Eine Matrixorganisation empfiehlt sich in Situationen, die durch sich rasch ändernde Umweltbedingungen gekennzeichnet sind. Sie ist geeignet für die Lösung komplexer, abgrenzbarer Probleme, die den Einsatz von Spezialisten erfordern. Um z.B. in der Markenartikelindustrie produkt- und kundengerechte Marketingkonzeptionen sicherzustellen, werden Produktmanager eingesetzt, die die Aktivitäten verschiedener Abteilungen im Hinblick auf die Markterfordernisse koordinieren. Die Tatsache, daß beim Projekt- bzw. Produktmanager alle projekt- bzw. produktspezifischen Informationen zusammenlaufen, ermöglicht ein hohes Maß an Flexibilität.

Vorteile der Matrixorganisation sind u.a. in folgenden Aspekten zu sehen:
(1) Konflike werden institutionalisiert, d.h. das vorhandene Konfliktpotential wird in einer Organisation nutzbar gemacht, um zu innovativen Problemlösungen zu gelangen.
(2) Die Matrixorganisation bewirkt eine bessere Nutzung der personellen Ressourcen, und Mitarbeiter können ihrer Eignung entsprechend eingesetzt werden, wobei dies ein relativ hohes Qualifikationsniveau voraussetzt.
(3) In einer Situation erprobte Problemlösungstechniken können auf andere Situationen übertragen werden.
(4) Die Direktheit der Kommunikationswege entlastet die Leitungsspitze und kann zu schnelleren Problemlösungen führen.
(5) Hierarchisches Denken wird durch funktionsbezogene Autorität abgelöst, wobei der Team-Arbeit erhebliche Bedeutung zukommt.

Diesen Vorteilen steht jedoch eine Reihe von *Nachteilen* gegenüber:
(1) Die Matrixorganisation stellt hohe Anforderungen an die Konfliktfähigkeit und Konflikttoleranz der Mitarbeiter; das dieser Struktur innewohnende Streßpotential ist damit höher als das anderer Organisationsformen.
(2) Durch den Prozeß der Reorganisation verliert ein Teil der Manager tendenziell an Einfluß, woraus Macht- und Statusprobleme resultieren.
(3) Es entstehen Zurechnungsprobleme bei Kosten und Erträgen, womit die Erfolgsbeurteilung erschwert wird.

(4) Die Kosten der Matrixorganisation sind vergleichsweise hoch, da eine größere Zahl von qualifizierten Führungskräften als in anderen Organisationsformen benötigt wird. Vor Einführung einer Matrixstruktur ist also exakt zu prüfen, ob die Problemstellung eine derart aufwendige Struktur erfordert und ob das Qualifikations- und Motivationspotential sowie die Anpassungsfähigkeit der Mitarbeiter zur Lösung der entstehenden Aufgaben ausreichen. Weitere Voraussetzung für die Einrichtung einer Matrixstruktur ist die Kanalisierung der Konfliktmöglichkeiten, d.h. diese müssen durch Pläne und formale Kompetenzabgrenzungen entschärft werden. *R. N.*

Literatur: *Kieser, A./Kubicek, H.,* Organisation, 2. Aufl., Berlin, New York 1983. *Schanz, G.,* Organisationsgestaltung, München 1982.

Matrix-Projektmanagement

eine der drei Grundformen des → Projektmanagements, bei der die Verantwortlichen keine oder nur einen Teil der erforderlichen Ressourcen fest zugeteilt erhalten. Sie müssen, um Projektaufgaben erledigen zu können, auf Ressourcen von funktionalen Abteilungen zurückgreifen, besitzen jedoch Entscheidungs- und Weisungsbefugnisse. Dadurch entsteht ein → Mehrliniensystem (vgl. Abb.). Der prinzipielle Vorteil dieses Systems liegt darin, daß der Projektleiter die Erreichung der Projektziele und den Projektfortschritt nachhaltig verfolgen kann und die Instanzen in den funktionalen Abteilungen gleichzeitig auf die Effi-

zienz der zu erbringenden Leistungen achten können. Nachteilig ist daran, daß durch die sich überschneidenden Kompetenz- und Weisungsbeziehungen eine Tendenz zu Konflikten entsteht. Durch eine langfristige Rahmenplanung, in der, legitimiert durch die Unternehmensleitung oder durch ein Steering-Committee, den Projekten Ressourcen aus den funktionalen Abteilungen für bestimmte Perioden verbindlich zugeteilt werden, sowie durch eine genaue Spezifizierung und Abgrenzung der Kompetenzen der Projektleiter in → Stellenbeschreibungen versucht man, die Konflikte im Matrix-Projektmanagement zu kanalisieren.

A. Ki.

Literatur: *Frese, E.,* Grundlagen der Organisation, 2. Aufl., Wiesbaden 1984. *Grochla, E.,* Grundlagen der organisatorischen Gestaltung, Stuttgart 1982.

Maus

Peripheriegerät zur Bildschirmsteuerung, das die → Tastatur ergänzt. Die Maus wird mittels Rollen über eine Oberfläche bewegt und erzeugt dabei Richtungsimpulse, die eine Cursorbewegung auf dem Bildschirm bewirkt. Somit kann der → Cursor schnell auf jede gewünschte Stelle des → Bildschirms positioniert werden. Die heute gebräuchliche Maus besitzt noch Funktionstasten zur Ausführung und Kontrolle der am Bildschirm ausgewählten Funktionen.

Maut → Straßenbenutzungsabgabe

Maxi-Min-Prinzip → Mini-Max-Prinzip

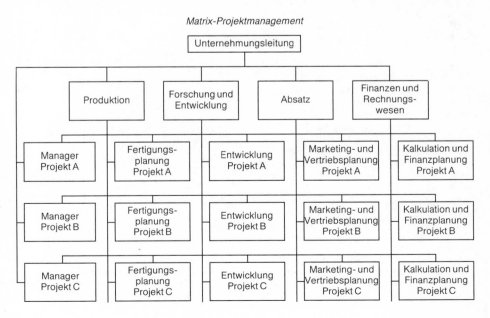

Matrix-Projektmanagement

Maximum-Likelihood-Methode → Eingleichungsmodell-Schätzung

MbE

Abk. für → Management by Exception.

MbO

Abk. für → Management by Objectives.

MDS

Abk. für → mehrdimensionale Skalierung.

Means-end-Analyse → Einstellungsmodelle

Measured-Day-Work-Lohn → Entlohnung
nach erwarteter Leistung

MEC-Funktion → Investitionsgüternachfrage

Mechanisierung

bezieht sich als Merkmal zur Kennzeichnung
von → Produktionstypen auf die Übertragung
von körperlichen und geistigen Arbeitsaufgaben vom Menschen auf Mechanismen aller
Art, wobei Steuerungs- und Kontrollaufgaben
noch vom Menschen ausgeführt werden. Die
Übertragung der Tätigkeiten hat nicht nur
substituierenden, sondern auch verstärkenden
Effekt auf die körperliche und geistige Leistungsfähigkeit der Menschen. Übernehmen
die → Betriebsmittel z.T. auch steuernde und
kontrollierende Aufgaben, dann spricht man
von → Automatisierung. Werden verschiedene Betriebsmittel zu einem komplexen System
integriert, wobei eine lose oder starre Verkettung der einzelnen automatisierten Aggregate
durch ein mechanisiertes Materialflußsystem
erfolgt, dann liegt Automation vor.

Mechanisierung ist somit ein Schritt auf
dem Weg von der reinen Handarbeit (ohne
Unterstützung durch Werkzeuge) hin zur selbständigen Ausführung komplexer und geisti-
ger Arbeitsprozesse durch Betriebsmittel. In
einer engeren Fassung wird der Begriff der
Mechanisierung von der Maschinisierung dadurch abgegrenzt, daß die Energie zum Vollzug der Arbeitsaufgaben noch aus der
menschlichen Muskelkraft stammt, während
bei der Maschinisierung z.T. andere Energie-
quellen genutzt werden. In einer weiteren Interpretation stellt die Mechanisierung den
Oberbegriff für alle Formen der Unterstützung des Menschen durch technische Hilfs-
mittel dar.   *H. T.*

Literatur: *Grumm, H. J.*, Automatisierung, Mechanisierung, in: *Kern, W.* (Hrsg.), HWProd, Stuttgart
1979, Sp. 286 ff. *Große-Oetringhaus, W.*, Fertigungstypologie unter dem Gesichtspunkt der Ferti-

gungsablaufplanung, Berlin 1974, S. 253 ff. *Kern,
W.*, Industrielle Produktionswirtschaft, 3. Aufl.,
Stuttgart 1980, S. 183 ff.

Mediaanalyse

(Werbeträgeranalyse) im Wege der → Befragung betriebene Ermittlung der Reichweite
von → Massenmedien (→ Werbeträger), damit entscheidene Informationsgrundlage für
die → Streuplanung. Als Serviceleistung der
Medienanbieter werden Mediaanalysen meist
von jenen selbst durchgeführt bzw. veranlaßt
und i.d.R. mit Zielgruppentypologien verknüpft. Am bekanntesten und am breitesten
angelegt ist die sog. MA (Mediaanalyse), die
alle FFF-Medien sowie Zeitschriften und Zeitungen abdeckt und im Auftrag der deutschen
Medienträger jährlich durchgeführt wird.

Median

(Zentralwert, Me) Merkmalsausprägung desjenigen Elements, das in der Reihe der der Größe der Merkmalsausprägungen nach geordneten Beobachtungswerte in der Mitte steht. Der
Median ist als → Mittelwert nur sinnvoll,
wenn das untersuchte Merkmal zumindest or-
dinalskaliert (→ Skala) ist. Für N geordnete
Beobachtungswerte x_i (i = 1, 2, ..., N) ist bei
ungeradem N

$$Me = x_{\left[\frac{N+1}{2}\right]}$$

und bei geradem N

$$Me = \frac{1}{2}\left(x_{\left[\frac{N}{2}\right]} + x_{\left[\frac{N}{2}+1\right]}\right).$$

Bei einer Häufigkeitsverteilung klassifizier-
ter Daten liegt der Median in derjenigen Klasse, in der die → Summenhäufigkeitsfunktion
den Wert 0,5 übersteigt. Ist dies in der Klasse i
der Fall, dann ergibt sich der feinberechnete
Median zu

$$Me = x_i^u + \frac{0,5 - F(x_i^u)}{F(x_i^o) - F(x_i^u)}(x_i^o - x_i^u),$$

wobei x_i^u die Klassenuntergrenze und x_i^o die
Klassenobergrenze der Klasse i und $F(x_i^u)$
bzw. $F(x_i^o)$ die Werte der Summenhäufigkeitsfunktion an Klassenuntergrenze x_i^u bzw. Klassenobergrenze x_i^o sind.

Literatur: *Bleymüller, J./Gehlert, G./Gülicher, H.*,
Statistik für Wirtschaftswissenschaftler, 4. Aufl.,
München 1985.

Medianwähler

nimmt in einer Präferenzskala (bezogen auf
die → Häufigkeitsverteilung) genau die Position in der Mitte ein. Da „links" und „rechts"
von ihm eine gleiche Anzahl von Wählern
steht, gibt seine Stimme den Ausschlag. Be-

sondere Bedeutung hat dieser Sachverhalt für
unmittelbare Demokratien (z.B. Gemeinde-
vollversammlungen), in denen direkt abgestimmt wird. Werden die zur Abstimmung gestellten Alternativen lediglich nach der Höhe
der mit ihnen jeweils verbundenen öffentlichen Ausgaben beurteilt, so befindet der Medianwähler über die Anzahl zu realisierender
Projekte, weil die Wähler, die höhere Ausgaben wünschen, gerade von jenen neutralisiert
werden, die niedrigere öffentliche Ausgaben
anstreben.

Unter der nicht unproblematischen Annahme, daß der Medianwähler durch den Me-
dianeinkommensbezieher ersetzt werden
kann, hat man das Medianwähler-Modell dazu benutzt, mit Hilfe von Regressionen die
Einkommens- und Steuer„preis"elastizitäten
für verschiedene Kategorien öffentlicher Ausgaben empirisch zu bestimmen. Dabei zeigte
sich, daß eine Steuer„preis"erhöhung die
Nachfrage nach öffentlichen Ausgaben (wenn
auch je nach Kategorie in unterschiedlichem
Ausmaß) reduziert, während eine Einkom-
menssteigerung umgekehrt wirkt.   *U. F.*

Literatur: *Frey, B. S.,* Theorie demokratischer Wirtschaftspolitik, München 1981. *Kirsch, G.,* Ökonomische Theorie der Politik, Tübingen, Düsseldorf
1974.

Mediaplanung → Streuplanung

Mediaselektion → Streuplanung

Medien

Mittel der → Massenkommunikation, wobei
zwischen Presse, Funk und Fernsehen unterschieden wird. Als Instrumente der Informationsübertragung sind sie für die → Werbung
von Unternehmungen bzw. Organisationen
von besonderer Bedeutung. Medien können
privat- bzw. öffentlich-rechtlich organisiert
sein und unterliegen wegen ihrer gesellschaftlichen Bedeutung (Meinungsvielfalt) in vielen
Ländern einer besonderen Kontrolle.

In einem weiteren Sinne bezeichnen Medien
alle zur Speicherung und Übertragung von
→ Informationen geeigneten Einrichtungen.
So wären in diesem Sinne ein Kabel ein Medium zur Übertragung nachrichtentechnischer
→ Signale, der → Kommunikationsdienst
→ Teletex ein Medium zur → Individualkommunikation oder die Bildplatte ein Medium
der Datenspeicherung.

Oft werden mit der Bezeichnung auch die in
den letzten Jahren entwickelten Möglichkeiten der → Kommunikationstechnik umschrieben (→ Telekommunikation).   *A. P./W. K. R.*

Mefo-Wechsel

Wechsel der „Metallurgischen Forschungsge-
sellschaft mbH", einer von Rüstungsindustrie, Reichsbank und Reichswehrminister gegründeten Scheinfirma, die zur Finanzierung
der ersten Rüstungsausgaben diente. Mit Hilfe der Reichsbank wurde ein (künstlicher)
Handelswechsel geschaffen, der ohne in den
Verkehr zu gelangen, direkt von der Reichsbank diskontiert wurde. Ähnlich wie bei den
Arbeitsbeschaffungswechseln 1932/33 wurde
damit über den Wechselkredit die Geldmenge
erhöht, die unwahrscheinliche Rückzahlung
gleich mit einer fünfjährigen Prolongation
hinausgeschoben.

Der Anteil der Mefo-Wechsel an den Rüstungsausgaben des Reiches betrug 1934 mit
2,1 Mrd. RM 51%, 1937 mit 2,7 Mrd. RM
noch 24%, da inzwischen mit den „Liefer-
schatzanweisungen" ein neues Finanzierungsinstrument „erfunden" worden war. Insgesamt erreichte der Bestand an Mefo-Wechseln
bis 1937 12,0 Mrd. RM. Durch die Dreiecks-
Beziehung Mefo-Reichsbank-Rüstungsindu-
strie blieben Art und Umfang dieser Aufrü-
stungsfinanzierung geheim, zumindest bis
1936 ein unschätzbarer Vorteil.   *H. Wi.*

Mehrarbeit

Anpassungsmaßnahmen im Rahmen → betrieblicher Beschäftigungspolitik. Durch die
Einführung bzw. Ausdehnung von Überstunden und Sonderschichten können das betriebliche Arbeitsvolumen vergrößert und dadurch
ein zeitlich begrenzter Mehrbedarf oder ein
quantitativer und qualitativer Engpaß auf
dem Arbeitsmarkt überbrückt werden. Das
Ausmaß dieser Maßnahmen erhöhte sich in
der Vergangenheit mit jedem Konjunkturzyklus und entsprach 1975 rechnerisch einem
Volumen von 1,7 Mio. Arbeitsplätzen.

Literatur: *Rohwer, G.,* Tarifliche Normalarbeitszeit
und effektive Arbeitszeitverteilung, in: WSI-Mitteilungen, 3/1982, S. 190 ff.

mehrdimensionale Einstellungsmessung

Bei den → eindimensionalen Einstellungsmeß-
methoden steht im Vordergrund der Betrachtung die affektive Komponente der → Einstellung. Die mehrdimensionalen Methoden
(Imagemeßmethoden) versuchen auch noch
die kognitive Komponente in die Messung
einzubeziehen (→ Einstellungsforschung).

Standardverfahren der mehrdimensionalen
Einstellungsmessung sind das sog. → semantische Differential sowie die hierauf aufbauende Modelle (→ Fishbein-Modell, → Trommsdorff-Modell).

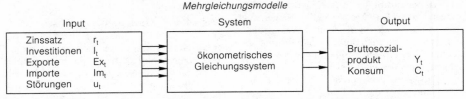

Mehrgleichungsmodelle

Quelle: *Frerichs, W./Kübler, K.*, Gesamtwirtschaftliche Prognoseverfahren, München 1980.

Literatur: *Hammann, P./Erichson, B.,* Marktforschung, 2. Aufl., Stuttgart, New York 1987. *Kroeber-Riel, W.,* Konsumentenverhalten, 3. Aufl., München 1984, S. 100 ff. *Trommsdorff, V.,* Die Messung von Produktimages für das Marketing, Köln 1975.

mehrdimensionale Skalierung

(multidimensionale Skalierung, MDS) Gruppe von Verfahren der → multivariaten Analyse, die vor allem im Marketing bei der Analyse der Marktposition von Produkten Anwendung findet (→ Produktpositionierung).

Ausgangspunkt ist die Befragung ausgewählter Konsumenten über die Ähnlichkeiten bestimmter Produkte (z.B. Margarinesorten), wobei verschiedene Erhebungsmethoden (z.B. Ratingverfahren, Ankerpunktmethode) verwendbar sind. Anhand der aggregierten Ähnlichkeitsurteile wird eine widerspruchsfreie Positionierung der Objekte (Produkte) in einem möglichst niedrig dimensionierten Produktraum angestrebt, d.h. die Objekte werden so angeordnet, daß die Rangfolge der Distanzen zwischen den Punkten der Rangfolge der Ähnlichkeiten zwischen den Objekten so weit wie möglich entspricht.

Eine inhaltliche Interpretation der Dimensionen des Produktraums ist oft erst dann möglich, wenn zusätzliche Daten, nämlich die Profildaten, die bestimmte Produkteigenschaften betreffen, erhoben werden.

Literatur: *Dichtl, E./Schobert, R.,* Mehrdimensionale Skalierung. Methodische Grundlagen und betriebswirtschaftliche Anwendungen, München 1979.

Mehrfachfertigung → Einzelfertigung

Mehrgeschoßlager

Lagerflächen verteilen sich auf mehrere Stockwerke. Zur Gewährleistung eines reibungslosen Materialflusses bei Ein- und Auslagerungsprozessen bedarf es technischer Hilfsmittel (z.B. Aufzüge, Förderbänder, Hängeförderer und Druckleitungen). Eine ausreichende Tragfähigkeit der Geschosse wird mit im Vergleich zu eingeschossigen Lägern höheren Baukosten erkauft.

Mehrgleichungsmodell

besteht aus zwei oder mehreren Gleichungen, die miteinander verknüpft sind.

Ein einfaches Mehrgleichungsmodell ist z.B. durch eine Konsumfunktion und eine Definitionsgleichung gegeben:

$$C_t = b_1 + b_2 Y_t + b_3 r_t + u_t$$
$$Y_t = C_t + I_t + Ex_t - Im_t$$

C_t = Konsum
Y_t = Bruttosozialprodukt
r_t = Zinssatz
I_t = Investition
Ex_t = Export
Im_t = Import

Das Gleichungssystem ist dadurch gekennzeichnet, daß zwischen Y_t und C_t eine wechselseitige Beziehung vorliegt:
$$Y_t \rightleftarrows C_t$$
C_t und Y_t sind dabei endogene; r_t, I_t, Ex_t und Im_t sind in diesem Gleichungssystem exogene Variablen (vgl. Abb. oben).

Mehrgleichungsmodelle sind statisch oder dynamisch. Statische Systeme liegen dann vor, wenn sich die endogenen Variablen stets auf die gleiche Periode beziehen, dynamische Modelle enthalten verzögerte Werte der endogenen Variablen y_{t-1}, y_{t-2}, ... Betrachtet man die Koeffizientenstruktur des ökonometrischen Mehrgleichungsmodelles, so kann man zwischen interdependenten und rekursiven Systemen unterscheiden.

In einem rekursiven System wird die in der ersten Gleichung bestimmte endogene Varia-

Pfeildiagramm eines rekursiven Systems

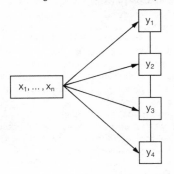

ble in der zweiten Gleichung als erklärende Größe verwendet, die in der zweiten Gleichung bestimmte endogene Variable in der dritten Gleichung als exogene berücksichtigt, usw. (vgl. Abb. auf S. 148 unten).

In interdependenten Modellen liegt eine wechselseitige Verknüpfung zwischen den endogenen Variablen des Systems vor, wie etwa in folgendem Zwei-Gleichungssystem:

$$y_{1t} = b_{11} + g_{12}\,y_{2t} + b_{12}\,x_{2t} + u_{1t}$$
$$y_{2t} = b_{21} + g_{21}\,y_{1t} + b_{23}\,x_{3t} + u_{2t}$$

Bei interdependenten Modellen tritt oft das Problem auf, daß es nicht eindeutig möglich ist, zwischen zwei alternativen Strukturen zu entscheiden. Solche Strukturen heißen äquivalent. Wenn äquivalente Strukturen vorliegen, so ist das betreffende Modell nicht identifizierbar. Ein einfaches Marktmodell kann wie folgt formuliert werden (vgl. Abb.).

$$q = b_{11} + b_{12}\,p + u_q$$
$$p = b_{21} + b_{22}\,q + u_p$$
$$q = \text{Menge}$$
$$p = \text{Preis}$$

Ein einfaches Marktmodell

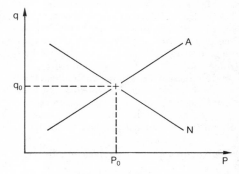

Das Wertepaar $(q_o p_o)$ ist die einzige empirische Information; aus dieser allein sind jedoch die Parameter b_{11} nicht eindeutig zu bestimmen. Durch lineare Transformation lassen sich beliebig viele andere Geraden bilden, die alle durch $(q_o p_o)$ gehen. Es sind also beliebig viele äquivalente Strukturen denkbar, damit ist das Gleichungssystem nicht identifizierbar.

R. H.

Literatur: *Frerichs, W./Kübler, K.*, Gesamtwirtschaftliche Prognoseverfahren, München 1980. *Hujer, R./Cremer, R.*, Methoden der empirischen Wirtschaftsforschung, München 1978.

Mehrgleichungsmodell-Schätzung

Bestimmung der Koeffizienten von → Mehrgleichungsmodellen mit Hilfe von Einzelgleichungs- bzw. Systemschätzverfahren. Die wichtigste Einzelgleichungsschätzmethode ist die von *Henri Theil* 1953 entwickelte zweistu-

fige Kleinst-Quadrate-Methode (→ Regressionsanalyse). Auf der ersten Stufe wird jede endogene Variable y_j in Abhängigkeit von allen exogenen (vorherbestimmten) Variablen x_i mit Hilfe der Methode der kleinsten Quadrate geschätzt:

$$\hat{y}_{jt} = f(x_{1t}, x_{2t}, \ldots, x_{nt})$$

Auf der zweiten Stufe werden die $\hat{y}_{jt}$ in die sog. strukturelle Form des Modells eingesetzt. Das bedeutet für eine beliebige Gleichung eines Mehrgleichungsmodells:

$$y_{it} = c_{it}\,\hat{y}_{1t} + c_{i2}\,\hat{y}_{2t} + \ldots + b_{i1}x_{1t} + b_{i2}x_{2t} + \ldots + u_{it}$$

Die einzelnen Gleichungen für y_{1t} werden ebenfalls mit Hilfe der Methode der kleinsten Quadrate geschätzt.

Im Gegensatz zur zweistufigen Kleinst-Quadrate-Methode ist es mit Hilfe der dreistufigen Methode der kleinsten Quadrate möglich, eine simultane Schätzung unter Berücksichtigung aller Modellrestriktionen durchzuführen. Zunächst erfolgt dabei eine zweistufige Schätzung, auf der dritten Stufe werden jedoch die Modellrestriktionen über die Residuenstruktur in die Varianz-Kovarianz-Matrix der Störvariablen einbezogen und in einer erneuten Schätzung der Koeffizienten berücksichtigt.

R. H.

Literatur: *Frohn, J.*, Grundausbildung in Ökonometrie, Berlin, New York 1980. *Pindyck, R. S./Rubinfeld, D. L.*, Econometric Models and Economic Forecasts, 2. Aufl., Auckland u. a. 1985.

Mehrheitsentscheidung

→ Abstimmungsverfahren, bei dem jedes Mitglied der Gesellschaft eine Stimme hat und diejenige Alternative verwirklicht wird, der eine Mehrheit zustimmt. Je nach den Anforderungen, die an die Qualität der erforderlichen Mehrheit gestellt werden, unterscheidet man zwischen einfacher und qualifizierter (z.B. zwei Drittel-)Mehrheit sowie dem Extremfall einer qualifizierten Mehrheitsregel, der Einstimmigkeitsregel.

Die Einstimmigkeitsregel gewährleistet zwar den größtmöglichen → Minderheitenschutz, vermittelt aber in besonderem Maße Anreize, die Zustimmung aus taktischen Gründen zu verweigern, und erschwert damit noch die ohnehin nicht leichte Konsensfindung; sie ist also kaum praktikabel. Am häufigsten angewendet wird daher die einfache Mehrheitsentscheidung, wonach jene Alternative zur Durchführung gelangt, die mehr als die Hälfte aller Stimmen auf sich vereinigt (absolute Mehrheit) oder, sofern Enthaltungen zugelassen sind oder mehr als zwei Alternativen zur Wahl stehen, die meisten Stimmen erhält (relative Mehrheit).

In der → Neuen Politischen Ökonomik hat man auch versucht, optimale Mehrheiten auf der Basis individueller Kosten-Nutzen-Kalküle zu bestimmen, kommt dabei allerdings zu unterschiedlichen Aussagen. So kann je nachdem, wie das aus strategischem Verhalten bestimmter Individuen resultierende Risiko für den einzelnen berücksichtigt wird, die einfache Mehrheitsregel oder irgendein anderer Mehrheitsgrad optimal sein.

Die Abstimmung nach der einfachen Mehrheit hat den Vorteil, für den Wähler unmittelbar „einsichtig" zu sein; sie weist jedoch auch erhebliche Nachteile auf: So werden Intensitätsunterschiede der Präferenzen bezüglich der Alternativen nicht berücksichtigt, ist strategisches Verhalten möglich, können Inkonsistenzen (→ Arrow-Paradoxon) nicht ausgeschlossen werden, sind die Ergebnisse i. d. R. nicht Pareto-optimal.

Um diesen Schwächen der Mehrheitsregel zumindest teilweise zu entgehen, sind von der Wissenschaft schon frühzeitig → Abstimmungsverfahren entwickelt worden, welche die Äußerung von Präferenzintensitäten ermöglichen (Rangsummen- und Punktwahlverfahren). *U. F./R. St.*

Literatur: *Frey, B. S.,* Theorie demokratischer Wirtschaftspolitik, München 1981, S. 129 ff.

mehrjährige Finanzplanung → mittelfristige Finanzplanung

Mehrliniensystem

(Funktionalsystem) → Leitungssystem, in dem die Leitungsaufgaben von verschiedenen (spezialisierten) Vorgesetzten wahrgenommen werden. Es kommt wie in der → Matrixorganisation zur Mehrfachunterstellung.

Idealtyp des Mehrliniensystems

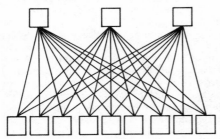

Vorteile des Mehrliniensystems sind in der → Spezialisierung und den kurzen Kommunikationswegen zu sehen, die weitgehend ohne Informationsverluste nutzbar sind. Durch die Mehrfachunterstellungen ergibt sich die Mög-

lichkeit, Konflikte zu institutionalisieren, sie produktiv zu nutzen und u. U. die Effizienz zu erhöhen. Ist die Kompetenzabgrenzung unzureichend, kommt es zu Weisungskonflikten. Erschwert wird außerdem die Zurechnung von Verantwortlichkeit. *R. N.*

Literatur: *Kieser, A./Kubicek, H.,* Organisation, 2. Aufl., Berlin, New York 1983. *Staehle, W. H.,* Management, 2. Aufl., München 1985.

Mehrpersonenhaushalt → Haushaltsstruktur

Mehrphasen-Umsatzsteuer → Umsatzsteuerreform

Mehrprozessorsystem

Form des → multiprocessing.

Mehrrechnersystem

Form des → multiprocessing.

Mehrstellenarbeit

Eine Gruppe von Mitarbeitern betreut mehrere Maschinen. Werden Arbeitsbeginn, Arbeitsende und Pausen zeitversetzt angeordnet, lassen sich bei Mehrstellenarbeit die Betriebszeit und die Nutzungsdauer der Anlagen verlängern. Nur während der „Komplettbesetzungszeit" sind alle Gruppenmitglieder anwesend. In diesem Zeitraum sollten alle planbaren Stillstandszeiten (Einrichten, Umrüsten, Werkzeugwechsel u. a.) liegen, während Reinigung, vorbeugende Instandhaltung u. a. außerhalb der Betriebszeit erfolgen könnten.

Mehrstimmrecht → Generalversammlung

Mehrstimmrechtsaktie

Nach § 12 Abs. 1 AktG gewährt jede Aktie das Stimmrecht. → Vorzugsaktien ohne Stimmrecht sind im Rahmen der §§ 139–141 ausdrücklich zulässig, Mehrstimmrechtsaktien, d. h. Aktien, die bei gleichem Nennbetrag wie → Stammaktien ein mehrfaches Stimmrecht gewähren, sind nach § 12 Abs. 2 AktG (gleichlautend bereits im AktG 1937) grundsätzlich unzulässig. Ausnahmen kann nur „die für Wirtschaft zuständige oberste Behörde des Landes, in dem die Gesellschaft ihren Sitz hat", zulassen, „soweit es zur Wahrung überwiegender gesamtwirtschaftlicher Belange erforderlich ist" (§ 12 Abs. 2 Satz 2 AktG). Soweit Mehrstimmrechtsaktien vor Inkrafttreten des AktG 1937 ausgegeben worden sind, haben sie weiterhin Gültigkeit. § 5 Abs. 2 EGAktG 1965 räumt jedoch der Hauptversammlung das Recht ein, mit der

Mehrheit von drei Vierteln des bei der Beschlußfassung vertretenen Grundkapitals die Beseitigung oder Beschränkung der Mehrstimmrechtsaktien zu beschließen.

Mehrstimmrechtsaktien wurden insb. in den 20er Jahren ausgegeben, um Aktiengesellschaften vor ausländischer Überfremdung zu schützen. Bei Familienaktiengesellschaften sollten sie den beherrschenden Einfluß der Familie sicherstellen. Die bestehenden Mehrstimmrechtsaktien haben also in den seltensten Fällen in erster Linie als Finanzierungsinstrument gedient, sondern sollten eine Veränderung der Stimmverhältnisse in der Hauptversammlung zugunsten ihrer Inhaber ohne entsprechende Kapitalbeteiligung herbeiführen. Damit sie ihre Aufgabe erfüllen konnten, wurden sie i.d.R. als →vinkulierte Namensaktien ausgegeben.

Das Mehrstimmrecht kann jedoch nur in den Fällen Bedeutung erlangen, in denen für einen Beschluß der Hauptversammlung allein die einfache oder qualifizierte Stimmenmehrheit erforderlich ist. Soweit für Hauptversammlungsbeschlüsse neben der Stimmen- auch die Kapitalmehrheit vorgeschrieben ist, kann eine Minderheit von mindestens 25% des in der Hauptversammlung vertretenen Grundkapitals entsprechende Beschlüsse (Satzungsänderungen) verhindern. Praktische Bedeutung kann das Mehrstimmrecht beim Beschluß über die Gewinnverwendung oder bei der Wahl des Aufsichtsrats haben.   *G. W.*

Literatur: *Vormbaum, H.,* Finanzierung der Betriebe, 7. Aufl., Wiesbaden 1986. *Wöhe, G./Bilstein, J.,* Grundzüge der Unternehmensfinanzierung, 4. Aufl., München 1986, S. 51.

mehrstufige Auswahl →Stichprobenverfahren

mehrstufiges Entscheidungsproblem

Entscheidungssituation, in der in zeitlicher Abfolge über verschiedene aufeinanderfolgende Teilaktivitäten zu befinden ist, wobei die in einem bestimmten Entscheidungszeitpunkt zur Auswahl stehenden Teilaktivitäten und die damit verbundenen Ergebnismöglichkeiten von den in vorangegangenen Zeitpunkten getroffenen Teilentscheidungen abhängen (→Entscheidungsprozeß). Der grafischen Verdeutlichung eines solchen Entscheidungsproblems dient der →Entscheidungsbaum.
                                                        M. B.

mehrteilige Fertigung

programmbezogener   →Produktionstyp (→Programmtypen), bei dem Endprodukte durch Zusammensetzung (Montage) mehrerer Baugruppen und Einzelteile entstehen. Mehrteilige Fertigungsstrukturen können durch →Stücklisten oder →Gozinto-Graphen veranschaulicht werden.

mehrvariablige Kostenfunktion

bildet die Höhe der Kosten in Abhängigkeit von mindestens zwei →Kosteneinflußgrößen ab. Solche Funktionen besitzen somit mehrere unabhängige Variablen. Formal ergibt sich der Ausdruck
$$K = f(x_1, \ldots, x_n),$$
wobei K die Gesamtkosten und die Größen x_1 bis x_n die n verschiedenen Kosteneinflußgrößen symbolisieren.

Bei n verschiedenen Kosteneinflußgrößen führt die Bildung mehrvariabliger Kostenfunktionen zu sog. Kostenhyperflächen im Raum (n + 1)-ter Ordnung. Eine graphische Darstellung von Kostenhyperflächen ist lediglich bei zwei Kosteneinflußgrößen im Raum 3. Ordnung möglich (vgl. Abb.).

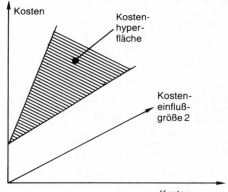

Beispiel für eine zweivariablige lineare Kostenfunktion

Im Rahmen der →Kostentheorie werden vorwiegend einvariablige Kostenfunktionen untersucht, die graphisch dargestellt Kostenlinien im Raum 2. Ordnung ergeben. Auf die Kosten kann jedoch eine Vielzahl von Einflußgrößen einwirken. Unter Bezugnahme auf die Mengen- und die Wertkomponente kommen als Kosteneinflußgrößen die Bestimmungsgrößen für den Real- und den Nominalgüterbereich sowie die Kostenwerte in Betracht. Empirisch gehaltvolle Kostenfunktionen sind daher mehrvariabliger Art.

Die bevorzugte Analyse einvariabliger Kostenfunktionen gründet sich auf die Annahme, daß lediglich eine Kosteneinflußgröße bei

Konstanz aller übrigen Einflußgrößen verändert werden kann bzw. daß bei gleichzeitiger Veränderung mehrerer Kosteneinflußgrößen eindeutige Beziehungen zwischen diesen bestehen. Diese Annahmen treffen in der betrieblichen Wirklichkeit nicht in jedem Falle zu, so daß eine getreue Abbildung der betrieblichen Gegebenheiten mehrvariablige Kostenfunktionen erfordert. Da diese von der Kostentheorie bisher nicht umfassend erforscht wurden, sind die Erkenntnisse über die Struktur und den Verlauf mehrvariabliger Kostenfunktionen ausbaufähig und Gegenstand weiterer Forschungsaufgaben.

Literatur: *Schweitzer, M./Küpper, H.-U.*, Produktions- und Kostentheorie der Unternehmung, Reinbek bei Hamburg 1974.

Mehrwert → Mehrwerttheorie

Mehrwertsteuer → Umsatzsteuer

Mehrwerttheorie

von *Karl Marx* entwickelte Lehre für eine spezifische Form der → Ausbeutung und Selbstzerstörung des → Kapitalismus. Sie beruht auf folgenden Annahmen:
(1) Es gilt die „reine" → Arbeitswertlehre, wonach Arbeitskraft die einzige Wertschöpfungsquelle ist.
(2) Für die Arbeitskraft gilt das gleiche Wertgesetz wie für jede andere Ware: Der natürliche Wert der Arbeitskraft ist gleich den Reproduktionskosten, die für die Erhaltung der Arbeitskraft notwendig sind.
(3) Der Mehrwert (m) entsteht als Überschuß des produzierten Wertes (w) über das „konstante Kapital" (c) für Vorprodukte und Ersatzinvestition sowie das „variable Kapital" (v) für die Lohnzahlungen. Er ergibt sich dadurch, daß die Arbeiter länger arbeiten, als zur Reproduktion ihrer Arbeitskraft erforderlich ist. Da die Arbeitskraft zu ihrem Tauschwert entlohnt wird, fällt der Mehrwert (m = w − c − v) als Unternehmergewinn dem Kapitalisten zu und wird für diesen zum bestimmenden Motiv der Produktion.
Hieraus leitet *Marx* seine Hypothese über die Entwicklung des Kapitalismus ab, und zwar mit Hilfe folgender Relationen und Annahmen:
c/v = organische Zusammensetzung des Kapitals, m/v = Mehrwert- oder Ausbeutungsrate als das Verhältnis von Nicht-Lohneinkommen zu Lohneinkommen, m/(c + v) = Profitrate.
Bei konstanter Mehrwertrate und steigender organischer Zusammensetzung des Kapi-

tals (infolge fortwährender konkurrenzbedingter Akkumulation des Mehrwerts) sinke die Profitrate, wodurch die Triebkraft des Kapitalismus erlahme und sein Zerfall über eine Kette sich verschärfender ökonomischer Krisen einsetze, beginnend mit einem konzentrationsfördernden Kapitalintensivierungs- und Verdrängungswettbewerb (→ Monopolkapitalismus), in dessen Gefolge sich eine „industrielle Reservearmee" bilde und eine verstärkte → Ausbeutung entstehe. Über die fortschreitende Verschärfung der Klassengegensätze komme es schließlich zur revolutionären Sprengung der „kapitalistischen Hülse".
Wie verschiedene Analysen langfristiger statistischer Reihen zeigen, ist das Gesetz vom tendenziellen Fall der Profitrate jedoch nicht wirksam geworden. *Marx* hat offensichtlich einen denkbaren Fall als den allein möglichen angesehen. Ob das Gesetz vom tendenziellen Fall der Profitrate jemals reale Bedeutung erlangen wird, ist angesichts der Mängel der → Arbeitswertlehre zweifelhaft. Wie *Rosa Luxemburg* feststellt, hat es „... mit dem Untergang des Kapitalismus am Fall der Profitrate noch gute Wege, so etwa bis zum Erlöschen der Sonne".   *U. Fr.*

Literatur: *Streissler, E.*, Wandlungen der Einkommensstruktur im Wirtschaftswachstum, in: Lohnpolitik und Einkommensverteilung, Schriften des Vereins für Socialpolitik, N. F., Bd. 51 (1969), S. 201 ff. *Gutmann, G.*, Kritik an grundlegenden Positionen der politischen Ökonomie von Karl Marx, in: *Mück, J.* (Hrsg.), Politische Ökonomie, Frankfurt a. M., New York 1979, S. 216 ff.

Mehrzieloptimierung

Teilgebiet der → mathematischen Optimierung und der → Planungsmathematik des → Operations Research. Gegenüber der in → Optimierungsmodellen üblichen einfachen → Zielfunktion werden mehrere Zielfunktionen gleichzeitig behandelt. Dabei sind verschiedene Fälle zu unterscheiden:
(1) *Umwandlung in* → *Restriktionen*: Man kann gelegentlich Zielfunktionen in Restriktionen umwandeln. So kann es mit der Aufgabenstellung verträglich sein, das Ziel „Maximiere den Umsatz" zu ersetzen durch die Restriktion: „Der Umsatz soll mindestens bei 38 Mio. DM liegen."
(2) *Zielhierarchien*: Gelegentlich lassen sich Zielgrößen nach Überschreitung einer Schwelle in Restriktionen umwandeln. So könnte die Zielfunktion eines Modells „Maximiere den Umsatz" lauten und nach Erreichen einer Schwelle von z. B. 38 Mio. DM ersetzt werden durch die Zielfunktion „Maximiere den Gewinn", wobei zugleich gefordert

wird: „Der Umsatz soll mindestens bei 38 Mio. DM liegen."

(3) *Zielsummierung*: In gewissen Fällen kann man die verschiedenen Zielfunktionen auch zu einer einzigen Zielfunktion (gewichtet) summieren. Das setzt allerdings eine gewisse inhaltliche Gleichartigkeit der Ziele voraus, damit die Zielfunktion der Summe interpretierbar bleibt.

(4) *Vektormaximierung*: Es werden für sämtliche möglichen Gewichtungskombinationen der einzelnen Zielfunktionen, und nicht nur für eine Kombination wie bei (3), die optimalen Lösungen berechnet, wobei diese als „effiziente Punkte" bezeichnet werden. Mit der Anzahl an Zielfunktionen steigen die Anzahl der effektiven Punkte und damit der Rechenaufwand.

(5) *Zieloptimierung* (goal programming): Für jedes Ziel wird ein Idealwert vorgegeben und sodann eine solche Lösung berechnet, bei der der gewichtete Maximalabstand eines Zielwertes von dem Idealwert minimiert wird.

H. M.-M.

Meinungsführer

(opinion leader) → Kommunikationsrolle innerhalb von → Gruppenkommunikation. Der Meinungsführer übt auf die Ansichten, → Einstellungen und Verhaltensweisen seiner Mitmenschen sowohl in fachlich inhaltlicher Hinsicht als auch in bezug auf sozio-emotionale Aspekte einen bestimmenden Einfluß aus. Die Kompetenz beruht dabei nicht nur auf professionellem Expertenwissen oder formaler → Autorität, sondern auch auf seinem Status in den jeweiligen Primärgruppen. Nach der Hypothese von der → zweistufigen Kommunikation nehmen Meinungsführer im Prozeß der → Massenkommunikation eine Schlüsselstellung ein. Sie setzen sich mehr als die übrigen Gruppenmitglieder den Informationen der Massenmedien aus, bewerten und selektieren diese an den Maßstäben der Gruppennormen und geben sie über → persönliche Kommunikation weiter.

Meinungsführer sind auch für konsumrelevante Meinungsgegenstände nachgewiesen worden: So nehmen 20 bis 30% der Konsumenten eine meinungsführende Stellung ein, die jeweils auf einen Produktbereich (z.B. Mode, Haushaltsartikel, technische Gebrauchsgüter) begrenzt ist. Da Meinungsführer mit Hilfe von Marktforschungsverfahren identifiziert werden können – am gebräuchlichsten ist die Methode der Selbsteinschätzung –, können sie gezielt von der → Werbung und dem → persönlichen Verkauf angesprochen werden.

K. P. K.

Literatur: *Kaas, K. P.*, Meinungsführung, in: *Graf Hoyos, C.* u.a. (Hrsg.), Grundbegriffe der Wirtschaftspsychologie, München 1980, S. 188 ff.

Meistbegünstigungsklausel

erstmals 1860 zwischen England und Frankreich vertraglich fixiert (→ Weltwirtschaftsordnung); sie gehört heute zu den Grundprinzipien der im → Allgemeinen Zoll- und Handelsabkommen (GATT) kodifizierten, am Leitbild des → Freihandels orientierten → Außenhandelspolitik. Sie besagt, daß alle handelspolitischen Vergünstigungen, die einem Land – unabhängig von dessen GATT-Mitgliedschaft – gewährt werden, unverzüglich und bedingungslos (sog. *unbedingte* Meistbegünstigungsklausel) auf alle anderen GATT-Vertragsstaaten anzuwenden sind. Bilaterale Liberalisierungsfortschritte werden automatisch multilateral wirksam, so daß die Vertiefung der internationalen Arbeitsteilung nicht durch selektive Protektionsmaßnahmen behindert wird.

Allerdings gilt, daß mittlerweile ein großer Teil des Welthandels (ca. 50%) nicht mehr dem Prinzip der Meistbegünstigung gehorcht. Dies liegt einerseits an den im GATT explizierten Ausnahmebereichen:

- Altpräferenzen (insb. die Commeonwealth-Präferenzen),
- Handel innerhalb von → Zollunionen und → Freihandelszonen (EG als bedeutendster Fall),
- die ab 1971 eingeführten sog. Allgemeinen Zollpräferenzen der Industrieländer zugunsten der Entwicklungsländer.

Hinzu kommen zahlreiche innerhalb und zunehmend auch außerhalb der GATT-Regeln praktizierte → nicht-tarifäre Handelshemmnisse. Seit im Verlauf der → Tokio-Runde zahlreiche Kodices zu spezifischen handelspolitischen Problembereichen formuliert wurden, wird der Übergang von der unbedingten zu einer *bedingten* Meistbegünstigungsklausel kontrovers diskutiert. Letztere würde implizieren, daß die inhaltlichen Regelungen dieser Kodices nicht auf alle Vertragsstaaten angewendet werden, sondern nur auf jene, die die einzelnen Kodices auch unterzeichnen.

W. L.

Meldebestand → Bestandsart

Meliorationskredit

Darlehen für Maßnahmen im Zusammenhang mit der Verbesserung des Bodens, insb. zur Werterhöhung und Ertragsverbesserung landwirtschaftlich genutzter Flächen.

Memorial → Übertragungsbuchführung

Mengenanpasser → vollständige Konkurrenz

Mengenerfassung

erfolgt im Betrieb mittels Materialeingangsmeldung. Die Belege gehen nach der → Materialprüfung an die Materialbuchhaltung und -disposition sowie an die zuständige Lagerverwaltung. In der Lagerbuchhaltung werden jedoch erst die effektiven Einlagerungen bzw. Entnahmen erfaßt. Ziel ist der lückenlose Nachweis der vorhandenen bzw. verbrauchten Materialmengen. Bei umfangreichen Material- oder Warensortimenten ist die Mengenerfassung ein wesentlicher Teil eines EDV-gestützten integrierten Informations- und Abrechnungssystems, so etwa bei den → Warenwirtschaftssystemen im Handel (→ Scanning).

Mengenindex → Index

Mengenkontingent → Einfuhrkontingent

Mengenkontrolle → Bestandskontrolle

Mengenlizenz

Form internationaler → Quotenregelungen, durch die das Prinzip der unternehmensindividuellen Quotenzuteilung aufgegeben wird. Statt dessen erhalten die nationalen Behörden Kontingente und erteilen unter Kontrolle der EG-Kommission Lizenzen an die Unternehmen. Lediglich Waren mit Lizenzen können bei der Einfuhr die Grenzen überschreiten. Durch die Lizenzierung der grenzüberschreitenden Lieferungen wird die Durchsetzung der getroffenen Regelungen (→ Regulationskontrolle) gefördert.

Mengennotierung → Wechselkurs

Mengenpolitik

Festlegung der Verpackungseinheiten von Waren. Eine Strukturentscheidung bezieht sich auf das dauerhafte Angebot von Einzel- und Multipackeinheiten. Eine vorübergehende mengenpolitische Entscheidung wäre durch den Slogan „3 Stück für 1 DM" im Rahmen von Sonderaktionen zu kennzeichnen. Als Mengenpolitik gilt auch der dauerhafte Kuppelabsatz bestimmter Waren oder Dienstleistungen, die sog. Komplettangebote.

In diesem Zusammenhang ist auf die Wirkung steuerlicher Vorschriften auf die Verpackungspolitik hinzuweisen. So führte die Einführung der Mehrwertsteuer von marktgängigen, runden Endpreisen zu unrunden Zahlen und zwang zu Mengenkorrekturen, wo runde Werte den Geschäftsverkehr beschleunigen oder, wie beim Automatenvertrieb (Zigaretten), sogar unabdingbar sind.

Nach § 3 UWG ist für Handelsbetriebe keine beliebige Mengengestaltung möglich. So kann ein Verkauf wegen einer Irreführung über die Vorratsmenge unzulässig sein. Zulässig ist dagegen eine Mengenbeschränkung im Einzelhandel (z.B. drei Kästen Bier pro Person). *B. T.*

Mengenprüfung → Materialprüfung

Mengenregulierung

Markteingriff des Staates, der ausschließlich auf das mengenmäßige Angebot heute und in Zukunft zielt. Sollen ungewollte Verteilungseffekte ausgeschlossen werden, müssen auch entsprechende → Preiskontrollen einbezogen werden.

Mengenschlüssel → Gemeinkostenverteilung

Mengensteuer

(spezifische Steuer, Stücksteuer) Steuer, für die die Einheit der → Steuerbemessungsgrundlage in einer spezifischen Größe (z.B. Menge, Länge, Gewicht) ausgedrückt wird; der → Steuersatz ist ein DM-Betrag pro Einheit der Bemessungsgrundlage. Beispiel: Je Hektoliter Bier sind 12 DM Steuern zu zahlen. Mengensteuern sind vor allem bei den speziellen → Verbrauchsteuern (z.B. Bier-, Kaffee-, Mineralölsteuer) üblich; sie sind erhebungstechnisch einfach, haben aber für den Fiskus den Nachteil, daß sie in einer wachsenden Wirtschaft (vor allem bei Inflation) fiskalisch an Bedeutung verlieren; denn die Bemessungsgrundlagen wachsen meist nicht proportional mit dem Sozialprodukt.

Die → Aufkommenselastizität der Mengensteuern ist i.d.R. kleiner als Eins. Dazu kommt ein verteilungspolitischer Nachteil: Die relative Belastung eines Gutes nimmt mit steigendem Preis ab. Da aber erfahrungsgemäß mit steigendem Einkommen qualitativ bessere und damit auch teurere Produkte nachgefragt werden, trifft die Belastung die Bezieher niedriger Einkommen vergleichsweise stark.

Mengentender → Offenmarktpolitik

Mengenübersichtsstückliste → Stückliste

Mensch/Maschine-Kommunikation

Die Zielsetzung eines Informationssystems ist die Versorgung von Entscheidungsträgern mit allen relevanten Informationen. Hierfür ist nicht unbedingt ein → Computer erforderlich (→ Informationstechnologie), wohl aber kann ein solcher durch Automatisierung bestimmter Teilfunktionen die Leistungsfähigkeit von → Informationssystemen und damit des gesamten betrieblichen → Informationswesens verbessern. Optimale Wirksamkeit bedarf eines Zusammenspiels von Mensch und Maschine. Die Kommunikation zwischen diesen beiden Subsystemen kann sich dabei entweder im → Offline- oder im → Online-Betrieb vollziehen. Durch die Mensch/Maschine-Kommunikation eröffnen sich Möglichkeiten zur Erzielung von → Synergieeffekten, weil sich die Fähigkeit des Computers (hohe Verarbeitungsgeschwindigkeit, geringe Fehlerwahrscheinlichkeit, Bewältigung großer Datenmengen) mit denen des Menschen (z.B. Assoziation, Analogiebildung, Lernen und Kreativität) verbinden.

Menschenbild

Gesamtheit der expliziten oder impliziten psychologischen Annahmen, die zum Handeln der Wirtschaftssubjekte innerhalb spezifischer ökonomischer Theorien vorliegen. Besondere Beachtung gewann dabei die Vielzahl der psychologischen Voraussetzungen des Marktmodells innerhalb der klassischen und neoklassischen Nationalökonomie, die in der „Homo-Oeconomicus-Prämisse" zusammengefaßt sind. Danach kann der Mensch betrachtet werden als

- völlig zweckrational handelnd,
- Gewinn- bzw. Nutzenmaximierung anstrebend,
- mit → Markttransparenz und vollkommener Voraussicht in wirtschaflichen Dingen begabt,
- sofort, völlig und normal auf Datenänderungen reagierend.

Diese Aussagen halten weder auf individuellem noch auf aggregiertem Niveau empirischer Prüfung stand, weshalb der „Homo-Oeconomicus" auch als „imaginäre Modellfigur" (vgl. *Werner Kroeber-Riel*, 1985) bezeichnet werden kann. In neuerer Zeit läßt sich daher die Tendenz beobachten, insb. in der verhaltenswissenschaftlich orientierten Wirtschaftswissenschaft die Erkenntnisse der empirischen Verhaltenswissenschaft (Psychologie, Soziologie) zu berücksichtigen und realwissenschaftliche Aussagen zu den Verhaltensvoraussetzungen der Wirtschaftssubjekte zu machen. Dabei fanden die emotionale Gesteuertheit und begrenzte subjektive Rationalität, die z.T. nicht bewußten Handlungstendenzen und die eingeschränkte Fähigkeit zur

Informationsaufnahme, Informationsspeicherung und Informationsverarbeitung besondere Beachtung.

Neben den innerhalb der ökonomischen Theorien implizit oder explizit konzipierten Menschenbildern interessieren in der Forschung auch mehr und mehr die impliziten Persönlichkeitstheorien der wirtschaftlich Handelnden, d.h. die handlungsleitenden Annahmen über Verhaltensdeterminanten anderer Personen. Diese steuern ihrerseits das Verhalten desjenigen, der diese Annahmen macht. Besonders bekannt geworden sind dabei die Analysen von *D. McGregor* (1960) zum Menschenbild, das Führungskräfte von ihren Mitarbeitern haben (zu Weiterentwicklungen und Modifikationen vgl. *Wolfang H. Staehle*, 1980). In ähnlicher Weise wurden auch Menschenbilder analysiert, die jene Personen vom Konsumenten haben, die z.B. für Absatzstrategien oder für den Verbraucherschutz zuständig sind. Derartige Annahmen können dann entscheidend die Art z.B. einer Werbestrategie oder einer Maßnahme des Verbraucherschutzes prägen.   *L. v. R.*

Literatur: *Bongard, W.*, Nationalökonomie, wohin?, Realtypen der wirtschaftlichen Verhaltens, Köln, Opladen 1965. *McGregor, D.*, The human side of enterprise, New York 1960. *Staehle, W. H.*, Menschenbilder in Organisationstheorien, in: *Grochla, E.* (Hrsg.), HWO, Stuttgart 1980, Sp. 1302 ff.

Mensual → Übertragungsbuchführung

Menuetechnik

Benutzerführung in einem dialogorientierten EDV-System über vorgegebene Auswahlmöglichkeiten (→ Dialogverarbeitung). Der Benutzer kann nur im Rahmen von fest programmierten Abläufen arbeiten. Die Menuetechnik wird insb. bei operativer → Anwendungssoftware, wie z.B. der Buchhaltung, eingesetzt.

Merchandising

Konzept der Führungsorganisation in Handelsbetrieben, wobei Einkaufs- und Verkaufsleiter im Sinne der Warenwirtschaft kombiniert sind. Merchandising im Handel kennzeichnet das Konzept der optimalen Warenpräsentation und Kommunikation am Verkaufspunkt (innerbetrieblicher Standort, Preisauszeichnung, Displaygestaltung usw.). In einer weiteren Abgrenzung sind Merchandiser der Industrie zuständig für die Verwirklichung von Angebots- und Akquisitionsideen.

Merger → Pooling of Interests-Methode, → Verschmelzungsformen

meritorisches Gut

(merit good) Gut, bei dem die Nachfrage der Privaten hinter dem „gesellschaftlich erwünschten" Ausmaß zurückbleibt. Ein meritorisches Gut könnte wegen seiner Eigenschaften grundsätzlich über den Markt angeboten werden, da Rivalität im Konsum und Ausschließbarkeit (zumindest für Teile der Nutzen) gegeben sind (→ Kollektivgut). Bei privatem Angebot entsprechend den individuellen Präferenzen kommt es aber zu einem im Urteil der politischen Entscheidungsträger unerwünschten Ausmaß des Güterangebots. Zur Korrektur werden staatliche Eingriffe in die individuellen Präferenzen erforderlich. Sofern ein Mehrangebot geschaffen werden soll, spricht man von meritorischen Gütern (z. B. Leistungen im Ausbildungs-, Wohnungswesen); soll das Angebot dagegen reduziert werden, liegen demeritorische Güter (demerit goods) vor (z. B. Alkohol, Drogen).

Richard A. Musgrave, der das Konzept der meritorischen Güter im wesentlichen entwickelt hat, rechtfertigt die staatlichen Eingriffe mit drei Argumenten:

(1) Meritorische Güter enthalten meist auch Elemente der → spezifisch öffentlichen Güter, was staatliche Aktivitäten bereits rechtfertigen würde.

(2) Es gibt eine besser informierte Gruppe, die berechtigt ist, anderen ihre Entscheidungen aufzuerlegen, wobei diese Gruppe allerdings demokratisch legitimiert sein muß.

(3) Die individuellen Präferenzen sind oft durch Werbung verzerrt; dem muß der Staat entgegenwirken.

John Head hat dem noch ein weiteres Argument hinzugefügt. Das Angebot meritorischer Güter ist oft verteilungspolitisch motiviert: Bezieher niedriger Einkommen sollen mit Gütern versorgt werden, die zum Nulltarif (also ohne spezielles Entgelt) oder zu nicht kostendeckenden Preisen abgegeben werden.

Das staatliche Angebot meritorischer Güter ist wegen des Verstoßes gegen die individuellen Präferenzen umstritten. Aber selbst wenn akzeptiert wird, daß der Staat ein bestimmtes Angebot sichern soll, folgen daraus keineswegs budgetäre Maßnahmen. Ein gewünschtes Angebot kann z. T. durch Gesetze (Gebote und Verbote) gesichert werden; in anderen Fällen mögen schon Aufklärungsaktionen ausreichen. Sofern → Staatsausgaben oder → Staatseinnahmen eingesetzt werden, sind wiederum verschiedene Formen möglich: Subventionen an private Anbieter, steuerliche

Maßnahmen oder eigenes Angebot und eigene Produktion des Staates.

„Meritorische Güter an sich" gibt es nicht, sondern lediglich Vorstellungen der Politiker darüber, welche Güter „meritorisiert" werden könnten oder sollten. Da diese Güter grundsätzlich auch über den Markt angeboten werden könnten, stehen sie immer wieder zur Diskussion, wenn es um die → Privatisierung öffentlicher Leistungen geht.   *R. P.*

Literatur: *Musgrave, R. A./Musgrave, P. B./Kullmer, L.,* Die öffentlichen Finanzen in Theorie und Praxis, Bd. 1, 3. Aufl., Tübingen 1984, S. 100 ff.

Merkantilismus

(système mercantile) Begriff, den die → Physiokratie geprägt hat für eine Lehre, in deren Mittelpunkt wirtschaftspolitische Konzepte zur Förderung absolutistischer Staatsmacht standen. Zentraler Bezugspunkt merkantilistischen Denkens ist der Feudalstaat. Verallgemeinernd wurde das Merkantilsystem als ein System landesfürstlicher Wohlstandspolizei (*A. Oncken*) interpretiert (→ Kameralismus).

Oft werden die Merkantilisten als die Staatenbauer des 16. und 17. Jh. bezeichnet. Mit ihnen entstand ein neues institutionelles Zentrum wirtschaftlicher Entwicklung (anstelle der Städte): der nationale Flächenstaat unter (absoluter) landesfürstlicher Herrschaft.

Den Höhepunkt dieser Entwicklung bildete der französische Absolutismus. Häufig wird deshalb – unzutreffend – die französische Variante des Merkantilismus (→ Colbertismus) als typisch für alle anderen Nationen angesehen; zwischen den westeuropäischen (Handels-) Ländern Frankreich, England, Holland und den kontinentalen deutschsprachigen Gebieten bestanden aber starke Unterschiede. Gleichwohl ergeben sich Übereinstimmungen in den Grundauffassungen.

Merkantilismus ist eine Lehre über protektive und reglementierende Instrumente wirtschaftlicher und staatlicher Entwicklung. Die Fähigkeit der Staatsmänner wurde danach bemessen, inwieweit es ihnen gelang, einen Passivstand der politischen (der Macht-) Bilanz und der Handelsbilanz zu verhindern und darüber hinaus beide möglichst aktiv zu gestalten. Beides setzte die Abgrenzung, Vereinheitlichung, Stärkung und Ausdehnung des Staatsgebietes und der Staatsgewalt voraus. Beides erforderte Manufakturen, Handelsgesellschaften, Handels- und Kriegsflotten, koloniale Ausbeutung und Eroberungskriege. Nicht primär die Produktion galt als wert- oder reichtumschaffende Tätigkeit, sondern eher die Zirkulation.

Die Politik *Jean B. Colberts* (1619–1683)

intendierte eine radikale Umbildung von Staat und Gesellschaft durch die Schaffung einheitlicher Zoll- und Machtgebiete, die straffe Zentralisierung der Verwaltung, die Reform des Steuersystems zum Zweck der Sanierung der Staatsfinanzen, die Schaffung von Infrastruktur, die Weckung von Unternehmungsgeist auf der staatlichen Ebene und die Übernahme wirtschaftlicher Tätigkeiten, welche Initiative und Risikobereitschaft erforderten, ins Ressort des Staates sowie die Vergabe von Monopolen und Privilegien durch die Zentrale. Begründet wurde ein Wirtschaftssystem der militanten feudalen Nationalstaatlichkeit.

Einer dynamischen Politik innerhalb des Staatsgebietes, die Investitionen förderte und dem Bürgertum Möglichkeiten zur Ausschöpfung der noch beschränkten wirtschaftlichen Kapazität zu gewährleisten suchte, stand die statische Auffassung von der Unvermehrbarkeit der ökonomischen Ressourcen der Welt gegenüber. Dies drückt sich in der These aus, daß – auch auf der Ebene der Nationen – der Vorteil des einen der Schaden des anderen sei. Keiner könne gewinnen, ohne daß der andere verliere; das galt nicht nur für Landgewinn. Es herrschte auch die Vorstellung, daß das europäische Handels- und Geldvolumen eine relativ konstante Größe sei, über deren Aufteilung die realen Machtverhältnisse entschieden. Der Verbürgerlichung im Sinne einer Pazifizierung im Innern entsprach daher die Aggressivität nach außen. Eine endlose Kette von Handelskriegen war die Folge.

Die Handelsbilanz zu aktivieren, war das zentrale wirtschaftliche Dogma des Merkantilismus, einer Lehre vom Handel, insbesondere vom Außenhandel, der durch das ins Inland einströmende Gold die Staatsmacht stärkt. Gemeint ist damit – im Gegensatz zu einer vielfach vertretenen irrtümlichen Auffassung – nicht, daß Edelmetall bereits Reichtum bedeute. Geldgewinn im Außenhandel sollte dazu dienen, Vermögenswerte zu begründen. Er sollte die Kapitalanlage im Inland fördern und der einheimischen Bevölkerung Arbeitsplätze schaffen und sichern. In diesem Sinne interpretierten zahlreiche merkantilistische Autoren die Handelsbilanz direkt als Bilanz der Arbeitsgelegenheiten.   *H. G. K.*

Literatur: *Blaich, F.,* Merkantilismus, in: HdWW, Bd. 5, Stuttgart, New York 1980, S. 240 ff. *Heckscher, E. F.,* Mercantilism, 2. Aufl., London, New York 1955. *Oncken, A.,* Geschichte der Nationalökonomie, Leipzig 1902.

Mesopolitik

befaßt sich mit den zwischen Einzel- und Globalsteuerung stehenden Fragen der regionalen und sektoralen Strukturpolitik. Sie analysiert weitergehend, inwieweit gruppenspezifische Interessen angesprochen sind, und – darauf bezogen – Ansatz, Vorgehensweise und Aussichten des Versuchs, den politischen Entscheidungsprozeß zu beeinflussen.   *U. T.*

message switching → electronic mail

Messe

ursprünglich ein Markt im Anschluß an ein kirchliches Fest, zunächst für den Lokal-, dann auch für den Fernhandel. Seit den Kreuzzügen entwickelte sich an der Nahtstelle zwischen Mittelmeerhandel und Nord- und Ostseeraum, in der Grafschaft Champagne, ein ausgeprägtes Messewesen des Fernhandels. Zwischen 1150 und 1300, in der Blütezeit der „Champagnemessen", fanden jährlich bis zu sechs Messen statt. Im Zusammenhang damit stand auch die Ausbildung des bargeldlosen Zahlungsverkehrs durch den aus Oberitalien stammenden Wechsel (Wechselmessen). In Deutschland entwickelten sich Frankfurt a. M. (seit 1240) und Leipzig (seit 1268) zu bedeutenden Warenmessen. Aus ihnen ist die Mustermesse der Gegenwart entstanden.

Meßzahl → Verhältniszahl

Metageschäft

Form der → Partizipation, an der zwei Gesellschafter beteiligt sind. Diese beiden wickeln ein Einzelgeschäft gemeinschaftlich über das sog. Konto a metà oder Metakonto ab.

Metamarketing

Sammelbegriff für die Ausweitung der Prinzipien des → Marketing auf nicht-erwerbswirtschaftliche Unternehmen, Organisationen oder Personen unter Einbeziehung sozialer oder ethischer Normen. Gegenstand sind damit alle Wertetransaktionen zwischen beliebigen Partnern.

Methode der kleinsten Quadrate → Regressionsanalyse,   → Mehrgleichungsmodell-Schätzung

Methode 635

→ Kreativitätstechnik, Variante des → Brainstorming. *Sechs* Personen erhalten die gleiche, schriftlich fixierte Problemstellung mit der Aufgabe, *drei* Lösungsvorschläge innerhalb von *fünf* Minuten niederschreiben. Anschließend reicht jeder Teilnehmer sein Lösungsblatt insgesamt fünfmal an eine jeweils andere Person der Gruppe weiter, die nun ihrerseits mindestens drei Lösungsvorschläge unterbreitet, die auf jenen des Vorgängers aufbauen sollen. Am Ende dieses Umlaufverfahrens (→ Delphi-Methode) werden so die 18 Lösungsvorschläge der sechs Gruppenteilnehmer fünfmal unter jeweils verschiedenen Gesichtspunkten variiert. Die Methode unterbindet das Ausufern von Ideen und eignet sich besonders dafür, wenn Grundideen abgewandelt und ausgebaut werden sollen.

Methodenbank

Ort, an dem Unterprogramme oder Programmteile zur Verfügung gehalten werden, die allgemein einsetzbare Operationen und Algorithmen (Methoden) umfassen. Die Anforderungen an eine ideale Methodenbank gehen aus der Abbildung auf S. 159 hervor.
(1) Ausgangspunkt ist die Methodensammlung.
(2) Deren Inhalt ist so zu dokumentieren, daß sowohl aufgrund einer hierarchischen Gliederung als auch mit Hilfe von Deskriptoren ein Überblick möglich wird.
(3) Im Dialog mit dem Computer wird dem Benutzer ein problemorientiertes Methodenangebot unterbreitet.
(4) Es kommt u. U. zu einem Vorschlag der günstigsten Methoden.
(5) Gegebenenfalls sind mehrere Methoden miteinander zu verknüpfen.
(6) Die Modelle sind mit Parametern zu versorgen.
(7) Oft sind für die Modelle geeignete Daten zu finden.
(8) Es ist eine Modellrechnung durchzuführen.
(9) Wünschenswert sind Interpretationshilfen für die Ergebnisse.
(10) Möglicherweise kommt es zu neuen Rechnungen mit neuen Parametern.
(11) Der Benutzer ist zu „trainieren".
(12) Zuweilen benötigt der Benutzer Hilfe.

Die genannten Gesichtspunkte lassen sich als eine Art Checkliste für die systembildende Koordination ansehen. Die Programme der Methodenbank gewährleisten somit gemeinsam mit der Datenbank die Steuerung und Regelung eines Systems (→ Informationstechnologie).   E. Z.

Methodenstreit

Im sog. älteren Methodenstreit zwischen *Karl Menger* und *Gustav Schmoller* in den 80er Jahren des 19. Jh. ging es um die der Nationalökonomie angemessene Forschungsstrategie. Während *Schmoller* als Vertreter der jüngeren → historischen Schule sich für die in-

duktive Methode aussprach – historisch ausgerichtete empirische Studien sollten die Vorstufe zu einer Theorie darstellen, die die Entwicklung ökonomisch-gesellschaftlicher Formationen abzugeben in der Lage wäre –, trat *Menger* als Begründer der → österreichischen Schule für den Vorrang der abstrakten Theorie (→ Deduktion) ein.

Obwohl das in der Kontroverse angesprochene Thema, nämlich wie der sich historisch entwickelnde Gegenstand mit einer allgemeinen Theorie in Einklang zu bringen sei, noch keineswegs ausgestanden ist, sind jedoch vom heutigen Standpunkt aus betrachtet beide Positionen nicht frei von problematischen Annahmen. So besteht bei *Schmollers* Vorgehensweise die Gefahr, daß die Sammlung historischen Materials zur Faktenhuberei werden kann, wenn ihr eine entsprechende, theoretisch inspirierte Fragestellung fehlt. Aber auch *Mengers* Vorschlag, Wissenschaften, die das Generelle, von solchen, die das Individuelle erklären, zu unterscheiden, überzeugt nicht, weil ersteres ja nur im letzteren in Erscheinung treten kann. Damit steht die Theorie jedoch vor der komplexen Aufgabe, wechselnde historische Situationen zu analysieren.

Walter Eucken versuchte diese „große Antinomie" zu beseitigen, indem er auf der Basis seines ordnungstheoretischen Ansatzes die Konzeption einer allgemeinen Theorie entwarf, deren Teilstücke jeweils „aktuell" bzw. „inaktuell" werden können. Einem ähnlichen Ziel dienen die neueren Ansätze der Theorie der → Eigentumsrechte. Auf ihre Weise versucht auch die → Ökonometrie, die Kluft zwischen abstrakter Theorie und, durch statistische Zahlenwerke umschriebener, „historischer" Situation zu überbrücken.

Der „jüngere" Methodenstreit wird auch als → Werturteilsstreit bezeichnet.   *U. F.*

Literatur: *Eucken, W.,* Die Grundlagen der Nationalökonomie, Berlin u. a. 1965. *Stavenhagen, G.,* Geschichte der Wirtschaftstheorie, 4. Aufl., Göttingen 1969.

methodologischer Individualismus

methodologische Sichtweise, bei der davon ausgegangen wird, daß soziale Institutionen und Prozesse mit Hilfe von → Gesetzesaussagen über individuelles Verhalten erklärt werden müssen. Gemäß dieser These sind die Grundbestandteile der sozialen Welt („Gesellschaft") Individuen, deren Handeln von ihren Neigungen und von ihrem spezifischen Situationsverständnis bestimmt wird. Das Kontrastprogramm hierzu ist der methodologische → Holismus (bzw. methodologische Kol-

Anforderungen an eine ideale Methodenbank

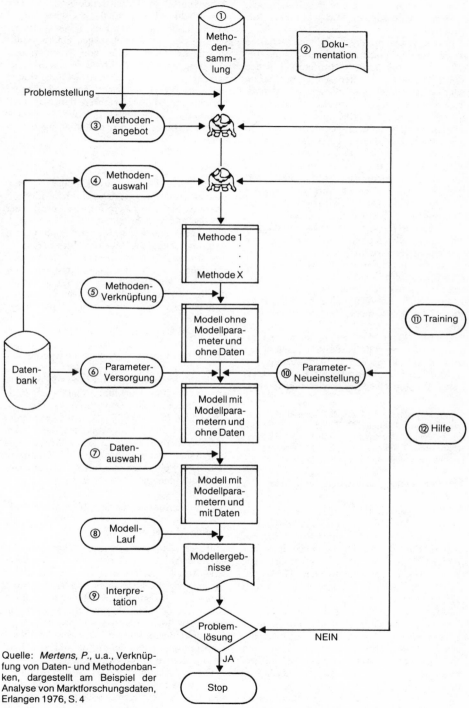

Quelle: *Mertens, P.,* u.a., Verknüpfung von Daten- und Methodenbanken, dargestellt am Beispiel der
Analyse von Marktforschungsdaten,
Erlangen 1976, S. 4

lektivismus) mit dem für ihn charakteristischen Versuch, gewisse Systemgesetze (auch: Gesetze der historischen Entwicklung) zu formulieren.

In der Geschichte der Sozialwissenschaften ist der methodologische Individualismus bereits relativ früh aufgetaucht. Speziell in den Wirtschaftswissenschaften hat er seit *Adam Smith* eine bedeutende Rolle gespielt. Grundlegend war dabei die motivationstheoretische Vorstellung vom Menschen als einem Wesen, das seine eigene Lage zu verbessern sucht. In der Gesellschaftstheorie eines *Jeremy Bentham* wurde diese Idee konsequent weiterentwickelt (→ Utilitarismus). In jüngster Zeit ist eine ausgesprochene Renaissance dieser Perspektive festzustellen, was interessanterweise mit Fortschritten im Bereich psychologischer (Motivations-)Theorien zusammenhängt.

Wegen des Rückgriffs auf Gesetzmäßigkeiten individuellen Verhaltens wird häufig auch von einem reduktionistischen Programm gesprochen. Eine derartige Bezeichnung ist unzutreffend, sofern sie den Eindruck zu erwekken sucht, daß den (gesellschaftlichen bzw. institutionellen) Rahmenbedingungen individuellen Verhaltens nicht Rechnung getragen wird.

Gerade dieser aus der sozialen Realität nicht wegzudenkende Tatbestand spielt in den dem methodologischen Individualismus folgenden Ansätzen eine zentrale Rolle (→ verhaltenstheoretische Betriebswirtschaftslehre).

G. S.

Literatur: *Bohnen, A.,* Individualismus und Gesellschaftstheorie, Tübingen 1975. *Schanz, G.,* Grundlagen der verhaltenstheoretischen Betriebswirtschaftslehre, Tübingen 1977, S. 67 ff. *Vanberg, V.,* Die zwei Soziologien, Tübingen 1975.

Methods-Time-Measurement-Verfahren (MTM)

Verfahren der → Vorgabezeitermittlung beim Leistungslohn, ähnlich dem → Work-Factor-Verfahren (→ Systeme vorbestimmter Zeiten). Es beruht auf der Addition von standardisierten Einzelzeiten, die auf empirischer Grundlage für Bewegungselemente (z.B. Hinlangen über 30 cm Entfernung zu einem Gegenstand) ermittelt werden. Die Vorgabezeit für eine Arbeitsaufgabe ergibt sich als Summe der Einzelzeiten der Bewegungselemente, die in ihrer Gesamtheit die Arbeitsaufgabe ausmachen. Das MTM-Verfahren ersetzt die Ermittlung der Vorgabezeit durch Zeitmessung und Leistungsgradschätzung nach REFA (→ Lohnformen).

Der Zeitbedarf für die einzelnen Bewegungselemente wird durch das Bewegungsele-

ment selbst sowie durch die Dimensionen der Arbeitsmittel und Gegenstände bestimmt. Der wesentliche Unterschied zwischen dem MTM- und dem Work-Factor-Verfahren besteht in der verschiedenartigen Operationalisierung der Dimensionen von Arbeitsmitteln und Gegenständen. Während dem Work-Factor-Verfahren nur quantitative Dimensionen (wie z.B. Länge, Gewicht) zugrunde liegen, bezieht das MTW-Verfahren daneben auch qualitative Dimensionen ein (wie z.B.: einfach oder schwierig beim Zusammenfügen von Teilen).

Me-too-Produkt

neues Produkt eines Unternehmens (→ Neuproduktentwicklung), das sich nicht oder nur unwesentlich von einem – meist kurz vorher auf den Markt gebrachten – Konkurrenzprodukt unterscheidet. Es besitzt damit keinen → unique selling proposition (UP), sondern ist eine Imitation. Das imitierende Unternehmen versucht dabei, mit möglichst geringem Aufwand und vor allem wenig Risiko am Erfolg des Konkurrenten teilzuhaben. Im Extremfall können sogar Industriespionage, Verstöße gegen gewerbliche Schutzrechte (→ Patent, → Gebrauchsmuster, → Geschmacksmuster, → Warenzeichen) und Irreführung über die Produktherkunft vorliegen (→ Markenpiraterie).

Häufig beobachtbar sind Me-too-Produkte auf gesättigten Konsumgütermärkten (z.B. Waschmittel, Zahncremes, Photoapparate), wo sie den Markterfolg des neuen Erzeugnisses eines Mitbewerbers behindern, die Markt- und Werbepräsenz der eigenen Marken sicherstellen oder Konkurrenten mit qualitativ (scheinbar) ebenbürtigen, aber preisgünstigeren Produkten angreifen sollen.

Metra Potential-Methode → Netzplantechnik

Middle-Management

(mittlere Managementebene) gehören in der → Unternehmenshierarchie die Werksleiter bzw. Abteilungsdirektoren an. Die Rangebene ist dadurch gekennzeichnet, daß sie einerseits dem → Top-Management unterstellt ist, andererseits jedoch Anordnungsbefugnisse gegenüber den Instanzen des → Lower-Management hat. Dem Middle-Management obliegt die Konkretisierung der auf der obersten Ebene getroffenen Entscheidungen.

Die Entscheidungen des Middle-Management weisen ein geringeres Maß an Unsicherheit auf als diejenigen des Top-Management. Ferner ist ein wachsender Anteil programmierbarer Entscheidungen festzustellen, und der Geltungsbereich der Entscheidungen ist weniger umfassend. Diese betreffen z.B. die im Rahmen eines einzelnen Werkes einer Unternehmung zu entfaltenden Aktivitäten oder die Tätigkeiten einer speziellen Abteilung.

B. E.-H.

Miete

(Mietzins) im Sprachgebrauch der → Wohnungswirtschaft der Preis für die Überlassung des Gebrauchs einer Wohnung oder einzelner Räume und für die damit verbundenen Nebenleistungen des Vermieters.

Die wichtigste Unterscheidung bei den Mietbegriffen ist zu treffen zwischen der → Kostenmiete und der → Vergleichsmiete.

Die nachfolgende Übersicht zeigt darüber hinaus die zwischen weiteren Mietbegriffen gegebenen Zusammenhänge.

Systematik der Mietbegriffe

Gesamtmiete			
Heizungs- und Warmwasserkosten	Kaltmiete		
	Mietnebenkosten		Grundmiete
Betriebskosten	Zuschläge	Vergütungen	Grundmiete

Die Gesamtmiete (auch Bruttomiete oder Entgelt) entspricht der Summe, die insgesamt monatlich an den Vermieter entrichtet wird. Unter Kaltmiete (auch Bruttokaltmiete) versteht man eine Gesamtmiete abzüglich Heizungs- und Warmwasserkosten. Demgegenüber umfaßt die Grundmiete (auch Nettokaltmiete) lediglich die Geldleistung, die für die reine Überlassung des Wohnraumes gezahlt wird, also ohne alle Mietnebenkosten. Die Betriebskosten sind abschließend in der Anlage 3 zu § 27 der Zweiten Berechnungsverordnung aufgelistet. Hierzu zählen z.B. die laufenden öffentlichen Lasten des Grundstücks (z.B. Grundsteuer), die öffentlichen Gebühren (Straßenreinigung, Müllabfuhr, Entwässerung), die Kosten der Sach- und Haftpflichtversicherung, die Kosten für den Hauswart, u.a. Die Zuschläge zur Grundmiete sind in § 26 der Neubaumietenverordnung (NMV 1970) aufgeführt, wie z.B. Untermiet- oder Gewerberaumzuschläge. Vergütungen dürfen daneben z.B. für das Überlassen einer Garage oder die Gestellung von Mobiliar verlangt werden (§ 27 NMV 1970). Ab 1.5. 1984 können alle Betriebskostenarten im Wege der

Umlage erhoben werden. Eine andere Einbeziehung in die Miete ist im sozialen (preisgebundenen) Wohnungsbau grundsätzlich nicht mehr möglich. Bis Ende 1986 galten Übergangsvorschriften, die eine Umstellung im Wohnungsbestand ermöglichen sollen. *W. P.*

Literatur: *Köhler, W.,* Handbuch der Wohnraummiete, 2. Aufl., München 1984. *Emmerich, V./Sonnenschein, J.,* Handkommentar Miete, 3. Aufl., München 1986.

Mietenverzerrung

neben der → Fehlbelegung eines der Hautprobleme der → Wohnungswirtschaft als Folge der konkreten Ausgestaltung der → Wohnungsbaupolitik. Aus der „Verordnung über die Ermittlung der zulässigen Miete für preisgebundene Wohnungen" (Neubaumietenverordnung, NMV) ergibt sich, daß bei der → Mietpreisbildung im öffentlich geförderten → sozialen Wohnungsbau das System der → Kostenmiete zugrundezulegen ist. Dies hat zur Folge, daß sich für gebrauchswertgleiche, jedoch zu unterschiedlichen Zeitpunkten errichtete → Wohnungen vor allem aufgrund zwischenzeitlich gestiegener → Baukosten und geänderter Finanzierungsbedingungen unterschiedliche Mieten ergeben. Die einzelnen Jahrgänge der im sozialen Wohnungsbau errichteten Wohnungen stellen Preisinseln dar, die Mietdifferenzen übersteigen die Wohnwertdifferenzen, was als Mietenverzerrung bezeichnet wird.

Zur Beseitigung dieses Problems sieht das im Dezember 1981 verabschiedete „Gesetz zum Abbau der Fehlsubventionierung und Mietverzerrung im Wohnungswesen" vor, bei Sozialwohnungen der 50er und 60er Jahre durch Höherverzinsung der öffentlichen Darlehen bisherige Mietvorteile von Mietern älterer Sozialwohnungen gegenüber Inhabern neuerer Sozialwohnungen abzubauen. Durch Änderungen des Wohnungsbindungsgesetzes können die Landesregierungen die Zinsen für die vor dem 1. 1. 1960 bewilligten öffentlichen Baudarlehen auf maximal 8%, für zwischen dem 31. 12. 1959 und dem 1. 1. 1970 bewilligte Darlehen auf höchstens 6% anheben. Das zusätzliche Mittelaufkommen aus der Höherverzinsung ist per Gesetz zum Bau neuer Sozialwohnungen zu verwenden.

Von dem hier geschilderten Problem der Mietenverzerrung, welches maßgeblich vom Subventionszeitpunkt abhängt, ist die aus der Subventionstechnik resultierende problematische Sozialmietenentwicklung (auf der Grundlage von Wirtschaftlichkeitsberechnungen) zu unterscheiden. *W. P.*

Mieterschutz → Vergleichsmiete, → Staffelmiete

Miethöhegesetz → Mietpreisbildung

Mietkauf

→ Mietvertrag, der dem Mieter das Recht einräumt, innerhalb einer bestimmten Frist die Mietsache zu einem vorher bestimmten Preis zu kaufen, wobei die bis dahin gezahlte → Miete ganz oder z. T. auf den Kaufpreis angerechnet wird.

Mietkaution → Kaution

Mietnebenkosten → Miete

Mietpreisbildung

Der Prozeß der Mietpreisbildung am → Wohnungsmarkt unterscheidet sich grundlegend von dem anderer Gütermärkte, namentlich deshalb, weil hier massive staatliche Eingriffe festzustellen sind, die über die Preisbildung hinaus auch die Begründung und Lösung von Mietverhältnissen reglementieren. Derartige Eingriffe haben in der deutschen → Wohnungswirtschaft Tradition. Besonders die Wohnungsnot nach dem Zweiten Weltkrieg führte zu einer Vielzahl zwangswirtschaftlicher Gesetze im Hinblick auf Mieterschutz, Wohnraumbewirtschaftung, Preis- und Kalkulationsvorschriften, weshalb man damals auch von Wohnungszwangswirtschaft sprach.

Mit dem 1960 in Kraft getretenen „Gesetz über den Abbau der Wohnungszwangswirtschaft und über ein soziales Miet- und Wohnrecht" (sog. Abbaugesetz) wurde die schrittweise Überführung in die soziale Wohnungsmarktwirtschaft begonnen. Wesentliches Merkmal der Lockerungsbestimmungen war zunächst die Einführung von sog. weißen und schwarzen Kreisen. In Abhängigkeit vom amtlich ermittelten Wohnungsdefizit wurden die Bewirtschaftungsgesetze zunächst nur in den weißen Kreisen aufgehoben, in den schwarzen Kreisen galten sie weiter. Da zum Zeitpunkt des gesetzlichen Endes der Wohnraumbewirtschaftung im Jahr 1968 noch Versorgungsengpässe auf den lokalen Mietwohnungsmärkten in Berlin, Hamburg und München bestanden, wurden diese Regionen zu „grauen" Kreisen erklärt, was eine Weiterführung der Wohnraumbewirtschaftung für Altbauten bis 1976 bedeutete.

Mit Ausnahme der Altbauwohnungen in den zuletzt genannten Gebieten unterliegen heute alle Mietverhältnisse dem umstrittenen „Zweiten Wohnraumkündigungsschutzgesetz", wobei insbes. dessen 3. Artikel, das „Gesetz zur Regelung der Miethöhe", von Bedeutung ist.

Mit Beginn des Jahres 1983 trat das „Gesetz zur Erhöhung des Angebots an Mietwohnungen" in Kraft, welches folgende entscheidende Fortentwicklung des Mietrechts brachte:

- Neuregelung der Pflicht des Mieters zur Duldung von Maßnahmen des Vermieters zur → Wohnungsmodernisierung (§ 541 b BGB),
- Erweiterung der Bestimmungen über Mietkautionen auch auf den freifinanzierten Wohnungsbau (§ 550 b BGB),
- Zulassung von → Zeitmietverträgen (§ 564 c BGB),
- Neuregelung der Mieterhöhung nach dem System der → Vergleichsmiete im freifinanzierten Wohnungsbau (§ 2 Miethöhegesetz),
- Zulassung der Vereinbarung von → Staffelmieten (§ 10 Abs. 2 Miethöhegesetz),
- Präzisierung einer Mietpreisüberhöhung (§ 5 Wirtschaftsstrafgesetz), was speziell für das System der → Kostenmiete von Bedeutung ist. *W. P.*

Literatur: *Emmerich, V./Sonnenschein, J.,* Handkommentar Miete, 3. Aufl., München 1986. *Köhler, W.,* Handbuch der Wohnraummiete, 2. Aufl., München 1984.

Mietspiegel → Vergleichsmiete

Mietvertrag

schuldrechtlicher Vertrag (§ 535 BGB), der die zeitweilige Überlassung einer beweglichen oder unbeweglichen Sache (→ Wohnung) zum Gebrauch gegen Entgelt (→ Miete) zum Gegenstand hat (→ Zeitmietvertrag).

Mietverträge bei Wohn- und Geschäftsräumen, die für eine längere Zeit als ein Jahr abgeschlossen werden, bedürfen der Schriftform. In der Praxis werden meist Musterverträge verwandt, z. B. der Mustervertrag des Bundesministeriums für Raumordnung, Bauwesen und Städtebau oder der Dauermietvertrag der gemeinnützigen → Wohnungsunternehmen. *W. P.*

Mietwucher → Wucher

Mietzins → Miete

Migration → Wanderung

Mikroanalyse

Ansatz zur Untersuchung des Verhaltens von Mikroeinheiten (Personen, Haushalte, Unter-

nehmen). *Guy H. Orcutt* hatte 1957 die Entwicklung → mikroanalytischer Modelle vorgeschlagen, um insb. für den Bereich der Fi-
nanz- und Sozialpolitik fundierte rationale
Entscheidungsgrundlagen zu schaffen. Als
Datenbasis sind individuelle Daten heranzuziehen (z.B. die Informationen aus den tur-
nusmäßigen → Einkommens- und Verbrauchsstichproben).

In der Bundesrepublik Deutschland ist die
Verfügbarkeit solcher Mikrodatensätze wegen der Datenschutzregelung stark eingeschränkt, so daß es notwendig wird, auf Mikrodatensätze zurückzugreifen, die aus eigenen → Querschnitts- oder → Längsschnitts-
Erhebungen stammen.

Die Mikroanalyse basiert auf drei Grundideen:

(1) Sie verfolgt das Ziel, menschliches Verhalten durch Berücksichtigung einer Vielzahl
persönlicher oder haushaltsbedingter Bestimmungsfaktoren zu erklären und damit Aggre-
gationsfehler durch Verwendung von Durch-
schnittsgrößen zu vermeiden. So eignet sich
z.B. bei der Schätzung der strukturellen Wirkungen von Änderungen der Rentengesetzge-
bung der mikroanalytische Ansatz wesentlich
besser als ein Modell auf der Makroebene;
denn bei der Berechnung der Höhe der Renten
sind individuelle Faktoren, wie Familienstand, Alter usw., von entscheidender Bedeutung.

(2) Mikroanalytische Modelle sind sehr große, komplexe Modelle, die auch mit Hilfe von
leistungsfähigen Computern nicht mehr geschlossen lösbar sind. Deshalb erscheint es
zweckmäßig, Simulationen durchzuführen,
d.h. Modellrechnungen unter Vorgabe bestimmter politischer Instrumentvariablen vorzulegen, um die Zusammenhänge zwischen
angestrebten Zielen und eingesetzten Maßnahmen zu analysieren.

(3) Der mikroanalytische Ansatz erlaubt es,
auch komplizierte institutionelle Regelungen
abzubilden, z.B. Vorschriften des Steuerrechts, die für die Mikroeinheiten Personen
oder Haushalte zutreffen.

Wegen der Datenlage wird der mikroanalytische Ansatz heute meist zur Analyse von
Personen und Haushalten, selten auch zur Untersuchung des individuellen Unternehmer-
verhaltens eingesetzt.   *R. H.*

Literatur: *Krupp, H. J./Wagner, G.*, Grundlagen
und Anwendung mikroanalytischer Modelle, in:
Vierteljahreshefte zur Wirtschaftsforschung, Heft 1
(1982), S. 5 ff. *Orcutt, G./Merz, J./Quincke, H.*
(Hrsg.), Microanalytic Simulation Models to Support Social and Financial Policy, Amsterdam u. a.
1986.

mikroanalytische Modelle

Modelle des Haushalts- bzw. Unternehmenssektors auf Mikroebene. Sie sind wegen ihrer
Komplexität modular aufgebaut, z.B. Bevölkerung, Bildung, Erwerbsbeteiligung, Faktoreinkommen, usw. Je nach Analysezweck werden verschiedene Varianten der mikroanalytischen Modelle verwendet. Die aufwendigste
Version ist dabei die dynamische Querschnittssimulation, mit deren Hilfe die Mikroeinheiten aufgrund geeigneter Hypothesen
von Periode zu Periode fortgeschrieben werden. Mit geeigneten Schätzverfahren wird zunächst die Wahrscheinlichkeit einer Veränderung, z.B. in der Erwerbsbeteiligung, in Abhängigkeit von personen- und haushaltsbezo-
genen Merkmalen ermittelt. Für jede Einzelperson wird dann entsprechend dieser durch
soziodemographische Faktoren bedingten
Wahrscheinlichkeit im Rahmen eines stochastischen Simulationsansatzes über ihren Er-
werbsstatus entschieden. Dieses Verfahren
findet auch bei der Simulation anderer Ereignisse, wie Geburten, Eheschließungen, Sterbe-
fälle usw., Anwendung.

Um die Komplexität bei den Simulations-
rechnungen zu verringern, wurden vereinfachte Modellversionen entwickelt. In statischen mikroanalytischen Modellen wird darauf verzichtet, individuelle Biographien fort-
zuschreiben. Im Zentrum der Untersuchung
steht die Analyse institutioneller Regelungen
auf kurze und mittlere Sicht. So ist es möglich,
für eine bestimmte Periode und eine gegebene
Population zu ermitteln, wie sich ein neuer
komplizierter Steuertarif auf die Verteilung
der Nettoeinkommen und das Steueraufkommen auswirken würde. Die Schwäche dieses
Ansatzes liegt darin, daß er keine Aussage
über langfristige zukünftige Entwicklungen
erlaubt.

Um die Mängel der statischen Simulation,
aber auch den großen Aufwand bei der dynamischen Simulation von Bevölkerungsquer-
schnitten zu umgehen, ist das Verfahren der
Längsschnittsimulation entwickelt worden.
Hier werden die einzelnen Haushalte zunächst unabhängig voneinander über einen
größeren Zeitraum fortgeschrieben; unberücksichtigt bleiben dabei die Personen, die
nicht der interessierenden Population (Kohorte) angehören. Die Längsschnittsimulation
hat den großen Vorzug, erheblich schneller
und damit billiger zu sein als die dynamische
Querschnittssimulation; ihre Aussagekraft ist
jedoch geringer, da die Interdependenzen zwischen den Haushalten nur grob erfaßt werden.

In der Bundesrepublik Deutschland wurden

vom Sonderforschungsbereich 3 „Mikroanalytische Grundlagen der Gesellschaftspolitik"
der Universitäten Frankfurt a.M. und Mannheim diese verschiedenen Modellvarianten
entwickelt und z.B. für Modellrechnungen
verschiedener Rentenreform-Alternativen verwendet.   *R. H.*

Literatur: *Orcutt, G./Merz, J./Quincke, H.* (Hrsg.),
Microanalytic Simulation Models to Support Social
and Financial Policy, Amsterdam u.a. 1986.

Mikrocomputer

(Tischcomputer, personal computer, PC) die
kleinsten derzeit auf dem Markt befindlichen
Datenverarbeitungsanlagen. Sie bestehen zumeist aus einem →Bildschirm, einem →Mi-
kroprozessorsystem (oft im Bildschirmgehäu-
se integriert), einer →Tastatur sowie mehreren Zusatzgeräten. Ein Diskettenlaufwerk
bzw. eine Festplatte ist i.d.R. auch in das Ge-
häuse des Bildschirmgeräts integriert. An eine
solche Anlage können Drucker, weitere Speichermedien (z.B. Kassettengeräte zur Datenspeicherung) und über Schnittstellen (z.B.
V. 24) zahlreiche weitere periphere Geräte angeschlossen werden.
  Die dialogorientierte Betriebssystemkon-
zeption, der Einsatz einfacher Programmiersprachen und die komfortable Bildschirmsteuerung erlauben ein schnelles Erlernen der
Funktionen eines Mikrocomputers.
  Die Weiterentwicklung der Mikrocompu-
ter-Technologie hat in den letzten Jahren Veränderungen in den Einsatzformen betrieblicher EDV-Systeme mit sich gebracht. Mikrocomputer können als Terminals für ein zentrales EDV-System fungieren, völlig unabhängig Probleme lösen oder eine Aufgabenteilung
zwischen dezentral und zentral wahrgenommenen betriebswirtschaftlichen Funktionen
bewerkstelligen (→personal computing).
Durch geeignete →Software lassen sich z.B.
Daten eines zentralen EDV-Systems auf den
PC transferieren, dort bearbeiten und in Gestalt von Ergebnissen in die zentrale EDV-An-
lage zurückübertragen.   *Ch. P.*

Mikrofilm

→Speichermedium für die von einem EDV-
System ausgegebenen Daten. Die zu spei-
chernden Zeichen werden direkt, d.h. unter
Umgehung der Druckausgabe auf Papier, mit
einem Elektronen- oder Lichtstrahl in extremer Verkleinerung auf einen Film geschrieben, wobei noch Formulare eingeblendet werden können. Dieses Verfahren wird als Computer output on microfilm (COM) bezeichnet.

Die Aufbereitung der Daten zur Mikroverfil-
mung geschieht entweder noch in der EDV-
Anlage selbst oder in speziellen Verfilmungs-
geräten (COM-Recorder). Der Film kann in
Rollen gehalten oder in etwa postkartengroße
Stücke eingeteilt werden, die man (Mikro-)Fi-
ches nennt. Ein Fiche im Format DIN A 6 vermag je nach Verkleinerung mehrere hundert
herkömmliche Druckseiten aufzunehmen.
Zum Lesen der auf diese Weise gespeicherten
Informationen benötigt man spezielle Lesege-
räte.   *Ch. P.*

Mikroökonomik

jene Theorien der Volkswirtschaftslehre, die
zur Erklärung von Zusammenhängen unmittelbar am Verhalten der einzelnen Wirtschaftssubjekte ansetzen (→methodologi-
scher Individualismus). Zentral ist hierbei die
Annahme, daß sich die Wirtschaftssubjekte
rational verhalten (→Rationalprinzip), d.h.
unter den gegebenen rechtlichen, zeitlichen
und sonstigen faktischen Beschränkungen ihre knappen Mittel so einsetzen, daß die von
ihnen gewählten Ziele so gut wie möglich realisiert werden. Die Mikroökonomik weist enge Bezüge zur Entscheidungslogik und zur
Praxeologie auf. Dies zeigt sich insb. in den
Theorien des Haushalts und der Unternehmung.
  Zum partialanalytischen Teil der Mikroökonomik zählt auch die Theorie der →Preis-
bildung, wenn sie sich auf einen einzelnen
Markt bzw. auf die Beziehungen zwischen
vor- und nachgelagerten Marktstufen bezieht.
Geht es hingegen um die Darstellung der Beziehungen zwischen sämtlichen Haushalten
und Unternehmen einer Volkswirtschaft,
spricht man von mikroökonomischer →To-
talanalyse.
  Zur Mikroökonomik gehört auch die
→Wettbewerbstheorie, die gegenüber der
Preistheorie insb. die Prozeßhaftigkeit und damit die Zeitbedürftigkeit des marktlichen
Koordinationsgeschehens berücksichtigt. Ihre
Aussagen erhalten dadurch einen höheren empirischen Gehalt.
  In der →Neuen Politischen Ökonomik und
der Theorie der Institutionen hat sich die Mikroökonomik neue Anwendungsfelder er-
schlossen.   *U. F.*

Literatur: *Schumann, J.,* Grundzüge der mikroökonomischen Theorie, 4. Aufl., Berlin u.a. 1984. *Fehl,
U./Oberender, P.,* Grundlagen der Mikroökonomie, 2. Aufl., München 1985.

Mikroprozeßmodelle   →Neuprodukt-
prognose

Mikroprozessor

→ Prozessor, der auf einem oder wenigen inte-
grierten Bausteinen (Chips) untergebracht ist.
Mikroprozessoren haben z.Z. eine interne
Verarbeitungsbreite von 8 oder 16 bit. 16 bit-
Prozessoren sind heute bei den meisten → Mi-
krocomputern im Einsatz, während für die
Zukunft verstärkt Mikrocomputer mit 32 bit-
Prozessoren (sog. Supermikros) erwartet wer-
den.

Mikrosimulationsmodelle

eignen sich für Modellrechnungen zu den
Auswirkungen alternativer politischer Maßnahmen, insb. im Rahmen der Finanz- und
Sozialpolitik, da hierbei mikroökonomische
Bestimmungsfaktoren und individuelle Charakteristika von entscheidender Bedeutung
sind. Mikrosimulationsmodelle wurden vor
allem in den USA, Schweden und der Bundesrepublik Deutschland entwickelt und angewandt.

In den USA werden statische Ansätze seit
1963 benutzt, so z.B. zum Vergleich alternativer Steuerszenarien oder für die Diskussion
verschiedener Wohlfahrtsprogramme im Rahmen der Familien- und Gesundheitspolitik.
Eine breite Anwendung in der praktischen Politik hat der TRIM-(Transfer Income Model)
Ansatz z.B. für Politiksimulationen zu Problemen der Einkommensteuerreform, für Ener-
gie- und Wohngeldprogramme gefunden.
Auch das MATH-(Micro Analysis of Transfers to Households) Modell wurde zur Abschätzung der Auswirkungen von Energie-
und Wohlfahrtsprogrammen eingesetzt.

Das erste dynamische Mikrosimulationsmodell wurde bereits Ende der 50er Jahre von
Guy H. Orcutt u.a. entwickelt. Zwischen der
Veröffentlichung erster Ergebnisse 1961 und
der ersten abgeschlossenen sozio-ökonomi-
schen Simulationsstudie lagen jedoch 15 Jahre. Mit dem Mikrosimulationsmodell DYNA-
SIM (Dynamic Simulation of Income Model)
wurden Modellrechnungen z.B. für Probleme
der Rentenversicherung, Arbeitslosenversicherung und des Familienlastenausgleichs
durchgeführt.

In Schweden wurde zum ersten Mal ein mi-
kroanalytisches Modell des Unternehmenssektors im Industrial Institute für Economic

Die Grobstruktur des Modellzusammenhangs

Hypothesenblock

Demo-graphische Prozesse	Geburt, Tod, Heirat, Scheidung, Haushalts-mobilität	
Ressourcen-verwendung		Bildungs-beteiligung, Faktorange-bot, Eigen-nutzung
Arbeitsmarkt-prozesse		berufliche Mobilität, Arbeits-losigkeit
Faktor-entlohnung		Faktor-einkommen
Umverteilung		Steuern, Beiträge, Transferein-kommen und -leistungen
Einkommens-verwendung		Konsum, Sparen, Vermögens-bildung

and Social Research (Stockholm) entwickelt und für Simulationen im Rahmen der Fiskalpolitik verwendet.

In der Bundesrepublik Deutschland wurde die Entwicklung von Mikrosimulationsmodellen von der Sozialpolitischen Forschergruppe Frankfurt-Mannheim (SPES-Projekt) initiiert. Sie hat auch erste Versionen statischer Modelle vorgestellt, die z.B. zur Analyse von Vorschlägen zur Steuerreform oder zu Maßnahmen im Bereich der Rentenversicherung herangezogen wurden. Das erste dynamische Mikrosimulationsmodell für die Bevölkerungsentwicklung entstand 1974 im SPES-Projekt. Die Arbeiten des SPES-Projekts wurden im Rahmen des Sonderforschungsbereichs 3 „Mikroanalytische Grundlagen der Gesellschaftspolitik" fortgeführt, von dem ein komplexes dynamisches Querschnittsmodell (vgl. Abb. auf S. 165) sowie eine einfachere Längsschnittsvariante (Kohortensimulation) entwickelt wurden. Mit Hilfe dieser Modellversionen konnten detaillierte Modellrechnungen zu den Alternativen der Rentenreform durchgeführt werden. *R. H.*

Literatur: *Krupp, H. J.* u.a. (Hrsg.), Alternativen der Rentenreform 84, Frankfurt a.M., New York 1981. *Orcutt, G.* u.a., Microanalysis of Socioeconomic System: A Simulation Study, New York 1961. *Haveman, R./Hollenbeck* (Hrsg.), Microeconomic Simulation Models of Public Policy Analysis, New York u.a. 1980.

Mikrotheorie → Mikroanalyse, → Mikroökonomik

Mikrozensus

von der → amtlichen Statistik in der Bundesrepublik Deutschland seit 1957 durchgeführte Repräsentativstatistik der → Bevölkerung und des Erwerbslebens (→ Erwerbspersonenpotential.

Der Mikrozensus findet seit 1975 grundsätzlich jährlich statt. Zu einer Unterbrechung kam es 1983 und 1984. Aufgrund des Entscheids des Bundesverfassungsgerichts zum Volkszählungsgesetz 1983 mußte die Rechtsgrundlage des Mikrozensusgesetzes neu gefaßt werden (Gesetz über die Durchführung einer Repräsentativstatistik der Bevölkerung und des Erwerbslebens vom 21. 2. 1983 in den Jahren 1983–1990). Wie bei allen Stichprobenerhebungen treten auch beim Mikrozensus systematische Fehler und Stichprobenfehler auf. Die systematischen Fehler können durch Plausibilitätskontrollen und durch gezielte Ergänzung ausgefallener Haushalte teilweise korrigiert werden; der Stichprobenfehler kann mit Hilfe der Wahrscheinlichkeits-

rechnung abgeschätzt werden. Der Auswahlsatz beträgt 1% der Wohnbevölkerung; Erhebungseinheiten sind die Haushalte. Grundsätzlich besteht Auskunftspflicht.

Der Mikrozensus ermöglicht, relativ schnell, kostensparend und zuverlässig statistisches Material über demographische und sozio-ökonomische Tatbestände auch für die Jahre zwischen den → Volkszählungen bereitzustellen, um so rasch Veränderungen dieser Tatbestände aufzuzeigen. Das Grundprogramm und die Vielfalt der durchgeführten Zusatzprogramme zeigen dabei, daß sich der Mikrozensus im Zeitablauf von einer anfänglich stark auf die Bereiche Bevölkerung und Erwerbsleben ausgerichteten Erhebung zu einer breit angelegten Mehrzweckstichprobe entwickelt hat.

Das Fragenprogramm des Mikrozensus 1985 erstreckt sich unter anderem auf folgende Erhebungsmerkmale: Wohnbevölkerung nach Staatsangehörigkeit, Alter, Geschlecht, Familienstand und Familienzusammenhang; Schulbesuch; Kranken- und Rentenversicherungsschutz; Erwerbsbeteiligung, Arbeitslosigkeit, Arbeitssuche und Arbeitsplatzwechsel; Wirtschaftszweig, in dem die Erwerbstätigkeit ausgeübt wird, Stellung im Beruf und Umfang der Erwerbstätigkeit; Umfang der Aus- und Weiterbildung; Ort und Weg zur Arbeitsstätte bzw. (Hoch-)Schule; Quellen des überwiegenden Lebensunterhalts, Bezug öffentlicher Renten und Pensionen sowie sonstiger öffentlicher und privater Einkommen; Höhe des Nettoeinkommens. Befragt werden auch Ausländer nach den im Heimatland befindlichen Ehegatten, Kindern und Eltern.

Der Mikrozensus ermöglicht nicht allein Querschnittsanalysen, er bietet auch die Möglichkeit begrenzter Längsschnittsanalysen, da nur ein Teil der erfaßten Haushalte jährlich ausgetauscht, ein Teil also wiederholt befragt wird. Jeweils ein Viertel der Befragten ist dabei in vier aufeinanderfolgenden Jahren in der Erhebung enthalten. Dieses Rotationsverfahren verleiht dem Mikrozensus z.T. den Charakter einer Panel-Befragung (wiederholte Befragung gleicher Erhebungseinheiten).

Dementsprechend liefert der Mikrozensus wichtige statistische Grundlagen für Entscheidungen auf vielen Gebieten der Wirtschafts- und Gesellschaftspolitik; er stellt ferner eine wichtige empirische Materialquelle der → Bevölkerungsökonomie dar. *U. R.*

Literatur: *Statistisches Bundesamt* (Hrsg.), Das Arbeitsgebiet der Bundesstatistik 1981, Stuttgart und Mainz 1981. *Bretz, M./Mayer, H.-L.*, Volkszählung, in: HdWW, Bd. 8, Stuttgart u.a. 1980, S. 405 ff.

Milchrente

sozial- und strukturpolitische Maßnahme im Zusammenhang mit der EG-weiten Einführung der Kontingentierung der Milchproduktion. Als Angebot insb. an ältere Landwirte besteht die Möglichkeit, zugestandene Milchkontingente gegen eine befristete Rente zurückzugeben. Die Rentenhöhe berechnete sich in Abhängigkeit von der abgetretenen Kontingentsmenge.

Militärausgaben

Wertsumme aller Maßnahmen, die ein Staat zur militärischen Sicherung der nationalen Sicherheit ergreift (→ militärische Leistungen). Die wichtigsten Einzelposten (→ militärische Ressourcen) sind die Personalausgaben, die Rüstungsgüterbeschaffung, die Material- und Anlagenerhaltung und allgemeine Betriebskosten.

Ökonomisch sind die Militärausgaben ein Teil der → Staatsausgaben; sie werden in der → Volkswirtschaftlichen Gesamtrechnung als Staatsverbrauch verbucht.

Die Wirkungen von Militärausgaben auf den Wirtschaftskreislauf entsprechen jenen anderer Staatsausgaben. Direkte Beschäftigungseffekte leiten sich aus dem Umfang der Streitkräfte ab, indirekt werden Arbeitsplätze durch Güterkäufe bei der gewerblichen Wirtschaft geschaffen. Aufgrund des speziellen Bedarfs von Streitkräften können sich wirtschaftliche Abhängigkeiten von Staat und Industrie (→ militärisch-industrieller Komplex) entwickeln. Als Instrument der Konjunkturpolitik eignen sich Militärausgaben wenig, da diese zu großen Teilen gebunden (Personalausgaben) oder langfristig geplant (Rüstungsgüter) sind. Dabei schraubt die rasante wehrtechnologische Entwicklung die Militärausgaben ständig nach oben; doch wird das Gesamtvolumen letzlich von der außenpolitischen Sicherheitslage bestimmt (→ Abrüstung, → Rüstungskontrolle, → Rüstungskonversion). Zur raumwirtschaftlichen Entwicklung können die Wahl von militärischen Standorten sowie eine gezielte Beschaffungspolitik beitragen.

In der Bundesrepublik Deutschland betrug der Anteil der Verteidigungsausgaben am gesamten Bundeshaushalt bisher durchschnittlich ca. 21%, womit ein Anteil von ca. 10% innerhalb der NATO (nach den USA mit ca. 60%) geleistet wurde (→ Verteidigungshaushalt).   G. N.

Literatur: *Köllner, L.,* Militär und Finanzen, München 1982. *Neubauer, G.,* Raumwirtschaftliche Wirkungen der Verteidigungsausgaben, in: *Kirch-*

hoff, G. (Hrsg.), Handbuch zur Ökonomie der Verteidigungspolitik, Regensburg 1986.

militärische Bündnisse

beruhen auf völkerrechtlichen Verträgen zwischen zwei oder mehreren souveränen Staaten, durch die sie sich zu gegenseitiger militärischer Unterstützung bei der Abwehr gemeinsamer Gegner verpflichten. Zweck solcher Allianzen ist die Erhöhung der äußeren Sicherheit aller Bündnismitglieder.

In jedem militärischen Bündnis wirkt eine Reihe von außen- und innenpolitischen, strategischen, (waffen-) technischen und ökonomischen Faktoren zusammen (→ Militärökonomik). Die ökonomische Theorie der Allianzen analysiert mit dem Akzent auf den ökonomischen Faktoren. Unbeschadet des gemeinsamen Bündnisziels entstehen in einer Allianz Probleme, die einmal aus der unterschiedlichen Größe der Mitglieder und den sich daraus ergebenden Differenzen in den Sicherheitsinteressen herrühren, zum andern aus dem Kollektivgutcharakter, den die äußere Sicherheit mit militärischen Bündnissen hat. Dies wirft die wichtige Frage der Lastenverteilung auf: Welchen finanziellen (→ Militärausgaben) und realen (→ militärische Leistungen) Beitrag zur Bündnissicherheit soll jedes einzelne Mitglied leisten? Die Allianztheorie versucht, diese und weitere Fragen (z.B. über die zweckmäßige Organisationsstruktur, über Waffenstandardisierung, über die optimale Größe eines militärischen Büdnisses) zu beantworten. Sie untersucht indessen nur einen Aspekt militärischer Bündnisse; deren umfassende Analyse bedarf stets ergänzender Untersuchungen.   H. Ma.

Literatur: *Gerber, J.,* Die Bundeswehr im Nordatlantischen Bündnis, Regensburg 1986. *Maneval, H.,* Allianztheorie, in: *Kirchhoff, G.* (Hrsg.), Handbuch zur Ökonomie der Verteidigungspolitik, Regensburg 1986.

militärische Führung

realisiert sich in Menschen, die fähig und willens sind, dem Streben und Handeln innerhalb einer militärischen Zweckgemeinschaft sittlich gerechtfertigte Individual- und Gemeinschaftsziele zu weisen, die Mittel und Wege zur Zielerreichung zu erkennen, einzusetzen und durchzusetzen sowie in umfassender personaler Verantwortung für ihre Haltung und ihr Verhalten einzustehen. Auch die Institution „Militärische Führung" (in der Bundeswehr letzlich der politischen Führung des Staates unterstellt) benötigt diese Eigenschaften, dargestellt durch die Angehörigen dieser Institution.

Militärische Führer werden normalerweise vom Dienstherrn eingesetzt; sie erhalten einen Dienstposten und eine Planstelle aufgrund des ihnen entgegengebrachten Vertrauensvorschusses, die unterstellte Truppe – gleich welcher Größe – auch führen zu können. In außergewöhnlichen Fällen kann sich eine Militärperson mit Dienstgrad zum militärischen Führer (Vorgesetzten mit Befehlsgewalt) erklären.

Aufgaben der militärischen Führung (Führungsfunktionen) liegen
(1) im sachtechnischen Bereich des Systems:
- Ziele setzen,
- Planungen durchführen,
- Entscheidungen treffen,
- Organisation aufstellen und in Gang halten,
- Realisation bewirken (→militärische Leistungen),
- Kontrollen (Dienstaufsicht) durchführen;
(2) im menschlich-zwischenmenschlichen Bereich:
- motivieren,
- koordinieren,

- Köhäsion bewirken (Förderung des Gruppenzusammenhalts)
- Lokomotion bewirken (Förderung des Innovations- und Fortschrittsengagements),
- Kooperation bewirken.

Als Führungsstil wird in der militärischen Führung der Bundeswehr der kooperative angestrebt, allerdings je nach Situation unter Nutzung der vollen Ermessensspanne zwischen der autokratischen und der soziokratischen Variante (gelegentlich demokratisch genannt). Im Verteidigungskampf wird das Führen mit Auftrag – Auftragstaktik – praktiziert, im Angriffskampf vorwiegend die Befehlstaktik.

Besonderer Wert wird in der militärischen Führung auf personale Fürsorge (Fürsorgepflicht) für die unterstellten Personen gelegt, da Lebens- und Dienst (Gefahren-)-Gemeinschaft weitgehend ineinander verschmelzen. Ein Hilfsmittel ist die tief gegliederte und mehr als funktionale Aufgabenkontrolle umfassende Dienstaufsicht, welche beim unterstellten Personal die Eigenverwirklichung im Dienstbereich (als kampffähiger Soldat) und

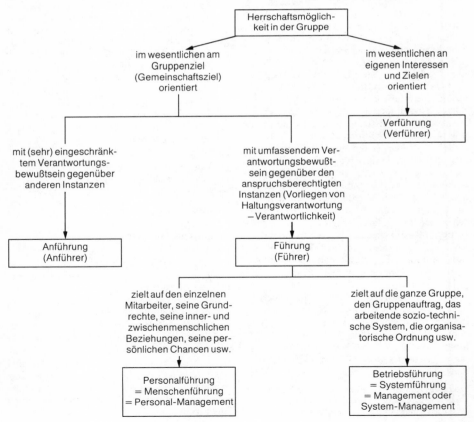

als Person (als Kamerad) fördert. Deshalb wird gelegentlich ein Recht der Untergebenen auf Dienstaufsicht postuliert (vgl. Abb.).

G. Ki.

Literatur: *Kirchhoff, G.*, Führung – Führungsgrundsätze, in: *Kirchhoff, G.* (Hrsg.), Handbuch zur Ökonomie der Verteidigungspolitik, Regensburg 1984.

militärische Leistungen

bestehen bei Verteidigungsstreitkräften wie der Bundeswehr aus
- abschreckender Präsenz (Vorhandensein leistungsfähiger Einsatz- und Kampfverbände),
- militärisch und politisch wirksamer Kampfleistung (eingesetzte Hilfs- und Kampfverbände – wenn erforderlich),
- wirksamer Einsatzbefähigung und abrufbarer -leistung (z.B. in Katastrophenfällen),
- Nebenleistungen für die eigene und andere Gesellschaften, z.B. zivil nutzbare Ausbildung und Bildung.

Die Bundeswehr gibt Gewähr- und Dienstleistungen ab, die im Rahmen des NATO-Bündnisses (→militärische Bündnisse) insb. auch politische Verteidigungswaffen darstellen. Durch die Machtbegrenzung der →militärischen Führung der politisch geführten Bundeswehr wird ein Überziehen der Ziele im Vergleich zum erklärten Zweck vermieden. Gegenseitige umfassende Information ist nötig, um keine Diskrepanzen zwischen staatlichem Schutzwunsch und militärischem Schutzvermögen sowie gegnerischem militärisch-politischem Okkupationsvermögen entstehen zu lassen.

Als innermilitärische Leistungsfaktoren (→militärische Ressourcen) kommen personelle, materielle, naturelle und immaterielle in Betracht. Militärische Endleistungen sind nicht lagerbar, daher werden betriebliche Teilleistungen im Frieden durch Leistungsvorprozesse stufenweise so nahe wie möglich an den Endzustand gebracht, z.B. durch Ausbildung, Lagerung (→militärische Logistik), Sperren. Gute Planbarkeit, keine Einflußnahme durch Gegner und andere Vorteile ermöglichen gute →militärische Wirtschaftlichkeit. Mit der sich daran notfalls anschließenden Leistungshauptprozessen sollen die Einsatzziele zeitverzugsarm erreicht werden.

Eine entscheidende militärische Leistung ist jedoch bereits in der bei Staat und Gesellschaft entstandenen Gewißheit zu sehen (→Militärökonomik), daß einsatzfähige Verbände zusammen mit ihrer zeit- und raumumspannenden Logistik, ihren Möglichkeiten der personellen und materiellen Verstärkung

(→Sicherstellungsgesetze) sowie mit dem militärischen Führungspersonal in der Lage sind, Gegner von einer Angriffshandlung abzuhalten.

G. Ki.

Literatur: *Kirchhoff, G.*, Betriebswirtschaftslehre der Streitkräfte, in: WiSt. 9. Jg. (1980), S. 511 ff.

militärische Logistik

„Lehre von der Planung, der Bereitstellung und vom Einsatz der für militärische Zwecke erforderlichen Mittel und Dienstleistungen zur Unterstützung der Streitkräfte und/oder die Anwendung dieser Lehre" (HDV 100/900, Führungsbegriffe der Bundeswehr).

Neben Strategie und Taktik ist Logistik eines der Grundgebiete →militärischer Führung (G4/S4). Einschlägige Dienstvorschriften im Bereich der Bundeswehr sind: HDV 100/400 „Logistik und Sanitätsdienst des Heeres" (1979) und HDV 100/100 „Führung im Gefecht", Zif. 2601 ff. (1973).

Das logistische System von Streitkräften umfaßt die
- logistischen Führungsaufgaben (Planung und Einsatz der militärischen Kräfte, die Mittel der Logistik und die Nutzung ziviler Leistungen),
- logistischen Kräfte und Mittel (Logistiktruppen, Versorgungsdienste, feste Einrichtungen, Vorräte) und
- logistischen Verfahren (Befehlswege, Grundsätze der Logistik, EDV-Einsatz).

Die einzelnen Teilaufgaben der militärischen Logistik sind:
- Transport und Umschlag militärischer Güter,
- Organisation des Nachschubs,
- raum- und zeitgerechte Versorgung der Streitkräfte mit den erforderlichen Ressourcen,
- Bewegung und Unterbringung von Truppenteilen,
- Instandsetzung und vorbeugende Materialerhaltung,
- Sanitätsdienste,
- militärische Verkehrsführung.

Man unterteilt den logistischen Bereich häufig in zwei Sektoren:

(1) Zur *bereitstellenden Logistik* zählen die Entwicklung und Beschaffung von Material sowie die Bereitstellung von Dienst- und Werkleistungen in der Planungs- und der Beschaffungsphase, d.h. bevor die Versorgungsreife hergestellt ist, z.B. auch die Herstellung der Materialgrundlagen (Katalogisierung und Kodifizierung; →militärische Ressourcen).

(2) Die *Verbraucherlogistik* umfaßt alle Aktivitäten zur Herstellung und Erhaltung der

Einsatzbereitschaft des Materials während der Nutzungsphase. Teilgebiete sind:

- Materialbewirtschaftung (Materialnachschub, -abschub, -lagerung, -verwaltung),
- Materialerhaltung (Pflege, Wartung und Instandsetzung des Materials),
- Transport- und Verkehrswesen,
- Infrastruktur (Bauausführung und Anlagen),
- Unterstützung des Sanitätsdienstes.

Für die Erfüllung logistischer Aufgaben hat das Militär eine Struktur geschaffen und hierfür spezielle Verfahren festgelegt. Besondere Truppenteile (logistische bzw. Versorgungstruppen) und mobile wie ortsfeste Anlagen (Depots, Werften, Instandsetzungswerke, Materialkontrollzentren, -ämter, Rechenzentren, Führungs- und Fachstäbe) sind in den jeweiligen logistischen Systemen zusammengefaßt.

Die logistischen Aufgaben sind äußerst komplex, was auch eine Folge der vielen zu bewirtschaftenden Versorgungsartikel eines modernen hochtechnisierten Militärs ist. So hat die Deutsche Bundeswehr mehr als eine Million unterschiedlicher Versorgungsartikel.

L. G.

Literatur: *Größl, L.*, Logistik, in: *Kirchhoff, G.* (Hrsg.), Handbuch zur Ökonomie der Verteidigungspolitik, Regensburg 1986.

militärische Ressourcen

alle Hilfsmittel und -quellen, die bei der Existenz und der Tätigkeit militärischer Systeme benötigt werden und, was die erstgenannten betrifft, in die → militärischen Leistungen eingehen. In der → Militärökonomik unterscheidet man die sozialökonomischen (volkswirtschaftlichen) und die individualökonomischen (betriebswirtschaftlichen) militärischen Ressourcen. Beide gliedern sich wie folgt auf:
(1) Personelle Mittel, z. B. körperliche und geistige Kräfte des Menschen (Leistungsfaktor: menschliche Arbeit);
(2) materielle Mittel, z. B. Rüstungsgüter, Hilfsstoffe, Geld (Leistungsfaktor: Kapital);
(3) naturelle Mittel, z. B. direkt nutzbare Stoffe und Kräfte aus der Natur (Leistungsfaktor: Natur);
(4) immaterielle Mittel, z. B. spezielle Kenntnisse, Fähigkeiten, taktische Pläne (Leistungsfaktor: geistiges Kapital).

Die sozialökonomischen militärischen Ressourcen haben insb. eine strategische Dimension; denn es geht um globale Dispositionen, Produktion und Bereitstellung: Menschliche Kräfte werden als Soldaten und Fach-Arbeitskräfte ausgebildet und disponiert; Rohstoffe, Produktionsstätten, Infrastruktur für Logistik

und Geldmittel werden beschafft und bereitgehalten; Raum und Zeit sowie nationale und internationale Nachschubwege (→ militärische Logistik) werden zur Verfügung gehalten; geistiges und moralisches Kapital wie Verteidigungsbereitschaft, -mut, technische Fähigkeiten und Kreativität werden angeregt und erhöht. Soweit diese Gruppe von militärischen Ressourcen in Geld bewertbar ist, wird sie in der Summe der → Militärausgaben (→ Verteidigungshaushalt) sichtbar.

Die individualökonomischen militärischen Ressourcen stellen die eigentlichen innermilitärischen Leistungsfaktoren (→ militärische Leistungen) dar. Der größte Teil wird zentral beschafft; je kurzfristiger, drängender und geringwertiger der Bedarf ist, desto mehr wird dezentrale Beschaffung ermöglicht bzw. gefordert. Um gefährliche Knappheitsgrade auszuschalten, wird bei der Ausbildung des Personals (→ militärische Führung) rasche ökonomische Dispositionsfähigkeit herangebildet. Naturfaktoren sind, da sie meist ohne Geldaufwand erwerb- und nutzbar sind, nicht hoch genug einzuschätzende militärische Ressourcen.

G. Ki.

Literatur: *Sailer, M.*, Knappheit militärischer Ressourcen, in: *Kirchhoff, G.* (Hrsg.), Handbuch zur Ökonomie der Verteidigungspolitik, Regensburg 1986.

militärische Wirtschaftlichkeit

Ausdruck des Verhältnisses von militärisch bewirktem Nutzen und militärisch veranlaßten Kosten und damit wichtiger Erkenntnisgegenstand der → Militärökonomik. Die Angabe kann in Form der Technizität (technischphysikalische Größen in Zähler und Nenner) oder der Rarität (relative Knappheitsgrad-Veränderungen bei den Kosten) erfolgen; letztere wird knappheitsorientierte Wirtschaftlichkeit genannt. Selten wird militärische Wirtschaftlichkeit in Form der Ökonomität (Geldgrößen in Zähler und Nenner) ausdrückbar sein, da militärische Nutzengrößen (→ militärische Leistungen) kaum in Geldeinheiten angegeben werden können.
(1) Die einzelwirtschaftliche militärische Wirtschaftlichkeitsrechnung wird in Friedenszeiten für zahlreiche Projekte in Truppe und Bundeswehrverwaltung (→ Wehrverwaltung) durchgeführt, z. B. bei Verlegungen, Manövern, Ausbildungsvorhaben, Umrüstungen sowie bei ständig wiederkehrenden Aufgaben, hier meist nur als Zeit- oder Systemvergleich mit Geldbeträgen als Kostengrößen. Für den Verteidigungsfall, auch bei Katastropheneinsätzen, ist jedoch eine von Geldmaßstäben unabhängige knappheitsorientierte militärische

Wirtschaftlichkeitsrechnung angebracht. Je stärker die verfügbaren Restbestände an militärischen Leistungsfaktoren (→ militärische Ressourcen) absinken und damit im Nenner ein Ansteigen des Knappheitsgrades ausdrükken, desto niedriger wird die militärische Wirtschaftlichkeit. Der Wirtschaftlichkeitsgrad ist für den militärischen Führer eine wertvolle Entscheidungshilfe.

(2) Die sozialökonomische militärische Wirtschaftlichkeit vergleicht in Form der Ökonomität (mit Geldgrößen) militärisch veranlaßte öffentliche Projekte, auch Rüstungsvorhaben, um z. T. mit Hilfe der Opportunitätskosten (Schattenpreise) die volkswirtschaftlichen Ressourcen (→ militärische Ressourcen) der wirtschaftlichsten Verwendung zuzuführen.

(3) Die soziale militärische Wirtschaftlichkeit drückt die Folgen der militärisch veranlaßten Ressourcen-Allokation aus, d. h. es werden Wohlfahrtsempfindungen (im Zähler) den Wohlfahrtsverlusten (im Nenner) gegenübergestellt, also Nutzenzuwächse gegen Nutzenminderungen – aber nicht in Geldgrößen – verglichen.   G. Ki.

Literatur: *Kirchhoff, G.,* Die knappheitsorientierte Wirtschaftlichkeit als Besonderheit in der Militärökonomie, in: Unterrichtsblätter für die Bundeswehrverwaltung, 20/1981, S. 268 ff.

militärisch-industrieller Komplex

Bezeichnung für die potentielle oder tatsächliche Kooperation von gesellschaftlichen Gruppen: Rüstungsindustrie, (→ militärische Führung), Teil der Legislative und der Exekutive, Teil des Wissenschaftssystems (→ Militärökonomik) auf dem Gebiet von Rüstungsentwicklung und -beschaffung, Rüstungshandel und -exporten, aufgekommen in den USA in den späten 50er Jahren. Weil es sich dabei um ein politisch heikles Gebiet handelt, weil ferner enorme Summen im Spiel sind, und schließlich wegen der gesamtgesellschaftlichen und -wirtschaftlichen Bedeutung von Rüstung in modernen Gesellschaften erscheint eine solche Kooperation, zumal wenn sie die herkömmlichen Mechanismen politischer Kontrolle unterläuft, als potentiell unheilvoll für eine demokratische Gesellschaft, jedenfalls aus radikaldemokratischer Sicht. Diese normative Einfärbung des Begriffs hat ihn rasch zu einem politischen Kampfbegriff werden lassen. Ein Überblick über die vor allem in den 60er und frühen 70er Jahren erschienene Literatur hierüber zeigt, daß der Begriff analytisch untauglich ist.

Prominent geworden ist zeitweise auch die marxistisch-lenistische Begriffsvariante, wonach sich in kapitalistischen Ländern als Folge gewaltiger Konzentrationsprozesse von Rüstungskapital eine Herrschaftsclique herausgebildet hat, welche die Schlüsselpositionen der Volkswirtschaft beherrscht und den Staat zu einer kriegerischen Politik drängt. Der enorme Rüstungsverbund in Ländern wie der Sowjetunion fällt selbstverständlich aus dem Netz dieser Begriffsvariante völlig heraus.

Empirische Untersuchungen zum militärisch-industriellen Komplex gibt es nur wenige, sieht man von der oft faktenreichen, indes einseitigen Enthüllungsliteratur einmal ab. In Studien wie denjenigen von *Seymour Melman* oder *Dieter Senghaas* wird allerdings deutlich, daß Rüstungsproduktion, Rüstungstechnologie und Rüstungshandel (→ Rüstungsgüterexport) aus mehreren Gründen zu einem immer wichtigeren Bestandteil der Gesamtwirtschaft geworden sind, wenn auch in unterschiedlicher Ausprägung. Zur Erklärung dieses Tatbestandes gibt es bislang wenig schlüssige Ansätze. Die Konstruktion eines als Akteur begriffenen dämonischen „Komplexes" hat diese notwendige Analyse eher erschwert.   W. v. B.

Literatur: *v. Bredow, W.,* Militärisch-Industrieller Komplex, in: *Kirchhoff, G.* (Hrsg.), Handbuch zur Ökonomie der Verteidigungspolitik, Regensburg 1986.

Militärökonomik

Lehre vom Wirtschaften in militärischen Angelegenheiten, gesamtwirtschaftlich in Verbindung mit dem System Militär, einzelwirtschaftlich innerhalb des Militärs. Wegen starker praktischer Bedeutung schon ab 5. Jh. v. Chr. (über *Sokrates, Platon*) in kriegswissenschaftlichen Schriften erwähnt, im deutschsprachigen Schrifttum seit 1680 bekannt. Im 20. Jh. durch den hohen Kräfteverschleiß in den Weltkriegen zu intensivem ökonomischen Denken und Handeln gebracht, gewinnt Militärökonomik für Staat, Gesellschaft und Militär eine neue Dimension:

(1) Die gesamtwirtschaftlichen (volkswirtschaftlichen) Fragen der Raum-, Rohstoff- und Materialversorgung (→ militärisch-industrieller Komplex), der Bereitstellung von Arbeitskräften innerhalb und außerhalb des Militärs sowie der Finanzierung (→ Militärausgaben) führen zum Problem der Überwindung von Knappheit volkswirtschaftlicher → militärischer Ressourcen. Bearbeitet von der Sozialökonomik des Militärs (wissenschaftliche Teildisziplin der Militärökonomik), werden somit alle sicherheitspolitischen Bereiche mit militärisch-ökonomischem Charakter erfaßt. Dazu gehören die Versorgung der Bevölke-

rung in Spannungs- und Kriegszeiten, der Zivilschutz, in Friedenszeiten auch eine sicherheitspolitisch bezogene Industrie-, Arbeitsmarkt-, Raum- und Regionalpolitik. Zur Gewinnung eines politisch und militärisch nutzbaren ökonomischen Vorsprungs sind auch naturwissenschaftliche Grundlagenforschung, Rüstungsmittelforschung und -entwicklung sowie eine politisch-ökonomische Friedensforschung einbezogen. In Verbindung mit politisch → militärischen Bündnissen stehen Fragen der Gewerbestruktur, der sinnvollen Deponierung und Zuführung benötigter Mittel (→ militärische Logistik), auch der zeitverzugsarmen Herauslösung von Wirtschaftsgütern und eines hohen Anteils von gewerblich arbeitenden Menschen (Reservisten; → Sicherstellungsgesetze) sowie deren Einfügung in das militärische System.

(2) Die einzelwirtschaftlichen (individualökonomischen) Anliegen innerhalb des Militärs (Bundeswehr: Streitkräfte und Bundeswehrverwaltung) sind auf den Gebieten der Beschaffung, der Bewirtschaftung und des Einsatzes der Leistungsfaktoren (→ militärische Leistungen) zu sehen. Die wissenschaftliche Bearbeitung erfolgt in der Betriebsökonomik des Militärs (Teildisziplin der Militärökonomik), aufgespalten in Betriebsökonomik der Streitkräfte und Verwaltungsökonomik der Bundeswehrverwaltung – in der Bundesrepublik Deutschland – (→ Wehrverwaltung). Besondere Bedeutung haben in der Militärökonomik die Naturfaktoren wie Gelände und Naturkräfte, weil mit ihnen eigene und gegnerische Leistungen gefördert bzw. gehemmt werden können (→ militärische Ressourcen). Im Zentrum militärisch-ökonomischer Forschung und Lehre stehen Fragen um den Menschen, den kampffähigen und -willigen Soldaten wie den einsatz- und hilfsbereiten Zivilbediensteten. Die Führungslehre (→ militärische Führung) nimmt daher wegen ihrer starken sozialen und psychischen Komponente einen wichtigen Platz ein.

(3) Methodisch ist die Militärökonomik funktionenbezogen angelegt, d. h. durch Aufdecken von Abhängigkeiten und Wechselwirkungen von Aktionen und Reaktionen werden die Problemteile zwar einzeln beschrieben, jedoch im Gesamtzusammenhang zu normativen Aussagen verbunden. Erziehung, Bildung und Ausbildung des Personals sollen unter diesen Aspekten erfolgen; denn die mit dem Wirtschaften im Militär verbundene Verantwortung hat wegen ihrer sehr weitgehenden Folgewirkungen (→ militärische Wirtschaftlichkeit) einen hohen Stellenwert.

(4) Aufgabe der Militärökonomik ist es auch, zu allen sicherheitspolitischen Anliegen ökonomische Beurteilungsdaten – auch an die Öffentlichkeit – zu liefern, um den legislativen und exekutiven Beratungs- und Entscheidungsträgern ihre politische bzw. militärische Führungsaufgabe zu erleichtern.   *G. Ki.*

Literatur: *Kirchhoff, G.*, Militärökonomik, in: *Kirchhoff, G.*, (Hrsg.), Handbuch zur Ökonomie der Verteidigungspolitik, Regensburg 1986. *Noll, D.*, Ökonomische Beurteilung von Streitkräften unter besonderer Berücksichtigung des Bereichs der Deutschen Bundeswehr, Diss., Mannheim 1970. *Schulz, K.-E.* (Hrsg.), Militär und Ökonomie – Beiträge zu einem Symposium, Göttingen 1977.

Minderheitenschutz

Gewährleistung des Rechts auf Selbstbestimmung auch dann, wenn die individuellen nicht mit den in einer Gesellschaft dominierenden Präferenzen übereinstimmen. Das Recht, nicht gegen seinen Willen zu Entscheidungen, Handlungen oder zur Unterlassung von Handlungen gezwungen werden zu können, findet – wie jedes Freiheitsrecht – seine Grenzen dort, wo Rechte anderer Individuen verletzt werden.

Minderheitenschutz ist unverzichtbarer Bestandteil jeder freiheitlichen, auf dem Individualprinzip basierenden → Gesellschafts- und → Wirtschaftsordnung und findet seinen Niederschlag etwa in den Institutionen → Privateigentum und → Vertragsfreiheit. Problematisch ist seine Gewährleistung bei Kollektiventscheidungen, auch wenn sie nach demokratischen Regeln getroffen werden: So verstoßen → Mehrheitsentscheidungen – mit Ausnahme der Einstimmigkeitsregel – ex definitione gegen den Schutz von Minderheiten. Auch aus diesem Grunde sind alternative → Abstimmungsverfahren entwickelt worden, die dem Minderheitenschutz verstärkt Rechnung tragen.   *R. St.*

Minderkaufmann → Kaufmann

Mindermengenzuschlag → Rabattpolitik

Minderung

Herabsetzung des an sich vereinbarten Kaufpreises auf einen neuen Preis (§§ 459, 462, 465, 472 BGB), worauf der Käufer bei Vorliegen eines → Sachmangels ein Recht auf Minderung hat. Sie erfolgt durch Herabsetzung des Preises in dem Verhältnis, in dem zur Zeit des Verkaufs der Wert der Sache in mangelfreiem Zustand zu dem wirklichen Wert gestanden hätte. Gleiche Regeln finden sich für → Miet- und → Werkvertrag.   *M. J.*

Mindestarbeitszeit

täglich mindestens abzuleistende →Arbeitszeit; sie kann mit der →Kernzeit identisch sein. Doch ist auch denkbar, eine längere Mindestarbeitszeit zu vereinbaren, um zu vermeiden, daß bei einer sehr kurzen Kernzeit die tägliche Arbeitszeit zu gering ist. Ebenso kann die Entscheidung über die Dauer der Arbeitszeit aber auch dem Mitarbeiter unter Beachtung der Arbeitszeitverordnung überlassen werden (variable Arbeitszeit).

Mindesteinlage

Höhe der Einzahlung auf einen →Geschäftsanteil, zu der jedes Mitglied einer →Genossenschaft mindestens verpflichtet ist. Im Statut muß zumindest für 10% des Geschäftsanteils festgelegt werden, wann welcher Betrag zu leisten ist (§ 7 Nr. 1 GenG). Betrag und Zeitpunkt weiterer Einzahlungen werden durch Beschluß der →Generalversammlung (§ 50 GenG) festgelegt.

Mindestlohn

durch Gesetzesregelung oder →Tarifvertrag festgesetzter Lohn, der nicht unterschritten werden darf. Die sozialpolitische Zielsetzung der Sicherung des Lebensstandards der betroffenen beschäftigten Arbeitnehmer kann mit dem Ziel der Vollbeschäftigung in Konflikt geraten, da bei zu hoch angesetztem Mindestlohn eine verstärkte Freisetzung eben dieser Arbeitnehmer droht (→Arbeitslosigkeit).

Mindestpreise

setzen als Unterform der →Preisregulierungen eine Preisuntergrenze, die nicht unterschritten werden darf; sie liegen i.d.R. über dem Gleichgewichtspreis. Sie bewirken einen Angebotsüberschuß, den der Staat meist über eine gleichzeitige Erzeugungsmengenbeschränkung für die Unternehmen zu vermeiden sucht oder durch eigene Nachfrage (Abnahmegarantie) aus dem Markt nimmt (→staatliche Preissetzung). Hauptanwendungsgebiet ist die →Agrarpreispolitik.

Mindestpreiskartell →Preiskartell

Mindestreservepolitik

Teil der →Geldpolitik. Zur Regulierung des →Geldangebotes durch Geschäftsbanken (→Geldschöpfung) setzt die Deutsche Bundesbank je nach Erfordernis ihrer Geldpolitik den Mindestreservesatz fest. Er gibt als Prozentsatz den Anteil am Volumen der Sicht-, Termin- und Sparguthaben (→Geschäftsban-

kengeld) an, der in →Zentralbankgeld von den Geschäftsbanken mindestens gehalten werden muß. Diese Mindestreserve wird regelmäßig von den Geschäftsbanken als zinsloses Guthaben auf einem Konto bei der Bundesbank gehalten. Auf sie kann aber seit 1979 auch der Kassenbestand einer Geschäftsbank in inländischem Bargeld (→Zentralbankgeld) angerechnet werden, maximal allerdings nur im Umfang von 50% der gesamten Mindestreserveverpflichtung.

Will die Bundesbank das Potential an Geldangebot der Geschäftsbanken erhöhen (reduzieren), so senkt (erhöht) sie den Mindestreservesatz. In diesem Fall können die Geschäftsbanken mit der gleichen Menge an Zentralbankgeld, genauer: an monetärer Basis (→Zentralbankgeld), eine umfangreichere Menge an Geschäftsbankengeld in Sicht-, Termin- und Sparguthaben dem Publikum zur Verfügung stellen. Wird der Mindestreservesatz erhöht, so müssen sich die Geschäftsbanken durch Auflösen ihrer freien →Liquidität Zentralbankgeld besorgen, um die von ihnen zur Verfügung gestellte Geschäftsbankengeldmenge beibehalten zu können, oder aber sie müssen bei gegebenem Bestand an monetärer Basis durch Krediteinschränkung diese Geschäftsbankengeldmenge einschränken.

Der Mindestreservepflicht unterliegen nach § 1 der Anweisung der Deutschen Bundesbank über Mindestreserven (AMR) alle Kreditinstitute im Sinne der §§ 1, 53 Abs. 1 des Gesetzes über das Kreditwesen (KWG) mit Ausnahme der

(1) Sozialversicherungsträger, privaten und öffentlich-rechtlichen Versicherungsunternehmen, gemeinnützigen Wohnungsbauunternehmen, anerkannten Organe der staatlichen Wohnungspolitik, Unternehmen des Pfandleihgewerbes,

(2) Kapitalanlagegesellschaften,

(3) Wertpapiersammelbanken,

(4) in Liquidation befindlichen Kreditinstitute,

(5) Unternehmen, die das Bundesaufsichtsamt für das Kreditwesen von bestimmten Vorschriften entbunden hat.

Seit dem 1. 1. 1984 sind Kreditinstitute mit überwiegend langfristigem Geschäft, also z.B. Bausparkassen, nicht mehr von der Mindestreservepflicht freigestellt.

Mindestreserven sind für alle Verbindlichkeiten gegenüber Nichtbanken, nichtreservepflichtigen Kreditinstituten und ausländischen Banken aus Einlagen und aufgenommenem Geld mit einer Befristung unter vier Jahren zu halten. Die Mindestreservesätze sind gestaffelt nach

- Sichteinlagen von Inländern (maximaler Mindestreservesatz 30%),
- Termineinlagen von Inländern (maximaler Mindestreservesatz 20%),
- Spareinlagen von Inländern mit gesetzlicher Kündigungsfrist (maximaler Mindestreservesatz 10%).

Die Mindestreserveverpflichtung der Geschäftsbank ist alternativ aus
(1) den Entständen der Kalendertage vom 16. des Vormonats bis zum 15. des laufenden Monats,
(2) den Endständen der vier Stichtage
- 23. Tag des Vormonats,
- letzter Tag des Vormonats,
- 7. Tag des laufenden Monats,
- 15. Tag des laufenden Monats,
zu berechnen und der Bundesbank spätestens bis zum 20. eines Monats zu melden. Kreditinstitute mit mindestreservepflichtigen Verbindlichkeiten unter 10 Mio. DM berechnen ihre Mindestreserve nach dem Stand der Verbindlichkeiten am Ende des letzten Tages des Vormonats. Unterschreitet eine Geschäftsbank in einem Monat ihr Mindestreserve-Soll, ist ein Sonderzins zu entrichten, der regelmäßig 3% über dem Lombardsatz liegt. Um der Gefahr dieser Belastung zu entgehen, sind die Einlagen der Geschäftsbanken bei der Bundesbank (Ist-Reserve) regelmäßig höher als das Reserve-Soll; es werden damit Überschußreserven in geringem Umfang gehalten.

M. Bo.

Literatur: *Dickertmann, D./Siedenberg, A.,* Instrumentarium der Geldpolitik, 4. Aufl., Düsseldorf 1984. *Duwendag, D./Ketterer, K.-H./Kösters, W./Pohl, R./Simmert, D. B.,* Geldtheorie und Geldpolitik. Eine problemorientierte Einführung mit einem Kompendium bankstatistischer Fachbegriffe, 3. Aufl., Köln 1984.

Mineralölsteuer

die vom Aufkommen (1985: 24,5 Mrd. DM) her größte dem Bund zufließende spezielle →Verbrauchsteuer. →Steuerobjekt ist der Verbrauch von Mineralöl als Treib-(Kraft-), Heiz- und Schmierstoff sowie von einigen Substituten (z.B. Erdgas, Kokereigas). →Steuerschuldner ist der Hersteller. Die Steuer ist als →Mengensteuer ausgestaltet. Das Aufkommen aus der Besteuerung der Schmier- und Treib-(Kraft-)stoffe ist z.T. für den Straßenbau zweckgebunden. Die Besteuerung des Heizöls verfolgt energiepolitische Zielsetzungen (z.B. Erschließung neuer Energieträger); das Aufkommen ist für die Finanzierung energiepolitischer Maßnahmen zweckgebunden (z.B. Absatzförderung und Rationalisierung im Steinkohlenbergbau).

Mineralölverarbeitung

Rohöl muß in Raffinerien zu marktgängigen Produkten verarbeitet werden. In der primären Verarbeitungsstufe, der Destillation, wird das Rohöl, ein Gemisch aus unterschiedlich schweren Kohlenwasserstoffmolekülen, durch Erhitzen in verschiedene Fraktionsschnitte wie Gase, Benzine, Mitteldestillate und Rückstände aufgespalten. Die gewinnbaren Mengen der einzelnen Produkte werden dabei durch die Qualität des eingesetzten Rohöls bestimmt.

Die Mineralölverarbeitung stellt somit einen Kuppelproduktionsprozeß dar, der in eng begrenztem Maße durch die Wahl des Rohöls und darüber hinaus nur durch den Einsatz von Weiterverarbeitungsanlagen (sog. Konversionsanlagen) flexibel gestaltet werden kann. Aus den einzelnen Fraktionsschnitten werden in weiteren Verarbeitungsschritten die vom Markt geforderten Produktqualitäten (Schwefelgehalt, Klopffestigkeit) hergestellt. Hauptprodukte sind Rohbenzin für Chemieeinsatz, Vergaser- und Dieselkraftstoff, leichtes und schweres Heizöl. Daneben existiert eine Vielzahl von Spezialprodukten (Bitumen, Schmieröle).

Die Raffinerien sind in den Verbrauchsschwerpunkten angesiedelt und über Pipelines mit deren Kopfstationen (Importhäfen) verbunden. Statt einfacher Destillationsanlagen dominieren in der Bundesrepublik immer stärker komplexe Raffinerien, die auf die Deckung des zunehmenden Bedarfs an leichten Produkten (Kraftstoffe, Rohbenzin) ausgerichtet werden und den im Kuppelproduktionsprozeß anfallenden Ausstoß an schweren Produkten (schweres Heizöl) minimieren.

Hierbei stehen aber höheren Erlösen einer stärker auf die Nachfrageverhältnisse ausgerichteten Ausbringung steigende Kosten (Kapitalkosten und Verarbeitungsverluste) der Konversionsanlagen gegenüber: die Umwandlung der schweren Rückstände (schweres Heizöl aus der Verstromung energiepolitisch verdrängt) in leichtere Produkte setzt die Schaffung kapitalintensiver Nachverarbeitungskapazität voraus. Die Bundesrepublik besitzt einen im internationalen Vergleich (absolut wie relativ) hohen Anteil an Konversionsanlagen.

J. Sch./Di. Sch.

Mineralölwirtschaft

umfaßt alle Unternehmen, deren Geschäftszweck auf die Förderung von Rohöl, den Handel mit Rohöl sowie Mineralölprodukten (Außen- und Binnenhandel), die →Mineralölverarbeitung und den Vertrieb von Mineralölprodukten gerichtet ist. Lediglich 5% des Mineralölbedarfs wird durch die inländische Förderung gedeckt (vorwiegend in Niedersachsen). Hieraus resultiert eine hohe Importabhängigkeit (95%), die sich sowohl aus Rohölbezügen (zwei Drittel) wie auch aus Fertigprodukteneinfuhren (ein Drittel) zusammensetzt. Auf dem Weltrohölmarkt besitzen die in der → Organisation erdölexportierender Länder (OPEC) zusammengeschlossenen Produzentenländer immer noch eine herausragende Marktbedeutung; auf sie konzentrieren sich zwei Drittel der Weltreserven und des Weltölhandels.

Die deutschen Rohölbezüge vom OPEC-Anbieterblock sind im letzten Jahrzehnt überproportional reduziert worden (1973 OPEC-Anteil bei den Rohölimporten 97% und 1983 noch 61%), während Nordseeöle stark vordringen (gut ein Drittel Anteil im Jahre 1983). Bei den Fertigprodukteneinfuhren kommt Westeuropas Raffinerien die größte Bedeutung zu (knapp 65%); gleichzeitig wächst der Anteil von UdSSR-Bezügen überproportional an (knapp 15%).

Da sich im vertikalen Verbund erhebliche Wirtschaftlichkeitsvorteile realisieren lassen, wurde der Weltmineralölmarkt von Anbeginn an durch vollintegrierte, zumeist multinational ausgerichtete Ölgesellschaften geprägt. Dieses Bild hat sich im letzten Jahrzehnt, nachdem die in der OPEC zusammengeschlossenen Rohölanbieterstaaten die Förderung in eigener Regie übernommen hatten, grundlegend verändert. Der Einfluß der multinationalen Ölgesellschaften auf die Ölförderung ist drastisch zurückgegangen, die OPEC-Länder und die neuen Ölländer (Mexiko, Großbritannien u. a.) gewannen hinzu.

13 Raffineriegesellschaften und zahlreiche unabhängige Importeure versorgen den deutschen Markt mit Mineralölprodukten, die über eine Vielzahl von (teilweise konzerngebundenen) Gesellschaften an die Letztverbraucher vertrieben werden (gut 10500 Brennstoffhändler und gut 18000 Tankstellen). Der Mineralölmarkt durchläuft derzeit einen grundlegenden Anpassungsprozeß; ausgelöst durch die zweimaligen Preisschübe (1973/74 sowie 1978/80) war der Absatz zunächst um gut 25% zurückgegangen, wobei sich die Nachfragestruktur zwischen einzelnen Erzeugnissen grundlegend verschoben hat. Der jüngste Preisverfall (Anfang/Mitte 1986) hat die Ölpreiskonditionen von 1979 wiederhergestellt, die Verbrauchsmuster erscheinen aber zunächst einmal relativ robuster Natur.

Die Struktur des Mineralölverbrauchs sowie deren Entwicklung ist in der Tabelle ausgewiesen. Die Mineralölprodukte werden energetischen und nichtenergetischen Verwendungen zugeführt. Bei dem energetischen Einsatz des Mineralöls dominieren der Verkehrssektor (Vergaser-, Dieselkraftstoff), der Wärmemarkt (Heizöle) sowie der Kraftwerksbereich (schweres Heizöl). Nichtenergetisch verwendet werden Mineralölprodukte (insb. Rohbenzin) vornehmlich in der Chemischen Industrie.

Der Substitutionswettbewerb der Mineralölerzeugnisse auf den verschiedenen Teilmärkten ist von recht unterschiedlicher Intensität. Im Verkehrsbereich lassen sich Vergaser- und Dieselkraftstoff zwar, rein technisch gesehen, durch alternative Antriebsenergien ersetzen (Strom, Flüssiggas), doch sind die Kosten dieser Substitution bis heute noch pro-

Entwicklung des Mineralölverbrauchs

| | 1970 | | 1973 | | 1979 | | 1984 | |
	a	b	a	b	a	b	a	b
Vergaserkraftstoffe	15,5	12,1	18,5	12,4	23,3	15,9	23,6	21,4
Dieselkraftstoff	9,6	7,5	10,8	7,2	13,4	9,1	14,0	12,7
Leichtes Heizöl	43,6	34,0	52,0	34,8	49,9	34,0	33,9	30,7
Schweres Heizöl	26,7	20,5	29,7	19,9	22,3	15,2	10,6	9,6
Sonstige Produkte	19,3	15,0	23,5	15,6	24,0	16,4	18,8	16,9
Inlandsabsatz	114,4	89,1	134,5	89,9	132,9	90,6	100,9	91,3
Militärbedarf	1,6	1,2	2,0	1,3	1,5	1,0	1,8	1,6
Raffinerieeigenverbrauch und Verarbeitungsverluste	8,6	6,7	9,4	6,3	9,3	6,3	5,5	5,0
Bunkerungen	3,8	3,0	3,7	2,5	3,0	2,1	2,3	2,1
Gesamtbedarf	128,4	100,0	149,6	100,0	146,7	100,0	110,5	100,0

a) Mio. t;   b) %

Quelle: *Bundesamt für gewerbliche Wirtschaft*, Mineralölstatistik der Bundesrepublik Deutschland.

hibitiv hoch. Das Heizöl unterliegt auf dem Wärmemarkt einer starken Substitutionskonkurrenz insb. durch die (in der Handhabung gleichwertigen) Energieträger Erdgas, Strom und Fernwärme, zunehmend aber auch Kohle. In der →Elektrizitätswirtschaft ist das schwere Heizöl bereits weitgehend durch Kohle und Kernenergie ersetzt worden, wobei allerdings nicht nur Wirtschaftlichkeitsüberlegungen, sondern auch energiepolitische Erwägungen Pate standen. Bei der nichtenergetischen Verwendung der Mineralölprodukte sind die Substitutionsmöglichkeiten insofern begrenzt, als es hier entscheidend auf die stofflichen Eigenschaften der eingesetzten Rohstoffe ankommt.   *J. Sch.*

Literatur: *Schürmann, H. J.,* Anpassungsprozesse auf den deutschen Ölmärkten unter besonderer Berücksichtigung der internationalen Marktzusammenhänge, München 1984.

Minimalkostenkombination

Kombination von Faktoreinsatzmengen (→Faktorvariation), die es erlaubt, eine vorgegebene Endproduktmenge mit minimalen Kosten zu erzeugen. Voraussetzung dafür ist, daß die Produktionsfunktion und die Faktorpreise gegeben sind. Es kommen nur effiziente Produktionspunkte für die Minimalkostenkombination in Betracht. Bezeichnen x die Endproduktmenge, r_1 ,.., r_m die Faktoreinsatzmengen der m Faktoren, $x = f(r_1 ,... r_m)$ die Produktionsfunktion, q_1 ,..., q_m die Faktorpreise und K die mit den Faktoreinsätzen verbundenen Kosten, dann lautet die Anweisung zur Ermittlung der Minimalkostenkombination für eine vorgegebene Endproduktmenge $\bar{x}$ formal:

Minimiere
$$K = q_1 r_1 + q_2 r_2 + \ldots + q_m r_m$$
unter der Nebenbedingung
$$\bar{x} = f(r_1 ,..., r_m).$$

Für eine substitutionale Produktionsfunktion mit einem Output und zwei Inputs wird die Bestimmung der Minimalkostenkombination mit Hilfe der Isoquantendarstellung (→Isoquante) grafisch veranschaulicht. Die Lage der Isokostenlinie (→Bilanzgerade) $\bar{K}$ im Koordinatensystem ist durch das Verhältnis der Faktorpreise q_1 zu q_2 festgelegt. Dort, wo die Isokostenlinie zur Tangente an der Isoquante des Produktionsniveaus $\bar{x}$ wird, erreicht man mit der Faktorkombination (r_1^*, r_2^*) die Minimalkostenkombination. Kostengerade $\bar{K}$ und Produktionsisoquante $\bar{x}$ haben an dieser Stelle dieselbe Steigung. Dieser Sachverhalt erlaubt folgende Interpretation der Mini-

malkostenkombination: Hier ist das Verhältnis der →Grenzproduktivitäten der beiden Faktoren gleich ihrem Preisverhältnis bzw. das Faktorpreisverhältnis ist umgekehrt proportional zur →Grenzrate der Substitution.
G. F.

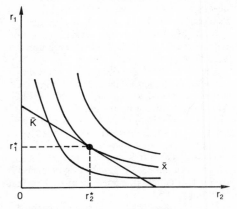

Graphische Bestimmung der Minimalkostenkombination

Literatur: *Busse v. Colbe, W./Laßmann, G.,* Betriebswirtschaftstheorie, Bd. 1, Berlin u. a. 1983.

Mini-Max-Prinzip

(Wald-Prinzip, Maxi-Min-Prinzip) →Entscheidungsregel im Rahmen der präskriptiven Entscheidungstheorie und der →Spieltheorie. Danach ist für jede Handlungsalternative a_i das schlechtestmögliche Ergebnis e_i' zu ermitteln. Als optimale Alternative gilt dann diejenige mit dem besten e_i'-Wert. Wird ein möglichst hohes (niedriges) Ergebnis angestrebt, ist in der entsprechenden →Entscheidungsmatrix oder Spielmatrix (→Spieltheorie) also das Maximum der Zeilenminima (Minimum der Zeilenmaxima) zu bestimmen. (Vgl. Beispiele unter →Entscheidungsregel und →Sattelpunkt-Lösung.)
M. B.

Mini-Max-Regret-Prinzip →Savage-Niehans-Prinzip

Ministererlaubnis →Zusammenschlußkontrolle

Ministerialorganisation

orientiert sich am →Ressortprinzip. Leitungsorgan ist der Minister, dem →Staatssekretäre zugeordnet sind, die wiederum die einzelnen Abteilungen eines Ministeriums betreuen. Die Abteilungen spiegeln Funktionsbereiche (Querschnittfunktionen) wider, wie Personal

und Verwaltung, Datenverarbeitung, Pla-
nungs- und Grundsatzfragen. Die größte Anzahl der Abteilungen entspricht Politikfeldern
des jeweiligen Ministeriums. Die Ministerial-
organisation richtet sich nach der → Gemeinsamen Geschäftsordnung der Bundesministe-
rien (GGO). In der GGO sind allgemein Organisation und Geschäftsgang in den Bundes-
ministerien und speziell der Verkehr mit verschiedenen Verfassungsorganen geregelt. Ferner werden Leitungsinstanz und Organisationsplan der Ministerien festgelegt, wobei die
Bildung von Abteilungen, Unterabteilungen
und Referaten bestimmt wird.

Ministerialprinzip → Haushaltsplan

Ministerkartell → Gemeinwohlkartell

Mini-Testmarkt

(eigentlich: Mini-Markttest) Testverfahren
zur Prüfung der Marktchancen von neuen
Produkten. Wie die → Testmarktsimulation
ist er eine zeit- und kostensparende Alternative zum → Markttest. Der Mini-Testmarkt bildet eine Kombination aus → Store-Test und
→ Haushaltspanel. Das in der Bundesrepublik
angewendete ERIM-Panel der GfK (Nürn-
berg) umfaßt fünf Supermärkte mit jeweils
rund 600 Panelhaushalten aus deren Umfeld.
Die Geschäfte sind mit speziellen Registrier-
kassen ausgestattet, mit deren Hilfe die Kenn-
Nummern der Panelmitglieder und deren
Käufe in der interessierenden Produktklasse
erfaßt werden können. Alle Panelhaushalte
erhalten kostenlos eine Programmzeitschrift,
in die Anzeigen für das Testprodukt einmon-
tiert sind.
    Eine andere, ältere Form des Mini-Test-
marktes, die in England entwickelt wurde, arbeitet mit Verkaufswagen, die die Panelhaushalte beliefern, sowie Katalogen, nach denen
diese bestellen.
    Wie bei der Testmarktsimulation kann nur
die Akzeptanz des Testproduktes bei Konsumenten, nicht aber beim Handel geprüft werden. Gegenüber der Testmarktsimulation bietet der Mini-Testmarkt eine realistischere Ein-
kaufssituation. Im Nachteil ist er ihr gegenüber insofern, als die werbliche Unterstützung
des Testproduktes nur schwach ist (keine
Fernsehwerbung), die Erhebung mehr Zeit beansprucht und, da die Testgeschäfte allgemein
bekannt sind, keine Geheimhaltung des Produktes gegenüber den Konkurrenten möglich
ist.   *B. E.*

Minutenfaktor → Akkordlohn

MIS

Abk. für → Managementinformationssystem.

Mischfinanzierung → Finanzausgleich

Mischgut → Kollektivgut

Mischkalkulation → Ausgleichskalkulation

Mischkommunikation

Die technische Entwicklung im Bereich der
→ Telekommunikation ermöglicht in zunehmendem Maße Mischkommunikation. Während vormals nur die → Face-to-face-Kommunikation die Verwendung mehrerer → Kommunikationsformen (z.B. Sprache und Gestik)
oder → Kommunikationskanäle (z.B. akusti-
scher oder optischer) erlaubte, lassen die aufkommenden → Übertragungstechniken wegen
ihrer höheren Übertragungsleistung in einem
Kommunikationskanal (z.B. digitale Übertragung mit Lichtwellen im Glasfaserkabel;
→ BIGFON) nun auch gleichzeitig eine Kommunikation in verschiedenen Formen zu.
    Mischkommunikation bezeichnet darüber
hinaus auch das Zusammenfügen verschiedener → Kommunikationsdienste in nur noch einem Endgerät bzw. → Terminal, also die Verwendung einer technischen Einrichtung für eine Mischung verschiedener Kommunikationsformen und -dienste.   *A. P./W. K. R.*

Mischungsoptimierung

spezielle Form der → Produktionsprogrammoptimierung des → Operations Research. Zur
Herstellung von einem oder von verschiedenen Mischungsprodukten (Output) stehen
verschiedene Mischungseinsatzstoffe (Input)
zur Verfügung, wobei für jedes Produkt starre
oder elastische Mischungsrezepturen einzuhalten sind (→ Input-Output-Funktion). Mit
Hilfe von Modellen der → linearen Optimierung lassen sich Mischungsprozesse mit vielen
Mischungsprodukten und Mischungseinsatz-
stoffen optimal gestalten.
    Mischungsoptimierungen finden in großem
Umfang in der Mineralölindustrie, Stahlindustrie, Chemie, Futtermittelindustrie und bei
der Nahrungsmittelherstellung statt. *H. M.-M.*

Mißbrauchsaufsicht

(Mißbrauchskontrolle,   korrektive   Mißbrauchsaufsicht) bezeichnet das Bemühen der
Wettbewerbspolitik, Unternehmen, die eine
marktbeherrschende Stellung (→ Marktbeherrschung) einnehmen, daran zu hindern, die
ihnen verfügbare Marktmacht zu nutzen, um
Lieferanten oder Abnehmer „auszubeuten"

(→ Ausbeutungsmißbrauch) oder um Wettbewerber in ihren Möglichkeiten zur wettbewerbsrelevanten Aktion und Reaktion unbillig zu beschränken (→ Behinderungsmißbrauch).

Im deutschen Wettbewerbsrecht ist die Mißbrauchsaufsicht vor allem im § 22 GWB geregelt. Diese Vorschrift nennt → Vermutungstatbestände, die der Wettbewerbsbehörde den Nachweis des Bestehens einer marktbeherrschenden Stellung erleichtern sollen.

Der Tatbestand des Mißbrauchs wird in § 22 GWB lediglich durch das Aufzählen einiger Beispiele verdeutlicht. Im übrigen beläßt es der Gesetzgeber bei der Feststellung, daß die Kartellbehörde untersagend eingreifen und Verträge für unwirksam erklären kann, wenn eine marktbeherrschende Stellung mißbräuchlich ausgenutzt wird. Die Mißbrauchsaufsicht hat die Aufgabe, eine Ausnutzung der vom Wettbewerb nicht kontrollierten Handlungsspielräume zu Lasten Dritter zu unterbinden. Die auf diesen Märkten nicht mehr wirksame „unsichtbare Hand" des Lenkungs- und Kontrollverfahrens Wettbewerb soll hier gleichsam durch die „sichtbare Hand" der Wettbewerbsbehörde ersetzt werden. Diese hat somit die Aufgabe, marktbeherrschende Unternehmen nach Möglichkeit zu einem „wettbewerbsanalogen" Verhalten zu veranlassen.

Dabei kann auf die Ursache des fehlenden Wettbewerbs und eines unter Umständen mißbräuchlichen Verhaltens, nämlich auf das Bestehen einer marktbeherrschenden Position, kein Einfluß genommen werden; sie ist als Datum zu akzeptieren. Auch kann von der Wettbewerbsbehörde zwar mißbräuchliches Verhalten untersagt, jedoch nur begrenzt positives Handeln angeordnet werden. Sie ist nicht imstande, ein Marktverhalten herbeizuführen, das vor allem auch gewährleistet, daß die sog. dynamischen Wettbewerbsfunktionen, also eine rasche Anpassung der Angebots- an eine sich wandelnde Nachfragestruktur und eine befriedigende Innovationsrate, hinreichend verwirklicht werden. Möglich ist lediglich die Korrektur eines unerwünschten Marktergebnisses im Einzelfall, ein Ansatz, der als „regulation approach" bezeichnet wird.

Die Kriterien, nach denen eine derartige Marktergebniskontrolle betrieben wird, sind umstritten. Bedenken weckt dabei vor allem die Forderung, auf vermachteten Märkten das Konzept eines „Als-ob-Wettbewerbs" anzuwenden. Für eine staatliche Mißbrauchsaufsicht über die hier geforderten Preise ergibt sich daraus z. B. die Aufgabe, die Preise durchzusetzen, die auf diesen Märkten bei wirksamem Wettbewerb hätten erzielt werden können. Die tatsächlich geforderten Preise sind mit diesen Wettbewerbspreisen zu vergleichen. Die Differenz markiert den Preismißbrauch, den es durch Untersagung zu verhindern gilt.

Nun ist marktwirtschaftlicher Wettbewerb ein Prozeß, der in Verlauf und Ergebnis nicht vorhersehbar und folglich auch nicht gedanklich simulierbar ist. Die exakte numerische Bestimmung hypothetischer Wettbewerbspreise ist damit nicht möglich. Das Konzept des Als-ob-Wettbewerbs erweist sich als nicht operabel.

Um diesen Mangel zu heilen, ist vom Bundeskartellamt das sog. → Vergleichsmarkt-Konzept entwickelt worden. Mit ihm versucht man, den benötigten Als-Ob-Maßstab dadurch zu konkretisieren, daß dem mißbrauchsverdächtigen Preis ein anderer Preis gegenübergestellt wird, der auf einem vergleichbaren Markt mit höherer Wettbewerbsintensität gilt. Doch führt auch dieses Vorgehen erfahrungsgemäß zu einer Vielzahl von Schwierigkeiten.

Vor allem als Verfahren zur Preiskontrolle stößt die Mißbrauchsaufsicht zudem auch auf erhebliche ordnungspolitische Bedenken. Geprüft wird, ob die durch eine Preiserhöhung erzielten Mehrerlöse durch unvermeidbare Mehrkosten gerechtfertigt sind. Dieses Vorgehen löst sich von der Referenzsituation eines wirksamen Wettbewerbs, weil es die unter Wettbewerbsbedingungen durchaus gegebene Möglichkeit ausschließt, Preissteigerungen durch das Wirksamwerden zusätzlicher Nachfrage zu rechtfertigen; es zwingt die Kartellbehörde auch, kaum objektivierbare Entscheidungen darüber zu treffen, mit welchen Deckungsbeiträgen die einzelnen Erzeugnisse eines Mehrprodukt-Unternehmens zu belasten sind.

Für die Unternehmenspolitik ergibt sich aus der Notwendigkeit, höhere Preise durch höhere Kosten zu rechtfertigen, die Aufgabe, die einzelnen Produkte derart mit Gemeinkosten zu belasten, daß der Nachweis unabwendbarer Mehrkosten dort, wo Preiserhöhungen beanstandet wurden, gesichert ist. Es wird folglich dazu ermuntert, die Kosten den Preisen anzupassen.

Das aber ist gleichbedeutend mit einer Umkehrung des marktwirtschaftlichen Prinzips, das einem wirksamen Wettbewerb die Aufgabe zuweist, die Preise auf das Niveau der Kosten herabzudrücken und nicht etwa diese auf das Niveau der Preise „hochzurechnen". In dem Maße, in dem es gelingt, Preiserhöhungen durch gestiegene Kosten zu legitimieren, entfällt zudem der Zwang zur Kostensenkung. Damit wäre der Versuch, wettbewerbsanaloge Ergebnisse zustandezubringen, einmal mehr mißlungen.

Die Referenzsituation eines „Als-Ob-Wettbewerbs" erweist sich somit als eine Fiktion, deren Konkretisierung erhebliche Ermessensspielräume eröffnet. Die Effizienz der Mißbrauchsaufsicht wird durch diese Mängel erheblich beeinträchtigt. Seit Inkrafttreten des GWB ist kaum mehr als ein Dutzend Mißbrauchsverfahren gemäß § 22 GWB eingeleitet worden, von denen nur wenige zu einer Untersagungsverfügung des Bundeskartellamtes geführt haben, die schließlich auch von den Gerichten bestätigt wurde. Der Zeitbedarf, den derartige Verfahren beanspruchen, ist zudem erheblich.

Die Mißbrauchsaufsicht stößt – vor allem als Verfahren zur Preiskontrolle – auf erhebliche ordnungspolitische Bedenken. Alle Versuche, die Wirksamkeit dieses Instrumentes zu verbessern, sind weitgehend erfolglos geblieben. Die Notwendigkeit seiner Inanspruchnahme ist somit möglichst gering zu halten. Dazu ist es erforderlich, auf bereits vermachteten Märkten den verbliebenen Restwettbewerb zu bewahren und „newcomer" zum Wettbewerbsvorstoß zu befähigen; und es ist zu vermeiden, daß neue marktbeherrschende Positionen begründet werden. Dazu bedarf es einer wirksamen → Zusammenschlußkontrolle und einer liberalen Außenwirtschaftspolitik, die sich konsequent bemüht, Märkte der heimischen Volkswirtschaft für ausländische Anbieter zu öffnen oder offen zu halten. *H. B.*

Literatur: *Monopolkommission,* Anwendung und Möglichkeiten der Mißbrauchsaufsicht über marktbeherrschende Unternehmen seit Inkrafttreten der Kartellgesetznovelle, Sondergutachten 1, Baden-Baden 1975.

Mißbrauchskontrolle → Mißbrauchsaufsicht

Mitarbeiterbefragung

Instrument der empirischen Sozialforschung im Rahmen der → Personalwirtschaft. Mitarbeiterbefragungen werden von der Unternehmensleitung durchgeführt, um Informationen über die Einstellung von Mitarbeitern bzw. Mitarbeitergruppen bezüglich der von ihnen wahrgenommenen Arbeitssituation zu erhalten. Die Ergebnisse können dazu dienen, Hinweise auf betriebliche Stärken und Schwachstellen zu erhalten, Veränderungsprozesse einzuleiten und ggf. die Wirkung der eingeleiteten Maßnahmen zu überprüfen.

Um zuverlässige und unverzerrte Befra-

gungsergebnisse zu bekommen, müssen u. a. folgende Bedingungen erfüllt sein:

- Anonymität der Befragung, z. B. durch Einschaltung externer Institutionen bei mündlichen Befragungen oder durch anonyme Beantwortung, um unter den Mitarbeitern keine Angst vor Sanktionen aufkommen zu lassen,
- Freiwilligkeit der Teilnahme,
- ausführliche Information über Ziele, Inhalt, Ablauf und Auswertung der Befragung,
- Zusammenarbeit mit dem → Betriebsrat, um Widerstände gegen die Befragung zu vermeiden (obwohl es sich nicht um → Personalfragebögen i. S. des § 94 Abs. 1 BetrVG handelt),
- Information der Mitarbeiter über die Befragungsergebnisse, um die Vertrauensbasis für weitere Befragungen zu sichern.   *B. L.*

Literatur: *Büschgen, G./Lütke-Bornefeld, P.,* Praktische Organisationsforschung, Reinbek bei Hamburg 1977.

Mitarbeiterbeteiligung   → Partnerschaftsidee, → Erfolgsbeteiligung, → Kapitalbeteiligung

Mitarbeiterbeurteilung   → Personalbeurteilung

Mitarbeiter-Darlehen

Form der → Kapitalbeteiligung der Arbeitnehmer. Die aus der betrieblichen → Gewinnbeteiligung oder einem → Investivlohn fließenden Mittel werden als Darlehen des Arbeitnehmers wieder im Unternehmen angelegt.

Das Mitarbeiter-Darlehen ist ein flexibles vermögenspolitisches Instrument. Es kann in Einzelverträgen oder Betriebsabkommen vereinbart werden; Laufzeit, Kündigungsbestimmungen und Verzinsung sind frei gestaltbar. Die finanziellen Begünstigungen des → Vermögensbildungsgesetzes können in Anspruch genommen werden, allerdings nur in jährlicher Höhe des in den Gesetzen festgelegten Förderungshöchstbetrages. Zugleich sind die Voraussetzungen der Mindestverzinsung von 4% und Mindestsperrfristen von sechs Jahren einzuhalten; zudem ist das so angelegte Darlehen bankbürgschaftlich abzusichern.

Das Mitarbeiter-Darlehen ist häufig als Einstieg in die Unternehmensbeteiligung der Arbeitnehmer gedacht. Zu diesem Zwecke wird den Arbeitnehmern nach Ablauf der Bindungsfrist angeboten, anstelle der Barauszahlung den Darlehensbetrag in eine Eigenkapitalbeteiligung am arbeitgebenden Unternehmen umzuwandeln.   *J. Si.*

Mitarbeiterführung

manifestiert sich als zielorientierte soziale Einflußnahme in Unternehmen (→ Personalwirtschaft). Dabei sind die Einflußchancen asymmetrisch zugunsten derjenigen Person verteilt, die als Führer bezeichnet wird. Das bedeutet jedoch nicht, daß Führung in der Realität als einseitige Beeinflussung der Geführten durch den Führer abläuft. Vielmehr handelt es sich faktisch grundsätzlich um eine wechselseitige Einflußnahme zwischen Führer (Vorgesetztem) und Geführten (Mitarbeitern). Die Ziele, auf die Menschenführung in Unternehmen bezogen sein kann, sind einerseits die kollektiven Belange der erwerbswirtschaftlichen Organisation (ökonomische Ziele), andererseits die Bedürfnisse der involvierten Individuen (soziale Ziele). Zwischen ökonomischen und sozialen Zielen können komplementäre, indifferente sowie konfliktäre Beziehungen bestehen. Im letztgenannten Fall bedarf es einer Entscheidung über die relative Bedeutung der konkurrierenden Zielkategorien im Rahmen der Mitarbeiterführung.

Die Führungstheorie ist bislang vorrangig auf die Beschreibung und Erklärung des realen Prozesses der Mitarbeiterführung bezogen. Im sog. Eigenschaftsansatz der Führungstheorie wird eine funktionale Verknüpfung zwischen dem Führungserfolg (Zielerreichung) und bestimmten Persönlichkeitsmerkmalen des Führenden, wie Intelligenz, Durchsetzungsvermögen, Selbstbewußtsein, Entschlußkraft, Soziabilität und sprachlicher Wendigkeit, angenommen. Die humanistische Führungstheorie postuliert eine Überlegenheit der kooperativen Variante gegenüber dem autoritären → Führungsstil. Kennzeichnend für den Situationsansatz der Führungstheorie ist die Einbeziehung von Dimensionen des Kontexts in die Analyse des Führungsphänomens. Nach den Annahmen der Interaktionstheorie der Menschenführung beeinflußt eine Vielzahl von Variablen den Führungserfolg. Diese Variablen stehen miteinander in Interaktion, d.h. die Einflußgrößen des Führungserfolgs wirken wechselseitig aufeinander ein, wobei die Art der Interdependenz im Zeitablauf variiert.

Konkrete Empfehlungen hinsichtlich der Gestaltung der Mitarbeiterführung in der betrieblichen Praxis resultieren primär aus empirisch vorfindlichen, in ihrer Anlage sehr heterogenen Katalogen von Führungsgrundsätzen einzelner Unternehmen sowie aus den sog. Führungsmodellen. Führungsgrundsätze sind als für die gesamte Unternehmung maßgebliche, Wertentscheidungen enthaltende schriftlich fixierte Verhaltenserwartungen der obersten betrieblichen Leitungsinstanz interpretierbar.

Im Gegensatz zu Führungsgrundsätzen sind Führungsmodelle nicht für jeweils einen spezifischen Anwendungsfall (konkrete Unternehmung) konzipiert. Vielmehr ist mit Führungsmodell der Anspruch einer allgemeinen Anwendbarkeit in verschiedensten Unternehmen verbunden. Global können Modelle der Mitarbeiterführung als zielbezogene, pragmatisch ausgerichtete Verhaltenskonzepte charakterisiert werden, die den Prozeß wechselseitiger sozialer Einflußnahme in Unternehmen mittels unterschiedlicher Grundkonzeptionen abbilden. Als bekannteste Führungsmodelle gelten das → Harzburger Führungsmodell (Delegation von Verantwortung), das → Management by Objectives (partizipativer Zielbildungsprozeß) sowie das Konzept der → teilautonomen Gruppen (Übertragung ganzheitlicher Aufgabenkomplexe an Personenmehrheiten, Selbstorganisation innerhalb der Gruppen).

Führungsgrundsätze und Führungsmodelle wurden vor dem Hintergrund dringender Gestaltungsbedürfnisse der Unternehmen aus der betrieblichen Praxis heraus entwickelt, stellen mithin originär keine Konstrukte der institutionalisierten Führungstheorie dar. Den Führungsgrundsätzen und Führungsmodellen ist die Betonung der pragmatisch-vorschreibenden Komponente gemein. Ihr Einsatz wird im Sinne optimaler Zielerreichung propagiert, wobei der Begründungszusammenhang Defizite aufweist (anwendungsorientierte Intention). *G. Si.*

Literatur: *Wunderer, R./Grunwald, W.*, Führungslehre, Bd. 1, 2, Berlin, New York 1980. *Kulm, A.*, Unternehmensführung, München 1982. *Nieder, P.* (Hrsg.), Führungsverhalten in Unternehmen, München 1977.

Mitarbeiterunterweisung → training on the job

Mitbestimmung

Forderung der Arbeitnehmer; sie zielt auf die institutionalisierte Teilhabe der Arbeitnehmer an den im Unternehmen zu treffenden Entscheidungen und damit auf eine Reform der → kapitalistischen Unternehmensverfassung ab. Die Wurzeln der Mitbestimmungsforderung reichen für Deutschland bis zur Mitte des 19. Jh. zurück. Getragen wurde und wird diese Forderung von der Arbeiterbewegung (→ Gewerkschaften), aber auch von Vertretern der katholischen Soziallehre und der evangelischen Sozialethik. Die Begründungen

zur Mitbestimmung sind entsprechend vielfältig; zentrale Argumentationsstücke bilden:
(1) Die *Würde des Menschen* und seine Entfaltungsfreiheit (Selbstbestimmung). Mitbestimmung befreie den Arbeitnehmer aus seiner fremdbestimmten Objektstellung und verschaffe ihm Raum, sich als selbstverantwortliche Person seiner Menschenwürde gemäß entfalten zu können. Dies ergebe sich aus dem Grundgesetz wie aus der christlichen Lehre.
(2) Die gebotene *Gleichberechtigung von Kapital und Arbeit.* Beide Produktionsfaktoren seien zur Erreichung des Erfolges aufeinander angewiesen, seien für das einzelne Unternehmen und die Wirtschaft unentbehrlich, trügen gleichwertige Risiken und sollten daher gleichberechtigt entscheiden.
(3) Das *Demokratieprinzip* besagt, daß das oberste Entscheidungsgremium einer Institution aus gleichen Wahlen seiner Mitglieder hervorgeht. Dies gelte es auch für den wirtschaftlichen Bereich (Großunternehmen) zu verwirklichen.
(4) Das Erfordernis einer *Kontrolle wirtschaftlicher Macht,* für die Mitbestimmung ein notwendiges und geeignetes Mittel bilde.
Diese Argumentation fand im politischen Raum zunehmend Resonanz und führte in den letzten 30 Jahren zur gesetzlichen Verankerung der Mitbestimmung der Arbeitnehmer durch das:
● → Mitbestimmungsgesetz 1976, das die großen → Kapitalgesellschaften mit mehr als 2000 Arbeitnehmern erfaßt,
● → Montanmitbestimmungsgesetz 1951, das → Kapitalgesellschaften der Montanindustrie mit mehr als 1000 Arbeitnehmern betrifft,
● → Betriebsverfassungsgesetz 1952, das sich auf kleine → Kapitalgesellschaften mit mehr als 500 Beschäftigten bezieht,
● → Betriebsverfassungsgesetz 1972, das für alle Betriebe mit mindestens fünf ständig beschäftigten Arbeitnehmern gilt,
● → Personalvertretungsgesetz 1974, das für den öffentlichen Dienst gilt.   *E. Ge.*

Literatur: *Christmann, A./Kunze, O.,* Wirtschaftliche Mitbestimmung im Meinungsstreit, 2. Bde., Köln 1964. *Mitbestimmungskommission,* Mitbestimmung im Unternehmen, BT-Drucksache VI/334. *Wächter, H.,* Mitbestimmung, München 1983.

Mitbestimmungsgesetz 1976

regelt die → Mitbestimmung der Arbeitnehmer im → Aufsichtsrat von Unternehmen mit i. d. R. mehr als 2000 Arbeitnehmern, die betrieben werden in der Rechtsform einer → Aktiengesellschaft, → Kommanditgesellschaft auf Aktien, → Gesellschaft mit beschränkter

Haftung, → Erwerbs- und Wirtschaftsgenossenschaft oder einer → bergrechtlichen Gewerkschaft (§ 1). Ausgenommen davon sind → Tendenzunternehmen und Unternehmen der Montanindustrie (→ Montanmitbestimmungsgesetz). Ende 1983 fielen unter das Mitbestimmungsgesetz 1976 474 Unternehmen mit ca. 4 Mio. Beschäftigten.
Einen Überblick über das Organisationsmodell des Mitbestimmungsgesetzes 1976 vermittelt die Abbildung. Charakteristische Merkmale dieses Mitbestimmungsmodells bilden:
(1) die direkte Wahl (Urwahl) der Arbeitnehmervertreter (im Gegensatz zum → Montan-

Grundmodell der mitbestimmten AG nach dem MitbestG 1976

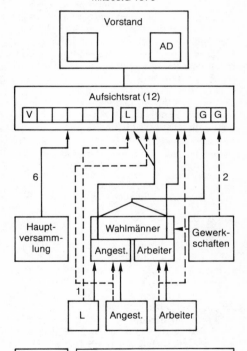

AD = Arbeitsdirektor
G = Gewerkschaftsvertreter
L = Leitender Angestellter
V = Aufsichtsratsvorsitzender
⟶ = Wahl-/Bestellrecht
- - -▶ = Vorschlagsrecht

Quelle: *Steinmann, H./Gerum, E.,* Unternehmensordnung, in: *Bea, F. X./Dichtl, E./Schweitzer, M.* (Hrsg.), Allgemeine Betriebswirtschaftslehre, Bd. 1, 3. Aufl., Stuttgart, New York 1985.

mitbestimmungsgesetz). In Unternehmen mit mehr als 8000 Arbeitnehmern gilt (jedoch abdingbar) als Regelfall die Wahl durch Wahlmänner.

(2) die Vertretung der → leitenden Angestellten im Aufsichtsrat; sie werden der Arbeitnehmerseite zugerechnet.

(3) das Zweitstimmrecht des Aufsichtsratsvorsitzenden bei Pattsituationen im Aufsichtsrat. Diese Regelung ist für die Gesamteinschätzung der (formalen) Einflußverteilung zwischen Kapital und Arbeit von entscheidender Bedeutung, da die Kapitaleignerseite den Aufsichtsratsvorsitzenden stellt.

(4) die im Ergebnis unterparitätische Mitbestimmung der Arbeitnehmer trotz zahlenmäßiger Gleichverteilung der Aufsichtsratsmandate.

(5) die Pflicht zur Einrichtung eines Vorstandsressorts „Personal und Soziales" (außer bei Kommanditgesellschaften auf Aktien). Der sog. → Arbeitsdirektor ist jedoch – im Gegensatz zur Regelung des → Montanmitbestimmungsgesetzes – nicht an die Arbeitnehmerseite gebunden.

Das Bundesverfassungsgericht bestätigte 1979 (gegen die Auffassung der Arbeitgeberseite) die Verfassungsmäßigkeit des Mitbestimmungsgesetzes voll inhaltlich.   *E. Ge.*

Literatur. *Fitting, K./Wlotzke, O./Wissmann, H.,* Kommentar zum Mitbestimmungsgesetz, 2. Aufl., München 1978. *Steinmann, H./Gerum, E.,* Unternehmenspolitik in der mitbestimmten Unternehmung, in: Die Aktiengesellschaft, 25. Jg. (1980), S. 1 ff. *Wächter, H.,* Mitbestimmung, München 1983.

Mitgliedschaftsrechte

Rechte, die aus der Mitgliedschaft einer Person zu einer Personengesamtheit begründet sind, z.B. Geschäftsführungsrecht oder Vermögensrechte (d.h. ein Anteil am Vermögen).

Den Mitgliedschaftsrechten stehen i.d.R. Pflichten gegenüber, z.B. Mitverwaltungspflicht oder Beitragspflicht.

Die Mitgliedschaft ist vielfach ein höchstpersönliches Recht, in anderen Fällen aber auch veräußerlich und vererblich.

Mitläufer-Effekt → Bandwagon-Effekt

Mitnahmeeffekt → antizyklische Investitionsbeeinflussung

Mitteilung → Nachricht

Mittelbetrieb → Betriebsgrößenklassen

mittelfristige Finanzplanung

Nach § 50 Haushaltsgrundsätzegesetz (HGrG) sind Bund und Länder verpflichtet, ihrer Haushaltswirtschaft eine fünfjährige Finanzplanung zugrundezulegen. Sie erfüllt ähnliche Funktionen wie der jährliche → Haushaltsplan, erhält aber durch ihren mittelfristigen Planungshorizont sowohl zeitlich als auch sachlich einen der Haushaltsplanung übergeordneten Charakter.

Die *politische Funktion* der Finanzplanung besteht in einer ressortübergreifenden Gesamtschau über die mittelfristigen Ziele und Programme der Regierung. Sie ist daher in erster Linie ein regierungsinternes Planungsinstrument, dient aber auch als Koordinationsinstrument für die unterschiedlichen Ebenen der Gebietskörperschaften und als Informationsinstrument für den privaten Sektor.

Die *finanzpolitische Funktion* der mehrjährigen Finanzplanung liegt in einer mittelfristigen Haushaltssicherung, d.h. in der Abstimmung des Umfangs und der Struktur der Ausgaben mit den mittelfristigen Finanzierungsmöglichkeiten unter Berücksichtigung der gesamtwirtschaftlichen Entwicklung. Damit sollen bestimmte Strukturmängel der jährlichen Haushaltsplanung überwunden werden, insb. die kurzfristige Veranschlagung von Ausgaben, deren Folgekosten oder übermäßige Ausdehnung aufgrund steigender Anspruchsgrundlagen nicht bedacht worden sind, so daß schließlich entweder finanzielle Engpässe oder eine zu hohe Staatsverschuldung entstehen oder unvorhergesehene Leistungseinschränkungen vorgenommen werden müssen.

Die *wirtschaftspolitische Funktion* besteht in der Berücksichtigung wachstums- und konjunkturpolitischer Wechselbeziehungen zwischen der mittelfristigen Entwicklung des Staatshaushalts und der Gesamtwirtschaft. Der wachstums- und strukturpolitische Aspekt der mehrjährigen Finanzplanung kommt insb. in der Aufstellung von mehrjährigen Investitionsprogrammen zum Ausdruck, in denen die Regierung ihre nach Dringlichkeit und Jahresabschnitten gegliederten Investitionsvorhaben darlegt (§ 10 Stabilitätsgesetz).

Die Abstimmung der mehrjährigen Finanzplanung mit den konjunkturpolitischen Erfordernissen wird dadurch erleichtert, daß gewisse organisatorische und inhaltliche Vorbereitungen schon getroffen sind, wenn ein kurzfristiger Handlungsbedarf entsteht. Die Regierung muß im Falle einer konjunkturellen Abschwächung zusätzliche Mittel verwenden, die im Finanzplan bereits vorgesehen sind (§ 6 Stabilitätsgesetz), und über die laufende Haushaltsplanung hinaus, insbesondere für das dritte Planungsjahr, ihre Investitionsvorhaben so planen und vorbereiten, daß deren

Realisierung evtl. vorgezogen werden kann (§ 50 HGrG).

Die Grundlage für die mehrjährige Finanzplanung bildet eine kurz- und mittelfristige →Zielprojektion der Bundesregierung, in der die angestrebte Realisierung gesamtwirtschaftlicher Eckdaten (Sozialprodukt und seine Verwendungskomponenten, Preisniveau, Erwerbstätigkeit und Produktivität) dargelegt wird. Sie dient dem Arbeitskreis „Steuerschätzung" als Basis für eine kurz- und mittelfristige Schätzung der Steuereinnahmen. Mit Hilfe dieser Daten wird dann die Finanzprojektion erstellt, die Angaben für den öffentlichen Gesamthaushalt (Einnahmen, Ausgaben, Finanzierungssaldo) und für bestimmte ökonomische Ausgabearten (Personal-, Sach- und Investitionsausgaben) enthält.

Die Finanzprojektion bildet auch den Ansatzpunkt für die Koordinierung der Haushaltspolitik der einzelnen Gebietskörperschaften im Finanzplanungsrat. Ihm gehören der Bundesfinanz- und der Bundeswirtschaftsminister, die Finanzminister der Länder und Vertreter der Gemeinden an. Auf der Grundlage eines gemeinsamen Schemas und einheitlicher gesamtwirtschaftlicher Annahmen für die Finanzplanung erarbeitet der Finanzplanungsrat Empfehlungen für die Haushalts- und Wirtschaftspolitik der Gebietskörperschaften.

Der eigentliche Planungshorizont der mehrjährigen Finanzplanung reicht nur drei Jahre weiter als der Haushaltsplan. Letzterer wird jährlich angepaßt und fortgeführt (gleitende Finanzplanung). Die direkte Anbindung an den Haushaltsplanentwurf hat allerdings auch zur Folge, daß der eigentliche Sinn der Finanzplanung auf den Kopf gestellt wird. Die Ausgabenansätze werden über einen dreijährigen Planungszeitraum fortgeschrieben. Von einer echten Ableitung der budgetären Maßnahmenplanung aus der übergeordneten mittelfristigen Aufgaben- und Finanzplanung kann daher nicht die Rede sein.

Auch die Verbindlichkeit der mehrjährigen Finanzplanung ist beschränkt. Während der jährliche Haushaltsplan vom Parlament bewilligt werden muß, wird der Finanzplan den gesetzgebenden Körperschaften lediglich „im Zusammenhang mit dem Entwurf des Haushaltsgesetzes für das nächste Haushaltsjahr vorgelegt" (§ 50 HGrG).

Der Finanzplan erlangt keine Gesetzeskraft, sondern nur eine programmatisch-politische Verbindlichkeit, hat aber andererseits für die jährliche Haushaltsplanung eine gewisse präjudizierende Wirkung, die das Budgetrecht des Parlaments noch weiter einschränkt. *W. Ki.*

Literatur: *Schmidt, K./Wille, E.,* Die mehrjährige Finanzplanung, Wunsch und Wirklichkeit, Tübingen 1970.

mittelfristiger finanzieller Beistand der EWG

Kreditvereinbarung zwischen den Mitgliedsstaaten der →Europäischen Gemeinschaft, in deren Rahmen sich die EG-Mitgliedsstaaten bei Zahlungsbilanzschwierigkeiten gegenseitig Kredite mit einer Laufzeit von zwei bis fünf Jahren einräumen.

Der mittelfristige finanzielle Beistand wurde am 22. 3. 1971 vom EG-Ministerrat als Teil eines Maßnahmenbündels zur Verwirklichung einer ersten Stufe der geplanten →Wirtschafts- und Währungsunion in der EG (→Werner-Bericht) beschlossen. Das Kreditvolumen, das ursprünglich für die damals sechs EWG-Staaten auf 2 Mrd. RE begrenzt war, wurde im Laufe der Zeit mehrfach erhöht. Bei der Gründung des →Europäischen Währungssystems (EWS) im Dezember 1978 wurde der mittelfristige finanzielle Beistand auf die neue europäische Rechnungseinheit →ECU umgestellt und als mittelfristiger Kreditmechanismus in das finanzielle Beistandssystem des EWS eingefügt.

Der Beistand umfaßt seit dem Beitritt Griechenlands zur EG eine Gesamtsumme von 14,37 Mrd. ECU, wobei das effektive Kreditvolumen bis zu 11 Mrd. ECU erreichen kann. Die Finanzierungsverpflichtung der einzelnen Mitgliedstaaten ergibt sich aus ihren Quoten, die wie folgt festgesetzt sind:

Quoten der Finanzierungsverpflichtung

Land	Bereit- stellungs- plafonds in Mio. ECU	Anteil in %
Deutschland	3 105	21,6
Frankreich	3 105	21,6
Vereinigtes Königreich	3 105	21,6
Italien	2 070	14,4
Niederlande	1 035	7,2
Belgien	1 000	7,0
Dänemark	465	3,2
Griechenland	270	1,9
Irland	180	1,3
Luxemburg	35	0,2
Gesamtsumme	14 370	100,0

Die gewährten Kredite haben eine Laufzeit von zwei bis fünf Jahren. Sie können von einem Mitgliedstaat, der von Zahlungsbilanzschwierigkeiten betroffen oder ernstlich bedroht ist, in Anspruch genommen werden. Ihre Gewährung ist an wirtschaftspolitische Auflagen geknüpft. Die Kreditgewährung erfolgt durch Beschluß des EG-Ministerrats, der nach Anhörung des → Währungsausschusses auch die Kreditbedingungen und die wirtschaftspolitischen Auflagen, die das kreditnehmende Mitgliedsland zu erfüllen hat, festlegt. Der Zinssatz für die Kredite soll etwa in der Mitte zwischen den Marktsätzen und den Sätzen des → Internationalen Währungsfonds liegen. Die Einhaltung der wirtschaftspolitischen Auflagen wird während der gesamten Laufzeit durch die EG-Kommission und den Währungsausschuß überwacht.

Der mittelfristige finanzielle Beistand wurde bisher nur einmal in Anspruch genommen, und zwar 1974 von Italien, das damit einen zuvor gewährten Kredit aus dem → kurzfristigen Währungsbeistand der EWG ablöste.

W. H.

Mittelkurs

der an der → Devisenbörse ermittelte amtliche → Devisenkurs. Die Bankkunden haben Anspruch auf Abwicklung ihrer Devisenkaufaufträge zu dem um einen Zuschlag erhöhten Mittelkurs (Briefkurs der Banken) und ihrer Verkaufsaufträge zu dem um einen Abschlag verminderten Mittelkurs (Geldkurs der Banken).

Mittelstandsförderung

Teil der → Gewerbepolitik, der sich an den selbständigen Mittelstand (Handwerk, Einzelhandel, Teile des Großhandels, die freien Berufe, Klein- und Mittelbetriebe der Verarbeitenden Wirtschaft bis zu einer Betriebsgröße von 500 Mitarbeitern sowie das Dienstleistungsgewerbe) richtet. Wenn auch der Mittelstand eine heterogene Gruppe darstellt, so gibt es doch neben branchenspezifischen Problemen solche Fragen, die den Mittelstand insgesamt betreffen und die Gegenstand der Mittelstandsförderung sind.

Ziele der Mittelstandsförderung sind die Sicherung der Existenz- und Wettbewerbsfähigkeit kleiner und mittlerer Unternehmen, die Leistungssteigerung der mittelständischen Wirtschaft sowie die Anpassungserleichterung an den Strukturwandel. Die Notwendigkeit einer speziellen Mittelstandsförderung wird damit begründet, daß u. a. mittelständische Unternehmen aufgrund ihrer Betriebsgröße Nachteile gegenüber Großunternehmen hätten, sich infolge begrenzter Diversifikationsmöglichkeiten nur bedingt an Marktveränderungen anpassen könnten, anfälliger gegen Konjunkturschwankungen wären und der Nachfragemacht großer Kunden ausgesetzt seien, Schwierigkeiten in der Realisierung technischer Fortschritte hätten und Finanzierungsprobleme aufgrund des beschränkten Zugangs zum Kapitalmarkt und des zu geringen Eigenkapitals bestünden. Die marktwirtschaftlich orientierte Mittelstandsförderung geht von dem Grundsatz der Subsidiarität und der Hilfe zur Selbsthilfe aus.

Hauptträger der Mittelstandsförderung sind das Bundeswirtschaftsministerium, das Bundesministerium für Forschung und Technologie, die → Kreditanstalt für Wiederaufbau, die → Lastenausgleichsbank, das ERP-Sondervermögen, die Wettbewerbsbehörden, Wirtschaftsförderungsgesellschaften auf kommunaler Ebene sowie zahlreiche Interessenvertretungen und Organisationen der Wirtschaft.

Aufgabengebiete der Mittelstandsförderung sind Finanzierungshilfen (Fremd- und Eigenkapitalbeschaffung), Maßnahmen zur Leistungssteigerung (Hilfen für Rationalisierung, Forschung, Entwicklung und Innovation, Informations- und Beratungswesen sowie Unternehmerschulung, Kooperationsförderung, Auf- und Ausbau von Einrichtungen zur beruflichen Fort- und Weiterbildung, überbetriebliche Maßnahmen zur Anpassung des Leistungsstandards an den technischen Fortschritt) und Maßnahmen zur Verbesserung der Rahmenbedingungen im Wettbewerbsrecht (Kooperationserleichterungen durch Mittelstandskartelle, Mittelstandsempfehlungen und Wettbewerbsregeln). Von Bedeutung sind außerdem steuerliche Entlastungen des Mittelstandes, die Öffnung der Rentenversicherung für Selbständige sowie die Berücksichtigung bei der Vergabe öffentlicher Aufträge.

Die Kritik an der Mittelstandsförderung betrifft die umstrittene Wirksamkeit der Maßnahmen, wettbewerbsbeschränkende Effekte der Kooperationserleichterungen, die Gültigkeit der These eines prinzipiellen strukturellen Nachteils mittelständischer Unternehmen und die interventionistische Grundausrichtung, die zugunsten einer Verbesserung der Rahmenbedingungen und einer Flexibilitätssteigerung zu korrigieren wäre.

H. Ba.

Literatur: *Bundesministerium für Wirtschaft* (Hrsg.), Mittelstandsfibel, Bonn 1979. *Dichtl, E./ Raffée, H./Wellenreuther, H.,* Mittelstandspolitik, in: *Issing, O.* (Hrsg.), Spezielle Wirtschaftspolitik, München 1982, S. 43 ff. *Naujoks, W.,* Mittelstandspolitik und Mittelstandsförderung in der Bundesrepublik Deutschland, in: Internationales Gewerbearchiv, 28. Jg. (1980), S. 217 ff.

Mittelwald

Zwischenform von →Niederwald und →Hochwald. Das Unterholz der Mittelwälder ist dabei aus Stockausschlägen hervorgegangen, das Oberholz besteht aus durchgewachsenen Stockausschlägen (Laßreidel) und aus Bäumen, die aus Samen hervorgegangen sind (Kernwüchsen). Mittelwälder haben an der →Waldfläche der Bundesrepublik einen Anteil von rd. 3%. 　　　　　　*W. K.*

Mittelwert

Maßzahl zur Kennzeichnung der Merkmalsausprägungen der Elemente (statistischen Einheiten) einer Gesamtheit durch einen einzigen „typischen" oder auch „zentralen" Wert (Lageparameter). Die gebräuchlichsten Mittelwerte sind →arithmetisches und →geometrisches Mittel, →Median und →Modus. Die Anwendbarkeit der verschiedenen Mittelwerte hängt vom Skalenniveau (→Skala) der Merkmalsausprägung ab. In der Übersicht (siehe unten) wird angegeben, welcher Mittelwert bei einem bestimmten Skalenniveau geeignet erscheint.

Literatur: Bleymüller, J./Gehlert, G./Gülicher, H., Statistik für Wirtschaftswissenschaftler, 4. Aufl., München 1985.

mittlere absolute Abweichung

(mean absolute deviation, MAD) →Streuungsmaß für metrisch skalierte Merkmale (→Skala). Für N Einzelwerte x_i (i = 1, 2, ..., N) ist sie, bezogen auf einen beliebigen Wert M, als

$$MAD\,(M) = \frac{1}{N} \sum_{i=1}^{N} |x_i - M|$$

definiert.

Bei einer →Häufigkeitsverteilung, bei der die k verschiedenen Merkmalswerte x_i (i = 1, 2, ..., k) mit den absoluten Häufigkeiten h_i (i = 1, 2, ..., k) bzw. mit den relativen Häufigkeiten f_i (i = 1, 2, ..., k) vorliegen, gilt

$$MAD\,(M) = \frac{1}{N} \sum_{i=1}^{k} |x_i - M| h_i$$

mit $N = \sum_{i=1}^{k} h_i$

bzw.

$$MAD\,(M) = \sum_{i=1}^{k} |x_i - M| f_i.$$

Als Bezugsgröße M dient i. d. R. das →arithmetische Mittel oder der →Median.

mittlere quadratische Abweichung

Die mittlere quadratische Abweichung der N Einzelwerte x_i (i = 1, 2, ..., N) von einem beliebigen Wert M ist als

$$MQ(M) = \frac{1}{N} \sum_{i=1}^{N} (x_i - M)^2$$

definiert. Verwendet man für M das →arithmetische Mittel

$$\mu = \frac{1}{N} \sum_{i=1}^{N} x_i,$$

so nimmt die mittlere quadratische Abweichung ein Minimum an und wird als →Varianz bezeichnet.

Mitverantwortungsabgabe

Instrument der EG-Milchmarktordnung seit September 1977 (→Agrarmarktordnung). Sie dient der Differenzierung der Preise zwischen Erzeugern und Verbrauchern, um dadurch Einnahmen für die EG-Kasse zu erschließen. Die Mitverantwortungsabgabe stellt demnach eine produktspezifische Steuer dar, die auf Molkereiebene erhoben wird. Die Höhe dieser Steuer wird bei den Preisverhandlungen (→Agrarpreisrunde) im Agrarministerrat jeweils für ein Jahr beschlossen. Inzwischen wurde die Mitverantwortungsabgabe auch auf anderen Märkten eingeführt bzw. vorgesehen, insb. seit 1986 auch auf dem Getreidemarkt.

Mitversicherung

liegt vor, wenn mehrere →Versicherungsunternehmen auf dem Erstversicherungsmarkt gemeinsam nach Maßgabe einer prozentualen Aufteilung die →Versicherungsproduktion für ein Risiko übernehmen.

Mittelwerte

Mittelwerte	Skala			
	Nominalskala	Ordinalskala	Intervallskala	Verhältnisskala
→ Modus	x	x	x	x
→ Median		x	x	x
→ Arithmetisches Mittel			x	x
→ Geometrisches Mittel				x

mixed economy → gemischte Wirtschaftsordnung

Mobiliarkredit → Realkredit

Mobilien-Leasing → Leasing

Mobilisierungspapier → Offenmarktpolitik

Mobilitätspolitik
Maßnahmen zur Beschleunigung der Strukturanpassung und → Strukturflexibilität durch erhöhte Arbeitskräfte- und Kapitalmobilität. In der Regel erfolgt keine direkte → Marktintervention, sondern durch verbesserte → Markttransparenz (→ Arbeitsvermittlung, → Berufsberatung), Förderung beruflicher Flexibilität (Umschulung, Fortbildung) und → interregionale Mobilität (finanzielle Hilfen für Arbeitskräfte und Industrieansiedlungen in strukturschwachen Räumen) werden lediglich die Marktdaten zwecks Anpassungserleichterung beeinflußt.

modal choice → Verkehrsmodelle

modal split → Verkehrsmodelle

Modell
stellt als Hilfsmittel des wissenschaftlichen Erkenntnisprozesses im Bereich der Ökonomik ein im Hinblick auf eine bestimmte Fragestellung konstruiertes, vereinfachtes Abbild eines durch Zusammenhänge zwischen den betrachteten Phänomenen gekennzeichneten Ausschnitts der ökonomischen Realität dar. Da die Fragestellung gleichsam als Selektionsprinzip fungiert, wird von vielen Aspekten der Realität abstrahiert (Reduktion von Komplexität, → Abstraktion).
Modelle dienen verschiedenen Zwecken. Bestimmte modellartige Vorstellungen benötigt man bereits zur Beschreibung und Klassifikation ökonomischer Phänomene. Eine zentrale Rolle spielen sie insb. bei der Erklärung ökonomischer Zusammenhänge und Zustände. Hier müssen sie als Denkmodelle das in der Naturwissenschaft übliche Experiment ersetzen, da letzteres aus verschiedenen Gründen in den Sozialwissenschaften nur bedingt möglich ist. Zu Hilfsmitteln der Erklärung im Sinne der Erfahrungswissenschaft werden Modelle jedoch erst dann, wenn die in ihnen verwendeten Variablen operationalisiert (→ Operationalisierung) und daher mit empirischen Größen identifiziert werden können.
Darüber hinaus muß mindestens eine Voraussetzung des Modells als Verhaltenshypo-

these (nomologische Hypothese) interpretierbar sein, während wieder andere Voraussetzungen als Randbedingungen Entsprechungen in der ökonomischen Realität haben müssen. Viele, wenn nicht die meisten der in der Ökonomik verwendeten Modelle haben jedoch dieses „Reifestadium" im Sinne der Erfahrungswissenschaft noch nicht erreicht.
Aufgrund seiner logischen Struktur kann ein Erklärungsmodell im Prinzip auch zur Prognose ökonomischer Ereignisse herangezogen werden, was unter Umständen jedoch die Kenntnis bestimmter Daten voraussetzt, die das Modell selbst nicht liefern kann. Vom → Prognosemodell ist es nur noch ein Schritt zum → Planungsmodell und zum → Entscheidungsmodell als Grundlage für Optimierungs- bzw. Steuerungsvorgänge. Zu diesem Zwecke sind bestimmte Randbedingungen nicht einfach hinzunehmen, sondern im Hinblick auf eine Zielfunktion so zu manipulieren, daß diese maximiert wird.
Gleichgültig, ob Modelle verbal, graphisch oder mathematisch-analytisch dargestellt werden, ist zunächst festzulegen, welche Größen überhaupt in das Modell einbezogen werden sollen. Außerhalb bleibende Größen werden unter der gewählten Fragestellung entweder als unerheblich, sich gerade kompensierend oder als konstant angenommen; im letzteren Fall liegt die häufig verwendete Ceterisparibus-Klausel vor. Sie wird insb. bei Partialmodellen verwendet.
Bei den im Modell auftretenden Größen unterscheidet man zwischen → exogenen und → endogenen Variablen. Exogene Variable, die im Modell selbst nicht „erklärt", sondern als gegeben angenommen werden, zieht man zur Bestimmung der endogenen Variablen heran. In mathematisch-analytisch konzipierten Modellen geschieht dies durch funktionale Verknüpfung zwischen endogenen und exogenen Variablen. Als Beispiel diene die → Konsumfunktion $C = F(Y) = c_1 + c_2 Y$, bei der die endogene Variable C (Konsum) durch die exogene Variable Y (Volkseinkommen) „erklärt" wird. Die → funktionale Beziehung ist häufig – wie auch im Beispiel – linear, aber dies muß nicht so sein. Die Größen c_1 und c_2 nennt man → Parameter. In komplizierteren Modellen werden die endogenen Variablen nicht nur durch exogene Variablen, sondern auch durch andere, z.T. zeitlich verzögerte, endogene Variablen bestimmt.
Bei den Verknüpfungen zwischen den im Modell verwendeten Variablen hat man zwischen → Definitionsgleichungen, → Verhaltensgleichungen und → Gleichgewichtsbedingungen zu unterscheiden. Darüber hinaus

sind Restriktionen zu berücksichtigen, die ebenfalls Beziehungen zwischen Variablen darstellen und deren Wertebereiche einschränken.

Hat man aus den Gleichungen (bzw. Ungleichungen) und den sonstigen Annahmen des Modells dessen „Lösung" – je nachdem ob es sich um eine → statische, → dynamische oder → evolutorische Analyse handelt, besteht sie aus einem Gleichgewichtszustand oder -pfad (→ Gleichgewichtstheorie) oder beschreibt sie das Verhalten der betrachteten Variablen im Zeitablauf – deduziert und dabei zugleich die „Arbeitsweise" des Modells erkannt, ist anhand der jeweiligen Zielsetzung zu beurteilen, ob der Modellzweck hinreichend erfüllt ist, so daß das Modell theoretisch und für wirtschafts- oder unternehmungspolitische Zwecke verwendet werden kann, oder ob der Modellansatz, ggf. unter Modifikation der Fragestellung, noch zu verfeinern bzw. zu modifizieren ist.   *U. F.*

Literatur: *Kleinewefers, H./Jans, A.,* Einführung in die volkswirtschaftliche und wirtschaftspolitische Modellbildung, München 1983. *Stobbe, A.,* Volkswirtschaftslehre II (Mikroökonomik), Berlin 1983.

Modellbank

Ort, an dem die für den Planungsprozeß benötigten Modelle und Hypothesen zur Verfügung gehalten und gewartet werden. Dabei muß die Menge der Modelle bzw. Modellteile eine gewisse Ordnung aufweisen, die es z.B. aufgrund vorhandener Kopplungseinrichtungen erlaubt, aus mehreren Moduln ein problemadäquates Modell zu erstellen.

Modellbanken dienen nicht nur der Dokumentation, sondern auch der Handhabung, Weiterentwicklung und Anpassung von Modellen. Dementsprechend ist ihr Aufbau zu gestalten. Dabei hat man vor allem geeignete Speicherformen für verschiedene Modellelemente (Variablen, Beziehungen, Parameter) festzulegen, ferner Programmroutinen und Heuristiken für die Kopplung bzw. Anpassung von Modellen und die Beschaffung von Daten bzw. Methoden aus Daten- bzw. → Methodenbanken vorzusehen sowie Hinweise auf Toleranzen und Gütemaße zur Beurteilung von Lösungen zu geben (→ Informationstechnologie).

Modellplatonismus

von *Hans Albert* geprägte Bezeichnung für das in den Wirtschaftswissenschaften (und hier insb. in der neoklassischen Nationalökonomie) häufig anzutreffende Verfahren, ökonomische Aussagen und Aussagenmengen (→ Modelle) vor einem Scheitern an den Erfahrungstatsachen durch Anwendung sog. konventionalistischer Strategien abzusichern (Immunisierungsstrategien). Dies geschieht vornehmlich durch Benutzung von (unqualifizierten) → Ceteris-paribus-Klauseln, deren implizite Funktion darin besteht, von den Modellvorhersagen abweichendes Verhalten der Wirtschaftssubjekte auf irgendwelche, d.h. nicht näher spezifizierte Veränderungen von Faktoren zurückzuführen. Als konventionalistische Strategien sind derartige Verfahren deshalb zu bezeichnen, weil derartige Modelle letzten Endes nicht überprüft werden können und damit ihren → empirischen Gehalt verlieren. *Albert* hat dies anhand verschiedener Beispiele (Nachfragegesetz, Quantitätstheorie des Geldes, verschiedene Modelle im Bereich der Wachstumstheorie) demonstriert.

Für den Modellplatonismus ist ferner charakteristisch, daß die in den Aussagenmengen auftauchenden Verhaltensmaximen meist nicht als erfahrungswissenschaftliche → Hypothesen behandelt werden, sondern als Annahmen über mögliches Verhalten, dessen logische (nicht: faktische) Implikationen man zu untersuchen hat. Ein Realitätsbezug wird durch die verwendete Sprache lediglich vorgetäuscht. Die Überwindung des Modellplatonismus sieht *Albert* in einer Soziologisierung des ökonomischen Denkens in dem Sinn, daß von realistischen Motivstrukturen, Einstellungen bzw. Wertorientierungen der Wirtschaftssubjekte auszugehen und auch der soziale Kontext zu berücksichtigen ist (→ verhaltenstheoretische Betriebswirtschaftslehre).   *G. S.*

Literatur: *Albert, H.,* Marktsoziologie und Entscheidungslogik, Neuwied am Rhein, Berlin 1967, S. 331 ff.

Modem

aus den ersten Silben von Modulator-Demodulator gebildeter Begriff aus der Nachrichten- und → Kommunikationstechnik. Modem bezeichnet eine technische Komponente, die in der Lage ist, die Brücke zwischen analoger und digitaler → Übertragungstechnik herzustellen. Modems haben große Bedeutung für die Verbindung digital arbeitender Geräte, wie z.B. Computer, wobei die Verbindung mittels des analog arbeitenden und flächendeckend vorhandenen Fernsprechnetzes (→ Kompatibilität) realisiert wird.   *A. P./W. K. R.*

Moderatorenkonzepte

bilden den Versuch, durch Einschaltung von vermittelnden Gesprächspartnern, die meist herausragende Persönlichkeiten des Wirtschaftslebens sind, Vorschläge für ein übergreifendes Kapazitätsanpassungsprogramm in Krisensektoren (→ Kapazitätslenkung) zu erarbeiten. Die Moderatoren beschränken sich überwiegend auf die Konzipierung von Grundlinien einer Lösung und haben keine Entscheidungskompetenz. Ihre Bestellung erfolgt auf Initiative der Unternehmen mit Zustimmung der Regierung. In Einzel- und Gruppengesprächen vermitteln sie zwischen den Unternehmensleitungen. Ihre Tätigkeit ist ehrenamtlich.

Ein Beispiel liefert das Stahlmoderatorenkonzept aus dem Jahr 1983. Durch die Konzentration der Stahlproduktion auf die technisch leistungsfähigsten und kostengünstigst arbeitenden Anlagen, durch Abbau von Überkapazitäten und durch Erhaltung mehrerer inländischer Anbieter sollte eine nachhaltige Stärkung der internationalen Wettbewerbsfähigkeit der deutschen Stahlindustrie erreicht werden. Der Moderatorenvorschlag sah eine Stahlgruppe Rhein (Thyssen, Krupp) und eine Gruppe Ruhr (Hoesch, Peine-Salzgitter, Klöckner) vor. Er stand damit im Gegensatz zum Konzept der „Ruhrstahl AG" (Hoesch und Krupp) bei weiterhin bestehender Selbständigkeit der anderen Unternehmen. Beide Modelle unternehmensübergreifender Kooperationen haben sich nicht verwirklichen lassen.

Modernisierung

Prozeß neuzeitlicher Entwicklung, der sowohl materielle Grundlagen des Lebens als auch Formen der sozialen, politischen und wirtschaftlichen Organisation der Gesellschaft samt ihren Werten und Normen einem tiefgreifenden Wandel unterwarf. Die Modernisierung steht dabei im Zusammenhang mit der → Industrialisierung im wirtschaftlichen und mit der Demokratisierung im politischen Bereich. Das Konzept gewinnt an Bedeutung in sog. Modernisierungstheorien, die auf Ursachen und Folgen der Modernisierung abheben. Besonders naheliegend ist die Anwendung auf die Problematik der → Entwicklungs- und → Schwellenländer.   G. Wi.

Literatur: *Flora, P.,* Modernisierungsforschung, Opladen 1974.

modifizierte angelsächsische Konsolidierungsmethode → angelsächsische Kapitalkonsolidierungsmethode

Modigliani-Miller-Theorem

Während die traditionelle Auffassung davon ausgeht, daß infolge des Kapitalstrukturrisi-

kos die durchschnittlichen Kapitalkosten nicht linear verlaufen und es daher einen optimalen Verschuldungsgrad gibt, vertreten andere Autoren – vor allem *Franco Modigliani* und *Merton H. Miller* – die Meinung, daß die durchschnittlichen Kapitalkosten völlig unabhängig von der Kapitalstruktur seien und es folglich einen optimalen Verschuldungsgrad nicht gebe. Dabei legen *Modigliani/Miller* folgende Prämissen zugrunde:

(1) Es besteht ein vollkommener Kapitalmarkt (keine Transaktionskosten; bei gleicher Information gleiche Bewertung der Finanzinvestitionen durch rational handelnde Kapitalgeber).

(2) Die erwarteten Gewinne sind konstant; die Unternehmen mit gleichem existentiellem Risiko lassen sich zu Risikoklassen zusammenfassen.

(3) Steuern werden ausgeklammert.

Modigliani/Miller sehen nur den Gewinn und die Risikoklasse als den Unternehmenswert beeinflussende Faktoren an. Da homogene Güter bei vollkommenem Kapitalmarkt gleiche Preise, d.h. in diesem Fall Gesamtkapitalkostensätze, haben müssen, setzen auf vollkommenen Kapitalmärkten Arbitrageprozesse ein, sobald Preisabweichungen bei den Gesamtkapitalkostensätzen zweier vergleichbarer Unternehmen auftreten, die z.B. durch die Aufnahme einer Anleihe durch eines der beiden Unternehmen entstehen können. Die genannten Autoren kommen zu dem Ergebnis, daß der Marktwert eines Unternehmens unabhängig von seinem Verschuldungsgrad ist.

Die Kritik an den Thesen von *Modigliani/Miller* orientiert sich einerseits daran, daß die Fremdkapitalzinsen bei sehr großer Verschuldung wegen des damit verbundenen größeren Risikos steigen werden, andererseits an der Prämisse des vollkommenen Kapitalmarkts. Die Kritik zum letzten Punkt bezieht sich vor allem darauf, daß die persönliche Verschuldung nicht zu gleichen Konditionen wie jene eines Unternehmens möglich ist, daß sie auch wegen der persönlichen Haftung weniger gewünscht wird als letztere, daß → Kapitalsammelstellen institutionellen Anlage- und Kreditaufnahmebeschränkungen unterliegen, und daß Transaktionskosten tendenziell belastend wirken. Während der erste Einwand kaum Widerspruch hervorgerufen hat, wurden zur Vollkommenheitsprämisse widersprüchliche empirische Befunde vorgelegt. Man wird sich jedoch im Ergebnis der Ansicht *Süchtings* anschließen können, daß das von *Modigliani/Miller* unterstellte Arbitrageverhalten wirklichkeitsfremd ist.

Während sich die Kritik am Modigliani-Miller-Theorem vor allem am Einfluß der Ungewißheit auf die Kapitalstruktur orientiert und die Unvollkommenheit praktisch gegebener Informationen für rationale Finanzierungsentscheidungen hervorhebt, wird ausgehend davon die Kapitalmarkteffizienz unter Ungewißheit untersucht. Dabei wird eine erklärende Theorie des Kapitalmarktgleichgewichts vorgenommen, bei der die Preisbildung auf dem Kapitalmarkt allgemein und die Kursentwicklung von Aktien, Anleihen und anderen Wertpapieren im besonderen durch das Zusammenwirken von Marktgegebenheiten nachvollzogen werden sollen. Dazu werden Kapitalmarktmodelle entwickelt, die sich im Modell der Kapitalmarktlinie mit den Kapitalmarktkosten unter Ungewißheit und daraus abgeleitet im Modell der Wertpapierlinie (Capital Asset Pricing Model) mit den Kapitalkosten einzelner Wertpapiere unter Ungewißheit befassen.   *H. Ku.*

Literatur: *Engels, W.,* Verschuldungsgrad, optimaler, in: *Büschgen, H. E.* (Hrsg.), HWF, Stuttgart 1976, Sp. 1773 ff. *Schneider, D.,* Investition und Finanzierung, 5. Aufl., Wiesbaden 1980, S. 517 ff. *Süchting, J.,* Finanzmanagement, 4. Aufl., Wiesbaden 1984.

Modulator-Demodulator → Modem

Modus

häufigste Merkmalsausprägung einer statistischen Gesamtheit. Er ist als → Mittelwert (Lageparameter) bei sämtlichen → Skalen anwendbar. Bei klassifizierten Daten verwendet man – gleiche Klassenbreiten vorausgesetzt – als Modus die Klassenmitte der Klasse mit der größten Häufigkeit.

Momentum

im Computer-Programm → PLAN das „Basisjahr", an dem die weiteren Planungsbemühungen ansetzen. Die → Bilanzplanung sowie die → Gewinn- und Verlustrechnungsplanung vollziehen sich dabei in der Weise, daß zunächst keine → PLAN-Strategien für die nächsten fünf Jahre ins Kalkül gezogen werden.
E. G.

Mondpreis → Preisempfehlung

monetäre Basis → Zentralbankgeld

monetäre Konjunkturtheorie → Überinvestitionstheorie

monetärer Stom → Stromgröße

Monetarismus

insbesondere durch *Milton Friedman* sowie *Karl Brunner* und *Allen H. Meltzer* initiierte Richtung der → Makroökonomik, die grundsätzlich auf der → Quantitätstheorie basiert, wobei der Anpassungsprozeß nach exogenen Schocks durch Veränderungen der relativen Preise über ein weites Spektrum von Märkten erklärt wird. Durch die Einbeziehung von Informations- und Anpassungskosten können im Gegensatz zur klassischen Quantitätstheorie auch vorübergehende reale Auswirkungen monetärer Schocks erklärt werden. Langfristig ist Geld jedoch neutral, Variationen der Geldmenge führen nur zu Preisniveauvariationen, Veränderungen der Geldmengenänderungsrate zu Veränderungen der Inflationsrate, wobei die Wiederentdeckung der Fisher'schen Unterscheidung zwischen nominalem und realem Zinssatz eine entscheidende Rolle spielt (→ monetaristische Inflationstheorie).

Entsprechend dem grundsätzlich quantitätstheoretischen Ansatz werden im Gegensatz zum → Keynesianismus insb. die Wirksamkeit von monetären Impulsen auf die gesamtwirtschaftliche Nachfrage betont und die Wirksamkeit der → Fiskalpolitik bezweifelt. In der Sprache des → IS-LM-Systems ausgedrückt, werden eine geringe Zinselastizität der Geldnachfrage und eine hohe Zinselastizität der Güternachfrage angenommen. Die Anpassungsmechanismen sind jedoch so „diffus", daß sie auch in komplizierten ökonometrischen Strukturmodellen nicht erfaßt werden können. Deshalb und aufgrund der methodologischen Ausgangsposition, nach der es bei empirischen Überprüfungen weniger auf die Erklärung komplizierter Zusammenhänge als vielmehr auf eine möglichst hohe Prognosekraft des Modelles ankommt, beschränken sich empirische Untersuchungen der Monetaristen meist auf die Schätzung einer oder weniger Gleichungen zum Nachweis der stärkeren Wirkungen monetärer Impulse.

Trotz des Vertrauens in die Wirksamkeit monetärer Impulse wird der Einsatz der → Geldpolitik als Stabilisierungspolitik abgelehnt, da die Geldpolitik nur mit langen und variablen Verzögerungen wirksam ist und damit eine antizyklisch gemeinte Geldpolitik leicht prozyklisch wirken kann. Darüber hinaus bringen abrupte Änderungen des geldpolitischen Kurses zusätzliche Unsicherheiten für die Planung der privaten Wirtschaftssubjekte und führen damit (häufig) erst zu destabilisierenden Entwicklungen, die ohne staatliche Eingriffe nach Meinung der Monetaristen aufgrund der „inhärenten Stabilität der privaten Wirtschaft" vermieden werden können.

Aus diesen Gründen wird von *Friedman* und anderen Monetaristen eine Geldpolitik empfohlen, die zu einer konstanten, potentialorientierten Änderungsrate der Geldmenge führt.

Der Monetarismus hat zweifellos zu einer Befruchtung des Keynesianismus geführt und insb. auch das Augenmerk auf die Tatsache gelenkt, daß die in den keynesianischen (Lehrbuch-) Modellen dargestellten Ergebnisse aufgrund der Betonung der kurzen Frist bei Keynesianern nur Teile des Anpassungsprozesses erfassen. Über die Tatsache, daß Geld langfristig neutral ist und die Fiskalpolitik langfristig nur beschränkte Wirkungen auf die Beschäftigung hat, gibt es kaum noch Meinungsunterschiede. Für den Anpassungsprozeß glauben Keynesianer aber im Gegensatz zu Monetaristen, daß durch geld- und fiskalpolitische Maßnahmen Beschäftigungsprobleme reduziert und damit die sozialen Kosten des Anpassungsprozesses verringert werden können.

J. R.

Literatur: *Fuhrmann, W.*, Geld und Kredit, München, Wien 1986. *Kalmbach, P.* (Hrsg.), Der neue Monetarismus, München 1973.

monetaristische Inflationstheorie

moderne, in der Tradition der →Neoquantitätstheorie stehende Hauptrichtung der monetären (neoklassischen) →Inflationstheorie, die neben dem längerfristigen →inflatorischen Gleichgewicht auch die kurz- und mittelfristigen Konsequenzen bei der Ausbreitung eines durch überschüssiges Geldmengenwachstum entstandenen Inflationspotentials behandelt.

Der Neoquantitätstheorie entsprechend wird Inflation als ein länger anhaltendes monetäres Phänomen begriffen, dessen Ursache ein im Verhältnis zum Wachstum der Güterproduktion zu hohes Geldmengenwachstum ist, das auf eine nicht stabilitätsgerechte aktive oder permissive Geldpolitik zurückgeführt wird; denn nach der monetaristischen Geldangebotstheorie ist die nominale Geldmenge eine zwar endogene, bei freien Wechselkursen aber hinreichend steuerbare Größe.

Kernstück der monetaristischen Inflationstheorie ist die neoquantitätstheoretische Inflationshypothese

$$g_{P_y^1} = g_M - g_y - g_{k^.},$$

nach der sich die →Inflationsrate $g_{P_y^1}$ als Überschuß des Geldmengenwachstums g_M über das Wirtschaftswachstum g_y und die Änderungsrate des gewünschten Kassenhaltungskoeffizienten $g_{k^.}$ ergibt (→Quantitätsgleichung, →Neoquantitätstheorie). Wird g_M

durch die monetären Autoritäten (Regierung, Notenbank) längerfristig konstant gehalten und kommt es zu einem →inflatorischen Gleichgewicht, ist der quantitätstheoretischen Geldnachfrageanalyse entsprechend $g_{k^.} = 0$, so daß die obige Gleichung übergeht in:

$$g_{P_y^1} = g_M - g_y.$$

Im inflatorischen Gleichgewicht wird somit das Inflationspotential $g_M - g_y$ vollständig in Preissteigerungen $g_{P_y^1}$ umgesetzt.

Praktisch kommt es jedoch zu ständigen Änderungen der Wachstumsrate der Geldmenge g_M. Sie sind nach der monetaristischen Transmissionstheorie als gleichgewichtsstörende monetäre Impulse anzusehen, die Anpassungsreaktionen der Wirtschaftssubjekte auslösen und über Änderungen der relativen Preise und Ertragssätze vom gesamtwirtschaftlichen Geldmarkt auf Güter- und Faktormärkte übertragen werden (Mechanismus der relativen Preise). Hierdurch kommt es kurz- und mittelfristig zu Einkommens- und Beschäftigungseffekten, längerfristig aber auch zu einer Variation des →Inflationstempos: zu akzelerierender Inflation, falls g_M erhöht, zu dezelerierender Inflation, falls es verringert wurde (→Inflationszyklus, →Inflationsbekämpfung).

Die monetaristische Inflationstheorie vermag also zu zeigen, wie sich Veränderungen des Geldmengenwachstums (monetäre Impulse) durch Anpassungsreaktionen über die verschiedenen Makromärkte fortpflanzen und sich schließlich im Grenzfall des inflatorischen Gleichgewichts vollständig in $g_{P_y^1}$ niederschlagen. Während dieses Transmissionsprozesses spielen →Inflationserwartungen und →Inflationsantizipationen eine entscheidende Rolle. Sie erklären auch die beobachteten Wechselwirkungen zwischen →Nachfragesog und →Angebotsdruck sowie die vorübergehenden Beschäftigungseffekte (→Phillips-Kurve, →trade-off) und Verteilungswirkungen der Inflation (→Inflationswirkungen).

D. C.

Literatur: *Brunner, K.*, Eine Neuformulierung der Quantitätstheorie des Geldes, in: Kredit und Kapital, 3. Jg. (1970), S. 1 ff. *Johnson, H. G.*, Inflation – Theorie und Politik, München 1975. *Thieme, H. J./Vollmer, U.*, Theorien des Geldwirkungsprozesses, in: *Thieme, H. J.* (Hrsg.), Geldtheorie, Baden-Baden 1985, S. 71 ff.

monetary base →Zentralbankgeld

Monetisierung →Geldschöpfung

Money Market Certificates of Deposit (MMCs)

neuere Form von Terminforderungen in den USA mit einer Laufzeit von sechs Monaten, deren Zinsobergrenze an den Diskontsatz für Schatzanleihen mit sechs Monaten Laufzeit gebunden ist. Das Mindesteinlagevolumen für ein MMC beträgt 10 000 US-Dollar.   *F. J. L.*

Money Market Deposit Accounts (MMDAs)

neuere Form eines Einlagenkontos in den USA, bei dem die sonst obligatorischen Zinsobergrenzen entfallen, wenn die Höhe der Einlagen mindestens 2 500 US-Dollar erreicht. Pro Konto und Monat können bis zu sechs Überweisungen oder Scheckziehungen vorgenommen werden. Die MMDAs privater Haushalte sind von der Mindestreservepflicht ausgenommen.   *F. J. L.*

Money Market Mutual Funds (MMMFs)

Anlagegesellschaften in den USA, die ausschließlich kurzfristige Geldmarktpapiere halten. Die Anteile an diesen Gesellschaften werden verzinst und sind per Scheck übertragbar. Deshalb können kleine Anleger höhere Zinsen erhalten, ohne das 10 000-Dollar-Limit, das für Geldmarktgeschäfte dieser Art sonst üblich ist, beachten zu müssen.   *F. J. L.*

Monokultur

durch ein bestimmtes Produktionsziel bedingte Form der landwirtschaftlichen Bodennutzung, bei der nur eine Nutzpflanzenart angebaut wird. Dies kann zu einer unzureichenden Anreicherung des Bodens mit den für eine langfristige und dauerhafte Bewirtschaftung erforderlichen Nährstoffen führen. Hiervon zu unterscheiden ist jedoch die Behauptung, daß die → Unterentwicklung der Dritten Welt u. a. durch den geringen Umfang an fruchtbarem Boden bedingt ist.

Monopol

→ Marktform mit nur einem Anbieter (Monopolist) auf einem homogenen oder heterogenen Markt. Neben dieser strukturellen Kennzeichnung, die auf die Anzahl der Wirtschaftssubjekte abstellt, wird im Rahmen der → Monopoltheorie eine Vielzahl von Kriterien behandelt.

Monopolausgleich → Branntweinabgaben

Monopolgewinn

ein Gewinn, der auf Marktmacht beruht (→ Monopol).

Monopolgrad

von *Abba P. Lerner* (1933) entwickelte Maßzahl, die angibt, in welcher relativen Position sich ein Markt in bezug auf das (sozial-)ökonomische Optimum der vollständigen Konkurrenz befindet. Ausgehend von der Grenzkosten gleich Preis Regel der vollständigen Konkurrenz wird der Monopolgrad m definiert als

$$m = \frac{\text{Preis} - \text{Grenzkosten}}{\text{Preis}}.$$

Im Modell der vollständigen Konkurrenz nimmt m wegen der Bedingung Preis = Grenzkosten den Wert 0 an. Zu gleichen Ergebnissen gelangt man, wenn man (im Gewinnmaximum) die Grenzkosten durch die → Amoroso-Robinson-Relation substituiert. Für den Monopolgrad ergibt sich dann m = $1/|\varepsilon|$, also die → direkte Preiselastizität der Nachfrage ε. Für $\varepsilon = \infty$ (vollständige Konkurrenz), wird der Monopolgrad ebenfalls 0. Je stärker der Preis jedoch von den Grenzkosten abweicht, desto größer wird der Monopolgrad.

In der → Verteilungstheorie von *Michal Kalecki* wird mit Hilfe des Monopolgradkonzepts der Lohnanteil am Volkseinkommen erklärt.   *P. O.*

Literatur: *Lerner, A. P.*, The Concept of Monopoly and the Measurement of Monopoly Power, in: The Review of Economic Studies, Vol. 1 (1933), S. 157 ff., übersetzt in: *Ott, A. E.* (Hrsg.), Preistheorie, Köln, Berlin 1965, S. 225 ff. *Helmstädter, E.*, Wirtschaftstheorie, Bd. 1: Mikroökonomische Theorie, 3. Aufl., München 1983, S. 186 f.

Monopolgradtheorie → Verteilungstheorie

monopolistische Konkurrenz → Preisbildung

Monopolkapitalismus

Bezeichnung des → Marxismus-Leninismus für eine Phase des → Spätkapitalismus, deren Beginn mit den 70er Jahren des 19. Jh. angesetzt wird. Als kennzeichnend dafür werden einerseits die Konzentration der Produktion in immer größeren Betrieben und des Kapitals in immer weniger Händen und andererseits die Verschmelzung des Bankkapitals mit dem Industriekapital zur „Finanzoligarchie" angesehen.

Wladimir I. Lenin deutet die daraus gefolgerte beispiellose Monopolisierung der Wirtschaft als „gigantischen Fortschritt in der Vergesellschaftung der Produktion", d. h. auf dem Weg des unaufhaltsamen Niedergangs des → Kapitalismus. *Lenin* geht dabei von der marxistischen Annahme aus, daß die fallende

Tendenz der Profitrate (→ Mehrwerttheorie) nicht nur eine Quelle der Ausbeutung ist, sondern zugleich die Konzentration des Kapitals beschleunigt, indem unter verschärften Konkurrenzbedingungen die kleinen Kapitalisten immer mehr von den großen, vor allem in Aktiengesellschaften organisierten Eigentümern „geschluckt" werden. Gleichzeitig entwickelt sich nach *Karl Marx* in den Aktiengesellschaften eine wachsende Autonomie der angestellten Manager, die die Kapitaleigentümer zu funktionslosen, ökonomisch überflüssigen „Geldkapitalisten" degradieren. In dem Maße, in dem „Privatproduktion ohne die Kontrolle des Privateigentums" betrieben wird, büßt es seine Lenkungs- und Kontrollfunktion in der Marktwirtschaft ein. Ihre Wettbewerblichkeit nimmt im Gefolge von Konzentrations- und Dezentralisationsprozessen ab.

In dieser Vorhersage sieht *Lenin* die Realität des „Kapitalismus in seinem heutigen Entwicklungsstand", des sog. Monopolkapitalismus, durch dessen → Produktionsweise der politische und rechtliche Rahmen der Gesellschaft im Sinne des → Stamokap verändert werde. *Lenin* versucht, diese Auffassung mit einer Fülle von Einzeltatsachen, u.a. gestützt auf eine Materialsammlung von *John A. Hobson,* zu begründen, wobei bloße Tendenzen häufig als unbestreitbare Totalerklärungen propagandahaft zurechtgestutzt werden. Schlüssige Nachweise kommen dabei nicht zustande.

Tatsächlich ist in den 70er Jahren des vorigen Jahrhunderts eine zunehmende Abkehr von den kosmopolitischen Idealen der Freihandelsepoche vor allem in den USA, in Rußland, in Frankreich und in Deutschland zu beobachten gewesen. Im Gefolge dieses geistig-politischen Denkwandels kam es zu antikompetitiven Kartellierungs- und Vermachtungserscheinungen. So ist z.B. nach der Wirtschaftskrise von 1873 in Deutschland eine Wiederbelebung wirtschaftspolitischer Vorstellungen des Schutzzolls und des → Merkantilismus festzustellen. Hinter den neuen Zollmauern konnten, ungestört von der ausländischen Konkurrenz, Kartelle entstehen. Diese wurden in der Nationalökonomie von den Vertretern der herrschenden Lehre der → historischen Schule und des → Kathedersozialismus als zwangsläufige Erscheinung und als Beitrag zur Konjunkturdämpfung, Kostensenkung und Produktivitätssteigerung mit Beifall bedacht.

Diese Auffassung stand im Widerspruch zum damaligen Stand der wirtschaftswissenschaftlichen Erkenntnis; ebenso war bekannt, welche Ordnungsvorkehrungen notwendig

sind, um Monopolisierungstendenzen der Marktwirtschaft zu vermeiden. Gleichwohl hat das Reichsgericht am 4. 2. 1897 in einem für die Entwicklung der deutschen Wettbewerbsordnung folgenschweren Urteil ausdrücklich festgestellt, daß die Freiheit zur Kartellbildung mit dem Prinzip der Vertrags- und Gewerbefreiheit vereinbar ist. Die ohnehin vom Schutzzoll begünstigte Neigung zur Kartellierung erhielt erst dadurch jenen außerordentlich starken Auftrieb, durch den Deutschland zum klassischen Land der Kartelle wurde.

Daß diese auf eine Wettbewerbspolitik des Laissez-Faire hinauslaufende Entwicklung keineswegs zwangsläufig war, zeigt die vergleichsweise erfolgreiche Politik der Wettbewerbsordnung in den USA seit 1890. Die der marxistischen Theorie des Monopolkapitalismus zugrunde liegende Zwangsläufigkeitshypothese ist auch zwischenzeitlich durch vielfältige Erfolge in der Sicherung offener wettbewerblicher Märkte widerlegt worden. So kommt es, daß die Häufigkeit der Verwendung des Begriffs Monopolkapitalismus und sein auch heute noch beachtlicher Propagandawert im umgekehrten Verhältnis zu seinem Realitätsgehalt stehen. Wer sorgfältig nach Monopolen sucht, wird in der Wirklichkeit ohnehin nur Staatsmonopole finden.   *A. S.*

Literatur: *Arndt, H.,* Die Konzentration in der Wirtschaft, Bd. 1 und 2, 2. Aufl., Berlin 1971. *Kolakowski, L.,* Die Hauptströmungen des Marxismus. Entstehung, Entwicklung, Zerfall, Bd. 2, 2. Aufl., München, Zürich 1981.

Monopolkommission

Im Rahmen der 2. Novellierung des Gesetzes gegen Wettbewerbsbeschränkungen (GWB) wurde 1973 eine Monopolkommission geschaffen, deren Aufgabe gemäß § 24b GWB in der regelmäßigen Begutachtung der Entwicklung der Unternehmenskonzentration und der Anwendung der §§ 22 bis 24a GWB besteht.

Die fünf Mitglieder der Monopolkommission werden auf Vorschlag der Bundesregierung vom Bundespräsidenten berufen. Sie müssen sachkundig sein und haben ihre Tätigkeit unabhängig auszuüben.

Seit 1976 legt die Monopolkommission alle zwei Jahre ein sog. Hauptgutachten vor. Ferner kann die Monopolkommission zu speziellen Themen Sondergutachten erstatten. Auch hat der Bundesminister für Wirtschaft eine Stellungnahme der Monopolkommission einzuholen, bevor er im Rahmen der „Ministererlaubnis" (→ Zusammenschlußkontrolle) des § 24 Abs. 3 entscheidet, ob ein vom Bundeskartellamt untersagter Unternehmenszusammenschluß dennoch zugelassen werden soll, weil die durch ihn bewirkte Wettbewerbsbeschränkung durch gesamtwirtschaftliche Vorteile oder ein überragendes Interesse der Allgemeinheit gerechtfertigt ist.

Die Gutachten der Monopolkommission haben die Kenntnis über Stand und Entwicklung der → Unternehmenskonzentration in der Bundesrepublik Deutschland wesentlich gefördert. Die kritische Würdigung, die die Praxis der → Mißbrauchsaufsicht und der Zusammenschlußkontrolle durch die Monopolkommission regelmäßig erfährt, verbessert die Voraussetzungen dafür, daß Mängel der bestehenden Regelung frühzeitig erkannt und die der Wettbewerbspolitik hier zugänglichen Möglichkeiten sachgerecht genutzt werden.

H. B.

Monopolkontrolle → Mißbrauchsaufsicht

Monopolrente → Amoroso-Robinson-Relation

Monopoltheorie

theoretische Erfassung der Definition und der wohlfahrts- und wettbewerbstheoretischen Implikationen des → Monopols unter den Aspekten der → Marktstruktur, des → Marktverhaltens und des → Marktergebnisses.

Das *strukturelle* Kriterium für ein Monopol ist erfüllt, wenn sich auf der Angebotsseite eines Marktes nur eine Wirtschaftseinheit – i. d. R. ein Unternehmen – befindet. Da in der Praxis meist unvollkommene Märkte vorliegen, ist jedoch die Abgrenzung von Märkten nicht ohne ein gewisses Maß an Willkür möglich (→ relevanter Markt). Darüber hinaus ist u. U. ein sehr großes Unternehmen neben einer Vielzahl sehr kleiner Unternehmen auch als Monopol zu betrachten. Für theoretische Überlegungen spielt dennoch das strukturelle Kriterium eine zentrale Rolle.

Unter dem *Verhaltensaspekt* liegt ein Monopol vor, wenn der „Monopolist" seine → Aktionsparameter (z. B. Preis oder Werbung) ohne Rücksicht auf etwaige Reaktionen der Konkurrenten einsetzt. Wählt der Monopolist den Preis als Aktionsparameter (Preisfixierer) und die Menge als → Erwartungsparameter, so glaubt er seine konjekturale Preisabsatzfunktion mit der Marktnachfrage identisch.

Um ein Monopol vom *Marktergebnis* her zu definieren, muß mit nur schlecht operationalisierbaren Kriterien wie „überhöhter Preis" oder „geringe Innovationsbereitschaft" gearbeitet werden.

Monopoltheoretische Überlegungen gehen i. d. R. vom Modell des französischen Mathematikers *Antoine Cournot* (1801–1877) aus. Mit einer leichten Modifizierung läßt sich die Cournotsche Monopollösung graphisch wie folgt darstellen (vgl. Abb.).

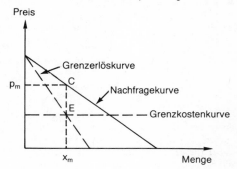

Cournotsche Monopollösung

Will der Monopolist seinen Gewinn maximieren, so muß er seine Produktion solange ausdehnen, bis der Grenzgewinn Null ist; denn das Gewinnmaximum wird dann erreicht, wenn Grenzerlös und Grenzkosten gleich sind und die Steigung der Grenzerlöskurve kleiner als die Steigung der Grenzkostenkurve ist (Punkt E). Punkt C auf der Nachfragekurve (mit den Koordinaten gewinnmaximaler Preis p_m; gewinnmaximale Menge x_m) wird als Cournotscher Punkt bezeichnet.

Eine Erweiterung des Cournotschen Falles stellt das Modell des Teilmonopols dar. Hierbei befinden sich neben einem großen Anbieter ein oder mehrere kleine Anbieter auf dem Markt. Diese Situation wird auch als → Forchheimerscher Fall bezeichnet. Der Teilmonopolist legt seinem Gewinnkalkül nicht die Marktnachfrage selbst, sondern diejenige Nachfrage zugrunde, die sich nach Subtraktion der von den kleinen Anbietern auf den Markt gebrachten Mengen von der Gesamtnachfrage ergibt. Graphisch läßt sich dieser Sachverhalt wie folgt darstellen (vgl. Abb. auf S. 194 oben).

Die vom kleinen Anbieter gemäß seiner Angebotskurve jeweils angebotene Menge wird von der insgesamt nachgefragten Menge (Branchennachfragefunktion AD) abgezogen, so daß für den Teilmonopolisten die Nachfragekurve BCD gilt. Der Teilmonopolist bestimmt nun unter Zugrundelegung dieser Nachfragekurve wie bei der Cournotschen Monopollösung seinen gewinnmaximalen Preis p_m und die Menge x_m; die insgesamt abgesetzte Menge beträgt hierbei x_K.

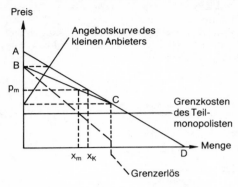

Teilmonopol

Preis

A
B
p_m

Angebotskurve des
kleinen Anbieters

C

Grenzkosten
des Teil-
monopolisten

x_m x_K

Menge

D

Grenzerlös

In der Regel werden monopolistische Marktstrukturen negativ bewertet im Vergleich zu wettbewerblichen. Die → Wohlfahrtstheorie verbindet mit monopolistischer Preissetzung einen gesamtwirtschaftlichen Verlust an → Konsumenten- und → Produzentenrente.

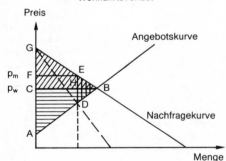

Wohlfahrtsverlust

Preis

G

E

p_m F
p_w C

B

D

A

Angebotskurve

Nachfragekurve

Menge

Bei Vorliegen des Wettbewerbspreises p_w ist die Summe aus Konsumentenrente (CGB) und Produzentenrente (ACB) maximal: Bei jedem anderen Preis ist sie geringer als AGB. So beträgt der Wohlfahrtsverlust beim Monopolpreis p_m DEB. Die Produzentenrente steigt zwar um (CFEH-DHB), aber dies wird überkompensiert durch den Verlust an Konsumentenrente von CFEB.

Bedeutender als die Wohlfahrtsverluste aufgrund monopolistischer Preisbildung können die Verluste sein, die durch mangelnde → X-Effizienz entstehen.   *P. O.*

Literatur: *Fehl, U./Oberender, P.*, Grundlagen der Mikroökonomie, 2. Aufl., München 1985. *Ott, A. E.*, Grundzüge der Preistheorie, 3. Aufl., Göttingen 1979.

Monopson → Nachfragemonopol

Montanmitbestimmungsgesetz (1951)

regelt die → Mitbestimmung der Arbeitnehmer im Aufsichtsrat und → Vorstand für Unternehmen des Bergbaus und der eisen- und stahlerzeugenden Industrie, wenn diese i. d. R. mehr als 1000 Arbeitnehmer beschäftigen und in der Rechtsform einer → Aktiengesellschaft, → Gesellschaft mit beschränkter Haftung oder → bergrechtlichen Gewerkschaft betrieben werden (§ 1). Ende 1983 wurden davon 34 Unternehmen mit ca. 600000 Beschäftigten erfaßt. Das Organisationsmodell der Montanmitbestimmung zeigt die folgende Abbildung.

Grundmodell der Montanmitbestimmung (AG)

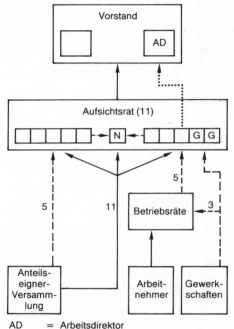

AD = Arbeitsdirektor
G = Gewerkschaftsvertreter
N = Neutraler Mann
———▶ = Wahl-/Bestellrecht
---▶ = Vorschlagsrecht
······▶ = Berufungs-/Abberufungs-
          einverständnis

Quelle: *Steinmann, H./Gerum, E.,* Unternehmensordnung, in: *Bea, F. X./Dichtl, E., Schweitzer, M.* (Hrsg.), Allgemeine Betriebswirtschaftslehre, Bd. 1, 3. Aufl., Stuttgart, New York 1985.

Herausstechende Merkmale der Montanmitbestimmung bilden:
(1) die → paritätische Mitbestimmung, d. h. der Aufsichtsrat setzt sich zu gleichen Teilen aus Vertretern der Kapitaleigner und Arbeit-

nehmer zusammen. Die Parität bleibt auch erhalten, wenn sich der Aufsichtsrat mit steigendem Nominalkapital (als Maß für die Unternehmensgröße) von 11 auf 15 bzw. 21 Mitglieder vergrößert (§§ 4 Abs. 1, 9).

(2) der sog. „Neutrale" oder „11. Mann" im Aufsichtsrat. Er wird auf gemeinsamen Vorschlag der gewählten Aufsichtsratsmitglieder seitens Kapital und Arbeit von der Hauptversammlung gewählt. Kommt ein gemeinsamer Vorschlag nicht zustande, so entscheiden letztlich jedoch die Kapitaleigner in der Hauptversammlung (§ 8 Abs. 3). Durch die Existenz des neutralen Mannes ist Vorsorge getroffen, daß Pattsituationen im Aufsichtsrat auflösbar sind, ohne einer der beiden Interessengruppen ein Übergewicht einzuräumen.

(3) der → Arbeitsdirektor als zwingend vorgeschriebenes gleichberechtigtes Vorstandsmitglied für das Personalressort. Er kann nicht gegen die Mehrheit der Stimmen der Arbeitnehmer im Aufsichtsrat bestellt und abberufen werden. Trotz dieser Bindung an die Arbeitnehmerseite bleibt der Arbeitsdirektor als Vorstandsmitglied dem Wohl des Gesamtunternehmens verpflichtet.

Von den → Gewerkschaften wird gefordert, das Montanmodell auf alle Großunternehmen auszudehnen.   *E. Ge.*

Literatur: *Brinkmann-Herz, D.,* Entscheidungsprozesse in den Aufsichtsräten der Montanindustrie, Berlin 1972. *Spieker W./Strohauer, H.,* 30 Jahre Management gegen die Montan-Mitbestimmung, Köln 1982.

Montanunion

übliche Kurzbezeichnung für die → Europäische Gemeinschaft für Kohle und Stahl.

Monte-Carlo-Methoden → statistische Simulation, → Zufallszahlen

moral hazard

aus dem Versicherungswesen stammender Begriff für den Sachverhalt, daß dem Versicherer über das echte Risiko, das sich auf unkontrollierte äußere Einflüsse bezieht, hinaus ein zusätzliches, nämlich das „moralische" Wagnis entsteht, weil der Versicherungsnehmer sich nachlässig verhält, und der Versicherer aus Gründen mangelnder Information beide Schadensursachen nicht voneinander unterscheiden kann. Das Bestehen einer Versicherung kann somit einen Anreiz zu unvorsichtigem Handeln darstellen, was entsprechend höhere Prämien nach sich zieht.

Moral hazard-Phänomene sind verstärkt zu beobachten, wenn die Mentalität des „Wie-

derhereinholens" von Beitragsleistungen hinzutritt. Letzteres ist insb. bei Zwangsversicherung (z. B. Krankenpflichtversicherung) nicht auszuschließen, zumal wenn die Beiträge eine bestimmte Schwelle fühlbar übersteigen. Moral hazard tritt jedoch nicht nur im Versicherungswesen auf, sondern immer dann, wenn bestimmte Risiken vom Kollektiv abgedeckt werden (→ Wohlfahrtsstaat, → Gesundheitsökonomik). Der Sachverhalt des moral hazard erinnert insofern an die Übernutzungserscheinungen bei bestimmten Formen des gemeinsamen Eigentums (z. B. → Allmende).

U. F.

Literatur: *Frey, B. S.,* Theorie demokratischer Wirtschaftspolitik, München 1981.

Moral Suasion

(Seelenmassage) Versuche, verbal das Verhalten Privater zu beeinflussen. Zu erinnern ist vor allem an die früheren Maßhalteappelle *Ludwig Erhards* an die Adresse der Konsumenten, an die Versuche durch → Lohnleitlinien oder → Orientierungsdaten die Gewerkschaften zur Mäßigung zu veranlassen, und an die Aufrufe, Inlandsprodukte bevorzugt zu kaufen. Das Verhalten selbst hat die Moral Suasion i. d. R. zwar nicht beeinflussen können, aber zuweilen der anstehenden politischen Entscheidung in der Öffentlichkeit durch das eindringliche Ansprechen des Problems den Weg bereiten helfen.

In der Geldpolitik bedienen sich häufig Notenbanken des Instrumentes der Moral Suasion, indem sie versuchen, durch Appelle vor allem das Verhalten der Kreditinstitute im Sinne gesamtwirtschaftlicher Ziele zu beeinflussen. In diesem Zusammenhang werden die Kreditinstitute z. B. aufgefordert, sich in der Kreditvergabe oder bei bestimmten Wertpapierverkäufen zurückzuhalten.   *U. T.*

Moratorium → Vergleich

Morgenstern-Paradoxon

Bezeichnung für einen Gedankengang, mit dem *Oskar Morgenstern* nachweist, daß unter bestimmten Konstellationen vollkommene Voraussicht und wirtschaftliches Gleichgewicht nicht miteinander vereinbar sind. Ein Hauptmerkmal wirtschaftlichen Verhaltens ist die Geheimhaltung, die besonders bei unvollständigem Wettbewerb (→ Marktformen) deutlich wird, da der entgegengesetzte Marktteilnehmer bei einer Transaktion einen Vorteil erzielte, falls er erführe, was man selbst plant und umgekehrt. Macht man nun für beide Marktseiten von der Annahme der vollkommenen Voraussicht Gebrauch, die sich auch auf das Verhalten der jeweiligen Marktgegenseite und auf den Einfluß des eigenen künftigen Verhaltens auf das Verhalten der jeweiligen Marktgegenseite erstreckt, so erhält man eine unendliche Kette von wechselseitig vermuteten Reaktionen und Gegenreaktionen, so daß es nicht zu ökonomischen Aktivitäten der Marktteilnehmer kommt. Diese Kette kann daher niemals durch einen Akt der Erkenntnis, sondern immer nur durch einen Willkürakt abgebrochen werden. Da dieser Entschluß aber ebenfalls von den Individuen vorhergesehen wurde und daher nicht zustande kommt, ist bewiesen, daß das Paradoxon bestehen bleibt. Als anschauliches Beispiel für seine Überlegungen verwendet *Morgenstern* die Verfolgung von *Sherlock Holmes* durch seinen Gegner *Moriarty.*   *P. S.*

Literatur: *Morgenstern, O.,* Vollkommene Voraussicht und wirtschaftliches Gleichgewicht, in: Zeitschrift für Nationalökonomie, Bd. 6 (1935), S. 337 ff.

Morgenthau-Plan

vom US-Staatssekretär *Henry Morgenthau* am 2. 9. 1944 vorgelegter Plan zur künftigen Gestaltung der deutschen Wirtschaft. Neben territorialen Abtretungen, der Aufteilung in zwei Staaten und der Internationalisierung der Ruhr waren vor allem die Zerschlagung des Industriepotentials und ein umfangreicher Reagrarisierungsprozeß vorgesehen. Obwohl von Präsident *Franklin D. Roosevelt* abgelehnt, schlugen sich die Vorstellungen des Morgenthau-Plans in vielen Entscheidungen der westlichen Besatzungsmächte bis 1946/47 nieder.

Mortalität → Sterblichkeit

Most Seriously Affected Countries (MSAC)

eine im Rahmen der → Entwicklungsländertypologien gebildete Untergruppe innerhalb der Entwicklungsländer.

Diese Ländergruppe umfaßt jene Volkswirtschaften, die nach Ansicht der → Vereinten Nationen von der Weltwirtschaftskrise der Jahre 1973 und 1974 am meisten betroffen waren, wobei folgende Kriterien angelegt wurden: niedriges Pro-Kopf-Einkommen, drastische Verteuerung der Einfuhrpreise lebenswichtiger Güter im Vergleich zu den Exporteinnahmen, hohe Schuldendienstrate, geringer oder nicht dem Bedarf entsprechender Umfang der Devisenreserven, relativ wichtige Rolle des Außenhandels für den Entwicklungsprozeß, unzureichende oder verhältnis-

mäßig unelastische Exporteinnahmen sowie fehlende exportfähige Überschüsse.

Zu dieser z. Z. 45 Länder umfassenden Gruppierung gehören u. a. Ägypten, Äthiopien, Bangladesh, El Salvador, Ghana, Guatemala, Indien, Niger, Pakistan, Sri Lanka. Davon sind 26 Länder gleichzeitig auch der Kategorie der → Least Developed Countries (LLDC) zugeordnet.   *H.-R. H./H.-J. Te.*

Literatur: *Hemmer, H.-R.,* Wirtschaftsprobleme der Entwicklungsländer, München 1978.

Motivation

psychologischer Begriff, der auf die Erklärung und Prognose der Antriebskräfte des menschlichen Handelns abzielt. Vor allem in der ersten Hälfte des 20. Jh. wurden in der Psychologie und in Nachbardisziplinen wie Psychiatrie und Biologie zahlreiche Motivationstheorien entwickelt. Dazu gehören die psychoanalytische Theorie von *Siegmund Freud,* die Instinkttheorien *(William McDougall)* und einige physiologisch geprägte Triebtheorien, um nur die wichtigsten zu nennen.

Nach einer weit verbreiteten Einteilung unterscheidet man primäre und sekundäre Motive. Erstere sind „körpernahe", physiologische Bedürfnisse wie Hunger, Durst oder Sexualtrieb. Letztere sind „höhere", über die Existenzsicherung hinausgehende Motive wie Prestige- oder Leistungsmotiv, die im Zuge der Sozialisation gelernt werden (→ Bedürfnishierarchie).

In den Wirtschaftswissenschaften werden Motivationstheorien zur Erklärung und Prognose des Verhaltens von Konsumenten und Arbeitnehmern herangezogen. Das Verhalten von Unternehmern wird dagegen im Rahmen der betriebswirtschaftlichen Ziel- und → Entscheidungstheorie analysiert, die eher kognitiv und normativ geprägt sind.

In der neueren Theorie des → Konsumentenverhaltens werden Motive (Bedürfnisse) als innere psychische Erregungen (→ Aktivierung) verstanden, die einen Handlungsantrieb bewirken und bewußt erlebt werden *(Werner Kroeber-Riel).* Sie können durch innere und äußere Reize, z. B. durch einen Werbeappell, aktiviert werden.

Eine motivationale Erregung löst nicht unbedingt eine bestimmte Kaufabsicht aus, sondern zunächst nur einen ungerichteten Handlungsdrang. Deswegen läßt sich aus dem bloßen Vorhandensein eines Motivs nicht der Kauf eines bestimmten Produkts ableiten. Dies wird erst möglich durch den Übergang zum Konzept der → Einstellung, welches auch die kognitive Beurteilung eines Produkts zur

Motivbefriedigung einbezieht. Einstellungen spielen deshalb als das übergeordnete Konstrukt eine ungleich wichtigere Rolle in der Konsumentenforschung. Hinzu kommt, daß im allgemeinen mehrere Motive, die auch konfliktär sein können (→ Motivkonflikte), an einem Kauf beteiligt sind. Schließlich sind die Verfahren der Motivmessung aufwendig und methodisch anfechtbar.

Motivationstheorien werden auch zur Erklärung des Arbeitnehmerverhaltens herangezogen, wobei die Motivation zur Arbeit im Mittelpunkt steht. Sie bestimmt gemeinsam mit den Fähigkeiten und situativen Einflüssen das Arbeitsergebnis. Die Aufgabenstellung lenkt die Aufmerksamkeit der Person und beeinflußt gleichzeitig ihre Bereitschaft, sich anzustrengen. Richtung (der Aufmerksamkeit) und Intensität (des Einsatzes) kennzeichnen die beiden motivationstheoretischen Fragestellungen.

Die interindividuell auftretende Variation der Arbeitsmotivation wird unterschiedlich erklärt: Nach inhaltlichen Motivationstheorien *(Abraham Maslow, C. P. Alderfer, Frederick Herzberg)* liegt es am Befriedigungsgrad wichtiger Bedürfnisse, nach den Prozeßtheorien *(V. H. Vroom, Lutz v. Rosenstiel)* an einer Einschätzung der Bedeutsamkeit eines Zieles (Valenz), der Eignung bestimmter Verhaltensweisen für die Zielerreichung (Instrumentalität) und der subjektiven Wahrscheinlichkeit, durch eigenes Verhalten dieses Ziel auch tatsächlich zu erreichen (Erwartung: die sog. VIE-Theorien).

Motivationstheoretische Ansätze werden vor allem zur Erörterung dreier Problemstellungen herangezogen:
(a) Die Leistung scheint durch die Art der Motivation wesentlich beeinflußt zu werden. Bei Erfolgsmotivierung steigt die Leistung mit der Aufgabenschwierigkeit, bei Mißerfolgsmotivierung sinkt sie dagegen jenseits eines mittleren Schwierigkeitsgrades (→ Leistungsmotivation) ab.
(b) Zufriedenheit, ebenfalls inhaltlich oder prozessual (s. o.) erklärt, gilt entweder als eigenständiges Ziel oder als Voraussetzung für andere Ziele (Krankenstand, → Fluktuation, → Absentismus) organisatorischer Gestaltungsmaßnahmen.
(c) Die psychologische Arbeitsgestaltung sucht den Anregungsgehalt von Aufgabenstellungen und Arbeitsbedingungen motivationsförderlich auszurichten (→ Organisationsentwicklung).   *K. Be./K. P. K.*

Literatur: *Cofer, C. N.,* Motivation und Emotion, Grundfragen der Psychologie, München 1975. *Kroeber-Riel, W.,* Konsumentenverhalten, 3. Aufl.,

München 1984. *v. Rosenstiel, L.,* Die motivationalen Grundlagen des Verhaltens in Organisationen – Leistung und Zufriedenheit, Berlin 1975. *Neuberger, O.,* Theorien der Arbeitszufriedenheit, Stuttgart 1974.

Motivatoren → Leistungsmotivation

Motivforschung

Zweig der Psychologie, der sich mit der Erforschung der Antriebskräfte des menschlichen Handelns befaßt (→ Motivation). In einer engeren Sicht ist die Motivforschung von *Ernest Dichter* gemeint, die in den 60er Jahren durch die Schriften von *Vance Packard* in der Öffentlichkeit beträchtliches Aufsehen erregt hat. Dabei handelt es sich um eine spekulative und eklektizistische Ableitung von „Kaufmotiven" aus psychoanalytischen Ideen, die in der modernen Konsumentenforschung keine ernsthaften Anhänger mehr hat (→ Konsumentenverhalten). Gleichwohl wirkt die Dichter'sche Motivforschung in der populärwissenschaftlichen Kritik am → Marketing (Marketing als Manipulationstechnik) sowie in der Rechtsprechung und im juristischen Schrifttum zum → Gesetz gegen den unlauteren Wettbewerb bis heute nach.

Literatur: *Salcher, E. F.,* Psychologische Marktforschung, Berlin, New York 1978. *Wiswede, G.,* Motivation und Verbraucherverhalten, München, Basel 1965.

Motivkonflikt

intrapersoneller Konflikt als Folge von gleichzeitig aktivierten, aber miteinander unvereinbaren Motiven.

In der Konsumentenforschung unterscheidet man im Anschluß an entsprechende motivationspsychologische Ansätze u. a. Appetenz-Appetenz-Konflikte und Appetenz-Aversions-Konflikte (Ambivalenzkonflikte). Erstere liegen vor, wenn ein Konsument sich beim Kauf zu zwei oder mehreren Produkten hingezogen fühlt, letztere, wenn ein Produkt ihn durch einzelne Attribute anzieht und durch andere abstößt. Motivkonflikte sind von kognitiven Konflikten insofern abzugrenzen, als es um widerstreitende Handlungstendenzen geht, während etwa eine → kognitive Dissonanz schon durch konfliktäre Kognitionen bewirkt werden kann.

In der präskriptiv orientierten mikroökonomischen Haushaltstheorie werden Konflikte durch die Forderung nach formaler Rationalität ausgeschlossen. In der betriebswirtschaftlichen Zielforschung werden sie als Zielkonflikte bezeichnet und in einer ebenfalls primär rationalistischen Sichtweise behandelt.

MTM-Verfahren → Methods-Time-Measurement-Verfahren

Mühlenkonvention

exemplarischer Fall eines privatwirtschaftlich organisierten Kapazitätsabbauprogramms (→ Kapazitätslenkung) unter den Bedingungen eines → Strukturkrisenkartells in der Bundesrepublik Deutschland. Die Mühlenwirtschaft beantragte Mitte der 50er Jahre die Erlaubnis zur Bildung eines Kartells, das eine Preis- und Quotenvereinbarung, einen Investitionsverzicht und die Errichtung eines Fonds zwecks Kapazitätsstillegung vorsah. Da das → Gesetz gegen Wettbewerbsbeschränkungen noch nicht in Kraft war, erteilte der Bundeswirtschaftsminister die Genehmigung zur Bildung einer „Mühlenkonvention". Zur Absicherung der vertraglichen Maßnahmen und zur Verhinderung eines Außenseiterwettbewerbs wurde 1957 das „Mühlengesetz" verabschiedet. Obwohl mit der Mühlenkonvention von 1958 bis 1961 etwa 25% aller Betriebe stillgelegt wurden, blieb die Überkapazität bei allerdings höherer Konzentration nahezu unverändert erhalten.

Müll → Abfall

Münzbund

seit Ende des 14. Jh. Zusammenschluß von Städten und Territorien zur Sicherung der Wertbeständigkeit der Münzen und Erweiterung ihres Geltungsbereiches (1377 oberrheinischer, 1396 schwäbischer Münzbund u. a.). Das Ziel wurde ebenso wie bei der Reichsmünzreform des 16. Jh. nur bedingt erreicht. Erfolgreicher waren die Münzkonventionen des Deutschen Zollvereins (1837, 1857), die feste Umtauschrelationen für Taler und Gulden mit sich brachten.

Münzgeld → Zentralbankgeld

Münzgesetz → Währungsreform

Münzgewinn

(seigniorage) resultiert begrifflich aus einer Zeit, als → Geld in Form von Metallmünzen verwendet wurde. Für diesen Fall ist er als Differenz zwischen dem Emissionswert, also dem der Münze aufgedruckten Wert, und den Produktionskosten definiert. Der Münzgewinn kann dabei als eine Art Steuer für den Souverän aufgefaßt werden, der den Wirtschaftssubjekten das Zahlungsmittel Münzgeld zur Verfügung stellt. Mit dem Münzge-

winn entstehen zugleich soziale Verluste (für alle Geldverwender), da der Geldwert nicht dem Stoffwert der Münze entspricht; volkswirtschaftliche Gewinne erwachsen daraus, daß mit der Verwendung von (hinsichtlich des Stoffwertes) unterwertigem Geld Ressourcen bei der Geldproduktion eingespart werden.

Ein Münzgewinn entsteht auch bei der Schaffung von Banknoten (→ Zentralbankgeld), Giralgeld (→ Geschäftsbankengeld) oder auch von internationalen Zahlungsmitteln wie den → Sonderziehungsrechten oder auch der → Europäischen Währungseinheit (ECU). Häufig wird dabei der Münzgewinn als Differenz zwischen dem Nominalwert der entsprechenden Geldart und den Druck-, Verwaltungs- und evtl. entstehenden Opportunitätskosten (Verzicht auf Zinserträge bei alternativer Verwendung) aufgefaßt. Diese Sichtweise würde jedoch zu einem unangemessen hohen Münzgewinn verleiten: Der Münzgewinn der Bundesbank entspräche dann dem gesamten Banknotenumlauf, da deren Produktionskosten vernachlässigbar gering sind; der Münzgewinn der Geschäftsbanken entspräche fast der gesamten Giralgeldmenge, da Zins- und Verwaltungsausgaben nur einen Bruchteil des Giralgeldvolumens ausmachen. Der Münzgewinn würde bei weitem höher ausgewiesen als etwa der unternehmerische Bankgewinn.

Ermittelt man dagegen den Münzgewinn (als Gewinn aus der → Geldschöpfung) bilanzmäßig in der gleichen Art wie ursprünglich bei Metallmünzen, so gilt für ihn die Differenz zwischen dem Wert der Geldmenge (Passivseite der Bilanz) und der diesem Wert gegenüberstehenden Wert an Aktiva (Aktivseite der Bilanz) beim Geldemittenten. Dennoch aber ist der Münzgewinn nicht einfach diesem unternehmerischen Bankgewinn gleichzusetzen.

Ein Münzgewinn bei umlaufenden Metallmünzen entsteht erst dadurch, daß der Souverän Exklusivrechte zum Prägen unterwertiger Münzen vergibt. Er ist damit also nichts anderes als der gegenüber der Konkurrenzsituation zwischen Geldemittenten entstehende zusätzliche Gewinn (das gleiche gilt auch für den Wert des Goodwill einer Bank); er ist gleich hoch wie der Monopolgewinn, wenn im Konkurrenzfalle gar keine Gewinne entstünden.

Damit stellt sich die Frage, wem dieser Münzgewinn eigentlich zusteht. Nach *Milton Friedman* und *Harry G. Johnson* sollte durch eine Verzinsung der Kassenhaltung der Münzgewinn auf die Geldverwender verteilt werden, die durch die staatliche Konzession bei der Geldschaffung den Münzgewinn eigentlich tragen. Dies gilt auch für den Münzgewinn, der bei der Schaffung von internationalen Zahlungsmitteln wie Sonderziehungsrechten anfällt.

Eine Verteilung des Münzgewinns wird deshalb angestrebt, weil er eine optimale Geldversorgung verhindere. Diese optimale Kassenhaltung besteht nämlich dann, wenn der zusätzliche Nutzen einer vermehrten Kassenhaltung Null ergibt. Um diese optimale Kassenhaltung anzustreben, für die kein Zinsertrag anfällt, schlägt *Friedman* vor, die Geldmenge so zu steuern, daß das Preisniveau bis zu einem Umfang fällt, bei dem der nominelle Zinssatz Null ergibt. Eine Rendite der Kassenhaltung ergibt sich dabei durch eine sich steigernde Realkasse.

In der Ausgestaltung entgegengesetzt ist das von *Silvio Gesell* vorgeschlagene Schwundgeld, bei dem der den Banknoten aufgedruckte Wert periodisch reduziert wird; dieses Schwundgeld führt zu einer starken Steigerung der Umlaufgeschwindigkeit des Geldes.

M. Bo.

Literatur: *Friedman, M.,* Die optimale Geldmenge und andere Essays, München 1970. *Johnson, H. G.,* Beiträge zur Geldtheorie und Geldpolitik, Berlin 1976.

Münzhoheit → Notenbank

Münzkonvention → Münzbund

Münzregal → Notenbank

Münzverrufung

mittelalterliches Finanzierungsinstrument des Landesherrn durch Einzug vollwertiger Münzen und Neuprägung mit verringertem Edelmetallgehalt.

multi currency clause → Roll-over-Kredit

multiattributive Einstellungsmodelle → Einstellung, → Einstellungsmodelle

multidimensionale Skalierung → mehrdimensionale Skalierung

Multikollinearität

liegt dann vor, wenn zwischen den erklärenden Variablen lineare Abhängigkeiten bestehen. Soll das → Eingleichungsmodell der Form

$$y = Xb + u$$

mit

$$y = \begin{pmatrix} y_1 \\ y_2 \\ . \\ . \\ . \\ y_T \end{pmatrix} \qquad X = \begin{pmatrix} 1 & x_{21} & \ldots\ldots & x_{n1} \\ . & . & & \\ . & . & & \\ . & . & & \\ . & . & & \\ 1 & x_{2T} & \ldots\ldots & x_{nT} \end{pmatrix}$$

$$b = \begin{pmatrix} b_1 \\ b_2 \\ . \\ . \\ . \\ b_n \end{pmatrix} \qquad u = \begin{pmatrix} u_1 \\ u_2 \\ . \\ . \\ . \\ u_T \end{pmatrix}$$

mit Hilfe der Methode der kleinsten Quadrate geschätzt werden, so ergeben sich folgende Bestimmungsgleichungen für die Regressionskoeffizienten b:

$$b = (X'X)^{-1} X'y$$

Sind starke lineare Abhängigkeiten in X gegeben, so ist die Determinante X'X nahe Null. In der Bestimmungsgleichung treten daher bei der Inversion von X'X hohe Rundungsfehler und damit große Schätzfehler auf. Zur Vermeidung von Multikollinearität werden verschiedene Verfahren vorgeschlagen.

(1) Elimination von Regressoren: Hochkorrelierte Regressoren (erklärende Variablen) werden weggelassen.

(2) Bereinigungsverfahren: Alle Variablen des Ansatzes, auch der Regressand (zu erklärende Variable), werden vom Einfluß eines oder mehrerer der korrelierenden Regressoren bereinigt, z.B. durch Trendbereinigung.

(3) Bildung erster Differenzen: Es werden die ersten Differenzen aufeinanderfolgender Beobachtungswerte gebildet und damit die Schätzung durchgeführt, z.B.

$$\Delta y_t = y_t - y_{t-1}$$
$$\Delta x_t = x_t - x_{t-1},$$

so daß die Gleichung

$$\Delta y_t = \beta_0 + \beta_1 \Delta x_{1t} + \beta_2 \Delta x_{2t} + \ldots$$

geschätzt wird.

(4) Verwendung externer Informationen: Berücksichtigung von A-priori-Restriktionen, z.B. aus der Theorie oder aus → Querschnittsanalysen.

R. H.

Literatur: *Schneeweiß, H.,* Ökonometrie, Würzburg, Wien 1978.

Multikriterienanalyse → Mehrzieloptimierung

multilaterale Hilfe

öffentliche → Kapitalhilfe mehrerer Geberländer, die von internationalen Institutionen „gesammelt" und dann an die Empfängerländer weitergeleitet werden. Die Vorteilhaftigkeit der multilateralen Hilfe liegt u. a. in der Möglichkeit, finanzielle Mittel für große Projekte aufzubringen. Allerdings ist der Verwaltungsaufwand i. d. R. höher als bei der bilateralen Hilfe.

Multilateralismus

im Gegensatz zum → Bilateralismus eine liberale Konzeption der → Weltwirtschaftsordnung, die auf freier → Konvertibilität der einzelnen Währungen, dem Prinzip der → Meistbegünstigung und der Abwesenheit mengenmäßiger Handelsbeschränkungen basiert, wohingegen sie mit der Existenz nicht-diskriminierender Zölle vereinbar ist. Der Multilateralismus hatte seine historische Blütezeit in der zweiten Hälfte des 19. Jh. und ist nach dem Zweiten Weltkrieg durch die Prinzipien des → Allgemeinen Zoll- und Handelsabkommens erneut begründet worden.   *W. L.*

multinationales Unternehmen

(transnationales, internationales Unternehmen) Unternehmen, das in mehreren Ländern tätig ist, wobei der Prozeß der Leistungserstellung und der Leistungsverwertung gleichzeitig im In- und Ausland erfolgt. Meist durchläuft eine Unternehmung verschiedene Phasen der Internationalisierung auf dem Weg zum multinationalen Unternehmen (→ Auslandsinvestition):

(1) Import von Produktionsfaktoren (z. B. Rohstoffe),

(2) Export und Verkauf von Produktionsüberschüssen durch selbständige Händler oder eine eigene Vertriebsorganisation,

(3) Errichtung von zentral gelenkten Tochtergesellschaften,

(4) autonome, den jeweiligen Markterfordernissen angepaßte Eigenproduktion der Tochtergesellschaften,

(5) Kooperation der Tochtergesellschaften mit Unternehmen aus Drittländern,

(6) grenzüberschreitende Fusionierung,

(7) Bildung multinationaler Konzerne, bei denen die Unternehmensstrategie länderübergreifend konzipiert wird und das Kapital weltweit gestreut ist.

Komplexität und Verschiedenartigkeit der Umwelt stellen hohe Anforderungen an die Organisationsstruktur, die Informations- und Kommunikationssysteme sowie die Planung. Bei der Steuerung multinationaler Aktivitäten spielen besonders die Finanzpolitik und die Finanzplanung eine herausragende Rolle.

multiple Korrelationsanalyse → Korrelationsanalyse

multiple Regressionsanalyse

Erklärung des Verhaltens der zu prognostizierenden Zeitreihe durch das Verhalten anderer Zeitreihen, von denen man annimmt, daß sie die zu prognostizierende Zeitreihe beeinflussen. Die beeinflussenden Größen werden unabhängige oder → exogene Variablen, die zu prognostizierende Zeitreihe abhängige oder → endogene Variable genannt.

Bezeichnet man mit y die abhängige Variable, mit x_i (i = 1, ..., n) die unabhängigen Variablen und mit u eine nicht vorhersehbare Störvariable, so gilt folgende allgemeine Regressionsgleichung:

$$y = f(x_1, x_2, ..., x_n) + u$$

Die Funktion f kann in der Praxis nichtlinear und von komplexer Struktur sein, wird aber häufig als linear angenommen, um den mathematischen Aufwand zu begrenzen. Liegen T Zeitreihenwerte aus der Vergangenheit vor, so nimmt die Regressionsgleichung folgende Form an:

$$y_t = b_0 + b_1 x_{1t} + b_2 x_{2t} + ... + b_n x_{nt} + u_t$$
$$(t = 1, ..., T)$$

Man spricht bei dieser Funktion auch von einem → Eingleichungsmodell, weil es nur eine abhängige Variable gibt. Bei → Mehrgleichungsmodellen tritt die abhängige Variable in anderen Gleichungen als unabhängige Variable auf, so daß interdependente Systeme entstehen, die für gesamtwirtschaftliche Modelle (mit den Variablen Volkseinkommen, Konsum, Investitionen usw.) typisch sind.

Die Parameter b_i (i = 1, ..., n) der Regressionsgleichung werden mit der Kleinste-Quadrate-Methode aus dem Datenmaterial geschätzt und gestatten somit eine quantitative Prognose von y, falls die Werte der unabhängigen Variablen x_i (i = 0, ..., n) bekannt sind oder bereits anderweitig prognostiziert wurden. Auf diese Weise kann man z. B. den Aktienkursindex des Statistischen Bundesamtes (abhängige Variable) mit Hilfe der unabhängigen Variablen „Rendite festverzinslicher Wertpapiere", „Zuwachsrate des Mindestreservesolls", „Geschäftsklimaindex des Ifo-Instituts" und „Dollarkurs" prognostizieren.

multipler Wechselkurs

Bezeichnung für eine Wechselkurssituation, in der durch staatliche Reglementierung und Anordnungen im Rahmen einer → Devisenbewirtschaftung oder bei → Kapitalverkehrskontrollen für unterschiedliche außenwirtschaftliche Transaktionen unterschiedliche

Wechselkurse zugrunde gelegt werden. So können in einem multiplen Wechselkurssystem z. B. Devisen für Importe sog. lebensnotwendiger Güter zu einem günstigeren Devisenkurs erworben werden als andere Importe. Oder bei Warentransaktionen mit dem Ausland werden andere Wechselkurse zugrunde gelegt als bei Finanztransaktionen.

Von einem multiplen Wechselkurssystem spricht man auch, wenn neben einem offiziellen Wechselkurs (→ Parität) ein Freimarktkurs existiert, zu dem alle Transaktionen abgewickelt werden können, für die Devisen zum offiziellen Kurs nicht zur Verfügung gestellt werden bzw. nicht abgeliefert werden müssen.

Die Praxis multipler Wechselkurse ist in Ländern, die die Verpflichtungen des Artikels VIII des Abkommens von Bretton Woods übernommen haben, grundsätzlich nicht gestattet. Multiple Wechselkurse in der einen oder anderen Form sind in den sog. Entwicklungsländern, aber auch in den → Staatshandelsländern verbreitete Erscheinung. Falls die Devisenmärkte völlig frei von staatlichen Reglementierungen und Eingriffen sind, kann es wegen des hohen Wettbewerbsgrades auf diesen Märkten nicht zu multiplen Wechselkursen kommen.   *M. F.*

Multiplexkanal → Kanal

Multiplikationssätze der Wahrscheinlichkeitsrechnung

Sind zwei Ergeignisse A und B voneinander unabhängig, d.h. hängt die Wahrscheinlichkeit des Eintretens des einen Ereignisses nicht vom Eintreten oder Nichteintreten des anderen ab, so gilt der Multiplikationssatz

$W(A \cap B) = W(A) \cdot W(B)$,

d.h. die Wahrscheinlichkeit, daß A und B gleichzeitig eintreten, ist gleich dem Produkt der Wahrscheinlichkeiten der beiden Ereignisse.

Liegt Abhängigkeit der Ereignisse A und B vor, gilt der Multiplikationssatz

$W(A \cap B) = W(A) \cdot W(B/A)$

bzw.

$W(A \cap B) = W(B) \cdot W(A/B)$;

dabei bedeutet z. B. $W(B/A)$ die Wahrscheinlichkeit von Ereignis B unter der Voraussetzung, daß vorher oder gleichzeitig Ereignis A eintritt (bedingte Wahrscheinlichkeit).

Diese Multiplikationssätze lassen sich auch auf mehr als zwei Ereignisse erweitern.

Ein Anwendungsbeispiel der Multiplikationssätze ist das → Bayessche Theorem.

Literatur: *Bleymüller, J./Gehlert, G./Gülicher, H.,* Statistik für Wirtschaftswissenschaftler, 4. Aufl.,

München 1985. *Bosch, K.,* Elementare Einführung in die Wahrscheinlichkeitsrechnung, Reinbek bei Hamburg 1976.

Multiplikator

Verstärkung der Wirkung eines exogenen Schocks auf eine modellendogene Variable durch Einbeziehung von Rückwirkungen aus dem Gesamtmodell. So ergibt sich z.B. beim Investitionsmultiplikator als Folge einer autonomen Erhöhung der → Investitionsgüternachfrage eine Verstärkung der expansiven Wirkungen aufgrund einer Einkommensabhängigkeit der → Konsumgüternachfrage. In einem einfachen Gütermarktmodell (ohne Rückwirkungen von anderen Märkten) sei die Konsumgüternachfrage einer Periode (c_t) eine Funktion des Einkommens der Vorperiode (y_{t-1}):

$c_t = a_o + c_y \, y_{t-1}$

Dies ist der sog. → Robertson-lag mit $0 < c_y < 1$. Die Nettoinvestition sei autonom gegeben, das Güterangebot sei vollkommen elastisch (→ gesamtwirtschaftliche Angebotsfunktion) und passe sich ohne Zeitverzögerung an die Nachfrage an. Eine exogene Erhöhung der Nettoinvestition um dj^a führt in derselben Periode zu einer gleich großen Erhöhung der Güterproduktion und damit des Einkommens. In der zweiten Periode ergibt sich (bei jetzt gegenüber der Vorperiode unveränderter Nettoinvestition) eine weitere Erhöhung um $c_y \cdot dj^a$, in der dritten Periode um $c_y^2 \cdot dj^a$ usw. und damit nach strenggenommen unendlich vielen Perioden eine Gesamtzunahme der Produktion um

$$dy = \frac{1}{1 - c_y} \, dj^a,$$

wobei $1/(1 - c_y)$ den Multiplikator darstellt. In komplexeren Modellen ergeben sich entsprechend kompliziertere Multiplikatorausdrücke (→ Geldschöpfungsmultiplikator).

         J. R.

Literatur: *Fuhrmann, W./Rohwedder, J.,* Makroökonomik, München, Wien 1983.

multiprocessing

Verarbeitungsform eines EDV-Systems, die durch die → Hardware und das → Betriebssystem bestimmt wird. Anders als bei multiprogramming, wo sich zur gleichen Zeit zwar mehrere Programme im Hauptspeicher befinden, aber nur jeweils eines bearbeitet wird, können bei multiprocessing mehrere Programme auf unterschiedlichen → Prozessoren parallel abgewickelt werden.

Entweder laufen die → Zentraleinheiten unter der Kontrolle eines gemeinsamen Betriebssystems mit Zugriff auf einen → Hauptspeicher (Mehrprozessorsystem) oder es sind mehrere Zentraleinheiten unter der jeweiligen Kontrolle unabhängiger Betriebssysteme über die externen Speicher miteinander verbunden (Mehrrechnersystem).

Ein wesentlicher Vorzug des multiprocessing liegt in der Ausfallsicherheit des EDV-Systems. Bei Ausfall einer Zentraleinheit können die zeitgebundenen Aufgaben von den verbleibenden Zentraleinheiten übernommen werden.   *Ch. P.*

multiprogramming → multiprocessing

multivariate Analyse
(Multivariate Analysis, MVA) Im Gegensatz zur univariaten → Datenanalyse, bei der an den statistischen Untersuchungseinheiten jeweils nur eine einzige Variable (Merkmal) analysiert wird, werden bei der multivariaten Analyse an den statistischen Untersuchungseinheiten gleichzeitig (simultan) zwei oder mehr Variablen analysiert. Aus statistischer Sicht ist eine multivariate Analyse nur dann sinnvoll, wenn strukturelle gegenseitige Abhängigkeiten zwischen den Variablen oder Zusammenhänge zwischen den Objekten (Merkmalsträgern) vermutet werden. Die multivariate Analyse umfaßt neben Methoden, die auf stochastischen Modellen aufbauen, auch solche, die rein deskriptiver (beschreibender) Art sind. Dies entspricht der Bedeutung des englischen Begriffs variate, der sowohl für → Zufallsvariable als auch für Variable (Merkmal) allgemein verwendet wird.

Wichtige Methoden der multivariaten Analyse sind:
- → Regressionsanalyse, → multiple Regressionsanalyse,
- → Korrelationsanalyse,
- → Faktorenanalyse,
- → Clusteranalyse,
- → Diskriminanzanalyse,
- → mehrdimensionale Skalierung,
- → Varianzanalyse,
- → Kovarianzanalyse,
- → kanonische Analyse.

Für die praktische Durchführung dieser im allgemeinen sehr rechenaufwendigen Verfahren steht eine Reihe unterschiedlich leistungsfähiger → statistischer Programmpakete (z. B. SAS oder SPSS-X) zur Verfügung.

Literatur: *Schuchard-Ficher, Chr./Backhaus, K./ Humme, U./Lohrberg, W./Plinke, W./Schreiner, W.*, Multivariate Analysemethoden, 3. Aufl., Heidelberg, New York 1985. *Seber, G. A. F.*, Multivariate Observations, New York u. a. 1984.

Mußkaufmann → Kaufmann

Musterregister → Geschmacksmuster

Musterrolle → Gebrauchsmuster

Mutterschaftsgeld → Mutterschaftshilfe

Mutterschaftshilfe
wird gemeinsam mit dem → Mutterschutz als Ausgestaltung des Art. 6 Abs. 4 GG gesehen, wonach jede Mutter Anspruch auf den Schutz und die Hilfe durch die Gemeinschaft hat. Der Mutterschutz ist als Teil der allgemeinen → Arbeitsschutzbestimmungen zu sehen. Die Mutterschaftshilfe dagegen ist der → gesetzlichen Krankenversicherung zuzuordnen. Sie umfaßt einen größeren Kreis an Frauen als der Mutterschutz, weil nicht nur die selbstversicherte Frau, sondern auch die nichterwerbstätige mitversicherte Ehefrau im Rahmen der Familienhilfe Anspruch auf Mutterschaftshilfe hat.

Die Mutterschaftshilfe umfaßt: ärztliche Betreuung schon während der Schwangerschaft, Hebammenhilfe, Versorgung mit Arznei-, Heil- und Verbandsmitteln, Pflege in einer Entbindungs- oder Krankenanstalt, Hilfe und Wartung durch Hauspflegerinnen (Hauspflege), einen Pauschbetrag von 100 DM, wenn die zur ausreichenden und zweckmäßigen ärztlichen Betreuung während der Schwangerschaft und nach der Entbindung gehörenden Untersuchungen in Anspruch genommen wurden, sowie Mutterschaftsgeld.

Frauen, die sechs Wochen vor der Entbindung in einem Arbeitsverhältnis stehen oder als Heimarbeiterinnen beschäftigt sind oder deren Arbeitsverhältnis zulässig vom Arbeitgeber während der Schwangerschaft aufgelöst wurde, erhalten Mutterschaftsgeld als Ersatz für den entgangenen Lohn. Die Zahlung ist an Voraussetzungen geknüpft. Das Mutterschaftsgeld wird vor der Entbindung für sechs Wochen und nach der Entbindung für acht Wochen, bei Früh- oder Mehrlingsgeburten für zwölf Wochen und anschließend für die Zeit eines Mutterschaftsurlaubes bezahlt. Andere Frauen (z. B. im Familienhaushalt beschäftigte, freiwillig versicherte, mitversicherte Familienangehörige) erhalten Mutterschaftsgeld nach Sonderregelungen.   *H. W.*

Mutterschaftsurlaub → Mutterschutz

Mutterschutz
Beim Frauen- und Mutterschutz handelt es sich um ein besonderes Feld des → Arbeits-

schutzes. Darüber hinaus erhalten Mütter im Rahmen der →gesetzlichen Krankenversicherung aber auch noch →Mutterschaftshilfe. Der Frauenarbeitsschutz besteht vor allem in Beschäftigungsverboten und Sondervorschriften über die Arbeitszeit (→Arbeitszeitschutz). So dürfen z. B. Frauen in Bergwerken, Salinen und Kokereien nicht und bei Vor- und Abschlußarbeiten höchstens eine Stunde über die für den jeweiligen Betrieb zulässige Dauer der Arbeitszeit hinaus beschäftigt werden. Für Frauen gelten auch spezielle Ruhepausenregelungen. Auch dürfen Arbeiterinnen nicht in der Zeit von 20.00 bis 6.00 Uhr und an den Tagen vor Sonn- und Feiertagen nicht nach 17.00 Uhr beschäftigt werden. Bei der Einhaltung der Nachtruhe sind bestimmte Ausnahmen vorgesehen. Besondere Schutzvorschriften gelten auch für die Beschäftigung von Frauen auf Fahrzeugen.

Im Rahmen des Frauen- und Mutterschutzes genießen aber vor allem Mütter einen besonderen Schutz. Sie sollen vor Gefahren geschützt werden, die während und nach einer Schwangerschaft auftreten können. Hier gelten besondere Beschäftigungsverbote. Werdende Mütter dürfen nicht beschäftigt werden, soweit nach ärztlichem Zeugnis Leben oder Gesundheit von Mutter oder Kind bei Fortdauer einer Beschäftigung gefährdet sind. In den letzten sechs Wochen vor der Entbindung dürfen werdende Mütter nicht beschäftigt werden, es sei denn, sie erklären sich ausdrücklich zu einer Beschäftigung bereit. Sie dürfen auch nicht zu schweren körperlichen Arbeiten oder Arbeiten, die besonders gesundheitsgefährdend sind, herangezogen werden.

Nach der Entbindung bestehen ebenfalls gewisse Beschäftigungsverbote. Eine Wöchnerin darf bis zum Ablauf von acht Wochen nach der Entbindung (bei Früh- oder Mehrlingsgeburten bis zu zwölf Wochen) nicht beschäftigt werden. Freizeit für notwendige Untersuchungen ist zu gewähren, und hinsichtlich der Arbeitszeit bestehen bei Wöchnerinnen erhebliche Einschränkungen. Nach der Entbindung entstehen darüber hinaus Ansprüche finanzieller Art (→Mutterschaftshilfe). Im Rahmen des Mutterschutzes gelten auch besondere Kündigungsschutzvorschriften (→Kündigungsschutz).

Mütter, für die das Mutterschaftsgesetz gilt, können spätestens vier Wochen vor Ablauf der Schutzfrist nach der Entbindung Mutterschaftsurlaub vom Arbeitgeber verlangen. Mutterschaftsurlaub wird vom Tage nach Beendigung der Schutzfrist bis zu dem Tage, an dem das Kind sechs Monate alt wird,

gewährt. Während des Mutterschaftsurlaubs wird Mutterschaftsgeld (Mutterschaftshilfe) gewährt (kann seit 1986 durch →Erziehungsurlaub verlängert werden). Mutterschutzbestimmungen gelten für Arbeitnehmerinnen, wenn ein Arbeitsverhältnis besteht, oder bei einer Beschäftigung als Heimarbeiterin (→Heimarbeiterschutz).   *H. W.*

μ-Prinzip

(Bayes-Regel) →Entscheidungsregel im Rahmen der präskriptiven Entscheidungstheorie für →Risikosituationen. Danach ist für jede Handlungsalternative a_i der mathematische →Erwartungswert μ_i der Wahrscheinlichkeitsverteilung der zugehörigen Ergebnismöglichkeiten (e_{i1}, e_{i2}, ..., e_{in}) zu berechnen. Als optimale Alternative gilt dann diejenige mit dem „besten", also z. B. dem höchsten oder niedrigsten μ_i-Wert. Das μ-Prinzip ist mit dem →Bernoulli-Prinzip vereinbar, impliziert aber einen linearen Verlauf der maßgeblichen Risiko-Nutzen-Funktion und damit durchgängig Risikoneutralität (→Risikoeinstellung). *M. B.*

Literatur: *Bitz, M.*, Entscheidungstheorie, München 1981, S. 90ff. *Laux, H.*, Entscheidungstheorie, Grundlagen, Berlin u. a. 1982, S. 149ff.

μ-σ-Prinzip

→Entscheidungsregel im Rahmen der präskriptiven →Entscheidungstheorie für Entscheidungen in →Risikosituationen. Danach sind für alle Handlungsalternativen a_i der mathematische →Erwartungswert μ_i und die →Standardabweichung σ_i oder die →Varianz σ_i^2 zu berechnen. Der maßgebliche Präferenzwert ϕ_i (→Präferenzfunktion) wird dann in Abhängigkeit von μ und σ formuliert, z. B.:

(1) $\phi = \mu - \alpha \cdot \sigma$
(2) $\phi = \mu - \alpha \cdot \sigma^2$
(3) $\phi = \mu - \alpha \cdot (\sigma^2 + \mu^2)$

Als optimal gilt dann die Alternative mit dem „besten", z. B. dem größten ϕ_i-Wert.

Der Faktor α in (1) bis (3) ist Ausdruck der individuellen →Risikoeinstellung des Entscheidungssubjektes. Wird insgesamt ein möglichst hoher φ-Wert angestrebt, so reflektiert α > 0 einen Risikoabschlag, also Risikoaversion. α < 0 kennzeichnet demgegenüber Risikobereitschaft, während (1) bis (3) für α = 0 in das einfache →μ-Prinzip übergehen, dann also Risikoneutralität implizieren.

Das μ-σ-Prinzip ist im allgemeinen nur in der Form (3) mit dem →Bernoulli-Prinzip vereinbar und bedingt dann einen quadratischen Verlauf der Risiko-Nutzen-Funktion in Form einer nach unten geöffneten Parabel. Dementsprechend kann das μ-σ-Prinzip auch

in dieser speziellen Form sinnvollerweise nur
dann verwendet werden, wenn sämtliche in
der betrachteten Entscheidungssituation für
möglich erachtete Ergebniswerte kleiner sind
als der dem Scheitelpunkt der Parabel entsprechende Abszissenwert $1/2\alpha$. Sofern die Wahr-
scheinlichkeitsverteilungen der zur Auswahl
stehenden Handlungsalternativen bestimmten
einschränkenden Bedingungen unterliegen,
können auch andere Formen des μ- σ-Prinzips
mit dem Bernoulli-Prinzip vereinbar sein, z. B.

Form (2), sofern die Handlungsergebnisse
normalverteilt sind.

Einen der wichtigsten Anwendungsfälle des
μ-σ -Prinzips stellen die → Portefeuille-Analyse und darauf aufbauend die → Kapitalmarkttheorie dar.   M. B.

Literatur: *Bitz, M.,* Entscheidungstheorie, Wiesbaden 1981, S. 98 ff., 192 ff. *Laux, H.,* Entscheidungstheorie, Grundlagen, Berlin u. a. 1982, S. 158 ff.,
208 ff. *Schneeweiß, H.,* Entscheidungskriterien bei
Risiko, Berlin u. a. 1967.

Nachbesserung

kostenlose nachträgliche Beseitigung eines Mangels der Leistung des Schuldners (→ Sachmangel) durch diesen. Im Werkvertragsrecht besteht stets ein Recht auf Nachbesserung, das dem Recht auf → Wandelung oder auf → Minderung vorgeht. Bei Kaufverträgen wird dem Käufer häufig ein Recht auf Nachbesserung anstatt des Rechts auf Wandelung oder Minderung eingeräumt, wobei aber § 11 Nr. 10a AGBG zu beachten ist, der diese Möglichkeit einschränkt. *M. J.*

Nachbörse

Handel von börsennotierten → Wertpapieren nach der → Börsenzeit per Telefon unter Börsenmitgliedern.

Nach-Entwicklung

Form der → Entwicklung; Versuch, durch Demontage oder Analyse und anschließende Remontage oder Synthese die Eigenschaften einer Fremd-Entwicklung zu entdecken, auf eventuelle Patentverletzungen hin zu untersuchen, zu imitieren oder Anregungen für Umgehungs-Erfindungen geschützter Erfindungen zu erhalten. *K. B.*

Nachfeststellung → Einheitswert

Nachfolgeplanung → Personalplanung

Nachfrage

(1) zum Kauf gewünschte Menge bzw. gekaufte Menge eines Gutes;
(2) Zuordnung unterschiedlicher Nachfragemengen zu Preisen in den Wirtschaftsplänen der Nachfrager gemäß der → Preisabsatzfunktion;
(3) Reaktionsweise eines Nachfragers oder mehrerer Nachfrager entsprechend einer Stelle auf einer gegebenen Nachfragekurve. Ferner sind zu unterscheiden: mengenmäßige (x = f (p)) und wertmäßige (monetäre) Nachfrage (N = p · x), d.h. das Produkt aus Preis p und der bei diesem Preis nachgefragten Menge x.

Die Nachfrage nach Gütern verursacht eine Nachfrage nach Produktionsfaktoren, die sog. → abgeleitete Nachfrage. *P. O.*

Nachfrageansatz → Bildungsplanung

Nachfragedruck → Nachfragesog

Nachfragefunktion

eines Wirtschaftssubjektes nach einem Gut: Algebraische Form einer Hypothese über den Zusammenhang zwischen mengenmäßiger Nachfrage nach einem Gut x und dem Preis p dieses Gutes, d.h. x = f (p). Es gilt hierbei die → Ceteris-paribus-Klausel, d.h. Einkommen, Präferenzen des Wirtschaftssubjektes sowie die Preise der anderen Güter p_2, p_3, ..., p_m werden als konstant unterstellt. Die Nachfragefunktion wird aus den → Indifferenzkurven abgeleitet. Graphisch läßt sie sich in einem Preis-Mengen-Koordinatensystem als Nachfragekurve darstellen. Sie fällt im allgemeinen von links oben nach rechts unten, d.h. mit sinkendem Preis steigt die nachgefragte Menge und vice versa. Ausnahmen hiervon stellen → Giffen-Güter und Prestige-Güter (→ Veblen-Effekt) dar.

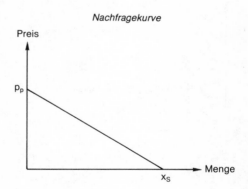

Nachfragekurve

Die Nachfrage nach einem Gut wird einerseits begrenzt durch den Prohibitivpreis p_p, also denjenigen Preis, zu dem die Nachfrager gerade nicht mehr bereit sind, das betreffende Gut nachzufragen (d.h. die nachgefragte Menge x beträgt 0), und andererseits durch die Sättigungsmenge x_S, nämlich jene Menge, die das Wirtschaftssubjekt bei einem Preis von Null nachfragt. *P. O.*

Nachfrageinflation → Nachfragesog

Nachfragekurve → Nachfragefunktion

Nachfragemacht → Marktbeherrschung

Nachfragemonopol

(Monopson) Ein Nachfrager steht vielen Anbietern auf einem Markt gegenüber (→ Marktformen). Nachfragemonopole haben auf Faktormärkten Bedeutung. Gibt es z.B. in einem kleineren Ort nur ein Unternehmen, das Arbeitskräfte nachfragt, so wird die Höhe des Nominallohnsatzes im Gleichgewicht durch die Bedingung Grenzlohnsatz = Grenzertragswert bestimmt.

Die Angebotskurve A gibt dem Unternehmer die Durchschnittslöhne an, die er bei alternativen Arbeitsmengen zahlen muß (vgl. Abb.). Für den Unternehmer ist nun jedoch der Grenzlohnsatz, d.h. der Nominallohn, den eine zusätzliche Arbeitseinheit kostet, entscheidend. Bei einer normalen Angebotskurve ist der Grenzlohnsatz (Kurve A' in Abb.) immer höher als der Durchschnittslohnsatz (Kurve A in Abb.). Der Schnittpunkt von Grenzlohnsatz- und Arbeitsnachfragekurve ist die optimale Situation für den Monopsonisten (S in Abb.). Er fragt die Arbeitsmenge $\bar{A}$ zum Lohnsatz $\bar{l}$ nach.   *P. O.*

Nachfragemonopol

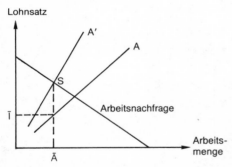

Literatur: *Ott, A., E.,* Grundzüge der Preistheorie, 3. Aufl., Göttingen 1972, S. 201 ff. *Arndt, H.,* Mikroökonomische Theorie, Bd. 1, Tübingen 1966, S. 155 ff.

Nachfrageprognose

→ Prognose der mengenmäßigen Nachfrage nach einen Gut. Als Teil der → Absatzprognose besitzt sie grundlegende Bedeutung für die → Absatzplanung, aber auch für darauf aufbauende Planungsrechnungen anderer Funktionsbereiche der Unternehmung (z.B. Beschaffungs-, Produktions- und Finanzplanung). Ihre Erstellung gehört zu den wichtigsten Aufgaben der betrieblichen → Marktforschung.

Das Konstrukt → Nachfrage ist stets im Hinblick auf drei Dimensionen zu spezifizieren:

(1) Kategorien des *Angebots* (auf der Ebene der jeweils betrachteten Unternehmung, z.B. Einzelprodukte bzw. Produktgruppen, oder auf den jeweils relevanten Märkten, z.B. Produktgattungen);
(2) Kategorien der *Nachfrage* i.e.S. (z.B. Nachfragemenge pro Kunde, Zielgruppe, Absatzgebiet und Gesamtmarkt);
(3) Kategorien der *Zeit* (z.B. Tage, Wochen, Monate oder Jahre).

Die Nachfragemengen können bei Angebotsengpässen größer sein als die realisierten Absatzmengen. Insoweit besteht ein Nachfrageüberhang.

Je nachdem, ob sich Operationalisierungen der Nachfrage auf die Unternehmung oder den Gesamtmarkt beziehen, lassen sich folgende Marktgrößen unterscheiden, wobei auch zwischen manifestierter Nachfrage und Nachfragepotential zu differenzieren ist (vgl. Abb.).

Maßgrößen der Nachfrage

	Unternehmung	Markt
Manifestierte Nachfrage	Absatz (volumen)	Marktvolumen
Nachfragepotential	Absatzpotential	Marktpotential

Quelle: *Hammann/Erichson,* 1978, S. 164.

Absatz- und → Marktpotential sind hypothetische Konstrukte, die sich der Beobachtung entziehen. Sie stellen die jeweiligen Obergrenzen von Absatz- und → Marktvolumen dar, die angesichts der Marktentwicklung bestenfalls erreichbar sind.   *P. H.*

Literatur: *Hammann, P./Erichson, B.,* Marktforschung, 2. Aufl., Stuttgart, New York 1987. *Schäfer, E./Knoblich, H.,* Grundlagen der Marktforschung, 5. Aufl., Stuttgart 1978.

Nachfragesog

(demand-pull) in der traditionellen → Inflationstheorie bis in die 50er Jahre hinein nahezu ausschließlich diskutierte Inflationsursache, die als gegeben gilt, wenn die nominale Güternachfrage stärker expandiert als das reale Güterangebot (→ inflatorische Lücke): Die Preise werden gleichsam durch die steigende Nachfrage an den Gütermärkten heraufgezogen.

In der nichtmonetären (keynesianischen) Inflationstheorie resultiert der Nachfragesog direkt aus autonomen Erhöhungen der gesamtwirtschaftlichen Ausgabenkomponenten (nichtmonetärer Nachfragesog). Die zugrunde liegende Idee läßt sich verdeutlichen, wenn man die keynesianische Ausgabengleichung

$$Y \equiv y \cdot P_y^I \equiv C + I^b + G + Ex - Im$$

nach dem → Preisindex des Bruttosozialprodukts P_y^I auflöst:

$$P_y^I \equiv \frac{C + I^b + G + Ex - Im}{y}.$$

Ist das reale Bruttosozialprodukt y konstant bzw. nur begrenzt ausdehnungsfähig (Annahme der → Vollbeschäftigung), führen überproportionale Erhöhungen der Konsumausgaben C, der Bruttoinvestitionen I^b, der Staatsausgaben G oder des Außenbeitrags Ex-Im zu einem Anstieg von P_y^I. Inflationsverursacher sind hiernach die Nachfrager mit ihren überzogenen Ausgabenplänen, insb. der Staat (Budgetdefizite) und das Ausland (→ importierte Inflation). Um Inflation als ein länger anhaltendes monetäres Phänomen zu erklären, müßte freilich begründet werden können, wie und warum es permanent zu „autonomen" Ausgabenschüben kommt und wie sich diese durch ein überschüssiges Geldmengenwachstum monetär alimentieren. Dies ist in den 60er und 70er Jahren mit inflationstheoretischen Ansätzen versucht worden, die den permanenten Nachfragesog und seine monetäre Alimentierung auf die Struktur und Funktionsweise des politischen Systems repräsentativer Demokratien zurückführen (politische Theorie der Inflation).

In der monetären (neoklassischen) Inflationstheorie ergibt sich der Nachfragesog indirekt durch Anpassungsreaktionen der Wirtschaftssubjekte auf autonome Beschleunigungen des Geldmengenwachstums (monetärer Nachfragesog). Die zugrunde liegende Idee wird deutlich, wenn man die → Quantitätsgleichung

$$Y \equiv y \cdot P_y^I \equiv M \cdot V_y$$

nach P_y^I auflöst:

$$P_y^I \equiv \frac{M \cdot V_y}{y}.$$

Nimmt man y wiederum als konstant bzw. als begrenzt ausdehnungsfähig an und geht man der → Neoquantitätstheorie entsprechend von einer stabilen Geldnachfragefunktion, d. h. einer nicht beliebig schwankenden Einkommenskreislaufgeschwindigkeit des Geldes V_y, aus, so ist der permanente Anstieg von P_y^I eine Folge der überproportional expandierenden Geldmenge M. Inflationsverursacher sind hiernach die monetären Autoritäten (Staat, Notenbank), die das überschüssige Geldmengenwachstum auslösen. Vorausgesetzt wird dabei, daß das Geldangebot hinreichend steuerbar ist und die monetären Impulse durch entsprechende Transmissionskanäle in einen entsprechenden Nachfragesog umge-

setzt werden. Dies hat in den 70er Jahren die → monetaristische Inflationstheorie zu klären versucht.

Monetärer und nichtmonetärer Nachfragesog sind formal gesehen zwei Seiten der gleichen Medaille, wie die Identität

$$P_y^I \equiv \frac{M \cdot V_y}{y} \equiv \frac{C + I^b + G + Ex - Im}{y}$$

erkennen läßt. Theoretisch besteht jedoch ein wesentlicher Unterschied darin, daß der neoklassische Ansatz vom Geldmarkt, der keynesianische aber vom Gütermarkt ausgeht. Dadurch differieren zwangsläufig die letztlich für ursächlich gehaltenen Faktoren und dementsprechend auch die zur → Inflationsbekämpfung empfohlenen Strategien.   D. C.

Literatur: *Cassel, D.,* Inflation, in: Vahlens Kompendium der Wirtschaftstheorie und Wirtschaftspolitik, Bd. 1, 2. Aufl., München 1984, S. 255 ff. *Johnson, H. G.,* Inflation – Theorie und Politik, München 1975.

Nachfragestruktur → Strukturanalyse

Nachfrageverbund → Sortimentsverbund

Nachgründung

Abschluß von Verträgen, nach denen eine Aktiengesellschaft oder Kommanditgesellschaft auf Aktien innerhalb der ersten beiden Jahre seit Eintragung der → Gründung in das Handelsregister Vermögensgegenstände für eine den zehnten Teil des Grundkapitals übersteigende Vergütung erwerben soll (§ 52 AktG). Derartige Verträge werden nur mit Zustimmung der Hauptversammlung und durch Eintragung in das → Handelsregister wirksam. Vor der Beschlußfassung in der Hauptversammlung hat neben einer Prüfung durch den Aufsichtsrat eine Prüfung durch einen oder mehrere Gründungsprüfer zu erfolgen, wobei die Vorschriften über die → Gründungsprüfung sinngemäß gelten. Durch diese Maßnahmen soll eine Umgehung der strengen Vorschriften über die → Sachgründung für den Fall vermieden werden, daß zunächst eine → Bargründung vorgenommen wird und anschließend die als Sacheinlage vorgesehenen Vermögensgegenstände von der Gesellschaft erworben werden (Schein-Bargründung).   M. E.

Nachhaltsbetrieb

Form des → Forstbetriebes, bei der nachhaltig über einen langen Zeitraum hinweg eine nahezu gleichbleibende Menge an Holz und Nebennutzungen erzeugt wird. Da beim idealen (normalen) Nachhaltsbetrieb eine gleichmäßige Altersklassenverteilung vorherrscht, kann eine dem jährlichen Zuwachs äquivalente Holzmenge genutzt werden. Das Prinzip der Nachhaltigkeit, worunter die Kontinuität der Bereitstellung der materiellen und immateriellen Leistungen des Waldes zu verstehen ist, wurde im Lauf des 18. und 19. Jh., ausgehend von Deutschland, entwickelt und ist heute anerkannte Maxime einer geregelten Forstwirtschaft.

Nachkalkulation → Kalkulation, → Preiskalkulation, → Istkostenrechnung

Nachkaufdissonanz → kognitive Dissonanz

Nachlaß → Erbschaft

Nachlaßsteuer → Erbschaftsteuer

Nachorder → Stammorder

Nachricht

(Mitteilung) vom Sender zum Empfänger übertragene Zeichenfolge mit bestimmter Bedeutung (→ Kommunikationsmodell). Eine Nachricht umfaßt die syntaktische und semantische Ebene der → Semiotik, d.h. Sender und Empfänger haben ein übereinstimmendes Verständnis des Kommunikationsinhalts.

Nachschuß

über den Betrag der Stammeinlagen (→ Stammkapital) hinausgehende Einzahlungen der Gesellschafter an die GmbH. Der Gesellschaftsvertrag (→ Satzung) kann eine Nachschußpflicht vorsehen (§§ 26ff. GmbHG). Nachschüsse eignen sich u.a. als → Sanierungsmaßnahme.   *M. E.*

Nachschußpflicht → Kreditplafondierung

Nachtragsbericht → Geschäftsbericht

Nachtragshaushalt → Haushaltsplan

Nachtwächterstaat → Ordnungspolitik

Nahrungs- und Genußmittelindustrie → Konsumgüterindustrie

Nahrungsmittelhilfe

Variante der → Programmhilfe; sie wird jenen besonders armen Entwicklungsländern gewährt, die zur Ernährung ihrer Einwohner auf den Import von Nahrungsmitteln angewiesen sind, aber nicht über jene Devisen verfügen, die zum Kauf der Nahrungsmittel erforderlich

sind. In diesem Fall verkörpert die Nahrungsmittelhilfe letztlich eine Zahlungsbilanzhilfe: Die Geberländer liefern Nahrungsmittel, verzichten aber auf die umgehende Bezahlung; die Nahrungsmittellieferungen werden entweder durch Kredite des Lieferlandes abgedeckt, die erst zu einem späteren Zeitpunkt zu begleichen sind, oder in Geschenkform zur Verfügung gestellt.

Darüber hinaus kann die Nahrungsmittelhilfe auch eine Budgethilfe darstellen, wenn die Lieferungen auf den Märkten der Empfängerländer weiterverkauft werden; in diesem Fall kann die Regierung des Empfängerlandes aus den Verkaufserlösen andere Ausgaben tätigen.

Wichtigster Geber waren zunächst die USA, aus denen in den 60er Jahren mehr als 90% der internationalen Lieferungen (meist Weizen) stammten. Erst seit Anfang der 70er Jahre sind bedeutende andere Geberländer, wie etwa die EG-Staaten, hinzugekommen. Seit 1968 wird ein großer Teil der Nahrungsmittelhilfe durch die im Rahmen des Weltweizenabkommens abgeschlossene Nahrungsmittelhilfekonvention (food aid convention) geregelt bzw. finanziert. Diese Konvention sieht Lieferverpflichtungen in Höhe von 4,5 Mio. t Getreide im Jahr vor.

Bei der Gesamtbewertung dieser Form der Entwicklungshilfe ist es zu berücksichtigen, daß der kurzfristigen Minderung des Nahrungsmitteldefizits vor allem bei längerfristiger Betrachtung beträchtliche negative Auswirkungen gegenüberstehen können:

- Die aus den Nahrungsmittellieferungen resultierende Erhöhung des Angebots an Nahrungsmitteln kann zu einem Rückgang des Markt- bzw. Produzentenpreises und damit zu negativen Produktionsanreizen führen.
- Nahrungsmittelhilfe kann bei den Empfängern eine „Hilfementalität" erzeugen, die zu einer generellen Verminderung der Eigenanstrengungen für den Entwicklungsprozeß führt.
- Nahrungsmittelhilfe erreicht vielfach nicht die eigentlichen Zielgruppen, sondern versickert oft in unüberschaubaren Kanälen.
- Nahrungsmittelhilfe reduziert den Druck auf die Regierungen der Empfängerländer, die Zweckmäßigkeit einer häufig die städtischen Ballungszentren zu Lasten ländlicher Gebiete favorisierenden Entwicklungspolitik kritisch zu überprüfen.

H.-R. H./H.-J. Te.

Literatur: *Beißner, K.-H.* u.a., Ernährungssicherungsprogramme einschließlich Nahrungsmittelhilfe und ihre entwicklungspolitischen Auswirkungen in Empfängerländern, München u. a. 1981. *Schneider, H.,* (Hrsg.), Food Aid for Development, Paris 1978.

Nahverkehr → Verkehrsarten, → öffentlicher Personennahverkehr

Namensaktie

lautet auf den Namen des Aktionärs (§ 10 Abs. 1 und 2 AktG), der in das von der Gesellschaft zu führende → Aktienbuch mit Name, Wohnort und Beruf eingetragen werden muß (§ 67 AktG). Grundsätzlich kann die Aktiengesellschaft wählen, ob sie → Inhaber- oder Namensaktien ausgibt (§ 10 Abs. 1 AktG). Gesetzlich vorgeschrieben sind Namensaktien jedoch für den Fall, daß die Aktienausgabe erfolgt, bevor die Einlage voll geleistet ist (§ 10 Abs. 2 AktG). Der Betrag der Teilleistungen ist in der Aktie anzugeben, damit ein Erwerber der Aktie die Höhe der Resteinzahlung feststellen kann.

Namensaktien sind Orderpapiere; ihre Übertragung ist durch ein → Indossament zu dokumentieren; sie kann aber auch durch einfache Abtretung der Rechte nach §§ 398 ff. BGB erfolgen. Außerdem erfordert die Übertragung die Anmeldung bei der Gesellschaft und die Umschreibung im Aktienbuch, da der Gesellschaft gegenüber nur die Person als Aktionär gilt, die in das Aktienbuch eingetragen ist. Die Umschreibung stellt sicher, daß die Gesellschaft feststellen kann, von wem sie die ausstehende Einlage fordern kann. Im Vergleich zur Inhaberaktie wird hierdurch die Übertragung recht schwerfällig. Folglich ist die Beweglichkeit (Fungibilität) der Aktie eingeschränkt. Andererseits entsteht aber der Vorteil einer größeren Publizität der wirtschaftlichen Eigentumsverhältnisse an der Gesellschaft, da jeder Aktionär das Aktienbuch einsehen kann.

Ist die Übertragung von Namensaktien an die Zustimmung der Gesellschaft gebunden, so liegen *vinkulierte Namensaktien* vor (§ 68 Abs. 2 AktG). Mit Hilfe der Vinkulierung kann die Gesellschaft Einfluß auf die Zusammensetzung des Anteilseignerkreises nehmen und so z. B. verhindern, daß die Aktien in die Hände von Personen gelangen, die aus herrschaftspolitischen Gründen als Aktionäre nicht genehm sind oder – im Falle nicht voll eingezahlter Aktien – deren Kreditwürdigkeit problematisch ist. Bei Familiengesellschaften soll die Vinkulierung die Übertragung an nicht zur Familie gehörende Personen verhindern oder unter Kontrolle halten. Nach gewerberechtlichen Vorschriften zwingend sind vinkulierte Namensaktien für → Kapitalanla-

gegesellschaften (§ 1 Abs. 3 und 4 KAGG), für Wirtschaftsprüfungs- und Buchprüfungsgesellschaften (§ 28 Abs. 5 und § 130 Abs. 2 WPO), für Steuerberatungsgesellschaften (§ 50 Abs. 5 StBerG) sowie für gemeinnützige Wohnungsunternehmen. Nach aktienrechtlichen Bestimmungen sind vinkulierte Namensaktien vorgeschrieben für Nebenleistungs-Aktiengesellschaften (§ 55 AktG), d. h. für Gesellschaften, bei denen sich die Aktionäre verpflichten, neben ihren Einlagen wiederkehrende Leistungen, die nicht in Geld bestehen (z. B. die Lieferung von bestimmten Rohstoffen), zu erbringen. Die Nebenleistungspflichten müssen in der Satzung enthalten sein.

Interimsscheine (→ Zwischenschein) müssen ebenfalls auf den Namen lauten (§ 10 Abs. 3 AktG). Sie werden z. B. verwendet, wenn eine Aktiengesellschaft nach der Satzung Inhaberaktien ausgibt, die Ausgabe aber solange nicht erfolgen darf, wie das Aktienkapital noch nicht voll eingezahlt ist.

Soweit die Satzung es vorsieht, kann auf Verlangen eines Aktionärs seine Namensaktie in eine Inhaberaktie bzw. seine Inhaberaktie in eine Namensaktie umgewandelt werden (§ 24 AktG).   *G. W.*

Literatur: *Geßler, E./Hefermehl, W./Eckardt, U./ Kropff, B.* u. a., Aktiengesetz, Kommentar, Bd. I, München 1973/84, Erl. zu §§ 10, 24, 55, 68.

Namenspapier → Wertpapier

NASDAQ

Abk. für National Association of Securities Dealers Automated Quotations; technisch gesehen ein Kommunikationssystem in den USA zur Verbreitung der Geld- und Briefkurse (quotes, quotations) von → market makers, wirtschaftlich funktionell gesehen, obwohl kein Börsensaal existiert, nach den Börsen von New York und Tokio die drittgrößte Börse der Welt. Gehandelt werden die 5000 umsatzstärksten Aktien des → over-the-counter market, die scharfe Zulassungsanforderungen erfüllen müssen. Die market makers geben in ihren Büros ihre jeweiligen Geld- und Briefkurse in einen Zentralcomputer ein; andere NASDAQ-Mitgliedsfirmen können sie über Bildschirmgeräte jederzeit abfragen. Wenn ihnen Verkaufs- oder Kaufaufträge vorliegen, rufen sie den market maker an, der den günstigsten Geld- bzw. Briefkurs stellt, um das Geschäft abzuschließen. Seit 1984 ist bei Aufträgen bis zu 500 Stück ein automatischer Abschluß unmittelbar über das NASDAQ-System selbst möglich. Seit 1982 gliedert sich die NASDAQ in zwei → Börsensegmente; das obere Segment trägt die Bezeichnung National Market System oder NASDAQ/NMS.

NASDAQ nahm seine Arbeit nach achtjähriger Entwicklungszeit am 8.2.1971 auf. Heute überschreiten seine Umsätze an manchen Tagen die der New York Stock Exchange.   *Ha. Sch.*

Literatur: *Giersch, H./Schmidt, H.,* Offene Märkte für Beteiligungskapital, Stuttgart 1986, S. 34 ff.

Nationalökonomie → Volkswirtschaftslehre

natürliche Arbeitslosigkeit → Phillips-Kurve, → Neue Klassische Makroökonomik

natürlicher Preis

ausschließlich durch die Höhe des Aufwands zur Herstellung eines Gutes bestimmt (Gegensatz: Marktpreis). Die Vertreter der objektiven Werttheorie gingen davon aus, daß der Marktpreis, der sich aufgrund von Angebot und Nachfrage ergibt, langfristig vom natürlichen Preis bestimmt wird (→ Arbeitswertlehre).

natürlicher Zins → Zinstheorie, → Überinvestitionstheorien

natürliches Monopol

Unternehmen, das infolge steigender Skalenerträge (→ Skaleneffekte) den gesamten Output mit minimalen Stückkosten herstellen kann. Dabei wird unterstellt, daß das Unternehmen bei gegebenem Stand des technischen Wissens ihre Produktionskapazität stets der Nachfrage nach dem Gut anpassen kann.

Natürliche Monopole werden insb. in den Bereichen → Elektrizitätswirtschaft, → Eisenbahnverkehr, → Luftverkehr und → Telekommunikation vermutet, und von diesen wird das Argument des natürlichen Monopols vorgebracht, um ihre Stellung als wettbewerblicher Ausnahmebereich zu stützen; ansonsten drohe → ruinöse Konkurrenz.

Das Privileg des natürlichen Monopols wurde vor allem in den USA durch die staatliche → Regulierung dieser Wirtschaftszweige im allgemein-gesellschaftlichen Interesse zu binden versucht (Vermeidung von Monopolgewinnen durch Höchstpreissetzung, Reglementierung des Markteintritts). Neuerdings gibt man der → Deregulierung den Vorzug.

Literatur: *Kaufer, E.,* Theorie der Öffentlichen Regulierung, München 1981.

natürliches Wachstum → internes Wachstum

Naturalkredit → Kredit

Naturallohn → Arbeitslohn

Naturaltausch → Tausch

Naturschutz

im allgemeinen Sinn Kurzbezeichnung für das gemeinsame Aufgabengebiet von Naturschutz und Landschaftspflege, wie sie z.B. in Begriffen wie Naturschutzbehörden, Naturschutzrecht, Naturschutzpolitik u.a.m. gebraucht wird.

Im engeren Sinn ist Naturschutz ein Teilbereich des Aufgabengebiets Naturschutz und Landschaftspflege; auch in Abgrenzung zum Naturschutz im allgemeinen Sinn als bioökologischer Naturschutz oder „klassischer" Naturschutz (fälschlich auch: konservierender Naturschutz) bezeichnet.

Für den Naturschutz und die Landschaftspflege gelten die gemeinsamen Gesetzesgrundlagen, die Organisation der Behörden und der staatlichen Forschung sowie die im Naturschutzrecht vorgesehenen Instrumentarien der Landschaftsplanung und der Ausgleichsregelung. Formal von der Landschaftspflege abgegrenzt (neben den unterschiedlichen Aufgabeninhalten) ist der Naturschutz im Rechtsbereich durch besondere Naturschutzverordnungen des Bundes und der Länder (insb. zum Artenschutz) und durch eine Reihe von internationalen Übereinkommen (Naturschutzkonventionen), in der speziellen beruflichen Qualifikation durch eine Hochschulausbildung ganz überwiegend in den Biowissenschaften sowie durch das besondere Instrumentarium der Sicherung von Teilen aus Natur und Landschaft auf bestimmten Vorbehaltsflächen, den Schutzgebieten.

Literatur: Handbuch „Umwelt und Energie", Freiburg i. Br. 1980 ff., Gruppe 3/63, S. 1.

Navigationsakte

unter *Oliver Cromwell* 1651 erlassenes Gesetz, das den Handel mit England und den englischen Kolonien ausschließlich englischen bzw. bei Importen Schiffen des Ursprungslandes vorbehielt. Ziel waren die Förderung der nationalen Schiffahrt und die Ausschaltung der holländischen Konkurrenz. Die Navigationsakte wurde erst 1849 im Zuge der Liberalisierung des 19. Jh. aufgehoben (→ Freihandel).

NC

Abk. für numerical control (→ NC-Programmierung).

NC-Maschinen → Automatisierung, → flexible Fertigungssysteme

NC-Programmierung

(Numerical-control-Programmierung) setzt die geometrischen Daten der Werkstücke in Steuerungsdaten für Werkzeugmaschinen um. Dabei werden →Lochstreifen als Datenträger verwendet. Zur Erstellung der NC-Codierung können spezielle →Programmiersprachen wie EXAPT und APT eingesetzt werden. Mit zunehmender Rechnerintegration wird die Lochstreifensteuerung abgelöst durch eine direkte Versorgung der Maschinen mit Programmen und Steueranweisungen von einem angeschlossenen Rechner (direct numerical control, DNC).

near money → Geschäftsbankengeld

Nebenbedingung → Restriktion

Nebenbuch → Buchführungsorganisation

Nebenerwerbsbetrieb → Landwirtschaftsbetrieb

Nebenkostenstelle → Haupt- und Hilfskostenstellen

Nebenleistungen → Service

Nebenleistungswettbewerb → Konditionenpolitik

Nebenmarkt → Parallelmarkt

Nebenplatz

Ort, an dem im Gegensatz zum →Bankplatz die Deutsche Bundesbank keine Zweiganstalt unterhält.

negatives Kapitalkonto

entsteht regelmäßig, wenn einem Mitunternehmer Verluste zugewiesen werden, die über die geleistete Einlage hinausgehen. Grundsätzlich sind solche Verlustzuweisungen in voller Höhe mit anderen positiven Einkünften verrechenbar (→Verlustausgleich und →Verlustabzug gem. §§ 2 und 10d EStG), was bisher gemäß BFH-Urteil vom 13. 3. 1964, BStBl III S. 359, auch für beschränkt haftende Personengesellschafter galt. Der finanzielle Vorteil, den ein Mitunternehmer (insb. von sog. →Abschreibungsgesellschaften oder →Verlustzuweisungsgesellschaften) aus einer zu einem negativen Kapitalkonto führenden Verlustzuweisung ziehen konnte, hing neben der Höhe der Zuweisung und den gem. § 34 EStG begünstigten Veräußerungsmodalitäten vor

allem vom jeweiligen persönlichen Grenz-Einkommensteuersatz ab.

Seit Einführung des § 15a EStG durch Gesetz vom 20. 8. 1980 ist die Verrechnungsfähigkeit der Verluste, die zu negativen Kapitalkonten oder zu einer Erhöhung der Konten führen, auf die Höhe des Haftungsbetrages beschränkt. Der die Haftung übersteigende Betrag des negativen Kapitalkontos kann damit ausschließlich mit in späteren Jahren anfallenden Gewinnanteilen aus der Beteiligung an der Gesellschaft verrechnet werden.

Negativklausel

(Negativerklärung, Negativrevers) Erklärung des Kreditnehmers gegenüber dem Kreditgeber, seine unbelasteten Vermögensteile auch zukünftig nicht zugunsten etwaiger anderer Kreditgeber zu belasten. Bisweilen wird auch in der Negativklausel vereinbart bzw. erklärt, diese Vermögensteile nicht zu verändern und nicht zu veräußern. Das Anwendungsgebiet liegt hauptsächlich bei Hypothekarkrediten hinsichtlich des noch nicht belasteten Grundbesitzes oder bei Investitionskrediten hinsichtlich noch nicht sicherungsübereigneter Maschinen.

Negentropie

negativer Wert der →Entropie. In der →Informationstheorie läßt sich eine →Nachricht als Negentropie darstellen.

Negotiable Orders of Withdrawal (NOWs)

übertragbare Zahlungsanweisungen, die wie gewöhnliche Schecks für Transaktionszwecke verwendet werden können. Die Besonderheit dieser in den USA geschaffenen Finanzierungsinstrumente ist, daß das zugrundeliegende Guthaben verzinst wird.   *F. J. L.*

Negoziationskredit

wie der →Rembourskredit eine Kreditform im Auslandsgeschäft. Während beim Rembourskredit der Exporteur ein Bankakzept erhält, das er bei seiner Bank diskontieren kann, wird beim Negoziationskredit die Bank des Exporteurs von der des Importeurs ermächtigt, zu ihren Lasten einen vom Exporteur auf den Importeur oder eine Bank gezogenen →Wechsel gegen Vorlage der Dokumente (z.B. Versicherungsschein, Verschiffungsdokument) anzukaufen oder zu bevorschussen (negoziieren), und zwar bevor der Wechsel vom Importeur oder von der Bank akzeptiert worden ist. Folglich kann der Exporteur bereits bei Vorlage der Versanddokumente über den Gegenwert verfügen.

Die Form des Negoziationskredits ist im Rahmen des → Akkreditivs üblich. Im Akkreditiv (Auftrag, aus dem Guthaben des Auftraggebers einem Dritten einen bestimmten Betrag zur Verfügung zu stellen) wird dann vereinbart, daß eine von der eröffnenden Bank (Bank des Importeurs) beauftragte Bank (Bank des Exporteurs) im Lande des Verkäufers einen vom Begünstigten (Exporteur) auf die eröffnende Bank gezogenen Wechsel negoziieren (ankaufen) soll (Negoziierungsklausel). *H. Ku.*

Literatur: *Vormbaum, H.*, Finanzierung der Betriebe, 7. Aufl., Wiesbaden 1986. *Wöhe, G./Bilstein, J.*, Grundzüge der Unternehmensfinanzierung, 4. Aufl., München 1986, S. 233.

Negoziierungsklausel → Negoziationskredit

Nennbetrag → Nennwert

Nennkapital → Nominalkapital

Nennwert

(Nennbetrag, Nominalwert) zu verzinsender und zurückzuzahlender Geldbetrag, der festverzinslichen → Wertpapieren aufgedruckt ist; bei → Aktien auf diesen angegebener Betrag als Teil des zerlegten Grundkapitals (→ Nominalkapital); auch Anteile der GmbH-Gesellschafter lauten auf einen bestimmten Nennwert. Der Nennwert lautet bei Aktien auf 50 DM (Mindestnennwert nach § 8 AktG), 100 DM oder ein Vielfaches davon. Der Nennwert der Aktien in den USA beträgt zwischen 1 und 100 Dollars, in England meist 1 Pfund, in Frankreich 100 Francs oder ein Mehrfaches davon.

Der Nennwert weicht insb. bei Aktien häufig stark vom Marktwert (Kurs) ab. Aktien müssen in Deutschland einen Nennwert haben (Nennwertaktien), Quotenaktien dürfen nicht ausgegeben werden.

Nennwertaktie → Aktie

Neobehaviorismus → Behaviorismus

Neo-Faktorproportionentheorem

eine durch empirische Falsifizierung der → Faktorproportionentheorie (→ Leontief-Paradoxon) ausgelöste Weiterentwicklung der → Theorie der komparativen Kosten zur Erklärung von → Außenhandelsursachen. Dabei werden die in der Faktorproportionentheorie als homogen angesehenen Faktorbestände von Arbeit und Kapital um verschiedene Kategorien von Arbeitskräften unterschiedlicher Qualifikationsniveaus (z. B. Spezialisten, Facharbeiter und ungelernte Arbeiter) oder der Kapitalbegriff durch Einführung eines durch Ausbildung der Arbeitskräfte aufgebauten Humankapitals (→ Arbeitsvermögen) erweitert.

Ein ohne diese Differenzierung als arbeitsreich einzuordnendes Land kann nun gerade mit Arbeitskräften höherer Qualifikationsniveaus vergleichsweise knapp ausgestattet sein, während ein kapitalreiches Land i. d. R. auch reichlich über qualifizierte Arbeitskräfte verfügt. Unter solchen Bedingungen kann angenommen werden, daß Arbeitskräfte mit hohem Ausbildungsniveau im arbeitsreichen Land relativ hoch entlohnt werden, weil sie dort knapper sind als im kapitalreichen Land. Als Folge werden auch Produkte, deren Herstellung einen hohen Einsatz qualifizierter Arbeit erfordert, im arbeitsreichen Land nur relativ teuer herstellbar sein. Es besitzt somit komparative Kostennachteile in der Erzeugung qualifikationsintensiver Güter, während das kapitalreiche Land dort komparative Kostenvorteile aufweist.

Für den → Außenhandel bedeutet dies, daß kapitalreiche Länder, die gleichzeitig reichlich mit ausgebildeten Arbeitskräften versehen sind, vor allem Güter exportieren, deren Herstellung ein hohes Qualifikationsniveau der Arbeit erfordert, während ihre Importgüter in den Ursprungsländern mit einem relativ hohen Anteil gering ausgebildeter Arbeitskräfte erstellt werden. So kann die durch das → Leontief-Paradoxon ausgewiesene relativ hohe Arbeitsintensität amerikanischer Exporte also in Wirklichkeit deren hohe Qualifikationsintensität anzeigen, während die unter Verwendung einfacher Arbeitsleistungen hergestellten Importe als arbeitsintensiv einzustufen sind.

Jüngere empirische Untersuchungen von Außenhandelsstrukturen können die durch das Neo-Faktorproportionentheorem beschriebenen Strukturdeterminanten des Außenhandels als signifikante Einflußfaktoren bestätigen. *F. P. L.*

Literatur: *Bender, D.*, Außenhandel, in: Vahlens Kompendium der Wirtschaftstheorie und Wirtschaftspolitik, Bd. 1, 2. Aufl., München 1984, S. 401 ff.

Neoimperialismus

alle von multinationalen Unternehmungen ausgehenden Formen der Beeinflussung, Abhängigkeit bzw. Beherrschung von unterentwickelten Ländern und Regionen durch die Industrienationen.

Die (neo-)marxistischen Neoimperialismus-Theoretiker sehen vor allem in den von multinationalen Unternehmungen in der Dritten Welt getätigten → Auslandsinvestitionen eine entscheidende Ursache für deren Unterentwicklung. Dies wird u.a. mit dem umfangreichen Transfer von Gewinnen und damit von volkswirtschaftlichen Überschüssen, die den Hauptteil des Gesamteinkommens dieser Gesellschaften ausmachen, an die Muttergesellschaften begründet. Weiterhin wird auf die Verdrängung einheimischer Produzenten aus ihren traditionellen Absatzmärkten hingewiesen.

Allerdings wird bei dieser einseitig negativen Beurteilung der ausländischen Direktinvestitionen übersehen, daß die transferierten Gewinne Gegenleistungen für die Bereitstellung von unternehmerischen Fähigkeiten und technischem Wissen darstellen. Weiterhin sind mögliche positive Effekte solcher Investitionen (Anstieg der Investitionsquote des Gastgeberlandes, Devisenverdiensteffekt bei auslandsbezogenen Direktinvestitionen, Erhöhung der Beschäftigung und der volkswirtschaftlichen Wertschöpfung) zu berücksichtigen. Insofern kann die gesamtwirtschaftliche Bewertung dieser Auslandsinvestitionen nur einzelfallbezogen erfolgen. *H.-R. H./H.-J. Te.*

Literatur: *Baran, P. A.,* Politische Ökonomie des wirtschaftlichen Wachstums, Berlin, Neuwied 1966. *Hemmer, H.-R.,* Wirtschaftsprobleme der Entwicklungsländer, München 1978.

Neoklassik

auch als „Neo-Neoklassik" bezeichnetes, ausgereiftes Lehrsystem, das sich aus den verschiedenen Zweigen der → Grenznutzenschule als der „älteren Neoklassik" entwickelt hat und als gegenwärtig dominierend anzusehen ist. Während die grundlegenden Erklärungsprinzipien der Grenznutzenschule – methodologischer Individualismus (im Grundsatz sollen alle Phänomene auf individuelle Entscheidungsakte zurückgeführt werden), Rationalität und Gleichgewichtsorientierung (als methodische Prinzipien) – beibehalten werden, ist die Neoklassik gekennzeichnet durch enorme Anstrengungen zur Präzisierung und Axiomatisierung ihres theoretischen Systems einerseits und durch eine beachtliche Ausweitung ihrer inhaltlichen Thematik andererseits. Diese Entwicklungen vollziehen sich gleichzeitig und sind keineswegs abgeschlossen.

Bereits in der Zwischenkriegszeit kommt es unter der Mitwirkung zahlreicher Ökonomen zu einer raschen Entfaltung der Produktions- und der Haushaltstheorie – die zur Entwicklung der → Aktivitätsanalyse und der → Input-Output-Rechnung einerseits, der Theorie der → offenbarten Präferenzen andererseits

führen –, vor allem aber zur Umgestaltung der Preistheorie: Hatte sich die überlieferte Theorie auf die Analyse der vollkommenen Konkurrenz und des Monopols beschränkt, so werden jetzt auch die „mittleren" Marktformen Polypol und Oligopol einbezogen (Theorie der → Marktformen, der → Verhaltensweisen, des → Oligopols, → Spieltheorie), wird der heterogene Markt dem homogenen Markt gegenübergestellt (Theorie der unvollständigen oder monopolistischen Konkurrenz), wird schließlich der Markt in seinen dynamischen und evolutorischen Aspekten erfaßt (→ Wettbewerbstheorie).

Zur gleichen Zeit setzen verstärkt Bemühungen ein, die → Totalanalyse zu vervollkommnen. So werden die Bedingungen der Existenz, Eindeutigkeit und Stabilität des allgemeinen Gleichgewichts herausgearbeitet; eine Entwicklung, die in den Beiträgen von *Kenneth J. Arrow* und *Gérard Debreu* kulminiert. Durch rigorose Analyse zeigt sich, daß der Marktmechanismus zumindest im Prinzip mit dem Problem der Allokation knapper Ressourcen fertig werden kann, die „unsichtbare Hand" *(Adam Smith)* als Konsequenz des Eigeninteresses der Akteure also tätig wird. Darüber hinaus gelingt der Nachweis, daß ein Konkurrenzgleichgewicht ein → Pareto-Optimum darstellt, wie umgekehrt jedes Pareto-Optimum als Wettbewerbsgleichgewicht zustande kommen kann. Durch Einbeziehung weiterer Fragestellungen – Kooperation zwischen den Akteuren, Entscheidungen unter Risiko, intertemporale Allokation – kann dieser Zweig der Theorie auf eine breitere Grundlage gestellt werden. Im Rahmen der Theorie des allgemeinen Gleichgewichts entfaltet sich unter Modifikation des Gleichgewichtsbegriffs die → Ungleichgewichtstheorie, die der Beschäftigungstheorie neue Impulse gibt.

Fortschritte im Sinne der neoklassischen Tradition lassen sich auch auf einzelnen Gebieten, wie z.B. der → Außenhandelstheorie (→ Faktorproportionentheorie, → Faktorpreisausgleich), erzielen. In der Auseinandersetzung mit der postkeynesianischen entsteht die neoklassische → Wachstumstheorie, womit ein von der frühen Neoklassik vernachlässigtes Thema, das in der → Klassik einen hohen Stellenwert besessen hat, wieder aufgegriffen wird.

Aber nicht nur innerhalb des von der Tradition abgesteckten Feldes der Ökonomik entwickelt die Neoklassik neue Ansätze, sondern sie erschließt sich auch neue Anwendungsfelder. Hatte die frühe Neoklassik ihr Augenmerk primär auf die marktgängigen (privaten)

Güter gerichtet, so werden nun auch → Kollektivgüter in die Analyse einbezogen, eine Entwicklung, die sich mit *Arthur C. Pigous* Theorie der → externen Effekte bereits ankündigt.

Neoklassische Erklärungsschemata werden auch auf politische Prozesse angewendet, wodurch die traditionelle Politische Ökonomik unter gänzlich anderen Aspekten neuen Auftrieb bekommt (→ Neue Politische Ökonomik). Auch die Vernachlässigung oder gar Ablehnung institutioneller Fragestellungen wird im Rahmen der Neoklassik überwunden, indem in jüngster Zeit gerade mit neoklassischen Mitteln eine Theorie der Institutionen ausgearbeitet wird (Theorie der → Eigentumsrechte). Ursprünglich in der Grenznutzenschule als eine Theorie der Marktwirtschaft konzipiert, wird die neoklassische Theorie somit zu einem Instrument der Analyse von Koordinationsprozessen schlechthin.

U. F.

Literatur: *Issing, O.* (Hrsg.), Geschichte der Nationalökonomie, München 1984. *Stavenhagen, G.,* Geschichte der Wirtschaftstheorie, 4. Aufl., Göttingen 1969.

neoklassische Arbeitslosigkeit → Unterbeschäftigungsgleichgewicht

Neokolonialismus → Neoimperialismus

Neoliberalismus

Oberbegriff für jene Programme der Erneuerung klassisch-liberalen Gedankenguts (→ Klassik, → Liberalismus), deren Ordnungsvorstellungen durch eine unmißverständliche Abkehr von (groben) → laissez faire-Konzepten und eine scharfe Ablehnung totalitärer Gesellschaftssysteme geprägt sind. Die neoliberalen Entwürfe zur Wirtschafts- und Gesellschaftsordnung sind Gestaltungsmodelle, die als zentrale Gemeinsamkeit die Forderung nach (verfassungsmäßiger oder gesetzlicher) Sicherung des → Wettbewerbs vor Übermacht enthalten, sich jedoch in ihren Antworten auf die Frage, wie das Spannungsverhältnis zwischen Freiheit und sozialem Ausgleich aufzulösen sei, unterscheiden. Hier sind neben den Ansichten der → Freiburger Schule vor allem die Auffassungen bedeutsam, die *Alfred Müller-Armack* (→ Soziale Marktwirtschaft), *Wilhelm Röpke* und *Alexander Rüstow* entwickelt haben. Sehr nachdrücklich setzt sich der Neoliberalismus dieser Prägung von einem Paläoliberalismus ab, der dogmatisch die Überzeugung von der immanenten Harmonie eines Marktsystems vertritt und das Laissez faire zu einer Pflicht

macht. Er übersehe dabei, daß der Markt selbst lediglich eine dienende Funktion hat, die Funktion, eine möglichst günstige Versorgung der Menschen zu erreichen. Betont wird, daß der Marktrahmen, der das eigentliche Gebiet des Menschlichen umfaßt, unendlich viel wichtiger sei als der Markt selbst. Deshalb bedürfe es eines dritten Weges zwischen Paläoliberalismus und → Kommunismus, eben des Neoliberalismus. Anerkannt wird die hohe Bedeutung der Marktwirtschaft für die Steigerung der Produktivität und des Volkswohlstandes.

Der Staat ist gefordert, jene faire Leistungskonkurrenz zu gewährleisten, die allein ein Zusammenfallen von Einzel- und Gesamtinteresse bewirkt. Neben der Sicherung einer fairen Leistungskonkurrenz und der Verhinderung der Bildung monopolistischer Machtpositionen gilt es, Aufgaben zu lösen, die dem Marktmechanismus unzugänglich, die aber von größter Bedeutung für die menschlichen Belange sind. Dazu gehört insb. der umfassende Bereich der → Sozialpolitik. *Rüstow* möchte ihn nicht auf die Probleme des Arbeitsverhältnisses reduziert wissen. Zusätzlich werde eine Politik notwendig, die die Vitalsituation des Menschen unter den Lebensbedingungen einer modernen großstädtischen Industriewirtschaft verbessert.

Wesentlich erscheint, daß aus dem Wettbewerbsprozeß keine integrative Kraft erwachsen kann; sie muß den Rahmenbedingungen des „Marktrandes", dem eigentlichen Lebensbereich des Menschen, zugeordnet werden. Schließlich fordert der Neoliberalismus den Einsatz der Staatsgewalt dort, wo es gilt, → Konjunkturpolitik zu betreiben und wirtschaftliche Strukturverschiebungen ohne größere Reibungsverluste durchzusetzen. Gefordert wird ferner die Herstellung größtmöglicher Startgleichheit und Startgerechtigkeit durch Erbausgleich, Erziehung und Ausbildung sowie → Vermögensbildung und Grundsicherungen im Sozialbereich. *H. G. K.*

Literatur: *Eucken, W.,* Grundsätze der Wirtschaftspolitik, Tübingen 1952. *Röpke, W.,* Jenseits von Angebot und Nachfrage, 5. Aufl., Bern, Stuttgart 1979. *Rüstow, A.,* Herrschaft oder Freiheit? Ortsbestimmung der Gegenwart, Erlenbach-Zürich 1957.

Neomalthusianismus → Wachstumsgrenzen

Neomerkantilismus

Bezeichnung für die seit Ende des 19. und in der ersten Hälfte des 20. Jh. betriebene interventionistische Wirtschaftspolitik mancher Staaten (→ gewerbepolitische Epochen), die durch Lenkung der Wirtschaftsabläufe, durch einseitig auf Exportförderung ausgerichtete Handelspolitik unter Abkehr vom → Freihandel auf Basis des → Goldstandards und im Streben nach → Autarkie Ähnlichkeiten zum → Merkantilismus aufwies. Den Höhepunkt erreichte der Neomerkantilismus in der Zeit der → Weltwirtschaftskrise, in der die Industriestaaten den Beschäftigungsstand des eigenen Landes auf Kosten der anderen Länder verteidigten („Beggar-my-neighbour-Politik"). Heute kennzeichnet der Neomerkantilismus vielfach das Streben marktwirtschaftlich orientierter Industrieländer nach Zahlungsbilanzüberschüssen und einer protektionistischen Beschäftigungsstabilisierung (→ Protektionismus).

Neoquantitätstheorie

auf *Milton Friedman* zurückgehende und in der modernen → monetaristischen Inflationstheorie aufgegangene Weiterentwicklung der klassischen → Quantitätstheorie. Hiernach ist → Inflation ein länger anhaltendes, vom gesamtwirtschaftlichen Geldmarkt ausgehendes monetäres Phänomen, dessen Ursache ein im Verhältnis zum Wachstum der Güterproduktion zu hohes Geldmengenwachstum ist.

Die Neoquantitätstheorie ersetzt die quantitätstheoretische Annahme der strukturellen Konstanz der Umlaufgeschwindigkeit des Geldes durch eine empirisch prüfbare und bisher nicht falsifizierte Hypothese, nach der die Umlaufgeschwindigkeit bzw. der Kassenhaltungskoeffizient zwar keine Konstante, wohl aber eine stabile Funktion weniger endogener Variablen – darunter insb. Zinssatz und erwartete Inflationsrate – ist. Hierdurch wird der von der älteren Quantitätstheorie behauptete streng proportionale Zusammenhang zwischen Geldmenge und Preissteigerungen zwar gelockert, aber nicht gänzlich aufgehoben: Zumindest längerfristig, insb. im Grenzfall des → inflatorischen Gleichgewichts, besteht auch aus neoquantitätstheoretischer Sicht die Proportionalität fort.

Wie sich die Zusammenhänge im kurz- und mittelfristigen Anpassungsprozeß darstellen, versucht die monetaristische Inflationstheorie zu klären; worauf das überschüssige Geldmengenwachstum zurückzuführen ist, untersucht die politische Theorie der Inflation.

D. C.

Literatur: *Friedman, M.* (Hrsg.), Studies in the Quantity Theory of Money, Chicago 1956. *Friedman, M.,* The Counter-Revolution in Monetary Theory, London 1970. *Siebke, J.,* Geldnachfragetheorie, in: *Thieme, H. J.* (Hrsg.), Geldtheorie, Baden-Baden 1985, S. 41 ff.

neoricardianische Theorie

wachstumstheoretische Richtung, die als Reaktion auf die neoklassische → Wachstumstheorie und unter Rückgriff auf klassische Vorstellungen in den 60er und 70er Jahren entwickelt worden ist. Hauptvertreter sind *Piero Sraffa, Joan Robinson* und *Luigi Pasinetti.* Die neoricardianischen → Wachstumsmodelle unterscheiden sich von den neoklassischen darin, daß auf die Verwendung makroökonomischer Aggregate und damit auch auf das Konstrukt der makroökonomischen Produktionsfunktion verzichtet wird. Der Produktionsprozeß wird stattdessen durch die konstanten → Arbeitskoeffizienten und → Kapitalkoeffizienten der einzelnen Produktionssektoren beschrieben.

Das → Wachstumsgleichgewicht impliziert in diesen Modellen nicht nur die für die Erhaltung der Vollbeschäftigung von Kapital und Arbeit und für die Konstanz der funktionellen → Einkommensverteilung erforderliche → Wachstumsrate von Kapitalstock, Volkseinkommen, Konsum, Investition, Lohn- und Gewinneinkommen und die erforderliche Höhe der relativen Preise von Kapital und Arbeit, sondern auch die erforderlichen relativen Güterpreise und die erforderliche Aufteilung von Kapital- und Arbeitseinsatz auf die Produktionssektoren.

Die neoricardianischen Wachstumsmodelle sind also, anders als die Standardmodelle der keynesianischen und neoklassischen Wachstumstheorie, Mehr-Sektoren- und nicht Ein-Sektor-Modelle. Sie erfassen darum Probleme der Produktions- und Preisstruktur, die sich in Ein-Sektor-Modellen nicht diskutieren lassen.

G. S.-R.

netting out → Kompensationslösungen

Nettoanlageinvestition → Anlageinvestition

Netto-Anlagevermögen → Anlagevermögen

Nettoauslandsaktiva

Begriff aus der Zahlungsbilanzstatistik: Die Veränderung der Nettoauslandsaktiva ist im Prinzip identisch mit dem Saldo der sog. → Devisenbilanz der Zentralbank.

Die Nettoauslandsaktiva sind die Differenz zwischen den Bruttoauslandsforderungen der Zentralbank und ihren Auslandsverbindlichkeiten. In diesem Sinne entsprechen sie den → Währungsreserven i. w. S. Die Bundesbank weist als Nettoauslandsaktiva die Summe aus ihren Nettowährungsreserven (Bruttowährungsreserven abzüglich Auslandsverbindlichkeiten) und Krediten und sonstigen Forderungen an das Ausland aus. Zu den Bruttowährungsreserven zählen: → Gold, → Devisen und → Sorten, → Reserveposition im Internationalen Währungsfonds, → Sonderziehungsrechte und Forderungen an den → Europäischen Fonds für währungspolitische Zusammenarbeit. Die unter den Bruttowährungsreserven ausgewiesenen Forderungen sind meist kurzfristig mobilisierbar; die sonstigen Auslandsforderungen sind längerfristiger Natur.

M. F.

Nettoauslandsposition → Auslandsposition, → Währungsreserve

Nettobedarf → Materialbedarfsarten

Nettobetrieb → Eigenbetriebe

Nettobewegungsbilanz → Bewegungsbilanz

Netto-Dividende

den Anteilseignern einer Kapitalgesellschaft (Sicht der Unternehmung) auszahlbare Dividende. Sie verbleibt den Betroffenen nach Abzug der → Körperschaftsteuer und → Kapitalertragsteuer von der Ausschüttung. In Belastungsvergleichen wird gelegentlich mit diesem Begriff auch die dem Anteilseigner nach allen Steuern verbleibende oder verfügbare Dividende bezeichnet (Sicht des Anteilseigners). Gegensatz: → Brutto-Dividende.

Nettoeinkommen → Einkommen

Nettogewinn → Gewinnprinzip, → Deckungsbeitragsrechnung

Nettoinländerprodukt

mit dem → Nettosozialprodukt identisch.

Nettoinlandsprodukt

Das Nettoinlandsprodukt zu Marktpreisen entspricht der Wertsumme aus privatem Verbrauch, Staatsverbrauch, Nettoinvestitionen und exportierten minus importierten Gütern. Es ergibt sich auch durch Abzug der Abschreibungen vom → Bruttoinlandsprodukt zu Marktpreisen. Nach Subtraktion der indirekten Steuern (minus Subventionen) erhält man das Nettoinlandsprodukt zu Faktorkosten. Dies ist der Wert aller in einer Periode im inländischen Produktionsprozeß entstandenen Faktoreinkommen (Erwerbs- plus Vermögenseinkommen) und entspricht genau der Summe der Nettowertschöpfung (Faktorkosten) aller inländischen Wirtschaftsbereiche.

Addiert man hierzu die Faktoreinkommen von Inländern aus dem Ausland und subtrahiert die von Ausländern im Inland erworbenen Faktoreinkommen, erhält man die Summe der in der betreffenden Periode allen Inländern letztlich zugeflossenen Faktoreinkommen, das → Volkseinkommen (→ Inlandsprodukt).

H. R.

Nettoinvestition → Investitionsausgaben

Nettokreditaufnahme → öffentlicher Kredit

Netto-Marktposition

Ausmaß, in dem ein Unternehmen Preissteigerungen auf der Beschaffungsseite auf die Absatzpreise überwälzen kann bzw. diese zu Lasten des eigenen Gewinns hinnehmen muß.

Literatur: *Koll, W:,* Inflation und Rentabilität, Wiesbaden 1979.

Nettoneuverschuldung → öffentlicher Kredit

Nettoreproduktionsrate

gibt an, inwieweit bei gegebenen altersspezifischen Fertilitäts- und Mortalitätsraten (den sog. Vitalitätsverhältnissen) eines Beobachtungszeitraums eine Frauengeneration durch die von diesen Frauen geborenen Mädchen ersetzt wird. Die zu ihrer Berechnung erforderlichen altersspezifischen Raten stammen zumeist aus einem Kalenderjahr und sind auf eine fiktive Kohorte 1000 neugeborener Mädchen bezogen (Berechnung als Perioden-Nettoreproduktionsrate).

Eine Nettoreproduktionsrate von 1,0 bedeutet, daß die Generation der Mütter durch die der Töchter gerade ersetzt wird (falls die unterstellten Vitalitätsverhältnisse für einen hinreichend langen Zeitraum konstant bleiben), eine Nettoreproduktionsrate von > 1 (< 1), daß die nachfolgende Generation die erste mehr als ersetzt (nicht ersetzt). Einer Nettoreproduktionsrate von > 1 (< 1) entspräche eine langfristig wachsende (schrumpfende) Bevölkerung.

Seit den frühen 60er Jahren ist die Nettoreproduktionsrate in den meisten westlichen Industrienationen stark abgesunken. Ende der 60er/Anfang der 70er Jahre fiel sie auf breiter Front unter den Wert von 1,0. In der Bundesrepublik Deutschland ging sie von knapp unter 1,2 (Mitte der 60er Jahre) auf unter 0,7 (Mitte der 70er Jahre) zurück (vgl. Abb.). Dieses Absinken ist für viele Länder hinsichtlich Umfang und Zeitdauer typisch; vom Niveau her gesehen weist dabei die Bundesrepublik den niedrigsten Stand auf (1978). *U. R.*

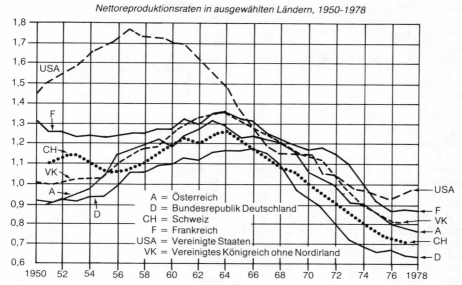

Nettoreproduktionsraten in ausgewählten Ländern, 1950-1978

A = Österreich
D = Bundesrepublik Deutschland
CH = Schweiz
F = Frankreich
USA = Vereinigte Staaten
VK = Vereinigtes Königreich ohne Nordirland

Quelle: Gestaltet nach: *Der Bundesminister des Innern* (Hrsg.), Bericht über die Bevölkerungsentwicklung in der Bundesrepublik Deutschland, 1. Teil, S. 32

Literatur: *Esenwein-Rothe, I.,* Einführung in die Demographie, Wiesbaden 1982. *Feichtinger, G.,* Bevölkerung, in: HdWW, Bd. 1, Stuttgart u.a. 1977, S. 610 ff.

Nettosozialprodukt

Das Nettosozialprodukt zu Marktpreisen entspricht der Summe aus privatem Verbrauch, Staatsverbrauch, Nettoinvestitionen (Bruttoinvestitionen minus Abschreibungen) und Außenbeitrag (Exporte minus Importe plus Saldo der Faktoreinkommen zwischen Inländern und der übrigen Welt). Man erhält es auch durch Abzug der Abschreibungen vom → Bruttosozialprodukt zu Marktpreisen. Nach Subtraktion der in den Marktpreisen enthaltenen indirekten Steuern (bereinigt um die Subventionen) gelangt man zum Nettosozialprodukt zu Faktorkosten, das mit dem → Volkseinkommen identisch ist.

Beide Nettosozialproduktgrößen sind nach dem → Inländerkonzept definiert und werden deshalb auch als Nettoinländerprodukte bezeichnet. Das Nettosozialprodukt zu Marktpreisen wird sowohl nominal (zu laufenden Preisen) als auch real (zu konstanten Preisen eines bestimmten Basisjahres) ausgewiesen (→ Sozialprodukt). *H. R.*

Nettosubstanzwert → Substanzwert

Nettoumsatz → Umsatz

Netto-Umsatzsteuer

Die gegenwärtig geltende → Umsatzsteuer (Mehrwertsteuer) geht von der Netto-Umsatzsteuer aus. Im Prinzip soll nur der Mehr-Wert, d.h. die eigene Wertschöpfung, der Besteuerung unterworfen werden. Dazu muß der Bruttoumsatz um die mit Umsatzsteuer belasteten Vorleistungen bereinigt werden. Das kann auf unterschiedlichem Wege geschehen (→ Umsatzsteuerreform).

Nettowährungsreserve → Währungsreserve

Nettowertschöpfung → Nettoinlandsprodukt zu Faktorkosten

Nettozahlungen → Rückflüsse einer Investition

Nettozinsdifferenz → Swappolitik

Netzplantechnik

Methodik zur Terminplanung von Projekten auf der Basis der → Graphentheorie. Die heutigen Modelle und Verfahren gehen auf drei um 1957/58 zeitlich parallel entwickelte Methoden zurück, die Critical Path Method (CPM), die Program Evaluation and Review Technique (PERT) und die Metra Potential-Methode (MPM). Heute verwendet man überwiegend die Einteilung in Vorgangskno-

tennetze (MPM-orientiert) und Vorgangs-
pfeilnetze (CPM-orientiert).

Zur Anwendung der Netzplantechnik werden Projekte in einzelne Vorgänge zerlegt, die
in ihren gegenseitigen terminlichen Abhängigkeiten als gerichteter Graph bzw. Netzplan
(→ Graphentheorie) dargestellt werden. Bei
den Vorgangsknotennetzen werden die Vorgänge durch die Knoten des Graphen repräsentiert, während in den Pfeilen die Anordnungsbeziehungen zwischen den Vorgängen
zum Ausdruck kommen. Bei den Vorgangs-
pfeilnetzen werden die Vorgänge durch Pfeile
dargestellt, die in den Knoten als „Ereignisse"
zusammenlaufen.

Nach Aufstellen des Strukturzusammen-
hanges zwischen den Vorgängen im Netzplan
werden den Vorgängen die Ausführungszeiten
zugeordnet (bei Vorgangsknotennetzen ferner
den Anordnungsbeziehungen die möglichen
zeitlichen Abstände zwischen den Vorgängen). Auf der Basis dieser Zeiten können sodann durch zwei Rechengänge die Termine
für alle Vorgänge festgelegt werden. Dabei
dienen die „Vorwärtsrechnung" als erster Re-
chengang der Bestimmung der frühesten An-
fangs- und Endtermine der Vorgänge, die
„Rückwärtsrechnung" als zweiter Rechen-
gang der Bestimmung der spätesten Anfangs-
und Endtermine der Vorgänge. Die Differenz
zwischen spätesten und frühesten Terminen
wird als „Pufferzeit" bezeichnet. Vorgänge
mit einer Pufferzeit von Null heißen „kritische" Vorgänge. Sie bilden den „kritischen
Weg". Verzögerungen bei den kritischen Vorgängen führen zu Verzögerungen des gesamten Projektes.

Die Netzplantechnik hat unter den Modellen und Verfahren des → Operations Research
die größte Verbreitung gefunden. Bei praktisch allen großen Projekten der Industrie und
der öffentlichen Verwaltung wird die Netzplantechnik zur Terminplanung eingesetzt.
Mit EDV-Standardprogrammen lassen sich
Projekte mit vielen tausend Vorgängen planen
und verwalten.   H. M.-M.

Literatur: *Schwarze, J.,* Netzplantechnik, 5. Aufl.,
Herne, Berlin 1986. *Schwarze, J.,* Netzplantheorie,
Herne, Berlin 1983.

Netzwerke → Graphentheorie

Netzwerkmodell → Datenmodell

Neubewertungsmethode → angelsächsische
Kapitalkonsolidierungsmethode

Neue Klassische Makroökonomik
unterstellt, daß grundsätzlich stets auf allen
Märkten Gleichgewicht herrscht in dem Sinn,

daß Angebots- und Nachfrageentscheidungen
kompatibel sind. Im Gegensatz zur → Neoklassik wird jedoch explizit berücksichtigt,
daß Informationen nicht unentgeltlich und
vollständig zur Verfügung stehen und daß die
Entscheidungen der Wirtschaftssubjekte
nicht nur durch die tatsächlich beobachtbaren Preise, sondern auch durch Erwartungen
über künftige Preise und über andere Einflußfaktoren sowie durch frühere Entscheidungen bestimmt werden, wobei im allgemeinen rationale → Erwartungsbildung unterstellt wird.

Ungenutzte Ressourcen, wie z.B. → Arbeitslosigkeit, sind damit stets auf freiwillige
Entscheidungen der Wirtschaftssubjekte (allerdings unter der Restriktion der oben genannten Einflußgrößen) zurückzuführen. Gesamtwirtschaftliche Nachfrageschocks führen
nur dann (vorübergehend) zu Schwankungen
von Realeinkommen und Beschäftigung,
wenn sie unerwartet sind und wenn (z.B. zur
Senkung von Informationskosten abgeschlossene) langfristige Kontrakte (z.B. Tarifabschlüsse) eine schnelle Anpassung der relativen Preise verhindern oder die Wirtschaftssubjekte aufgrund hoher Informationskosten
nicht in dem notwendigen Umfang zwischen
Veränderungen relativer Preise (die zu Res-
sourcenreallokation führen) und Veränderungen absoluter Preise (die alleine keine dauerhaften Auswirkungen haben) unterscheiden
können.

Ein wichtiges Kennzeichen der Modelle
sind die zumeist explizite Berücksichtigung
von Unsicherheit der Erwartungsbildung und
die Einführung stochastischer Störungen. Das
Niveau an Arbeitslosigkeit, das sich bei kor-
rekten Erwartungen gesamtwirtschaftlicher
Entwicklungen wie Inflation usw. ergibt, wird
als „natürliche Arbeitslosigkeit" bezeichnet;
sie kann durch nachfragepolitische Maßnahmen nicht dauerhaft reduziert werden, sondern ist allein beeinflußbar durch Maßnahmen, die die Lage der Arbeitsnachfrage-(Produktivitätsfortschritt) bzw. Arbeitsangebots-
(z.B. Beeinflussung der Opportunitätskosten
der Arbeitslosigkeit durch Variation der Ar-
beitslosenunterstützung) Funktionen beeinflussen.

Die Neue Klassische Makroökonomik baut
wie der → Monetarismus auf der Neoklassik
auf. Während jedoch der Monetarismus von
der → Quantitätstheorie ausgeht und das
Hauptgewicht auf die Untersuchung des
→ Transmissionsmechanismus monetärer
Schocks legt, analysiert die Neue Klassische
Makroökonomik vor allem die Anpassungsprozesse im realen Sektor unter besonderer

Berücksichtigung der Hypothese rationaler Erwartungen (→ Erwartungsbildung).

Vertreter des → Keynesianismus lehnen die Interpretation einer konjunkturellen Arbeitslosigkeit als Gleichgewichtssituation auf dem Arbeitsmarkt ab. Insb. in der → Ungleichgewichtstheorie wird das → Unterbeschäftigungsgleichgewicht als eine Ungleichgewichtssituation charakterisiert, in der das in der Neuen Klassischen Makroökonomik stets wirksame Instrument einer Reduktion des Reallohnsatzes zur Beseitigung der Arbeitslosigkeit versagen kann.   *J. R.*

Literatur: *Fuhrmann, W.,* Keynesianismus und Neue Klassische Makroökonomik, in: Jahrbuch für Sozialwissenschaft, Bd. 33 (1982), S. 269 ff.

Neue Makroökonomik → Ungleichgewichtstheorie

Neue Ökonomische Politik

Entwicklungsphase (NEP-Periode) des → sowjetischen Wirtschaftssystems 1921–1928. Wegen der Mischung von Ordnungselementen der → Marktwirtschaft und der → Zentralverwaltungswirtschaft wurde sie von *Wladimir I. Lenin* auch als „Staatskapitalismus" bezeichnet.

Die NEP-Periode schließt an den Kriegskommunismus an, der mit dem „Dekret über die Naturalsteuer" vom 21. 3. 1921 endet. Die brutale Durchsetzung naiv-kommunistischer Ordnungs- und Lenkungsformen im Kriegskommunismus hatte zusammen mit außerwirtschaftlichen Faktoren das Land an den Rand des politischen und wirtschaftlichen Ruins gebracht. Daher wurden die Kollektivierung der Landwirtschaft gestoppt und freie genossenschaftliche Zusammenschlüsse der Bauern erlaubt, die Ablieferungspflicht durch eine Naturalsteuer ersetzt, industrielle Klein- und Mittelbetriebe reprivatisiert, privates Handwerk und freier Handel zugelassen. Parallel dazu wurde der Aufbau zentraler Planungsorgane vorangetrieben.

Die sog. Kommandohöhen – Großindustrie, Bank- und Transportwesen, Außenhandel – blieben staatlich und zentral gelenkt. Die Wirtschaftslage des Landes und die Versorgung der Bevölkerung verbesserten sich schnell spürbar, jedoch unter Hintanstellung ideologischer Ziele der kommunistischen Staatspartei (KPdSU). Dieser „taktische Schritt zurück" wurde von *Josef I. Stalin* 1928 beendet („Revolution von oben").   *R. Pe.*

Literatur: *Raupach, H.,* Wirtschaft und Gesellschaft Sowjetrußlands 1917–1977, Wiesbaden 1979.

Neue Politische Ökonomik

in enger Abgrenzung jener wissenschaftliche Ansatz, der politisches Handeln mit den Mitteln der ökonomischen Theorie zu erklären versucht (ökonomische Theorie der Politik); in weiterer Abgrenzung geht es um die Integration von Politik und Ökonomie durch die Analyse von deren wechselseitiger Abhängigkeit, und zwar durchweg mit Hilfe des ökonomischen Instrumentariums.

Während die traditionelle Wirtschaftstheorie sich im wesentlichen auf die Untersuchung der Koordination über den Markt (Preissystem) beschränkt, erschließt die Neue Politische Ökonomik dem ökonomischen Räsonnement weitere Anwendungsgebiete, indem sie die gesellschaftlichen Koordinationsformen Demokratie (→ Wählerstimmenmarkt), → Hierarchie (→ Bürokratie) und Verhandlung (→ Interessengruppen, Verbandsökonomik) in die Betrachtung einbezieht. Wie bei der Marktanalyse bleibt grundlegend die Arbeitshypothese, daß die Funktionsweise auch dieser Koordinations- bzw. Entscheidungsverfahren aus individuellen Handlungsakten zu erklären ist (→ methodologischer Individualismus), d. h. es wird davon ausgegangen, daß die Individuen im Rahmen der jeweiligen Koordinationsverfahren durch Nutzen- und Kostenüberlegungen auf rationale Weise ihr Eigeninteresse verfolgen.

Aus der Erweiterung der Fragestellung resultiert unmittelbar eine andere Interpretation der Rolle des Staates (bzw. der Regierung): Wird „der Staat" in traditioneller Sicht grundsätzlich im Sinne des → Gemeinwohls tätig, indem er eine irgendwie definierte und vorgegebene gesellschaftliche → Wohlfahrtsfunktion maximiert, so wird in der Neuen Politischen Ökonomik bei der Analyse des Verhaltens der Akteure in Regierung und Bürokratie manifest, daß diese einen beachtlichen Spielraum zur Verfolgung von Eigeninteressen besitzen und ihn auch tatsächlich nutzen. Der Gesichtspunkt der Optimalität wirtschaftspolitischer Eingriffe tritt damit zurück. Wirtschaftspolitische Berater haben diesen Sachverhalt zu berücksichtigen.

Die Neue Politische Ökonomik analysiert aber nicht nur verschiedene gesellschaftliche Entscheidungsverfahren, sondern versucht auch deren gleichzeitige Existenz zu erklären und deren Zusammenwirken zu beschreiben. Die gleichzeitige Existenz kann darauf zurückgeführt werden, daß jedes Koordinierungsverfahren Nachteile aufweist (→ Marktversagen, → Politikversagen), die man durch die spezifischen Vorteile jeweils anderer Verfahren auszugleichen trachtet.

Die gesellschaftlichen Entscheidungsverfahren können sich bei ihrer Kombination nicht nur ergänzen, sondern auch blockieren, womit sich die schwierige Frage nach der „richtigen" Mischung stellt. So kann die Effizienz des Marktsystems beeinträchtigt werden, wenn bestimmte Gruppeninteressen (z.B. Subventionen) in zu hohem Maße über andere gesellschaftliche Entscheidungsverfahren befriedigt werden.

Die Frage der „richtigen" Kombination der gesellschaftlichen Entscheidungsverfahren ist verwickelt und daher heftig umstritten, wofür neben kontroversen theoretischen Positionen auch unterschiedliche ideologische Vorstellungen verantwortlich sind. Immerhin besteht die Möglichkeit, aus den Erfahrungen der verschiedenen Länder mit unterschiedlichen Arrangements Anhaltspunkte für Verbesserungsvorschläge zu gewinnen, so daß die Neue Politische Ökonomik in diesem Sinne auch als die Lehre von den gesellschaftlichen Institutionen aufgefaßt werden kann.

Sowohl die Einführung neuer als auch die Änderung des Gewichtes bestehender gesellschaftlicher Entscheidungsverfahren setzen ihrerseits bestimmte Verfahrensregeln voraus. Auch bezüglich dieser sog. Verfassungsebene hat die Neue Politische Ökonomik Vorstellungen entwickelt, die das Entstehen eines Grundkonsenses über gesellschaftliche Spielregeln modelltheoretisch einsichtig machen.

So kann die bei Abwesenheit jeglicher institutioneller Regeln gegebene Situation des „Chaos" gleichsam durch einen gesellschaftlichen „Vertrag" überwunden werden (z.B. durch die Etablierung eines Privatrechtssystems). Das Zustandekommen eines Grundkonsenses wird erleichtert, wenn die Individuen zwar die segensreiche Wirkung des Arrangements im allgemeinen erkennen, infolge eines „Schleiers der Ungewißheit" jedoch nicht ihre konkreten Positionen in der Zukunft abschätzen können. Gegenüber dieser Vertragstheorie betont *Friedrich A. v. Hayek* stärker den Evolutionsaspekt, indem er auf die Verbreitung erfolgreicher Institutionen durch eher unbewußte Nachahmungen hinweist.

Ein wichtiger Teil des Grundkonsenses bezieht sich auf die Form des Staatsaufbaus (→ Föderalismus) sowie auf Verfahrensregeln in Kollektiven. So hat die Neue Politische Ökonomik z.B. Modelle zur Erklärung verschiedener → Abstimmungsverfahren auf der Basis individueller Nutzen-Kosten-Überlegungen entwickelt.

Weniger ordnungs- als prozeßtheoretisch ausgerichtet ist schließlich ein weiterer, inzwischen recht entwickelter Zweig der Neuen Po-litischen Ökonomik, der die Integration zwischen ökonomischem und politischem Sektor durch die Anwendung makroökonometrischer und politometrischer Verfahren in Form des → politischen Konjunkturzyklus theoretisch zu erfassen versucht.   *U. F.*

Literatur: *Frey, B. S.,* Theorie demokratischer Wirtschaftspolitik, München 1981. *Kirsch, G.,* Ökonomische Theorie der Politik, Tübingen, Düsseldorf 1974.

Neue Soziale Frage

vom damaligen rheinland-pfälzischen Sozialminister *Heiner Geißler* geprägte Kurzformel für eine besondere Diagnose aktueller ordnungs- und sozialpolitischer Probleme, wie sie ab 1974 hauptsächlich von der CDU und ihr nahestehenden Sozialwissenschaftlern vertreten wurde.

Schon der Begriff soll andeuten, daß die „Soziale Frage" der Gegenwart nicht mehr übereinstimmt mit dem, was seit dem 19. Jh. traditionellerweise als „Soziale Frage" und als Hauptproblem der Sozialpolitik betrachtet wurde: die soziale Sicherung und gesellschaftliche Integration der im Zuge der → Industrialisierung stark anwachsenden und damals verelendungsgefährdeten, tendenziell revolutionär geneigten Arbeiterschaft. Nachdem die staatliche Sozialpolitik seitdem vorwiegend eine arbeitnehmerbezogene Politik war, sei — so die Proponenten der Neuen Sozialen Frage — dieses Problem weitgehend gelöst, aber die weiter in der alten Richtung verfahrende expansive staatliche → Sozialpolitik verfehle neue Notlagen und gesellschaftliche Außenseitergruppen, die schon ein beträchtliches Ausmaß angenommen hätten.

Als Beweis wurde der Sachverhalt der „Armut im Wohlfahrtsstaat" *(Geißler)* dargelegt, mit der Behauptung, daß 1974 in der Bundesrepublik Deutschland 6 Mio. Menschen in absoluter → Armut lebten. Die daraufhin einsetzende wissenschaftliche Diskussion kam allerdings zu dem Ergebnis, daß das Ausmaß absoluter Armut hier doch wesentlich geringer, gleichwohl aber beachtlich ist. Ob es als Indiz für das Versagen der traditionellen Sozialpolitik zu werten ist, bleibt jedoch nach wie vor strittig. Man kann durchaus auch der Ansicht sein, daß es sich dabei um sehr heterogene Problemlagen handelt, für die mit der Institution der → Sozialhilfe schon angemessen vorgesorgt ist. Um diese Streitfrage ist es seit Ende der 70er Jahre wieder still geworden.

Unverändert aktuell ist jedoch die mit der Neuen Sozialen Frage auch angeschnittene ordnungspolitische Problematisierung der staatlichen Umverteilungstätigkeit. *Geißlers*

Diagnose enthielt auch die These, daß die alte „Soziale Frage" hauptsächlich durch gewerkschaftliche und politische Organisation der Arbeitnehmer und durch Machteinwirkung auf die primäre Markteinkommensverteilung sowie auf die sekundäre staatliche Einkommensumverteilung gelöst worden ist, daß aber bei der daraus entwickelten politischen Gestaltung der Einkommensverteilung heute all jene Personenkreise zu kurz kämen, die nicht organisiert sind oder kein hinreichendes Drohpotential zur Durchsetzung von gemeinsamen Forderungen entfalten können. Damit wird die Frage nach der sozialen Gerechtigkeit des bestehenden Verteilungssystems und insb. der staatlichen Umverteilungstätigkeit neu gestellt.   *H. Sch.*

Literatur: *Geißler, H.,* Die Neue Soziale Frage, Freiburg 1976. *Widmaier, H. P.* (Hrsg.), Zur Neuen Sozialen Frage, Berlin 1978.

Neues Gemeinschaftsinstrument (NGI)

am 16. 10. 1978 durch Beschluß des Rates der →Europäischen Gemeinschaften (EG) geschaffenes Finanzierungsinstrument der →Europäischen Wirtschaftsgemeinschaft (EWG), durch das Kredite für bestimmte Investitionsvorhaben in der EWG bereitgestellt werden.

Im Rahmen des NGI nimmt die Kommission der EG im Namen der EWG aufgrund von Ermächtigungen durch den Rat für jede einzelne Kreditaufnahme an den Kapitalmärkten Anleihen in verschiedenen Währungen auf und vergibt diese Mittel in Form von Darlehen in gleicher Währung zu kostendeckenden Konditionen zur Finanzierung von Investitionsvorhaben, die den vorrangigen Zielen der Europäischen Gemeinschaft in den Bereichen Energie, Industrie und Infrastruktur entsprechen. Die Auswahl der zu finanzierenden Vorhaben trifft die Kommission, während die →Europäische Investitionsbank die Kreditanträge prüft, die Darlehensbedingungen festlegt und die gewährten Kredite verwaltet. Die Institutionen der EG können für die Darlehen auch Zinsvergünstigungen aus dem Gemeinschaftshaushalt gewähren.

Bis Ende 1983 hat der Rat im Rahmen des NGI die Kommission ermächtigt, Anleihen bis zu einer Gesamtsumme von 6,08 Mrd. ECU aufzunehmen, davon 1,08 Mrd. ECU für den Wiederaufbau der von Erdbeben in Italien und Griechenland betroffenen Regionen. Davon waren bis Ende 1983 Kredite im Gesamtgegenwert von rund 2,7 Mrd. ECU gewährt worden, und zwar 1,5 Mrd. ECU für Projekte in Italien, 325 Mio. ECU in Irland, 264 Mio. ECU in Großbritannien, 133 Mio.

ECU in Dänemark, 172 Mio. ECU in Griechenland und 260 Mio. ECU in Frankreich.
                                                                  W. H.

Neuinvestition

→Investition, die zur Herstellung neuer (bisher nicht hergestellter) Erzeugnisse erforderlich ist.

936-Mark-Gesetz

Bezeichnung für das Vierte Vermögensbildungsgesetz (Vermögensbeteiligungsgesetz) vom 22. 12. 1983. Zusätzlich zu den weiterhin nach der 624-Mark-Regelung begünstigten 624 DM vermögenswirksame Leistungen (→624-Mark-Gesetz) können ab 1. 1. 1984 solche Leistungen in Höhe bis zu 312 DM zulagebegünstigt erbracht werden, wenn sie in Beteiligungswerten angelegt werden. Zur Anwendung kommt die erhöhte Arbeitnehmer-Sparzulage des 624-Mark-Gesetzes von 23% (33% bei mehr als zwei Kindern des Arbeitnehmers).

Mit dieser vermögenspolitischen Maßnahme soll die →Kapitalbeteiligung der Arbeitnehmer verstärkt werden, da die Maßnahmen der →Sparförderung vornehmlich zur Bildung von →Geldvermögen genutzt worden sind. In die begünstigten Beteiligungswerte sind insb. einbezogen →Aktien, →Belegschaftsaktien, →Genußscheine, Genossenschaftsanteile, stille Beteiligungen und auch →Mitarbeiter-Darlehen.

Neuproduktentwicklung

umfaßt als Bestandteil der →Produktpolitik die Generierung, Überprüfung und Verwirklichung von →Produktinnovationen unter marketingpolitischen Zielsetzungen. Angesichts eines raschen technologischen, gesellschaftlichen und wirtschaftlichen Wandels kommt Produktinnovationen auf vielen Gütermärkten eine existentielle Bedeutung zu (→Marketingstrategie). Viele Unternehmen erzielen mehr als 50% ihrer Umsätze mit Produkten, die sie fünf Jahre zuvor noch nicht im Produktionsprogramm führten. Dabei handelt es sich überwiegend nicht um bedürfnisverändernde Basisinnovationen, sondern um Verbesserungsinnovationen. Die Grenze zur →Produktvariation verläuft hier fließend. Entscheidend für den Innovationscharakter ist der von den Abnehmern empfundene Neuheitsgrad eines Erzeugnisses. Mit ihm steigen das Risiko der Marktakzeptanz und damit die Bedeutung einer marktbezogenen und nicht nur technischen Vorbereitung und Absicherung des Innovationsprozesses.

Dies geschieht in Form eines systematischen Planungsprozesses, in dem die verschiedenen Gestaltungsphasen durch zwischengeschaltete Bewertungen des Entwicklungsstandes und darauf aufbauende Weiterentwicklungsentscheidungen kontrolliert und gelenkt werden (vgl. Abb.). Zunächst geht es um die aktive und kreative Generierung einer möglichst großen Anzahl von Produktideen. Dazu müssen alle potentiellen Ideenquellen innerhalb und außerhalb des Unternehmens (z.B. F+E-Abteilung, betriebliches Vorschlagswesen, Reklamationen, Anregungen des Handels, Warentestberichte, Patentanmeldungen, Konkurrenzentwicklungen etc.) erschlossen und die „Produktion" von Ideen systematisch gefördert werden. Neben einem sinnvollen Vorschlagswesen eignen sich hierfür insb. spezielle → Kreativitätstechniken sowie eine Analyse bisher unbefriedigter (latenter oder offener) Abnehmerbedürfnisse im Wege der empirischen Präferenzforschung (→ Produktpositionierung).

Idealtypischer Prozeßablauf eines systematischen Produktentwicklungsprozesses

Entwicklungs- und Gestaltungsphasen	Prüf- und Entscheidungsphasen
1. Ideengewinnung	
	2. Ideenselektion I Grobauswahl
3. Ideenverdichtung	
	4. Ideenselektion II
5. Projektdefinition	
	6. Projektselektion und -korrektur
7. Konstruktionstechnische Entwicklung, Erstellung eines Prototyps	
	8. Konstruktions- und Produktprüfung
9. Produktionsvorbereitung, Vorbereitung von Markteinführungsmaßnahmen	
	10. Prüfung der Marktakzeptanz
11. Markteinführung	

Nach einer ersten Grobbewertung, dem sog. → screening, bei dem nicht realisierbare Ideen ausgesondert werden, erfolgt eine Verdichtung der verbleibenden Ideen zu Produktvorschlägen, aus denen mit Hilfe systematischer, aber noch auf relativ groben Einschät-

zungen beruhenden Bewertungsverfahren (Checklisten, → Nutzwertanalysen etc.) nochmals selektiert wird und in einer nachfolgenden Phase bereits detaillierte Projektdefinitionen erarbeitet werden. Während der finanzielle Entwicklungsaufwand bis zu dieser Phase relativ gering ist, erfordern die nachfolgenden Stadien bereits mehr oder weniger umfangreiche konstruktiv-technische, marktforscherische und produktionstechnische Investitionen. Die dort erfolgenden Bewertungen bedingen deshalb bereits ausführlichere und analytisch fundierte Kosten-, Akzeptanz- und Umsatzprognosen, z.B. in Form von Plankalkulationen, Break-even-Analysen oder Conjoint-Measurement-Studien (→ Verbundmessung). Eine endgültige Markteinführungsentscheidung kann allerdings erst getroffen werden, wenn die Prototypenentwicklung abgeschlossen und die Marktakzeptanz durch (u.U. experimentelle) → Produkttests abgesichert sind. Im Verbrauchsgüterbereich werden häufig vor dem Aufbau umfangreicher Produktionskapazitäten zusätzliche regional begrenzte → Markttests unternommen, um das Risiko der nationalen Produkteinführung zu begrenzen und eventuelle konzeptionelle oder operative Mängel im Marketingmix auszumerzen.

Hat das neue Produkt alle diese Phasen erfolgreich durchlaufen, gilt es, eine zweckmäßige Einführungsstrategie zu finden, bei der die Marktwiderstände von Seiten der Endabnehmer, des Handels und der Konkurrenten antizipiert und durch entsprechenden Einsatz des absatzpolitischen Instrumentariums (vor allem Einführungswerbung, Sonderpreise, → Verkaufsförderung, → persönlicher Verkauf) überwunden werden. Dabei kann auf Erkenntnisse der Diffusions- und Adoptionstheorie zurückgegriffen werden (→ Diffusionsprozeß).

Da insb. nach der Projektdefinitionsphase zahlreiche inner- und außerbetriebliche Stellen in den Entwicklungsprozeß eingeschlossen sind, wird die Neuproduktentwicklung oft speziellen Koordinationsstellen, z.B. Entwicklungskomitees oder Neuproduktmanagern, übertragen und durch Einsatz ablauforganisatorischer Hilfsmittel wie der → Netzplantechnik unterstützt. Vor dem Hintergrund des enormen Entwicklungs- und Einführungsrisikos neuer Produkte haben sich solche kosten- und zeitintensiven Planungs- und Organisationsverfahren in der Praxis bewährt. Wenn sich trotzdem noch 50 bis 80% aller Neueinführungen als Mißerfolge („Flops") herausstellen, so unterstreicht dies nur die Bedeutung einer risikopolitischen Absicherung von

Produktinnovationen durch kontinuierliche und planvolle Neuproduktentwicklungen.

H. D.

Literatur: *Brockhoff, K.,* Produktpolitik, Stuttgart, New York 1981. *Choffray, J.-M./Lilien, G.,* Market Planning for New Industrial Products, New York u. a. 1980. *Pessemier, E. A.,* Product Management, Strategy and Organisation, 2. Aufl., New York u. a. 1982.

Neuproduktprognose

Die Notwendigkeit, bei der → Neuproduktentwicklung (insb. im Konsumgüterbereich) spezielle Verfahren der → Nachfrageprognose anstelle der im Falle eingeführter Produkte regelmäßig verwendeten Standardprognoseverfahren einzuführen, gründet sich auf folgende Umstände:

• Standardverfahren setzen längere Zeitreihen der Prognose- und Prädiktorvariablen voraus. Diese liegen bei einem neuen Produkt naturgemäß (noch) nicht vor.

• Im Prozeß der Marktdurchdringung eines neuen Produkts ist die Unterscheidung von Erst- und Wiederholungskäufen unabdingbar, wenn Aussagen über den Markterfolg abgeleitet werden sollen. Dieser Differenzierung genügen die Standardverfahren nicht, da sie aggregierte Daten voraussetzen.

Die veränderten Anforderungen an die Leistungsfähigkeit der Verfahren haben nicht nur zu speziellen Methoden der Neuproduktprognose geführt, sondern auch zu einem entsprechend modifizierten Datenerhebungsinstrumentarium. Im Vorfeld der Produkteinführung werden Daten über das Kaufverhalten von Nachfragern z.B. durch regionale, kontrollierte oder → Mini-Testmärkte erhoben. Daneben existieren zahlreiche Ansätze, disaggregierte Kaufverhaltensdaten anhand von → Testmarktsimulation zu gewinnen. Schließlich kommen auch Erhebungen in Frage, die sich auf Urteile oder geäußerte Kaufabsicht von Verbrauchern beziehen. Direkte (Erst- und Wieder-)Kaufdaten werden meist mit Hilfe von Verbraucher- oder Einzelhandelspanels erhoben (→ Haushaltspanel, → Handelspanel).

Insoweit lassen sich auch Prognoseverfahren unterscheiden, die sich auf Paneldaten (z.B. → Parfitt-Collins-Modell oder → Eskin-Modell), simulierte Kaufdaten oder Konsumentenurteile stützen. Daneben gibt es Verfahren, die den Adoptionsprozeß von neuen Produkten zu beschreiben und zu prognostizieren versuchen (Prozeßmodelle). Hierbei handelt es sich um mehrstufige → Kausalmodelle, d.h. um rekursive, dynamische Glei-

chungssysteme. Sie können noch danach unterschieden werden, ob sie sich auf individuelles (Mikroprozeßmodelle) oder aggregiertes Kaufverhalten (Makroprozeßmodelle) beziehen.

P. H.

Literatur: *Erichson, B.,* Prognose für neue Produkte, Teil I und II, in: Marketing-ZFP, 1. Jg. (1979), S. 255 ff. sowie 2. Jg. (1980), S. 49 ff.

neutraler Aufwand → Aufwand

neutrales Ergebnis → Kurzfristige Erfolgsrechnung

Neutralisierungspolitik → Sterilisierungspolitik

Neuverschuldung → öffentlicher Kredit

New Deal

Sammelbegriff für die von *Theodore Roosevelt* nach 1933 eingeleitete Politik mit zahlreichen Einzelmaßnahmen zur Überwindung der Wirtschaftskrise und zur Umgestaltung des (liberalen) Wirtschaftssystems, um künftige Krisen zu vermeiden. Arbeitsbeschaffungsmaßnahmen (z.B. Tennessee Valley Project) standen jedoch auch Steuererhöhungen gegenüber. Ein durchschlagender Erfolg blieb aus; bis zum Zweiten Weltkrieg sank die Zahl der Arbeitslosen nur von rund 13 Mio. (1933) auf rund 7 Mio.

new home economics → Fertilitätsökonomik

New Yorker Börsen

(1) New York Stock Exchange (NYSE), gegründet 1792 in der Wall Street, heute bedeutendste Aktienbörse der Welt (→ Börse). Mitglieder sind die „registered competitive market makers", die für eigene Rechnung handeln, und die „member firms dealing with the public", die Börsenaufträge des Publikums ausführen.

(2) American Stock Exchange (AMEX): An ihr werden vorwiegend Wertpapiere gehandelt, die an der NYSE nicht zugelassen sind.

(3) Commercial Exchange (COMEX): Handel in Metallen und Edelmetallen.

(4) New York Mercantile Exchange (NYMEX): Rohöl, Heizöl und Benzin.

(5) Coffee, Sugar & Cocoa Exchange.

(6) New York Futures Exchange (NYFE): Handel in Terminkontrakten für Devisen und festverzinsliche Wertpapiere (financial futures).

(7) New York Cotton Exchange (NYCE): Baumwolle.

newly industrialized countries →Schwellenländer

NGI

Abk. für → Neues Gemeinschaftsinstrument.

NIC

Abk. für newly industrialized countries (→Schwellenländer).

nichtabzugsfähige Betriebsausgaben

Betriebsausgaben als periodisierte betriebliche Abflüsse sind i.d.R. bei der → Gewinnermittlung abzugsfähig. Das galt selbst für betrieblich veranlaßte Geldbußen, wie der BFH eindeutig feststellte (Beschluß des Großen Senats vom 21. 11. 1983 – GrS 2/82). Inzwischen hat der Gesetzgeber Geldbußen allerdings ausdrücklich unter die nichtabzugsfähigen Betriebsausgaben eingereiht. Die nichtabzugsfähigen Betriebsausgaben stellen eine Ausnahme vom Grundsatz dar; sie sind in § 4 V EStG aufgeführt und müssen gesondert aufgezeichnet werden. Bei der → Körperschaftsteuer wird dieser Katalog um die nicht abziehbaren Ausgaben erweitert. Die nichtabzugsfähigen Betriebsausgaben wirken sich bei der → Umsatzsteuer als fiktiver Eigenverbrauch aus. Trotz praktischer Annäherung der Begriffe → Betriebsausgaben und → Werbungskosten ist nach herrschender Auffassung der Katalog der nichtabzugsfähigen Betriebsausgaben auf die Werbungskosten nicht übertragbar (vgl. Abb.).

nichtabzugsfähige Steuern

Steuern können z. T. als → Betriebsausgaben, → Werbungskosten oder → Sonderausgaben abgezogen werden (→ Abzugsfähigkeit). Nach § 12 Nr. 3 EStG ist der Abzug von Steuern auf das Einkommen wie ESt und KSt, sonstigen Personensteuern wie VSt und ErbSt sowie der Umsatzsteuer für Eigenverbrauch und Entnahmen nicht gestattet.

Nicht-Affektationsprinzip → Haushaltsgrundsätze

nichtamtliche Statistik

die durch nichtamtliche Träger durchgeführte Statistik. Im Wirtschaftsbereich handelt es sich dabei vor allem um → Wirtschaftsverbände, → Arbeitgeberverbände und Arbeitnehmerorganisationen (→ Gewerkschaften), → Industrie- und Handelskammern, Markt- und Meinungsforschungsinstitute, Wirtschaftsforschungsinstitute (→ Deutsches Institut für Wirtschaftsforschung, → Ifo-Institut für Wirtschaftsforschung, → HWWA-Institut für Wirtschaftsforschung, → Institut für Weltwirtschaft, → Rheinisch-Westfälisches Institut für Wirtschaftsforschung) und größere Unternehmen.

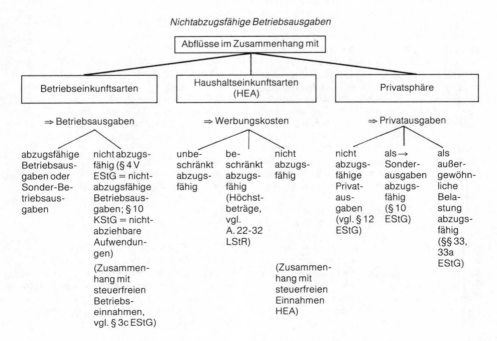

Nichtabzugsfähige Betriebsausgaben

Die Teilnahme an Erhebungen der nicht-amtlichen Statistik ist freiwillig.

Nichtausschließbarkeit → Kollektivgut, → meritorisches Gut

nichtlineare Optimierung

Teilgebiet der → mathematischen Optimierung und der → Planungsmathematik des → Operations Research. Die nichtlineare Optimierung unterscheidet sich von der → linearen Optimierung dadurch, daß die → Zielfunktion und/oder zumindest eine → Restriktion nichtlinear in ihren Variablen sind bzw. ist. Dadurch ergeben sich häufig erhebliche algorithmische Schwierigkeiten im Vergleich zur linearen Optimierung. Für Optimierungsaufgaben der Wirtschaftspraxis wird daher zumeist versucht, nichtlineare Zusammenhänge durch lineare Approximationen zu ersetzen und mit dem Simplex-Verfahren der linearen Optimierung hinreichend gute Lösungen zu erzielen.

Wegen der Vielfalt an nichtlinearen Modellstrukturen gibt es eine Vielfalt von Rechenverfahren der nichtlinearen Optimierung, die in ihrer Mehrheit ungleich weniger effizient als das Simplex-Verfahren sind.

H. M.-M.

nichtlineare Programmierung → nichtlineare Optimierung

nichtlineare Regressionsanalyse

wird zur Beschreibung nichtlinearer Abhängigkeiten zwischen Variablen verwandt. Da die Berechnung der Schätzwerte für die Koeffizienten nichtlinearer Regressionsfunktionen allgemein recht aufwendig ist, ist es wichtig, daß durch geeignete Variablentransformationen (→ Transformation) in vielen praktisch bedeutsamen Fällen eine Linearisierung des Ansatzes und damit eine Rückführung auf die lineare → Regressionsanalyse möglich ist.

Einfache Beispiele für die nichtlineare Einfachregression mit einer abhängigen Variablen Y und einer unabhängigen Variablen X sind die Funktionen

$y = b_1 x^{b_2}$ (Potenzfunktion) und
$y = b_1 \cdot e^{b_2 x}$ (Exponentialfunktion),

wobei b_1 und b_2 die zu schätzenden Funktionsparameter darstellen. Für die beiden Funktionen ist eine logarithmische Transformation geeignet; man erhält

$$\underbrace{\log y}_{y^*} = \underbrace{\log b_1}_{b_1^*} + b_2 \cdot \underbrace{\log x}_{x^*}$$

und

$$\underbrace{\ln y}_{y^*} = \underbrace{\ln b_1}_{b_1^*} + b_2 \cdot x$$

Literatur: *Neter, J./Wasserman, W./Kutner, M. H.*, Applied Linear Regression Models, Homewood, Ill. 1983.

nichtlinearer Kostenverlauf

ergibt sich, wenn die durch jede zusätzliche Einheit der Ausbringungsmenge hervorgerufenen → Grenzkosten veränderlich sind. Nach der Steigung der Grenzkosten wird zwischen unterlinearer (bei abnehmenden Grenzkosten) und überlinearer Krümmung (bei steigenden Grenzkosten) unterschieden. Ein Wendepunkt der Gesamtkostenkurve zeigt einen Krümmungswechsel an. Nichtlineare Produktionsfunktionen und/oder variable → Kostenwerte für die Einsatzgüter führen zu nichtlinearen Kostenverläufen.

nichtparametrischer Test → statistische Testverfahren

Nichtrendite-Investition

→ Investition, bei der die Erzielung einer angemessenen Verzinsung auf das eingesetzte Kapital für die Investitionsbeurteilung eine nachgeordnete oder keine Rolle spielt.

Nicht-Rivalität → Kollektivgut

nicht-standardisiertes Interview → persönliche Befragung, → Tiefeninterview

nicht-tarifäre Handelshemmnisse

alle zur Lenkung von Außenhandelsströmen eingesetzten Maßnahmen des → Protektionismus, die anstelle oder zur Ergänzung der → Zollpolitik (tarifäre Handelshemmnisse) eingesetzt werden und Umfang, Zusammensetzung und/oder Richtung der Außenhandelsströme im Vergleich zum → Freihandel verzerren. Sie dienen als Instrumente der → Außenhandelspolitik, und sind darauf gerichtet, den Zugang ausländischer Anbieter oder Käufer zu inländischen Absatz- oder Beschaffungsmärkten zu erschweren oder die Wettbewerbsfähigkeit von Inländern auf den Binnen- oder Weltmärkten künstlich zu verbessern. Ihre selektive Anwendung erlaubt eine Diskriminierung zwischen verschiedenen ausländischen Anbietern.

Zu den nicht-tarifären Handelhemmnissen zählen:

Preispolitische Maßnahmen: Staatliche Beihilfen und Subventionen an inländische Produzenten, → Exportsubventionen, überkompensierende Umsatzsteuerausgleichszahlungen oder -rückvergütungen, Ausfuhrsteuern, Nebenabgaben und Einfuhr-Bardepots.

Mengenbeschränkende Maßnahmen (→ Außenhandelskontingent): Einfuhr-, Ausfuhrverbote, → Einfuhrkontingent, → Ausfuhrkontingent, Mindestpreisvorschriften, Verwendungszwänge, freiwillige → Selbstbeschränkungsabkommen, Außenhandelskartelle.

Administrative Handelsbeschränkungen: Staatliche Bevorzugung inländischer Produzenten (Flaggenprotektionismus), Staatshandelsmonopole, Einfuhrüberwachung und Ursprungskontrollen, Lizenzvergaben, komplizierte Zollbestimmungen, güterspezifische Steuern und Gebühren, Handelsspannenbedingungen, Verbraucherschutzbestimmungen, technische Normen und Standards, Lieferbindungen an bestimmte Unternehmen bei Kreditgewährung, Willkür bei der Anwendung von Handelsvorschriften, → Embargos und Aufrufe zum → Boykott.

Die Auswirkungen nicht-tarifärer Handelshemmnisse entsprechen vielfach den → Zollwirkungen. Im einzelnen lassen sich einige Unterschiede feststellen. Sie wirken negativ auf:

- die Allokation von Kapital und Arbeit im Inland, indem sie den wirtschaftlich notwendigen Strukturwandel in den geschützten Branchen entbehrlich machen;
- die Allokation im Ausland, indem die Fehlleitung der Güterströme im Vergleich zum Freihandel die internationale Arbeitsteilung ineffizient werden läßt;
- das Wachstum, indem Ressourcen in geschützten Produktionszweigen vergleichsweise unproduktiv eingesetzt bleiben, die in Zukunftssektoren dringend benötigt werden;
- das Preisniveau, indem verteuerte Vorleistungsimporte über die Vorleistungskosten, sowie vor Importkonkurrenz geschützte Unternehmen durch überhöhte Preisforderungen und höhere Lohnzahlungen die inländische Kosteninflation beschleunigen.

Sie wirken positiv auf die Zahlungsbilanz, indem sie die behindernden Importe verteuern und die Exporte verbilligen, mit der Folge einer protektionsbedingten Unterbewertung der heimischen Währung.

Grundsätzlich sind nicht-tarifäre Handelshemmnisse nach dem → Allgemeinen Zoll- und Handelsabkommen (GATT) verboten und nur zur Abwendung von Zahlungsbilanzproblemen befristet zugelassen. Neuere Varianten, wie Einfuhr-Bardepots, variable Einfuhrabschöpfungen und vor allem freiwillige Selbstbeschränkungsabkommen und Exportsubventionen, sind zur Umgehung der GATT-Vorschriften entwickelt worden. Ihre Ächtung ist trotz mehrerer Anläufe (z.B. → Tokio-Runde) bisher nicht gelungen.   *F. P. L.*

Literatur: *Donges, J. B.*, Handelshemmnisse, nicht-tarifäre, in: HdWW, Bd. 3, Tübingen 1981, S. 784 ff.

Nichtvermarktungsprämie

wird Landwirten im Rahmen der → Agrarstrukturpolitik für die Einstellung der Produktion gezahlt. In der Bundesrepublik Deutschland wurde dieses Instrument vor allem auf dem Milchmarkt zur Verringerung der Überschüsse eingesetzt.

nicht-zufällige Auswahl

(bewußte Auswahl) Wird eine → Datenerhebung als Teilerhebung durchgeführt, muß sichergestellt sein, daß die ausgewählte Teilmenge repräsentativ für die Grundgesamtheit ist. Optimal wird diese Anforderung von den auf der Wahrscheinlichkeitstheorie basierenden Verfahren der → Zufallsauswahl erfüllt. Da jedoch auch der mit den jeweiligen Verfahren verbundene finanzielle Aufwand sowie der Zeitbedarf berücksichtigt werden müssen, nehmen Verfahren der nicht-zufälligen Auswahl einen breiten Raum in der Marktforschungspraxis ein. Diese sind dadurch gekennzeichnet, daß nicht jedes Element der Grundgesamtheit die gleiche, berechenbare und von Null verschiedene Wahrscheinlichkeit besitzt, in die Auswahl zu gelangen.

Im wesentlichen gibt es drei Auswahltypen: (1) Bei der *Auswahl aufs Geratewohl* wendet sich z.B. ein Interviewer an willkürlich ausgesuchte, leicht zu erreichende Personen (z.B. Passanten in einer Fußgängerzone). Dies hat den Nachteil, daß bestimmte Gruppen überrepräsentiert (z.B. Hausfrauen), andere dagegen unterrepräsentiert (z.B. ältere Menschen) sein können.

(2) Erhebungen nach dem *Konzentrationsprinzip* beschränken sich auf wesentliche Elemente der Grundgesamtheit:

- Beim *Abschneideverfahren* (cut-off technique) untersucht man nur die für einen Erhebungsgegenstand bedeutsamen Erhebungseinheiten. So erfaßt der monatliche Industriebericht der → amtlichen Statistik nur Betriebe mit zehn oder mehr Beschäftigten und damit nur rund die Hälfte aller Industriebetriebe. Diese beschäftigen jedoch weit über 90% der Arbeitnehmer.
- Die *typische Auswahl* beschränkt sich auf Erhebungseinheiten, die gleichsam als Pro-

totypen für die Grundgesamtheit angesehen werden können (z.B. der Vier-Personenhaushalt mit mittlerem Einkommen in der amtlichen Statistik).

Bei beiden Verfahren hängt die Repräsentativität der Teilmenge vom persönlichen Urteil des Marktforschers ab.

(3) Das in diesem Zusammenhang mit Abstand wichtigste Verfahren ist die *Quotenauswahl*. Hier wird versucht, eine repräsentative Teilmenge auszuwählen, indem die prozentuale Verteilung bestimmter Merkmale der Grundgesamtheit auf die Teilauswahl projiziert wird. Besteht z.B. die Grundgesamtheit im Markt für Gartengeräte zu 54% aus Frauen und zu 46% aus Männern sowie zu 36% aus Eigenheimbewohnern, wohingegen 64% zur Miete wohnen, so muß die Teilauswahl eine entsprechende Verteilung aufweisen. Meist werden soziodemographische Merkmale der amtlichen Statistik (Alter, Geschlecht, Beruf usw.) als Quotenmerkmale herangezogen. Entscheidend für den Wert der Teilerhebung ist, daß diese eine hohe Korrelation zum Untersuchungsgegenstand aufweisen.

Ein Interviewer hat bei der Wahl der Befragten die freie Wahl, solange er sich an seinen Quotenplan hält. Gegenüber der Zufallsauswahl ist dies mit dem Vorteil verbunden, daß Personen, die nicht erreicht werden, durch andere ersetzt werden können. Die Anonymität der Befragten bleibt dabei gewahrt.

Demgegenüber ergeben sich durch die vom Interviewer bewußt vorgenommene Auswahl Verzerrungen. Im Gegensatz zur Zufallsauswahl lassen sich beim Quotenverfahren auch keine statistischen Aussagen über Fehlerspannen machen. Vergleichsuntersuchungen zeigen, daß das Quotenverfahren bei gewissenhafter Durchführung der Zufallsauswahl in Hinblick auf das Erhebungsziel oft gleichwertig ist.   *E. K.*

Literatur: *Berekoven, L./Eckert, W./Ellenrieder, P.,* Marktforschung, 2. Aufl., Wiesbaden 1985. *Hammann, P./Erichson, B.,* Marktforschung, 2. Aufl., Stuttgart, New York 1987.

Niederlassungsfreiheit → Freizügigkeit

Niederstwertprinzip

neben dem → Höchstwertprinzip die kodifizierte Vorschrift zur Verankerung des → Realisations- und des → Imparitätsprinzips im Bilanzrecht (§ 253 Abs. 2 und 3 HGB). Es ist Ausdruck des allgemeinen → Vorsichtsprinzips und besagt, daß von zwei oder mehreren möglichen Wertansätzen für einen Vermögensgegenstand jeweils der niedrigere angesetzt werden muß bzw. darf. Für das → Um-

laufvermögen bildet der niedrigere zur Auswahl stehende Wertansatz zwingend die obere Wertgrenze, die keinesfalls überschritten werden darf (*strenges* Niederstwertprinzip gem. § 253 Abs. 3 HGB). Bei Gütern des → Anlagevermögens besteht dagegen grundsätzlich ein Wertansatzwahlrecht (*gemildertes* Niederstwertprinzip gem. § 253 Abs. 2 HGB). Dieses Wahlrecht können Kapitalgesellschaften allerdings nur eingeschränkt auf Finanzanlagen ausüben (§ 279 Abs. 1 HGB). Bei voraussichtlich dauernder Wertminderung besteht unabhängig von der Rechtsform eine Abwertungspflicht.   *W. E.*

Niederwald

aus Stockausschlägen oder Wurzelbrut von Laubbäumen entstandener Wald. Niederwälder waren früher von großer Bedeutung für die Erzeugung von → Brennholz, Eichenniederwälder (Eichenschälwälder) für die Gewinnung der Gerbrinde. Niederwälder sind in der Bundesrepublik noch auf etwa 1% der → Waldfläche vorhanden.

Niedrigsteuerland

(„Steueroase", tax haven) im deutschen Außensteuerrecht Bezeichnung für Gebiete, in denen die Einkommensteuersätze unter 31,2% liegen oder eine wesentliche Vorzugsbesteuerung gegeben ist. § 2 AStG sieht eine zehnjährige erweiterte beschränkte Steuerpflicht bei Wohnsitzwechsel in niedrigbesteuernde Gebiete vor.

Man kann in internationaler Sicht drei Haupttypen von Steueroasen unterscheiden:

● Zu den *Nulloasen* (tax paradises) rechnen Länder ohne Einkommen- und Körperschaftsteuer oder mit geringer Ertragsteuerbelastung (z.B. Bahamas, Bermuda).

● Bei den *Niedrigsteuerländern* (tax shelters) liegen die Ertragsteuersätze erheblich (20%–30%) unter den vergleichbaren Steuersätzen der Hochsteuerländer (z.B. Luxemburg, Schweiz).

● Zu den *Ländern mit speziellen Steuervergünstigungen* (tax resorts) zählen solche mit Sondervergünstigungen für die Schiffahrt (z.B. Panama, Liberia), mit überdurchschnittlichen Fördermaßnahmen (z.B. Irland) oder Standorte für günstige Mehrländerwirkungen (z.B. Curaçao).
                                                        W. H. W.

Literatur: *Vogel, K.* u.a., Steueroasen und Außensteuergesetze, München 1981.

NIF

Abk. für Note Issuance Facility (→ Euronote).

Niveauelastizität → Skalenelastizität

Niveauvariation → Prozeßvariation

no names

(Gattungsmarken, generische Ware, generics)
Produkte, die zwar keinen die Herkunft bezeichnenden Markennamen tragen, de facto aber durch den Verkauf in einer einheitlichen, markanten Aufmachung in meist sämtlichen Verkaufsstellen einer bestimmten Handelsunternehmung oder -organisation doch den Charakter einer → Handelsmarke besitzen. Ihre akquisitorische Wirkung beruht i. d. R. auf solider Qualität und niedrigem Preis sowie sachlicher Information. Auf aufwendige Verpackung und Werbung wird verzichtet. Das Nutzenversprechen ist weitgehend auf den Grundnutzen, den die Produktgattung erbringt, beschränkt. Insbesondere eine weiße Verpackung erscheint geeignet, einfach und vernünftig anzumuten. No names werden deshalb gelegentlich auch als weiße Marken bezeichnet.

Die ursprüngliche Absicht der Handelsunternehmen, sich mit Hilfe von no names preis- und sortimentspolitisch zu profilieren bzw. den stark wachsenden Discountbetrieben ein Gegengewicht entgegenzusetzen, konnte wegen der schnellen Imitation des Konzepts nicht voll verwirklicht werden. Der durchschnittliche Marktanteil der no names in ihren jeweiligen Produktgruppen (vor allem Lebens- und Reinigungsmittel sowie Papierartikel) erreichte 1984 nur etwa 3–5%.   *K. Lo.*

Nobelpreis für Wirtschaftswissenschaften

anläßlich ihres 300jährigen Bestehens im Jahr 1968 gestifteter „Preis der Schwedischen Reichsbank für Wirtschaftswissenschaften im Gedenken an *Alfred Nobel*". Das Kapital wird von der Nobel-Stiftung verwaltet, die auch für die Zeremonie der Preisverteilung verantwortlich ist. Über die Preisträger entscheidet die Königlich Schwedische Akademie der Wissenschaft nach den gleichen Regeln, wie sie für die anderen Nobelpreise gelten. Mit dem Nobelpreis sollten in erster Linie wissenschaftliche Leistungen und nicht herausragende Wissenschaftler geehrt werden.

Die Preisträger bis 1986:

1969: *Ragnar Frisch* (Universität Oslo) und *Jan Tinbergen* (The Netherlands School of Economics) „für die Entwicklung und Anwendung dynamischer Modelle bei der Analyse ökonomischer Vorgänge".

1970: *Paul Samuelson* (Massachusetts Institute of Technology) „für sein wissenschaftliches Werk, in dem er die statische und dynamische ökonomische Theorie weiterentwickelt und damit aktiv zur Anhebung des Niveaus der ökonomischen Analyse beigetragen hat".

1971: *Simon Kuznets* (Harvard University) „für seine empirisch fundierte Auffassung über wirtschaftliches Wachstum, mit der neue und gründlichere Einsichten in die ökonomische und soziale Struktur und in den Vorgang der wirtschaftlichen Entwicklung möglich geworden sind".

1972: *John R. Hicks* (All Souls College, Oxford) und *Kenneth J. Arrow* (Harvard University) „für ihr bahnbrechendes Werk auf dem Gebiet der Gleichgewichtstheorie und der Wohlfahrtstheorie".

1973: *Wassily Leontief* (Harvard University) „für die Entwicklung des Input-Output-Verfahrens und dessen Anwendung auf bedeutende ökonomische Fragestellungen".

1974: *Gunnar Myrdal* (Universität Stockholm) und *Friedrich August von Hayek* (Universität Freiburg) „für ihre bahnbrechenden Arbeiten auf den Gebieten der Geldtheorie und der Konjunkturtheorie und für ihre tiefschürfende Analyse der Interdependenz ökonomischer, gesellschaftlicher und institutioneller Erscheinungen".

1975: *Leonid Kantorovich* (Akademie der Wissenschaften, Moskau) und *Tjalling C. Koopmans* (Yale University) „für ihre Beiträge zur Theorie der optimalen Allokation der Ressourcen".

1976: *Milton Friedman* (University of Chicago) „für seine Leistungen auf dem Gebiet der Konsumtheorie, der Geldgeschichte und der Geldtheorie und für seine Darstellung der Schwierigkeiten, die die Stabilisierungspolitik aufwirft".

1977: *Bertil Ohlin* (School of Economics, Stockholm) und *James Meade* (Cambridge University) „für ihren bahnbrechenden Beitrag zur Theorie des internationalen Handels und des internationalen Kapitalverkehrs".

1978: *Herbert A. Simon* (Carnegie-Mellon University) „für seine pionierhafte Erforschung der Entscheidungsprozesse in ökonomischen Organisationen".

1979: *Theodore W. Schultz* (University of Chicago) und *Arthur Lewis* (Princeton University) „für ihre pionierhafte Forschung auf dem Gebiet der Entwicklungstheorie unter besonderer Berücksichtigung der Probleme von Entwicklungsländern".

1980: *Lawrence R. Klein* (University of Pennsylvania) „für die Entwicklung von ökonometrischen Modellen und deren Anwendung zur Analyse von Konjunkturschwankungen und der Wirtschaftspolitik".

1981: *James Tobin* (Yale University) „für seine Analyse der Finanzmärkte und deren Beziehungen zu Ausgabenentscheidungen, Beschäftigung, Produktion und Preisen".

1982: *George J. Stigler* (University of Chicago) „für seine fruchtbaren Arbeiten zur Industriestruktur, über die Funktionsweise von Märkten sowie über Ursachen und Folgen der öffentlichen Regulierung".

1983: *Gérard Debreu* (University of California, Berkeley) „für den Einbau neuer analytischer Verfahren in die ökonomische Theorie und für seine rigorose Neuformulierung der Theorie des gesamtwirtschaftlichen Gleichgewichts".

1984: *Richard Stone* (Cambridge University) „für seinen maßgeblichen Beitrag bei der Entwicklung der volkswirtschaftlichen Gesamtrechnung und damit bei der Verbesserung der Voraussetzungen für die empirische Wirtschaftsforschung".

1985: *Franco Modigliani* (Massachusetts Institute of Technology) „für die Ausarbeitung und Entwicklung der Lebenszyklen des Haushaltssparens und die Formulierung der Modigliani-Miller-Theoreme der Bewertung von Unternehmen und Kapitalkosten".

1986: *James M. Buchanan* (George Mason University) „für die Entwicklung der kontrakttheoretischen und konstitutionellen Grundlagen der ökonomischen Beschlußfassung." *P. S.*

Nominalkapital

(Nennkapital, gezeichnetes Kapital) konstanter Teil des Eigenkapitals von Unternehmen in der Rechtsform der → Aktiengesellschaft (AG), → Kommanditgesellschaft auf Aktien (KGaA) oder → Gesellschaft mit beschränkter Haftung (GmbH). Bei einer GmbH heißt das Nominalkapital → Stammkapital, bei einer AG oder KGaA → Grundkapital. Das Nominalkapital ist insofern konstant, als es von den jährlichen Gewinneinbehaltungen bzw. -ausschüttungen nicht berührt wird. Solche Vorgänge schlagen sich bei den genannten Unternehmen lediglich in den variablen Rücklagenkonten nieder. Das Nominalkapital kann in seiner Höhe jedoch durch die verschiedenen Formen der → Kapitalerhöhung oder → Kapitalherabsetzung erhöht bzw. vermindert werden.   *M. E.*

Nominalwert → Nennwert

Nominalwertprinzip → Indexierung, → Zinsindexierung, → kalte Steuerprogression, → Substanzverzehr

Nominalzins

jener Zinssatz bei langfristiger → Fremdfinanzierung, der im Finanzierungsvertrag (bei Wertpapierfinanzierung auch auf dem Wertpapier, z.B. Obligation, Schuldscheindarlehen) vereinbart wird. Die → Effektivverzinsung weicht vom Nominalzins regelmäßig ab.

nominelle Kapitalerhöhung → Kapitalerhöhung aus Gesellschaftsmitteln

Nonaffektationsprinzip → Haushaltsgrundsätze

Non-business-Marketing → Marketing

Non-profit-Organisation → Verband

nonverbale Kommunikation → Kommunikationsformen

Nord-Süd-Dialog

Dialog zwischen den als „Norden" bezeichneten Industrieländern und den dem „Süden" zugerechneten Entwicklungsländern über die internationale wirtschaftliche Zusammenarbeit zwischen Nord und Süd und über die Forderung der Dritten Welt nach einer „Neuen Weltwirtschaftsordnung". Allerdings gehen die Ansichten beider Seiten über den in der → Entwicklungshilfe einzuschlagenden Weg trotz einiger Annäherungen weitgehend auseinander. Hauptbühne des Nord-Süd-Dialogs ist das verzweigte System der → Vereinten Nationen. Weiterhin tragen u.a. Konferenzen, wie z.B. die → Conference on International Economic Cooperation, und die Arbeit der Nord-Süd-Kommission zur Intensivierung der internationalen wirtschaftlichen Zusammenarbeit bei.

Nord-Süd-Gefälle

Entwicklungsgefälle zwischen den als „Norden" bezeichneten entwickelten westlichen sowie kommunistischen Ländern Osteuropas bzw. Ostasiens und den dem „Süden" zugerechneten → Entwicklungsländern.

Norm → Normung

Normalarbeitszeit

ist zum einen die in der Arbeitszeitordnung (§ 3 AZO) festgelegte Stundenzahl, während der unter normalen Bedingungen an einem Tag ein Arbeiter in einem bestimmten Beschäftigungsverhältnis tätig sein darf. Sie beträgt in der Bundesrepublik Deutschland derzeit acht Stunden pro Tag.

Die wöchentliche Normalarbeitszeit wird durch tarifvertragliche Regelungen (→ Tarifvertrag) festgelegt. Sie beträgt in der Bundesrepublik überwiegend 40 Stunden pro Woche. In einigen Branchen gilt jedoch bereits eine kürzere wöchentliche Normalarbeitszeit (z.B. 38,5 Stunden pro Woche). Überschreitet die geleistete → Arbeitszeit die Normalarbeitszeit (Überstunden), handelt es sich um Überarbeit. Eine Überschreitung der gesetzlich definierten Höchstarbeitszeitgrenzen (§ 3, 4 AZO) stellt demgegenüber → Mehrarbeit dar.

Unternehmen sind verpflichtet, über die Normalarbeitszeit hinausgehende Arbeit mit Zuschlägen zu entlohnen und, sofern die Höchstarbeitszeitgrenze der AZO überschritten wird, dafür die Genehmigung des Gewerbeaufsichtsamtes einzuholen. Die betriebliche Flexibilität wird durch die → Mitbestimmung des → Betriebsrates bei der Arbeitszeitgestaltung (§ 87 Abs. 1 Nr. 2 und 3 BetrVG) eingeengt.

Normalkostenrechnung

→ Kostenrechnungssystem auf der Grundlage von sog. Normalkosten, d.h. Kosten, die sich als Durchschnitt der Istkosten vergangener Perioden ergeben. Verschiedene Varianten der Normalkostenrechnung resultieren daraus, daß man die Durchschnittsbildung (Normalisierung der Kosten) für die Preise und/oder Mengen durchführt und einzelne Kostenarten wiederum verschieden behandelt. Zum Teil werden auch schon veränderte gegenwärtige oder künftige Kostenbestimmungsfaktoren bei der Durchschnittsbildung berücksichtigt. Als Beispiel seien Lohnerhöhungen oder Verfahrenswechsel genannt. Man spricht in diesen Fällen von einer Normalkostenrechnung mit aktualisierten Mittelwerten im Gegensatz zu statischen Mittelwerten.

Die Normalkostenrechnung verringert sowohl die Vor- als auch die Nachteile der → Istkostenrechnung. Aufgrund normalisierter Kalkulationssätze ist eine exakte Nachkalkulation nicht mehr möglich; dafür werden aber Zufallsschwankungen der Kosten geglättet und die Abrechnungsarbeit verringert.

Schließlich gestattet die Normalkostenrechnung im Gegensatz zur Istkostenrechnung bescheidene Anfänge einer wirksamen → Kostenkontrolle: Man analysiert die Über- und Unterdeckungen, die sich als Differenz zwischen Normal- und Istkosten ergeben. *L. H.*

Normalleistung

bei der → Vorgabezeitermittlung nach → REFA eine in bezug auf Einzelbewegung, Bewegungsfolge und -koordinierung besonders harmonisch, natürlich und ausgeglichen erscheinende Bewegungsausführung. Sie muß von einer in erforderlichem Maße geeigneten, geübten sowie voll eingearbeiteten Person vollzogen werden, die ihre Fähigkeiten ungehindert entfalten kann. Die Normalleistung stellt keine Durchschnittsleistung dar (→ Arbeitsbewertung); sie ist eine wichtige Größe bei der Ermittlung des → Akkordlohns.

Normalstrukturthese

Behauptung typischer Veränderungen der Wirtschaftsstruktur im Verlauf der wirtschaftlichen Entwicklung. Diese Aussage findet sich bereits in der Theorie der → Industrialisierungsstadien und der → Drei-Sektoren-Hypothese, wurde jedoch theoretisch und empirisch seit Anfang der 60er Jahre insb. von *Hollis B. Chenery* zur Normalstrukturthese weiterentwickelt. Danach ist die wirtschaftliche Entwicklung, gemessen am Pro-Kopf-Einkommen, mit typischen Änderungen der Nachfragestruktur und der Angebotsbedingungen verknüpft (→ Strukturänderungsfaktoren), deren simultaner Einfluß spezifische → Produktionsstrukturen bewirken.

Empirische Tests, hauptsächlich in der Form von → Querschnittsanalysen, bestätigten die Hypothese von Normalmustern bei bestimmten Entwicklungsniveaus. Eine normative Interpretation ist aber angesichts länderspezifischer Besonderheiten problematisch; zudem gibt es empirische Anhaltspunkte dafür, daß Länder um so höhere Wachstumsraten des Sozialprodukts hatten, je mehr ihre Strukturen vom Normalmuster abwichen. Auch ihre Eignung als diagnostisches Referenzsystem, aufgrund dessen nationale Entwicklungen als singulär oder generell identifiziert werden können (→ Überindustrialisierungsthese), darf wegen des Fehlerbereichs einzelner Schätzfunktionen und der Probleme, die mit der Übertragung der Ergebnisse von Querschnittsanalysen auf historische Abläufe verbunden sind, nicht überschätzt werden.

E. Gö.

Literatur: *Görgens, E.*, Wandlungen der industriellen Produktionsstruktur im wirtschaftlichen Wachstum, Bern, Stuttgart 1975. *Juen, Chr.*, Die Theorie des sektoralen Strukturwandels, Bern u. a. 1983.

Normalverteilung

(Gauß-Verteilung, Gaußsche Glockenkurve) Verteilung einer stetigen Variablen X mit der Dichtefunktion (→ Zufallsvariable),

$$f_n(x/\mu; \sigma^2) = \frac{1}{\sigma\sqrt{2\pi}}\, e^{-\frac{1}{2}\left(\frac{x-\mu}{\sigma}\right)^2}$$

für $-\infty < x < +\infty$ und $\sigma > 0$
($\pi = 3{,}14159\ldots$; e $= 2{,}71828\ldots$).

Die Normalverteilung ist die wohl wichtigste statistische Verteilung überhaupt. Sie geht auf *Abraham de Moivre* (1667–1754) und *Carl Friedrich Gauß* (1777–1855) zurück. Die Form der Normalverteilung wird durch die beiden →Parameter μ und σ^2 bestimmt, die sich als →arithmetisches Mittel bzw. →Varianz der Verteilung interpretieren lassen.

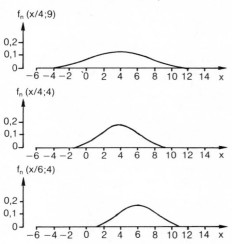

Vergleich von Normalverteilungsdichten mit verschiedenen Parametern μ und σ^2

Die Bedeutung der Normalverteilung liegt vor allem darin, daß sie zur →Approximation vieler theoretischer und empirischer Verteilungen verwendet werden kann.

Durch Überführung der Variablen X in eine „standardisierte" Variable $Z = (X-\mu)/\sigma$ (→Standardisierung) läßt sich jede beliebige Normalverteilung in die Standardnormalverteilung mit dem arithmetischen Mittel 0 und der Varianz 1 überführen.

Die Dichtefunktion der Standardnormalverteilung lautet:

$$f_N(z) = \frac{1}{\sqrt{2\pi}}\,e^{-\frac{1}{2}z^2}.$$

Zur Bestimmung von Wahrscheinlichkeiten normalverteilter Variablen geht man meistens von der Verteilungsfunktion der Standardnormalverteilung aus, d.h. von

$$F_N(z) = \int_{-\infty}^{z} \frac{1}{\sqrt{2\pi}}\,e^{-\frac{1}{2}v^2}\,dv.$$

Soll also z.B. die Wahrscheinlichkeit dafür berechnet werden, daß eine normalverteilte Variable X mit den Parametern μ und σ^2

Werte zwischen x_u und x_o annimmt (vgl. die folgende Abb.), dann gilt
$W(x_u \le X \le x_o) =$
$W(z_u \le Z \le z_o) =$
$F_N(z_o) - F_N(z_u)$

mit $z_u = \dfrac{x_u - \mu}{\sigma}$ und $z_o = \dfrac{x_o - \mu}{\sigma}$.

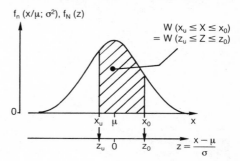

Standardisierung der Normalverteilung

Die nachfolgende Abbildung zeigt die symmetrischen Flächenanteile für einige ausgewählte Wertepaare $[z_u; z_o]$ der Standardnormalverteilung; mit WP sind dabei die Wendepunkte der Glockenkurve bezeichnet.

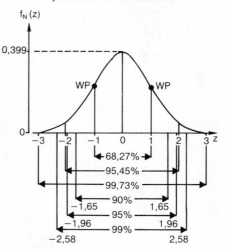

Symmetrische Flächenanteile

In der Tabelle auf S. 232 sind einige Werte der Verteilungsfunktion der Standardnormalverteilung zusammengestellt; für Werte $z < 0$ folgt aus der Symmetrie der Normalverteilung $F_N(-z) = 1 - F_N(z)$.   *J. Bl./G. G.*

Literatur: *Bleymüller, J./Gehlert, G./Gülicher, H.,* Statistik für Wirtschaftswissenschaftler, 4. Aufl.,

Verteilungsfunktion der Standardnormalverteilung

z	$F_N(z)$	z	$F_N(z)$	z	$F_N(z)$
0,0	0,5000	1,0	0,8413	2,0	0,9772
0,1	0,5398	1,1	0,8643	2,1	0,9821
0,2	0,5793	1,2	0,8849	2,2	0,9861
0,3	0,6179	1,3	0,9032	2,3	0,9893
0,4	0,6554	1,4	0,9192	2,4	0,9918
0,5	0,6915	1,5	0,9332	2,5	0,9938
0,6	0,7257	1,6	0,9452	2,6	0,9953
0,7	0,7580	1,7	0,9554	2,7	0,9965
0,8	0,7881	1,8	0,9641	2,8	0,9974
0,9	0,8159	1,9	0,9713	2,9	0,9981

München 1985. *Kreyszig, E.,* Statistische Methoden und ihre Anwendungen, Nachdruck der 7. Aufl., Göttingen 1982.

normative Betriebswirtschaftslehre

in sich heterogene Wissenschaftsauffassung, die die Einbeziehung von → Werturteilen in betriebswirtschaftliche Aussagen oder die Abgabe von Gestaltungsempfehlungen vorsieht. Im einzelnen ist zwischen einer ethisch-normativen und einer praktisch-normativen Richtung zu unterscheiden.

(1) Der *ethische* Normativismus spielt insb. in der älteren Betriebswirtschaftslehre eine Rolle (*Johann Friedrich Schär, Heinrich Nicklisch, Rudolf Dietrich;* später auch *Wilhelm Kalveram*). Charakteristisch ist die Auffassung, daß es Aufgabe des Fachs sei, Normen für wirtschaftliches Handeln aus allgemeingültigen ethischen Grundwerten abzuleiten und die Wirtschaft in den sich auf diese Weise ergebenden Soll-Zustand zu überführen. So beschreibt z.B. *Heinrich Nicklisch* den Menschen als geistiges Wesen mit den Grundbedürfnissen nach Erhaltung, Gestaltung und Freiheit. Den Soll-Zustand stellt eine konfliktfreie Betriebsgemeinschaft dar, in der diese Bedürfnisse befriedigt werden können. Insgesamt hat der ethische Normativismus innerhalb der Betriebswirtschaftslehre vergleichsweise geringen Einfluß gehabt.

(2) Ausgangspunkt des *praktischen* Normativismus ist die intuitiv plausible Vorstellung, daß das Fach der Praxis bei der Bewältigung ihrer Probleme Hilfe zu leisten hat. Dieses Bestreben schlägt sich nieder in Empfehlungen für den (möglichst optimalen) Einsatz der Mittel, die benötigt werden, um die von Betrieben verfolgten Ziele zu erreichen. Eine derartige Vorstellung ist allerdings insofern problematisch, als es sich bei solchen Empfehlungen in Wirklichkeit nur um Informationen über Handlungsmöglichkeiten handeln kann. Irgendwelche Normen werden nicht benötigt. Insofern muß die weitverbreitete Rede von

der praktisch-normativen Betriebswirtschaftslehre als fragwürdig gelten (→ Wertfreiheitspostulat). *G. S.*

Literatur: *Nicklisch, H.,* Der Weg aufwärts! Organisation, Stuttgart 1920. *Heinen, E.,* Grundfragen der entscheidungsorientierten Betriebswirtschaftslehre, München 1976, S. 364 ff.

normative Ökonomik

formuliert Aussagen über ökonomische Zustände, nicht wie sie sind, sondern wie sie sein sollen. Da dies auf der Basis von → Werturteilen geschieht, diese sich aber erfahrungswissenschaftlich nicht begründen lassen – sie können weder „wahr" noch „falsch" sein, da sie nicht über die Realität informieren –, sind die Aussagen der normativen streng von jenen der → positiven Ökonomik abzugrenzen. Dies ist nicht immer ganz leicht, da Aussagensysteme, die sich der positiven Ökonomik zurechnen, normative Elemente oft implizit enthalten (kryptonormative Theorien). Die der normativen Ökonomik zugrunde liegenden Werturteile können religiösen, ethischen oder moralischen Ursprungs sein. Im Rahmen der Wirtschaftspolitik ist über sie politisch zu entscheiden.

Wesentlicher Bestandteil der normativen Ökonomik ist die → Wohlfahrtsökonomik.

Normenkartell → Rationalisierungskartell

Normkontingent → Diskontpolitik

Normung

einheitliche Festlegung von Begriffen, Kennzeichen, Verfahren, Meßtechniken sowie produkt- bzw. materialspezifischen Eigenschaften (Qualität, Abmessung, Form, Farbe, Rezeptur, technische Leistungsparameter), die von einem bestimmten Personenkreis als verbindlich anerkannt werden. Während sich die Typung auf die Vereinheitlichung eines komplexeren Fertigerzeugnisses bezieht (Einschränkung der Gestaltung von Art, Größe, Ausstattung), erstreckt sich die Normung auf einzelne Fertigungsmaterialien, Einzelteile, Stoffe, Werkzeuge. Die Normfestsetzung ist das Ergebnis eines systematischen Arbeitsprozesses, der nach bestimmten Verfahrensregeln abläuft.

Nach dem Anwenderkreis lassen sich betriebsspezifische Normen (Fabrik-, Werks-, Betriebsnormen), Verbandsnormen und allgemein verbindliche Normen unterscheiden. Wichtige überbetriebliche Normen sind z.B.

(1) im *nationalen* Bereich:

● *DIN-Normen* (festgelegt vom → Deutschen Institut für Normung),

- *VDE-Norm* (sicherheitstechnische Bestimmungen, festgelegt vom → Verband Deutscher Elektrotechniker e. V.),
- *RAL-Vereinbarungen, Gütezeichen, Testate* (Kennzeichnungs- und Qualitätsnormen, festgelegt vom → RAL – Deutsches Institut für Gütesicherung und Kennzeichnung e. V.),
- *VDI-Richtlinien* (herausgegeben vom → Verband Deutscher Ingenieure e. V.);

(2) im *internationalen* Bereich:
- *ISO-Normen* (festgelegt von der International Standards Organisation),
- *IEC-Normen* (festgelegt von der → International Electrical Commission).

Hinsichtlich der Regelungsintensität können *Voll-, Teil-* und *Rahmennormen* unterschieden werden.

Im inhaltlichen Sinne sind zu unterscheiden:
- *Sicherheitsnormen* (Festlegungen zur Abwendung von Gefahren für Menschen, Tiere, Sachen),
- *Qualitätsnormen* (Festlegung von Produkteigenschaften, die für die Verwendung wesentlich sind, und darauf bezogenen Beurteilungskriterien),
- *Maßnormen* (Festlegung von Maßen und Toleranzen, um den Anschluß bzw. Austausch von Produkten untereinander zu gewährleisten),
- *Verständigungsnormen* (Festlegung von Begriffen, Zeichen, Symbolen usw., um eine eindeutige und rationale Verständigung sicherzustellen).   *U. A.*

Nostroguthaben → Geschäftsbankengeld

Note Issuance Facility → Euronote

Notenausgabemonopol → Notenbank

Notenbank
(Zentralbank, Währungsbank, Zentralnotenbank) zentrale geldpolitische Institution einer Volkswirtschaft, die die Ziele der → Geldpolitik aktiv verfolgt und den → Zahlungsverkehr in einer Volkswirtschaft sicherstellt. Aus diesen Aufgaben ergeben sich die beiden fundamentalen Funktionen einer Notenbank:
- Sie ist Hüterin der Währung (→ Geldwertstabilität).
- Sie fungiert als → lender of last resort (letztinstanzlicher Kreditgeber, letzte Quelle liquider Mittel).

Diese fundamentalen Funktionen führen zu den allgemeinen Aufgaben einer Notenbank, nämlich

- den Umlauf an Bargeld (→ Zentralbankgeld) sicherzustellen; dazu besitzt die Notenbank ein Notenausgabemonopol. Das Münzregal (die Münzhoheit), also das Recht der Münzprägung, liegt in der Bundesrepublik nach dem Münzgesetz von 1950 bei der Bundesregierung. Das Recht, diese Münzen in Umlauf zu bringen, übt jedoch die Deutsche Bundesbank aus (§ 8 MünzG).
- den Zahlungsverkehr zwischen Geschäftsbanken als Clearingstelle (→ Geldschöpfung) abzuwickeln.
- eine Refinanzierung (→ Geldmarkt) der Geschäftsbanken zu ermöglichen.
- Einlagen wie Schulden der öffentlichen Haushalte zu verwalten und Kredite zu gewähren.
- die offiziellen → Währungsreserven zu verwalten.

Notenbanken haben daher nicht die Aufgabe, ihre Geschäftspolitik an der Rentabilität auszurichten, sondern an der Effizienz in der Wahrnehmung ihrer (volkswirtschaftlichen) Funktionen.

Institutionell können sie von Weisungen ihrer Regierung unabhängig sein (→ Deutsche Bundesbank, formal auch das amerikanische Federal Reserve System), sie können aber auch gegenüber dem Schatzamt (der Staatsregierung) weisungsgebunden sein (Banque de France, Bank of England).

Notenbanken gingen im 18. Jh. aus Staatsbanken und solchen privaten Banken hervor, die die Ausgaben von Regierungen durch Kredite finanzierten und deshalb das Privileg der Notenemission eingeräumt bekamen. Mit der Peel'schen Bankakte (→ Currency-Theorie) von 1844 wurde der Notenumlauf durch Golddeckungsvorschriften gesetzlich geregelt; Ziel war, mit der Regelung des Geldumlaufs den Geldwert (→ Geld) zu stabilisieren. Die starre Geldmengenregulierung bedingte bei wirtschaftlichen Krisen panikartige Liquiditätsabzüge, so daß die Peel'sche Bankakte immer wieder suspendiert werden mußte (1847, 1857 und 1866). Durch *Walter Bagehot* (Lombard Street, 1873) wurde deshalb das praktische Bedürfnis eines lenders of last resort begründet, der in wirtschaftlichen Krisensituationen – bei Gefahr eines runs auf Geschäftsbanken – Liquidität zur Abwehr eines Vertrauensverlustes in das Kreditwesen und das Bankensystem zur Verfügung stellen sollte.

Geschäftsbanken gehen bei ihrer → Geldschöpfung stets ein Liquiditätsrisiko ein, alle potentiellen Zahlungswünsche können nicht zur gleichen Zeit – wie in einer Run-Situation gewünscht – erfüllt werden. Dies wäre nur bei völliger Fristenkongruenz von Ausleihungen und Einlagen, also bei Erfüllung der → Goldenen Bankregel, der Fall. Kommt es zu einem Run des Publikums auf Auszahlung von Bankeinlagen, werden einige Banken illiquide und ziehen die anderen mit. Diese Situation kann nur durch Bereitstellung zusätzlicher Liquidität eines letztinstanzlichen Kreditgebers bereinigt werden. *M. Bo.*

Literatur: *Ketzel, E.* u. a., Die Notenbank, Stuttgart 1976. *Rittershausen, H.,* Die Zentralnotenbank, Frankfurt 1962.

notional demand

entsprechend der → dualen Entscheidungshypothese die Nachfrage, die ein Wirtschaftssubjekt auf einem Markt auf der Grundlage seines unrestringierten Optimierungskalküls entfaltet. Gegensatz: effektive Nachfrage, bei deren Ableitung im Optimierungskalkül auch (Mengen-)Restriktionen beachtet werden, die sich aufgrund von → Rationierungen auf anderen Märkten ergeben. *J. R.*

Notstandskartell → Gemeinwohlkartell

Notverordnung

Rechtsverordnung mit gesetzvertretendem Charakter, die ohne Mitwirkung des Parlaments erlassen wird. Der Reichspräsident unter der Weimarer Verfassung konnte Notverordnungen erlassen. Nach dem Grundgesetz für die Bundesrepublik Deutschland hat der Bundespräsident kein Notverordnungsrecht; er kann lediglich unter bestimmten Voraussetzungen auf Antrag der Bundesregierung mit Zustimmung des Bundesrates den Gesetzgebungsnotstand erklären. Notverordnungen (unter Reichskanzler *Brüning*) in Industrie und Gewerbe wurden Anfang der 30er Jahre zur Depressionsbekämpfung eingesetzt (→ Weltwirtschaftskrise), insb. Preisüberwachungen und → Preisstopps zur Bekämpfung von → ruinöser Konkurrenz und zum Gewerbeschutz.

NOW

Abk. für → Negotiable Orders of Withdrawal.

N-Papier → Offenmarktpolitik

Nuklearversicherung

organisatorisch verselbständigter → Versicherungszweig zur Deckung von Risiken aus
● Kernenergie- und Feuerschäden einschl. der Entseuchung und Aufräumung an Anlagen zur Kernbrennstoffspaltung sowie an Einrichtungen und Vorräten, die zu derartigen Anlagen gehören (Nuklear-Sachversicherung),
● der gesetzlichen Haftpflicht durch den Betrieb von Kernanlagen (Nuklear-Haftpflichtversicherung).
Die Nuklearversicherung wird von der Deutschen Kernreaktor-Versicherungsgemeinschaft betrieben, einer Versicherungsgemeinschaft in Form eines → Versicherungspools.

Nullhypothese → Hypothesenprüfung, → statistische Testverfahren

Nullkupon-Anleihe → Zero-Bond

Nullsummen-Spiel → Spieltheorie

Nulltarif → Tarif

Nullwachstum

Steigerungsrate des realen Sozialprodukts von Null Prozent. Den Forderungen nach Nullwachstum liegt die Annahme unausweichlicher → Wachstumsgrenzen der Weltwirtschaft und der → Weltbevölkerung, die hauptsächlich mit Ressourcenverknappung, Umweltschäden und Nahrungsmittelknappheit begründet werden, zugrunde. Nullwachstum wurde zum ersten Mal vom → Club of Rome und später von einigen anderen Futurologen und Ökologen gefordert.

Ein Nullwachstum des Sozialprodukts in Entwicklungsländern, die im allgemeinen eine wachsende Bevölkerung haben, würde zu einer drastischen Minderung des Lebensstandards in diesen Ländern führen. Viele Maßnahmen zur Reduzierung des Bevölkerungswachstums haben sich als schwer durchführbar erwiesen. Eine Stagnation der Bevölkerung der Dritten Welt wäre allerdings in naher Zukunft wegen des Aufbaus der Alterspyramide selbst bei einer sofortigen Einführung der Zwei-Kinder-Familie erst ca. in einem halben Jahrhundert möglich.

Ein Nullwachstum des Sozialprodukts in Industrieländern ist nur erreichbar, wenn die Investitionsgüterindustrie schrumpft, da es keine Nettoinvestitionen, sondern nur noch Reinvestitionen geben darf. Die frei werdenden Arbeitskräfte müßten dann in der Konsumgüterindustrie und im Dienstleistungsgewerbe beschäftigt werden. Instrumente, um dies zu erreichen, sind Investitionssteuern, Investitionsverbote, staatliche Genehmigung von Innovationen oder Innovationsverbote. Da Wirtschaftswachstum eng mit dem

Wachstum von Wissen und Können verbunden ist und es in der Natur der menschlichen Kreativität liegt, darüber nachzudenken, wie man Produktionsprozesse vereinfachen kann, müssen auch alle Investitionen in das Humankapital drastisch reduziert werden.

Die meisten der hier angeführten Maßnahmen bedeuten nach unserem gegenwärtigen Verständnis eine Änderung der Wirtschaftsordnung, die mit starken Eingriffen in die menschliche Freiheit verbunden ist. Für → dynamische Unternehmer und Selbständige ist die Freiheit, neue Güter und Produktionsfaktoren herzustellen, eine Möglichkeit der Selbstverwirklichung. In stagnierenden Gesellschaften gibt es keine Entwertung von Wissen durch den technischen Fortschritt, was die Aufstiegsmöglichkeiten der jüngeren Generation stark beeinträchtigt oder unmöglich macht. Untersuchungen an statischen Gesellschaften zeigen eine Dominanz des zugewiesenen Status gegenüber dem erworbenen. Es besteht keine Schichtmobilität und die Vermögens- und Einkommensverteilung ist kaum veränderbar.

Nullwachstum des realen Sozialprodukts ohne Einschränkung des technischen Fortschritts ist nur bei gleichzeitiger Arbeitszeitverkürzung möglich. Branchen mit sehr geringem arbeitssparenden technischen Fortschritt (z.B. Krankenhäuser, Gaststätten) müßten ihre Leistungen zu immer höheren Preisen anbieten. Dies hätte Nachfrageverschiebungen zur Folge. Daraus folgten Strukturkrisen, die in einer stagnierenden Wirtschaft ohne größere soziale Konflikte kaum lösbar wären.   *J. J.*

Literatur: *Jöhr, W. A.,* Instrumente der Wachstumsbegrenzungen und der Wachstumslenkung, in: *Wolff, J.* (Hrsg.), Wirtschaftspolitik in der Umweltkrise, Stuttgart 1974, S. 9ff. *Popper, K. R.,* Die Wissenschaft als Institution des Fortschritts, in: *Dreizel, H. P.* (Hrsg.), Sozialer Wandel, Zivilisation und Fortschritt als Kategorien der soziologischen Theorie, Berlin 1967, S. 305 ff.

numéraire → Geldfunktionen, → cross rates

numerical control → NC-Programmierung

Numerical-control-Maschinen → Automatisierung, → flexible Fertigungssysteme

numerische Taxonomie → Clusteranalyse

Nummernschlüssel

dekadisches System zur Kodierung z.B. von Artikeln innerhalb eines Materialsortiments, im einfachsten Falle als fortlaufend zugeteilte Ordnungszahl. Der Nummernschlüssel dient der Gliederung des Materialsortiments, wobei die einzelnen Ziffern(-Gruppen) auf die erfaßten Materialelemente verweisen (→ Materialnumerierung).

nursery factory → Standorteprogramm

Nutzen

Grad der Bedürfnisbefriedigung, den ein Wirtschaftssubjekt aus dem Konsum eines Gutes zieht. Für den Nutzen eines Gutes sind die Eignung zur Befriedigung eines → Bedürfnisses (Nützlichkeit) sowie die Knappheit (Seltenheit) relevant. Freie Güter sind zwar nützlich, aber wegen fehlender Knappheit besitzen sie ökonomisch keinen Wert, d.h. sie sind wertlos. Erst knappe Güter haben aufgrund dieses Umstandes einen Wert. Der Nutzen ist somit gemäß der subjektiven Wertlehre die Basis für den wirtschaftlichen Wert eines Gutes. Von der → Österreichischen Schule werden die Begriffe Nutzen und Wert synonym verwendet.

Die Wertschätzung eines Gutes hängt von dem Nutzen ab, den die letzte verbrauchte Einheit stiftet (→ Grenznutzen).

Der Einzelnutzen eines Gutes hängt von der subjektiven → Bedürfnisstruktur, der verfügbaren Menge des Gutes und den Mengen der anderen Güter ab. Der Nutzen einer Menge gleicher Güter wird Gesamtnutzen, der Nutzen aller Güter Gesamtwirtschaftsnutzen genannt (subjektive Wohlfahrt). Ein Wirtschaftssubjekt versucht, mit seinen gegebenen Mitteln (Einkommen) ein Maximum an Bedürfnisbefriedigung zu erreichen (→ Haushaltsoptimum). Dieses Ziel wird dann erreicht, wenn der gewogene Grenznutzen, d.h. der zusätzliche Nutzen (Grenznutzen), den die letzte Geldeinheit, die für ein Gut verwendet wird, stiftet, für alle Güter gleich ist (Genußausgleichsgesetz, → Gossensche Gesetze).

P. O.

Nutzenäquivalenz → Äquivalenzprinzip

Nutzenfunktion

(Nutzenindexfunktion) funktionale Beziehung zwischen dem Nutzen U und der Menge eines Gutes x. Die ältere Nutzentheorie ging von einer kardinalen → Nutzenmessung aus. Die moderne Nutzentheorie unterstellt, daß nur eine ordinale Nutzenmessung möglich ist. Dabei wird auf eine funktionale Beziehung zwischen Nutzenindizes (Nutzenniveaus) und Güterbündeln abgestellt, d.h. es wird von einer Nutzenindexfunktion ausgegangen. Die Funktionswerte stellen dabei Rangordnungen von Nutzen bzw. Nutzenniveaus dar.

Algebraisch läßt sich für eine Nutzen- bzw. Nutzenindexfunktion schreiben: U = f(x). Die Ableitung dieser Funktion nach x ergibt die Grenznutzen- bzw. Grenznutzenindexfunktion dU/dx. In der Regel wird hierbei von einem abnehmenden Grenznutzen ausgegangen (Gesetz vom abnehmenden Grenznutzen, → Gossensche Gesetze). Graphisch werden Nutzen- bzw. Nutzenindexfunktionen mit Hilfe von → Indifferenzkurven dargestellt.

Nutzenindexfunktion → Nutzenfunktion

Nutzenkardinalität → Nutzenmessung, → Wohlfahrtsfunktion

Nutzen-Kosten-Analyse → Kosten-Nutzen-Analyse

Nutzenmaximum → Haushaltsoptimum

Nutzenmessung

Bei kardinaler Messung werden Nutzen und Nutzenunterschiede in Quantitäten gemessen; dagegen wird bei ordinaler Messung lediglich eine Rangordnung des Nutzens vorgenommen.

Die ältere Nutzentheorie (*Carl Menger, William St. Jevons, Léon Walras*) geht von einer *kardinalen* Meßbarkeit aus, d.h. jeder Gütermenge wird ein genaues Nutzenquantum zugeordnet. Aufgrund der Kritik vor allem des englischen Nationalökonomen *Francis Y. Edgeworth* (1845–1926) und des Italieners *Vilfredo Pareto* (1848–1923) wurde das Konzept der *ordinalen* Nutzenmessung entwickelt. Die Rangordnung des Nutzens wird hierbei mit Hilfe von Nutzenindizes angegeben (→ Nutzenfunktion). Hieraus haben sich zwei Richtungen der → Nutzentheorie entwickelt: die introspektive und die behavioristische. Den Erklärungsansatz der introspektiven Richtung bildet das → Indifferenzprinzip. Die behavioristische Richtung stellt auf das beobachtbare Verhalten der Wirtschaftssubjekte ab (→ bekundete Präferenzen). Die Nutzenmessung ist Voraussetzung für einen → Nutzenvergleich.   *P. O.*

Nutzenordinalität → Nutzenmessung, → Wohlfahrtsfunktion

Nutzentheorie

befaßt sich mit Problemen des Wertes wirtschaftlicher Güter und der Preisbildung. Grundlage für den Wert bzw. den Preis eines Gutes ist sein → Nutzen bzw. der → Grenznutzen, den es stiftet (subjektive Wertlehre).

Ausgehend von einer kardinalen → Nutzenmessung wird das Nachfrageverhalten der Wirtschaftssubjekte unter Verwendung der → Gossenschen Gesetze erklärt. Auf der Grundlage der ordinalen Nutzentheorie entstand später die → Theorie der Wahlhandlungen.

Literatur: *Fehl, U./Oberender, P.*, Grundlagen der Mikroökonomie, 2. Aufl., München 1985, S. 171 ff. *Schumann, J.*, Grundzüge der mikroökonomischen Theorie, 4. Aufl., Berlin u. a. 1984, S. 5 ff.

Nutzenvergleich

Gegenüberstellung des Nutzens verschiedener Güter bzw. Güterbündel zur → Bedürfnisbefriedigung. Voraussetzung für einen Nutzenvergleich ist die → Nutzenmessung. Es ist lediglich ein intrapersonaler Nutzenvergleich, d.h. eine subjektive Nutzenmessung möglich (→ bekundete Präferenzen). Dagegen ist ein interpersonaler Nutzenvergleich, der in der → Wohlfahrtstheorie relevant ist, unmöglich, da keine extensive Nutzenskala als Referenzbasis existiert. Auch ein intertemporärer Nutzenvergleich, d.h. der Vergleich von Nutzen zu verschiedenen Zeitpunkten, ist wegen der Einmaligkeit der Verhältnisse (→ Bedürfnisse, Einkommen, Güter, gesellschaftliches Umfeld) nicht möglich.

Nutzkosten

Teil der → Fixkosten, der rechentechnisch für die Inanspruchnahme von bereitgestellten Kapazitäten in Ansatz gebracht wird. Sie ergeben sich durch Multiplikation der Fixkosten mit dem Quotienten aus Ist- und Planbeschäftigung. Das Korrelat zu den Nutzkosten sind die → Leerkosten.

Nutzschwelle → Break-even-Analyse

Nutzungskosten → Opportunitätskosten

Nutzungsrechte

neben → Verfügungsrechten ein Bestandteil der → Eigentumsrechte. Sie betreffen das Recht, sich Erträge aus Gebrauch und Verkauf knapper Güter (einschl. → Arbeitsvermögen) anzueignen, sowie die Verantwortlichkeit für die Wertfolgen der Güterverwendung.

Nutzwertanalyse

Verfahren zur systematischen Erfassung und Beurteilung komplexer, vorzugsweise nichtfinanzieller Projektwirkungen mit dem Ziel, die relative Vorteilhaftigkeit der Entscheidungsalternativen (Projekte) zu bestimmen. Das Prin-

Zielkriterium (Z_j)	Zeitersparnis (Z_1)	Verkehrssicher-heit (Z_2)	Standortgunst (Z_3)	Nutzwert (N_i)
	Kriteriengewichte (g_j)			Aggregationsvorschrift:
Alternative (A_i)	$g_1 = 0,3$	$g_2 = 0,4$	$g_3 = 0,3$	$N_i = n_{i1} \cdot g_1 + n_{i2} \cdot g_2 + n_{i3} \cdot g_3$
Verlauf C (A_1)	$n_{11} = 8$	$n_{12} = 7$	$n_{13} = 9$	$N_1 = 7,9$
Verlauf D (A_2)	$n_{21} = 6$	$n_{22} = 8$	$n_{23} = 8$	$N_2 = 7,4$

zip der Nutzwertanalyse läßt sich wie folgt charakterisieren: Ein komplexes Beurteilungsproblem (Entscheidungsproblem) wird durch Formulierung von Zielkriterien in abgrenzbare Teilprobleme zerlegt. Sodann erfolgen eine isolierte, subjektive Beurteilung der Entscheidungsalternativen im Hinblick auf jedes einzelne Zielkriterium und schließlich eine Aggregation der gewonnenen Teilurteile zu einem Gesamturteil.

Je nachdem, ob das einer Nutzwertanalyse zugrunde gelegte Zielsystem nur trägerbezogene Zielkriterien oder auch träger-externe enthält, handelt es sich um eine trägerbezogene oder eine gesamtwirtschaftliche Investitionsrechnung.

Die Verfahrensschritte der Nutzwertanalyse sind:
● Zielkriterienbestimmung durch den Entscheidungsträger,
● Zielkriteriengewichtung durch den Entscheidungsträger entsprechend seiner subjektiven Einschätzung der relativen Bedeutung der formulierten Zielkriterien,
● Teilnutzenbestimmung (Bestimmung des Nutzens in bezug auf ein einzelnes Zielkriterium),
● Nutzwertermittlung durch Aggregation der Teilnutzen.

Beispiel: Der Nutzwert für zwei realisierbare Verläufe einer Umgehungsstraße ist unter den Zielkriterien Zeitersparnis, Verkehrssicherheit und Verbesserung der Standortgunst von gewerblichen Unternehmen zu ermitteln.

Auf der den gleichen Bereich umfassenden Nutzwertskala erreicht der Trassenverlauf C den Wert 7,9, der Trassenverlauf D den Wert 7,4. Damit ist C der im Hinblick auf die gewählten Zielkriterien günstigere Trassenverlauf.

Die Teilnutzwerte n_{ij} wurden wie folgt ermittelt: Zunächst wurde die Erreichung der einzelnen Zielkriterien durch die beiden Alternativen mit Hilfe einer festgelegten Kardinal- bzw. ordinal geschätzt und sodann durch subjektive Bewertung unter Verwendung einer Kardinalskala mit dem Bereich 0 bis 10 (0: = kein Nutzen; 10: = Höchstnutzen) in Teilnutzwerte transformiert.

Nutzwertanalysen erlauben eine nachvollziehbare, allerdings auf subjektiven Einzelurteilen beruhende Bewertung von Handlungsalternativen. Trotz der in der Bewertung liegenden Manipulationsmöglichkeiten wird man mindestens davon ausgehen können, daß die Nutzwertanalyse, abgesehen vom Vorteil der Nachvollziehbarkeit und damit Überprüfbarkeit, vor allem bei Entscheidungen mit einer Vielzahl von Konsequenzen zu einem besser abgesicherten Urteil führt als eine intuitive Globalbewertung.

Nutzwertanalysen werden insb. zur Lösung von Entscheidungsproblemen herangezogen, bei denen die relevanten Zielwirkungen der Entscheidungsalternativen nicht oder nur zum Teil monetär erfaßbar sind. Da Investitionsprojekte stets auch finanzielle Konsequenzen aufweisen, sollte die Nutzwertanalyse immer als eine die finanzielle Investitionsrechnung ergänzende, nicht aber sie ersetzende Analyse verstanden werden. *K. L.*

Literatur: *Blohm, H./Lüder, K.,* Investition, 5. Aufl., München 1983, S. 164 ff.

Nutzwerttheorie → Nutzentheorie

NYSE

Abk. für New York Stock Exchange (→ New Yorker Börsen).

O

OAPEC

Abk. für Organization of Arabian Petroleum Exporting Countries (→ Organisation erdöl-exportierender Länder).

Objektförderung → Sozialer Wohnungsbau

objektive Wertlehre → Arbeitswertlehre

Objektkontrolle → Kontrolladressat

Objektprogramm

(Maschinenprogramm) Ergebnis der Übersetzung eines → Quellprogramms; es ist genau auf die → Hardware, auf der es abläuft, zugeschnitten.

Objektsteuer

(Realsteuer, Sachsteuer) belastet unmittelbar die Leistungs- bzw. Ertragsfähigkeit eines Besteuerungsobjekts, wie z.B. → Gewerbekapital und → Gewerbeertrag bei der → Gewerbesteuer und Grundbesitz bei der → Grundsteuer.

Von den persönlichen Umständen des Steuerpflichtigen (Rechtsträger des Objekts) wird abgesehen. Es wird weder berücksichtigt, in wessen Eigentum sich die Wirtschaftsgüter befinden, noch wem die Erträge zufließen. Das Aufkommen aus den Objektsteuern steht den Gemeinden zu.

Obligation

häufig syn. mit → Anleihe und Schuldverschreibung verwendet. Im engeren Sinne sind Obligationen Schuldverschreibungen von Betrieben, die gestückelt als → Teilschuldverschreibungen ausgegeben werden. Neben den „normalen" Schuldverschreibungen gehören zu den Obligationen die Sonderformen der → Gewinnschuldverschreibung, bei der den Kreditgebern neben einem Mindestzins eine Teilnahme am Gewinn zusteht, der → Wandelschuldverschreibung, bei der die Kreditgeber das Recht zum Umtausch der Obligationen in → Aktien haben, und der → Optionsschuldverschreibung, die mit einem Bezugsrecht auf Aktien ausgestattet ist. *H. Ku.*

Literatur: *Vormbaum, H.,* Finanzierung der Betriebe, 7. Aufl., Wiesbaden 1986.

Obsoleszenz

Geplante Obsoleszenz (planned obsolescence) liegt vor, wenn ein Anbieter die Nutzungsdauer seiner Produkte bewußt verkürzt oder niedrig hält, um seinen Absatz durch frühzeitige Ersatzkäufe zu steigern. Folgende Obsoleszenzstrategien lassen sich unterscheiden:

- Vorhandene oder wirtschaftlich realisierbare Technologien oder Materialien, die eine längere Lebensdauer des Produkts ermöglichen würden, werden nicht angewandt *(qualitative Obsoleszenz).*
- Durch Variation des Produktäußeren (→ face lifting), Werbung für neue Modetrends und ähnliche Maßnahmen wird ein physisch noch funktionstüchtiges Produkt bzw. Modell psychisch veraltet, so daß sich sein → Zusatznutzen verringert *(psychische Obsoleszenz).*
- Das Timing von → Innovationen wird so gesteuert, daß zunächst noch viele der bereits älteren Produkte verkauft, schon bald aber durch die Einführung eines leistungsfähigen Nachfolgeprodukt veraltet werden *(funktionell-technische Obsoleszenz).*

Obsoleszenzstrategien sind empirisch schwer nachweisbar, da die Absichten der Anbieter i.d.R. nicht leicht erkennbar sind. Geplante Obsoleszenz wird in der verbraucherpolitischen Diskussion einerseits als Ressourcenverschwendung, arglistige Schädigung der Konsumenten („eingebaute Bruchstellen"), Verstärkung der einseitigen Wertschätzung des Neuen und als Instrument des sozialen Konsumzwangs („Modediktat") kritisiert. Andererseits spricht für eine geplante Obsoleszenz, daß ein längerlebiges Produkt u.U. nur unter Inkaufnahme von Verteuerungen (pro Nutzeneinheit) und/oder Einschränkungen der Funktionstüchtigkeit realisierbar ist. Ferner fördern beschleunigte Innovationen zwar die Veraltung, aber auch den → technischen Fortschritt. Die Bewertung geplanter Obsoleszenz bedingt deshalb im Einzelfall eine schwierige und umfassende Wirkungsanalyse und Interessenabwägung. *K. Lo.*

Literatur: *Raffée, H./Wiedmann, K.P.,* Die Obsoleszenzkontroverse – Versuch einer Klärung, in: ZfbF, 32. Jg. (1980), S. 149 ff.

OCR-Schrift

(optical character recognition) menschlich und maschinell lesbare Schrift zum automatischen optischen Einlesen von Daten in ein EDV-System mittels eines speziellen Gerätes (→ Belegleser). In der Bundesrepublik Deutschland sind derzeit zwei Formen, nämlich OCR-A (DIN 66008) und OCR-B (DIN 66009), gebräuchlich. Ein wichtiges Einsatzgebiet stellt der Scheck- und Überweisungsverkehr der Banken mit Hilfe eines unten auf dem Formular befindlichen Datenfeldes in OCR-A Schrift dar.

```
1 2 3 4 5 6 7 8 9 0
A B C D E F G H I J
K L M N O P Q R S T
U V W X Y Z Ä Ö Ü
; = % & * / ' | ¬ .
- ? ʃ ⊣ ⵕ
```

odd lot

Börsenauftrag über eine Anzahl Aktien, die geringer ist als die Schlußeinheit (→ Kursfeststellung).

OECD

Abk. für Organization for Economic Co-operation and Development (→ Organisation für wirtschaftliche Zusammenarbeit und Entwicklung).

OEEC

Abk. für Organization for European Economic Co-operation (→ Organisation für europäische wirtschaftliche Zusammenarbeit).

öffentliche Ausschreibung → Ausschreibung

öffentliche Binnenhäfen → öffentliche Verkehrsbetriebe

öffentliche Finanzwirtschaft

(öffentliche Wirtschaft, Staatswirtschaft, public economy) wirtschaftliche Aktivität öffentlicher Zwangsverbände. Dabei ist zunächst zu klären, was zum „Staat" gehört; dies liegt nicht eindeutig fest, sondern ist letzten Endes eine Frage der Konvention. Einhellig werden zum Sektor „Staat" die → Gebietskörperschaften gezählt und – in der Bundesrepublik – der → Lastenausgleichsfonds sowie das ERP-Sondervermögen (→ Sondervermögen). Im weiteren Sinne gehören die → Parafisci, insb. die → Sozialversicherungen, zur Finanzwirtschaft. Auch berufsständische Organisationen (z.B. → Industrie- und Handelskammern), die Kirchen und andere „intermediäre Finanzgewalten" werden oft zur Finanzwirtschaft gezählt, zumal wenn sie auf Zwangsmitgliedschaft beruhen und Zwangsbeiträge gezahlt werden müssen. Mitunter empfiehlt es sich sogar, internationale Zusammenschlüsse (z.B. EG, NATO) einzubeziehen, da sie zumindest in Teilbereichen Merkmale öffentlicher Finanzwirtschaft tragen.

Die Volkswirtschaften der westlichen Industrieländer sind durch ein Nebeneinander privater und öffentlicher Wirtschaftätigkeit gekennzeichnet. Das wirft die Frage nach grundsätzlichen Unterschieden, aber auch nach Gemeinsamkeiten auf. Der öffentlichen Finanzwirtschaft stehen zur Verfolgung ihrer Aufgaben (→ Staatstätigkeit) Mittel zur Verfügung, die nur ausnahmsweise aus eigener wirtschaftlicher Tätigkeit resultieren (→ Erwerbseinkünfte), i.d.R. jedoch als Zwangseinnahmen, also → Steuern, → Gebühren und → Beiträge, aufgrund von Hoheitsakten (Gesetze, Verordnungen) erhoben werden.

Wirtschaften heißt, bestimmte Ziele mit knappen Mitteln anzustreben und dabei ein möglichst günstiges Verhältnis zwischen Mitteleinsatz und Zielerreichung zu verwirklichen (ökonomisches Prinzip). Die öffentliche Finanzwirtschaft muß deshalb versuchen, die nur begrenzt verfügbaren → Staatseinnahmen möglichst wirkungsvoll für die Aufgaben des Staates zu verwenden. Anders als private Unternehmer ist die öffentliche Finanzwirtschaft dabei weniger an der Gewinnerzielung als an der Bedarfsdeckung orientiert, so daß häufig auch von der Bedarfsdeckungswirtschaft gesprochen wird.

Wirtschaftliche Entscheidungen sind stets auf die Zukunft gerichtet und bedürfen deshalb der Planung. Für die öffentliche Finanzwirtschaft findet dies seinen Ausdruck im → öffentlichen Haushalt (Budget), der prinzipiell vollzugsverbindlich ist.

Anders als private Wirtschaftssubjekte orientiert sich die öffentliche Finanzwirtschaft nicht an individuellen Zielen (z.B. Nutzen, Gewinn), sondern an gesamtwirtschaftlichen Zielen (z.B. Gerechtigkeit, Wohlstand, Freiheit), die im Prozeß der politischen Willensbildung fixiert und konkretisiert werden müssen.

Die → Finanzwissenschaft als Lehre von der öffentlichen Finanzwirtschaft befaßt sich nicht mit sämtlichen wirtschaftlichen Aktivitäten des Staates, sondern nur mit denjenigen, die sich in öffentlichen Einnahmen und öffentlichen Ausgaben und damit im öffentlichen Haushalt niederschlagen. Nicht berücksichtigt wird dagegen, daß öffentliche Finanzwirtschaften auch durch Gebote und Verbote aktiv werden können, die für die Disposi-

tionen privater Wirtschaftssubjekte von großer Bedeutung sein können.   R. P.

Literatur: *Bombach, G.,* Die öffentliche Finanzwirtschaft im Wirtschaftskreislauf, in: *Neumark, F.*
(Hrsg.), Handbuch der Finanzwissenschaft, Bd. I,
3. Aufl., Tübingen 1977, S. 53 ff.

öffentliche Investitionen

→Investitionen des Bundes und der Länder
(staatliche Investitionen) sowie solche der Gemeinden und der Gemeindeverbände (kommunale Investitionen). Dazu gehören nicht
nur die Investitionen der unmittelbaren (öffentlichen), sondern auch die der mittelbaren
Verwaltung (rechtlich verselbständigte Verwaltungseinheiten).

öffentliche Kreditwirtschaft

umfaßt die öffentlichen Banken (Landesbanken, Grundkreditanstalten und Spezialkredit-
institute), die öffentlichen →Sparkassen und
die Landesbausparkassen, die alle einen in
Satzungen oder Gesetzen (Sparkassengesetze
der Länder) definierten →öffentlichen Auftrag zu erfüllen haben (→Bankensystem).

Öffentliche Unternehmen

Wirtschaftseinheiten, die unter öffentlicher
Trägerschaft stehen und wirtschaftliche Verfügungen über zu produzierende und abzugebende Güter im Sinne öffentlicher Ziele treffen. Sie unterscheiden sich von →öffentlichen
Verwaltungsbetrieben formell dadurch, daß
sie nicht in den Haushalt der Trägerkörper-
schaft eingegliedert sind, sondern im Haushalt nur mit ihren Gewinnen und Verlusten
erscheinen. Sie haben dadurch eine größere
wirtschaftliche Eigenständigkeit, die sich auch
in der Rechtsform öffentlicher Unternehmen
ausdrückt. Als Trägerkörperschaften kommen insb. die →Gebietskörperschaften
(Bund, Länder, Kommunen) und übernatio-
nale Verwaltungen (z.B. →Europäische Gemeinschaft) in Betracht. Folgende Rechtsformen stehen zur Verfügung (vgl. Abb.).

Rechtsformen öffentlicher Unternehmen

Privatrechtliche Rechtsformen
● Personengesellschaften
● Kapitalgesellschaften
● Genossenschaften

Öffentlich-rechtliche Rechtsformen
● Körperschaften
● Anstalten
● Stiftungen

Bund und Länder verfügen über rechtlich
selbständige Unternehmen des öffentlichen
Rechts, wie →Körperschaften (z.B. →Sozial-
versicherungen), →Anstalten (z.B. →Deut-
sche Bundesbahn, →Deutsche Bundespost)
und Stiftungen des öffentlichen Rechts, und
vollständig oder anteilig über privatrechtliche
Gesellschaften, wie →Personen- und →Kapi-
talgesellschaften, →Genossenschaften, aber
auch →Stiftungen.

Auf kommunaler Ebene existieren →Regie-
betriebe, →Eigenbetriebe (öffentlich-rechtliche Unternehmensform ohne eigene Rechtspersönlichkeit), Rechtsformen des öffentlichen Rechts (vor allem →Zweckverbände)
und Eigengesellschaften in privatrechtlicher
Rechtsform, die überwiegend der Versorgung
(→öffentliche Versorgungsunternehmen) und
dem Verkehr (→öffentliche Verkehrsunternehmen) dienen. Dazu kommen noch →Spar-
kassen, Krankenhäuser, Theater usw. sowie
halbstaatliche und staatsnahe öffentliche Unternehmen und Verwaltungsbetriebe wie
→Rundfunk- und Fernsehanstalten (→Para-
fisci) sowie →Industrie- und Handelskammern, die Körperschaften des öffentlichen
Rechts sind.

Bei Beteiligungen der öffentlichen Haushalte an Unternehmen mit privatrechtlicher
Rechtsform muß i. d. R. ein maßgeblicher Einfluß (Mehrheitsbeteiligung) gegeben sein, um
von einem öffentlichen Unternehmen sprechen zu können. Öffentliche Unternehmen
dienen vor allem der Erfüllung wirtschaftlicher Ziele, die in Politikfelder der Gebietskörperschaften eingebettet sind, wie z.B. in die
Sozial- und Mittelstands-, Verteilungs-,
Raumordnungs-, betriebliche Sozialpolitik,
Wettbewerbs-, Konjunktur-, Beschäftigungs-,
Struktur-, Innovations-, Verfassungs-, Fiskal-
und Gesellschaftspolitik. Öffentliche Unternehmen haben damit Instrumentalfunktion
für das Erreichen öffentlicher Ziele, wobei
sich hier das Abstimmungsproblem zwischen
öffentlichen Zielsetzungen und dem gleichzeitigen Verfolgen unternehmenseigener, insb. finanzwirtschaftlicher Zielsetzungen ergibt.
Auch beim Verfolgen öffentlicher Zielsetzungen kann nicht auf die Einhaltung des finanziellen Gleichgewichts verzichtet werden, daß
sich nämlich Einnahmen und Ausgaben entsprechen. Es ist somit eine Frage der →Tarif-
politik, ob ein →Defizitausgleich durch
→Subventionen erfolgen soll oder ob öffentliche Unternehmen unter Einhaltung der →Ko-
stenpreisregel als →Gebührenhaushalte nach
dem →Abgeltungstheorem kostendeckend
wirtschaften oder schließlich sogar Gewinne
erzielen sollen.

Diese Problematik stellt sich jeweils für unterschiedliche Typen öffentlicher Unternehmen gesondert. Öffentliche Versorgungsunternehmen, die z.B. der Versorgung mit Energie oder Wasser dienen, sind hinsichtlich ihrer Absatzpolitik durch → Kontrahierungszwang gekennzeichnet, d.h. sie müssen an Abnehmer liefern ebenso wie der Abnehmer i.d.R. nicht seine Energiequelle (z.B. Strom, Gas, Fernwärme) frei wählen kann, sondern unter Anschlußzwang an das bestehende Versorgungsnetz steht. Weiterhin unterliegen Energieversorgungsunternehmen nach dem → Energiewirtschaftsgesetz einer staatlichen Preisregulierung und in der Bundestarifordnung Energiewirtschaft vorgeschriebenen Tarifarten.

Geringeren Einschränkungen hinsichtlich ihrer Tarifpolitik sind → öffentliche Verkehrsunternehmen unterworfen, bei denen Tarife i.d.R. entsprechend internem Organisations- und Satzungsrecht, wie z.B. bei der → Deutschen Bundesbahn oder hinsichtlich des Nahverkehrs bei → Stadtwerken, festgelegt werden.

Tätigkeitsumfang und Struktur öffentlicher Unternehmen sind in der Europäischen Gemeinschaft unterschiedlich geregelt. Erste Ansätze zur Vereinheitlichung lassen sich auf dem Gebiet der Rechnungslegung erkennen. Die Vierte EG-Richtlinie hat z.B. zu einem Bilanzrichtlinien-Gesetz geführt, nach dem das neue Recht im wesentlichen auch für öffentliche Unternehmen gelten soll und lediglich Bestimmungen des kommunalen Eigenbetriebsrechts (→ Eigenbetriebe) Vorrang behalten.   W. O.

Literatur: *Oechsler, W. A.,* Zweckbestimmung und Ressourceneinsatz öffentlicher Betriebe, Baden Baden 1982. *Thiemeyer, Th.,* Wirtschaftslehre öffentlicher Betriebe, Reinbek bei Hamburg 1975.

öffentliche Verkehrsunternehmen

umfassen den → öffentlichen Personennahverkehr, den → Eisenbahn- und → Luftverkehr sowie die Binnenhäfen. Der überwiegende Teil des öffentlichen Personennahverkehrs entfällt auf die im Verband öffentlicher Verkehrsbetriebe zusammengeschlossenen, meist kommunalen → öffentlichen Unternehmen. Weitere Träger sind die → Deutsche Bundesbahn und die → Deutsche Bundespost. Der Eisenbahnverkehr wird im Flächennetz allein von der Deutschen Bundesbahn abgewickelt und nur regional durch private Eisenbahnen ergänzt. Das einzige deutsche öffentliche Luftverkehrsunternehmen ist die → Deutsche Lufthansa AG, die zu den größten Luftver-

kehrsgesellschaften der Welt zählt. Die öffentlichen Binnenhäfen werden als kommunale → Eigenbetriebe, als staatliche → Regiebetriebe oder in privatrechtlicher Gesellschaftsform geführt und haben sich über ihre ursprüngliche Funktion als Stationen der → Binnenschiffahrt zu Dienstleistungszentren im Verkehr entwickelt, in denen die Verkehrsträger Eisenbahn, Binnenschiffahrt und Lastkraftwagen koordiniert werden.

öffentliche Vermittlungsnetze

Form der → Kommunikationsnetze, die die individuelle → Telekommunikation durch Bereitstellung von Netzen in öffentlicher Trägerschaft (z.B. → Deutsche Bundespost) ermöglicht (→ Individualkommunikation, → Fernmeldemonopol), z.B. → Telefon, → IDN, → ISDN, → BIGFON, → BIGFERN.

öffentliche Versicherungsunternehmen

neben der von öffentlich-rechtlichen Anstalten getragenen gesetzlichen → Sozialversicherung ist die öffentliche Hand auch in der Individualversicherung (Lebens-, Haftpflicht-, Unfall-, Kraftfahrtversicherung sowie Sachversicherung) mit gemeinnütziger Zielsetzung tätig. In einigen Geschäftsgebieten arbeiten Gebäude-Feuer-Versicherungen als Pflicht- und Monopolanstalten.

öffentliche Versorgungsunternehmen

(public utilities) werden unter der öffentlichen Versorgungswirtschaft zusammengefaßt und umfassen im wesentlichen die Elektrizitäts-, Gas-, Fernwärme- und Wasserversorgung. Unternehmen der öffentlichen Elektrizitätsversorgung bestreiten in der Bundesrepublik ca. 85% des Strombedarfs; der Rest entfällt auf Eigenanlagen der Industrie und auf die → Deutsche Bundesbahn (→ Elektrizitätswirtschaft). Der Anteil der Gas- und der Fernwärmeversorgung aus Privatenergieverbrauch hat sich ständig erhöht (→ Gaswirtschaft, → Fernwärmewirtschaft). Der Großteil der Wasserversorgung entfällt ebenfalls auf → öffentliche Unternehmen. Sie unterliegt der Trinkwasser-Verordnung und der Verordnung über Allgemeine Bedingungen für die Versorgung mit Wasser, die auch den Inhalt privatrechtlicher Versorgungsbedingungen zwingend festlegt (→ Wasserwirtschaft).

Die Versorgungsbetriebe werden oft als verselbständigte → Regiebetriebe in der Form von kommunalen → Eigenbetrieben geführt.

öffentliche Versteigerung → Auktion

öffentliche Verwaltungsbetriebe

in jüngster Zeit zum Gegenstand der Verwaltungsbetriebslehre als Teildisziplin der Betriebswirtschaftslehre geworden. Daneben werden öffentliche Verwaltungen insb. von der juristisch orientierten → Verwaltungslehre und der sich aus mehreren Wissenschaftsbereichen zusammensetzenden → Verwaltungswissenschaft erforscht. Gemeinsame Basis der betriebswirtschaftlichen Ansätze zu öffentlichen Verwaltungsbetrieben ist die planmäßige Kombination der Produktionsfaktoren (menschliche Arbeitskraft, Betriebsmittel, Werkstoffe), um Sachgüter zu erzeugen oder Dienstleistungen hervorzubringen. Ein öffentlicher Verwaltungsbetrieb ist deshalb aus betriebswirtschaftlicher Sicht eine Wirtschaftseinheit, die wirtschaftliche Verfügungen über zu produzierende und abzugebende Güter im Sinne öffentlicher Ziele auf der Grundlage öffentlichen Eigentums trifft.

Der Begriff öffentliche Verwaltungsbetriebe bezieht sich dabei sowohl auf die → Hoheitswie auf die → Leistungsverwaltung. Er enthält neben den Behörden der Staats- und Kommunalverwaltung (Bund, Länder, Regierungsbezirke, Kommunen, → Gebietskörperschaften) auch Armee, Polizei, Justiz, Finanzämter, Schulen und Universitäten, Feuerwehr und öffentliche Anstalten, die auf kollektive Bedarfsdeckung gerichtet sind, und klammert → öffentliche Unternehmen und → Eigenbetriebe (z.B. kommunale → Versorgungsbetriebe) aus.

Wichtigstes Unterscheidungsmerkmal gegenüber privatwirtschaftlichen Unternehmen ist die zweifache Zielsetzung, da öffentliche Verwaltungsbetriebe einmal nach dem Erwerbsprinzip wirtschaften und das finanzielle Gleichgewicht wahren müssen, aber zum anderen zumindest gleichrangig das Dienstprinzip beachten müssen, nämlich die Pflicht zur Erfüllung des gegebenen öffentlichen Auftrags. Aufgrund der doppelten Zielsetzung erfordern öffentliche Verwaltungsbetriebe ein besonderes → Verwaltungsmanagement. Zur Erfüllung des öffentlichen Auftrags sind weiterhin die → Verwaltungsorganisation an Organisationsvorschriften gebunden und das Verwaltungshandeln durch → Haushaltsgrundsätze geregelt.

Verwaltungsleistungen haben i.d.R. keinen Marktpreis, sondern unterliegen einer → Gebührenpolitik, aufgrund derer öffentliche Leistungen zu einem politisch festgesetzten Preis angeboten werden.

Grundlage für die Feststellung des Rechnungsergebnisses ist in öffentlichen Verwaltungsbetrieben traditionell die → Kamerali-stik, die in ihren Weiterentwicklungen Annäherungen an das betriebliche Rechnungswesen erfahren hat und auch Informationen für die Gebührenpolitik zu liefern vermag.

Die in öffentlichen Verwaltungsbetrieben beschäftigten Bedienstetengruppen stellen den → öffentlichen Dienst dar, der aus Beamten, Angestellten und Arbeitern besteht und Besonderheiten im Bereich des Beamtenrechts aufweist. Öffentliche Verwaltungsbetriebe sind ferner einer → Erfolgskontrolle in Form der klassischen Rechnungs- und Finanzkontrolle unterworfen, die nach Meinung vieler zu einer politischen Erfolgskontrolle ausgebaut werden soll. Derartige Reformvorschläge werden im Rahmen von Bestrebungen zur → Verwaltungsreform aufgegriffen, die aus der Gebiets-, Finanz- und Haushalts-, Funktional- und Verfahrens- sowie → Dienstrechtsreform besteht. *W. O.*

Literatur: *Oechsler, W. A.,* Betriebswirtschaftslehre der öffentlichen Verwaltung, in: *v. Mutius, A./ Friauf K. H./Westermann, H. P.* (Hrsg.), Handwörterbuch für die öffentliche Verwaltung, Bd. 1, Neuwied 1984.

öffentliche Wirtschaft → öffentliche Finanzwirtschaft

öffentliche Wohnungsunternehmen

bestehen zum größten Teil aus gemeinnützigen kommunalen → Wohnungsunternehmen, deren Hauptaufgabe darin besteht, preiswerten Wohnraum für breite Nachfragergruppen zu schaffen. Daneben sind Bund, Länder, Bundesbahn- und Bundespost, Sozialversicherungen und Sparkassen Träger von gemeinnützigen Wohnungsbaugesellschaften. Heimstätten und Landesentwicklungsgesellschaften der Bundesländer dienen neben Wohnungsneubau, kommunaler Entwicklung und Erschließung insb. der Stadtsanierung.

öffentlicher Auftrag

durch Satzung oder Gesetz vorgegebenes gemeinwirtschaftliches Handeln, das z.B. in der → öffentlichen Kreditwirtschaft von den → Sparkassen verlangt, einerseits das Sparen der Bevölkerung zu fördern und andererseits den öffentlichen Kreditbedarf, unter besonderer Berücksichtigung der öffentlichen Hand, des Mittelstandes und der wirtschaftlich schwächeren Bevölkerungskreise, zu decken.

öffentlicher Betrieb

Betrieb, der ganz oder teilweise im Eigentum der öffentlichen Hand steht. Die wirtschaftliche und rechtliche Struktur der öffentlichen Betriebe weist eine große Vielfalt auf.

In wirtschaftlicher Hinsicht ist vor allem die Zielsetzung öffentlicher Betriebe von Interesse. Danach können Erwerbsbetriebe, kostendeckende Betriebe und Zuschußbetriebe unterschieden werden. Erwerbsbetriebe sind in ihrer Zielsetzung mit Privatbetrieben vergleichbar, sie orientieren sich am Gewinnziel und dienen der öffentlichen Hand als Erwerbsmittel. Zu ihnen kann man einzelne Berg- und Hüttenwerke, Elektrizitätswerke und Banken rechnen. Betriebe, die nach dem Kostendeckungsprinzip arbeiten, haben einerseits die Befriedigung eines Kollektivbedarfs zur Aufgabe, andererseits sollen Verluste vermieden bzw. in ihrer Höhe begrenzt werden. Zu ihnen zählen z. B. Bundespost und Bundesbahn. Zuschußbetriebe haben ebenfalls die Deckung des Kollektivbedarfs zur Aufgabe, die Leistungen werden hier jedoch unentgeltlich oder gegen ein geringes Entgelt (Schutzgebühr) abgegeben. Zu ihnen rechnen z. B. Hochschulen und Theater.

Auch die rechtliche Struktur der öffentlichen Betriebe ist sehr vielfältig (vgl. Abb.; → öffentliche Unternehmen).   *F. X. B.*

```
┌─────────────────────────────────────────┐
│ öffentlich-rechtliche Betriebe          │
└─────────────────────────────────────────┘
      │
      │   ┌──────────────────────────────────┐
      ├───│ ohne eigene Rechtspersönlichkeit │
      │   └──────────────────────────────────┘
      │     ● reine Regiebetriebe
      │     ● verselbständigte Regiebetriebe
      │         – Sondervermögen
      │         – Eigenbetrieb
      │
      │   ┌──────────────────────────────────┐
      └───│ mit eigener Rechtspersönlichkeit │
          └──────────────────────────────────┘
            ● Körperschaft
            ● Anstalt
            ● Stiftung
```

Literatur: *Thiemeyer, T.*, Wirtschaftslehre öffentlicher Betriebe, Reinbek bei Hamburg 1975. *Thiemeyer, T.*, Betriebswirtschaftslehre der öffentlichen Betriebe, in: WiSt, 10. Jg. (1981), S. 367 ff. und S. 417 ff.

öffentlicher Dienst

umfaßt das Personal aller juristischen Personen des öffentlichen Rechts. Die öffentlich Bediensteten sind weder rechtlich noch sozial eine homogene Gruppe. Man unterscheidet → Beamte, → Angestellte, → Arbeiter, Richter und Soldaten.

öffentlicher Haushalt

(Budget, Etat) Teil der → Staatstätigkeit, der sich in Form finanzwirksamer Maßnahmen (Einnahmen und Ausgaben) im → Haushalts-

plan niederschlägt. Der öffentliche Haushalt ist ein zentrales gesellschaftspolitisches Koordinationsinstrument, das eine rationale und effiziente Planung, Durchführung und Kontrolle öffentlicher Aufgaben gewährleisten soll (politische Funktion). Er dient der Abstimmung des öffentlichen Bedarfs mit den finanziellen Deckungsmöglichkeiten (finanzpolitische Funktion) sowie mit der gesamtwirtschaftlichen Entwicklung (gesamtwirtschaftliche Funktion) und bewirkt zugleich maßgebliche Veränderungen in der Einkommens- und Vermögensverteilung (verteilungs- und sozialpolitische Funktion). Formal erfüllt er eine wichtige Rechts- und Kontrollfunktion, indem er Zuständigkeiten und Verantwortungsbereiche verbindlich festlegt und auf diese Weise eine administrative und politische Kontrolle ermöglicht (→ Haushaltsfunktionen).

Der budgetäre Willensbildungs- und Entscheidungsprozeß ist durch die Verfassung sowie durch Haushaltsordnungen und ergänzende gesetzliche Regelungen kodifiziert und institutionalisiert. Im → Haushaltskreislauf sind sowohl die Phasen des jährlichen Haushaltsprozesses als auch die Rollenverteilung zwischen den einzelnen Institutionen definiert. Im Laufe der Zeit haben sich im finanzwissenschaftlichen Schrifttum eine Reihe von → Haushaltsgrundsätzen herausgebildet. Sie gelten als grundlegende Ordnungsregeln für die öffentliche Finanzwirtschaft, deren Einhaltung für die Erfüllung der Haushaltsfunktionen notwendig ist. Sie haben auch weitgehend Eingang in die Finanzpraxis gefunden.

Die öffentliche Leistungserstellung reicht häufig (z. B. bei Investitionsprogrammen) weit über den kurzfristigen Jahreshorizont hinaus. Der jährliche → Haushaltsplan muß daher in eine überbudgetäre Planungskonzeption eingebettet sein. In der Bundesrepublik hat man versucht, diesem Gesichtspunkt durch die Einführung einer → mittelfristigen Finanzplanung Rechnung zu tragen, wobei auf der Basis einer mittelfristigen → Zielprojektion bestimmter gesamtwirtschaftlicher Eckdaten das Haushaltsvolumen und die Ausgabenstruktur für einen Zeitraum von fünf Jahren festgelegt werden. Dennoch dominieren in den öffentlichen Haushalten nach wie vor das weitgehend unkoordinierte Denken in Ausgabenplafonds und der Kampf um marginale Ausgabenzuwächse. Moderne Planungs-, Entscheidungs- und Kontrollverfahren (→ Programmbudget, → Kosten-Nutzen-Analyse) werden nur sporadisch und meist mit zweifelhaftem Erfolg eingesetzt.

In der Bundesrepublik existieren neben dem Bundeshaushalt und den elf Landeshaushalten rund 8500 Gemeindehaushalte. Eine gewisse Verfahrenseinheit ist allerdings dadurch gewährleistet, daß die Grundzüge der Haushaltsordnung seit der großen Haushaltsreform 1969 durch das Haushaltsgrundsätzegesetz (HGrG) für Bund und Länder (und mit gewissen Abweichungen auch für Gemeinden) einheitlich festgelegt sind. Außerdem dienen bestimmte gemeinsame Gremien – der Finanzplanungsrat (§ 51 HGrG) und der → Konjunkturrat (§ 18 Stabilitätsgesetz) – der Koordination der Haushaltspolitik der verschiedenen Gebietskörperschaften (→ mittelfristige Finanzplanung). Schließlich ist es auch die verfassungsrechtlich verankerte Aufgabe des → Finanzausgleichs, für eine Einheitlichkeit der Lebensverhältnisse im Bundesgebiet zu sorgen (Art. 106 GG).

Der öffentliche Haushalt bringt die Erfüllung öffentlicher Aufgaben nicht immer vollständig zum Ausdruck. Gesetzliche Regelungen, Gebote und Verbote, die für den Fiskus weder ausgaben- noch einnahmenwirksam sind, werden in den Haushaltsplänen nicht erfaßt. Einnahmenpolitische Regelungen (Steuergesetzgebung, Steuervergünstigungen) sind i.d.R. nicht Gegenstand der Haushaltsplanung. Parafiskalische Institutionen (Sozialversicherung, öffentliche Unternehmen, Kammern, Verbände usw.) werden häufig getrennt betrachtet, obwohl sie ebenfalls öffentliche Aufgaben erfüllen (→ Parafisci).   *W. Ki.*

Literatur: *Kitterer, W./Senf, P.,* Öffentlicher Haushalt I: Institutionen, in: HdWW, Bd. 5, Stuttgart u. a. 1980, S. 545 ff.

öffentlicher Kredit

Man unterscheidet zwischen dem Aktivkredit, den die öffentliche Hand gewährt, bei dem sie also als Gläubiger auftritt, und dem Passivkredit, bei dem sie Kredite aufnimmt, also Schuldner ist (→ Staatsverschuldung). Der Aktivkredit, der in der Regel mit Elementen der → Subvention (z.B. zinsgünstige Darlehen) verbunden ist, schlägt sich in Staatsausgaben nieder; er spielt heute eine vergleichsweise bescheidene Rolle. Dagegen hat der Passivkredit in nahezu allen westlichen Industrieländern in den vergangenen Jahren stark expandiert.

Die Kreditaufnahme durch den Staat ist eine vorläufige und marktwirtschaftliche Staatseinnahme. Der Kredit ist eine vorläufige Einnahme, weil er bei Fälligkeit zurückzuzahlen ist. Der Begriff „marktwirtschaftlich" weist darauf hin, daß der Staat am Kapitalmarkt in Konkurrenz zu privaten Nachfragern tritt und der einzelne Bürger frei in der

Entscheidung ist, ob er dem Staat Kredit geben will (Ausnahme: Zwangsanleihe). Als Gegenleistung erhält der Gläubiger den Anspruch auf Tilgung und Verzinsung.

Je nach dem Anlaß der Kreditaufnahme unterscheidet man zwischen → Haushaltskredit und → Kassenverstärkungskredit. Zu unterscheiden ist ferner zwischen der Nettokreditaufnahme (auch: Nettoneuverschuldung) und der Bruttokreditaufnahme; beide Größen unterscheiden sich durch die Höhe der Tilgungen. Bei positiver Nettokreditaufnahme steigt der Schuldenstand.

Einen Überblick über die Entwicklung des Schuldenstandes gibt die folgende Tabelle. Die jeweilige Nettokreditaufnahme kann durch einen Vergleich von zwei aufeinanderfolgenden Jahren ermittelt werden.

Entwicklung des öffentlichen Schuldenstandes (in Mrd. DM)

Jahr	öffentliche Haushalte insgesamt	Bund[1]	Länder	Gemeinden[2]
1972	156,1	63,1	37,0	56,0
1973	170,9	68,4	39,5	63,0
1974	192,4	78,7	47,3	66,4
1975	256,4	115,0	67,0	74,4
1976	296,7	135,0	81,8	79,8
1977	328,5	155,6	89,6	83,3
1978	370,8	182,0	102,1	86,7
1979	413,9	207,6	115,9	90,4
1980	468,6	235,6	137,8	95,2
1981	545,6	277,8	165,2	102,6
1982	614,8	314,3	190,6	109,9

[1] Einschl. Lastenausgleichsfonds und ERP-Sondervermögen.

[2] Einschl. Verschuldung der kommunalen Zweckverbände (ab 1975) und der kommunalen Krankenhäuser.

Quelle: Monatsberichte der Deutschen Bundesbank, lfde. Jahre.

Für die Aufnahme von Krediten hat die öffentliche Hand eine ganze Palette von → Schuldformen entwickelt. Der Staat kann seine Kredite am Kapitalmarkt des Inlandes und des Auslandes aufnehmen (interne bzw. externe Verschuldung); der direkte Zugang zur Notenbank (Notenbankkredit) ist ihm in der Bundesrepublik verwehrt, allerdings kann die Bundesbank im Zuge der → Offenmarktpolitik Staatspapiere kaufen und damit indirekt dem Staat Kredite gewähren.   *R. P.*

Literatur: *Hansmeyer, K.-H.,* Der öffentliche Kredit, 3. Aufl., Frankfurt a. M. 1984.

öffentlicher Personennahverkehr (ÖPNV)

Beförderung von Personen innerhalb eines Gemeindegebietes oder über Strecken bis zu

50 km, die infolge gemeinwirtschaftlicher → Verkehrsbedienung der verschiedenen Verkehrsträger für jedermann zur Verfügung steht. Der ÖPNV unterliegt, sofern er mit Straßenbahnen, Omnibussen, Oberleitungsbussen und Kraftfahrzeugen im Linienverkehr betrieben wird, den Bestimmungen des Personenbeförderungsgesetzes, wenn er durch die Bundesbahn (im U- bzw. S-Bahnbetrieb) bzw. die Bundespost (im Postbusverkehr) betrieben wird, den für diese Unternehmen zutreffenden gesetzlichen Regelungen (allgemeines Eisenbahngesetz, Bundesbahngesetz, Bundespostgesetz).

1985 waren 166 Unternehmen des ÖPNV im Verband öffentlicher Verkehrsbetriebe (VÖV) Köln, zusammengeschlossen. Das Angebot an Verkehrsleistungen im ÖPNV wird von privaten gewerblichen Unternehmen (etwa 6%), von Unternehmen der öffentlichen Hand (etwa 46%) und gemischtwirtschaftlichen Unternehmen (etwa 15%) erbracht (→ öffentliche Verkehrsunternehmen). Wegen der oben angeführten gemeinwirtschaftlichen Verpflichtungen und infolge regional- sowie umweltschutzpolitischer Zielsetzungen, aber auch wegen der Nachfrageschwankungen, erreichen besonders kommunale Verkehrsunternehmen keine Kostendeckung. Die Qualität des Angebots im ÖPNV kann und wird durch Koordination verschiedener Verkehrsträger gesteigert (→ Verkehrsverbund).

Spätestens seit dem Gutachten über die Verbesserung der Verkehrsverhältnisse der Gemeinden (1969) ist der ÖPNV Gegenstand verschiedenartiger verkehrs- und regionalpolitischer Förderung. Beispielsweise dienen die staatliche Förderung des Infrastrukturausbaus nach dem Gemeindeverkehrsfinanzierungsgesetz und die Hilfen der Nahverkehrsinvestitionsprogramme der Länder der Verbesserung der Qualität der Verkehrsleistungen im ÖPNV, somit auch der Wahrung seiner Bestände im Konkurrenzkampf mit dem Bedarfs-, Gelegenheits- und Individualverkehr auf der Straße. Wie die Zahlen der Tabelle zeigen, kann der ÖPNV seinen Marktanteil nicht halten. Neue Technologien für den ÖPNV befinden sich im Entwicklungsstadium; dazu zählen Kabinentaxis, bedarfsgesteuerte Omnibussysteme, Dual-Mode-Systeme und Magnet-Schwebebahn-Systeme.

Die → Tarifpolitik im ÖPNV kann nur in beschränktem Maße zu einer Verbesserung der Kostendeckung beitragen; der zeitweilig diskutierte Nulltarif ist kein geeignetes Mittel der Nachfrageumlenkung. Die Tarife bedürfen einer landes- bzw. bundesbehördlichen Zustimmung bzw. Genehmigung. Für die Ge-

währung von Sondertarifen (etwa im Ausbildungsverkehr) können Unternehmen des ÖPNV staatliche Ausgleichszahlungen beanspruchen.   *S. K.*

Verkehrsaufkommen und Verkehrsleistung des öffentlichen Personennahverkehrs

	1960	1970	1980	1984
Beförderte Personen in Mio.	7 362	7 015	7 652	6 819
in % des Gesamtverkehrs[1]	32,0	22,9	20,6	19,1
Pkm in Mrd.	57,4	60,7	65,5	59,7
in % des Gesamtverkehrs[1]	22,8	13,3	11,0	9,8

[1] Öffentlicher Verkehr, Taxi- und Mietwagenverkehr, Individualverkehr.

Quelle: *Bundesminister für Verkehr* (Hrsg.), Verkehr in Zahlen 1985, Bonn 1985.

öffentliches Gut → Kollektivgut

Öffentlichkeitsarbeit

(Public Relations, PR) als Instrument der → Kommunikationspolitik von Unternehmen oder sonstigen Institutionen Inbegriff aller planvollen Kommunikationsmaßnahmen gegenüber der Öffentlichkeit mit dem allgemeinen Ziel, das Verständnis für die eigenen Anliegen zu fördern, ein eigenständiges und profiliertes Erscheinungsbild des Urhebers zu schaffen und eine Vertrauensbasis gegenüber der Öffentlichkeit aufzubauen. Im Gegensatz zur → Werbung ist die Öffentlichkeitsarbeit

- nicht nur auf die Absatzmärkte, sondern auch und vor allem auf die allgemeine Öffentlichkeit ebenso wie auf die eigenen Mitarbeiter gerichtet,
- auf das Unternehmen und nicht auf ein Produkt bezogen und
- von spezifischen Kommunikationsmitteln, wie z. B. Firmendokumentationen, Unterstützung gesellschaftlicher und kultureller Belange, PR-Anzeigen, Presseinformationen, Besuchertagen u. ä., gekennzeichnet.

Der Erfolg der Öffentlichkeitsarbeit hängt maßgeblich von der Glaubwürdigkeit, der Offenheit i. S. einer aktiven, vor allem auf die Meinungsbildner gezielten Information und der Abstimmung ihrer Formen und Inhalte mit den übrigen Instrumenten der Kommunikationspolitik ab. Dem letzteren Aspekt wird dabei zunehmende Bedeutsamkeit zugemessen, was sich auch in dem umfassenden Begriff der „corporate communication" oder „institutionellen Kommunikation" niederschlägt. Dieser bezieht sich auf eine ganzheitliche Betrachtung aller kommunikativen Äußerungen des Unternehmens nach innen wie nach außen unter dem Leitbild einer profilierten Selbst- und Außenidentifizierung, der sog. → corporate identity. Dieses Konzept schließt deshalb über typische PR-Maßnahmen hinaus die Koordinierung von Firmennamen, -farben, -signets, Merkmalen des Auftretens in der Öffentlichkeit sowie die Personalführung i. S. der Unternehmensphilosophie ein. *H. D.*

Literatur: *Haedrich, G./Barthenheier, G./Kleinert, H.* (Hrsg.), Öffentlichkeitsarbeit, Dialog zwischen Institutionen und Gesellschaft – Handbuch, Berlin, New York 1982. *Hundhausen, D.,* Public Relations, Theorie und Systematik, Berlin 1969. *Zankel, H.,* Public Relations, Wiesbaden 1975.

öffentlich-rechtliche Anstalt → Anstalt des öffentlichen Rechts

öffentlich-rechtliche Körperschaft → Körperschaft des öffentlichen Rechts

öffentlich-rechtliche Stiftung → Stiftung

öffentlich-rechtliche Versicherungsunternehmen

Rechtsform für → Versicherungsunternehmen (§ 7 VAG) mit einem Marktanteil an den Bruttoprämien von ca. 10,5%. Es handelt sich um → Körperschaften oder → Anstalten des Öffentlichen Rechts, und zwar um:
- Wettbewerbsanstalten, deren Tätigkeit sich nicht auf ein Land (Bundesland, Land Berlin) beschränkt,
- Wettbewerbsanstalten, deren Tätigkeit sich auf ein Land beschränkt,
- Zwangs- und Monopolanstalten.

Die → Versicherungsaufsicht über die öffentlich-rechtlichen Versicherungsunternehmen erstreckt sich auf die Fachaufsicht, nicht die Dienstaufsicht.

Ökologie

(griech. oikos = Haus, Haushalt) Teilbereich der Biologie, der sich mit den Wechselbeziehungen zwischen den jeweils untersuchten Lebewesen und der belebten und unbelebten Umwelt befaßt. Dabei kann die → Umwelt – je nach Aufgabenstellung – sehr eng, z.B. als die Wasseroberfläche eines kleinen Moorsees, aber auch sehr weit, z.B. als die Gesamtheit der Alpenregion, definiert werden.

Ökonometrie

befaßt sich mit der Quantifizierung und empirischen Überprüfung theoretischer Hypothesen und erlaubt → Prognosen ökonomischer Variablen sowie Modellrechnungen (→ Simu-

lationen) zu wirtschaftspolitischen Alternativen im ökonomischen Kreislaufzusammenhang. Seit Gründung der Econometric Society 1931 ist die Verknüpfung von mathematischer Wirtschaftstheorie, Wirtschaftsstatistik und statistischer Schätz- und Testtheorie zu einer Synthese als das anspruchsvolle Programm der Ökonometrie formuliert worden. Bei der ökonometrischen Modellbildung sind folgende Schritte zu unterscheiden:
- Spezifikation des Modells,
- Schätzung,
- Prüfung der ökonometrischen Struktur,
- Bewertung der Ergebnisse.

Ziel der *Spezifikation* ist die Formulierung eines Modells in mathematischer Form. Dazu werden die im Rahmen der Wirtschaftstheorie entwickelten Hypothesen herangezogen und im Hinblick auf ihren Beitrag zur Lösung einer konkreten Problemstellung beurteilt. Es sind die wichtigsten Variablen, die in den Gleichungen berücksichtigt werden sollen, auszuwählen; ebenfalls ist die Funktionsform zu bestimmen (linear bzw. nichtlinear). In der zweiten Phase werden die Parameter (Koeffizienten) der Gleichungen, z.B. Multiplikatoren, Elastizitäten usw., durch *Schätzung* mit Hilfe bestimmter Methoden (Methode der kleinsten Quadrate, Maximum-Likelihood-Methode) quantitativ bestimmt. Die nunmehr ermittelte ökonometrische Struktur wird im Hinblick auf Qualitätskriterien überprüft. So sind Tests der → ökonometrischen Modellannahmen (z.B. auf → Autokorrelation oder → Heteroskedastizität) und Parametertests (z.B. → Signifikanz-Tests oder → Strukturbruchtests) durchzuführen. Schließlich sind ökonomische Plausibilitätstests notwendig, die dazu dienen, die Vorzeichen und die Größenordnungen der Parameter zu überprüfen. Die *Bewertung* der Ergebnisse ist nur in bezug auf die zugrunde liegende Problemstellung möglich. Ziel der ökonometrischen Modellbildung sind dabei letztlich Erklärung und Prognose wirtschaftlicher Entwicklungsprozesse. *R. H.*

Literatur: *Intriligator, M. D.,* Econometric Models, Techniques and Applications, Amsterdam, Oxford 1978. *Judge, G. G./Griffiths, W. E./Hill, R. C./Lee, T. C.,* The Theory and Practice of Econometrics, New York 1980, *Schneeweiß, H.,* Ökonometrie, Würzburg, Wien 1978.

ökonometrische Modellannahmen

sind notwendige Voraussetzungen für die Schätzung der Koeffizienten eines → Eingleichungsmodells mit Hilfe der Methode der kleinsten Quadrate (→ Regressionsanalyse). Sind die Modellannahmen verletzt, so erfüllen die → Schätzfunktionen wünschenswerte Kriterien, wie z.B. Erwartungtreue, Konsistenz oder Effizienz, nicht. Lautet der Schätzansatz eines multiplen linearen Regressionsmodells

$$\underline{y} = X\underline{b} + \underline{u}$$

mit $\underline{y} = \begin{pmatrix} y_1 \\ y_2 \\ \vdots \\ y_T \end{pmatrix}$ $X = \begin{pmatrix} 1 & x_{21} & \cdots & x_{n1} \\ \vdots & \vdots & & \vdots \\ 1 & x_{2T} & \cdots & x_{nT} \end{pmatrix}$

$$\underline{b} = \begin{pmatrix} b_1 \\ b_2 \\ \vdots \\ b_n \end{pmatrix} \quad \underline{u} = \begin{pmatrix} u_1 \\ u_2 \\ \vdots \\ u_T \end{pmatrix}$$

so sollen folgende Modellannahmen erfüllt sein:
(1) Der → Erwartungswert der → Störvariablen bei gegebenen $x_{1t}, x_{2t}, \ldots, x_{nt}$ ist in jeder Periode gleich Null:
$$E(\underline{u}/X) = E(u_t/x_{1t}, \ldots, x_{nt}) = 0$$
(2) Die → Varianz der Störvariablen ist in jeder Periode gleich (Homoskedastizität):
$$Var(\underline{u}/X) = Var(u_t/x_{1t}, \ldots, x_{nt}) = \sigma^2$$
(3) Die Störvariablen weisen keine intertemporale Korrelation auf (keine → Autokorrelation), d.h. die Kovarianzen sind Null:
$$E(\underline{u}'\underline{u}/X) = E(u_t u_{t^*}/x_{1t}, \ldots, x_{nt}) = 0 \text{ für } t \neq t^*$$
(4) Zwischen den Beobachtungen der erklärenden Variablen besteht keine lineare Abhängigkeit, d.h. der Rang der Matrix X soll n sein (keine → Multikollinearität):
$$rg(X) = n \text{ mit } n \leqslant T$$

Literatur: *Schneeweiß, H.*, Ökonometrie, Würzburg, Wien 1978.

ökonometrische Modellbildung

erfolgt auf der Grundlage von → Eingleichungsmodellen oder → Mehrgleichungsmodellen. Die Eingleichungsmodelle werden dabei im allgemeinen als lineare Ansätze, d.h. als einfache (eine erklärende Variable) oder als multiple (mehrere erklärende Variablen) Modelle formuliert. Grundlegend für die ökonometrische Modellbildung ist das stochastische Konzept (→ stochastisches Modell), d.h. es werden nicht – wie in der mathematischen Wirtschaftstheorie üblich – deterministische Beziehungen abgeleitet. Für den einfachsten Fall der Abhängigkeit zwischen einer endogenen Variablen und einer exogenen Variablen x ergibt sich die Gleichung
$$y = f(x) + u,$$
wobei u eine → Zufallsvariable, d.h. eine stochastische Größe ist. Die endogene Variable y ist dann ebenfalls eine Zufallsvariable. Die Gleichung für y enthält also einen systematischen Teil f(x), in dem alle Variablen berück-

sichtigt werden sollen, die einen wesentlichen Beitrag zur Erklärung von y leisten, und eine zufällige Komponente u, die als Restgröße interpretiert werden kann, d.h. die alle restlichen Faktoren erfaßt. Wenn die plausible Annahme für die Zufallsvariable u – auch als → Störvariable bezeichnet – gilt, daß der → Erwartungswert von u
$$E(u) = 0$$
ist, dann ergibt sich für den bedingten Erwartungswert:
$$E(y/x) = f(x).$$
Dies bedeutet, daß im Mittel erwartet wird, daß der Wert der endogenen Variblen y unter der Bedingung des Auftretens der exogenen Variablen x gleich der rechten Seite f(x) wird. In einem Diagramm läßt sich dieser Sachverhalt für eine lineare Funktion anschaulich darstellen (vgl. Abb.).

Stochastisches Modell der Ökonometrie

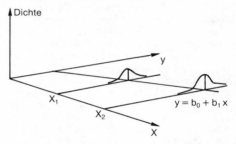

Es zeigt sich, daß y sich im Mittel immer als $b_0 + b_1 x$ ergeben wird; y ist jedoch eine Variable, die offenbar durch x nicht eindeutig, sondern nur wesentlich bestimmt wird; darüber hinaus wirken auch noch andere Faktoren auf die abhängige Variable y ein und bestimmen die zufallsbedingten Abweichungen von der Geraden.   *R. H.*

Literatur: *Pindyck, R. S./Rubinfeld, D. L.*, Econometric Models and Economic Forecasts, 2. Aufl., Auckland u.a. 1985. *Schneeweiß, H.*, Ökonometrie, Würzburg, Wien 1978.

ökonometrische Modelle

bilden ökonomische Entwicklungsprozesse und Strukturen in quantitativer Form ab und werden zur → Prognose und zur → Simulation alternativer wirtschaftspolitischer Maßnahmen verwendet. Ökonometrische Modelle werden auf makroökonomischer Ebene seit den Ansätzen von *Jan Tinbergen* für die Niederlande und die USA Ende der 30er Jahre in sehr differenzierter Form entwickelt. Für die Konstruktion ökonometrischer Modelle erlangte insb. das im Jahre 1955 entwickelte Klein-Goldberger-Modell zentrale Bedeutung; von diesem Modell gingen wichtige Impulse insb. für die Entwicklung der ökonometrischen Modelle für die USA aus, z.B. für das Wharton-EFU-Modell, für das Brookings-Modell oder für das unter Leitung von *Otto Eckstein* entwickelte DRI-Modell.

In der Bundesrepublik wurde mit dem ökonometrischen Modellbau Anfang der 60er Jahre begonnen; aufbauend auf diesen ersten Ansätzen wurden ab Ende der 60er Jahre detaillierte Modellansätze mit dem Ziel der Prognose und Politiksimulation entwickelt: Zu nennen sind vor allem die verschiedenen aggregierten Versionen aus der Bonner Modellfamilie. Wichtige Entwicklungsstufen sind hierbei die Versionen 5, die auch im Rahmen eines Weltmodells (Projekt „Link") verwendet wurden, die Modellvariante 10 mit expliziter Berücksichtigung des Geld- und Kreditsektors sowie als Ergänzungsmodul das Arbeitsmarktmodell von *Schloenbach*. Schließlich wurde ein disaggregiertes Prognosemodell mit ca. 1700 Gleichungen konzipiert und durch ein Arbeitsmarktmodell erweitert. Ebenfalls auf der Grundlage von Jahresdaten wurde im Rahmen der Modellbauaktivitäten im Sonderforschungsbereich 3 „Mikroanalytische Grundlagen der Gesellschaftspolitik" in Frankfurt a. M. ein sektoral disaggregiertes Modell mit dem Ziel einer Verknüpfung zwischen makroökonometrischen und mikroanalytischen Ansätzen geschätzt. Schließlich sind noch eine Reihe von leistungsfähigen Vierteljahresmodellen entwickelt worden. Zu nennen sind vor allem das SYSIFO-Modell unter der Leitung von *Hansen* und *Westphal*, das Freiburg-Tübinger-Modell, das Bundesbank-Modell und das RWI-Modell. *R. H.*

Literatur: *Frerichs, W./Kübler, K.*, Gesamtwirtschaftliche Prognoseverfahren, München 1980. *Langer, H. G./Martiensen, J./Quindee, H.* (Hrsg.), Simulationsexperimente mit ökonometrischen Makromodellen, München, Wien 1984.

ökonometrische Schätzmethoden

Verfahren zur Ermittlung der Regressionskoeffizienten von → Eingleichungs- bzw. → Mehrgleichungsmodellen. Die wichtigsten Ansätze zur → Eingleichungsmodell-Schätzung sind die Methode der kleinsten Quadrate, die Maximum-Likelihood-Methode und die verallgemeinerte Kleinst-Quadrate-Methode („Aitken-Schätzung"). Die Schätzung der Parameter in Mehrgleichungsmodellen (→ Mehrgleichungsmodell-Schätzung) erfolgt nach

● dem Grad der Verarbeitung von A-priori-Informationen über die Koeffizienten,
● dem Vorgehen bei der Schätzung.

Will man bei der Schätzung alle Parameterrestriktionen berücksichtigen, so ist es notwendig, sog. „Full-information"-Verfahren zu verwenden; ist diese Bedingung nicht erfüllt, so werden „Limited-information"-Methoden eingesetzt. Nach dem Vorgehen bei der Schätzung wird zwischen Einzelgleichungsschätzverfahren und Systemschätzverfahren unterschieden. Während bei den Einzelgleichungsschätzverfahren die Funktionen nacheinander geschätzt werden, erfolgt bei den Systemschätzverfahren die Bestimmung der Koeffizienten simultan. *R. H.*

Literatur: *Frohn, J.*, Grundausbildung in Ökonometrie, Berlin, New York 1980.

ökonometrische Tests

Methoden zur Überprüfung der → ökonometrischen Modellannahmen und der Qualität der Regressionskoeffizienten. Der → Autokorrelations-Test dient dazu, die Annahme der intertemporalen Unabhängigkeit zwischen den → Störvariablen u zu überprüfen und damit Hinweise auf eine mögliche Fehlspezifikation des Modells zu erhalten. Mit Hilfe von → Heteroskedastizitäts-Tests ist es möglich, die Prämissen konstanter Varianz der Störvariablen zu beurteilen. → Strukturbruch-Tests verfolgen das Ziel, eine fundierte Aussage über die Stabilität der Regressionskoeffizienten zu machen, und → Signifikanz-Tests dienen schließlich zur Beantwortung der Frage nach der Bedeutung der Güte der betrachteten Regressionskoeffizienten. Bei der Anwendung dieser Tests ist zu beachten, daß sie aus methodischen Gründen in der folgenden Reihenfolge durchgeführt werden müssen:

● Autokorrelationstest,
● Heteroskedastizitätstest,
● Strukturkonstanztest,
● Signifikanztest der Koeffizienten. *R. H.*

Literatur: *Rinne, H.*, Ökonometrie, Stuttgart 1976. *Schneeweiß, H.*, Ökonometrie, Würzburg, Wien 1978.

ökonomische Aktivität

Tätigkeit, die direkt oder indirekt darauf abzielt, eine Befriedigung der Bedürfnisse durch Güter zu ermöglichen. Grundsätzlich können vier Arten von ökonomischen Aktivitäten (wirtschaftlichen Tätigkeiten) unterschieden werden:

● Einkommensschaffung durch Produktion von Gütern,
● Einkommensverwendung durch Verbrauch von Gütern,

- Einkommensverwendung durch Vermögensbildung und
- Kreditgewährung bzw. -verwendung.

Für jede arbeitsteilige Gesellschaft stellt die Koordination der unüberschaubaren Fülle von ökonomischen Aktivitäten ihrer Mitglieder ein zentrales Organisationsproblem dar. Die Analyse dieses Problems steht im Mittelpunkt der mikroökonomischen Theorie. Die systematische zahlenmäßige Erfassung der ökonomischen Aktivitäten erfolgt im → Volkswirtschaftlichen Rechnungswesen, wo die vier Aktivitätsarten als wichtiges Gliederungskriterium verwendet werden. *H. R.*

ökonomische Theorie der Politik → Neue Politische Ökonomik

ökonomischer Gewinn → kapitaltheoretische Bilanzauffassung

ökonomisches Prinzip → Wirtschaftlichkeitsprinzip

ökoskopische Marktforschung → Marktforschung

Ökosystem

(ökologisches System) grundlegende Funktionseinheit unterschiedlicher Größenordnung, in der die Organismen und ihre Gemeinschaften in wechselseitiger naturgesetzlicher Beziehung zu allen Faktoren ihrer belebten und unbelebten Umwelt stehen. Es umfaßt einen räumlich abgrenzbaren Lebensraum (z. B. ein Fluß- oder ein Feuchtgebiet) und die ihn bewohnende Lebensgemeinschaft (z. B. Pflanzen, Tiere).

Ölflecktheorie

Auffassung, daß sich marktinkonforme Maßnahmen wie ein Ölfleck auf dem Wasser ausbreiten und zwangsläufig zu immer weiteren Eingriffen führen. So bedingt etwa eine Mindestpreissetzung für Agrarprodukte im Rahmen der EG eine staatliche Ankaufspflicht der überschüssigen Mengen. Staatliche Lagerhaltung, kostspielige Aktionen, wie z. B. Verkauf von sog. Weihnachtsbutter oder subventionierte Exporte und Produktionsbeschränkungen (Milchquoten) sind die weitere Folge.

Ölgewinnung und -verarbeitung

Wirtschaftsgruppe der Industrie; die Rohölgewinnung ist ein → Wirtschaftszweig des Bergbaus, die → Mineralölverarbeitung zählt zur → Grundstoff- und Produktionsgüterindustrie. Die einheimische Rohölförderung ist mit einem Anteil von unter 5% am inländischen Rohölverbrauch gesamtwirtschaftlich von geringer Bedeutung. Die Nachfrage nach Mineralölprodukten wird hingegen zu etwa 70% durch im Inland verarbeitetes Rohöl gedeckt.

Die im Vergleich zu Substitutionsgütern bis 1973 niedrigen Ölpreise begünstigten einmal die rasche Expansion des Mineralöls im Primärenergiebereich, wo es im Laufe der 60er Jahre die Steinkohle – trotz diverser Schutzmaßnahmen – von ihrer dominierenden Position verdrängte. Hohe Zuwachsraten erzielten auch die Mineralölprodukte, die als Kuppelprodukte – je nach Rohöleinsatz und Verarbeitungstiefe – in einem festen Verhältnis bei der Mineralölverarbeitung anfallen. Zur Zeit ist folgende Produktionsstruktur typisch: Gase und Benzin 25%, Dieselkraftstoff und leichtes Heizöl 40%, schweres Heizöl und Bitumen 35%.

Die massiven Preiserhöhungen für Rohöl in den Jahren 1973 und 1979 führten nicht nur zu einer rückläufigen Bedeutung des Mineralöls beim Primärenergieverbrauch, sondern bremsten auch die Expansion der Mineralölverarbeitung und führten sogar zur Einschränkung von Raffineriekapazität. Verstärkt wurde diese Tendenz durch – fiskalpolitisch motivierte – Steuerbelastungen und direkte staatliche Eingriffe (Verwendungsbeschränkungen bei schwerem Heizöl). *E. Gö.*

Literatur: *Schneider, H. K.*, Energie I und Energie II, in: HdWW, Bd. 2, Stuttgart u. a. 1980, S. 362 ff.

Österreichische Schule

von *Carl Menger* in bewußter Abgrenzung von der → historischen Schule (→ Methodenstreit) und der → Klassik begründeter Zweig der → Grenznutzenschule. Mit Hilfe des Prinzips der Nutzenmaximierung zeigt *Menger*, wie einerseits Konsumgüter als „Güter erster Ordnung" zu verwenden und andererseits Kapitalgüter sowie Produktionsfaktoren als „Güter höherer Ordnung zur Erzeugung von Gütern niedrigerer Ordnung" einzusetzen sind. Auf der Basis dieser Lösung des Allokationsproblems kann er – direkte Nachfrage (nach Konsumgütern) und indirekte oder abgeleitete Nachfrage (nach Kapitalgütern oder Produktionsfaktoren) unterscheidend und das Angebot jeweils aus Überschüssen der Bestände über die Eigennachfrage deutend – seine Preistheorie für alle Märkte nach einem einheitlichen Prinzip aufbauen, wobei im einzelnen freilich manche Fragen offenbleiben. Hier setzen seine Schüler *Friedrich von Wiese* und *Eugen von Böhm-Bawerk* mit ihrer Arbeit an.

So versuchen beide das Zurechnungsproblem zu lösen, nämlich zu präzisieren, nach welchen Prinzipien sich der Wert der Konsumgüter auf die Güter höherer Ordnung überträgt. *Wiese* entwickelte auch eine Variante des Begriffs der →Opportunitätskosten, wonach Kosten sich auf rein subjektivistischer Basis als entgangener Nutzen auffassen lassen. *Böhm-Bawerk* widmete sich vor allem dem Aufbau der temporalen Kapitaltheorie, um die Zusammenhänge zwischen Sparen, Kapitalbildung und Zinssatz aufzudecken. Auch der Frage des Einflusses wirtschaftlicher Macht auf die Preisbildung ging *Böhm-Bauwerk* nach.

Als Vertreter der sog. dritten bzw. vierten Generation der österreichischen Schule übertragen *Ludwig von Mises* und *Friedrich A. von Hayek* die Mengerschen Überlegungen auf die Geld- und Konjunkturtheorie, wobei sie zugleich auf die Arbeiten des Schweden *Knut Wicksell* zurückgreifen, der seinerseits der österreichischen Schule wesentliche Impulse verdankt. Auf andere Weise befaßt sich auch der Österreicher *Joseph A. Schumpeter* mit dem Problem der wirtschaftlichen Entwicklung, indem er Konjunkturschwankungen und Wachstum auf das auf und ab der Innovationsaktivitäten der Unternehmer zurückführt.

Mit der vierten Generation, der neben *v. Hayek* so namhafte Gelehrte wie *Fritz Machlup* (Preis- und Wettbewerbstheorie) *Gottfried Haberler* (Außenhandelstheorie), *Oskar Morgenstern* (Spieltheorie) und auch noch *Richard von Strigl* (Kapitaltheorie) angehören, mündet die österreichische Schule verstärkt in den allgemeinen Strom neoklassischen Denkens ein.

Mises und *v. Hayek* haben sich auch mit dem Problem der Wirtschaftsrechnung im Sozialismus befaßt. In der Auseinandersetzung mit diesem Problem entstand die lange Reihe der Arbeiten *v. Hayeks* zur sozialphilosophischen Fundierung der liberalen Ordnung. Dabei formuliert er das „österreichische Paradigma" noch einmal in umfassender Weise. Es ist gekennzeichnet durch die Betonung der Rolle des Wissens (und zwar sowohl was seine Entstehung als auch was seine Diffusion betrifft), der Erwartungen, der Spontaneität, der Zeitdimension, des Prozeßhaften und der Komplexität im Marktgeschehen, verbunden mit einer äußersten Zurückhaltung gegenüber dem Arbeiten mit Aggregaten, womit zugleich die Gegenposition zur →Makroökonomik keynesianischer Provenienz bezogen wird. In dieser Tradition steht auch die sog. neo-österreichische Schule, die sich in den USA unter dem Einfluß von *Ludwig v. Mises* und *Ludwig M. Lachmann* gebildet hat und dezidiert subjektivistisch ausgerichtet ist.   *U. F.*

Literatur: *Schumpeter, J. A.,* Geschichte der ökonomischen Analyse, Göttingen 1965. *Issing, O.* (Hrsg.), Geschichte der Nationalökonomie, München 1984.

Off-budget-Prinzip

Ausklammern von Einnahmen und Ausgaben aus dem öffentlichen Haushalt und Verselbständigung in Sonderhaushalten. Diese Praxis dient häufig der Verschleierung öffentlicher Tätigkeiten und ihrer Finanzierung. Sie wird auch als „Flucht aus dem Budget" bezeichnet und steht im Widerspruch zum Prinzip der Vollständigkeit und Einheit des öffentlichen Haushalts (→Haushaltsgrundsätze).

offenbarte Präferenzen →bekundete Präferenzen

Offenbarungseid →Eidesstattliche Versicherung

offene Fragen →Befragung

offene Handelsgesellschaft (oHG)

→Personengesellschaft, bei der alle Gesellschafter persönlich und unbeschränkt haften. Sie ist eine Ausprägung der →kapitalistischen Unternehmensverfassung: Alle Entscheidungsbefugnis, die in der von der oHG betriebenen Unternehmung ausgeübt wird, leitet sich von den Gesellschaftern ab. Sie bestimmen durch die Gestaltung des Gesellschaftsvertrages (§ 109 HGB) wie durch gemeinsame Beschlußfassung (§ 119 HGB) den Rahmen für die Unternehmensführung bezüglich Zielsetzung und Unternehmenspolitik (Mitwirkungsmöglichkeiten der Arbeitnehmer richten sich nach →Betriebsverfassungsgesetz 1972).

Für die Regelung der Entscheidungsstruktur innerhalb des Eigentümerverbandes ist der Gesetzgeber als (abdingbarem) Regelfall davon ausgegangen, daß die Eigentümer zugleich Unternehmer (Geschäftsführer) sind. Diese personale Einheit von Interessenvertretung und Interessendurchsetzung (Selbstorganschaft im Gegensatz zur Fremdorganschaft bei →Kapitalgesellschaften) erübrigt differenzierte institutionelle Vorkehrungen, um die dauernde Ausrichtung (und Kontrolle) der Unternehmensentscheidungen auf die Interessen der Kapitaleigner sicherzustellen. Das HGB schreibt als (abdingbaren) Regelfall nur vor, daß alle Gesellschafter zur Geschäftsführung (Innenverhältnis der Gesellschaft) und zur Vertretung der Gesellschaft (nach außen) berechtigt und verpflichtet sind (§ 114 Abs. 1, 125 Abs. 1 HGB), wobei zur Wahrung der Interessen der Gesellschaftergemeinschaft Widerspruchs- und Abstimmungsmechanismen bestehen (§§ 115, 116, 119, 125 Abs. 2 HGB). Jeder Gesellschafter hat, auch wenn er kraft Gesellschaftsvertrag von der Geschäftsführung ausgeschlossen ist, zu Kontrollzwecken jederzeit das Recht der persönlichen Unterrichtung und Büchereinsicht (§ 118 HGB). Soweit weitere Informationsrechte und -pflichten vorliegen (z.B. Recht zur Büchereinsicht), sind sie ausschließlich an den privaten Interessen der Kapitaleigner orientiert und nicht publizitätspflichtig. Die große oHG unterliegt allerdings dem Publizitätsgesetz (→Publizität).

Die typische oHG stellt sich in gewissem Sinne als eine „Vervielfachung" der →Einzelfirma dar; hieraus resultiert ihre wirtschaftliche Eigenart. Die Befugnis zur Alleingeschäftsführung und Alleinvertretungsmacht jedes Gesellschafters verschaffen der Führung eine hohe Flexibilität und minimieren Reibungsverluste. Die unbeschränkbare Haftung der Gesellschafter erhöht die Kreditwürdigkeit, jedenfalls bei Klein- und Mittelbetrieben. Risiken resultieren aus der wechselseitigen Abhängigkeit der Gesellschafter voneinander: Jeder kann durch Unzuverlässigkeit oder risikoreiche Geschäfte die anderen ruinieren. Der Rückgang der oHG in den letzten Jahrzehnten zugunsten der →Gesellschaft mit beschränkter Haftung oder der GmbH & Co. KG (→Personengesellschaften) ist wohl darauf zurückzuführen, daß wegen dieser Risiken die oHG bei Gründungen zur seltenen Ausnahme geworden ist.   *H. S.*

Literatur: *Kübler, F.,* Gesellschaftsrecht, 2. Aufl., Heidelberg 1986.

offene Position → Swappolitik

Offene-Posten-Buchführung

Sonderform der Buchführung, die hauptsächlich der Vereinfachung der Debitoren- und Kreditorenbuchführung dient. Die Aufgabe des Kontokorrentbuches (Geschäftsfreundebuch) wird nicht durch die Führung von Personenkonten, sondern durch eine systematische Belegablage erreicht. Als Buchungsträger dienen die Rechnungen selbst. Diese werden solange in der Ordnung der offenen Posten (Offene-Posten-Kartei der unbezahlten Rechnungen) geführt, bis sie nach Rechnungsbegleichung der Rubrik der erledigten Posten (Ausgeglichene-Posten-Kartei) zugeordnet werden können. Das Konto wird durch die Belegsammlung gebildet.

Die Offene-Posten-Buchführung kommt jedoch nicht nur als Kontokorrentbuchführung, sondern grundsätzlich auch für andere Nebenbuchführungen (→Buchführungsorganisation), u.a. die Anlagen- oder Wechselbuchführung, in Betracht. Häufig wird die Offene-Posten-Buchführung auch mit anderen →Buchführungsformen, vor allem der EDV-Buchführung, organisatorisch verbunden, um z.B. ein effizientes maschinelles Mahnwesen aufzubauen.   *W. E.*

offene Stellen

statistischer Ausdruck für die Tatsache, daß einem Teil der Arbeitsnachfrage kein entsprechendes Angebot gegenübersteht. Die Zahl der offenen Stellen findet neben der Arbeitslosenquote und der Zahl der Kurzarbeiter Verwendung, um die Beschäftigungssituation quantitativ darzustellen (→Arbeitsmarktstatistik). Jedoch ist der Aussagewert der statistisch ausgewiesenen offenen Stellen zweifelhaft (fehlende Verpflichtung zur Meldung vakanter Arbeitsplätze bei den Arbeitsämtern; bezüglich Zahlenangaben: →Arbeitslosigkeit).

offene Volkswirtschaft → Volkswirtschaft

Offenmarktpolitik

Teil der →Geldpolitik. Zur Regulierung des →Geldmarktes kauft (expansive Offenmarktpolitik) und verkauft (restriktive Offenmarktpolitik) die →Deutsche Bundesbank je nach den Erfordernissen ihrer Geldpolitik am „offenen" Markt auf eigene Rechnung →Wertpapiere gegen →Zentralbankgeld. Bei Wertpapiertransaktionen im Auftrag und für Rechnung öffentlicher Haushalte handelt die Bundesbank als fiscal agent; solche Aktionen zählen nicht zur Offenmarktpolitik.

Teilnehmer am Offenmarktgeschäft sind also die Bundesbank auf der einen (Nachfrager oder Anbieter von Offenmarktpapieren) und Geschäftsbanken (Anbieter oder Nachfrager) auf der anderen Marktseite; selten werden auch Nichtbanken in Offenmarktgeschäfte einbezogen. Einen Sonderfall stellt dabei die Stabilitätsanleihe dar, bei der der Erlös der Anleiheemission auf einem Konto der Regierung bei der Bundesbank stillgelegt (thesauriert) wird. Noch seltener werden Offenmarktgeschäfte am →Kapitalmarkt durchgeführt.

Nach §§ 15 und 21 BBankG kann die Bundesbank als Geldmarktpapiere *(Geldmarktpolitik)*
(1) bundesbankfähige Wechsel (§ 19 BBankG),

(2) Schatzwechsel mit einer Laufzeit von bis zu 3 Monaten, deren Aussteller der Bund, eines seiner Sondervermögen (Bundesbahn, Bundespost) oder ein Bundesland ist,

(3) unverzinsliche Schatzanweisungen (Kassenobligationen) mit einer Laufzeit von 3, 6, 9, 12 oder 24 Monaten, deren Aussteller der Bund, eines seiner Sondervermögen oder ein Bundesland ist; diese U-Schätze sind in der Regel nicht vor Fälligkeit rückgebbar (N-Papiere)

und als Kapitalmarktpapiere *(Kapitalmarktpolitik)* andere zum amtlichen Börsenhandel zugelassene Schuldverschreibungen in ihre Offenmarktgeschäfte einbeziehen, um die Geldmenge zu regulieren. Sie kann aber auch bestimmte Sonderabmachungen beim Wertpapierhandel mit den Geschäftsbanken treffen und → Wertpapierpensionsgeschäfte, → Wechselpensionsgeschäfte, → Devisenswapgeschäfte und → Devisenpensionsgeschäfte abschließen. Soweit es ihre geldpolitische Zielsetzung erlaubt, handelt die Bundesbank auch Anleihen des Bundes oder seiner Sondervermögen auf eigene Rechnung zur Kurspflege, z. B. durch Stützungskäufe dieser Wertpapiere.

Schatzwechsel und unverzinsliche Schatzanweisungen (U-Schätze) hat der Bund der Bundesbank bei Bedarf bis zu einem Nennbetrag von der ihr zustehenden Ausgleichsforderung (→ Währungsreform) gegen den Bund in Höhe von DM 8,1 Mrd., und zwar als sog. Mobilisierungspapiere zur Verfügung zu stellen (§ 42 BBankG). Reicht der Umfang an Mobilisierungspapieren nicht für die Verfolgung bestimmter geldpolitischer Ziele aus, so kann die Bundesbank vom Bund weitere Schatzwechsel und U-Schätze bis zu einem Höchstbetrag von DM 8 Mrd. als sog. Liquiditätspapiere anfordern (§ 29 Stabilitätsgesetz, §§ 42, 42 a BBankG).

Die Offenmarktpapiere werden von der Bundesbank entweder per

● Zinssatzverfahren, bei dem nur die Abgabesätze der Offenmarktpapiere, nicht aber auch die Rücknahmesätze festgelegt werden (diese werden allerdings auf Anfrage mitgeteilt; die angebotene Menge an Offenmarktpapieren wird dabei nicht fixiert), oder per

● Tenderverfahren (Ausschreibungsverfahren), bei dem die Angebotsmenge an Offenmarkttiteln festgelegt und höchstbietend verkauft wird,

gehandelt. Die Wirkungsweise der Offenmarktpolitik zeigt sich in den Bilanzen der betrachteten Marktpartner ebenso wie bei der → Refinanzierungspolitik darin, daß die monetäre Basis (→ Zentralbankgeld) im Besitz der Geschäftsbanken und damit deren Potential an Geldangebot variiert werden. *M. Bo.*

Literatur: *Borchert, M.,* Geld und Kredit, Eine Einführung in die Geldtheorie und Geldpolitik, Stuttgart u. a. 1982. *Dickertmann, D./Siedenberg, A.,* Instrumentarium der Geldpolitik, 4. Aufl., Düsseldorf 1984.

office of the future

kennzeichnet in einem programmatischen Sinne die Integration der vielfältigen Informationstechnologien im Bürobereich. Dazu gehören (vgl. Abb. auf S. 253):

● Textverarbeitung,
● Datenverarbeitung,
● Bildverarbeitung,
● Sprachverarbeitung,
● Kommunikationsdienste.

Ziel dieser Integration ist es, dem Benutzer eine einheitliche „Oberfläche" für diese Systeme zur Verfügung zu stellen, so daß dieser in allen Anwendungen mit einheitlichen Kommandos, Bildschirmmasken, Fehlermeldungen usw. arbeiten kann.

Das „office of the future" wird tiefgreifende Veränderungen bei Arbeitsplätzen und Ablaufstrukturen im Verwaltungsbereich von Unternehmen mit sich bringen. Dies gilt auch für die mehr technischen Bürofunktionen in der → Arbeitsvorbereitung und Konstruktion. Die Informationstechniken werden nicht nur Sekretariats- und Schreibkräfte, sondern insb. auch qualifizierte Sachbearbeiter und das → mittlere Management unterstützen.

Literatur: *Liebermann, M. A./Selig, G. J./Walsh, J. J.,* Office Automation, New York u. a. 1982.

Offline-Betrieb

Periphere EDV-Einheiten arbeiten im Offline-Betrieb, wenn sie nicht direkt mit der → Zentraleinheit des EDV-Systems kommunizieren, so z. B. Datenerfassungsgeräte, bei denen Daten auf → Datenträgern zwischengespeichert werden und erst später in ein EDV-System eingespielt werden.

offset policy → Kompensationslösungen

Offshoremarkt → Eurogeldmarkt

Offshorezentrum → Eurogeldmarkt

Okun'sches Gesetz

ökonometrisch gemessener Zusammenhang zwischen Veränderungen der Arbeitslosenrate und des Zuwachses des Bruttosozialprodukts. Für die USA ermittelte *Arthur N. Okun,* daß

Funktionsumfang von Bürosystemen

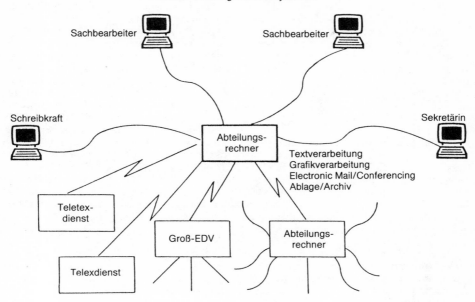

im Durchschnitt das reale Bruttosozialprodukt um ca. 3,2% steigt, wenn die Arbeitslosenrate um einen Prozentpunkt abnimmt. Als Ursache für diesen Zusammenhang wird einmal angeführt, daß die Beschäftigung um mehr als 1% steigt, wenn die (statistisch gemessene) Arbeitslosigkeit um einen Prozentpunkt zurückgeht, da bisher nicht als arbeitslos erfaßte Wirtschaftssubjekte ebenfalls Beschäftigung finden. Zum anderen werden durch die wirtschaftliche Expansion bisher nicht voll ausgelastete Arbeitskräfte, die aber nicht entlassen wurden (Facharbeiter mit hohen Einarbeitungskosten), wieder voll ausgelastet. Schließlich steigt mit der Beschäftigung auch die Anzahl der geleisteten Überstunden und die Kurzarbeit geht zurück.   *J. R.*

Literatur: *Richter, R./Schlieper, U./Friedmann, W.,* Makroökonomik, 4. Aufl., Berlin u. a. 1981.

Oligarchie

Bezeichnung für ein politisches System, das durch zwei Merkmale gekennzeichnet ist: Die politische Herrschaft in einem Staat wird nur von wenigen Familien oder Personen ausgeübt. Die Herrschenden orientieren sich in ihren Handlungen nicht am Gemeinwohl, sondern an ihrem eigenen Interesse.

In der Lehre vom → Monopolkapitalismus nimmt die sog. Finanzoligarchie eine zentrale Stellung ein.

Oligopol

→ Marktform, bei der sich einige wenige Anbieter auf einem vollkommenen oder unvollkommenen Markt befinden. Mögliche Verhaltensweisen und Strategien der Oligopolisten werden in der → Oligopoltheorie untersucht. Besonders hohe → Aktions-Reaktions-Verbundenheit zwischen den Oligopolisten herrscht beim → engen Oligopol, entsprechend geringere Verbundenheit beim → weiten Oligopol.

Oligopoltheorie

theoretische Erklärung von Verhaltensweisen und Strategien eines Wirtschaftssubjektes, das sich mit nur wenigen anderen auf der Angebotsseite eines Marktes befindet. Das Kernproblem der Oligopoltheorie ist es, sinnvolle Reaktionshypothesen und damit → Reaktionskoeffizienten herauszufinden. Die verschiedenen Ansätze in der Oligopoltheorie unterscheiden sich meist lediglich hinsichtlich dieser Hypothesen und Koeffizienten. Gegenstand der Oligopoltheorie ist vor allem die Preisbildung. Es darf jedoch nicht übersehen werden, daß für Oligopolisten neben dem Preis je nach den marktprozessualen Gegebenheiten auch andere → Aktionsparameter (z. B. Produkt, Werbung, Service, Forschung und Entwicklung) wichtig sind.

Zur Untersuchung der Preisbildung im Oligopol ist es zweckmäßig, eine Unterscheidung in vollkommene und unvollkommene Märkte vorzunehmen. Hierbei muß die oligopolistische Interdependenz beachtet werden. *Robert Triffin* bezeichnet dies als „zirkulare Beziehungen" – *Ernst Heuß* spricht von „zirkularer Interdependenz" –, d.h. es wird auf die gegenseitige Beeinflussung und damit Abhängigkeit der Oligopolisten abgehoben. Dadurch unterscheidet sich der Oligopolist wesentlich vom Polypolisten und vom Monopolisten.

Da die Komplexität der Oligopolmodelle mit der Anzahl der Oligopolisten stark zunimmt, berücksichtigen die meisten Modelle lediglich zwei Oligopolisten, d.h. die Mehrzahl der Oligopolmodelle sind Dyopolmodelle.

(1) Oligopol (Dyopol) auf einem *vollkommenen Markt:* Den Modellen liegen unterschiedliche Hypothesen (Mengenstrategien) zur Erklärung der Preisbildung zugrunde.

(a) *Cournot'sche Lösung:* Jeder Dyopolist betreibt eine autonome Mengenstrategie, d.h. die Menge des anderen ist für ihn Datum. Für den einzelnen Dyopolisten ist seine eigene Menge Aktionsparameter, während er davon ausgeht, daß seine Mengenvariationen keine Veränderungen der Angebotsmenge seines Konkurrenten auslösen. Die Mengen-Reaktions-Koeffizienten (Ausdruck dafür, wie der einzelne Dyopolist mengenmäßig auf eine Mengenänderung des anderen reagiert) dx_2 / dx_1 und dx_1 / dx_2 sind somit gemäß der Meinung der beiden Anbieter Null. Wird ferner von Produktionskosten abgesehen und von einer linearen Nachfragefunktion ausgegangen, so findet bei Gewinnmaximierung der gegenseitige Anpassungsprozeß solange statt, bis auf jeden Dyopolisten ein Drittel der Sättigungsmenge entfällt. Insgesamt werden ⅔ der Sättigungsmenge angeboten (Cournotsche ⅔-Lösung; vgl. Abb.).

(b) *Stackelberg'sche Asymmetrielösung:* Die Dyopolisten betreiben eine unterschiedliche Strategie; während der eine Anbieter die Menge des anderen wie bei der Cournot'schen Lösung als Datum (Abhängigkeitsposition) betrachtet, weiß der andere, daß sich sein Konkurrent ständig anpaßt. Er berücksichtigt dies, indem er jeweils die Menge anbietet, die ihm nach der Anpassung seines Konkurrenten den größten Gewinn abwirft, d.h. er betreibt eine Überlegenheitsstrategie oder er nimmt eine Unabhängigkeitsposition ein. Er ist der Klügere und wirft jeweils die Hälfte der Sättigungsmenge auf den Markt, während der andere, der sich immer anpaßt, ein Viertel der Sättigungsmenge anbietet. Die gesamte Angebotsmenge beträgt damit ¾ der Sättigungsmenge (Stackelberg'sche Asymmetrielösung; vgl. Abb.).

(c) *Bowley'sche Lösung:* Beide Dyopolisten versuchen nun, eine Überlegenheitsstrategie zu betreiben. Da das Unabhängigkeitsangebot gleich der Hälfte der Sättigungsmenge ist, bieten beide zusammen die Sättigungsmenge an. Dadurch fällt der Preis auf Null. Diese Kampfsituation kann nur dann vermieden werden, wenn sich einer dem anderen unterwirft oder sich beide Dyopolisten verständigen (z.B. → abgestimmtes Verhalten).

(d) *Gemeinsame Gewinnmaximierung:* Beide Dyopolisten verständigen sich und betreiben eine gemeinsame Gewinnmaximierung (→ Kartelle, → Kollektivmonopole). Sie bieten nun zusammen die Monopolmenge an (Monopollösung, vgl. Abb.).

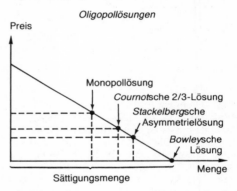

Oligopollösungen

Hinsichtlich der Gewinne G ergibt sich folgende Reihenfolge der Lösungen:

$G_{Bowley} < G_{Stackelberg, Abhängigk.} < G_{Cournot} < G_{Stackelberg, Unabhängigkeit}$

(2) Oligopol (Dyopol) auf einem *unvollkommenen Markt:* Bei diesen Modellen steht nun nicht mehr die Mengen-, sondern die Preisstrategie im Vordergrund. Die oligopolistische Interdependenz nimmt auf einem unvollkommenen Markt mit der Heterogenität des Marktes ab.

(a) *Launhardt-Hotelling-Lösung:* Diese Lösung entspricht der Cournot'schen Lösung auf dem vollkommenen Markt: Jeder Dyopolist geht davon aus, daß seine abgesetzte Menge vom eigenen Preis und vom Preis des anderen Dyopolisten, der für ihn Datum ist, abhängt (Politik der Preisabhängigkeit). Vor diesem Hintergrund bestimmt nun jeder gemäß seiner Reaktionskurve seinen gewinnmaximalen Preis. Statt einer Mengenreaktionskurve ergibt sich jetzt jeweils eine Preisreaktionskurve.

(b) *Lösung von Krelle und Ott:* Es wird hier

von einem „friedlichen" Verhalten der Oligopolisten ausgegangen. Jeder Dyopolist berücksichtigt mögliche Reaktionen des anderen auf seine Preisänderung; er wird nur dann seinen Preis ändern, wenn dies zu einer Erhöhung des Gewinns führt. Es ergibt sich hierbei ein Gleichgewichtsgebiet von Kombinationen beider Preise, bei dem keiner der Dyopolisten an einer Preisänderung interessiert ist. Auf diese Weise wird die in der Realität beobachtete Preisstarrheit erklärt.

(c) *Heuß'sche Lösung:* Jeder Anbieter denkt in der Kategorie der Marktnachfrage; aufgrund von Lernprozessen findet (zunächst) eine Identifikation der → Aktions-Reaktions-Verbundenheit zwischen den Konkurrenten beim Einsatz des Parameters Preis statt, was zu einem oligopolistischen → Verhalten beim Einsatz dieses Aktionsparameters führt. Es wird eine Politik der festen Preisrelation betrieben.

Jeder Dyopolist weiß, daß auf seine Preisänderungen der Konkurrent so reagiert, daß das Preisverhältnis konstant bleibt. Preisführer ist derjenige, dessen Optimalpreis niedriger als sein Gefolgschaftspreis ist. Hierbei kann es im Zeitablauf sowohl zu einem Wechsel in der Preisführerschaft als auch zu einer vorübergehenden Aufgabe des oligopolistischen Verhaltens hinsichtlich des Parameters Preis kommen.

Da aufgrund des Erfahrungsprozesses im Laufe der Marktentwicklung eine Identifikation der zirkularen Interdependenz (Aktions-Reaktions-Verbundenheit) bei den Nichtpreisparametern (Werbung, Produktdifferenzierung, Forschung und Entwicklung) gelingt, wird das oligopolistische Verhalten auch auf den Einsatz dieser Aktionsparameter übergreifen. Die Folge hiervon können weitere Wettbewerbsbeschränkungen sein (→ abgestimmtes Verhalten, → Kartelle).   P. O.

Literatur: *Fehl, U./Oberender, P.,* Grundlagen der Mikroökonomie, 2. Aufl., München 1985. *Heuß, E.,* Allgemeine Markttheorie, Tübingen, Zürich 1965. *Krelle, W.,* Preistheorie, I. Teil, 2. Aufl., Tübingen 1976.

Oligopson

Die Zahl der Nachfrager ist so gering, d.h. der Marktanteil des einzelnen so hoch, daß der einzelne Akteur damit rechnen muß, das Marktgeschehen durch sein Handeln zu beeinflussen. Diese Marktsituation führt meist zu einem oligopolistischen Verhalten.

Ombudsman

aus der schwedischen Verfassungsentwicklung hervorgegangenes Amt, dessen Inhaber als Vertrauensperson die Stellung des einzelnen gegenüber Behörden (z.B. der Justiz) stärken und die parlamentarische Kontrolle der öffentlichen Verwaltung gewährleisten soll, ohne daß ihm direkte Eingriffsmöglichkeiten zu Gebote stünden. In beiden Fällen geht es auch darum, Informationsdefizite der Bürger bzw. des Parlaments abzubauen oder zu kompensieren (→ Informationspolitik). Der Auftrag des Ombudsmannes kann allgemein oder auf spezielle Funktionen begrenzt sein, wie es etwa für den Wehrbeauftragten in der Bundesrepublik zutrifft. Die Wirksamkeit des Amtes ist umstritten, da der Ombudsman immer nur fallweise und partiell eingreifen kann.
                                                                    U. F.

Online-Betrieb

Ein peripheres Gerät arbeitet im Online-Betrieb, wenn es über eine Leitung mit einem Rechner verbunden ist und mit diesem Daten austauscht. Die Online-Verarbeitung ist Voraussetzung für Dialogsysteme (→ Dialogverarbeitung).

OPEC

Abk. für Organization of the Petroleum Exporting Countries (→ Organisation erdölproduzierender Länder).

Open-Shop → Rechenzentrum

Operate-Leasing-Vertrag

normaler → Mietvertrag im Sinne des § 535 BGB. Dieser kann von beiden Seiten sofort oder unter Einhaltung einer relativ kurzen Kündigungsfrist ohne Zahlung einer Konventionalstrafe gekündigt werden. Infolgedessen übernimmt der Leasing-Geber das volle Investitionsrisiko. Die Gefahren des zufälligen Untergangs und der wirtschaftlichen Entwertung sowie die Aufwendungen für Versicherungen, Wartung und Reparaturen trägt der Leasing-Geber. Wegen der Risikoverteilung sind für derartige → Leasing-Verträge i.d.R. nur solche Wirtschaftsgüter geeignet, die von einer größeren Zahl potentieller Leasing-Nehmer nachgefragt werden und somit erneut vermietet werden können.

Die Bilanzierung von Operate-Leasing-Verträgen orientiert sich in Handels- und Steuerbilanz an der Bilanzierung der Mietverträge. Die Leasing-Objekte sind beim Leasing-Geber zu aktivieren und über die betriebsgewöhnliche Nutzungsdauer abzuschreiben. Der Leasing-Nehmer kann die gezahlten Leasing-Raten als Aufwand (→ Betriebsausgaben) verrechnen.
                                                                    H. Ku.

Literatur: *Wöhe, G.*, Betriebswirtschaftliche Steuerlehre, Bd. I/2, 6. Aufl., München 1986.

operation twist

durch gezielte Offenmarktoperationen bewirkte Veränderung der Spanne zwischen kurz- und langfristigen Zinssätzen, ohne daß durch eine gleichgerichtete Bewegung der langfristigen Zinsen unerwünschte Nebenwirkungen auf die Inlandskonjunktur ausgeübt würden.

Operationalisierung

Verfahren, mit dem einem zunächst nur theoretisch formulierten Begriff oder Konzept eine empirisch faßbare Bedeutung gegeben wird. Die empirische Erfassung muß nach jedermann bekannten bzw. erkennbaren und nachvollziehbaren Regeln geschehen, d.h. es müssen Meßvorschriften festgelegt werden, um insb. quantitative Zusammenhänge erfassen zu können (beschreibende Statistik). Obwohl wünschenswert, ist die Operationalisierung ökonomischer → Modelle nicht immer erreichbar.

Operations Research (OR)

(Unternehmensforschung, Optimalplanung, mathematische Entscheidungsvorbereitung) modellgestützte Vorbereitung von Entscheidungen zur Gestaltung und Steuerung soziotechnischer Systeme (z.B. Unternehmungen), in Kurzform: modellgestützte Planung oder modellgestützte Entscheidungsvorbereitung. Dabei ist unter Modellunterstützung das Arbeiten mit mathematischen → Planungsmodellen gemeint.

Entscheidungsvorbereitung bedeutet auch, daß man die Entscheidungssituation aus möglichst allen relevanten Blickwinkeln betrachtet. Aus diesem Grunde spielt die → Interdisziplinarität im OR eine zentrale Rolle. Es wird mit OR versucht, durch Einbeziehung von breit gefächertem Sachverstand solche Entscheidungsvorschläge bzw. Entscheidungsunterlagen zu erstellen, in denen möglichst alle relevanten Abhängigkeiten und Auswirkungen verarbeitet sind. Die mathematischen Planungsmodelle repräsentieren daher auch häufig sowohl ökonomische als auch technische, naturwissenschaftliche, ferner juristische und auch soziologische Wissenskategorien.

OR entstand im Zweiten Weltkrieg, und zwar in England und in den USA, im Zusammenhang mit der Vorbereitung militärischer Entscheidungen. Nach Kriegsende fand OR zunehmendes Interesse in privatwirtschaftlichen Unternehmungen, wobei England und die USA weiterhin führend blieben. Seit den 60er Jahren ist die öffentliche Verwaltung (Verkehrsplanung, Gesundheitsplanung, Ausbildungsplanung, Finanz- und Haushaltsplanung etc.) als drittes Einsatzgebiet von OR hinzugekommen, wiederum mit England und den USA als Vorreitern.

Nach Deutschland drangen die Ideen des OR seit Mitte der 50er Jahre vor, wo sie aus betriebswirtschaftlicher, mathematischer und ingenieurwissenschaftlicher Sicht weitergeführt wurden.

Die Entwicklung wird von der Fachvereinigung „Deutsche Gesellschaft für Operations Research" (DGOR) systematisch gefördert. Sie ist hinter den OR-Gesellschaften in USA, Großbritannien und Japan die viertgrößte OR-Gesellschaft der Welt, dicht gefolgt von den OR-Gesellschaften anderer Industrienationen. Die DGOR ist das deutsche Mitglied im internationalen Dachverband „International Federation of Operational Research Societies" (IFORS), dem insgesamt rund 40 nationale OR-Gesellschaften angehören.

Für das Wissensgebiet des OR sind drei Teilgebiete charakteristisch, → Planungsmodelle, → Planungsmathematik und → Planungsmethodik.

(1) *Planungsmodelle:* Die (mathematischen) Planungsmodelle sind das zentrale Werkzeug des OR, durch das es sich von herkömmlicher Planungstätigkeit unterscheidet. Für zahlreiche charakteristische Problemstellungen aus unterschiedlichen Funktionsbereichen von Unternehmungen (und anderen soziotechnischen Systemen) sind heute Standardtypen von Planungsmodellen verfügbar (→ Absatzplanungsmodelle, → Beschaffungsplanungsmodelle, → Finanzplanungsmodelle, → Investitionsplanungsmodelle, → Lagerplanungsmodelle, → Personalplanungsmodelle, → Produktionsplanungsmodelle, → Projektplanungsmodelle etc.).

(2) *Planungsmathematik:* Die Planungsmodelle dienen dem Zweck, dem Modellbenutzer vielfältige Einsichten in das betrachtete soziotechnische System zu vermitteln. Sie müssen also Fragen der Benutzer beantworten können. Dazu bedarf es geeigneter mathematischer Verfahren. Im OR können einerseits alle herkömmlichen Verfahren der Mathematik zum Einsatz kommen. Andererseits ist eine Vielfalt von neuen Rechenverfahren innerhalb des OR entwickelt worden, und zwar jeweils unter Bezugnahme auf neuartige mathematische Modellstrukturen.

(3) *Planungsmethodik:* Im Zentrum der prak-

tischen OR-Arbeit steht die Planungsmethodik. Sie umfaßt die gesamte Vorgehensweise von der Problemerkennung bis zur Implementation der Planungsergebnisse.   *H. M.-M.*

Literatur: *Churchman, C. W./Ackoff, R. L./Arnoff, E. L.*, Operations Research, 5. Aufl., München Wien 1971. *Müller-Merbach, H.*, Operations Research, 3. Aufl., München 1973. *Hanssmann, F.*, Quantitative Betriebswirtschaftslehre, München, Wien 1982.

Operationscharakteristik → statistische Testverfahren

Operator

befaßt sich in Handelsbetrieben mit den Bereichen Anlagen und Sachmittel, Lager und meist auch Personal. Er ist neben dem → Merchandiser (Leiter Waren und Warenwirtschaft) und dem Koordinator (Leiter Information und meist auch Finanzen) tätig.

Opfertheorie

Ansatz zur Ermittlung der vertikalen Steuerlastverteilung bei einer Besteuerung nach dem → Leistungsfähigkeitsprinzip.

Danach liegt eine „gerechte" Steuerverteilung vor, wenn die Steuerzahlung bei jedem Steuerpflichtigen das gleiche Opfer, d. h. einen gleichen Verlust an Wohlfahrt, verursacht.

Es werden drei Konzepte unterschieden:
(1) Theorie des *gleichen absoluten Opfers:* Danach ist so zu besteuern, daß allen Bürgern der gleiche absolute Nutzenentgang auferlegt wird.
(2) Theorie des *gleichen relativen Opfers:* Nach der Besteuerung muß bei allen Steuerpflichtigen das Verhältnis des durch die Besteuerung hervorgerufenen Nutzenentgangs zum Gesamtnutzen des Einkommens vor der Besteuerung gleich sein.
(3) Theorie des *gleichen marginalen Opfers* (Opferminimum): Durch die Besteuerung muß der marginale Nutzenentgang bei den einzelnen Steuerpflichtigen gleich sein, oder, was gleichbedeutend damit ist, der Nutzenentgang der Gesamtheit der Steuerpflichtigen erreicht ein Minimum.

Mit Hilfe der Opfertheorien läßt sich die vertikale Steuerverteilung nicht eindeutig bestimmen, da die ihnen zugrunde liegenden Prämissen (Meßbarkeit des Nutzens, abnehmender Grenznutzen, identische Nutzenfunktionen bei allen Steuerpflichtigen) unrealistisch sind.   *R. P.*

Ophelimität

Bedürfnisbefriedigung, die ein Gut einem Wirtschaftssubjekt stiftet.

Opinion Leader → Meinungsführer

Opportunitätskosten

(Alternativkosten, Nutzungskosten) entgangene Erträge oder Nutzen, die sich bei der nächstbesten Verwendung eines Gutes oder Produktionsfaktors ergäben. Die Opportunitätskosten bilden die volkswirtschaftlichen Kosten (Schattenpreise); sie spielen in der Wirtschaftstheorie eine zentrale Rolle, so z. B. in der → Theorie der komparativen Kosten.

optical character recognition → OCR-Schrift, → scanning

optimale Bestellmenge

Beschaffungsmenge eines Produktes, bei der die Summe von bestellmengenabhängigen Kosten minimal ist (→ Bestellmengenrechnung). Dazu gehören einerseits die → Lagerkosten, andererseits die mit jeder Bestellung anfallenden Fixkosten (→ Beschaffungsplanungsmodelle, → Lagerplanungsmodelle).

Betrachtet sei ein Produkt mit dem jährlichen (schwankungsfreien bzw. schwankungsarmen) Bedarf von m und dem Stückpreis von s. Die fixen Kosten pro Bestellung betragen E. Das im Lager durchschnittlich gebundene Kapital sei mit dem Zinssatz von p% zu verzinsen, proportionale Lagerkosten eingeschlossen. Gesucht sei die jeweilige Beschaffungsmenge x (optimale Bestellmenge), bei der die jährliche Summe der Gesamtkosten K minimal ist.

Jede Lieferung der optimalen Bestellmenge füllt das Lager von 0 auf x auf, so daß der durchschnittliche Lagerbestand bei x/2 liegt. Das durchschnittlich im Lager gebundene Kapital beträgt somit sx/2. Damit entstehen jährliche Zinskosten in Höhe von psx/200 (mit p in Prozent). Dem stehen die Beschaffungskosten gegenüber. Jährlich sind m/x Bestellungen durchzuführen, die jeweils E an fixen Kosten verursachen. Das ist bei jährlichen Gesamtkosten von K = mE/x + psx/200. Differenziert man diesen Ausdruck nach x und setzt man den Differentialquotienten gleich Null, so erhält man die „klassische" Formel zur Bestimmung der optimalen Bestellmenge:

$$x = \sqrt{\frac{200 \cdot m \cdot E}{p \cdot s}}$$

Zur Berücksichtigung von Preisnachlässen, zur Abstimmung und gemeinsamen Bestellung verschiedener Produkte, zur Synchronisation mit der Produktion etc. läßt sich diese Formel in vielfältiger Hinsicht erweitern.

H. M.-M.

optimale Besteuerung

Literatur: *Kottke, E.*, Die optimale Beschaffungsmenge, Berlin 1966. *Glaser, H.*, Zur Bestimmung kostenoptimaler Bestellmengen bei deterministisch gleichbleibendem und deterministisch schwankendem Bedarf, Köln 1973.

optimale Besteuerung

Jede Steuerzahlung bedeutet, daß Ressourcen aus dem privaten Sektor abgezogen und dem Staat übertragen werden. Durch diesen Entzugseffekt – auch Einkommenseffekt genannt – kommt es zu einem Wohlstandsverlust der privaten Wirtschaftssubjekte. Darüber hinaus kann jedoch ein weiterer Wohlstandsverlust, eine Mehrbelastung (excess burden), entstehen, wenn infolge der Besteuerung die Allokation der im privaten Sektor verbleibenden Ressourcen gestört wird. Damit ist zu rechnen, wenn die Steuer zu Substitutionen (zwischen einzelnen Gütern, zwischen Freizeit und Arbeit, zwischen Konsum und Sparen) führt. Da solche Substitutionseffekte bei allen Steuern außer der → Kopfsteuer auftreten, sind die Mehrbelastungen nicht zu vermeiden. Die Theorie der optimalen Besteuerung prüft, wie die unvermeidbaren Verluste wenigstens minimiert werden können. Trotz eines nicht zu bestreitenden intellektuellen Aufwandes ist es bisher nicht gelungen, konkrete Anhaltspunkte für die Ausgestaltung des → Steuersystems zu gewinnen.

optimale Kontrollintensität → Kontrollziele

optimale Losgröße

kostengünstigste Menge eines Produktes, die in ununterbrochener Folge (Serie) gefertigt wird. Zur Berechnung dient dasselbe Modell wie das der → optimalen Bestellmenge (mit E als fixen Kosten pro Los oder Einrichtkosten).

Die Fragestellung der optimalen Losgröße tritt nur bei den Typen der → Serienfertigung und → Sortenfertigung auf. Minimiert wird die Summe der → Lagerkosten und der pro Los anfallenden Einrichtkosten (→ Losgrößenplanung). *H. M.-M.*

optimale Maschinenbelegung → Maschinenbelegungsplanung

optimale Restlebensdauer (t*)

Restlebensdauer einer vorhandenen Anlage, für die der Kapitalwert (→ Kapitalwertrechnung) sein Maximum annimmt. Es gilt:

$$C_o(t^*) = \max_t \left(-L_o + \sum_{\tau=1}^{t} R_\tau \cdot q^{-\tau} + L_t \cdot q^{-t} \right)$$
$$(t = 1, \ldots, T).$$

$C_o(t^*)$ Kapitalwert bei optimaler Restlebensdauer,

L_o, L_t → Liquidationserlös der vorhandenen Anlage zu Beginn und am Ende der jeweils geprüften Restlebensdauer t,

R_τ → Rückfluß zum Zeitpunkt τ,

T maximale Restlebensdauer.

optimale Wettbewerbsintensität → Wettbewerbsintensität

Optimalplanung → Operations Research

Optimalzoll

Zoll, der es einem einzelnen Land ermöglicht, die nationale Wohlfahrt über den bei → Freihandel erreichten Wohlstand zu erhöhen. Dies wird erreicht durch eine Verschiebung des Weltmarkttauschverhältnisses zwischen Export- und Importgütern zugunsten des Inlandes, wenn der zollbedingte Rückgang der Importnachfrage den Weltmarktpreis der Einfuhrwaren senkt. Optimalzollpolitik ist daher nur für ein → großes Land realisierbar. Auch in diesem Falle aber muß den positiven Terms-of-trade-Effekt (→ reales Austauschverhältnis) das mögliche Absinken des Handelsvolumens aufgrund der relativen Verteuerung der Exporte gegenübergestellt werden. Ist die ausländische Nachfrage nach heimischen Gütern nämlich elastisch, so hat die Einführung eines Zolles eine Verminderung der Importe zur Folge, die, bei Vernachlässigung der Kapitalbilanz, dem Rückgang des Exportwertes entsprechen muß. *P. S.*

Literatur: *Rose, K.*, Theorie der Außenwirtschaft, 9. Aufl., München 1986.

Optimierungskriterium

Bei der Formulierung einer → Entscheidungsregel ist neben der Angabe einer → Präferenzfunktion durch das Optimierungskriterium festzulegen, an Hand welcher Eigenschaften des zugehörigen Präferenzwertes die Optimalalternative zu bestimmen ist. Als Optimierungskriterien kommen in Betracht:
(1) *Extremierung:* Die Handlungsalternative mit dem höchsten/niedrigsten Präferenzwert gilt als optimal (Maximierung/Minimierung).
(2) *Satisfizierung:* Der Präferenzwert der Optimalalternative muß größer (kleiner) als ein bestimmter Mindestwert (Maximalwert) sein. Einerseits ist es möglich, daß in einer bestimmten Entscheidungssituation mehrere der zur Auswahl stehenden Handlungsalternativen dem vorgegebenen Anspruchsniveau gerecht werden; die Satisfizierung ist dann als Stoppregel bei der sukzessiven Bewertung der

einzelnen Alternativen zu verstehen. Sobald die erste Alternative gefunden ist, die dem Anspruchsniveau entspricht, werden die Suche nach weiteren Alternativen und deren Bewertung abgebrochen. Andererseits ist es aber – im Gegensatz zur Extremierung – auch möglich, daß überhaupt keine Alternative dem Anspruchsniveau gerecht wird. In diesem Fall versagt die gewählte Entscheidungsregel.

(3) *Fixierung:* Der Präferenzwert der Optimalalternative muß genau einem bestimmten Wert entsprechen. Bei Verwendung dieses Kriteriums bestehen dieselben Probleme wie bei der Satisfizierung.

Angesichts der genannten Probleme werden im Rahmen der präskriptiven → Entscheidungstheorie, die von einer gegebenen und in ihren Ergebnismöglichkeiten überschaubaren Alternativenmenge ausgeht, ganz überwiegend Entscheidungsregeln, die die Extremierung vorsehen, untersucht. Im Rahmen der deskriptiven → Entscheidungstheorie, die den Prozeß der Suche nach Handlungsmöglichkeiten einschl. der damit verbundenen Informationskosten als Einflußfaktor berücksichtigt, wird demgegenüber dem Prinzip der Satisfizierung eindeutige Dominanz eingeräumt (→ Zielbildungsprozeß).   *M. B.*

Literatur: *Bitz, M.,* Entscheidungstheorie, München 1981, S. 31 ff.

Optimierungsmodelle

einer von zwei Typen von → Planungsmodellen des → Operations Research (OR), im Gegensatz zu → Bewertungsmodellen. Zu dieser Kategorie gehören die Modelle der → linearen Optimierung, der → nichtlinearen Optimierung, der → ganzzahligen Optimierung, der → kombinatorischen Optimierung, der → dynamischen Optimierung, der → Graphentheorie, der → Spieltheorie etc.

Optimierungsmodelle dienen dem Zweck, für Entscheidungssituationen optimale Lösungen zu berechnen. Sie bestehen gewöhnlich aus einer → Zielfunktion (gelegentlich auch aus mehreren Zielfunktionen: → Mehrzieloptimierung) und einer der Entscheidungssituation entsprechenden Anzahl an → Restriktionen. In der Zielfunktion wird die mit der Entscheidung verfolgte Zielsetzung dargestellt, und zwar als Maximierungs- oder Minimierungsforderung (z. B. „Maximiere den Gewinn" oder „Minimiere die Kosten"). In den Restriktionen versucht man, die Gesamtheit der Bedingungen zu formulieren, die durch die gesuchte Lösung eingehalten werden sollen.

Es gibt Optimierungsmodelle, die nur aus der Zielfunktion bestehen, etwa die zur Bestimmung der → optimalen Losgröße bzw. → optimalen Bestellmenge als Beispiele für → Beschaffungs-, → Produktions- und → Lagerplanungsmodelle. Es gibt andererseits Modelle der linearen Optimierung mit Zielfunktion und einigen tausend Restriktionen, etwa zur Bestimmung optimaler Produktionsprogramme im Rahmen von → Produktionsplanungsmodellen.

Durch die Optimierungsmodelle hat OR die betriebswirtschaftliche Planung wesentlich beeinflußt. Dabei hat die Notwendigkeit der exakten analytischen Trennung der unterschiedlichen Einflußgrößen und der verschiedenen Abhängigkeitsbeziehungen zwischen ihnen die betriebswirtschaftliche Denkweise nachhaltig geprägt. Besonders charakteristisch ist die scharfe Abgrenzung zwischen Zielfunktion einerseits und Restriktionen andererseits. Das Denken in Optimierungsmodellen ist gleichzeitig ein Denken in Zielen und Grenzen.

Eine Optimierung ist strenggenommen nur im Falle vollständiger Information möglich, also für → deterministische Planungsmodelle. Bei → stochastischen Planungsmodellen läßt sich dagegen bestenfalls der Erwartungswert maximieren bzw. minimieren, womit aber noch keine optimale Lösung garantiert ist. Da alle Planung in die Zukunft gerichtet ist und da Zukunftsdaten im allgemeinen mit Unsicherheit behaftet sind, stehen die (deterministischen) Optimierungsmodelle stets unter dem Vorbehalt, daß die in ihnen angenommenen Zukunftsdaten mit hinreichender Genauigkeit eintreten werden. Diese Annahme ist zwar häufig unrealistisch, gleichwohl ist sie erforderlich, um überhaupt Zukunftsplanung betreiben zu können (→ Planung unter Unsicherheit).   *H. M.-M.*

Literatur: *Müller-Merbach, H.,* Operations Research, 3. Aufl., München 1973. *Bitz, M.,* Die Strukturierung ökonomischer Entscheidungsmodelle, Wiesbaden 1977. *Dinkelbach, W.,* Entscheidungsmodelle, Berlin, New York 1982.

Optimismus-Pessimismus-Prinzip → Hurwicz-Prinzip

Option → Optionsgeschäft

Optionsempfänger

Für ein Wirtschaftssubjekt besteht nur die Alternative, das Angebot – z. B. bezüglich Preis und Menge eines Gutes – eines anderen (→ Optionsfixierers) anzunehmen oder abzulehnen.

Optionsfixierer

Ein Wirtschaftssubjekt bestimmt gleichzeitig Preis und Abnahmemenge eines Gutes. Der → Optionsempfänger hat dann nur die Alternative zwischen Annahme und Ablehnung.

Optionsgeschäft

Vertrag, durch den der Käufer der Option das Recht erwirbt, vom Verkäufer der Option, dem Stillhalter, eine bestimmte vertraglich vereinbarte Leistung zu Konditionen zu verlangen, die im Optionsvertrag festgelegt sind.

Gegenstand von Optionsgeschäften können → Aktien, festverzinsliche → Anleihen, Devisen (→ Devisenoptionen) oder börsenmäßig gehandelte Waren (→ Warenbörse) sein, aber auch Gegenstände, die nicht an der Börse gehandelt werden (z.B. Grundstücke). Bei den folgenden Erklärungen wird davon ausgegangen, daß → Wertpapiere Gegenstand des Optionsgeschäfts sind.

Der Käufer einer Kaufoption erlangt gegen Zahlung des Optionspreises das Recht, innerhalb der Laufzeit der Option (Optionsfrist) das Wertpapier zum vereinbarten Preis (Optionspreis, „Ausübungskurs", auch „Basispreis des Optionsgeschäfts") zu kaufen. Der Verkäufer einer Kaufoption, der „Stillhalter in Wertpapieren", muß das Wertpapier zum Ausübungskurs liefern, wenn der Käufer der Kaufoption von seinem Recht Gebrauch macht und die Option „ausübt". Der Käufer einer Verkaufsoption erlangt gegen Zahlung des Optionspreises das Recht, das Wertpapier innerhalb der Laufzeit der Option zum Ausübungskurs zu liefern. Der Verkäufer der Verkaufsoption, der „Stillhalter in Geld", muß das Wertpapier zum Ausübungskurs abnehmen, wenn der Käufer der Verkaufsoption von seinem Recht Gebrauch macht und die Option „ausübt". In den USA und der Bundesrepublik ist eine bestimmte Frist für die Ausübung der Optionen üblich, der Optionsvertrag kann aber auch festlegen, daß die Option nur zu einem bestimmten Zeitpunkt ausgeübt werden kann.

Der börsenmäßige Optionshandel ist durch Usancen standardisiert. Die Standardisierung vergrößert die Markttiefe des Sekundärmarktes. Standardisiert sind sowohl die Ausübungskurse (runde 5 DM bzw. 10 DM) als auch die Verfalltermine der Optionen (jeweils der 15. Januar, April, Juli, Oktober). Optionsgeschäfte werden ca. drei, sechs oder neun Monate vor ihrem Verfalltermin begründet.

Seit Oktober 1982 handelt man am Chicago Board of Trade auch Optionen auf Terminkontrakte (→ Terminkontraktmarkt). Liefergegenstand z.B. einer September-Kaufoption in Treasury bonds (T-bonds) ist ein Terminkauf von Treasury bonds mit Fälligkeit im September (september futures-long position). Der Käufer einer September-Verkaufsoption in T-bonds dagegen hat das Recht, die Lieferung eines Terminverkaufs von T-bonds per September zu verlangen (september futures-short position). Der Stillhalter nimmt bei Ausübung die jeweils entgegengesetzte Position des Termingeschäfts ein.   *J. W.*

Literatur: *Welcker, J.,* Technische Aktienanalyse, 4. Aufl., Zürich 1986.

Optionspreis → Optionsgeschäft

Optionsschein → Optionsschuldverschreibung

Optionsschuldverschreibung

Zwar bezieht das Aktiengesetz in § 221 Abs. 1 Satz 1 die Optionsschuldverschreibung in den Begriff der → Wandelschuldverschreibung ein, doch liegt wirtschaftlich zwischen diesen Finanzierungsinstrumenten ein wesentlicher Unterschied. Bei beiden handelt es sich um festverzinsliche Forderungspapiere, die mit dem Sonderrecht auf Aktienbezug ausgestattet sind. Bei der Optionsschuldverschreibung tritt die → Aktie aber nicht – wie bei der Wandelschuldverschreibung – an die Stelle der Schuldverschreibung, sondern sie tritt zusätzlich hinzu.

Gründe für die Begebung von Optionsschuldverschreibungen liegen vor allem darin, daß die Einräumung eines Optionsrechts für die Anleger eine Verbesserung der Anleihekonditionen bedeutet (z.B. zum Ausgleich einer nicht marktgerechten Verzinsung) und daß – im Gegensatz zur Wandelanleihe – das Sonderrecht auf Aktienbezug nach Ablauf einer Sperrfrist von der Schuldverschreibung abgetrennt und veräußert werden kann. Die Optionsschuldverschreibung umfaßt deshalb zwei Papiere, die Schuldverschreibung und den Optionsschein (warrant). An den Börsen werden drei Varianten notiert:

- Anleihe mit Optionsschein (cum),
- Anleihe ohne Optionsschein (ex),
- Optionsschein.

Optionsscheine sind für Anleger bei Erwartung einer Kurssteigerung der Aktie interessant. Abgesehen von diesem Aspekt hängt der Kurs des Opitonsscheins von der Länge der Bezugszeit ab. Während der rechnerische Wert des Optionsscheins der Differenz zwischen dem jeweiligen Aktienkurs und dem

Ausgabekurs der Bezugsaktie entspricht, liegen die tatsächlichen Kurse der Optionsscheine wegen der Kurserwartungen der Anleger i. d. R. über dem rechnerischen Wert. Aus diesem Grund ist der Erwerb einer Aktie über den Weg des Kaufs eines Optionsscheins dann teurer als bei direktem Kauf an der Börse. Allerdings muß bei direktem Kauf der jeweilige Kurswert der Aktie sofort bezahlt werden, während der Anleger beim Optionskauf den Zeitpunkt – innerhalb der Bezugszeit – frei bestimmen kann, zu dem er eine Aktie zu dem bereits feststehenden Kurs erwerben will. Die Differenz zwischen direktem Kauf der Aktie zum jeweiligen Börsenkurs und dem Kauf über einen Optionsschein bezeichnet man als Prämie; diese wird als Prozentsatz des jeweiligen Aktienkurses angegeben.

Im Rahmen der →Finanzinnovationen wurden auch Optionsschuldverschreibungen mit dem Recht zum Bezug einer zusätzlichen Anleihe, z.B. mit einem anderen Zinssatz, Zinskondition, Laufzeit oder Währung, begeben. Maßgeblich für solche Optionsrechte sind entsprechende Zins- bzw. Wechselkurserwartungen.   *H. Ku.*

Literatur: *Wöhe, G./Bilstein, J.,* Grundzüge der Unternehmensfinanzierung, 4. Aufl., München 1986, S. 180 ff.

ordentliche Kapitalerhöhung →Kapitalerhöhung gegen Einlagen

ordentliche Kapitalherabsetzung

Unter Kapitalherabsetzung versteht man bei →Kapitalgesellschaften nicht jede Verminderung von Eigenkapitalpositionen, sondern nur die des Haftungskapitals. Da die Problematik dieses Vorganges im →Gläubigerschutz liegt, werden an jenen sowohl im Aktiengesetz als auch im GmbH-Gesetz strenge formale Anforderungen gestellt.

Das Nennkapital kann herabgesetzt werden, wenn ein →Verlustvortrag auf der Aktivseite ausgeglichen (Bilanzverkürzung) oder →Rücklagen erhöht werden sollen (Passivtausch). Wird die Kapitalherabsetzung zugunsten freier Rücklagen vorgenommen, so können diese im Anschluß aufgelöst und entsprechende Beträge an die Anteilseigner ausgeschüttet werden (Bilanzverkürzung). Eine Kapitalherabsetzung mit anschließenden Ausschüttungen ist eine relativ seltene Maßnahme und nur dann vertretbar, wenn ein Unternehmen gemessen an seiner Geschäftstätigkeit überkapitalisiert ist.

Ist eine Herabsetzung des Grundkapitals mit Auszahlungen verbunden, so sind die §§ 222–228 AktG zu beachten. Der Beschluß

über die Kapitalherabsetzung erfordert die Zustimmung von mindestens drei Vierteln des in der Hauptversammlung vertretenen Grundkapitals. Sind mehrere Aktiengattungen (z.B. auch →Vorzugsaktien) vorhanden, so müssen die Aktionäre jeder Gattung mit mindestens Dreiviertelmehrheit ihre Zustimmung zum Beschluß der Hauptversammlung erklären (§ 222 Abs. 2 AktG). Im Hauptversammlungsbeschluß ist anzugeben, zu welchem Zweck die Kapitalherabsetzung erfolgen soll und ob Teile des Grundkapitals zurückgezahlt werden sollen.

Für die Herabsetzung des Grundkapitals stehen zwei Verfahren zur Verfügung:
(1) Der Nennwert der einzelnen Aktien wird vermindert („Herunterstempelung"). Aus einer Aktie mit einem Nennwert von 100 DM wird z.B. eine Aktie mit einem Nennwert von 50 DM. Das Grundkapital vermindert sich um die Hälfte.
(2) Mehrere Aktien werden zu einer Aktie zusammengelegt. Dies ist nur statthaft, wenn durch die Herunterstempelung der Mindestnennwert von 50 DM für eine Aktie unterschritten würde. Soll ein in 200000 Aktien à 50 DM eingeteiltes Grundkapital von 10 Mio. DM auf 5 Mio. DM herabgesetzt werden, sind die Aktien im Verhältnis von 2 : 1 zusammenzulegen. Die Vorschrift, daß zunächst eine Herunterstempelung erfolgen muß, dient den Interessen der Kleinaktionäre, die durch die Wahl von ungeraden Zusammenlegungsverhältnissen benachteiligt werden.

Der Beschluß über die Kapitalherabsetzung ist zur Eintragung ins Handelsregister anzumelden. Mit der Eintragung ist das Grundkapital herabgesetzt (§ 224 AktG). Gläubiger, deren Forderungen begründet worden sind, bevor die Eintragung des Beschlusses über die Kapitalherabsetzung bekanntgemacht worden ist, haben das Recht, innerhalb von sechs Monaten nach der Bekanntmachung Sicherheiten für ihre Forderungen zu verlangen, soweit sie nicht auf der Leistung bestehen können. Vor Ablauf dieser sechsmonatigen Sperrfrist und bevor die Forderungen der Gläubiger, die sich rechtzeitig bei der Gesellschaft gemeldet haben, gesichert oder erfüllt wurden, dürfen Kapitalrückzahlungen an Aktionäre nicht erfolgen (§ 225 Abs. 2 AktG).
                                            G. W.

Literatur: *Gadow, W./Heinichen, E.* u.a., Aktiengesetz, Großkommentar, Bd. III, 3. Aufl., Berlin, New York 1973, Erl. zu §§ 222 ff. *Wöhe, G./Bilstein, J.,* Grundzüge der Unternehmensfinanzierung, 4. Aufl., München 1986, S. 88 ff.

Order → Auftrag

order splitting → Beschaffungsquellensicherung

orderly marketing agreement → Selbstbeschränkungsabkommen

Orderpapier → Wertpapier, → Indossament

Ordinalaxiom

Forderung, daß eine → Entscheidungsregel dazu führt, daß die betrachteten Handlungsalternativen in eine widerspruchsfreie Rangfolge gebracht werden. Die Anwendung der Entscheidungsregel soll also zu einer eindeutigen Aussage darüber führen, ob zwei beliebige Handlungsalternativen a_i, a_k entweder einander gleichwertig sind ($a_i \sim a_k$) oder die eine der anderen vorgezogen wird ($a_i > a_k$ oder $a_k > a_i$). Widerspruchsfreiheit der so ermittelten Rangfolge setzt weiterhin Transitivität voraus, d.h. daß immer dann, wenn $a_i \sim a_k$ ($a_i > a_k$) und $a_k \sim a_h$ ($a_k > a_h$) gilt, auch $a_i \sim a_h$ ($a_i > a_h$) gilt. Verlangt man von einer Entscheidungsregel für → Risikosituationen, daß sie neben dem Ordinalaxiom auch das → Stetigkeits- und das → Substitutionsaxiom erfüllt, so muß sie mit dem → Bernoulli-Prinzip kompatibel sein. *M. B.*

Ordinalität → Nutzenmessung

Ordinalskala → Skala

Ordnungsmäßigkeitsprüfung → Prüfungsmethoden

Ordnungspolitik

formuliert Regeln, nach denen in der arbeitsteiligen Wirtschaft die Aktivitäten koordiniert werden.

Arbeitsteiliges Wirtschaften bedarf der Ordnung. Sie wird durch die gewählten Organisationsprinzipien beschrieben. Gemeint ist damit die Gesamtheit der Regeln, die bestimmte Verhaltensweisen begründen oder untersagen, insb. die jeweilige Verteilung der Entscheidungskompetenzen (dezentral in der Marktwirtschaft, in der Hand des Staates zusammengefaßt in der → Zentralverwaltungswirtschaft) und das entsprechende Koordinationsinstrument.

Die → Wirtschaftsordnung kann spontan gewachsen sein (wie das Beispiel des → Laissez-faire zeigt), aber auch bewußt (wie die Planwirtschaft oder die → soziale Marktwirtschaft) durch den Staat gestaltet werden. Sie kann lediglich auf informellen Konventionen beruhen oder mit verbindlichen Rechtsnormen beschrieben werden.

Der klassische → Liberalismus sah die → Marktwirtschaft der Harmonielehre folgend als gottgewollte, als natürliche, dem menschlichen Charakter (insb. dem Streben nach Eigennutz) entsprechende Ordnung an. Der Markthebel (die „unsichtbare Hand" des Marktes) versprach, das eigennützige Handeln des einzelnen auf das → Gemeinwohl auszurichten. Der Staat sollte sich, einem Nachtwächter gleich, dem Wirtschaftsprozeß fernhalten und lediglich vor Gesetzesbruch schützen.

Die Realität widerlegte jedoch die Theorie. Die Unternehmen waren nicht widerstandslos gewillt, sich den harten Bedingungen der Konkurrenz zu unterwerfen. Sie versuchten, Gewinnansprüche gegen die Prinzipien des Wettbewerbs durchzusetzen, durch Kartellabsprachen der preisdämpfenden Konkurrenz zu begegnen, Märkte durch Eintrittsbarrieren gegen Außenseiter und Neulinge abzuschirmen oder die Löhne durch gleichgerichtetes Verhalten zu drücken.

Man vertraute nicht länger darauf, daß sich das Konkurrenzprinzip aus eigener Kraft durchsetzen würde, daß → Monopole und → Kartelle den Keim des Zerfalls in sich trügen. Die neoliberale Schule fordert den aktiven Staat. Sie weist ihm die Rolle des Ordnungsgebers und des Garanten des Wettbewerbs zu. Konkurrenz stelle sich nicht von selbst ein, sie müsse vom Staat gegen den Willen der Betroffenen durchgesetzt werden.

Zudem war nicht zu übersehen, daß bereits die Startgleichheit, unerläßliche Voraussetzung fairen Wettbewerbs, nicht gewährleistet war. Unverkennbar – und mit ethischen Prinzipien unvereinbar – war auch die unzureichende soziale Absicherung, die Bevorzugung der Leistungsstarken, das Ausstoßen der Schwächeren.

Ordnungsrelevant ist auch die Entscheidung über Umfang und Intensität der → Ablaufpolitik. Eine steigende Dosierung drängt die Marktsignale in den Hintergrund. Fiskalpolitische Variationen beginnen dann die privaten Dispositionen zu dominieren.

Das Gebot der Marktkonformität fordert, daß möglichst solche Instrumente eingesetzt werden, die den Marktmechanismus nicht angreifen. Dessen Reagibilität auf (Preis-) Informationen soll erhalten bleiben.

Der Kern der Ordnungspolitik ist die → Wettbewerbspolitik; ihre Aufgabe ist es, die Märkte funktionsfähig zu halten. Sie will dieses Ziel erreichen, indem sie gegen Marktmacht vorgeht, den Aufbau von Marktmacht unterbindet, vorhandene Macht durch Entflechtung auflöst oder ersatzweise einer → Mißbrauchsaufsicht unterwirft.

Die Märkte funktionsfähig zu halten, galt lange Zeit als alleinige Aufgabe der Wettbewerbspolitik. Auch heute ist die Wettbewerbspolitik unverzichtbar. Man erkennt aber mehr und mehr ihren passiven Charakter. Sie verbietet oder kontrolliert marktwidrige Initiativen, ergreift selbst aber keine marktbelebenden Aktivitäten. In diese Lücke tritt ergänzend zur Wettbewerbspolitik die → Strukturpolitik. Sie kann Märkte öffnen, indem sie Eintrittsbarrieren schleift oder für Neulinge durch Subventionen überwindbar macht, indem sie angeschlagenen Unternehmen Hilfe zur Selbsthilfe leistet und versucht, überlebensfähige im Markt zu halten.

Als ordnungsergänzend sind nicht zuletzt auch sozialpolitisch motivierte Korrekturen am marktwirtschaftlichen Verteilungsprozeß zu verstehen. Sie gleichen einen als untragbar empfundenen Mangel der einseitig leistungsorientierten Marktverteilung aus, gewähren soziale Sicherheit und helfen damit, die Benachteiligten mit der Marktwirtschaft zu versöhnen. *U. T.*

Literatur: *Streit, M. E.,* Theorie der Wirtschaftspolitik, 3. Aufl., Düsseldorf 1983. *Teichmann, U.,* Wirtschaftspolitik, 2. Aufl., München 1983.

Ordnungswidrigkeit

rechtswidrige und vorwerfbare Handlung, die den Tatbestand eines Gesetzes verwirklicht, das die Ahndung mit einer Geldbuße zuläßt (§ 1 OWiG). Im Gegensatz zur Straftat (kriminelles Unrecht), die mit Freiheits- oder Geldstrafe bedroht ist, werden Ordnungswidrigkeiten nur durch Geldbuße geahndet.

Straftat und Ordnungswidrigkeit unterscheiden sich in den Grenzbereichen nicht im Wesen, sondern in der anderen Bewertung des Unrechtsgehalts durch den Gesetzgeber. Ordnungswidrigkeiten können Bagatellfälle sein (z.B. Verstöße gegen Auskunfts-, Melde- oder andere Ordnungspflichten); der Grad ihrer Sozialschädlichkeit kann denjenigen der Straftaten aber auch erreichen oder sogar übersteigen (z.B. bei einem Teil der Kartellordnungswidrigkeiten).

Die Einstufung als Ordnungswidrigkeit durch den Gesetzgeber gibt der Verwaltungsbehörde (z.B. dem Finanzamt) die Möglichkeit, in einem vereinfachten Verfahren Bußen bei rechtswidrigen Handlungen zu verhängen, womit die Justiz entlastet und der Betroffene nicht kriminalisiert werden. Wegen der großen Anzahl der Wirtschaftsdelikte des Nebenstrafrechts besteht bei diesen für ein derartiges Verfahren ein besonderes Bedürfnis. Anders als Straftaten können Ordnungswidrigkeiten auch von juristischen Personen und Personenvereinigungen begangen werden. *E. C.*

Literatur: *Göhler, E.,* Ordnungswidrigkeitengesetz, 7. Aufl., München 1984. *Göhler, E./Buddendiek, H./Lenzen, K.,* Lexikon des Nebenstrafrechts, Loseblattwerk, München. *Maurach, R./Zipf A.,* Strafrecht Allgemeiner Teil, Teilband 1, Heidelberg 1983.

ORDO-Liberalismus

Konzeption für eine freiheitliche, auf der privatwirtschaftlichen → Marktwirtschaft gründende → Gesellschafts- und → Wirtschaftsordnung, auch als deutsche Variante des → Neoliberalismus bezeichnet.

Die theoretische Grundlage stammt von *Walter Eucken,* der seit den frühen 30er Jahren dieses Jh. in Freiburg/Breisgau einen Kreis gleichgesinnter Nationalökonomen und Juristen um sich versammelte. Daraus entstand die → Freiburger Schule. Angesichts der ordnungszerstörenden Erfahrungen mit dem vorangegangenen „Zeitalter der wirtschaftspolitischen Experimente" sah *Eucken* die Lösung des ordnungspolitischen Problems der Nachkriegszeit in der Schaffung einer menschenwürdigen Wettbewerbsordnung, die er mit dem lateinischen Wort ORDO kennzeichnete. Sie wurde im Kern in der → sozialen Marktwirtschaft verwirklicht.

Im Gegensatz zu den Vertretern des → Liberalismus, die hinsichtlich der bestmöglichen institutionellen Ausformung einer freiheitlichen Ordnung optimistisch auf die Evolutions- und Selektionskraft des freien Wettbewerbs vertrauen, können sich nach Auffassung der Anhänger des ORDO-Liberalismus in der Konkurrenz der Ordnungsformen auch solche herausbilden und durchsetzen, die ihren Vorteil aus der Lähmung oder Beseitigung der Wettbewerbsfreiheit ziehen. Während der Liberalismus bei allseits offenen Märkten die Wettbewerbsfreiheit weniger von der privaten Macht als vom Staat bedroht sieht, unterstellt der ORDO-Liberalismus, daß → Wettbewerbsbeschränkungen aus beiden Bereichen freiheitszerstörend wirken können.

Die über die Vorstellung des klassischen Liberalismus hinausgehende Auffassung des „Wettbewerbs als staatliche Veranstaltung" (*Leonhard Miksch*) kommt insb. in den Prinzipien zum Ausdruck, die nach *Eucken* eine Wettbewerbsordnung konstituieren:

● Sicherung eines funktionsfähigen Preissystems bei „vollständiger Konkurrenz", womit die Bedingungen für die Bewegung auf dieses Leitbild des Wettbewerbs hin gemeint sind,

- ein währungspolitischer Regelmechanismus zur Geldwertsicherung (Primat der Währungspolitik),
- offene Märkte zur Vermeidung von Konzentrationstendenzen,
- Privateigentum an den Produktionsmitteln zur Gewährleistung wettbewerblicher Marktstrukturen,
- Vertragsfreiheit, soweit sie nicht zu ihrer Beseitigung mißbraucht wird,
- Sicherung der Einheit von Entscheidung und Haftung im Unternehmensbereich,
- Konstanz der Wirtschaftspolitik zur Erleichterung von Investitionen und Stabilisierung von unternehmerischen Erwartungen in der Annahme, daß der private Sektor bei Geldwertstabilität prinzipiell zur stetigen Entwicklung und Vollbeschäftigung neigt.

Die „konstituierenden Prinzipien" bedürfen nach *Eucken* der Absicherung und Ergänzung durch „regulierende Prinzipien":

- Monopolauflösung oder Monopolaufsicht, um ein wettbewerbsanaloges Verhalten zu erzwingen,
- Korrektur der primären Einkommensverteilung nach sozialpolitischen Gesichtspunkten,
- Maßnahmen gegen negative →externe Effekte und zur Vermeidung von anomalen Angebotsreaktionen auf dem Arbeitsmarkt.

Das wirtschaftspolitische Handlungskonzept des Staates ist in sich geschlossener als die für pragmatisch-politische Lösungen offenere Konzeption der sozialen Marktwirtschaft. Es erfordert in seiner strengen Prinzipienorientierung eine starke Staatsführung, die ihre Konzeptionstreue im Gegeneinander der Machtgruppen mit Rücksicht auf das wirtschaftliche Gesamtinteresse durchzusetzen hat. *A. S.*

Literatur: *Böhm, F.*, Die Idee des ORDO im Denken Walter Euckens, ORDO, Bd. III (1950), S. XVI ff. *Thieme, H. J./Steinbring, R.*, Wirtschaftspolitische Konzeptionen kapitalistischer Marktwirtschaften, in: *Cassel, D.* (Hrsg.), Wirtschaftspolitik im Systemvergleich, München 1984, S. 51 f. *Starbatty, J.*, Ordoliberalismus, in: *Issing, O.* (Hrsg.), Geschichte der Nationalökonomie, München 1984, S. 187 ff.

Organgesellschaft → Organschaft

Organigramm → Formalisierung

Organisation → Wirtschaftsorganisation, → Organisationsstruktur, → Verwaltungsorganisation

Organisation der Vereinten Nationen für Industrielle Entwicklung
(United Nations Industrial Development Organization, UNIDO) am 17. 11. 1966 gegründetes ständiges Sonderorgan der Vollversammlung der → Vereinten Nationen, der es über den → Wirtschafts- und Sozialrat der UN berichtet, mit Sitz in Wien.

Alle Mitglieder der UN, der Sonderorganisationen und der Internationalen Atomenergie-Organisation sind zur Mitarbeit aufgefordert. Eine formelle Mitgliedschaft in der UNIDO besteht nicht.

Aufgabe der UNIDO ist die Unterstützung der Entwicklungsländer bei der Entwicklung, Ausdehnung und Modernisierung ihrer Industrien, insb. zur optimalen Nutzung der lokal verfügbaren Ressourcen. Ferner ist die UNIDO ein Forum für Kontakte, Fachgespräche und Verhandlungen sowohl zwischen den Entwicklungsländern untereinander als auch mit den Industrieländern sowie zur Durchführung von Sondermaßnahmen, um die entsprechende Zusammenarbeit zu fördern.

Die UNIDO führt u. a. konkrete Industrialisierungsprojekte, Industriestudien, Informationsbeschaffung, Industriefachtagungen und Ausbildungsprogramme durch.

Oberstes Organ ist der aus Vertretern von 45 von der UN-Vollversammlung nach einem Regionalschlüssel (25 Entwicklungsländer, 15 marktwirtschaftliche Länder, 5 Zentralverwaltungswirtschaften) gewählten Staaten bestehende Rat für industrielle Entwicklung, der jährlich tagt. Daneben gibt es die alle drei Jahre tagende Generalkonferenz, ein Sekretariat und mehrere Ausschüsse.

Finanzierung: Verwaltungs- und Forschungskosten (1982: 45,4 Mio. US-Dollar): Budget der UN. Projekte (1982: 91,9 Mio. US-Dollar): Freiwillige Beiträge von Mitgliedsländern und Zuweisungen aus dem Entwicklungsprogramm der Vereinten Nationen (ca. 75%), dessen Exekutivorgan die UNIDO seit 1. 7. 1967 ist.

Am 8. 4. 1979 wurde die Umwandlung in eine Sonderorganisation der Vereinten Nationen beschlossen, um der UNIDO mehr Unabhängigkeit zu gewähren. Nach der Ratifizierung dieses Beschlusses durch 101 Staaten und der Sicherung des Haushalts zu 83% (Stand: Febr. 1984) steht diese Umwandlung bevor. Die Verwaltungs- und Forschungskosten werden dann durch Pflichtbeiträge der Mitgliedsländer finanziert. *Jü. S.*

Organisation erdölexportierender Länder
(Organization of Petroleum Exporting Countries, OPEC) internationale Organisation erd-

ölexportierender Länder zur Durchsetzung einer gemeinsamen Preis- und Mengenpolitik gegenüber den multinationalen Ölgesellschaften und den Verbraucherländern.

Die OPEC wurde im September 1960 in Bagdad durch die fünf Länder Irak, Iran, Kuwait, Saudi-Arabien und Venezuela gegründet. Später sind weitere acht Staaten (Algerien, Ekuador, Gabun, Indonesien, Qatar, Libyen, Nigeria und die Vereinigten Arabischen Emirate) der OPEC beigetreten. Aufnahmeberechtigt sind Netto-Ölexportländer mit „ähnlichen politischen Interessen". Dem Aufnahmeantrag müssen alle fünf Gründungsmitglieder und drei Viertel aller Vollmitglieder zustimmen. Oberstes Organ ist die zweimal jährlich stattfindende Konferenz der Ölminister. Außerdem verfügt die Organisation über ein Sekretariat mit Sitz in Wien.

Ziel der OPEC-Staaten war zu Beginn die Verhinderung eines weiteren Preisverfalls für Erdöl. Anläßlich des Sechs-Tage-Krieges zwischen Israel und Ägypten, Syrien und Jordanien im Juni 1967 wurde das Öl erstmals als politische Waffe gegen israelfreundliche Staaten eingesetzt, indem über diese Länder ein Ölembargo verhängt wurde. Da dieses Vorgehen innerhalb der OPEC umstritten war, gründeten Saudi-Arabien, Kuwait und Libyen am 9. 1. 1968 die Organization of Arabian Petroleum Exporting Countries (OAPEC), die das Öl auch als Instrument für politische Zwecke einsetzen will. Weitere Mitglieder dieser Organisation wurden Algerien, Bahrain, Irak, Qatar, Syrien und die Vereinigten Arabischen Emirate. Im Oktober 1973 lösten die OAPEC-Staaten mit ihrem Ölboykott während des Yom-Kippur-Krieges zwischen Israel und Ägypten die sog. erste Ölkrise aus, die zu einer Vervierfachung des Ölpreises führte und in den Industriestaaten die stärkste Wirtschaftsrezession nach dem zweiten Weltkrieg verursachte. 1978–1980 führte die Preispolitik der OPEC zu einer nochmaligen Verdreifachung des Ölpreises und zur „zweiten Ölkrise", die eine noch stärkere Weltrezession als die erste Ölkrise verursachte.

Inzwischen hat der Einfluß der OPEC auf den Ölpreis stark abgenommen, da die Industriestaaten ihre Ölabhängigkeit erheblich vermindern konnten und außerdem das Ölangebot aus Nicht-OPEC-Staaten beträchtlich zugenommen hat. 1982 kontrollierte die OPEC nur noch rund 50% der Welt-Erdölförderung.   *W. H.*

Literatur: *Danielsen, A. L.,* The evolution of the OPEC, New York 1982. *Jaidah, A. M.,* An appraisal of OPEC oil policies, London u. a. 1983.

Organisation für Europäische wirtschaftliche Zusammenarbeit

(Organization for European Economic Cooperation, OEEC) am 16. 4. 1948 in Paris von 16 europäischen Staaten und den Oberbefehlshabern der amerikanischen, britischen und französischen Besatzungszone Deutschlands gegründete internationale Organisation mit dem Ziel, den Aufbau einer gesunden europäischen Wirtschaft durch eine wirtschaftliche Zusammenarbeit ihrer Mitglieder zu fördern und von europäischer Seite an der Verteilung der amerikanischen Wirtschaftshilfe nach dem zweiten Weltkrieg (→ Marshall-Plan und → Europäisches Wiederaufbauprogramm) mitzuwirken sowie die Voraussetzungen für deren Wirksamkeit zu verbessern.

Gründungsmitglieder waren: Belgien, Dänemark, Frankreich, Griechenland, Großbritannien, Irland, Island, Italien, Luxemburg, Norwegen, die Niederlande, Österreich, Portugal, Schweden, die Schweiz, die Türkei und die Bundesrepublik Deutschland, die am 31. 10. 1949 anstelle der drei westlichen Besatzungszonen Deutschlands in die Konvention eintrat. Spanien trat der OEEC am 20. 7. 1959 bei, die USA und Kanada waren seit 1950 assoziierte Mitglieder. Außerdem arbeiteten Jugoslawien und Finnland ab 1959 in der OEEC wie Vollmitglieder mit.

Die Tätigkeit der OEEC erstreckte sich auf die Herbeiführung der Vollbeschäftigung, die Ausweitung und Erleichterung des europäischen Handels- und Zahlungsverkehrs, die Förderung von Freihandelsgebieten und Zollunionen zwischen Mitgliedstaaten, die Verminderung von Zöllen und anderen Handelshemmnissen sowie die Verteilung und Nutzung der Marshallplan-Hilfe. Zur Liberalisierung des Handels wurde am 18. 8. 1950 ein Liberalisierungskodex beschlossen, durch den sich die OEEC-Staaten verpflichteten, die mengenmäßigen Einfuhrbeschränkungen zu vermindern und im Handel untereinander Diskriminierungen zu vermeiden. Zur Erleichterung des intraeuropäischen Zahlungsverkehrs wurde am 19. 9. 1950 von den OEEC-Staaten die → Europäische Zahlungsunion (EZU) gegründet, durch die ein multilaterales Clearing-System für den Zahlungsverkehr zwischen den OEEC-Ländern geschaffen und die Einführung der → Konvertibilität der europäischen Währungen vorbereitet wurden.

Außerdem schlossen die OEEC-Staaten 1955 das → Europäische Währungsabkommen ab, um die schließlich 1958 eingeführte Konvertibilität der europäischen Währungen zu sichern und die EZU nach Erfüllung ihrer Aufgaben abzulösen. Ohne Erfolg blieb in den

Jahren 1956–1958 der Plan zur Gründung einer großen europäischen Freihandelszone zwischen allen OEEC-Staaten. Stattdessen entstanden mit der 1957 gegründeten → Europäischen Wirtschaftsgemeinschaft (EWG) und der 1960 gegründeten → Europäischen Freihandelsassoziation (EFTA) zwei konkurrierende Freihandelsräume in Europa, die erst 1977 durch einen gegenseitigen Zollabbau zu einer großen europäischen Freihandelszone für Industrieerzeugnisse verschmolzen werden konnten.

Zur Erfüllung ihrer Aufgaben verfügte die OEEC als oberstes (Beschluß-)Organ über einen aus je einem Regierungsvertreter aus jedem Mitgliedsland zusammengesetzten Rat, dessen Beschlüsse der Einstimmigkeit bedurften. Dieser wurde von einem aus sieben Mitgliedern bestehenden Exekutivausschuß, von diversen Fachausschüssen und von einem Sekretariat mit Sitz in Paris unterstützt.

Die OEEC wurde nach Erfüllung ihrer Aufgaben 1961 durch die am 14. 12. 1960 als Nachfolgeorganisation gegründete → Organisation für wirtschaftliche Zusammenarbeit und Entwicklung (OECD) abgelöst. *W. H.*

Literatur: *Möller, H.,* Organisation für europäische wirtschaftliche Zusammenarbeit, in: *Strupp, K./ Schlochauer, H.-J.,* Wörterbuch des Völkerrechts, Bd. 2, Berlin 1961, S. 685 ff.

Organisation für wirtschaftliche Zusammenarbeit und Entwicklung

(Organization for Economic Co-operation and Development, OECD) am 14. 12. 1960 gegründete Nachfolgeorganisation der 1948 errichteten → Organisation für europäische wirtschaftliche Zusammenarbeit (OEEC).

Gründungsmitglieder der OECD waren außer den 18 Mitgliedsländern der OEEC die USA und Kanada. Die Konvention trat am 30. 9. 1961 in Kraft. Am gleichen Tag stellte die OEEC ihre Tätigkeit ein. Japan trat der OECD 1964, Finnland 1969, Australien 1972 und Neuseeland 1973 bei. Jugoslawien ist der OECD assoziiert. Damit gehören der OECD alle für den internationalen Wirtschaftsverkehr wichtigen westlich orientierten Industrieländer an.

Ziel der OECD ist es,
● zu einer optimalen Wirtschaftsentwicklung und Beschäftigung sowie einem steigenden Lebensstandard in ihren Mitgliedstaaten unter Wahrung der finanziellen Stabilität beizutragen,
● in den Mitgliedsländern und in den Entwicklungsländern das wirtschaftliche Wachstum zu fördern und

● eine Ausweitung des Welthandels zu begünstigen.

Entsprechend reichen ihre Aufgaben von der Zusammenarbeit in der allgemeinen Wirtschafts- und Währungspolitik über die Koordinierung der Hilfe für die Entwicklungsländer und hilfsbedürftigen Mitgliedstaaten und die Erörterung handelspolitischer Fragen bis zur Behandlung politischer und technischer Probleme im Energie-, Verkehrs-, Agrar- und Arbeitskräftebereich.

Zur Erfüllung ihrer Aufgaben verfügt die OECD wie schon die OEEC über einen Rat, in dem alle Mitgliedsländer durch die Leiter von Ständigen Delegationen (Botschafter) bei der Organisation vertreten sind. Er ist das oberste Beschlußorgan; seine Beschlüsse müssen einstimmig erfolgen. Enthält sich ein Mitgliedstaat der Stimme, so ist der betreffende Beschluß nur für die übrigen Mitglieder bindend. Unterstützt wird der Rat von einem Exekutivausschuß, dem Vertreter aus zehn Mitgliedstaaten angehören, die jährlich vom Rat benannt werden, sowie von einem Sekretariat mit Sitz in Paris. Die eigentliche Arbeit erfolgt in einer Vielzahl von Fachausschüssen und Arbeitsgruppen, in denen meist höhere Beamte aus den Mitgliedstaaten mit Angehörigen des Sekretariats die ihnen übertragenen Aufgaben ausführen.

Durch diese Organisation stellt die OECD das Forum einer permanenten internationalen Regierungskonferenz dar, auf der ein ständiger Informations- und Meinungsaustausch über die aktuellen gemeinsamen Probleme im wirtschafts- und währungspolitischen Bereich erfolgten und in vielen Fragen eine Abstimmung bzw. eine Koordinierung der nationalen wirtschaftspolitischen Maßnahmen erreicht wurden.

Von besonderer Bedeutung sind bei dieser Tätigkeit
(1) der Wirtschaftspolitische Ausschuß, der mehrmals jährlich die Wirtschaftslage der OECD-Staaten erörtert und eine gegenseitige Abstimmung im kurz- und mittelfristigen Bereich anstrebt;
(2) der Ausschuß für Kapitalverkehr und unsichtbare Transaktionen, der die Einhaltung der von den Mitgliedsländern übernommenen Liberalisierungsverpflichtungen auf dem Gebiet des internationalen Kapital- und Dienstleistungsverkehrs überprüft und sich um weitere Liberalisierungsmaßnahmen bemüht;
(3) der 1969 geschaffene Ausschuß für Finanzmärkte, der die Wirkungsweise der nationalen Kreditmärkte der Mitgliedsländer und der internationalen Finanzmärkte zu verbessern sucht;

(4) der 1961 gegründete Ausschuß für Entwicklungshilfe (Development Assistance
Committee, DAC), dessen Ziel es ist, den Umfang der Entwicklungshilfe der OECD-Länder
auf 1% ihres Bruttosozialprodukts zu steigern
und deren Nutzeffekt durch eine geeignete
Gestaltung der Vergabebedingungen zu erhöhen.

Einen nicht zu unterschätzenden Einfluß
hat die OECD schließlich durch ihre Doku-
mentationen und Analysen, die es den Mitgliedstaaten ermöglichen, schnell und flexibel
auf neu auftauchende wirtschaftliche Fragestellungen zu reagieren und die ihnen Entscheidungshilfen für kooperative Lösungen
im internationalen Rahmen an die Hand geben.   *W. H.*

Litratur: *Deutsche Bundesbank,* Internationale Organisationen und Abkommen im Bereich von Währung und Wirtschaft, Sonderdruck Nr. 3, 3. Aufl.,
Frankfurt a. M. 1986. *Hahn, H. J./Weber, A.,* Die
OECD, Organisation für wirtschaftliche Zusammenarbeit und Entwicklung, Baden-Baden 1976.

organisationale Kommunikation

Jede Gemeinschaft, die arbeitsteilig ein gemeinsames Ziel verfolgt, benötigt als grundlegendes Element →Kommunikation zur
Selbsterhaltung und zur Verfolgung des Organisationszwecks (→Kommunikationsfunk-
tion). Organisationale Kommunikation betrifft demnach die Darstellung, Erklärung und
Gestaltung von Aufbau und Ablauf kommu-
nikativer Vorgänge in Organisationen.

Treten Mängel im Bereich organisationaler
Kommunikation auf, z. B. Unstimmigkeiten
zwischen   →Organisationsstruktur und
→Kommunikationsstruktur oder zwischen
kommunikativen Anforderungen der Aufgaben und kommunikativen Fähigkeiten von
Stelleninhabern   (→Gruppenkommunika-
tion), so wirkt sich dies wegen der Bedeutung
von Kommunikation direkt auf die Effizienz
von Organisationen aus. Trotz dieses Zusammenhangs wird erst seit der Entwicklung der
→Telekommunikation und der →Kommuni-
kationstechniken die Bedeutung der organisationalen Kommunikation für den Unterneh-
menserfolg in Wissenschaft und Praxis intensiver diskutiert (→Kommunikationswirkun-
gen). Erklären läßt sich dies wie folgt:

Zum einen stellt Kommunikation ein allge-
genwärtiges Phänomen zwischenmenschlicher
Beziehungen dar. Insofern wurde innerhalb
der Organisationslehre eine funktionsgerechte
Kommunikation bei der Gestaltung von Organisationen stets implizit vorausgesetzt.
Zum anderen entzieht sich Kommunikation
einer reduktionistischen Betrachtung von Ein-

zelelementen einer Struktur. Kommunikationswirkungen und Effekte lassen sich nur in
vernetzten Modellen beschreiben. Die daraus
resultierenden Meßprobleme beeinflussen unmittelbar die Einschätzung von Kommunikation als Gestaltungsvariable der Organisation.
So ist z. B. die Installation eines Videokonfe-
renzsystems (→Videokonferenz) für den Erfolg eines Unternehmens so lange nicht angemessen zu beurteilen, wie nicht eine entsprechende, angemessen vernetzte Struktur auch
im interorganisationalen Bereich vorliegt.
Stand-alone-Denken im Kommunikationsbe-
reich stellt demnach einen Widerspruch in
sich dar.

Soll Kommunikation in seiner Bedeutung
für Organisationen angemessen erfaßt werden, so ist eine den obigen Ansprüchen gerecht werdende, qualitativ und quantitativ
orientierte →Kommunikationsanalyse erforderlich. Mit einer solchen Analyse können bei
der →Organisationsgestaltung die kommunikativen Bedürfnisse der Organisationsmitglieder, wie sie für die Aufgabenerfüllung und
Gestaltung der sozialen Beziehungen notwendig sind, berücksichtigt werden. Eine nicht
angemessene Lösung des Problems der organisationalen Kommunikation würde die Effizienz der Gesamtorganisation beeinträchtigen.

Organisationale Kommunikation betrifft
den Informationsfluß auf allen Ebenen der
Organisation. Dies bedingt zunächst eine Betrachtung der →Kommunikationsstruktur
bzw. der Netzwerke in Organisationen. Im
Sinn einer effizienten →Aufbauorganisation
sind Kommunikationsstrukturen gemäß der
Aufgabenteilung zu konzipieren. Dabei empfiehlt es sich, die Erkenntnisse der →Grup-
penkommunikation sowie die Tatsache zu berücksichtigen, daß Kommunikation einer permanenten Veränderung unterliegt. Der für die
formale Kommunikationsstruktur Verantwortliche hat diese Dynamik zu beachten. Die
formale Kommunkation sollte nicht entgegen
der informalen Kommunikationsstruktur gestaltet bzw. beibehalten werden, sondern diese bei wiederkehrenden Abläufen unterstützen. Befinden sich formale und informale
Kommunikation im Widerspruch, führt dies
zu →Kommunikationsstörungen und beeinträchtigt dies das →Kommunikations- bzw.
→Organisationsklima.

Eine weitere Betrachtungsebene bezieht
sich auf den einzelnen Kommunikationsvorgang, wie er im →Kommunikationsmodell
beschrieben ist. Er sollte so einfach wie möglich ablaufen. Dies bedingt die Installation
von angemessen dimensionierten →Kommu-

nikationskanälen innerhalb und außerhalb der Organisation. Die →Kommunikationstechniken der →Telekommunikation stellen Hilfsmittel hierfür dar, die diesem Anspruch gerecht werden. Sie ermöglichen es auch solchen Mitarbeitern, deren kommunikative Fähigkeiten nicht sehr stark ausgeprägt sind, am Kommunikationsfluß teilzunehmen und einen gleich guten Zugang zu Informationen zu finden.

Um Kommunikationsstörungen zu vermeiden und ungehinderten Informationsaustausch auf allen Ebenen zu ermöglichen, bedarf es auch einer Bereitschaft der Organisationsmitglieder zu verständnisvoller Zusammenarbeit. Dies wird durch Maßnahmen der Ausbildung und →Organisationsentwicklung unterstützt. Auf der individuellen Ebene kommt es oft zu Problemen der Verständigung (pragmatische Dimension der →Semiotik). Effiziente Kommunikation bedingt ein übereinstimmendes Verstehen von Sprache und Intention durch die Kommunikationspartner. Dies sollte bei der Personaleinstellung bzw. Stellenbesetzung berücksichtigt werden. Je nach der Bedeutung von Kommunikation für die Aufgabenerfüllung ist beim einzelnen auch auf eine mit den Kommunikationspartnern vergleichbare Wahrnehmungs- und Informationsverarbeitungskapazität zu achten.

Der Gestaltung von organisationaler Kommunikation sind jedoch in einer sich ändernden Umwelt mit vernetzten Strukturen Grenzen gesetzt, zum einen dadurch, daß jede formale Gestaltungsmaßnahme künftige, d.h. unsichere Zustände antizipieren muß, zum anderen dadurch, daß jedes Organisationsmitglied nicht nur in die organisationale Kommunikationsstruktur eingebettet, sondern auch Bestandteil anderer Kommunikationsnetze (Verein, Familie etc.) ist, die wiederum auf das Individuum und sein Verhalten innerhalb der Organisation zurückwirken. In einer zweckmäßigen Planung der organisationalen Kommunikation wird dies durch eine angemessene offene Gestaltung des Kommunikationssystems berücksichtigt.

A. P./W. K. R.

Literatur: *Rogers, E. M./Agarwala-Rogers, R.,* Communications in Organizations, New York 1976. *Anders, W.,* Kommunikationstechnik und Organisation, Forschungsprojekt Bürokommunikation Bd. 3, München 1983. *Picot, A./Reichwald, R.,* Bürokommunikation. Leitsätze für Anwender, 2. Aufl., München 1985.

organisationales Beschaffungsverhalten →Investitionsgütermarketing

Organisationsänderung

→Organisationsstrukturen wandeln sich mit den Bedingungen, für die sie geschaffen wurden. Sie werden z.B. an geänderte Marktverhältnisse, ein anderes Leistungsprogramm, neue technische Möglichkeiten oder eine größere/kleinere Beschäftigtenzahl angepaßt. Das Ausmaß der im Einzelfall als notwendig erachteten organisatorischen Änderungen variiert jedoch stark: Kleinere organisatorische Modifikationen, wie z.B. die Änderung einer Verfahrensrichtlinie, gehören zu häufig wahrzunehmenden Aufgaben eines Vorgesetzten, während größere Reorganisationen, die den Aufbau und Ablauf des Arbeitsprozesses einer Vielzahl von Stellen, Abteilungen oder gar Betrieben verändern, seltener vorgenommen werden und einen sehr viel größeren Änderungsaufwand bedingen.

Gleichwohl stellen sich den Verantwortlichen immer wieder dieselben Fragen: Soll die bestehende Organisationsstruktur geändert werden, ist sie also verbesserungsbedürftig? Was soll verbessert werden? Wie könnte dies geschehen? Rechtfertigen die von einer Reorganisation zu erwartenden Ergebnisse den Aufwand? Wie sollen die neuen organisatorischen Regelungen implementiert werden?

Um zur Lösung dieser Fragen, die sich in den verschiedenen Phasen des →Organisationsänderungsprozesses stellen, beizutragen, wurden verschiedene →Organisationsmethoden entwickelt: →Erhebungstechniken unterstützen die Ist-Analyse und lassen Schwachstellen der Organisation deutlich werden, Entwurfsheuristiken helfen alternative organisatorische Lösungsmöglichkeiten zu entwickeln und →Bewertungstechniken leiten die Auswahl unter den entwickelten Lösungsalternativen.

Jede Organisationsänderung beeinflußt die formale Organisationsstruktur und das Verhalten der Organisationsmitglieder; denn sie begründet neue Erwartungen an das Verhalten der einzelnen Stelleninhaber, Aufgaben- und Rollenträger und zielt damit aus der Sicht der Organisierenden auf Verhaltensänderungen der Organisationsmitglieder ab. Da also Organisationsstruktur und Verhalten der Organisationsmitglieder wechselseitig aufeinander bezogen sind, stellen Organisationsänderungen Maßnahmen dar, die zugleich das Verhalten und die Struktur tangieren. Um also organisatorische Änderungen erfolgreich durchzusetzen, müssen beide beachtet werden.

M. Eb.

Literatur: *Grochla, E.,* Grundlagen der organisatorischen Gestaltung, Stuttgart 1982. *Hill, W./Fehl-*

baum, R./Ulrich, P., Organisationslehre, Bd. 2, Bern, Stuttgart 1974. *Schanz, G.*, Organisationsgestaltung, München 1982.

Organisationsänderungsprozeß

Man unterscheidet drei Phasen des Organisationsänderungsprozesses, die sich jedoch überlappen können:

(1) *Vorbereitungsphase:* Aktuelle oder erwartete organisatorische Probleme geben Anlaß, über eine Änderung der Organisation nachzudenken. In einer Voruntersuchung werden die organisatorischen Probleme identifiziert, erste Vermutungen über mögliche Ursachen und Gründe zusammengetragen, Hinweise auf die Hauptbeteiligten und ihre Änderungsbereitschaft gesammelt und vorläufige Planungsschwerpunkte und Zielvorstellungen formuliert, um Anhaltspunkte für die mit einer möglichen Reorganisation verbundenen Kosten zu gewinnen.

Entschließt man sich, eine Reorganisation einzuleiten, so wird geklärt, in welcher Weise die Organisationsänderung vorbereitet werden soll, d. h. welche Personen am gesamten Prozeß der Organisationsänderung beteiligt sein sollen, wer verantwortlich sein soll und wie die Reorganisation durchgeführt werden soll (wo, mit Hilfe welcher Instrumente, in welchem Zeitraum). Vor allem ist zu klären, ob ein externer und/oder interner Berater hinzugezogen werden soll und ob die Organisationsänderung als eigenständiges Projekt betrachtet werden soll (→ Reorganisationsprojekt, → Projektmanagement).

(2) *Hauptstudie:* Deren erste Phase ist die Ist-Analyse. Hier werden durch → Befragung, → Beobachtung, → Dokumentenanalyse, → Selbstaufschreibung oder andere → Erhebungstechniken die gegenwärtige Situation analysiert und Informationen über die zu erwartende Entwicklung gesammelt. Die Ist-Analyse bietet die Basis für die Diagnose von Problemfeldern und Schwachstellen der Organisation, vor deren Hintergrund dann die Ziele der Organisationsänderung festgelegt werden.

Mit Unterstützung von Entwurfsheuristiken der → Organisationsgestaltung werden sodann Gestaltungsalternativen entwickelt. Um den späteren Entscheidungsprozeß transparent zu halten, dabei aber gleichzeitig kostenbewußt vorzugehen, erarbeitet man dabei zunächst Grobkonzepte/Lösungsskizzen. Nach einer Vorauswahl werden nur wenige detaillierter ausgearbeitet und im Lichte ihrer Wirkungen auf das Zielsystem der Unternehmung einer Bewertung unterzogen (→ Bewertungstechniken). Allerdings gibt es insofern

kein objektives Verfahren der Auswahl einer Gestaltungsalternative, als die Bewertung immer von der Interessenlage und den Wertvorstellungen der jeweils Beteiligten geprägt wird. Die neuen organisatorischen Regelungen werden schließlich eingeführt. Dabei setzt man unterschiedliche Implementierungsstrategien ein.

(3) *Evaluationsphase:* Nach einer Anlaufphase wird überprüft, inwieweit die durchgeführte → Organisationsänderung die an sie geknüpften Erwartungen erfüllt hat. Die Beurteilung des Erfolges kann jedoch insofern verzerrt sein, als Verantwortliche Gefahr laufen, einmal getroffene Entscheidungen nachträglich zu rationalisieren und dadurch zu rechtfertigen, daß sie z. B. später ein anderes, für sie günstiges Zielsystem zugrunde legen, das die Vorteile der getroffenen Entscheidung herausstellt und deren Nachteile herunterspielt. Dieses Verhalten ist möglich, weil es bisher noch nicht gelungen ist, den Erfolg einer Reorganisationsmaßnahme oder, was dasselbe ist, die organisatorische Effizienz, eindeutig zu bestimmen. Deshalb gibt es auch noch keine Möglichkeit, jene Faktoren auszuweisen, von denen der Erfolg oder der Mißerfolg einer Organisationsänderung abhängt. Schwach gestützte Vermutungen sprechen dafür, daß der Art der Konfliktbewältigung sowie der Art und dem Ausmaß der Einbindung der Betroffenen in den Reorganisationsprozeß Beachtung geschenkt werden sollte (→ Organisationsentwicklung).   *M. Eb.*

Literatur: *Grochla, E.*, Grundlagen der organisatorischen Gestaltung, Stuttgart 1982. *Hill, W./Fehlbaum, R./Ulrich, P.*, Organisationslehre, Bd. 2, Bern, Stuttgart 1974. *Schanz, G.*, Organisationsgestaltung, München 1982.

Organisationsberatung

zielt auf eine zweckmäßige Gestaltung der Organisationsbeziehungen innerhalb eines Unternehmens ab. Das Hauptaugenmerk gilt dabei der → Aufbau- und → Ablauforganisation. Im Rahmen der → Beratung in wirtschaftlichen Angelegenheiten stellt die Organisationsberatung einen wichtigen Beratungsgegenstand des → Wirtschaftsprüfers dar. Je nach Reichweite des Beratungsauftrags kann zwischen organisatorischer Gesamtberatung und Organisationsberatung auf abgegrenzten Teilbereichen unterschieden werden. Beratungsschwerpunkte sind für den Wirtschaftsprüfer die wirtschaftliche Gestaltung von Abrechnungs-, Planungs-, Kontroll- und Berichtssystemen sowie der Einsatz der EDV im Rechnungswesen.

Organisationsentwicklung

Form der → Organisationsänderung, die sich dadurch auszeichnet, daß sie den von der Reorganisation Betroffenen Mitspracherechte bei der organisatorischen Gestaltung einräumt und ihnen „Hilfe zu Selbsthilfe" anbietet. Die Organisationsentwicklung geht davon aus, daß es nicht ausreicht, allein die formale Organisationsstruktur zu ändern, um die → Aufbau- oder → Ablauforganisation besser zu gestalten. Denn die gewollten organisatorischen Änderungen werden nur dann erfolgreich verlaufen, wenn die davon betroffenen Organisationsmitglieder bereit und in der Lage sind, die von ihnen geforderten neuen Aufgaben und Rollen auch zu erfüllen. Sowohl der personale als auch der strukturelle Aspekt müssen daher bei Organisationsänderungen berücksichtigt werden.

Am individuellen Verhalten ansetzende Methoden der Organisationsänderung sind darauf ausgerichtet, in drei Phasen neue Verhaltensweisen auszulösen: In einer ersten wird versucht, die bisherigen Verhaltensweisen der Organisationsmitglieder „aufzutauen" und bei den Betroffenen Änderungsbereitschaft zu wecken, um dann in einer zweiten Phase die Neuerung(en) konzipieren und implementieren zu können. Nach dieser Änderung der bisherigen Verhaltensweisen strebt man schließlich in einem dritten Schritt an, die geänderten Verhaltensweisen in der neuen Form „einzufrieren", d.h. sie längerfristig zu stabilisieren. Dieser Änderungsprozeß kann methodisch durch Labortraining, Aus- und Weiterbildungsmaßnahmen, Konfrontationstreffen oder durch die Survey-Feedback-Methode unterstützt werden.

Da es aber nicht genügt, die Organisationsmitglieder durch die genannten verhaltensorientierten Methoden zur Änderung ihres Verhaltens anzuregen, sondern vielmehr auch die Möglichkeit geschaffen werden muß, die neuen Verhaltensweisen in den organisatorischen Alltag zu übertragen, bedürfen die am Individuum orientierten Methoden der Ergänzung durch strukturelle Änderungen. Nur wenn die organisatorischen Rahmenbedingungen die Stabilisierung der neuen Verhaltensweisen fördern, wird der Organisationsänderung Erfolg beschieden sein.

Mit Methoden der strukturalen Organisationsentwicklung versucht man, der wechselseitigen Bedingtheit von Verhaltens- und Strukturänderungen in Organisationsänderungsprozessen gerecht zu werden, also Impulse für Verhaltensänderungen zu geben und gleichzeitig für solche organisatorischen Bedingungen zu sorgen, die die Organisationsmitglieder in ihrem neuen Verhalten bestärken. Entsprechend dem Selbstverständnis der Organisationsentwicklung werden hierfür → Management by Objectives und Entscheidungsdelegation als geeignete Maßnahmen propagiert. Besondere Bedeutung mißt man darüber hinaus der motivierenden Wirkung der Arbeitssituation bei. Beschäftigte beispielsweise, die eine vorwiegend intrinsische Arbeitsorientierung aufweisen, d.h. die aus der Tätigkeit selbst Befriedigung ziehen möchten, und die mit den sonstigen Arbeitsbedingungen (Lohn/Gehalt, Arbeitsklima) zufrieden sind, empfinden ihre Aufgaben dann als besonders motivierend, wenn diese als abwechslungsreich, bedeutend und sinnvoll erlebt werden, wenn sie weiter einen Entscheidungsspielraum hinsichtlich der Einteilung und des Gehalts ihrer Aufgaben genießen und wenn sie schließlich ein Feedback über die Ergebnisse und Qualität ihrer Tätigkeit erhalten.   M. Eb.

Literatur: *Kieser, A./Krüger, M./Röber, M.,* Organisationsentwicklung: Ziele und Techniken, in: *Kieser, A.* (Hrsg.), Organisationstheoretische Ansätze, München 1981, S. 112 ff. *Schanz, G.,* Organisationsgestaltung, München 1982.

Organisationsgestaltung

Bei jeder → Organisationsänderung stellt sich in Anschluß an die Ist-Analyse (→ Erhebungstechniken) die Frage, wie man die aufgedeckten Schwachstellen beheben kann. Verschiedene Entwurfsheuristiken sollen dabei helfen, organisatorische Gestaltungsalternativen zu entwickeln, um sich dann für die mutmaßlich beste entscheiden zu können (→ Bewertungstechniken).

Aus Kostengründen ist es vorteilhaft, Gestaltungsalternativen nur als grobe Lösungsskizze zu entwerfen, die den organisatorischen Lösungsraum für die zu bearbeitenden Probleme sichtbar werden lassen. Für den Entwurf dieser Grobkonzepte sowie die spätere Ausarbeitung detaillierter Gestaltungsvarianten kann die Anwendung von Entwurfsheuristiken nützlich sein, weil sie verhindert, daß überkommene Lösungen einfach fortgeschrieben werden, ohne daß sie sich dem Vergleich mit weniger offensichtlichen und nicht konventionellen Alternativen hätten stellen müssen. Erst die systematische Entwicklung mehrerer Möglichkeiten erlaubt eine begründete Auswahl.

Dieses Unterfangen wird, abgesehen von → Kreativitätstechniken, durch Entwurfsheuristiken mit spezifisch organisatorischem Bezug, z.B. die → Aufgabenanalyse und -synthese, ferner → Organisationsprinzipien sowie das Konzept von *Jay Galbraith* unterstützt. Die genannten Hilfen schließen den Einsatz von Kreativitätstechniken nicht aus. Diesen gegenüber genießen sie den Vorteil, daß sie zum Entwurf organisatorischer Gestaltungsalternativen in systematischer Weise anleiten.

Galbraith formuliert generelle Strategien für die Bewältigung von Koordinationsproblemen, die alternative Möglichkeiten organisatorischer Gestaltung systematisch in den Blickpunkt rücken. Neben der konventionellen Lösung durch → Hierarchie, → Verfahrensrichtlinien und → Planung (Vorgabe von Zielen) werden Strategien aufgezeigt, die entweder die Notwendigkeit der Koordination reduzieren oder die Möglichkeit zu koordinieren verbessern. Als Strategie der Verbesserung der Koordination kommen (neben den genannten konventionellen) die Einrichtung von Informationssystemen (Verbesserung der Informationsversorgung und -verarbeitung, Erhöhung der Entscheidungsfrequenz) und die Schaffung horizontaler Kommunikationsbeziehungen in Frage (Gruppenbildung, Integrationsstellen, → Matrixorganisation, → informale Organisation). Als Strategien zur Senkung des Koordinationsbedarfs bieten sich die Erhöhung der Autonomie einer organisatorischen Einheit (Senkung der Arbeitsteilung, → job enrichment), Ausstattung mit zusätzlichen Ressourcen (Reservekapazität, höhere Qualifikation der Beschäftigten, Zwischenlager) oder die Beeinflussung der Umwelt an (Kooperation mit Konkurrenten, Veränderung des Lieferanten- und Kundenstammes sowie Öffentlichkeitsarbeit).   *M. Eb.*

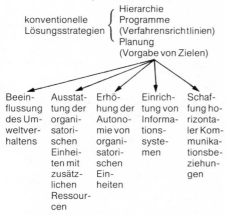

Strategien zur Lösung von Koordinationsproblemen

Literatur: *Galbraith, J.,* Organization Design, Reading, Mass. 1977. *Grochla, E.,* Grundlagen der organisatorischen Gestaltung, Stuttgart 1982. *Schmidt, G.,* Organisation – Methode und Technik, 4. Aufl., Gießen 1981.

Organisationsgrad

Anteil der Gewerkschaftsmitglieder an den Beschäftigten eines bestimmten Bereiches. Seine Höhe erlaubt in begrenztem Rahmen Rückschlüsse auf die Verhandlungsposition der → Gewerkschaften in den → Tarifverhandlungen zu ziehen.

Organisationsklima

theoretisches Konstrukt, das Wechselwirkungen zwischen der → Organisationsstruktur und den Persönlichkeitsstrukturen der Organisationsmitglieder beschreibt (→ Organisationskultur). Soziale Realität in Organisationen setzt sich immer zusammen aus objektiven Bedingungen und deren subjektiver Wahrnehmung durch die Mitglieder. Das Organisationsklima ist ein Indikator dafür, wie Organisationsmitglieder die objektiven Bedingungen wahrnehmen. Es ist vor allem durch drei Merkmale gekennzeichnet:

- Es macht Organisationen voneinander unterscheidbar, d.h. jede Organisation ist durch ein spezifische Klima geprägt.
- Es bleibt über relativ lange Zeiträume stabil.
- Es beeinflußt das Verhalten der Mitglieder.

Obwohl jeder Forscher bei der empirischen Erforschung des Organisationsklimas eigene Kategorien nutzt, haben sich zur differenzierten Erfassung der Unterschiede und Gemeinsamkeiten zwischen verschiedenen Organisationen einige zentrale Dimensionen herausgebildet: Ausmaß von Strukturierung und Autonomie in der Organisation, gegenseitige Unterstützung und Zusammenarbeit, Leistungsorientierung, Belohnungshöhe, Innovation, Hierarchisierung und Kontrolle.

Die empirische Aussagekraft der Organisationsklimaforschung gilt als problematisch, da die Ergebnisse immer auf den Aussagen einzelner Organisationsmitglieder basieren. Deshalb sollten Organisationsklimabefragungen immer soziale Aggregate und nicht Individuen als Bezugspunkt haben, da es definitionsgemäß um kollektive Sachverhalte und nicht um persönliche Erfahrungen geht. *R. N.*

Literatur: *Neuberger, O.,* Organisationsklima als Einstellung zur Organisation, in: *Graf Hoyos, E.* u.a. (Hrsg.), Grundbegriffe der Wirtschaftspsychologie, München 1980, S. 128 ff. *Gebert, D./von Rosenstiel, L.,* Organisationspsychologie, Stuttgart 1981.

Organisationskultur

In jeder Organisation gibt es einige Wert- und Glaubensvorstellungen darüber, welche Ziele und Verhaltensweisen für ihre Existenz und die ihrer Mitglieder von grundlegender Bedeutung sind. Diese Werte und Verhaltensweisen werden auf vielfältige Weise vermittelt, stabilisiert und weiterentwickelt: Denken und Handeln werden in hohem Maße durch die Sprache geprägt. Sie bildet eine Linse für die Wahrnehmung der Realität. In einer Kneipe wird anders gesprochen als in einer Bank. Auch einzelne Organisationen innerhalb einer Branche zeichnen sich oft durch spezifische Redewendungen und Begriffe aus.

Geschichten, Legenden und Mythen tragen ebenfalls zur Vermittlung von Werten und Verhaltensnormen bei. Wird z.B. die Erfahrung „kultiviert", daß der Firmengründer auch nach beträchtlichem Wachstum seines Unternehmens noch jeden Beschwerdebrief selbst gelesen und entsprechende Maßnahmen eingeleitet habe, so sagt dies eine ganze Menge über die gewünschte Kunden- und Qualitätsorientierung aus.

Eine wichtige Rolle kommt auch Ritualen und Symbolen zu. Die Verteilung eines Preises für Verkaufserfolge oder besondere Qualitätsleistungen, ein Tag der offenen Tür, bei dem die Mitarbeiter Frauen und Kinder in das Unternehmen mitbringen dürfen, oder die Plakatierung von Umsätzen und Börsenkursen an den Wänden der Werkshallen sind Beispiele für Handlungen, die bestimmte Mitarbeiter- oder Umweltorientierungen signalisieren. Vor allem werden Werte aber durch das Verhalten von Führern vermittelt. Vorgesetzte stellen Ereignisse in der Arbeitsgruppe, im Unternehmen oder in der Umwelt in einen „höheren Zusammenhang" und geben ihnen dadurch „Sinn", machen sie für ihre Mitarbeiter verständlich, lassen bestimmte Handlungen vernünftig erscheinen.

Die Organisationskultur erfüllt eine Reihe wichtiger Funktionen: Sie schafft ein gemeinsames Bezugssystem, das Wahrnehmungen filtert und Erwartungen beeinflußt, Interpretationen erleichtert und Verständnis erzeugt, Komplexität reduziert sowie Handlungen lenkt und legitimiert. Organisationskulturen verstärken die Einbindung der Organisationsmitglieder, fördern die Identifikation mit dem Unternehmen und erhöhen die → Motivation. Eine Identifikation mit den Grundprinzipien der Organisation kann u.U. eine effizientere Koordination herbeiführen als Weisungen von Vorgesetzten, Verfahrensrichtlinien oder Planvorgaben. In einer Reihe empirischer Untersuchungen wurde herausgefunden, daß der Erfolg von Unternehmen vor allem auf eine ausgeprägte Kultur zurückzuführen ist.

Die Entwicklung der Kultur einer Organisation wird bei ihrer Gründung angelegt. Die Gründer bringen Wertvorstellungen, Legitimationsmuster, eine Vision in das Unternehmen ein. Um die ersten Entscheidungen und Handlungen der Gründer spinnen sich Legenden. Der „Geist der Gründung" wird beschworen, eine Tradition wird etabliert.

Je ausgeprägter eine Organisationskultur ist, desto mehr Sorgfalt wird auf die Selektion und Sozialisation neuer Mitglieder gelegt. In Broschüren, Einführungsveranstaltungen und Trainingsprogrammen werden nicht nur Sachwissen, sondern auch Werte, kulturspezifische Denkmuster und soziales Verhalten vermittelt. Eine lange Zeit der Ausbildung und Initiationsrituale sind weitere Mechanismen, mit denen die wertorientierte Einbindung der Mitarbeiter gefördert wird.

In einem gewissen Umfang läßt sich die Kultur einer Organisation planvoll gestalten. Die Tradition eines Unternehmens kann gepflegt, Legenden, Rituale und Symbole können als Führungsinstrumente gezielt eingesetzt werden. Allerdings ist die Wirksamkeit solcher Maßnahmen nur schwer vorherbestimmbar. Die Änderung von Organisationskulturen, die sich verfestigt haben, ist ein schwieriger, langwieriger Prozeß mit ungewissem Ausgang.   *A. Ki.*

Literatur: *Deal, T. E./Kennedy A. A.,* Corporate Cultures, Reading, Mass. 1982. *Sackmann, S.,* Organisationskultur: die unsichtbare Einflußgröße, in: Gruppendynamik, Zeitschrift für Angewandte Sozialwissenschaften, 13. Jg. (1983), S. 393 ff.

Organisationsmethoden

sollen dazu beitragen, die Analyse organisatorischer Problembereiche, die Zielformulierung, die Entwicklung alternativer Organisationsmöglichkeiten, die Bewertung dieser Möglichkeiten und die Evaluierung des Erfolgs einer Reorganisation zu strukturieren und zu systematisieren. Je umfangreicher eine → Organisationsänderung ist und je länger sie dauert, je größer der Kreis der Beteiligten und Betroffenen gezogen und je aufwendiger sie ist, desto wichtiger wird es, die Reorganisation methodisch zu unterstützen. Zwar bieten Organisationsmethoden keine Garantie für die Erlangung optimaler Lösungen, doch läßt sich auf sie nicht verzichten, weil sie dazu zwingen, das Vorgehen und die Ergebnisse eines → Reorganisationsprojektes genau zu überdenken.

Für alle Phasen eines Reorganisationsprozesses sind besondere Organisationsmethoden entwickelt worden, so z. B. → Erhebungstechniken, Entwurfsheuristiken und → Bewertungstechniken.   *M. Eb.*

Literatur: *Blum, E.*, Betriebsorganisation, Wiesbaden 1982. *REFA*, Methodenlehre des Arbeitsstudiums, Teil 1–6, München 1976.

Organisationsprinzipien

vornehmlich von der angloamerikanischen Managementlehre und der deutschen betriebswirtschaftlichen Organisationslehre formuliert. Insgesamt wurden über hundert Prinzipien guten Organisierens und guter Organisation aufgestellt. Ein terminologisch und theoretisch konsistentes Prinzipiensystem bildete sich jedoch nicht heraus. Vielmehr werden sehr unterschiedliche Dinge unter diesen Begriff gefaßt, wie ethische Zielsetzungen, formale Gestaltungsziele, Gestaltungsanweisungen und Leitungssysteme.

Während die angloamerikanische Managementlehre, die überwiegend von Praktikern entwickelt wurde, durch die Formulierung von Organisationsprinzipien versuchte, praktische Erfahrungen in Normen zu gießen, Organisationsprinzipien also als pragmatische Orientierungshilfen verstand, verfolgte die deutsche betriebswirtschaftliche Organisationslehre das Ziel, eine konsistente Begriffswelt zu schaffen, mit deren Hilfe ein Idealtyp der Organisation konzipiert oder die Möglichkeiten der formalen Strukturierung einer Organisation eingefangen werden können.

Eine Reihe von Problemen schränkt die Anwendbarkeit von Organisationsprinzipien sehr stark ein. Vor allem mangelt es ihnen an Operationalität. Sie sind Sprichworte, die sich wie diese auch widersprechen. Fast für jedes läßt sich ein ähnlich plausibles Prinzip benennen, das jedoch zu ganz anderen Empfehlungen führt. Dies ist etwa der Fall für das Prinzip der Spezialisierung und jenes der Einheit der Auftragserteilung. Organisationsprinzipien verkörpern oft auch Leerformeln. Ihre Anwendungsbedingungen werden nicht spezifiziert. Zwar werden Gestaltungsziele benannt, nicht aber der Weg, auf dem diese erreicht werden können. Die Anwendung desselben Prinzips führt in unterschiedlichen Situationen zu verschiedenartigen Resultaten. Die Beantwortung der Frage, aus welchen Gründen die Anwendung eines Prinzips in einer gewissen Situation zur Erreichung bestimmter Ziele beiträgt, bleibt dem Anwender überlassen. Aufgrund dieses Begründungsdefizits beruht die Akzeptanz der in Organisationsprinzipien festgehaltenen Vorschläge weitgehend auf der Reputation des Autors oder auf der Übereinstimmung mit den in den

Prinzipien implizit enthaltenen Normen, die jedoch i. d. R. von den Propagandisten der Prinzipien nicht problematisiert werden.

Organisationsprinzipien können weder als Axiome noch als Normen oder Gesetze interpretiert werden. Sie stellen keine praxeologischen Aussagen dar, die theoretisch begründet und empirisch abgesichert wären. Gleichwohl kommt ihnen ein heuristischer Wert zu, weil ihren Adressaten, dem Management, in Problembereichen, die diesem wichtig und nah sind, Orientierungshilfen angeboten werden, indem in einer leicht nachvollziehbaren Weise Möglichkeiten aufgezeigt werden, diese Felder überschaubar zu strukturieren. Dies sind Leistungen, die theoretisch fundiertere sozialwissenschaftliche Theorien nicht erbringen konnten.

Ein weiterer Grund für die Popularität von Organisationsprinzipien liegt darin, daß sich mit ihrer Hilfe herrschende organisatorische Praktiken „wissenschaftlich" legitimieren lassen. Das Management geht auf diese Weise nicht selten Begründungszwängen aus dem Weg. So liegt der Grund für die Beständigkeit von Organisationsprinzipien darin, daß sie konkret genug sind, um Entscheidungshilfen zu geben, aber vage genug bleiben, um sie den konkreten Anwendungsbedingungen anzupassen, ohne daß dadurch die Rückendeckung durch „wissenschaftliche" Organisationslehren verloren ginge.   *M. Eb.*

Literatur: *Beensen, R.*, Organisationsprinzipien, Berlin 1969. *Kieser, A./Ebers, M.*, Organisationsprinzipien, in: *v. Beckerath, P. G./Sauermann, P./Wiswede, G.* (Hrsg.), Handwörterbuch der Betriebspsychologie und Betriebssoziologie, Stuttgart 1981, S. 294 ff.

Organisationspsychologie

als Bezeichnung zum ersten Mal von *H. J. Leavitt* verwendet, der Sache nach freilich viel älter, ist „die empirische Disziplin, die sich mit den Erscheinungsweisen, den Bedingungen und Auswirkungen sozial organisierten Verhaltens und mit den Veränderungsmöglichkeiten im Sinne sozial verantworteter persönlicher Entfaltung befaßt" (*A. Mayer* 1978, VI).

Der Gegenstand der Organisationspsychologie – indiviuelles Erleben und Verhalten in Organisationen – wird durch die drei grundlegenden Beziehungen des Organisationsmitglieds zur Aufgabe, zu anderen Personen und zur Organisation bestimmt. Daraus ergeben sich drei große Themenbereiche:

(1) *Person – Aufgabe:* Neben den Fragestellungen der → Arbeitspsychologie im engeren Sinne geht es hier um → Leistungsmotivation

und Arbeitseinstellung, → Eignung und Qualifikation, Leistungsbewertung und Bewäh-
rung, Persönlichkeitsentwicklung und Streß-
bewältigung. Methodisch stehen traditionell
Verfahren der → Eignungsdiagnostik (Selektion und Plazierung) und → Personalbeurteilung, neuerdings auch der → Arbeitsgestaltung und des Trainings in tätigkeitsspezifi-
schen und -übergreifenden Verhaltensfertig-
keiten zur Verfügung.
(2) *Person – Person*(en) bzw. *Gruppen*: Dies
kann sich auf hierarchisch Gleichgestellte
(→ Arbeitsgruppe) oder Über- bzw. Unterstellte (→ Führung) beziehen. Hier geht es um
Erkenntnisse über Kommunikationsstrukturen und -prozesse, Entscheidungsvorgänge
und -hindernisse, Leistungsdruck und -pro-
zesse, Entscheidungsvorgänge und -hindernis-
se, Leistungsdruck und Konformität, Kreativität und Innovationsbereitschaft, Führung
und Gefolgschaft, → Konflikt und Konfliktbewältigung. Die meisten der hier eingesetzten
Methoden und Verfahren entstammen dem
Bereich der angewandten → Sozialpsychologie (Interaktionsanalyse, Prozeßbeobachtung,
Kommunikationstraining usw.).
(3) *Person – Organisation:* Die → Organisationsstruktur bestimmt die umgreifenden
Rahmenbedingungen, innerhalb derer Fragen
relevant werden wie Sozialisation in Organisationen, → Karriereplanung und -entwick-
lung, → Organisations- bzw. → Betriebsklima, → Lernen in und von Organisationen.
Untersuchungen über Einstellungsänderun-
gen und Anspruchsentwicklung, Methoden
der → Organisationsentwicklung und Ak-
tionsforschung, Verfahren zur Messung von
Zufriedenheit und Klima geben stichpunktar-
tig Forschungsschwerpunkte wieder. Als angewandte Disziplin ist die Organisationspsychologie unausweichlich mit normativen Stellungnahmen konfrontiert. Als psychologischer Zweig stellt sie das Individuum in den
Vordergrund, als Organisationspsychologie
hebt sie die unauflösliche Verflechtung der
Person mit den drei Faktoren Arbeit, Mit-
mensch und Organisation hervor. Daraus leiten sich die Tendenzen gegenwärtiger organi-
sationspsychologischer Forschung und Praxis
ab: Integration arbeitspsychologischer und
organisationsstruktureller Aspekte auf hand-
lungstheoretischer Grundlage sowie Ansätze,
die drei interdependenten Beziehungsmuster
organisationsspezifisch gleichzeitig zu optimieren.   *K. Be.*

Literatur: *v. Rosenstiel, L./Molt, W./Rüttinger, B.,*
Organisationspsychologie 1982, 5. Aufl., Stuttgart
1983. *Mayer, A.* (Hrsg.), Organisationspsychologie,
Stuttgart 1978. *Gebert, D./v. Rosenstiel, L.,* Orga-
nisationspsychologie, Person und Organisation,
Stuttgart 1981.

Organisationssoziologie → Betriebssoziologie

Organisationsstruktur

Gesamtheit der formalen Regelungen, die den
organisatorischen Aufbau des Arbeitsprozesses steuern. In der → Aufbauorganisation sind
die Art und der Umfang der Arbeitsteilung
(→ Spezialisierung) sowie die organisatorische
Zuordnung der arbeitsteilig erbrachten Leistungen (→ Koordination in Organisationen,
→ Leitungssystem) festgeschrieben. Durch die
→ Ablauforganisation wird der Prozeß der betrieblichen Leistungserstellung in personaler,
räumlicher und zeitlicher Hinsicht koordiniert.

Die formalen Regelungen sind planvoll im
Hinblick auf ein Zielsystem gestaltet und begründen spezifische Erwartungen an die Verhaltensweisen der Organisationsmitglieder,
indem sie deren Rechte und Pflichten hinsichtlich der Aufgabenstellung festlegen. Die formale Organisationsstruktur beschränkt so die
Handlungsmöglichkeiten der Organisationsmitglieder, indem sie diesen bestimmte Aufgaben, Stellen und Rollen zuschreibt. Daneben
legt sie aber auch Rechte am Nutzen der betrieblichen Leistungserstellung fest (Lohn, Gehalt, Tantiemen, Sonderzahlungen, Residual-
einkommen).

Neben der formalen Organisationsstruktur
beeinflussen jedoch noch einige andere Faktoren die Art und Weise, in der Individuen in
Organisationen handeln: die persönlichen
Merkmale der Organisationsmitglieder, ihre
Motive, Erwartungen und Fertigkeiten, das
Verhalten der Arbeitskollegen und überbetrieblichen Bezugsgruppen. Überdies sind die
auf gesellschaftlich-kulturelle Werte fixierten
Einflußfaktoren zu nennen, z.B. das System
der industriellen Beziehungen. Daher hat die
formale Organisationsstruktur nicht allein
dem betrieblichen Zielsystem, sondern auch
nichtbetrieblichen Einflüssen Rechnung zu
tragen.

Organisationsstrukturen geben also Regeln
vor, die erst durchgesetzt werden müssen, um
das gewollte Handeln zu bewirken. Daß die
Organisationsmitglieder den Verhaltenserwartungen zumeist entsprechen, kann zum einen daran liegen, daß sie diese als legitim akzeptieren. Sie glauben, daß die jeweilige Organisationsstruktur ihren Interessen oder Wert-
haltungen am besten entspricht. Die Organisationsmitglieder können aber auch die Regeln infolge von Sozialisationsprozessen aufgrund eingelebter Tradition weitgehend inter-

nalisiert haben. Schließlich kann Verhaltenserwartungen auch deshalb Folge geleistet werden, weil einzelne Personen oder Gruppen die Macht besitzen, ihre Vorstellungen gegenüber anderen durchzusetzen (→ Herrschaft, → Autorität). Alle drei Gründe werden für verschiedene Organisationsmitglieder in unterschiedlichem Ausmaß zutreffen. Immer aber wird die Befolgung der organisatorischen Regelungen an verschiedene positive und negative Sanktionen geknüpft sein (z.B. Beschwerden, Karrieresystem, Entlohnung oder Qualität der Zusammenarbeit), die – quasi als organisatorische Metastruktur – die Einhaltung der mit der Organisationsstruktur formal festgelegten Regelungen gewährleisten sollen.

Die Dimensionen, mit deren Hilfe sich verschiedene Grundmuster von Organisationsstrukturen unterscheiden lassen, knüpfen einerseits an der Verteilung, andererseits an der Erstellung der betrieblichen Leistungen an. In bezug auf die Verteilung des Leistungsergebnisses wird zumeist nach der → Rechtsform (z.B. → Kapitalgesellschaft, → Personengesellschaft, → Genossenschaft, Werkvertrag, Subkontraktion) differenziert. Organisatorische Grundmuster, die sich an der betrieblichen Leistungserstellung orientieren, legen entweder unterschiedliche Arten der → Spezialisierung oder solche der → Koordination in Organisationen zugrunde.

Die Spezialisierung auf die Erfüllung bestimmter Aufgaben führt, wenn sie z.B. nach dem Kriterium Verrichtung erfolgt, zur → funktionalen Organisation. Entscheidet man sich für die Art der zu bearbeitenden Objekte, so ergibt sich eine → divisionale Organisation. Es kommt zu verschiedenen Mischformen, wie etwa der → Matrixorganisation, ebenso wie im Hinblick auf das → Leitungssystem zu unterschiedlichen Arten der Spezialisierung (→ Stab/Linien-Organisation, → Projektmanagement, → Matrixorganisation).

Geht man hingegen vom Gliederungskriterium → Koordination aus, lassen sich hierarchische (→ Hierarchie) und teamartig koordinierte (→ Teamkoordination) Organisationsformen unterscheiden, die in unterschiedlichem Ausmaß auf → Verfahrensrichtlinien rekurrieren und verschieden stark formalisiert (→ Formalisierung) bzw. zentralisiert (→ Zentralisierung/Dezentralisierung) sind (→ Bürokratie). Auch hier gibt es vielfältige Mischformen.

Es sind zwei Komplexe von Einflußfaktoren auf die Organisationsstruktur zu unterscheiden:

- Determinanten, die in verschiedener Weise an die Personen geknüpft sind, die in der Organisation tätig sind und deren Verhalten von bestimmten organisationalen Lösungen beeinflußt wird.
- Merkmale der Organisation und ihrer Umwelt, die zusammenfassend als Kontextfaktoren bezeichnet werden.

Es darf dabei nicht übersehen werden, daß von der Organisationsstruktur ihrerseits Rückwirkungen sowohl auf das Verhalten der Organisationsmitglieder als auch auf den Kontext ausgehen, innerhalb dessen die Organisation agiert. Die Ausformung einer Organisationsstruktur ist daher als Prozeß wechselseitiger Beeinflussung zu sehen, dessen Dynamik vom Ausmaß des Wandels in den Bedingungsfaktoren abhängt. In Abhängigkeit von ihrer Beeinflußbarkeit werden organisations- und umweltbezogene Kontextfaktoren unterschieden. Erstere können von der Organisation selbst gestaltet werden. Organisationsstruktur und organisationsbezogene Kontextfaktoren (Beispiele vgl. Abb.) lassen sich also wechselseitig aneinander anpassen. Hingegen sind umweltbezogene Kontextfaktoren (Beispiele vgl. Abb.) von der einzelnen Organisation nicht frei wählbar. An diese Kontextfaktoren hat sie sich daher mit ihrer Organisationsstruktur anzupassen.

Einflußgrößen der Organisationsstruktur

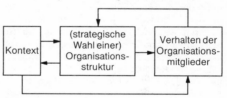

Wichtige Kontextfaktoren

Organisations-bezogene Kontextfaktoren	Umweltbezogene Kontextfaktoren
Leistungsprogramm Fertigungs- und Informationstechnik	Rechtssystem Qualifikationsstruktur der Erwerbsbevölkerung
Rechtsform und Eigentumsverhältnisse Organisationsgröße Betriebliche Arbeitskräftestruktur	Arbeitsmarktlage Technische Entwicklung Gütermarktlage (Konkurrenzverhältnisse, Kundenstruktur)

Die Kontextfaktoren bestimmen die Ausgestaltung der Organisationsstruktur nicht unmittelbar. Eine solche ist immer Ergebnis von Handlungen der Organisationsmitglieder, die sich im Lichte der von ihnen wahrgenommenen Aktionsmöglichkeiten und -begrenzungen für bestimmte Organisationsstrukturen entscheiden. Wenn also auch bei identischen Kontextbedingungen unterschiedliche Organisationsstrukturen realisiert werden, kann dies in der verschiedenartigen Wahrnehmung der Situation durch die Entscheider begründet, vielleicht auch Folge differenzierter strategischer Überlegungen und Managementphilosophien (→ Organisationsprinzipien, → Organisationskultur) oder schlicht Ausdruck der Tatsache sein, daß nicht immer nur eine Organisationsstruktur zu einer bestimmten Kontextsituation paßt.   *M. Eb.*

Literatur: *Kieser, A./Kubicek, H.,* Organisation, 2. Aufl., Berlin, New York 1983. *Staehle, W. H.,* Management, 2. Aufl., München 1985.

Organisationstypen der Fertigung

wichtige Klasse von → Produktionstypen, die sich nach dem Merkmal der räumlichen Anordnung der Arbeitsträger und den zwischen diesen möglichen Transportbeziehungen ergeben. Diese Typenbildung wird vor allem zur Kennzeichnung von Fertigungsstrukturen angewandt. Sie ist aber auch auf andere Bereiche übertragbar. Die möglichen Arbeits- und Transportbeziehungen zwischen den Arbeitsträgern bzw. Arbeitsplätzen ergeben sich aus der Folge von Arbeitsgängen, die zur Herstellung der Endprodukte durchlaufen werden müssen. Grundlegend für einen Organisationstyp ist, nach welchem Prinzip die Arbeitsträger räumlich zusammengefaßt (zentralisiert) werden. Alternativen sind die Zentralisation der Arbeitsträger nach Verrichtungen, die eine Dezentralisation nach Objekten zur Folge hat, und die Zentralisation nach Objekten. Bei der Zentralisation nach Verrichtungen werden Arbeitsträger, welche dieselben oder funktionsgleiche Verrichtungen durchführen, räumlich in Werkstätten konzentriert.

Diese Form der Zentralisation ist charakteristisch für → Werkstattfertigung. Die Aufträge für verschiedene Produktarten durchlaufen die Werkstätten und deren einzelne Arbeitsträger in unterschiedlicher Folge. Entsprechend der nachfolgenden Abbildung gibt es eine große Zahl von Transportbeziehungen zwischen den Werkstätten und ihren Arbeitsträgern. Demgegenüber sind die Arbeitsträger bei → Fließfertigung entsprechend dem Fließprinzip nach der Arbeitsgangfolge der Aufträge angeordnet. Es werden Fertigungslinien gebildet, bei denen die zur Herstellung eines Produktes erforderlichen Arbeitsträger räumlich unmittelbar aufeinanderfolgen. Deshalb besteht gemäß der nachfolgenden Abbildung genau eine Transportbeziehung von einem

Arbeitsträger zum nächsten. Eine Anwendung von Fließfertigung setzt hohe Stückzahlen gleichartiger Produkte voraus, weil nur in diesem Fall eine Ausrichtung an der Arbeitsgangfolge eines Produktes sinnvoll ist. Daher wird sie vor allem bei → Massen-, Sorten- und Großserienfertigung gewählt. Dagegen ist Werkstattfertigung bei → Einzel- und Kleinserienfertigung üblich. Bei Fließfertigung sind die Durchlaufzeiten (→ Fertigungsziele), die Zwischenlagerbestände und die innerbetrieblichen Transportkosten niedrig. Dafür ist eine Umstellung auf die Erzeugung anderer Produkte i.d.R. nicht schnell durchführbar und mit entsprechenden Kosten verbunden. Im Gegensatz hierzu weist die Werkstattfertigung eine hohe Anpassungsfähigkeit auf. Dagegen sind bei ihr die Lagerbestände und die Wartezeiten der Aufträge hoch. In der Realität betragen die Wartezeiten bis zu 90% der Durchlaufzeiten. Ferner benötigt man im allgemeinen höher qualifizierte Mitarbeiter als bei Fließfertigung.

Durch Kombination der beiden Zentralisationsprinzipien entstehen die → Werkstattfließfertigung und die → Fließinselfertigung als Zwischenformen. Werkstattfließfertigung ist bei → Sortenfertigung anwendbar. Entsprechend der nachfolgenden Abbildung sind bei ihr die Werkstätten nach dem Fließprinzip angeordnet. Da an allen Produkten wegen ihrer engen Verwandtschaft nacheinander dieselben Typen von Arbeitsgängen vollzogen werden müssen, bestehen Transportbeziehungen jeweils nur von einer Werkstatt zu der nachfolgenden. Die Zahl der Transportbeziehungen ist also wesentlich geringer als bei Werkstattfertigung. Deshalb lassen sich die Lagerbestände, die Warte- und die Transportzeiten gegenüber Werkstattfertigung verringern.

Im Fall der Fließinselfertigung sind die zu einem Produktionsprozeß gehörenden Arbeitsträger teilweise in Werkstätten zusammengefaßt und teilweise als „Fließinseln" in Fertigungslinien angeordnet. Beispielsweise werden Einzelteile des Produktes in Werkstätten gefertigt, während die darauffolgende Montage auf einer Fertigungslinie erfolgt. Eine spezielle Form der Fließinselfertigung kann in der → Gruppen- oder Inselfertigung gesehen werden. Die Fertigungsinseln stellen hier Arbeitsgruppen dar, die umfangreiche Teilkomplexe aus dem Fertigungsprozeß selbständig ausführen und die Organisation innerhalb ihrer Gruppe weitgehend selbständig festlegen können. Man bezeichnet sie daher auch als → teilautonome oder selbststeuernde Gruppen.

Spezielle Organisationstypen sind die → Werkbank- und die → Baustellenfertigung. Die Werkbankfertigung ist in Handwerksbetrieben, jedoch kaum in arbeitsteiligen industriellen Prozessen anzutreffen. Bei ihr werden alle zur Erzeugung der Produkte notwendigen Arbeitsgänge an einem Arbeitsplatz durchgeführt. Deshalb treten keine Transportbeziehungen zwischen den Arbeitsgängen auf. Baustellenfertigung wird angewandt, wenn das zu bearbeitende Objekt nicht oder nur sehr schwer transportiert werden kann. Sie ist nicht nur bei der Erstellung von Gebäuden, sondern auch im Schiffs-, Lokomotiven- und Flugzeugbau vorzufinden. Bei ihr müssen alle Arbeitsträger und Werkstoffe zum Bearbeitungsobjekt gebracht werden.   *H.-U. K.*

Wichtige Organisationstypen der Fertigung

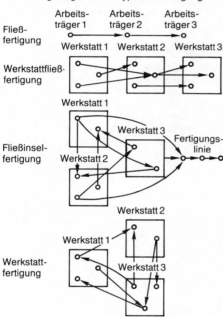

Organisationsverfassung → Unternehmensverfassung

organisatorische Kontextfaktoren → Organisationsstruktur

organische Bilanzauffassung

ist den klassischen → Bilanzauffassungen zuzurechnen, doch weicht sie strukturell sehr stark von der → statischen und der → dynamischen Bilanztheorie ab, die durch die einseitige Orientierung auf einen Bilanzzweck (Vermögens- oder Erfolgsausweis) gekennzeichnet

sind. Die organische Bilanztheorie versucht, dem Zweckdualismus von richtiger Erfolgsermittlung und richtiger Vermögensfeststellung zu folgen. Insbesondere die von *Fritz Schmidt* entwickelte „Organische Tageswertbilanz" macht den Versuch, über eine substanzmäßige Betrachtung dieses doppelte Ziel zu erreichen. Voraussetzung dafür ist die Eliminierung aller Geldwertänderungen in der → Bilanz mit Hilfe einer richtigen Bewertung.

Als richtiger Wert i. S. dieser Theorie gilt der → Wiederbeschaffungswert bzw. dessen Ungewißheitsäquivalent: der Tageswert am Umsatztag. Die Tageswertrechnung hat die Aufgabe, den Umsatzerfolg aus der Geschäftstätigkeit vom aus Preisschwankungen herrührenden Scheinerfolg zu trennen und erfolgsrechnerisch zu neutralisieren. Letzteres geschieht über ein bilanzielles Wertänderungskonto. Damit wird die Bilanz zum Spiegel der Marktpreise am Bilanzstichtag, und zwar der Tagespreise am Beschaffungsmarkt. Im Gegensatz zur realen Kapitalerhaltung finden hier betriebsindividuelle Preisindizes Verwendung, um das Ziel einer relativen, an der gesamtwirtschaftlichen Produktionsentwicklung orientierten Substanzerhaltung zu verwirklichen.

Die organische Bilanztheorie kann als Ausgangspunkt aller Bemühungen angesehen werden, die Rechnungslegung von Kaufkraftschwankungen mit dem Ziel einer güterwirtschaftlichen Vermögenserhaltung freizuhalten. Die heute dem Stichwort der inflationsbereinigten Rechnungslegung zu subsumierenden Konzeptionen der Rechnungslegungstheorie und -praxis stellen Bemühungen i. S. dieser Tageswertorientierung der Bilanzierung dar.   *W. E.*

Organization for Economic Co-operation and Development → Organisation für wirtschaftliche Zusammenarbeit und Entwicklung

Organization for European Economic Co-operation → Organisation für europäische wirtschaftliche Zusammenarbeit

Organization of the Petroleum Exporting Countries → Organisation erdölproduzierender Länder

organizational buying behavior → Kaufentscheidung

Organkredit

Kredit einer Bank an Unternehmen oder Personen, die mit ihr in einer besonders engen persönlichen oder rechtlichen Beziehung stehen. Da bei derartigen Krediten die Gefahr besteht, daß über sie großzügiger als über andere Kredite entschieden wird, sind im Rahmen der staatlichen →Bankenaufsicht besondere Vorschriften dazu erlassen worden. Das der Aufsicht zugrunde liegende →Kreditwesengesetz verbietet Organkredite zwar nicht, verlangt aber bei ihrer Vergabe den einstimmigen Beschluß der Geschäftsleiter der Bank, die ausdrückliche Zustimmung ihres Aufsichtsorgans und eine unverzügliche Mitteilung darüber an das →Bundesaufsichtsamt für das Kreditwesen (§§ 15 und 16 KWG).

M. H.

Organschaft

Rechtlich selbständige Unternehmen werden grundsätzlich unabhängig von ihrer Konzernzugehörigkeit individuell besteuert. Nur die Organschaftsregelungen des KStG (§§ 14–19), GewStG (§ 2) und UStG (§ 2) tragen bestimmten Unternehmensverbindungen Rechnung. Zentrale Voraussetzungen der Organschaft sind neben einem →Gewinnabführungsvertrag (nur bei KSt) eine finanzielle (Beteiligung > 50%), wirtschaftliche und organisatorische (→Beherrschungsvertrag oder faktische Beherrschung) Eingliederung der Organgesellschaft (Tochterkapitalgesellschaft) in den Organträger (Ober- oder Muttergesellschaft). Bei einer Organschaft werden die steuerlichen Ergebnisse auch weiterhin für die einzelnen Unternehmen getrennt ermittelt, anschließend aber dem Organträger zugerechnet und bei ihm der Besteuerung unterworfen. Dies hat zur Folge, daß die Gewinne und Verluste im Rahmen der KSt sowie positive und negative Gewerbeerträge und Gewerbekapitalien bei der GewSt sofort gegeneinander verrechnet werden können. Die umsatzsteuerliche Organschaft behandelt Lieferungs- und Leistungsbeziehungen zwischen den Organgesellschaften als nicht steuerbare Innenumsätze, führt aber im System der Mehrwertsteuer im allgemeinen nur zu verwaltungstechnischen Vorteilen.

W. H. W.

Literatur: *Schmidt, L./Steppert, H.,* Die Organschaft im Körperschaftsteuer-, Gewerbesteuer- und Umsatzsteuerrecht, 3. Aufl., Herne, Berlin 1978.

Orientierungsdaten

im →Stabilitätsgesetz (§ 3) vorgesehene (quantitative) Darstellung der gesamtwirtschaftlichen Zusammenhänge für ein gleichzeitig aufeinander abgestimmtes Verhalten (→Konzertierte Aktion) der Gebietskörperschaften, Gewerkschaften und Unternehmensverbände. Der Gesetzgeber hat den Begriff Orientierungsdaten jenem der →Lohnleitlinien vorgezogen, um nicht den Eindruck der Einschränkung der →Tarifautonomie zu erwecken. In der Praxis gelten die →Zielprojektionen der Jahreswirtschaftsberichte als Orientierungsdaten.

J. St.

Orientierungspreis

schwächere Form der →Preisregulierung. Orientierungspreise sind unverbindlich; sie haben Zielpreischarakter (Indikatorfunktion) und sollen das Preisverhalten der Unternehmen beeinflussen. Oft sind sie Vorstufe einer strafferen Preisreglementierung oder kommen z.T. in Kombination mit →Mindestpreisen zur Anwendung.

Im Rahmen der EG-Marktorganisation gibt es Orientierungspreise für Rindfleisch und Wein; die Relation von Marktpreis und Orientierungspreis gilt als Indikator für staatliche Eingriffe (→Agrarmarktordnung).

Ortsgasversorgungsunternehmen (OGV)

nehmen die Verteilung auf der lokalen Stufe wahr. Sie sind die Eigentümer des Verteilungsnetzes. Eigene Produktionskapazitäten – selbst in Form von Spitzenlastanlagen – sind inzwischen stark rückläufig. Derzeit existieren noch knapp 500 OGV, die sich weitgehend (historisch bedingt) in öffentlicher Hand befinden und nicht selten im Querverbund (mit Strom, Wasser, Verkehr) operieren.

Ortsplanung

früher die Bezeichnung für die Planungstätigkeit in und für die ländlichen Gemeinden, im Gegensatz zur →Stadtplanung. Mit dem Erlaß des →Bundesbaugesetzes (1960, novelliert 1976) wurde Grundlage für die Ortsplanung die →Bauleitplanung, die Pflicht jeder Kommune ist, gleich welcher Größe.

Osthandel

(Ost-West-Handel) →Außenhandel marktwirtschaftlich geordneter Länder mit den an zentralen Volkswirtschaftsplänen ausgerichteten →Staatshandelsländern (→Außenhandelsmonopol). Der Handel zwischen der Bundesrepublik Deutschland und der DDR wird hiervon als innerdeutscher Handel organisatorisch und statistisch abgetrennt.

Der Osthandel der Bundesrepublik umfaßt Waren aller Produktionsstufen. Bei den Exporten dominieren bei steigendem Anteil fertige Verbrauchswaren, Investitionsgüter und Vorleistungsgüter höherer Produktionsstufen, wie Papier, Kunststoffe, Bleche usw. (1980 ca.

Struktur der Importe der Bundesrepublik Deutschland im Osthandel
(mit wichtigen Ländern nach Warengruppen 1975-1980), Importanteile am gesamten Ostimport in %

Warengruppe	UDSSR		Polen		Ungarn		Rumänien	
	1975	1980	1975	1980	1975	1980	1975	1980
Rohstoffe und landwirtschaftliche Produkte	30	17	36	30	31	13	15	28
Halbwaren der gewerblichen Wirtschaft	53	61	23	24	12	29	32	9
Fertigwaren und sonstige	17	22	41	46	57	58	53	63
Anteil am Osthandel insgesamt	40	43	18	17	10	10	11	10

90% aller Ostexporte). Bei den Ostimporten dominieren Halbwaren für die erste Produktionsstufe, Rohstoffe und landwirtschaftliche Erzeugnisse, wobei die Importstruktur von Land zu Land verschieden ist und abweichende Entwicklungstendenzen zeigt.

Der Anteil des Osthandels am gesamten Außenhandel ist vergleichsweise unbedeutend (vgl. Tabelle → Außenhandel) und unterliegt im Zeitablauf starken Schwankungen.

Dies ist eine Folge der zentralen Volkswirtschaftsplanung, die wegen Engpässen der Inlandsversorgung und im Einzelfall relativ geringer Qualität der Endproduktpalette nur begrenzte Exportmengen vorsehen kann. Deren Wert begrenzt i. d. R. auch das geplante Importwertvolumen nach oben. Hieraus ergibt sich z. T. das hohe Interesse an → Kompensationsgeschäften. Aktuelle Versorgungsengpässe bei der Planerfüllung werden, sofern sie unentbehrliche Güter betreffen, durch zusätzliche Westimporte überwunden. Hierbei treten wiederum Finanzierungsprobleme auf, die angesichts chronischen Devisenmangels und nicht konvertibler Landeswährungen Bedarf an temporären Handelskrediten (→ swing) begründen.   *F. P. L.*

Literatur: *Buck, H. F.*, Osthandel und wirtschaftlich-technische Kooperation, in: HdWW, Bd. 6, Tübingen 1980, S. 33 ff.

Ostkolonisation

seit dem 12. Jh. über die slawisch-germanische Grenze ausgreifende Siedlungsbewegung, die auf Christianisierungsbestrebungen, Bevölkerungsdruck im westlichen „Altreich" und von slawischen Herrschern ausgehende Wünsche nach Kultivierungsarbeiten (Rodung) zurückzuführen ist. Über einzelne Stützpunkte (Klöster, Herrensitze) und Städtegründungen kommt eine umfangreiche West-Ost-Siedlungsbewegung in Gang, die erst nach den Bevölkerungsverlusten der großen Pest um 1350 endet. Ebenso spielt dabei das erwachende Nationalbewußtsein inzwischen längst christianisierter slawischer Herrscher eine Rolle.

Ost-West-Handel → Osthandel

OTC market → over-the-counter market

Outplacement

Die im Rahmen der Personalfreisetzung notwendige Trennung eines Unternehmens von Führungskräften wird zunehmend zu einem facettenreichen Problem für beide Seiten. Zur Vermeidung von Nachteilen der traditionellen Kündigung wurde das Instrument des Outplacement entwickelt, ein Maßnahmenkomplex, der dem Unternehmen und der Führungskraft unter Anleitung eines → Personalberaters eine einvernehmliche Trennung ermöglicht. Dem Ausscheidenden soll geholfen werden, finanziell abgesichert eine seiner Eignung und seinen Neigungen entsprechende Tätigkeit in einem anderen Unternehmen zu finden. Das Unternehmen kann so Unruhe in der Belegschaft und in der Öffentlichkeit oder gar arbeitsrechtliche Auseinandersetzungen vermeiden und eine notwendige Trennung unter Wahrung sozialer Verantwortung herbeiführen.

Hierzu unterstützen das Unternehmen und der von diesem beauftragte Personalberater alle Aktivitäten der ausscheidenden Führungskraft im Hinblick auf die Analyse des Arbeitsmarktes, die Erstellung von Bewerbungsunterlagen, das Durchspielen von Bewerbungsgesprächen, die rechtliche Abwicklung und die Einarbeitung in die neue Position. Der Erfolg eines Outplacement hängt im einzelnen und langfristig davon ab, inwieweit der Mitarbeiter ein derartiges Angebot als Chance einer Karriereplanung „ohne Knick" auffaßt und die Unternehmen dieses Instrument nicht als Deckmantel für die Abgabe nicht (mehr) qualifizierter bzw. mißliebiger Führungskräfte mißbrauchen.   *H. H. B.*

Literatur: *Heymann, H.*, Outplacement. Ein neues Instrument betrieblicher Personal- und individueller Karriereplanung, in: WiSt, 13. Jg. (1984), S. 308 ff.

Outputkoeffizient → Input-Output-Tabelle

Outright-Termingeschäft

(Outright-Transaktion) Kauf bzw. Verkauf von Devisen am → Devisenterminmarkt ohne gleichzeitigen Abschluß eines entsprechenden (d.h. in gleichen Währungen lautenden und mit dem gleichen Geschäftspartner abgeschlossenen) Geschäfts am → Devisenkassamarkt. Eine Outright-Operation ist als Kurssicherung für Exporteure und Importeure sinnvoll, die in ausländischer Währung fakturieren, aber auch für Spekulanten, die eine Änderung des Devisenkassakurses erwarten.

outside lag → Wirkungsverzögerungen

outside money → Vermögenseffekte

overheads → Einzel- und Gemeinkosten

overshooting

Begriff der neueren → Wechselkurstheorie; bezeichnet das Phänomen des (kurzfristigen) Überschießens eines → flexiblen Wechselkurses über seinen (längerfristigen) Gleichgewichtswert. Eine wichtige Ursache für overshooting ist darin zu sehen, daß die internationalen Finanzmärkte und die internationalen Kapitalbewegungen auf Datenänderungen rascher reagieren als die internationalen Gütermärkte und der internationale Handel.

Over-the-counter-Geschäft → Tafelgeschäft

over-the-counter-market

(OTC market)

1. in den USA Sammelbezeichnung für den Handel von Effekten außerhalb der Börsensäle und somit ein Markt ungeheurer Größe und Komplexität. Der OTC market umfaßt daher sowohl den amerikanischen Emissionsmarkt oder Primärmarkt als auch große Teile des Zirkulations- oder Sekundärmarktes (→ Börse). Als Sekundärmarkt umfaßt der OTC market den größten → Rentenmarkt der Welt (insb. den Markt für U.S. Regierungsanleihen, den Markt für municipal bonds, das sind Landes- und Kommunalobligationen, sowie für zahlreiche Industrieanleihen) und ferner den außerbörslichen Handel in börsennotierten U.S. Aktien (third market, fourth market). Auch ausländische Aktien werden vielfach hier umgesetzt.

Im engeren Sinne wird unter OTC market oft der Sekundärmarkt nicht börsennotierter U.S. Unternehmensanteile verstanden. Die Aktien von etwa 30 000 Unternehmen werden hier notiert. Dieser Markt umfaßt vor allem die unteren Marktsegmente (→ Börsensegmente) und wird von der berufsständischen National Association of Securities Dealers (NASD) geordnet und kontrolliert. Gehandelt wird überwiegend über → market makers per Fernsprecher und Fernschreiber, teils gestützt auf spezielle Kommunikationssysteme, unter denen → Nasdaq die größte Bedeutung zukommt.

2. In England hat sich das Wort „over the counter market" in den 70er Jahren als Sammelbezeichnung für den Handel von nicht börsennotierten Unternehmenstiteln durch Effektenhandelsfirmen eingebürgert, die nicht Börsenmitglied sind. Obwohl von bescheidenem Umfang, hat sein Aufschwung die Londoner Börse veranlaßt, ihr unteres Segment neu zu strukturieren (→ unlisted securities market). *Ha. Sch.*

Paasche-Index

erstmals von dem Statistiker *Hermann Paasche* (1851–1922) aufgestellte Formeln zur Berechnung von Werten für →Preis- und Mengenindices. Ein Paasche-Preisindex gibt die prozentuale Wertänderung an, die sich ergibt, wenn ein →Warenkorb der Vergleichsperiode zu Preisen der Vergleichsperiode und zu Preisen der Basisperiode bewertet wird. Die Paasche-Preisindexformel P_p lautet daher:

$$P_p = \frac{\sum\limits_{i=1}^{N} p_i^1 x_i^1}{\sum\limits_{i=1}^{N} p_i^0 x_i^1} \cdot 100$$

p_i^0 bzw. p_i^1 stehen für den jeweiligen Preis des Gutes i in der Periode 0 bzw. 1; x_i^1 bezeichnet die Menge des Gutes i und N die Gesamtzahl der Güter, die im Warenkorb der Periode 1 enthalten sind.

Der Berechnung eines Paasche-Preisindex wird somit – im Gegensatz zum →Laspeyres-Preisindex – stets ein aktualisierter Warenkorb zur Ermittlung der durchschnittlichen Preisänderung zugrundegelegt.

Bei der Berechnung von Mengenindexwerten nach der Paasche-Formel werden Warenkörbe der Vergleichs- und der Basisperiode einheitlich zu Preisen der Vergleichsperiode bewertet. Die sich ergebende prozentuale Wertänderung beruht dann nur auf der veränderten mengenmäßigen Zusammensetzung der zu vergleichenden Warenkörbe. Daher ergibt sich die Paasche-Mengenindexformel P_M als:

$$P_M = \frac{\sum\limits_{i=1}^{N} p_i^1 x_i^1}{\sum\limits_{i=1}^{N} p_i^1 x_i^0} \cdot 100$$

F. H.

Literatur: *Bleymüller, J./Gehlert, G./Gülicher, H.,* Statistik für Wirtschaftswissenschaftler, 4. Aufl., München 1985. *Eichhorn, W./Henn, R./Opitz, O./Shephard, R. W.* (Hrsg.), Theory and Applications of Economic Indices, Würzburg 1978. *Haslinger, F.,* Volkswirtschaftliche Gesamtrechnung, 4. Aufl., München, Wien 1986.

PABX-Systeme →CBX-Systeme

Pacht

Vertrag nach §§ 581–584b BGB, bei dem der Verpächter dem Pächter den Gebrauch einer Sache oder Sachgesamtheit (z.B. Ladengeschäft) überläßt oder ihm die Ausübung eines Rechts (z.B. Urheber- oder Patentrecht) gestattet; während der Pachtzeit ist der Pächter zum Genuß der beim Gebrauch erzielbaren Früchte berechtigt und zur Zahlung des vereinbarten Pachtzinses verpflichtet.

Auf die Pacht finden die Vorschriften des Mietrechts (§ 581 II BGB) Anwendung, insb. auch über das →Pfandrecht.

Besonders geregelt sind die Landpacht (§§ 585–597 BGB), die Kleingartenpacht sowie die Jagd- und Fischereipacht.

Pacht- und Überlassungsvertrag

Grundlage einer spezifischen Form eines →Unternehmungszusammenschlusses. Unter den Bezeichnungen Betriebspachtvertrag und Betriebsüberlassungsvertrag in § 292 Abs. 1 Ziff. 3 AktG als „andere Unternehmensverträge" definiert, „durch die eine Aktiengesellschaft oder Kommanditgesellschaft auf Aktien ... den Betrieb ihres Unternehmens einem anderen verpachtet oder sonst überläßt". Der Verpächter (Überlasser) muß eine AG oder KGaA sein; die Rechtsform des Pächters (Übernehmers) ist hingegen unerheblich. Die Hauptversammlung muß dem Vertrag mit mindestens drei Vierteln des bei der Beschlußfassung vertretenen Grundkapitals zustimmen (§ 293 Abs. 1 Satz 2 AktG). Hat der Pächter (Übernehmer) ebenfalls die Rechtsform einer AG oder KGaA, bedarf er der Zustimmung seiner Hauptversammlung nicht, da § 293 Abs. 2 AktG die Zustimmung der Hauptversammlung des anderen Vertragsteils nur im Falle des Abschlusses eines →Beherrschungs- oder Gewinnabführungsvertrages voraussetzt. Sofern das Aktiengesetz nicht besondere, und zwar zwingende Vorschriften für Betriebspacht- oder Betriebsüberlassungsverträge enthält, gelten die Bestimmungen des Bürgerlichen Gesetzbuches (BGB) über die →Pacht (§§ 581–597 BGB) mit entsprechender Anwendung der Vorschriften über die →Miete, soweit sich nicht aus den §§ 582–597 BGB etwas anderes ergibt (§ 581 Abs. 2 BGB).

Gemeinsam ist beiden Vertragsarten, daß der Pächter (Übernehmer) den Vertragsgegenstand auf eigene Rechnung bewirtschaftet. Der Unterschied liegt darin, daß im Falle des

Pachtvertrags der Pächter nach außen im eigenen Namen auftritt, während beim Überlassungsvertrag der Übernehmer den Namen des Überlassers benutzt.

Für den Zuwachs an Leistungspotential bieten sich Pacht- und Überlassungsverträge dann an, wenn ein Eigentumserwerb nicht möglich, der Eigentümer aber zur Verpachtung oder Überlassung bereit ist. Der Abschluß dieser Verträge ist auch dann in Betracht zu ziehen, wenn ein interner Ausbau z.B. aus folgenden Gründen ausgeschlossen ist:

- Die Erstellung bestimmter Anlagen bedarf der Zustimmung oder Genehmigung eines Patent- oder Lizenzgebers, der jedoch die Zustimmung verweigert.
- Es bestehen beschaffungsmäßige Engpässe, so daß benötigte Wirtschaftsgüter innerhalb der zur Verfügung stehenden Zeit nicht beschafft werden können. Dies kann insb. für Grundstücke in geeigneter Lage zutreffen.
- Die relativ hohe Anschaffungsauszahlung kann angesichts einer angespannten Finanzlage nicht erbracht werden, ein Gesichtspunkt, der im übrigen auch für Beteiligungserwerb gegen Barleistung gilt. *K. K.*

Literatur: *Schubert, W./Küting, K.,* Unternehmungszusammenschlüsse, München 1981, S. 197 ff.

Packungstest

→Test, bei dem die Verpackung eines Produktes hinsichtlich bestimmter Funktionen überprüft wird. Konkret geht es dabei um

- Convenience bezüglich Transport, Lagerung und Anwendung des Produktes sowie
- Kommunikation, nämlich Erzeugung von Aufmerksamkeit und Bereitstellung von Informationen über das Produkt.

Packungstests werden durchgeführt, um Hinweise auf die Gestaltung bzw. Verbesserung von Verpackungen zu erlangen sowie die Auswahl zwischen alternativen Verpackungen zu präjudizieren.

Entsprechend der Vielfalt von Funktionen einer Packung existiert eine Vielzahl von Testverfahren. Zur Überprüfung der Informations- und z.T. auch der Convenience-Funktionen müssen Tests mit Konsumenten durchgeführt werden.

Die Überprüfung der für die Verbraucher relevanten Convenience-Funktionen kann z.B. im Rahmen eines →Produkttests oder speziell durch einen Handling-Test erfolgen. Hier werden die Testpersonen beobachtet, wie sie die Packung öffnen, anwenden und verschließen. Im Anschluß daran können Einzel- oder Gruppeninterviews stattfinden.

Zur Überprüfung der Kommunikationsfunktionen, insb. der Aufmerksamkeitswirkung, setzt man im Rahmen von Studio-Tests verschiedenartige apparative Techniken, wie Greifbühne, →Tachistoskop, Blickaufzeichnung, Augenkamera (Pupillometrik), →Hautwiderstands- und →Hautthermikmessung, ein. Durch →Befragung werden die Verständlichkeit der Aussagen einer Packung sowie die erzeugten Emotionen, Nutzen- und Wertvorstellungen gemessen.

Bei im Studio durchgeführten Vergleichstests lassen sich Präferenzunterschiede zwischen alternativen Packungen messen. Im Rahmen der →Testmarktsimulation ist es weiterhin möglich, die Wirkungen entsprechender Maßnahmen auf Präferenzen und →Einstellungen zu einem Produkt sowie auf simuliertes Kaufverhalten festzuhalten. Zur Erfassung der Wirkungen auf reales Kaufverhalten eignet sich insb. der →Store-Test. *B. E.*

Literatur: *Green, P. E./Tull, D. S.,* Methoden und Techniken der Marketingforschung, Stuttgart 1982. *Rehorn, J.,* Markttests, Neuwied 1977. *Wind Y. J.,* Product Policy: Concepts, Methods, and Strategy, Reading, Mass. 1982.

pagatorische Bilanz →dynamische Bilanzauffassung

pagatorische Kosten → Kosten

Paketvermittlung → Datex

Paläoliberalismus → Neoliberalismus

Palettenfließlager → Durchlaufregal

Panel

bestimmter, gleichbleibender, repräsentativer Kreis von Auskunftspersonen, der über einen längeren Zeitraum hinweg fortlaufend oder in gewissen Abständen über den im Prinzip gleichen Gegenstand befragt wird.

Panelerhebung

auf einem →Panel basierende Form der →Datenerhebung. Sie wird i.d.R. als →Teilerhebung und →Primärerhebung auf der Grundlage einer geschichteten →Zufallsauswahl durchgeführt. Als Erhebungsmethode kommen sowohl →Befragung als auch →Beobachtung in Betracht.

Im Laufe der Zeit hat sich eine Vielzahl unterschiedlicher Ausprägungsformen herausgebildet (vgl. Abb.). In Abhängigkeit von der jeweils untersuchten Bezugsgruppe unterscheidet man z.B. →Handelspanel, →Verbraucherpanel, insb. →Haushaltspanel,

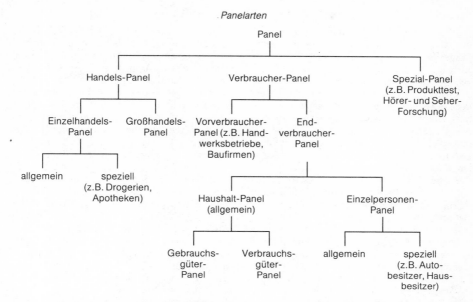

Panelarten

→Expertenpanel und →Verwenderpanel. Daneben existiert noch eine Reihe von Spezialpanels, z.B. →Hörer- und Seherpanel sowie Ärztepanel.

Die weite Verbreitung von Panelerhebungen vor allem im Konsumgüterbereich ist auf folgende Vorteile zurückzuführen, die mit diesen verbunden sind:

- Über Panels kann man auch den Absatz von Konkurrenten erfassen, was u.a. die Ermittlung der Veränderungen von Marktanteilen und Marktvolumina im Zeitablauf ermöglicht.
- Man erhält Informationen über die Veränderungen des Marktes, insb. über Nachfrageänderungen und Trends.
- Paneldaten bilden die Grundlage für kurz- und mittelfristige Markt- und →Absatzprognosen.
- Durch Panelerhebungen können Marktdurchdringung, Wiederkaufverhalten und Markenwechsel verfolgt werden.

Die Durchführung von Panelerhebungen ist indessen auch mit einer Reihe von Problemen verbunden, die ihrer Anwendung Grenzen setzen. So gefährden eine hohe Verweigerungs- oder Ausfallrate (d.h. der Anteil der Teilnehmer, die nicht bzw. nicht weiter an der Panelerhebung teilnehmen wollen oder können) eine ausreichende Stichprobenausschöpfung und die Aufrechterhaltung des Panels im Zeitablauf (Panelsterblichkeit). Auch ist zu vermuten, daß die Teilnehmer unter dem Einfluß der Erhebung ihr Verbrauchsverhalten ändern, was die Repräsentativität der Ergebnisse

in Frage stellt (Panel-Effekt). Durch Fortschritte in der Mikroelektronik wird in der Zukunft mit abgewandelten Formen der Panelerhebung zu rechnen sein (→scanning).

E. K.

Literatur: *Meyer, P. W.,* Methodische Probleme der Panelforschung, in: *Behrens, K. C.* (Hrsg.), Handbuch der Marktforschung, Wiesbaden 1977, S. 433 ff. *Sedlmeyer, K.-J.,* Panelinformation und Marketing, München 1983.

Paradigma

von *Thomas S. Kuhn* in die neuere →Wissenschaftstheorie eingeführter Begriff. *Kuhn* versteht darunter ein umfassendes und festumrissenes Programm, an dessen Verdeutlichung eine Vielzahl von Fachvertretern arbeitet. Ein Beispiel ist die Newtonsche Physik. Die Ausarbeitung eines Paradigmas wird als Normalwissenschaft, der Wechsel von einem Paradigma zu einem anderen als wissenschaftliche Revolution bezeichnet.

Bei einer nicht zu engen Interpretation läßt sich der Paradigmabegriff auch auf die Wirtschaftswissenschaften übertragen. Innerhalb der Volkswirtschaftslehre können die klassische und die neoklassische Nationalökonomie (→Klassik, →Neoklassik) sowie der →Keynesianismus durchaus als Paradigmata gelten. Innerhalb der Betriebswirtschaftslehre paßt dieser Begriff am ehesten auf den von *Erich Gutenberg* konzipierten →faktortheoretischen Ansatz.

G. S.

Literatur: *Kuhn, T. S.,* Die Struktur wissenschaftlicher Revolutionen, Frankfurt a. M. 1967.

Parafisci

(Hilfsfisci, Finanzintermediäre) Institutionen, die zwar aus dem allgemeinen Staatshaushalt ausgegliedert sind, die aber auch öffentliche Aufgaben erfüllen, zu deren Zweck sie zwangsweise Abgaben erheben dürfen.

Unstrittig werden den Parafisci die Träger der → Sozialversicherung (gesetzliche Renten-, Kranken-, Unfall-, Arbeitslosenversicherung) zugerechnet, die sich vorwiegend aus gesetzlich verfügten Zwangsbeiträgen finanzieren und Aufgaben im Rahmen der → sozialen Sicherung wahrnehmen. Dies gilt auch für die gesetzlichen Berufs- und → Wirtschaftskammern (→ Industrie- und Handelskammern, → Handwerkskammern, → Landwirtschaftskammern, → Arbeitnehmerkammern) insoweit, als sie an öffentlichen Aufgaben beteiligt sind (Berufsordnung, -ausbildung und -aufsicht) und ihre Finanzierung durch Zwangsbeiträge erfolgt. Die Kirchen gehören zu den Parafisci, da sie öffentliche Aufgaben im Sozialbereich erfüllen und die → Kirchensteuer vom Staat eingezogen wird. Allerdings weist die Kirchensteuer aufgrund der Möglichkeit des Austritts keinen reinen Zwangscharakter auf; überdies kann die Erfüllung religiöser Aufgaben als private Angelegenheit angesehen werden.

Weiterhin werden zu den Parafisci → öffentliche Unternehmen gezählt, die insoweit staatliche Funktionen erfüllen, als ihre Gebühren bzw. Preise politisch festgelegt werden, sowie die → Gewerkschaften und → Arbeitgeberverbände, die gesamtgesellschaftlich wichtige Funktionen wahrnehmen.

Die Entstehungsgeschichte der Parafisci ist unterschiedlich. Teilweise wurden privaten Institutionen im Laufe der Zeit bestimmte öffentliche Aufgaben übertragen (Handels-, Handwerkskammern usw.) bzw. bestimmte Aufgaben als öffentlich angesehen (Kirchen). Bei den Sozialversicherungsträgern ist ein separates Finanzierungsverfahren außerhalb des allgemeinen Staatshaushalts Grund für die Ausgliederung.

Die unklare Abgrenzung der Parafisci von der allgemeinen → Staatstätigkeit erschwert eine einheitliche Messung (→ Staatsquote) und Beurteilung der staatlichen Aktivität (auch im internationalen Bereich). Das Nebeneinander staatlicher bzw. quasi-staatlicher Institutionen bringt zudem erhebliche Koordinierungsprobleme im Rahmen der Finanzpolitik mit sich.   *G. O.*

Literatur: *Smekal, Ch.,* Finanzen intermediärer Gewalten (Parafisci), in: HdWW, Bd. 3, Stuttgart u. a. 1981, S. 1 ff.

Parallelfertigung

prozeßbezogener → Produktionstyp, der im Hinblick auf die zeitliche Zuordnung mehrerer, jeweils auf einen Produktionsauftrag bezogener Fertigungsprozesse gebildet wird. Zeitliche Parallelfertigung liegt dann vor, wenn sich die Bearbeitungsoperationen zweier (oder mehrerer) Aufträge zeitlich vollständig oder teilweise überschneiden, ohne daß zwischen den Bearbeitungsoperationen (Arbeitsgängen) beider Aufträge Reihenfolgebeziehungen bestehen. Ist zur Durchführung eines Arbeitsgangs des Auftrags Y die Beendigung mindestens einer (aber nicht aller) Bearbeitungsoperation des Auftrags X Voraussetzung, spricht man von sukzessiv-paralleler Fertigung. Vollständig sukzessive Fertigung (Alternativproduktion, Wechselproduktion) liegt vor, wenn mit der Bearbeitung eines Auftrags erst nach Abschluß eines anderen Auftrags begonnen wird. In diesem Fall können beide Aufträge mit demselben Betriebsmittel bearbeitet werden. In einem Betrieb können alle genannten Typen der zeitlichen Zuordnung von Aufträgen, jeweils bezogen auf ver-

Parallelfertigung

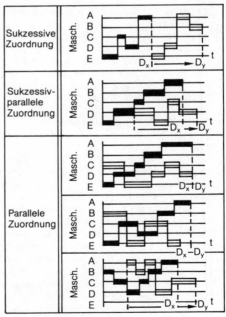

■ Bearb.zeiten für Prod. x mit Durchlaufzeit D_x
□ Bearb.zeiten für Prod. y mit Durchlaufzeit D_y

Quelle: *Große-Oetringhaus, W.,* Fertigungstypologie unter dem Gesichtspunkt der Fertigungsablaufplanung, Berlin 1974, S. 307.

schiedene Auftrags-Paare, gleichzeitig vorkommen (vgl. Abb.). Parallelfertigung ist eine in zahlreichen EDV-gestützten Systemen zur Produktionsplanung und -steuerung (PPS-Systeme) vorgesehene Methode der → Durchlaufzeitenminimierung. *H. T.*

Literatur: *Große-Oetringhaus, W.*, Fertigungstypologie unter dem Gesichtspunkt der Fertigungsablaufplanung, Berlin 1974.

Parallelgeschäft

Form des → Kompensationsgeschäftes, bei dem gleichzeitig formal getrennte Waren-Devisengeschäfte abgeschlossen werden. Da bei keinem Partner ein Nettozufluß an Nominalgütern erfolgt, kommt das Ergebnis einem Realgütertausch gleich. Der Vorteil gegenüber dem → Barter liegt jedoch darin, daß das Parallelgeschäft von außen nicht als Kompensationsgeschäft erkennbar ist und als Waren-Devisengeschäft durch eine Exportkreditversicherung abgesichert werden kann. *K. La.*

Parallelmarkt

1. Nebenmarkt für ein vertretbares Gut, insb. für bestimmte → Devisen oder → Effekten. Es besteht also ein meist börslicher Hauptmarkt, neben den außerbörslich oder an einer Konkurrenzbörse ein Nebenmarkt tritt. Es handelt sich um einen Fall der horizontalen Börsen- oder Marktsegmentierung. Gebräuchlich ist der Ausdruck „Parallelmarkt" besonders für einen inoffiziellen Devisenmarkt, der im Gegensatz zum schwarzen Markt von den offiziellen Stellen zumindest geduldet wird.
2. die beiden unteren vertikalen Marktsegmente (→ Börsensegmente) der Amsterdamer Effektenbörse (offizieller und inoffizieller Parallelmarkt). Sie wurden 1982 eingerichtet und, wenn auch auf weniger anspruchsvollem Niveau, „parallel" zu den oberen Börsensegmenten strukturiert und reglementiert. Seither wird der Ausdruck auch in Deutschland für untere, speziell auf kleine und mittlere Unternehmen zugeschnittene Börsensegmente verwendet. *Ha. Sch.*

Parallelpolitik → Fiskalpolitik

Parallelproduktion → Parallelfertigung

Parallelverhalten → abgestimmtes Verhalten

Parallelwährung → Währung

Parameter

1. kommen in → funktionalen Beziehungen vor und geben die konkrete Richtung und Stärke der Beziehung zwischen zwei Variablen bei gegebener Funktionsform an. Als Beispiel mag die Konsumquote c in der Konsumfunktion $C = cY$ dienen. Obwohl im Ableitungszusammenhang jeweils als konstant unterstellt, können die Parameter variiert werden, um festzustellen, wie sich dies auf die Lösung des verwendeten → Modells auswirkt. 2. charakteristische Konstante zur Kennzeichnung einer → theoretischen oder → empirischen Verteilung bzw. eines mathematisch-statistischen Modells.

Parameterschätzung → Extrapolationsmethoden, → Strukturgleichungsmethoden

Parametertest

dient zur Überprüfung von Hypothesen über unbekannte → Parameter von Grundgesamtheiten mit Hilfe einer oder mehrerer Zufallsstichproben (→ Stichprobenverfahren, → statistische Testverfahren). Parametertests lassen sich nach verschiedenen Kriterien unterteilen:

● Nach Art des zu testenden Parameters unterscheidet man z. B. Tests für Anteilswerte, Mittelwerttests und Varianztests.
● Nach Anzahl der Stichproben unterscheidet man Einstichprobentests, Zweistichprobentests (z. B. Test auf Differenz zweier → Mittelwerte) und Mehrstichprobentests (z. B. → Varianzanalyse).
● Nach Art der Fragestellung unterscheidet man einseitige Tests (das folgende Beispiel) und zweiseitige Tests.
● Nach Art der zu prüfenden Hypothese unterscheidet man Tests für Punkthypothesen und Tests für Bereichshypothesen.

Es empfiehlt sich, einen Test nach folgendem Standardschema zu entwickeln:
(1) Aufstellung von Nullhypothese H_O und Alternativhypothese H_A sowie Festlegung des Signifikanzniveaus α.
(2) Festlegung einer geeigneten Prüfgröße und Bestimmung der Testverteilung bei Gültigkeit der Nullhypothese.
(3) Bestimmung des kritischen Bereichs.
(4) Berechnung des Wertes der Prüfgröße (empirischer Wert).
(5) Entscheidung und Interpretation.
Beispiel:
(1) Der Fabrikant eines Massenartikels behauptet gegenüber einem Abnehmer, der Ausschußanteil θ in einer von ihm angebotenen größeren Lieferung betrage höchstens 10%. Diese Behauptung kann als sog. Nullhypothese angesehen werden; als Alternativhypothese (Gegenhypothese) bietet sich z. B. die Behauptung an, daß der Ausschußanteil größer als

10% ist (einseitige Fragestellung). Es sind also:
H_O: $\theta \leq 0{,}10$ und
H_A: $\theta > 0{,}10$.
Diese Hypothesen sollen nun mit einer Zufallsstichprobe im Umfang n = 100 überprüft werden. Das Signifikanzniveau α (Irrtumswahrscheinlichkeit) ist die Wahrscheinlichkeit dafür, daß die Nullhypothese H_O verworfen wird, obwohl sie zutrifft; es soll hier $\alpha = 0{,}05$ betragen. Da die Entscheidung aufgrund einer Zufallsstichprobe getroffen wird, kann nie mit einer → Wahrscheinlichkeit von 1, d.h. nie mit absoluter Sicherheit gesagt werden, ob die Entscheidung richtig oder falsch ist.
(2) In unserem Beispiel bietet sich als Prüfgröße der Ausschußanteil P der Stichprobe an. Bei Gültigkeit der Nullhypothese kann als Testverteilung die Normalverteilung mit dem Erwartungswert
$E(P) = \theta = 0{,}1$ und
der Standardabweichung

$$\sigma_p = \sqrt{\frac{\theta(1-\theta)}{n}} = \sqrt{\frac{0{,}1 \cdot 0{,}9}{100}} = 0{,}03$$

verwendet werden (→ Approximationen).
(3) Wie aus der Abbildung hervorgeht, ergibt sich aufgrund des Signifikanzniveaus $\alpha = 0{,}05$ für unser Beispiel der kritische Wert $p_c = 0{,}1494$; p_c ist so gewählt, daß die Überschreitungswahrscheinlichkeit bei Gültigkeit der Nullhypothese genau $\alpha = 0{,}05$ beträgt. Würde sich also in der Zufallsstichprobe ein Fehleranteil größer als 0,1494 ergeben, würde die Nullhypothese abgelehnt.
(4) In unserem Beispiel sollen von n = 100

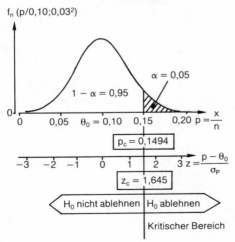

Stichproben- und Testverteilung sowie kritischer Bereich

zufällig ausgewählten Stücken des Massenartikels x = 13 fehlerhaft sein; es ist also

$$p = \frac{x}{n} = \frac{13}{100} = 0{,}13.$$

(5) Bei dem in unserem Beispiel gefundenen Fehleranteil kann die Nullhypothese nicht abgelehnt werden, d.h. das Stichprobenergebnis steht zu der Behauptung des Fabrikanten nicht im Widerspruch, oder anders ausgedrückt: Die beobachtete Abweichung zwischen p = 0,13 und $\theta = 0{,}10$ kann noch dem Zufall zugeschrieben werden.   *J. Bl./G. G.*

Literatur: *Bleymüller, J./Gehlert, G./Gülicher, H.*, Statistik für Wirtschaftswissenschaftler, 4. Aufl., München 1985. *Lehmann, E. L.*, Testing Statistical Hypotheses, New York 1959.

„Parent company" point of view → Interessentheorie

Pareto-Optimum

Feststellung, unter welchen Bedingungen das → Wohlfahrtsoptimum realisiert ist, sofern man von den der Paretianischen Wohlfahrtsökonomik zugrunde liegenden Prämissen ausgeht. Das Pareto-Optimum setzt insb. die Erfüllung folgender drei Bedingungen voraus
(1) Die individuellen Austauschverhältnisse (Grenzraten der Gütersubstitution) für die einzelnen Güter müssen bei allen Haushalten übereinstimmen. Die individuellen Austauschverhältnisse geben hierbei an, um wieviele Einheiten das eine Gut vermehrt konsumiert werden muß, um den Nutzenentgang gerade auszugleichen, der durch verminderten Konsum bei einer anderen Güterart entstanden ist. Solange diese individuellen Austauschverhältnisse bei den einzelnen Haushalten nicht übereinstimmen, kann durch Tausch die Wohlfahrt zumindest eines Teils der Bevölkerung vergrößert werden, ohne daß der Nutzen anderer Individuen vermindert wird.
(2) Die Faktoraustauschverhältnisse (Grenzraten der Faktorsubstitution) müssen in allen Unternehmungen gleich sein. Die Faktoraustauschverhältnisse geben hierbei an, wieviele Einheiten eines Faktors (z.B. des Faktors Kapital) mehr eingesetzt werden müssen, um den Produktionsrückgang wettzumachen, der durch Abzug einer Einheit eines anderen Faktors (z.B. einer Arbeitseinheit) entstanden ist. Solange diese Faktoraustauschverhältnisse in den einzelnen Unternehmungen unterschiedlich sind, kann durch Faktorwanderung und Änderung der angewandten Technik die Gesamtproduktion und damit die Gesamtwohlfahrt bei gleichbleibendem Gesamtfaktoreinsatz vergrößert werden.

(3) Die objektiven Güteraustauschverhältnisse (→ Grenzraten der Transformation) müssen den kollektiven Austauschverhältnissen (kollektiven Grenzraten der Gütersubstitution) entsprechen. Die objektiven Güteraustauschverhältnisse unterrichten hierbei darüber, wieviel Einheiten des einen Gutes vermehrt produziert werden können, wenn von einer anderen Güterart eine Einheit weniger produziert wird. Es wird hierbei stillschweigend unterstellt, daß das Angebot an Produktionsfaktoren insgesamt von dieser Veränderung in der Produktion unberührt bleibt, daß alle angebotenen Faktoren beschäftigt werden und daß sich auch die Gesamtheit des technischen Wissens nicht verändert. Das kollektive Güteraustauschverhältnis hingegen informiert darüber, wieviele Einheiten des einen Gutes vermehrt zur Verfügung stehen müssen, um den Verlust an Gesamtwohlfahrt gerade auszugleichen, der durch ein vermindertes Angebot eines anderen Gutes hervorgerufen wurde.

Es ist in der Literatur äußerst umstritten, ob die kollektiven Austauschverhältnisse überhaupt festgestellt werden können. *Paul A. Samuelson* hat nachgewiesen, daß nur unter folgenden drei extremen Bedingungen überhaupt die kollektiven Austauschverhältnisse ermittelt werden können:

(1) Ein (wohlmeinender) Diktator legt die kollektiven Präferenzen fest; eine solche Lösung würde jedoch dem Selbstbestimmungskriterium, einer der Grundprämissen der Paretianischen Wohlfahrtsökonomik, widersprechen.

(2) Veränderungen in der Zusammensetzung des Sozialproduktes haben keinen Einfluß auf die Einkommensverteilung. Auch diese Annahme ist in einer Marktwirtschaft unrealistisch, da Produktionsänderungen durch Veränderungen in den Preisen ausgelöst werden, mit Preisänderungen jedoch nahezu immer auch Veränderungen in der Einkommensverteilung verbunden sind. Diese zweite Annahme könnte höchstens auf politischem Wege dadurch erreicht werden, daß die bei Produktionsänderungen ausgelösten Veränderungen in der Einkommensverteilung durch produktionsneutrale Subventionen und Steuern wiederum kompensiert werden.

(3) Alle Individuen haben die gleiche Bedürfnisstruktur und der Grenznutzen im Hinblick auf das Einkommen ist konstant; dies würde bedeuten, daß Veränderungen in der Einkommensverteilung keinen Einfluß darauf ausüben, welche Güterzusammensetzung nachgefragt wird. Auch diese Annahme dürfte nicht der Wirklichkeit entsprechen.   *B. K.*

Literatur: *Külp, B.*, Wohlfahrtsökonomik I: Grundlagen, in: HdWW, Bd. 9, Stuttgart u. a. 1982. *Mishan, E. J.*, Ein Überblick über die Wohlfahrtsökonomik 1939–1959, in: *Gäfgen, G.* (Hrsg.), Grundlagen der Wirtschaftspolitik, 4. Aufl., Köln 1972. *Schumann, J.*, Grundzüge der Mikroökonomischen Theorie, 4. Aufl., Berlin u. a. 1984.

Pareto-Verteilung

Gesetzmäßigkeit der personellen → Einkommensverteilung, die *Vilfredo Pareto* aus der Auswertung von Einkommensteuerstatistiken herleitete.

Pareto setzte die jeweilige Einkommenshöhe in Beziehung zu der Anzahl der Personen, die ein Einkommen beziehen, das höher als die jeweils angesetzte Einkommensgrenze ist. In einer graphischen Darstellung mit logarithmischem Maßstab ordneten sich diese empirischen Beobachtungen stets zu einer absteigenden Geraden an, und die Steigungen der Geraden schwankten in nur geringem Maße um einen bestimmten Wert. Aufgrund dieser Regelmäßigkeit in dem empirischen Material glaubte *Pareto*, auf eine allgemeine Verteilungsgesetzmäßigkeit schließen zu dürfen. Er brachte sie mit den unterschiedlichen Fähigkeiten der Menschen, Einkommen von bestimmter Höhe erzielen zu können, in Verbindung. Insofern war *Paretos* Sichtweise ein Vorläufer der → Humankapitaltheorie.

Pareto-Zeitprinzip → Prioritäten

Parfitt-Collins-Modell

nach *J. H. Parfitt* und *B. J. K. Collins* benanntes Modell zur Prognose des langfristigen Marktanteils (Gleichgewichtsmarktanteil) eines neuen Produktes auf der Basis von Haushaltspaneldaten. Der Gleichgewichtsmarktanteil ist dabei definiert als derjenige Marktanteil, der sich nach Stabilisierung des Diffusionsprozesses eines neuen Produktes und damit bei Abflachung seiner Penetrationskurve einstellt. Da in diesem Zustand das aus weiteren Erstkäufen resultierende Absatzvolumen vernachlässigt werden kann, läßt sich der Gleichgewichtsmarktanteil M sehr einfach durch das Produkt der Grenzwerte von drei Komponenten, nämlich der Penetration (Erstkäuferrate) P_t, der → Wiederkaufrate (Bedarfsdeckungsrate) W_s und der relativen Kaufintensität Q_t, berechnen:

$$M = P_t \cdot W_s \cdot Q_t.$$

P_t: Anteil der Käufer in der Produktklasse, die das neue Produkt im Zeitraum (O, t) ab Einführung wenigstens einmal gekauft haben.

W_s: Anteil der Kaufmenge des neuen Produktes an der Kaufmenge aller Marken in der Produktklasse, die von den Erstkäufern des neuen Produktes in Periode s nach ihrem Erstkauf getätigt wird.

Q_t: Verhältnis der durchschnittlichen Kaufmenge von Käufern des neuen Produktes zur durchschnittlichen Kaufmenge aller Käufer der Produktklasse (jeweils bezüglich aller Marken der Produktklasse) in Zeitraum (0, t).

Zur Berechnung der Grenzwerte der Komponenten aufgrund vorliegender Zeitreihendaten können unterschiedliche Verfahren angewendet werden. Von *Parfitt* und *Collins* wird die relative Kaufintensität als zeitkonstant angenommen. Den Grenzwert der Penetration ermitteln sie durch Anwendung des exponentiellen Wachstumsmodells und den Grenzwert der Wiederkaufrate durch graphische Extrapolation. Der Einfluß von Marketingentscheidungen oder Maßnahmen von Konkurrenten auf Größe und Verlauf dieser Werte wird nicht berücksichtigt.

Das Parfitt-Collins-Modell hat in der Praxis breite Anwendung gefunden. Es kann prinzipiell sowohl bei der nationalen Einführung eines neuen Produktes als auch bei der Durchführung eines → Markttests herangezogen werden. Die zweite Möglichkeit entfällt jedoch meistens infolge zu geringer Fallzahlen im → Haushaltspanel. Entgegen seinem ursprünglichen Zweck wird das Modell heute primär bei bereits eingeführten Produkten zu diagnostischen Zwecken eingesetzt. Anstelle der Penetration wird dabei die Käuferkumulation ab einem bestimmten Zeitpunkt (z. B. Jahresbeginn) ermittelt. Vor allem die Wiederkaufrate bildet eine wichtige Kennzahl.

Vergleichbare Modelle wurden insb. von *L. A. Fourt* und *J. W. Woodlock* (1960), *W. F. Massy* (1969) sowie *G. J. Eskin* (1973) entwickelt. Im Gegensatz zu dem Modell von *Parfitt/Collins* wird bei diesen der Verlauf der Wiederkaufrate in Abhängigkeit von der Zahl der Käufe nach dem Erstkauf (depth of repeat) betrachtet. Diese Modelle, insb. das STEAM-Modell von *Massy*, sind z. T. sehr viel umfangreicher als jenes von *Parfitt/Collins*. Eine größere Verbreitung haben diese Modelle, mit Ausnahme des → Eskin-Modells, in der Praxis allerdings nicht gefunden.

B. E.

Literatur: *Eskin, G. J.*, Dynamic Forecasts of New Product Demand Using a Depth of Repeat Model, in: Journal of Marketing Research, Vol. 10 (1973), S. 115 ff. *Parfitt, J. H./Collins, B. J. K.*, Use of Consumer Panels for Brand Share Prediction, in: Journal of Marketing Research, Vol. 5 (1968), S. 131 ff.

Parikurs

Kurs einer → Anleihe bzw. einer → Aktie, der ihrem Nominalwert bzw. → Nennwert entspricht.

Pariser Verbandsübereinkunft → Patentrecht

Parität

Bezeichnung für das offizielle, von staatlichen Instanzen fixierte Austauschverhältnis der jeweiligen nationalen Währungen bezogen auf einen durch internationale Vereinbarungen festgelegten gemeinsamen Nenner. So hatten die Mitgliedsländer des → Internationalen Währungsfonds (IWF) vor 1973 die Pflicht, die Parität ihrer Währungen entweder in Gold oder in US-Dollar festzulegen. Da der US-Dollar ebenfalls eine feste → Goldparität hatte, waren alle beteiligten Länder durch fixierte, feste Paritäten miteinander verbunden, um die die tatsächlichen Wechselkurse an den Devisenmärkten nur im Rahmen einer engen → Bandbreite schwanken durften. Statt Parität spricht man heute zumeist von → Leitkurs, wenn es sich um eine offizielle, fixierte Wechselkursrelation handelt. *M. F.*

Paritätengitter

Begriff aus dem → Europäischen Währungssystem (EWS); er bezeichnet die in Form einer Matrix (Gitter) aufgezeichneten bilateralen → Leitkurse der an den Wechselkursregelungen des EWS beteiligten Währungen. Das auf S. 289 aufgeführte Paritätengitter gibt den zum 21. 3. 1983 (15.00 Uhr) gültigen Stand der bilateralen Leitkurse wieder. Die Zeilen geben die Leitkurse (→ Wechselkurse) der einzelnen Währungen in Preisnotierung in jeder anderen Währung an, während die Spalten den Leitkurs der jeweiligen Währung in Mengennotierung gegenüber den anderen Währungen für jede einzelne Währung wiedergeben. *M. F.*

paritätische Mitbestimmung

Forderung der Arbeitnehmer bzw. der → Gewerkschaften nach gleichberechtigter → Mitbestimmung in Unternehmen und Betrieb; realisiert in der Mitbestimmung nach dem → Montanmitbestimmungsgesetz 1951.

Parkinson-Gesetz

vom englischen Historiker und Soziologen *C. Northcote Parkinson* satirisch formulierte Erfahrung, daß der bürokratische Aufwand mit einer mathematisch errechenbaren Zuwachsrate wächst, unabhängig davon, ob die

Paritätengitter

Land Währung \ Währungseinheiten (WE)	100 bfrs = ... WE	100 dkr = ... WE	100 DM = ... WE	100 FF = ... WE	1 Ir£ = ... WE	1 000 Lit = ... WE	100 hfl = ... WE
Belgien bfr	–	551,536	2 002,85	653,144	61,8732	29,4831	1 777,58
Dänemark dkr	18,1312	–	363,141	118,423	11,2184	5,34563	322,297
Deutschland, Bundesrepublik DM	4,99288	27,5375	–	32,6107	3,08925	1,47205	88,7526
Frankreich FF	15,3106	84,4432	306,648	–	9,47313	4,51402	272,158
Irland Ir£	1,61621	8,91396	32,3703	10,5567	–	0,476508	28,7295
Italien Lit	3391,77	18 706,9	67 932,5	22 153,2	2 098,60	–	60 291,5
Niederlande hfl	5,62561	31,0273	112,673	36,7434	3,48075	1,65861	–

Aufgabe oder die Arbeit zunimmt, abnimmt oder völlig verschwindet.

Parteienkonkurrenz → Wählerstimmenmarkt

Partenreederei

dem Seerecht eigentümliche Gesellschaftsform, bei der das Eigentumsrecht an dem Schiffsbestand in Parten (d.h. festen Anteilen) auf die Mit- oder Partenreeder verteilt ist. Im Partenbrief wird die Höhe der Kapitalbeteiligung festgehalten, nach der Kosten- und Erlösanteile des Partenreeders ermittelt werden.

Partialanalyse → Totalanalyse

partiarisches Darlehen

(Beteiligungsdarlehen) Überlassung eines bestimmten Kapitals für die zeitweilige Nutzung (Darlehen i.S. der §§ 607ff. BGB), wobei der Darlehensnehmer nicht nur zur Zahlung eines fixen, vorher festgelegten Zinses verpflichtet ist, sondern dem Darlehensgeber auch einen näher bestimmten Gewinnanteil gewährt. Die Zinsvereinbarung setzt sich somit aus einer festen und einer gewinnabhängigen Komponente zusammen, so daß dem Darlehensgeber i.d.R. eine Mindestverzinsung im Falle von Verlusten verbleibt.

Unter rechtlichem Blickwinkel stellt das partiarische Darlehen → Fremdkapital dar. Gleichwohl nähert es sich wirtschaftlich durch seine gewinnabhängige Komponente dem → Eigenkapital (→ Beteiligung). Besonders die Abgrenzung zur Stillen Gesellschaft bereitet Probleme, da hierfür kein eindeutiges Unterscheidungsmerkmal existiert (→ Personengesellschaft).

Im Gegensatz zu anderen Gesellschaftsformen weist das partiarische Darlehen folgende Besonderheiten auf:

- Der Kreditgeber hat keinen Einfluß auf die Geschäftsführung.
- Er trägt kein unternehmerisches Risiko.
- Er nimmt am Gewinn, nicht aber am Verlust des Kreditnehmers teil.
- Er darf seine Rückzahlungs- und Zinsforderungen an Dritte abtreten.

Partie

begrenzte, qualitativ homogene Werkstoffmenge, die natur- oder produktionsbedingt in derselben Qualität nicht wiederbeschafft werden kann.

Partiefertigung

einsatzbezogener → Produktionstyp mit der Eigenschaft, daß die Herstellung einer bestimmten Produktqualität nur dann wiederholbar ist, wenn der für die Produktion verwendete Werkstoff aus derselben → Partie stammt. Partiefertigung ist damit eine werkstoffbedingt nur begrenzt wiederholbare Fertigung. Beispiele hierfür sind Felle mit bestimmter Zeichnung und Glas. Partiefertigung hat mit der → Chargenfertigung das Merkmal der mengenmäßig begrenzten Homogenität der Endprodukte gemeinsam. Im Unterschied zur Chargenfertigung liegt die Ursache hierfür aber nicht in der mangelnden Beherrschbarkeit des Produktionsverfahrens, sondern in der mengenmäßig begrenzten Homogenität der Einsatzgüter.   *H. T.*

Literatur: *Große-Oetringhaus, W.*, Fertigungstypologie unter dem Gesichtspunkt der Fertigungsablaufplanung, Berlin 1974. *Küpper, H.-U.*, Produktionstypen, in: *Kern, W.* (Hrsg.), HWProd, Stuttgart 1979, Sp. 1635 ff.

partielle Korrelationsanalyse → Korrelationsanalyse

Entwicklung des Frachtraumes der Partikulierschiffe

Jahr[1]	Partikulierschiffe				Binnenflotte insgesamt[2]			
	Anzahl	in %	Tragf. 1000 t	in %	Anzahl	in %	Tragf. 1000 t	in %
1955	3 182	50,3	1 537	40,5	6 324	100	3 794	100
1968	4 075	56,8	2 142	45,5	7 172	100	4 709	100
1975	2 365	46,0	1 575	35,9	5 142	100	4 390	100
1985	1 428	44,3	1 161	35,2	3 222	100	3 295	100

[1] Jeweils zum 1. Januar des betreffenden Jahres.
[2] Bis 1960 einschl. der behördeneigenen Binnenschiffe.

Quelle: *Bundesverband der deutschen Binnenschiffahrt e.V.* u.a. (Hrsg.), Binnenschiffahrt in Zahlen, versch. Jahrgänge.

Partikulier

selbständiger Schiffseigner in der →Binnenschiffahrt, der i.d.R. zugleich Kapitän oder Schiffsführer seines Schiffes ist. Heute werden auch mittelständische Unternehmen mit ein bis drei Schiffen als Partikuliere bezeichnet (vgl. Tab.). Das Angebotsverhalten der Partikuliere ist nicht allein ökonomisch bedingt, da ihr Schiff Wohnung, reviergebundener Arbeitsplatz und meist einzige Einkommenserwerbsquelle ist. Mangels eigener Landorganisationen werden die Partikuliere häufig in die Rolle des Reservekapazitätshalters gedrängt. Auf rezessionsbedingten Nachfragerückgang reagieren die um Einkommenssicherung bemühten Partikuliere mit einer Ausdehnung ihres Angebotes (inverses Angebotsverhalten).

P. T.

Partizipation

→Gelegenheitsgesellschaft in der Form der →Gesellschaft des bürgerlichen Rechts (§§ 705 ff. BGB), die nach außen nicht in Erscheinung tritt; es liegt also eine sog. Innengesellschaft vor. Nach außen tritt in diesem →Unternehmungszusammenschluß jeder Beteiligte im eigenen Namen auf. Die einzelnen Beteiligten sind sowohl Risikoträger als auch Kapitalgeber.

Die Partizipation verfügt weder über eine besondere Organisation noch ein eigenes Gesellschaftsvermögen. Besitz oder Eigentum an den von den Partizipienten gekauften Gütern liegen bei den einzelnen Gesellschaftern. Der Zusammenschluß findet seinen Niederschlag in einer gemeinschaftlichen Rechnung über die abzuwickelnden Einzelgeschäfte. Der häufigste Fall ist das sog. →Metageschäft.

Die Verteilung der Ergebnisse aus der wie auch immer gearteten Tätigkeit der Partizipienten muß geregelt werden, wobei jedes denkbare Verhältnis zulässig ist.

Die Aufteilung der im Rahmen der Partizipation zu erfüllenden Aufgaben ist in das freie Ermessen der Beteiligten gestellt. So können einzelne Partizipienten z.B. als Käufer und/oder Verkäufer auftreten; die Aufgabe kann sich aber auch allein auf die Bereitstellung finanzieller Mittel erstrecken.

Bis zum Ersten Weltkrieg hatte die Partizipation im Warenhandel erhebliche Bedeutung; auch spielte diese Zusammenschlußform in der Devisen- und Effektenarbitrage eine große Rolle. Aufgrund moderner Informationsmittel, die die Kommunikation zwischen den Börsenplätzen verbesserte, wurden die Kurse erheblich nivelliert, und die Arbitrage ging sehr stark zurück. Damit verlor gleichzeitig auch diese Zusammenschlußform an Bedeutung.

K. K.

Literatur: *Schubert, W./Küting, K.,* Unternehmungszusammenschlüsse, München 1981, S. 104.

Partizipationsmodell → Linking-pin-Modell

Partnerschaftsbetrieb

weist materielle und immaterielle Bestandteile der →Partnerschaftsidee mit unterschiedlichen Schwerpunktsetzungen auf. Nur sehr wenige Unternehmen legen das Hauptgewicht der Reformen auf Änderungen der Entscheidungsstruktur. Die überwiegende Anzahl der der Partnerschaftsidee nahestehenden Unternehmen ist von der materiellen Komponente geprägt (→Erfolgsbeteiligung, →Kapitalbeteiligung). Die Variationsbreite partnerschaftlicher Vertragsgestaltungen zeigen folgende Beispiele auf:

(1) Für die Arbeitnehmer in der *Bertelsmann-Gruppe,* Gütersloh, ist eine Beteiligung durch den Erwerb von fremdkapitalähnlichen →Genußscheinen möglich, die lediglich einen Anspruch auf Gewinnteilhabe enthalten. Informations- und Kontrollrechte, wie sie die Arbeitnehmer bei einem früheren „indirekten" Modell qua Gesellschafterstellung hatten, bestehen nicht. Bertelsmann versteht das Modell im wesentlichen als Finanzierungsquelle für

das Unternehmen und als Instrument zur Vermögensbildung der Beschäftigten; originär partnerschaftliche Komponenten finden sich rudimentär nur noch in der Betonung weniger „mentaler" Aspekte.

(2) Die *Hauni-Werke Körber & Co., KG,* Hamburg, gewähren den Arbeitnehmern eine Erfolgsbeteiligung in Höhe von 20% eines „korrigierten" Jahresüberschusses. Hiervon dient ein für alle Beteiligten identischer Fixbetrag der Zahlung von Lebensversicherungsprämien, der unterschiedlich hohe Rest wird bar ausgeschüttet. Daneben wurde 1969 zur Änderung der Entscheidungsstrukturen und zur Mitbestimmung die „Stufenselektion" eingeführt. Von der Geschäftsleitung als neue Vorgesetzte vorgeschlagene Personen werden von den ihnen später ggf. Unterstellten beurteilt und von den Mitarbeitern, dem Betriebsratsvorsitzenden und seinem Stellvertreter in geheimer Wahl bestätigt oder abgelehnt. Mitglieder der Geschäftsleitung müssen sich einer solchen Beurteilung jedoch nicht unterziehen. Man erhofft sich von diesem Legitimationsmodell positive Konsequenzen für das Führungsverhalten der Vorgesetzten, eine stärkere Mitarbeitermotivation durch deren Einbeziehung in den Entscheidungsprozeß sowie eine bessere Zusammenarbeit zwischen Vorgesetzten und Untergebenen.

(3) Bei der *Hettlage KGaA,* München, erhalten die Arbeitnehmer eine Erfolgsbeteiligung, bei deren investiver Verwendung zum Erwerb von „Partnerschaftsguthaben" (Darlehen) zusätzlich eine „Sparprämie". Nach der vom Leistungsverhalten abhängigen (und widerruflichen) „Ernennung zum Partner" – mit ihr ist der einseitige Verzicht der Unternehmensleitung auf Kündigung des Arbeitsverhältnisses verbunden – ist der Erwerb von →Belegschaftsaktien möglich. Deren Stimmrechte sind an einen von der Unternehmensleitung bestimmten Treuhänder abzutreten. Alle mit der – überwiegend „mentale" Aspekte betonenden – Partnerschaft zusammenhängenden Fragen (Information, Interessenvertretung, Beurteilung usw.) werden von „Partnerräten" wahrgenommen.

(4) Das Modell der *Glashütte Süßmuth GmbH,* Immenhausen, ist durch die von Firmengründer und Belegschaft errichtete gemeinnützige Stiftung geprägt, die 50% der GmbH-Anteile hält. Das gesamte Betriebskapital soll so auf Dauer verfügbar bleiben und privatem Einfluß entzogen werden (Neutralisierung des Kapitals). Erträgnisse der Stiftung dienen der Förderung von Glaskunst, beruflicher Ausbildung und ähnlichen Stiftungszwecken. Der von der Belegschaft gewählte Stiftungsvorstand stellt zwei Mitglieder des fünfköpfigen (freiwillig etablierten) Aufsichtsrates der GmbH. Außerdem existiert eine Kapitalbeteiligung der Arbeitnehmer in Form erfolgsbeteiligungsfinanzierter →partiarischer Darlehen.   *H. K.*

Literatur: *Bayerisches Staatsministerium für Arbeit und Sozialordnung* (Hrsg.), Vermögenspolitik, München 1980. *Schanz, G.,* Mitarbeiterbeteiligung, München 1985.

Partnerschaftsidee

neben der →gesellschaftlichen Verantwortung der Unternehmensführung das praktisch bedeutsamste der alternativen Reformkonzepte, die im Zuge der Kritik an der traditionellen →kapitalistischen Unternehmensverfassung entstanden sind. Die 1950 gegründete „Arbeitsgemeinschaft zur Förderung der Partnerschaft in der Wirtschaft e.V." (AGP) definiert in der Tradition der →katholischen Soziallehre, der evangelischen Sozialethik und wirtschaftsliberaler Grundhaltungen betriebliche Partnerschaft als „eine vertraglich vereinbarte Form der Zusammenarbeit zwischen Unternehmensleitung und Mitarbeitern. Sie soll allen Beteiligten ein Höchstmaß an Selbstentfaltung ermöglichen und durch verschiedene Formen der Mitwirkung und Mitbestimmung bei entsprechender Mitverantwortung einer Fremdbestimmung entgegenwirken. Notwendiger Bestandteil dieser Partnerschaft ist die Beteiligung der Mitarbeiter am gemeinsam erwirtschafteten Erfolg, am Kapital des Unternehmens oder an beidem".

Hinsichtlich der materiellen Komponente überwog zu Beginn der Partnerschaftsbewegung eine reine „materielle Beteiligung am Betriebserfolg" (AGP-Satzung von 1950). Diese →Erfolgsbeteiligung als Ergänzung zur relativ niedrigen Entlohnung sollte zum einen die →Leistungsmotivation so positiv beeinflussen, daß die Kosten mehr als ausgeglichen würden. Zum anderen entsprach die Erfolgsbeteiligung der Arbeitnehmer der „Gleichwertigkeit" von Kapital und Arbeit. Mit dem „Ansteigen des Wohlstandes und mit dem Anwachsen der laufenden Arbeitsentgelte erkannte man in der Erfolgsbeteiligung deutlicher eine Chance für ihre investive Verwendung und damit für die Förderung der Vermögensbildung der Arbeitnehmer" (*Eduard Gaugler,* 1980). So steht heute die (teilweise erfolgsbeteiligungsfinanzierte) →Kapitalbeteiligung im Vordergrund. Die den Arbeitnehmern im Rahmen der immateriellen (ideellen) Beteiligungsdimension gewährten Einflußrechte berühren niemals das Letztentscheidungsrecht des Unternehmers. Es wird dabei angestrebt, durch eine partnerschaftliche Organisation, die durch (faktisch oft wenig einflußreiche) Institutionen (Partnerschaftsausschüsse u. ä.) gekennzeichnet wird, „Grundlagen für eine betriebliche Mitwirkung und Mitbestimmung zu errichten, die nicht vom Prinzip des Mißtrauens und der Machtkontrolle pervertiert sind" (*Gaugler*, 1980).

An der starken Betonung mentaler Partizipationskomponenten (vgl. *Kißler* 1980), die von leerformelhaften Schlagworten (z. B. vertrauensvolle Zusammenarbeit, gegenseitige Information, Arbeitsfreude und Arbeitswille) gekennzeichnet seien und mit einer weitgehenden Ablehnung institutionalisierter → Mitbestimmung (reale Partizipation) einhergingen, setzt eine breite Kritik an, die insb. von den Gewerkschaften geführt wird: Idee und Praxis der Partnerschaft vermöchten nicht ihrem impliziten Anspruch gerecht zu werden, zur Demokratisierung der kapitalistischen Strukturen beizutragen. Vielmehr würden bestehende Machtverhältnisse durch Verschleierung und Rechtfertigung gegen echte Reformen abgeschirmt und stabilisiert. *H. K.*

Literatur: *Gaugler, E.*, Drei Jahrzehnte AGP, in: AGP-Mitteilungen Nr. 228 vom 15. Nov. 1980, S. 1 ff. *Kißler, L.*, Partizipation als Lernprozeß, Frankfurt a. M., New York 1980. *Lezius, M.*, Das Konzept der betrieblichen Partnerschaft, in: *Schneider, H. J.* (Hrsg.), Handbuch der Mitarbeiter-Kapitalbeteiligung, Köln 1977, S. 24 ff.

Partnerschaftsrente

partnerschaftliche Aufteilung des Rentenanspruchs an beide Ehepartner. Der Gedanke einer solchen partnerschaftlichen Aufteilung des Rentenanspruchs wird im Rahmen der anstehenden Neuregelung der → Hinterbliebenenversicherung diskutiert. Nachdem die Entscheidung des Bundesverfassungsgerichts vom 12. 3. 1975 den Gesetzgeber verpflichtet, bis zum Ablauf der Legislaturperiode im Jahr 1984, eine Neuregelung der Hinterbliebenenrenten vorzulegen, die vor dem im Art. 3 Abs. 2 GG niedergelegten Maßstab der Gleichberechtigung der Geschlechter Bestand hat, sind, vor allem auch von der Sachverständigenkommission für die soziale Sicherung der Frau und der Hinterbliebenen, eine Reihe von Vorschlägen zur Neuordnung der Hinterbliebenenversorgung von Witwen und Waisen erarbeitet worden.

Neben Vorschlägen, die entweder auf eine Neuregelung der vom Ehepartner abgeleiteten Hinterbliebenenversorgung für Witwen und Waisen hinauslaufen oder ein laufendes Splitting von Rentenanwartschaften während Bestehen der Ehe vorsehen oder eine Mitversicherung für den haushaltsführenden Ehegatten verlangen, ist vor allem das Modell, das zu einer Teilhabe des überlebenden Ehegatten an der Gesamtversorgung führt, diskutiert worden. Dieser Vorschlag geht von dem Gedanken aus, daß jeder Ehepartner mit seinem Einkommen und später mit seiner Rente zum gemeinsamen Lebensstandard beiträgt. Im Hinterbliebenenfall wird aus den Renten beider Ehepartner eine Gesamtversorgung gebildet; dem Hinterbliebenen soll dann ein bestimmter Prozentsatz dieser Gesamtversorgung zukommen.

Von diesem Grundmodell gibt es eine Reihe von Varianten. Gemeinsam ist allen diesen, daß eine eigenständige Hinterbliebenenrente nur gezahlt werden soll, wenn es beim Tod des Ehepartners auch in der Person des überlebenden Ehepartners einen Versicherungsfall gibt, d. h. Hinterbliebenenrente würde nur gezahlt werden, wenn auch der eigene Versicherungsfall (z. B. → Erwerbsunfähigkeit) eingetreten ist. Damit würde der heute noch vorhandene unbedingte Anspruch der Witwe auf Hinterbliebenenrente entfallen. Dafür sollen aber die bisher üblichen Versicherungsfälle (Erreichung der Altersgrenze oder Berufsbzw. Erwerbsunfähigkeit) um den Tatbestand (z. B. Erziehung minderjähriger Kinder) der sonstigen Bedarfssituation erweitert werden.

Da die partnerschaftliche Aufteilung des Rentenanspruchs am Prinzip der Erhaltung des Lebensstandards orientiert werden soll, wird darüber diskutiert, die Teilhaberrente auf 70 bis 75% der in der Ehe oder insgesamt erworbenen Anwartschaften anzusetzen. Eine genaue Analyse der einzelnen Modellvarianten zeigt jedoch, daß bei der Verwirklichung der Vorstellungen von der Partnerschaftsrente eine wirklich eigenständige Alterssicherung der Frau kaum aufgebaut werden kann. Auch ist die geforderte Kostenneutralität nicht gewahrt. Bei der ungünstigen finanziellen Situation der gesetzlichen → Rentenversicherung hat das besonderes Gewicht.

Nachdem die politischen Parteien die partnerschaftliche Aufteilung des Rentenanspruchs lange Zeit als Modell zur Neuregelung der Hinterbliebenenversorgung von Witwen und Witwern favorisiert haben, wird in der letzten Zeit erkennbar, daß mit dieser Neuregelung in der Praxis wohl in dieser Form nicht mehr gerechnet werden kann.

H. W.

Passiva

Zusammenfassung aller Positionen der Kapitalseite der → Bilanz. Die Passivseite der Bilanz gibt die Herkunft der dem Unternehmen zur Verfügung gestellten Mittel in Form abstrakter Wertansprüche (→ Eigenkapital, → Fremdkapital) an das Vermögen an. Die Unterteilung der Passiva ist rechtsformabhängig: Nach dem Bilanzgliederungsschema für Kapitalgesellschaften (§ 266 Abs. 3 HGB) sind die Passiva in → gezeichnetes Kapital, Kapital- und Gewinnrücklagen (→ Rücklagen), → Gewinnvortrag/Verlustvortrag, Jahresüberschuß/Jahresfehlbetrag, → Rückstellungen, → Verbindlichkeiten (langfristige und kurzfristige) und in die → Rechnungsabgrenzungsposten zu gliedern.

passive Flexibilität → automatische Stabilisatoren

Passivgeschäft

Aufnahme von Fremdkapital durch Kreditinstitute zur Finanzierung des → Aktivgeschäfts. Aufgrund der Passivgeschäfte erhalten die Kreditinstitute einen Zufluß an liquiden Mitteln. Das Passivgeschäft umfaßt die Hereinnahme von Sicht-, Termin- und Spareinlagen von Nichtbanken, die Aufnahme von Geldern am → Geldmarkt, die Emission von → Wertpapieren (→ Effektenemission) und die Refinanzierung bei der Notenbank (→ Refinanzierungspolitik). Die Ausdehnung des Passivgeschäfts mit inländischen Nichtbanken führt im Gegensatz zu einer Ausdehnung des Aktivgeschäfts mit inländischen Nichtbanken nicht zu einer Erhöhung der Geldmenge. *P. S.*

Passivierungsgebot → Bilanzierungsgebot

Passivierungsverbot → Bilanzierungsverbot

Passivierungswahlrechte → Bilanzierungswahlrechte

Passivkredit → öffentlicher Kredit

Passivwechsel → Schuldwechsel

Password

Mit Hilfe von Passwörtern kann der Zugang zu Rechnern, bestimmten betrieblichen Anwendungen oder Dateien kontrolliert werden. Durch die Vergabe unterschiedlicher Wörter lassen sich die Befugnisse der Benutzer individuell differenziert regeln. Im Zusammenhang mit der → Datensicherung kommt Passwörtern große Bedeutung zu.

Patent

das vom Staat einem Erfinder ausschließlich erteilte, zeitlich begrenzte Recht, eine Erfindung (→ Invention) gewerbsmäßig zu benutzen (§ 9 PatG). Patente werden für neue Erfindungen erteilt, die eine gewerbliche Verwertung gestatten (→ Patentfähigkeit).

Patent Cooperation Treaty → Patentrecht

Patentamt → Deutsches Patentamt

Patentanmeldung

erfolgt schriftlich beim Patentamt unter Beachtung der gesetzlichen Erfordernisse (→ Patentrecht) und der Anmeldebestimmungen für → Patente (vgl. auch §§ 35, 36 Patentgesetz vom 1. 1. 1981). Anmelden kann, wer für eine Erfindung ein Patent erhalten will. Der Anmelder gilt im Interesse schneller sachlicher Prüfung als berechtigt (§ 7 (1) PartG). Er kann sich vertreten lassen. Innerhalb von 15 Monaten muß der Anmelder den Erfinder benennen. Für die Vertretung des Erfinders stehen → Patentanwälte zur Verfügung. In Unternehmen, die regelmäßig Patentanmeldungen vornehmen, werden diese Aufgaben in Rechts- oder Patentabteilungen wahrgenommen. Im Rahmen der → Technologieförderung sind in einzelnen Bundesländern Patentberatungsstellen errichtet worden.

Eine schematische Darstellung der Hauptschritte eines Anmeldeverfahrens für ein deutsches Patent zeigt die Abbildung auf S. 294. Für internationale Anmeldungen ergänzen dieses Verfahren die Bestimmungen nach Art. III des Gesetzes über internationale Patentübereinkommen (BGBl II, 1976, S. 649 ff.) bzw. das zugrunde liegende Recht (→ Patentrecht). *K. B.*

Patentanspruch → Patentrecht

Patentanwalt

Organ der Rechtspflege, das als Berater und Vertreter des Erfinders im Verkehr mit dem Patentamt oder Patentgericht (→ Bundespatentgericht) tätig wird. Voraussetzung für die Zulassung als Patentanwalt sind eine technisch-naturwissenschaftliche Hochschulausbildung, eine praktische Vorbereitungszeit und eine juristische Prüfung durch eine Kommission (§§ 5 Patentanwaltsordnung).

Die Berufsorganisation ist die Patentanwaltskammer (Morassistr. 2, 8000 München 5). Daneben existiert der Bundesverband Deutscher Patentanwälte e. V. (Hohentwielstr. 41, 7000 Stuttgart 1). Die Patentanwaltskammer hat mit anderen Institutionen Erfinderberatungsstellen zur kostenlosen Erstberatung potentieller Erfinder eingerichtet. *K. B.*

Lauf einer Patentanmeldung

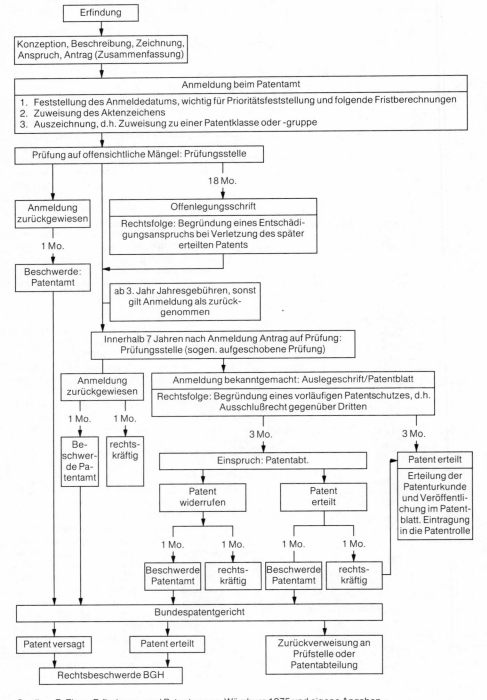

Quelle: *E. Zipse*, Erfindungs- und Patentwesen, Würzburg 1975 und eigene Angaben.

Patentberühmung → Patentverwertung

Patentbewertung

kann nach indirekten oder direkten Verfahren erfolgen. Die *indirekte Bewertung* knüpft an beobachtbaren Verhaltensweisen der Patentinhaber an und wird hieraus – rationales Verhalten unterstellend – begründet. In der Häufigkeit der kostenpflichtigen Fortführung der Gültigkeit des Patents innerhalb seiner maximalen Laufzeit wird z.B. ein indirekter Bewertungsmaßstab gesehen, der allerdings nur eine Wertuntergrenze beschreibt. Für die Bundesrepublik ist zu beachten, daß die Aufwendungen für eine Anmeldung und der Antrag auf Recherchen durch das Patentamt bei Kleinunternehmen eher ein Ausdruck rationalen Verhaltens bei der Informationsbeschaffung über den Stand des Wissens sind, als daß darin schon beim Unternehmen zum Zeitpunkt der Anmeldung vorhandenes subjektiv neues Wissen zum Ausdruck kommt.

Die *direkte Bewertung* erfordert eine Ertragswertberechnung. Sie bezieht die Vermarktung der Erfindung in den Kalkül ein (→ Patentverwertung), macht also einen weiten Sprung zur erfolgreichen → Innovation, womit allerdings neue Fehlerquellen auftreten können. Denn immerhin werden fünf Jahre nach ihrer Erteilung 34% der Patente nicht wirtschaftlich genutzt. Die Unterschiedlichkeit dieses Prozentsatzes in Abhängigkeit von der Unternehmensgröße muß evtl. das Argument einer unterschiedlichen Anmeldestrategie von Klein- und Großunternehmen berücksichtigen. Der Wert eines Patents stellt immaterielles Vermögen dar und ist bilanziell entsprechend zu behandeln, d.h. nur aktivierungsfähig, wenn entgeltlich von Dritten erworben. *K. B.*

Literatur: *Grefermann, K.* u. a., Patentwesen und technischer Fortschritt, Teil I, Göttingen 1974.

Patentfähigkeit

Eigenschaft einer Erfindung, durch → Patent geschützt werden zu können. Für bestimmte Arten von Erfindungen werden keine Patente erteilt, nämlich:

- „Entdeckungen sowie wissenschaftliche Theorien und mathematische Methoden,
- ästhetische Formschöpfungen,
- Pläne, Regeln und Verfahren für gedankliche Tätigkeiten, für Spiele oder für geschäftliche Tätigkeiten sowie Programme für Datenverarbeitungsanlagen,
- die Wiedergabe von Informationen" (§ 1 (2) PatG vom 1. 1. 1981),

- „Erfindungen, deren Veröffentlichung oder Verwertung gegen die öffentliche Ordnung oder die guten Sitten verstoßen würde; ein solcher Verstoß kann nicht allein aus der Tatsache hergeleitet werden, daß die Verwertung der Erfindung durch Gesetz oder Verwaltungsvorschrift verboten ist, ...
- Pflanzensorten oder Tierarten sowie für im wesentlichen biologische Verfahren zur Züchtung von Pflanzen oder Tieren. Diese Vorschrift ist nicht anzuwenden auf mikrobiologische Verfahren und auf die mit Hilfe dieser Verfahren gewonnenen Erzeugnisse sowie auf Erfindungen von Pflanzensorten, die ihrer Art nach nicht im Artenverzeichnis zum Sortenschutzgesetz aufgeführt sind, und Verfahren zur Züchtung einer solchen Pflanzensorte" (§ 2 PatG).

Im übrigen werden Patente für eine Erfindung erteilt, wenn

(1) diese neu ist, d.h. grundsätzlich „wenn sie nicht zum Stand der Technik gehört. Der Stand der Technik umfaßt alle Kenntnisse, die vor dem für den Zeitraum der Anmeldung maßgeblichen Tag durch schriftliche oder mündliche Beschreibung, durch Benutzung oder in sonstiger Weise der Öffentlichkeit zugänglich gemacht worden sind" (§ 3 (1) PatG) oder Gegenstand einer früheren → Patentanmeldung sind, die noch nicht offengelegt ist (§ 3 (2) PatG).

(2) Sie auf erfinderischer Tätigkeit beruht, d.h. sich für den Fachmann nicht in naheliegender Weise aus dem Stand der Technik ergibt (§ 4 PatG). Das knüpft an das Kriterium der Erfindungshöhe an, die auf eine geistige Leistung zurückgeht, die über diejenige des Durchschnittsfachmanns hinausgeht.

(3) sie gewerblich anwendbar ist, d.h. „wenn ihr Gegenstand auf irgendeinem gewerblichen Gebiet einschl. der Landwirtschaft hergestellt oder benutzt werden kann. Verfahren zur chirurgischen oder therapeutischen Behandlung des menschlichen oder tierischen Körpers und Diagnostizverfahren, die am menschlichen oder tierischen Körper vorgenommen werden, gelten nicht als gewerblich anwendbare Erfindungen", wohl aber „Erzeugnisse zur Anwendung in einem dieser Verfahren" (§ 5 PatG).

Mit den Kriterien wird der Versuch präziserer Abgrenzung auch der früher entwickelten Forderung unternommen, daß die Erfindung auf technischem Gebiet liegen müsse. Darunter wurde „eine Lehre zum planmäßigen Handeln unter Einsatz beherrschbarer Naturkräfte zur Erreichung eines kausal übersehbaren Erfolgs" (Bundesgerichtshof, XZB 15/67 vom 27. 3. 1969) verstanden.

Die Prüfung auf Patentfähigkeit erfolgt

nach den Vorschriften des →Patentrechts durch Prüfer des Patentamts. **K. B.**

Literatur: *Schulte, R.*, Patentgesetz, 3. Aufl., Köln u. a. 1981.

Patentgericht → Bundespatentgericht

Patentpool → Behinderungsmißbrauch

Patentrecht

Für den Geltungsbereich des Grundgesetzes der Bundesrepublik Deutschland gilt das Patentgesetz vom 1. 1. 1981 (BGBl I, 1981, S. 1 ff.). Voraussetzung für die →Patentanmeldung beim zuständigen →Deutschen Patentamt in München ist das Vorliegen einer in besonderer Weise qualifizierten Erfindung. Im Unterschied zu manchen anderen nationalen Patentgesetzen wird nach der deutschen Regelung die Einhaltung dieser Qualifikationen vor der Patenterteilung (aber nicht schon bei der Anmeldung) auf Antrag geprüft. Das Gesetz nennt negative und positive Kriterien (→Patentfähigkeit).

Die Prüfung erfolgt durch fachlich zuständige Prüfer des Deutschen Patentamts. Sie schließen subjektive Elemente, wie die Erfindungshöhe, nicht völlig aus.

Der gewünschte Schutzanspruch in sachlicher Hinsicht wird als Patentanspruch bezeichnet. Er kann in Haupt- und Zusatzansprüche gegliedert sein; das Gesetz spricht von „einem oder mehreren Patentansprüchen" (§ 35 (1) PatG). Patente werden grundsätzlich für 20 Jahre vom Tag der Anmeldung an erteilt. Sie erreichen die volle Laufzeit aber nur, wenn u. a. die vom Beginn des dritten Jahres an fällige Jahresgebühr entrichtet wird, die einer progressiv steigenden Staffel folgt (§ 16 PatG).

Um ein für andere Staaten gültiges Patent zu erlangen, sind grundsätzlich dort nationale →Patentanmeldungen nötig. Zur Erhöhung der Rechtssicherheit und zur Erleichterung des Verfahrens wurden verschiedene internationale Vereinbarungen getroffen, die allerdings noch nicht bis zu einem Weltpatent reichen. Insbesondere sind zu erwähnen:

(1) Pariser Verbandsübereinkunft zum Schutze des gewerblichen Eigentums in der Fassung vom 14. 7. 1967 (Stockholmer Fassung, BGBl II, 1970, S. 391 ff.), wonach Erstanmelder einer Erfindung, eines Musters oder einer Marke eines Verbandslandes in jedem anderen eine zwölfmonatige Priorität für Nachanmeldungen genießen; die Übereinkunft erstreckt sich auch auf andere →gewerbliche Schutzrechte.

(2) Europäisches Patentübereinkommen, wonach seit dem 1. 6. 1978 beim Europäischen Patentamt in München Patente mit Wirkung für mehrere im Antrag genannte Signatarstaaten angemeldet werden können; eine Weiterentwicklung ist das Gemeinschaftspatent, d. h. europäische →Patentanmeldungen können auch beim Deutschen Patentamt eingereicht werden (Gemeinschaftspatentgesetz vom 26. 7. 1978, BGBl I, 1979, S. 1269 ff.),

(3) Patent Cooperation Treaty, in Kraft seit 24. 1. 1978, wonach eine Anwartschaft auf ein Patent in einzelnen bezeichneten Signatarstaaten erworben werden kann (BGBl II, 1976, S. 664 ff.). **K. B.**

Literatur: *Schulte, R.*, Patentgesetz, 3. Aufl., Köln u. a. 1981. *Singer, R.*, Das neue europäische Patentsystem, Baden-Baden 1979. *Wittmann, A./Schiffels, R.*, Grundlagen der Patentdokumentation, München, Wien 1976, *Patentanwaltskammer* ... (Hrsg.), Europäisches Patentrecht (EPÜ), 2. Aufl., Köln u. a. 1979.

Patentrolle

karteimäßige Erfassung von Patentdaten nach § 30 PatG vom 1. 1. 1981. Ein Schema der Eintragungen zeigt die Abbildung auf S. 297 (→Patentrecht).

Patentverwertung

erfolgt durch

- eigene Auswertung der zugrunde liegenden Erfindung durch den Patentinhaber,
- zusätzliche werbende öffentliche Hinweise auf eine →Patentmeldung oder ein →Patent (Patentberühmung), über die auf Verlangen Auskunft zu geben ist (§ 146 PatG vom 1. 1. 1981),
- Verkauf des Patents,
- Abschluß eines Lizenzvertrages (→Lizenz).

Besondere Probleme treten bei Erfindungen von Arbeitnehmern auf. Dabei werden freie Erfindungen und Diensterfindungen unterschieden. Sie begründen bestimmte, nach dem Typ der Erfindung abgestufte Informationspflichten gegenüber dem Arbeitgeber. Für die Inanspruchnahme der Erfindung hat er dem Arbeitnehmer eine Erfindervergütung zu zahlen, für deren Berechnung gesetzliche Anhaltspunkte formuliert sind (Gesetz über Arbeitnehmererfindungen vom 25. 7. 1957, BGBl I S. 756).

Die →Monopolkommission hat bei einer Befragung von Großunternehmen festgestellt, daß etwa 60% der von ihnen gehaltenen Patente im eigenen Betrieb verwertet werden. Bei den restlichen 40% der patentierten Erfindungen handelt es sich vermutlich um solche Patente, die

Rollenkarte

Laufzeit des Patents: Vom Tag nach dem Anmeldetag (AT) an längstens 20 Jahre			
B 01 f 7-16 12 e 4-01 20 32 426 AT 08.3.71 Pr 15.6.70 Schweiz 18218-70	Rechercheantrag: 8.3.71	Recherchebericht: 15.10.71	Offenlegungstag: 18.12.71
Bez.: Rührwerk Zusatz zu 19 26 841 Anm.: Rotier AG, Genf (Schweiz);	Prüfungsantrag: 30.10.71		Bekanntmachungs- tag: 7.12.72
Vtr.: Sicher, A., Dipl.-Ing., Pat.-Anw., 8000 München; Erf.: Fix, Ernest, Dr., Genf (Schweiz).			Erteilt s. Pat. Bl. vom 17.11.73
RMP Nebenklassen:			
	Zurücknahme d. Anm.:	Zurückweisung d. Anm.:	Patent- versagung
Zeichenerklärung:	Anmeldung gilt als zurückgenommen wegen:		
AT – Anmeldung OT – Offenlegungstag BT – Bekanntmachungstag	Nichtzahlung d. Bek.-Geb.	Nichtzahlung d. Jahresgeb.	Ablauf Prüf.-Antr.-Frist:
Pr – Priorität Bez – Bezeichnung	Patent erloschen wegen:		
Anm – Anmelder	Verzicht:	Nichtzahlung d. Jahresgeb.	Nichtbenennung d. Erf.:
Vtr – Vertreter gem § 16 PatG Erf – Erfinder R – Rechercheantrag ist gestellt		Einspruch: 8.2.73	Beschwerde:

M – Mitteilung über das
        Rechercheergebnis
 P – Prüfungsantrag ist gestellt
 OB – OS enthält keine Beschrei-
       bung
	Lizenz § 14
	
	 6.12.73
		Lizenz § 25 (1)	Löschung § 25 (3)

N – Neue Unterlagen gem. Art. 7 § 1 II Nr. 1 PatÄndG	Beschränkung d. Patents Beschluß vom:	Teilnichtigkeit d. Patents Urteil vom:	Nichtigkeit d. Patents Urteil vom:
Änderungen und sonstige Eintragungen auf Rückseite – nicht – vorhanden.			

Quelle: *Schulte, R.*, Patentgesetz, 3. Aufl., Köln 1981, S. 242.

- durch Lizenzvergabe verwertet werden,
- noch nicht zu einem marktfähigen Produkt weiterentwickelt wurden,
- der Absicherung eines Produktionsbereiches gegen Substitutionsprodukte dienen,
- aus unternehmensstrategischen Gründen erst zu einem späteren Zeitpunkt im eigenen Betrieb verwertet werden sollen. *K. B.*

Literatur: *Borrmann, C.*, Erfindungsverwertung, 4. Aufl., Bad Wörishofen 1973. Fortschreitende Konzentration bei Großunternehmen, Hauptgutachten 1976/77 der Monopolkommission, Baden-Baden 1978, S. 361 ff. *Greipl, E./Täger, U.*, Wettbewerbswirkungen der unternehmerischen Patent- und Lizenzpolitik unter besonderer Berücksichtigung kleiner und mittlerer Unternehmen, Berlin, München 1983.

Patentwesen

Die Verleihung der als → Patent bezeichneten → gewerblichen Schutzrechte erfolgt aufgrund eines im → Patentrecht normierten Verfahrens. Sie setzt u. a. die → Patentanmeldung voraus, die ein Erfinder oder ein von ihm Beauftragter vornimmt. Er kann dabei eine bestimmte Patentpolitik verfolgen, in die Überlegungen des Erfindungsschutzes, der Verwertungsmöglichkeiten des Patents im Vergleich zur ungeschützten Erfindung (→ Patentverwertung) und des Patentwertes (→ Patentbewertung) im Vergleich zu den verschiedenen Patentgebühren eingehen. Das Patentwesen bildet einerseits einen Teil der → Wettbewerbspolitik und andererseits einen Teil der staatlichen oder überstaatlichen → Technologiepolitik, da durch das Schutzrecht die potentiellen wirtschaftlichen Erträge aus einer Erfindung dem Erfinder zufließen. Geistiges Eigentum soll geschützt werden. Damit wird ein ökonomischer Anreiz zur Erfindungstätigkeit geschaffen, der neben mögliche nicht-materielle Anreize tritt. Der Schutz ist aber begrenzt, um zugunsten der Verbraucher oder der Verwender einer Erfindung einen Nachahmungswettbewerb zu ermöglichen.

Aus internationalen Verträgen droht in jüngster Zeit eine Aushöhlung des Patentschutzes. Z.B. wird in der Seerechtskonvention der Vereinten Nationen ein sehr weitgehender → Technologietransfer der am Tiefseebergbau direkt oder indirekt Beteiligten an die Entwicklungsländer gefordert. Dafür wird eine „faire" Kompensation angeboten.   *K. B.*

Patrimonialherrschaft

Gerichtsbarkeit des Grund- bzw. Gutsherrn über die Grundholden. Gerade die Verbindung von → Grund- und Gerichtsherrschaft begünstigt die Ausbildung der → Gutsherrschaft mit ihrem Obrigkeitsanspruch.

Pattauflösung

Entscheidungsverfahren bei Stimmengleichheit in mitbestimmten Gremien. Es gibt verschiedenartige Verfahren (→ Montanmitbestimmungsgesetz 1951, → Mitbestimmungsgesetz 1976, → Einigungsstelle).

Pauperismus

Ausdruck für die in der ersten Hälfte des 19. Jh. sichtbar werdende Massenverarmung breiter Bevölkerungskreise. Als Ursachen wurden → Kapitalismus und → Industrialisierung angegeben (*Friedrich Engels*). Viel eher lagen diese jedoch in unzureichenden Beschäftigungs- und Bildungsmöglichkeiten und insb. im anhaltenden Bevölkerungswachstum seit 1750, das auf das vorhandene Produktions- und Versorgungspotential drückte (vgl. die Situation heutiger Entwicklungsländer). Unzureichende Arbeitsmöglichkeiten und begrenzte Mobilität lassen Pauperismus auch in reinen Agrarlandschaften entstehen.

Angesichts überforderter Armenfürsorge sucht man dem Pauperismus durch die Förderung der Auswanderung zu begegnen. In Deutschland wird ein Höhepunkt der Auswanderung 1854/55 mit über ¼ Mio. Menschen pro Jahr erreicht. Erst zunehmende Industrialisierung, Bereitstellung von Arbeitsplätzen und vermehrter Einsatz der Technik zur Befriedigung menschlicher Bedürfnisse sollten den Pauperismus als Massenerscheinung in der zweiten Hälfte des 19. Jh. abklingen lassen. An seine Stelle trat die Arbeiterfrage (→ soziale Frage).   *H. Wi.*

Literatur: *Jantke, C./Hilger, D.* (Hrsg.), Die Eigentumslosen, Freiburg i. Br., München 1965.

pauschalierte Nutzungswertbesteuerung
→ Wohnungsbauförderung

Pauschalsteuer → Kopfsteuer

Pauschbetrag

Pauschalierungen dienen der Vereinfachung des Besteuerungsverfahrens sowohl für den Steuerpflichtigen als auch für die Finanzverwaltung. Aufwendungen des Steuerpflichtigen werden ohne weitere Einzelnachweise mit einem festen Betrag anerkannt. Sie reduzieren das zu versteuernde Einkommen. Beispiele im EStG:

Werbungskosten-pauschbetrag bei Einkünften aus nichtselbständiger Arbeit	564 DM	§ 9 a
Fahrten zwischen Wohnung und Arbeitsstätte	0,36 DM/km	§ 9 I 4
Vorsorgepausch-betrag	300 DM	§ 10 c II, V
Vorsorgepauschale		§ 10 c III

Bei Einzelnachweisen sind i. d. R. die höheren tatsächlichen Aufwendungen zugrunde zu legen. Berücksichtigungsfähige Verluste dürfen allerdings aufgrund der Pauschbeträge nicht entstehen.   *W. H. W.*

Pause

Arbeitsunterbrechung (Länge) zwischen zwei Tätigkeitsabschnitten (Lage) innerhalb der Schichtzeit. Die Notwendigkeit einer Pausengewährung kann in gesetzlichen Vorschriften, in der Zumutbarkeit sowie in arbeitsphysiologischen bzw. psychophysischen Bedingungen (analytische Erholungszeitermittlung) begründet sein. Männlichen Arbeitskräften sind bei einer Arbeitszeit von mehr als sechs Stunden mindestens eine halbstündige oder zwei viertelstündige unbezahlte Ruhepausen zu gewähren (§ 12 Abs. 2 AZO). Für weibliche Arbeitskräfte gilt nach § 18 AZO eine differenzierte Pausenregelung. Nur bei Kurzpausen besteht Anspruch auf Vergütung.

Wenn der Betrieb nun Ruhepausen trotzdem bezahlt, kann diese freiwillige Leistung auf eine Arbeitszeitverkürzung mit Lohnausgleich angerechnet werden. Ein Arbeitnehmer, der bisher bei einer Arbeitszeit von acht Stunden pro Tag dreißig Minuten bezahlte Pause erhielt und zukünftig nur noch 37,5 Wochenstunden mit vollem Lohnausgleich arbeitet, muß sich die in seiner neuen Arbeitszeit enthaltene Pause nach der Arbeitszeitverordnung voll anrechnen lassen: Die Pause wird künftig also nicht mehr bezahlt.

Arbeitet er jedoch mehr als 37,5 Stunden, darf die bezahlte Pause nur teilweise angerechnet werden, bei 38,5 Stunden (= 7 Stunden und 42 Minuten pro Tag) also nur im Umfang von achtzehn Minuten.

Während die →Pausengestaltung bei der vorwiegend körperlichen Arbeit (→Arbeitsformen) eine wissenschaftliche Fundierung gefunden hat, ist dies für die vorwiegend nicht-körperliche Arbeit bisher nicht der Fall.

H.-J. B.

Literatur: *Luczak, H.*, Pausen, in: *Rohmert, H./Rutenfranz, J.* (Hrsg.), Praktische Arbeitsphysiologie, 3. Aufl., Stuttgart, New York, 1983, S. 358 ff.

Pausengestaltung

Unter dem Aspekt der →Arbeitsablaufgestaltung erhalten Arbeitspausen ein besonderes Gewicht, da kein Mensch über einen längeren Zeitraum ohne Unterbrechung tätig sein kann. Pausen müssen um so häufiger eingelegt werden und um so länger sein, je stärker die Arbeitsermüdung ist (→Arbeitsbewertung). Diese sollte durch Erholung innerhalb der Pausen reduziert werden, damit Leistungsfähigkeit und Gesundheit des Arbeitnehmers auf Dauer nicht beeinträchtigt werden. Die geplanten Unterbrechungen sind dabei so zu organisieren, daß sie bereits vor Beginn des Abfalls der Leistungskurve einsetzen oder direkt im Anschluß an einen ermüdenden Arbeitsabschnitt die Erholung ermöglichen.

Aufgrund arbeitsphysiologischer und arbeitsmedizinischer Untersuchungen kann als gesichert angesehen werden, daß neben dem richtigen Zeitpunkt auch die Zeitdauer der Erholungspause von großer Bedeutung für den Erholungseffekt und damit für die Leistungsfähigkeit des Arbeitnehmers ist. Nach diesen Erkenntnissen sind kurze Arbeitsabschnitte und häufige, aber kurze und gleichmäßig verteilte Pausen am zweckmäßigsten.

Pausenformen können nach ihrer Dauer und Art unterschieden werden. In der Literatur haben sich folgende Bezeichnungen durchgesetzt: Kurzpausen im Umfang von bis zu fünf Minuten; frei gewählte oder willkürliche Pausen werden von den Arbeitnehmern nach freiem Ermessen festgelegt, sie besitzen i.d.R. einen geringeren Erholungswert als offen deklarierte Pausen; gesetzliche und organisierte Pausen, die aufgrund der →Arbeitszeitordnung bzw. tariflicher oder betrieblicher Vereinbarungen zu organisieren sind, sowie arbeitsablaufbedingte Wartezeiten, Pausen, die nicht vorhersehbar und nicht planbar sind. Das Problem der Ermüdung und Erholung sowie die Frage der Ermittlung von Erholzeit sind Bestandteile der Refa-Methodenlehre.

R. J.

Pay-as-you-use-Prinzip

verlangt, daß öffentliche Ausgaben für langfristig nutzbare Einrichtungen (z.B. im Verkehrs- und Bildungswesen) den Bürgern entsprechend der Nutzung angelastet werden. Danach müßten auch spätere Generationen, die in den Genuß der Einrichtungen kommen, zur Finanzierung herangezogen werden. Einen Weg dazu sieht man darin, die Ausgaben mit Krediten zu finanzieren, die Nutznießer entsprechend der Nutzung zu besteuern und aus dem Steueraufkommen die Kredite zu verzinsen und zu tilgen. Abgesehen von den technischen Schwierigkeiten der Nutzenzurechnung ist es fraglich, ob die reale Last der Staatsausgaben überhaupt in die Zukunft verschoben werden kann (→Lastenverschiebungshypothese).

Pay-back-Rechnung   →Amortisationsrechnung

Pay-off-Rechnung →Amortisationsrechnung

Pay-out-Rechnung →Amortisationsrechnung

peak load pricing →Preisdifferenzierung

Peel'sche Bankakte →Notenbank, →Currency-Theorie

peer review →quality control

Penetration →Parfitt-Collins-Modell

Penetrationsstrategie →Preisstrategie

Pension

Leistungen der Alters- und Hinterbliebenenversorgung im Rahmen der →Beamtenversorgung. Dazu rechnen das Ruhegehalt des Beamten nach Erreichung der Altersgrenze und Versetzung in den Ruhestand, das Witwengeld und das Waisengeld.

Pensionsgeschäft   →Wertpapierpensionsgeschäft

Pensionskassen →betriebliche Altersversorgung

Pensionsrückstellungen

→Rückstellungen für ungewisse Verbindlichkeiten (§ 249 Abs. 1 HGB), die gebildet werden, um zukünftige Auszahlungen, die infolge der späteren →betrieblichen Altersversorgung der Mitarbeiter entstehen, der abzurechnenden Periode verursachungsgerecht als Aufwand zuzurechnen. Sie sind nach finanzmathematischen Verfahren zu errechnen. Im Gegensatz zum Aktiengesetz, das ein Passivierungswahlrecht vorsah, müssen nach dem Bilanzrichtlinen-Gesetz alle Pensionszusagen, die nach dem 1. 1. 1987 eingeräumt werden, angesetzt werden. Die Passivierungspflicht leitet sich aus dem → Vorsichts- bzw. Imparitätsprinzip ab.

In der Steuerbilanz darf für Pensionsrückstellungen höchstens der → Teilwert der Pensionsverpflichtung angesetzt werden (§ 6 a EStG). Bei der Teilwertberechnung ist ein Rechnungszinsfuß von 6% anzuwenden (→ Finanzierung aus Pensionsrückstellungen).

Pensionssicherungsverein → Versicherungsverein auf Gegenseitigkeit

per se Regel

in der Antitrust-Politik der USA durch den → Sherman Act gegebene Möglichkeit, bestimmte Tatbestände, die „per se" als wettbewerbsbeschränkend gelten, zu untersagen, ohne daß dazu die Wettbewerbsbeschränkung im Einzelfall nachgewiesen werden muß.

In der Rechtsprechung ist die per se Regel auf Preisabsprachen, auf Absprachen zur Beschränkung der Produktion und zur Aufteilung der Märkte sowie auf Kollektivboykotte, Koppelungsbindungen und abgestimmte Lieferverweigerungen angewendet worden.

Die neuere Entwicklung der US-Antitrust-Politik ist dadurch gekennzeichnet, daß der Federal Supreme Court als höchste Instanz in Antitrustverfahren bei der Anwendung der per se Regel zurückhaltend verfährt und sich stattdessen verstärkt der → rule of reason bedient. *H. B.*

Literatur: *Schmidt, I.,* US-amerikanische und deutsche Wettbewerbspolitik gegen Marktmacht, Berlin 1973.

Performancetest → Marktergebnis

Periodenspannenverfahren → Bruttoertrag

Peripherie

Zu den peripheren Geräten einer EDV-Anlage zählen alle die → Hardware-Einheiten, die nicht zur → Zentraleinheit gehören. Die Peripherie umfaßt somit sämtliche (physikalischen) Geräte zur Datenein- und -ausgabe sowie zur (externen) Datenspeicherung und ermöglicht so erst eine adäquate Mensch-Maschine-Kommunikation. Periphere Geräte, die der Datenein- und -ausgabe dienen, sind z.B. bei der
- *Dateneingabe:* → Lochkartenleser, Lochstreifenleser, → Belegleser, → Tastatur, → Lichtstift, → Maus;

- *Datenausgabe:* → Bildschirm, → Drucker, Plotter (Zeichengeräte), COM-Recorder (COM = computeroutput on microfilm), Stimm- und Sprachgeneratoren;
- *Datenein- und -ausgabe:* Bildschirmterminal, Magnetbandgerät, Magnetplattengerät, Diskettenlaufwerk.

Geräte zur Speicherung von Daten (→ Magnetband, → Magnetplatte, → Diskette) nehmen sowohl Eingabe- als auch Ausgabefunktionen wahr.

permanente Einkommenshypothese

Milton Friedman unterstellt auf der Grundlage eines intertemporalen Nutzenkalküls, daß die permanente, d.h. um Zufallsausgaben (transitorische Komponente) bereinigte → Konsumgüternachfrage proportional dem permanenten Einkommen ist, das als Verzinsung des gesamten Vermögens (einschl. des kapitalisierten künftigen Arbeitseinkommens) definiert ist und als das gewichtete Durchschnittseinkommen der letzten Jahre empirisch gemessen wird. Transitorischer Konsum und transitorisches Einkommen – jeweils die Differenz zwischen den tatsächlich realisierten und den permanenten Variablen – sind weder mit den entsprechenden permanenten Größen noch untereinander korreliert. Der Proportionalitätsfaktor hängt seinerseits vom Zinssatz, vom nicht-menschlichen Vermögen und von der Relation zwischen nicht-menschlichem Vermögen und Gesamtvermögen ab, wobei die zuletzt genannte Relation insb. den Einfluß der eingeschränkten → Fungibilität des menschlichen Vermögens erfassen soll.

Eine von dem unterstellten Zusammenhang abweichende Beziehung zwischen tatsächlichem (Perioden-) Konsum und Einkommen stellt nach *Friedman* eine Scheinkorrelation dar, die nicht stabil in der Zeit sein kann. *J. R.*

Literatur: *Friedman, M.,* A Theory on the Consumption Function, Princeton, N. J. 1957.

permanente Inventur → Inventur

Perpetual-inventory-Methode

(Kumulationsmethode) Ermittlungsmethode für Bestandsgrößen durch Fortschreibung der Werte aus der Vorperiode mit Hilfe der Zu- und Abgänge:

Endbestand = Anfangsbestand + Zugang ./. Abgang.

Das Verfahren wird u.a. in der Bevölkerungsstatistik, der volkswirtschaftlichen → Vermögensrechnung (hier vor allem zur Berechnung des → Anlagevermögens) sowie bei der permanenten → Inventur verwendet.

persönliche Befragung

(Interview) Dem sog. Probanden tritt als Dialogpartner ein Angehöriger der Erhebungsorganisation gegenüber, der ihm Fragen vorträgt und die erhaltenen Antworten aufzeichnet. Darüber hinaus kann der Interviewer den Erhebungsgegenstand (z.B. ein Produkt) vorführen oder dem Befragten verschiedene Antworthilfen vorlegen, z.B. Wort- oder Farbkärtchen. Unbemerkt vom Befragten wird der Interviewer oft über dessen Verhalten Notizen machen und somit die Befragung mit einer → Beobachtung koppeln.

Bei Fragen, die die Privatsphäre berühren, fühlt sich der Befragte gegenüber dem Interviewer nicht selten gehemmt. Auch durch sein Verhalten beeinflußt und steuert der Interviewer bis zu einem gewissen Grade die Antworten des Befragten (Interviewereffekt). Gute Interviewer gewinnen das Vertrauen des Befragten und erhöhen so seine Auskunftswilligkeit.

Beim standardisierten Interview ist eine bestimmte Fragenfolge einzuhalten, beim nichtstandardisierten kann der Interviewer in Abhängigkeit von den Antworten das Frageschema verändern oder erweitern (→ Tiefeninterview). Je individueller jedoch die einzelne Befragung ausfällt, desto schwieriger wird die spätere Verdichtung der gewonnenen Informationen und desto größer wird die Filterwirkung des Interviewers bei der Niederschrift der Antworten. Da der Interviewer die Befragungsprotokolle auch fälschen könnte, ist eine Tätigkeit durch den Auftraggeber zu überprüfen, sei es durch den Einbau von Kontrollfragen oder sei es durch stichprobenhafte Nachforschungen bei den Befragten.

Die hohen Personalkosten lassen die persönliche Befragung nur für kleine Stichproben und relativ umfangreiche Fragenkataloge empfehlenswert erscheinen. Das Bemühen um Kostenminderung führt zur Einschaltung moderner Kommunikationsmittel (→ Telefoninterview, → Bildschirmbefragung).   *G. Ko.*

persönliche Beobachtung

Die Verhaltensweisen der Versuchspersonen werden von dem Erhebungspersonal bestimmten Ergebniskategorien zugewiesen, um quantitativ verarbeitungsfähige Daten zu gewinnen. Für die Betroffenen ist dies teilweise erkennbar, teilweise aber auch nicht. Störeinflüsse aufgrund von Fehleinordnung sind bei der Erhebung einfacher quantitativer Daten gering, es sei denn, das Erhebungspersonal wird durch einen starken Datenanfall zeitweise überfordert. Wesentlich stärker von der Person des Beobachters geprägt sind Verhaltensanalysen durch psychologisches Fachpersonal. Auch die hohen Kosten beim Einsatz von Spezialisten als Beobachtern sprechen nicht für diese Form der Erhebung. Gegenüber anderen Formen der → maschinellen Datenerfassung dient die → Film- und Videoaufzeichnung, abgesehen von der Erleichterung der verdeckten Beobachtung, häufig auch dazu, das Auswertungspersonal rationeller einzusetzen.   *G. Ko.*

persönliche Hilfe

neben Geld- und Sachleistungen (wirtschaftliche Hilfe) typische Leistungsform im Fürsorgewesen, auch in der modernen → Sozialhilfe (§ 8 BSHG). Unter persönlicher Hilfe wurde früher insb. die direkte sozialpädagogische Beratung von Fürsorgeklienten durch Fürsorger (Sozialarbeiter) verstanden, mit dem Ziel, „Hilfe zur Selbsthilfe" zu geben.

Im → Sozialgesetzbuch (§ 11) wird persönliche Hilfe neben „erzieherischer Hilfe" unter den allgemeinen Sozialleistungsarten ausdrücklich aufgeführt, hier allerdings unter dem Begriff „Dienstleistungen" subsumiert, die zusammen mit Sach- und Geldleistungen die drei allgemeinen Sozialleistungsarten darstellen. Der Sprachgebrauch ist hier indessen uneinheitlich.   *H. Sch.*

persönliche Kommunikation

(interpersonelle Kommunikation, direkte Kommunikation) neben der → Massenkommunikation eine Form der → Marktkommunikation. Ihr Charakteristikum ist der unmittelbare persönliche Informationsaustausch zwischen zwei oder mehr Partnern. Auf persönlicher Kommunikation beruhen der → persönliche Verkauf, ein wichtiges Instrument des Marketing, und bestimmte Formen der → Verkaufsförderung.

Darüber hinaus gibt es eine persönliche Kommunikation der Konsumenten untereinander über Kauf- und Konsumerfahrungen, Meinungen und Einstellungen zu Produkten, Einkaufsstätten usw. Ihre Bedeutung für den Markterfolg von Konsumgütern kann kaum überschätzt werden. Persönliche Kommunikation verbindet den einzelnen mit dem Geschehen und den Personen seiner unmittelbaren sozialen Umwelt. Sie vermittelt ihm Normen, Rollenerwartungen und Verhaltensmuster seiner Primärgruppen, die sein eigenes Verhalten und seine Verhaltensdispositionen prägen (→ gruppenbezogenes Konsumentenverhalten). Persönliche Empfehlungen eines Produktes sind glaubwürdiger als inhaltlich vergleichbare Anbieterinformationen und unterliegen keinen wettbewerbsrechtlichen Beschränkungen. Persönliche Kommunikation ist durch die Möglichkeit der unmittelbaren Rückkopplung flexibler als die Massenkommunikation und durchbricht eher als diese die „Sperre" der selektiven → Informationsaufnahme.

Verschiedene Hypothesen und empirische Befunde zum → Konsumentenverhalten deuten darauf hin, daß Ausmaß und Richtung der persönlichen Kommunikation personen- und produktspezifisch unterschiedlich ausgeprägt sind. So erweisen sich → Meinungsführer als besonders aktive Informationsanbieter, Angehörige der unteren sozialen Schicht eher als Nachfrager (→ schichtspezifisches Konsumentenverhalten). Bei neuen Produkten scheint die persönliche Kommunikation besonders intensiv und entscheidend für den Markterfolg zu sein (→ Diffusionsprozeß). Personen mit hohem → Involvement tendieren zu persönlicher Kommunikation über „ihr" Produkt, und schließlich dient sie dem Abbau von → subjektivem Kaufrisiko und → kognitiver Dissonanz. *K. P. K.*

Literatur: *Hummrich, U.,* Interpersonelle Kommunikation im Konsumgütermarketing, Wiesbaden 1976.

persönlicher Verkauf

(personal selling) persönliche Kontaktaufnahme durch Verkaufspersonen zu potentiellen Marktpartnern (Kunden) mit dem Ziel, diese zu einem Kaufabschluß zu bewegen. Im Mittelpunkt des persönlichen Verkaufs stehen deshalb das Verkaufsgespräch als individuelles Beeinflussungsinstrument. Mitunter findet sich in der Literatur auch eine Einschränkung auf die Tätigkeit von Mitarbeitern des Außendienstes.

Im Einzelhandel wird der persönliche Verkauf als kommunikationspolitisches Instrument eingesetzt, im betrieblichen Außendienst hat er zusätzlich distributionspolitische Bedeutung. Die Hauptaufgaben umfassen Bedarfserkennung, Interessenweckung bei potentiellen Kunden, (Besuch und) Beratung von Kunden, Abschlußerzielung, Pflege persönlicher Kontakte, Kundendienst sowie Sammlung von Marktinformationen.

Bei der Gestaltung der Verkaufsgespräche orientiert sich die Verkaufspraxis u. a. an sog. Stufen-Formeln, die alle mehr oder weniger starke Abwandlungen der AIDA-Regel (attention, interest, desire, action) darstellen. Da diese Konzepte die Verkäuferaufgaben jedoch nur unzureichend beschreiben, ist ihr praktischer Nutzen begrenzt. In den meisten Handbüchern zum Verkäuferverhalten wird deshalb auch eine Einteilung nach Phasen des Verkaufsgespräches vorgenommen, wobei die Ansätze im wesentlichen dem Muster Gesprächseröffnung, Bedarfsanalyse, Vertrauensbildung, Unterbreitung eines Angebots, Diskussion darüber sowie Gesprächsabschluß folgen.

Den Techniken und Verhaltensregeln aller Phasen ist gemeinsam, daß diese bislang kaum empirisch untersucht und theoretisch fundiert wurden. Die meisten Autoren, die sich um eine theoretische Fundierung bemühen, greifen auf Erkenntnisse der → Sozialpsychologie zurück (vgl. z. B. *A. Bänsch,* 1977; *R. Schoch,* 1969). Während im Rahmen wissenschaftlicher Untersuchungen auf der Käuferseite hauptsächlich das Informations- und Entscheidungsverhalten beim Kaufvorgang analysiert wird (→ Kaufentscheidungsprozeß), steht im Mittelpunkt der meisten verkaufsorientierten Untersuchungen die Suche nach Bestimmungsfaktoren für den Verkaufserfolg. Im einzelnen lassen sich unterscheiden:

(1) *Verkäuferorientierte Ansätze,* bei denen die Erfolgsfaktoren in der Person des Verkäufers vermutet werden: Hierzu gehören Konzepte, die
- Eigenschaften und Merkmale der Verkaufsperson,
- die Anwendung einer bestimmten Überzeugungsstrategie durch den Verkäufer und
- die Anpassungsfähigkeit des Verkäufers an die spezifischen Kundenbedürfnisse analysieren.

(2) Ansätze, die auf der *Reiz-Reaktionstheorie* basieren, unterstellen, daß der Verkaufsprozeß zum Kaufabschluß führt, wenn durch entsprechendes Verhalten des Verkäufers die Reaktionen des Käufers in gewünschter Weise beeinflußt werden können.

(3) Ansätze, die sich an der *Bedürfnis-Befriedigungs-Theorie* orientieren, gehen davon aus, daß Käufe in der Absicht vorgenommen werden, bestimmte Bedürfnisse des Kunden zu befriedigen.

(4) Ansätze auf der Grundlage von *S-O-R-Modellen* berücksichtigen auch Vorgänge im „Organismus" des Käufers in Form sog. hypothetischer Konstrukte (z. B. bestimmte → Einstellungen und Motive).

(5) *Interaktionstheoretische Ansätze* betrachten im Gegensatz zu den bisherigen Varianten beide am Verkaufsvorgang beteiligten Parteien und interpretieren das Verhalten der Interaktionspartner als soziales Gruppenverhalten.

(6) Ansätze zum *organisationalen Kaufverhalten* stimmen darin überein, daß sie von der Existenz eines sog. → buying center bzw. sel-

ling center ausgehen, das als ein funktionales Subsystem innerhalb der Organisation verstanden wird, dem alle an einem Kauf- bzw. Verkaufsvorgang beteiligten Entscheidungsträger angehören. *J. G.*

Literatur: *Bänsch, A.,* Verkaufspsychologie und Verkaufstechnik, Stuttgart, Berlin 1977. *Schoch, R.,* Der Verkaufsvorgang als sozialer Interaktionsprozeß, Winterthur 1969. *Crissy, W. J. E./Cunningham, W. H./Cunningham, C. M.,* The Personal Force in Marketing, New York 1977.

personal computer → Mikrocomputer, → personal computing

Persönlichkeitstest → psychologischer Test

personal computing

Der technische Fortschritt bietet dem Endbenutzer eine Vielzahl von Möglichkeiten zur persönlichen Nutzung der EDV. Unter Endbenutzer wird dabei der Informationsempfänger in der Fachabteilung verstanden. Während bei den klassischen batch- oder dialogorientierten EDV-Systemen die Anwendungen für den Benutzer „vorgedacht" sind, liegt es im Wesen des personal computing, daß der Benutzer seine Auswertungen selbst per EDV erstellt. Das Angebot an anwendungsorientierten Sprachen (→ Planungssprache, Abfragesprachen) enthebt ihn der Notwendigkeit der Programmierung mit den üblichen problemorientierten → Programmiersprachen wie COBOL, FORTRAN und PL/1.

Unter personal computing werden dabei nicht nur der Einsatz von Personalcomputern, sondern auch eine benutzerindividuelle Datenverarbeitung verstanden, die Hilfsmittel zur Verfügung stellt, um ohne tiefere EDV-Kenntnisse am Arbeitsplatz selbst Daten abrufen, austauschen und bearbeiten zu können.

Die Verbreitung des personal computing wird vor allem gefördert durch
- Kapazitätsprobleme in der EDV-Anwendungsentwicklung,

Eignung von EDV-Instrumenten für Anwendungen im Bürobereich

Instrumente / Anwendungen	Mikrocomputer (Personal-Comput.)	Time-Sharing Dienst	Zentrale EDV		Dedizierte Rechner	Bildschirmtext	Postdienste	
			Datenbank/ Query	Planungssprachen			Telefax	Teletex
Informationsverwaltung	M	M	**H**	M				
Problemlösungen Anfragen	g	M	**H**	g		M		
Einf. Auswert.	**H**	**H**	**H**	**H**				
Simulation	M	**H**		**H**				
Methodenintensiv	g	**H**		**H**	**H**			
Datenintensiv	g	g	**H**					
Ausgabenintensiv	**H**	g	M	M				
Textverarbeitung	M			g	**H**			M
Kommunikation Electronic Mail		g	M			M	g	M
Electronic Conferencing		g	M			g		
Remote office work	M		g			M	g	g
Verwaltung persönlicher Ressourcen	M		g			g		

H = hohe Eignung; M = mittlere Eignung; g = geringe Eignung; keine Eignung = keine sinnvolle Eignung

- steigende Auswertungswünsche der Endbenutzer sowie
- wachsendes EDV-Wissen der Anwender.

Elemente des personal computing sind die Benutzergruppen, die unterschiedlichen Anwendungen sowie die soft- und hardwaretechnischen Instrumente.

Entsprechend den verschiedenen Tätigkeitsarten stellen Benutzer unterschiedliche Anforderungen an ein System; sie unterscheiden sich auch in ihrer Fähigkeit, ihn zu nutzen. Anwendungen im Bürobereich ebenso wie Instrumente gehen aus der Tabelle hervor. Mögliche Instrumente sind neben den → Mikrocomputern, die sich besonders für einfache Auswertungen durch Einsatz von spreadsheets (→ computergestützte Planung) eignen, → Time-sharing-Dienste für methodenintensive Auswertungen und komfortable Planungssprachen. Anfragesprachen für Datenbanken bzw. komfortable Planungssprachen für → Simulationen und methodenintensive Auswertungen können durch die zentrale Datenverarbeitung bereitgestellt werden. Dedizierte Rechner eignen sich insb. für die Textverarbeitung.   *A. W. S.*

personal selling → persönlicher Verkauf

Personalanpassung → Entlassung

Personalaufwandsrechnung → human resource accounting

Personalausschüsse
Neben den Personalämtern, die Aufgaben der Personalverwaltung in der öffentlichen Verwaltung wahrnehmen, sind im Rahmen des → Personalvertretungsrechts Personalausschüsse als unabhängige Stellen eingerichtet, die den Einfluß von Gruppeninteressen und Institutionen in Form der Ämterpatronage ausschalten sollen.

Personalbedarfsplanung → Personalplanung

Personalberater
selbständiger Unternehmensberater, der sich auf die Beratung in personalwirtschaftlichen Fragen, insb. auf die Hilfestellung bei der Suche und Auswahl externer Bewerber für offene Stellen (→ Personalwerbung) spezialisiert. Personalberater werden vornehmlich mit der Suche von Führungskräften auf dem externen Arbeitsmarkt betraut oder sie wirken bei der einvernehmlichen Trennung eines Unternehmens von Führungskräften (→ Outplacement) mit. Für ihre Einschaltung in die Personalsuche lassen sich u. a. folgende Argumente nennen: Die Betroffenen weisen eine besondere Qualifikation für die Auswahl geeigneter Bewerber auf, verfügen über eine umfassende Kenntnis der relevanten Ausschnitte des Arbeitsmarkts und tragen im Falle anonymer Anzeigen dem Bedürfnis vieler Interessenten Rechnung, ihre Bewerbung an bestimmte Unternehmen, z.B. an das arbeitgebende oder verbundene Unternehmen, nicht weiterzuleiten (→ head hunter).

Personalbeurteilung
(Leistungsbeurteilung, merit rating, efficiency's rating, performance appraisal) Instrument der → Personalwirtschaft, insb. der → Lohnpolitik und der → Personalentwicklung. Es handelt sich um formalisierte Systeme der Beurteilung der Person und/oder des Verhaltens von Mitarbeitern, die durch ihre systematische Ausgestaltung eine verläßliche Einschätzung ermöglichen sollen. Die Personalbeurteilung stellt ein zentrales Führungsinstrument dar. Mit ihr werden z.B. folgende Zielsetzungen verfolgt:
- Leistungsgerechte Entgeltdifferenzierung,
- Verbesserung des Vorgesetzten-Mitarbeiter-Verhältnisses,
- Anerkennung und Bestätigung gezeigter Leistungen,
- Analyse des Ausbildungsbedarfs,
- Analyse des Personalentwicklungspotentials (Nachwuchsplanung),
- individuelle Beratung und Förderung des Mitarbeiters,
- Evaluierung (Kontrolle) personalpolitischer Maßnahmen (z.B. von Ausbildungsmaßnahmen).

Es lassen sich folgende Beurteilungsverfahren feststellen:
(1) Summarische Beurteilung: Freie Kurzgutachten mit oder ohne Angabe von Merkmalen, auf die Bezug genommen werden soll.
(2) Analytische Beurteilungsverfahren:
- Vorgegebene Eigenschaftskataloge, bei denen die jeweils zutreffende Eigenschaft angekreuzt wird.
- Rangreihenverfahren, bei dem der einzelne Mitarbeiter im Vergleich zu den anderen Mitgliedern einer Gruppe hinsichtlich bestimmter Beurteilungsmerkmale in eine Rangreihe eingeordnet wird.
- Einstufungsverfahren, bei dem für jedes Beurteilungsmerkmal eine Skala vorgegeben ist. In der Regel werden die Beurteilungen hinsichtlich der einzelnen Merkmale zu einem Gesamtwert addiert. Diesem Verfahren kommt sowohl praktisch als auch wissenschaftlich die größte Bedeutung zu.

Beispiel aus einem typischen Einstufungsverfahren

Arbeitsmenge	außergewöhnlich viel	leistet viel	befriedigende Arbeitsmenge	Arbeitsmenge genügt nicht	unzureichende Arbeitsmenge
Verhalten zu Kunden	sehr kontaktfähig	verständnisvoll	kontaktfähig	kontaktschwach	kontaktarm

Bei der Konstruktion von analytischen Beurteilungssystemen geht es vor allem darum,

- alle für die Tätigkeit wichtigen Merkmale – und nur diese – zu berücksichtigen,
- überschneidungsfreie Merkmale zu konstruieren,
- sofern den Merkmalen eine unterschiedliche Gewichtung zukommen soll, die entsprechenden Gewichtungskriterien zu finden, und
- das Beurteilungssystem so aufzubauen, daß es vom Vorgesetzten ohne psychologische Fachkenntnisse angewendet werden kann.

Bei der Entwicklung von Beurteilungssystemen hat der → Betriebsrat nach § 94 Abs. 2 BetrVG ein Mitbestimmungsrecht. Zur Erhöhung der Akzeptanz werden zunehmend auch die von der Beurteilung betroffenen Mitarbeiter in den Entwicklungsprozeß einbezogen.

Trotz häufig scheinbarer Präzision der analytischen Beurteilungssysteme und der Schulung der Beurteiler ergeben sich typische Beurteilungstendenzen:

- Voreilige Schlußfolgerungen („. . . der Betreffende liest immer nur Zeitung", weil man ihn einmal beim Lesen einer Zeitung entdeckt hat),
- Einfließen von Vorurteilen,
- Verallgemeinerung von Leistungsspitzen oder Leistungsschwächen,
- Beurteiler nimmt sich selbst als Maßstab oder urteilt grundsätzlich sehr nachsichtig, streng oder vorsichtig, d. h. wenig differenziert,
- Auftreten eines Halo-Effekts (man schließt von einer Eigenschaft, z. B. Pünktlichkeit, auf andere Eigenschaften, z. B. Arbeitsqualität).

Grundsätzlich wirkt der Beurteilungsprozeß in die soziale Beziehung Mitarbeiter-Vorgesetzter ein. Zur Vermeidung von u. U. unangenehmen Auseinandersetzungen und den damit verbundenen Störungen des → Betriebsklimas wenden Vorgesetzte häufig Ausweichtechniken an, geben z. B. nur positive Beurteilungen ab, verharmlosen die Beurteilung („bloß eine Formalität") oder distanzieren sich von dieser als einer lästigen Pflichtübung.

Aus der Erfahrung, daß auch ein noch so differenziertes Beurteilungssystem keine objektive Beurteilung gewährleistet und daß Beurteilungssysteme in der bisher beschriebenen

Form somit auch wenig geeignet sind, längerfristige Leistungsanreize zu schaffen, wenden immer mehr Unternehmen anstelle von analytischen Beurteilungsverfahren das Instrument regelmäßiger Zielvereinbarungsgespräche an. Dabei werden zunächst die konkreten Aufgabenstellungen des Mitarbeiters schriftlich festgehalten. Nach Ablauf des Bezugszeitraums (i. d. R. ein Jahr) wird überprüft, wie der Mitarbeiter jede seiner Hauptaufgaben erledigt hat, auf welche Ursachen auftretende Abweichungen zurückzuführen und welche konkreten Maßnahmen zu ergreifen sind.

Zur Entscheidung über die zukünftige Besetzung von Führungspositionen wird anstelle von analytischen Beurteilungsverfahren verstärkt das → Assessment-Center-Verfahren herangezogen (→ Personalentwicklung). *B. L.*

Literatur: *Dirks, H.,* Mitarbeiterbeurteilung, in: *Gaugler,* E. (Hrsg.), HWP, Stuttgart 1975, Sp. 1347 ff. *Neuberger, O.,* Rituelle (Selbst-)Täuschung, in: DBW, 40. Jg. (1980), S. 27 f.

Personalbewegungsstatistik   → Personalstatistik

Personal-Controlling

personalwirtschaftliche Funktion, die der Unterstützung und Evaluation einer aktiven, zielorientierten betrieblichen Personalpolitik durch Beschaffung, Aufbereitung und Weitergabe von Informationen dienen soll. Die Problematik der Entscheidung über konkrete Konzeptionen eines Personal-Controlling für die Anwendung in der betrieblichen Praxis läßt sich anhand von vier Grundfragestellungen verdeutlichen:

(1) An welchen Zielen ist das Personal-Controlling zu orientieren?

(2) Wird die permanente vollständige Betrachtung des gesamten Personalbereichs angestrebt (personalwirtschaftliches Totalcontrolling) oder erfolgt eine Konzentration auf die jeweils aktuellen Schwachstellen (personalwirtschaftliches Partialcontrolling)?

(3) Welche Ansatzpunkte werden für die Realisierung des Personal-Controlling gewählt?

(4) Welchen Instanzen wird die Durchführung des Personal-Controlling übertragen?

Der Anspruch des Personal-Controlling, Informationen zu beschaffen, aufzubereiten und gezielt an betriebliche Entscheidungsträger weiterzuleiten, erfordert die Verwendung aussagefähiger Kennzahlen, z.B. über Fehlzeiten (→ Absentismus), → Fluktuation, Personalkosten/Mitarbeiter, Umsatz/Mitarbeiter, Cashflow/Mitarbeiter, Führungsintensität und Alterskategorien. Die konsequente Durchführung eines Controlling im Personalbereich stellt beachtliche Anforderung an die Informationsbeschaffung und -verarbeitung. Hieraus resultiert das Erfordernis der Schaffung adäquater technologischer Voraussetzungen im Unternehmen, wie sie etwa durch die Implementierung eines computerunterstützten → Personalinformationssystems erfüllt werden können.   G. Si.

Literatur: *Gaydoul, P.,* Controlling in deutschen Unternehmen, Darmstadt 1980. *Horváth, P.,* Controlling, 2. Aufl., München 1986. *Oehler, O.,* Checklist – Frühwarnsystem mit Alarmkennziffern, München 1980.

Personaldatenbank

Hierin sind alle Mitarbeiterdaten systematisch gespeichert, soweit sie zur Lösung administrativer und/oder dispositiver Personalaufgaben benötigt werden (→ Personalinformationssysteme). Art, Umfang und Struktur hängen dabei sowohl von der eingesetzten Anwendungssoftware als auch von den beabsichtigten Einsatzzwecken des Systems ab. Gespeichert werden in aller Regel personenbezogene Daten mit Dauercharakter (Personalstammdaten), Abrechnungs- und Arbeitszeitdaten, je nach Leistungsbreite des Systems darüber hinaus Leistungs- und Beurteilungsdaten, Fähigkeitsdaten, psychische Daten etc. Wenngleich die Software keinen Begrenzungsfaktor für das Datenvolumen darstellt, sind wegen des hohen Aufwandes für die notwendige Aktualisierung und Korrektur der Daten einer Ausweitung Schranken gesetzt. Darüber hinaus verhindern Aspekte des → Datenschutzes eine unbeschränkte Speicherung und Verarbeitung personenbezogener Daten.

Personaldeckungsplanung → Personalplanung, → betriebliche Beschäftigungspolitik

Personaleinsatzplanung → Personalplanung

Personalentwicklung

stellt als personalwirtschaftliche Funktion auf der Basis wirtschaftlicher Ziele und individueller Entwicklungsziele der Mitarbeiter auf den Erhalt bzw. Erwerb jener Qualifikationen ab, die die Mitarbeiter zur Bewältigung gegenwärtiger und zukünftiger Leitungsanforderungen benötigen. Durch Maßnahmen der

Aus-, Fort- und Weiterbildung, der Strukturierung der Arbeit und einer individuellen → Karriereplanung sollen Fähigkeiten, Kenntnisse und vor allem das Verhalten der Mitarbeiter entwickelt werden, um insb. den Veränderungen von Arbeitsplätzen und -inhalten sowie den Rahmenbedingungen des Unternehmensgeschehens zu begegnen. Dabei können je nach Aufgabenstellung Mitarbeiter aller hierarchischen Ebenen erfaßt werden.

Außer für die Deckung des Personalbedarfs durch Qualifizierung vorhandener Mitarbeiter als Alternative zur Personalbeschaffung vom externen Arbeitsmarkt leistet die Personalentwicklung auch einen Beitrag zur Förderung des beruflichen Aufstiegs der Mitarbeiter (→ Management-Development).

Für eine systematische, zielgerichtete Gestaltung der Personalentwicklung sind zunächst die Entwicklungserfordernisse festzustellen. Ansatzpunkt ist grundsätzlich ein Auseinanderfallen der Anforderungen gegenwärtiger oder künftiger Arbeitsplätze und der Fähigkeiten der Mitarbeiter; aus Stellenbeschreibungen ermittelte Anforderungsprofile und durch regelmäßige Mitarbeiterbeurteilung erfaßte Fähigkeitsprofile weichen voneinander ab. Sie auszugleichen ist die wesentliche Gestaltungsaufgabe der Personalentwicklung, wobei den Entwicklungsbedürfnissen der Mitarbeiter Rechnung zu tragen ist.

Die ermittelten Entwicklungserfordernisse bilden die Grundlage für die Maßnahmenplanung, in der systematisch → Personalentwick-

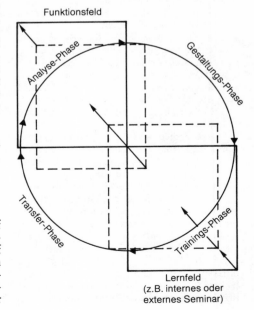

Funktionsfeld

Analyse-Phase

Gestaltungs-Phase

Transfer-Phase

Trainings-Phase

Lernfeld
(z.B. internes oder
externes Seminar)

lungsprogramme unter Einschluß der Strukturierung der Arbeit und der Karriereplanung vorgenommen werden. Bezugspunkt der Maßnahmenplanung ist das Funktionsfeld des Mitarbeiters, d.h. der Arbeitsplatz bzw. Einsatzbereich, für den Entwicklungsbedürfnisse ermittelt oder durch den Mitarbeiter angemeldet wurden. Soweit der Bereich, in dem gelernt wird (Lernfeld), nicht mit dem Funktionsfeld des Mitarbeiters zusammenfällt, wie es typisch für das sog. → training off the job ist, muß beachtet werden, daß der Mitarbeiter das im Lernfeld Gelernte auf sein Funktionsfeld übertragen kann. Die Notwendigkeit des Lerntransfers auf das Funktionsfeld, die sich regelmäßig beim → training on the job ergibt, wird vielfach nicht genügend beachtet.

Ein Erfolg der Personalentwicklung kann erst dann konstatiert werden, wenn der Transfer des Gelernten in das Funktionsfeld erfolgt ist. Dabei hat man sich zu verdeutlichen, daß dieser Transfer entsprechende organisatorische Bedingungen im Unternehmen voraussetzt und der Mitarbeiter zur Umsetzung des Gelernten auch bereit ist. Im Hinblick auf die Förderung des Transfers wird einer Verknüpfung von Lern- und Funktionsfeld, z.B. durch Ansätze der → Organisationsentwicklung, zunehmend Beachtung geschenkt.

Die Messung und Steuerung des Erfolgs der Personalentwicklung wird durch die mangelnde Einsicht in die Ursache-Wirkungszusammenhang beeinträchtigt. Dennoch sind Möglichkeiten der Erfolgsmessung vorhanden, die Anhaltspunkte für die Erfolgsbeurteilung ergeben. Von diesen ist auch Gebrauch zu machen, da die Personalentwicklung z.T. einen erheblichen finanziellen Aufwand erfordert. Die zweifellos gleichermaßen notwendige Kostenkontrolle ergänzt die Erfolgsbeurteilung und ermöglicht näherungsweise Aussagen zur Vorteilhaftigkeit der Maßnahmen. *W. Ly.*

Literatur: *Bronner, R./Schröder, W.,* Weiterbildungserfolg, München, Wien 1983. *Koch, H.-E.,* Grundlagen und Probleme einer betrieblichen Karriereplanung, Frankfurt a.M. 1981, *Mentzel, W.,* Personalentwicklung, Freiburg i.Br. 1980.

Personalentwicklungsprogramm

Eine systematische, erfolgsorientierte → Personalentwicklung verlangt den Aufbau und die Durchführung mittel- bis langfristiger Personalentwicklungsprogramme, in die je nach Zielrichtung und Aufgabengebieten verschiedene Mitarbeitergruppen spezifisch eingebunden werden. Dazu sind nach Maßgabe möglichst verbindlicher, operationaler Entwicklungsziele entsprechende thematisch-inhaltliche Konzepte zu erarbeiten, Entscheidungen über die einzusetzenden Entwicklungsmethoden zu treffen, ggf. Dozenten auszuwählen, sowie der organisatorische und zeitliche Rahmen der Programme festzulegen. Im Sinne eines Steuerungsprozesses ist das Erreichen der Programmziele zu kontrollieren und u.U. zu modifizieren. Personalentwicklungsprogramme müssen als Grundlage einer Budgetierung durch Kostananalysen ergänzt werden.

Personalertragsrechnung → human resource accounting

Personalfragebogen

Fragebogen, mit dem die für die Beschäftigung eines neuen Mitarbeiters vom Arbeitgeber gewünschten Informationen erhoben werden (→ Bewerberauswahlverfahren). Soweit förmliche Personalfragebogen erstellt werden, verfügt der → Betriebsrat nach § 94 BetrVG über ein Mitbestimmungsrecht hinsichtlich der zulässigen bzw. zu stellenden Fragen.

Personalfreisetzung → Entlassung, → Outplacement

Personalführung → Mitarbeiterführung

Personalinformationssystem

Die Entwicklung neuer Datenverarbeitungstechnologien hat die technischen Voraussetzungen dafür geschaffen, auch die Informationsgrundlagen der betrieblichen → Personalwirtschaft erheblich auszuweiten. Im Mittelpunkt dieser Entwicklung stehen Personalinformationssysteme (PIS), die sich allgemein als computergestützte Verfahren beschreiben lassen, mit denen personenbezogene oder auf Menschen beziehbare Daten erfaßt und so aufbereitet werden, daß sie unmittelbar als Planungs- und Entscheidungshilfe im Unternehmen dienen können.

PIS, die als branchenunabhängige → Standardsoftware angeboten werden, sind zumeist durch die Weiterentwicklung von vornehmlich administrativen Systemen zur Personalverwaltung und zur Lohn- und Gehaltsabrechnung entstanden. Weiter- oder Neuentwicklungen wurden häufig deshalb notwendig, weil die herkömmlichen – meist in Form der → Stapelverarbeitung betriebenen – Systeme den steigenden Anforderungen und dem zunehmenden Komplexitätsgrad administrativer Personalaufgaben nicht mehr gerecht wurden und an technische wie wirtschaftliche Grenzen stießen. Häufig stehen deshalb auch in der ersten Aufbauphase der neuen, im Dialog betriebenen Systeme Abrechnungsteile im Mittelpunkt. Die modulare Grundstruktur der Systeme ermöglicht dann bei Nutzung und Ergänzung der bisherigen Datenbasis eine schrittweise Ausweitung und Übernahme dispositiver Aufgaben (→ Personalplanung, → Personalentwicklung, → Personal-Controlling etc.). Die Speicherung von Daten in Datenbanksystemen ist Voraussetzung für einen effektiven Einsatz des PIS bei personalwirtschaftlichen Fragestellungen und bietet im Vergleich zu herkömmlichen Programmabläufen erhebliche Vorteile, da die Daten weitgehend redundanzfrei (dadurch Verringerung des Erfassungsaufwandes und fehlerhafter Mehrfachspeicherung) und aufgabenunabhängig (d.h. Unabhängigkeit der Anwendungsprogramme von der Art der Speicherung und der Sortierung der Daten) verfügbar gehalten werden können.

Wenngleich sich das Spektrum der Systeme, die primär zur Unterstützung personalwirtschaftlicher Aufgabenstellungen konzipiert worden sind, sehr unterschiedlich darstellt und auch die Leistungsbreite der üblichen PIS-Standardsoftware je nach unternehmensspezifischer Anpassung variiert, sind die einzelnen Varianten meist nach einem ähnlichen Grundmuster aufgebaut. Dazu gehören neben der EDV-Anlagenkonfiguration die verschiedenen Auswertungsprogramme (Methoden- und Modelldatenbank). Allgemein übliche Auswertungsprogramme sind in den PIS meist standardmäßig vorhanden (Abrechnungsprogramme; Statistikprogramme für Personalstruktur, Fehlzeiten und → Fluktuation, Suchprogramme u.a.m.). Daneben werden branchenspezifische Lösungen oder Programme für bestimmte personalwirtschaftliche Aufgabenbereiche (Personalplanung, insb. Personaleinsatzplanung, Personalmarketing und -entwicklung) als wahlweise einsetzbare Zusatzmodule angeboten. Weitere Bestandteile sind die → Personaldatenbank und die → Arbeitsplatzdatenbank, die sich aus verschiedenen Dateien oder sog. Satzarten zusammensetzen, in denen mitarbeiter- und unternehmensbezogene Daten nach bestimmten Merkmalsgruppen geordnet und logisch zusammengefaßt sind.

Durch den Einsatz von PIS können sich personalwirtschaftliche Entscheidungen auf eine breitere Informationsgrundlage stützen, wodurch schrittweise Unsicherheiten im Entscheidungsprozeß abgebaut werden können. Allerdings ist die Gefahr der Fehlinterpretation der vorhandenen Daten zu beachten. Die Konzentration der Datenerfassung auf personalwirtschaftlich bedeutsame Kategorien ist mit dem Nachteil verbunden, daß von den spezifischen zeitlichen, sachlichen und sozialen Rahmenbedingungen abstrahiert werden muß und damit wichtige erklärende Informationen nicht zur Verfügung stehen. Die Gefahr der Fehlinterpretation wird insofern verstärkt, als sich in den Unternehmen, die bereits seit längerem über ein komfortables PIS verfügen, zunehmend die Tendenz abzeichnet, personalwirtschaftliche Entscheidungen weniger dezentral als vielmehr zentral bei nunmehr verbesserter Informationslage zu treffen.

Die Einführung von PIS ist häufig mit Konflikten zwischen Arbeitgeber und Betriebsrat verbunden, da befürchtet wird, daß die zunehmende Leistungsbreite der eingesetzten PIS sowie deren zunehmender Integrationsgrad durch die Verknüpfung mit anderen betrieblichen (Teil-) Systemen mit der Folge der Ausweitung des Volumens personenbezogener Daten für die Beschäftigten mit negativen Auswirkungen verbunden sind. Dabei ist insb. auf die Möglichkeit vermehrter Kontrolle der Leistung und des Verhaltens der Arbeitnehmer hinzuweisen. Ein größeres Volumen an Daten, das exakter ermittelbar, leichter verfügbar, über längere Zeiträume speicherbar, beliebig verknüpfbar und multifunktional, d.h. auch für nachträglich definierte Zwecke genutzt werden können, führt zu einer umfassenden Unterrichtung des Arbeitgebers über die bei ihm Beschäftigten.

Immer mehr wird deshalb versucht, die darin gesehene Machtverschiebung zugunsten des Arbeitgebers durch den Abschluß von → Betriebsvereinbarungen aufzufangen, wobei jedoch Art und Umfang der Beteiligung des → Betriebsrates bei der Einführung und Anwendung von PIS infolge des Fehlens eindeutiger Vorschriften im → Betriebsverfassungsgesetz nicht abschließend geklärt sind. Jedoch steht die Rechtsprechung dem Betriebsrat zunehmend ein Mitbestimmungsrecht gem. § 87 Abs. 1 Ziffer 6 BetrVG zu.   *C. D. N.*

Literatur: *Ortmann, G.,* Der zwingende Blick, Personalinformationssysteme – Architektur der Disziplin, Frankfurt a.M., New York 1984. *Domsch, M.,* Systemgestützte Personalarbeit, Wiesbaden 1980.

Personalkauf

liegt vor, wenn an Angehörige von Hersteller- oder Handelsbetrieben von jenen hergestellte oder angebotene Waren zu Vorzugspreisen abgegeben werden.

Personalkosten

werden in erster Linie in der Lohn- und Gehaltsabrechnung ermittelt. Sie umfassen alle

Kosten, die durch den Einsatz des Produktionsfaktors Arbeit unmittelbar und mittelbar entstanden sind, also folgende Hauptgruppen:

- Löhne,
- Gehälter,
- gesetzliche →Sozialkosten,
- freiwillige →Sozialkosten,
- sonstige Personalkosten.

Bei den *Löhnen* unterscheidet man Fertigungs- und Hilfslöhne. Diese Trennung hat „rechnungstechnischen Charakter. Es sollen die Arbeitsleistungen, die unmittelbar der Herstellung des Erzeugnisses dienen, von den Arbeiten getrennt werden, die nur mittelbar an der Herstellung beteiligt sind. Ein Werturteil über die Bedeutung der geleisteten Arbeit kann in dieser begrifflichen Unterscheidung nicht erblickt werden. Vielmehr können unter Umständen gerade die Löhne der für den Betrieb wichtigsten Arbeitergruppen (Vorarbeiter, gelernte Arbeiter) unter den Begriff der Hilfslöhne fallen. Auch eine Beurteilung der Wirtschaftlichkeit der Leistungserstellung nach dem Verhältnis der Hilfslöhne zu den Fertigungslöhnen ist nicht angängig, da sich die Höhe der Hilfslöhne aus einer weitgehenden Arbeitsteilung und einer Befreiung der Fertigungsarbeiter von allen nicht zu ihrer eigentlichen Aufgabe gehörenden Arbeiten ergeben kann" (Gemeinschaftsrichtlinien für das Rechnungswesen des BDI).

Löhne werden i. d. R. als →Akkord- oder →Zeitlohn gezahlt. Diese Unterscheidung stimmt nicht mit der zwischen Fertigungs- und Hilfslöhnen und auch nicht mit der zwischen Einzel- und Gemeinkostenlöhnen überein. So wie Fertigungslöhne durchaus als Zeitlohn gezahlt werden können, kann es auch vorkommen, daß Hilfslöhne als Akkordlöhne berechnet werden. Einzellöhne (Einzelkostenlöhne) können nur Fertigungslöhne sein, jedoch können Fertigungslöhne (als Zeitlöhne) auch Gemeinkosten sein.

Gehälter (vgl. auch →kalkulatorischer Unternehmerlohn) sind das Arbeitsentgelt insb. für Angestellte; sie werden für bestimmte Zeitabschnitte gezahlt, entsprechen damit einer Zeitentlohnung und sind Gemeinkosten. Auch alle anderen Personalkosten sind stets Gemeinkosten (vgl. Abb.).

Die Lohn- und Gehaltskosten werden aufgrund von Zeitlohnscheinen, Akkordscheinen, Prämienunterlagen, Zusatzlohnscheinen, Gehaltslisten, Stempelkarten etc. erfaßt und weiterverrechnet. Sowohl bei der Erfassung als auch bei der Weiterverrechnung leistet die Lochkarte als Datenträger für die EDV-Abrechnung große Dienste.

Gliederung und Verrechnung der Personalkosten

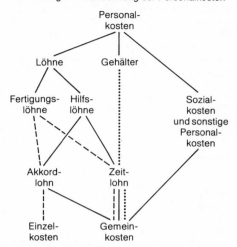

Sonstige Personalkosten entstehen insb. beim Personalwechsel durch Inserate-, Vorstellungs-, Umzugs- und Abfindungskosten.

Besondere Abgrenzungsberechnungen ergeben sich bei den Personalkosten aufgrund der Tatsache, daß sich bestimmte Teile dieser Kosten ungleichmäßig auf das Jahr verteilen. Das gilt insb. für die Urlaubs-, Feiertags- und Krankheitslöhne sowie für die meisten Kategorien der Sozialkosten. Würde man z.B. die gesamten Urlaubslöhne in voller Höhe dem Monat anlasten, in dem das Werk Betriebsferien macht, so wären die Kostenstruktur in Relation zum Produktionsvolumen erheblich gestört und die Aussagefähigkeit der Ergebnisse der Kostenrechnung sehr gering. Man schätzt also die voraussichtlichen Beträge für diese stoßweise anfallenden Teile der Personalkosten und verrechnet sie in gleichmäßigen Raten oder in Relation zu der jeweils gezahlten Lohn- und Gehaltssumme der Abrechnungsperiode in den Kosten. Rechentechnisch wird hierzu ein Abgrenzungskonto eingerichtet, dem die tatsächlichen Zahlungen belastet und die verrechneten Beträge gutgeschrieben werden.   *L. H.*

Personalkostenzuschuß

Maßnahme der →Forschungsförderung für kleine und mittlere Unternehmen. Er wird durch den Bundesminister für Wirtschaft gewährt und durch die Arbeitsgemeinschaft industrieller Forschungsvereinigungen verwaltet (→Gemeinschaftsforschung).

Personalkredit

Überlassung von finanziellen Mitteln gegen Zahlung von Zinsen, wobei der Kreditfähigkeit und → Kreditwürdigkeit des Kreditnehmers entscheidende Bedeutung zukommt. Im Gegensatz zum → Realkredit wird hier auf die Bereitstellung dinglicher → Kreditsicherheiten verzichtet. Deswegen ist das Kreditvolumen i. d. R. gering. Diese Art von Darlehen wird oft als → Kontokorrentkredit oder in Form der Hinnahme einer Überschreitung der Beleihungsgrenze gewährt. Neuerdings werden vor allem der Kleinkredit und das Anschaffungsdarlehen als Personalkredit angeboten (→ Konsumentenkredit).

Personalleasing → betriebliche Beschäftigungspolitik

Personalleihe → betriebliche Beschäftigungspolitik

Personalmarketing

zielt darauf ab, die Arbeitsbedingungen entsprechend den Interessen und Erwartungen der (potentiellen) Mitarbeiter so zu gestalten, daß sie auf den Eintritt in eine andere Unternehmung verzichten und der Leistungsbeitrag des Produktionsfaktors Arbeit im Unternehmen optimiert wird (→ Anreiz-Beitrags-Theorie). Gelingt es einer Organisation, wirksame Anreize für ihre (potentiellen) Mitarbeiter zu bieten, schafft sie sich eine besondere Stellung auf dem anonymen Arbeitsmarkt, die insb. bei der Personalsuche (→ Personalwerbung) oder der Gestaltung der → betrieblichen Sozialleistungspolitik vorteilhaft ist.

Beim Personalmarketing ist wie beim Absatzmarketing zwischen der Informations- und Aktionsseite zu differenzieren. Die Aktionsparameter, die den Trägern der Personalpolitik zur Verfolgung ihrer Ziele (→ Personalwirtschaft) zur Verfügung stehen (personalpolitisches Mix), bilden die sog. personalpolitischen Instrumente (z. B. → betriebliche Entgeltpolitik, Ausbildungspolitik, Gestaltung der Zusammenarbeit zwischen Unternehmensleitung und Arbeitnehmern bzw. Arbeitnehmervertretern).

Als Pendant zur → Marktforschung fungiert als Informationsseite des Personalmarketings die Personalforschung. Diese umfaßt alle Maßnahmen zur Gewinnung von Informationen, auf die sich die Träger der Personalpolitik bei der Fixierung ihrer Ziele und bei Entscheidungen über den Einsatz personalpolitischer Instrumente stützen. Methoden der Informationsgewinnung sind hier vor allem → Mitarbeiterbefragung, Mitarbeitergespräch und -beurteilung (→ Personalbeurteilung), Personalkostenrechnung, → Arbeitsbewertung und betriebliche Arbeitsmarktforschung.

Die Integration der betrieblichen Funktionsbereiche Absatzwirtschaft und Personalwesen im Personalmarketing erstreckt sich darüber hinaus noch auf strategische Aspekte, die angesichts der sich immer rascher verändernden Marktstrukturen und der enorm gestiegenen Führungsproblematik im Personalbereich zunehmende Bedeutung erlangten. Die langfristig geplante Erschließung inner- und außerbetrieblicher Humanressourcen (→ Personalplanung) kann dabei ebenso im Mittelpunkt einer strategischen Personalmarketing-Konzeption stehen wie die Erhöhung der Marketingorientierung bestimmter Belegschaftsgruppen.

Personalnebenkosten → betriebliche Lohnstruktur, → Sozialkosten

Personalplanung

als gedankliche Festlegung zukünftiger Zustände und Aktivitäten in der → Personalwirtschaft ein vergleichsweise junger Zweig betrieblicher Planung. Die Personalplanung wird in eine langfristige (strategische), die praktisch mit → Personalpolitik identisch ist, und in eine kurzfristige (operative) Komponente unterteilt. Letztere ist praktisch in jedem Betrieb anzutreffen, während die langfristige Personalplanung in methodisch entwickelter Form bisher vornehmlich in großen Unternehmen praktiziert wird.

Die Personalplanung muß sich als Bestandteil der Unternehmensplanung mit anderen Bereichen abstimmen, wobei sie gegenüber der Erreichung produktions- und absatzwirtschaftlicher Ziele als nachrangig eingestuft wird. Mit zunehmendem Gewicht von Arbeitnehmerinteressen in personalwirtschaftlichen Entscheidungsprozessen (→ Betriebs- und Unternehmensverfassung) gewinnt die Personalplanung jedoch eine begrenzte Autonomie gegenüber der Planung in anderen Bereichen, die sich darauf einzustellen haben.

Angesichts des weiten Begriffs der Personalplanung kommen als Planungsgegenstände grundsätzlich alle Zielzustände und darauf bezogene Gestaltungsmaßnahmen in Betracht. Die folgende Auswahl beschränkt sich auf Gegenstände, in denen das planerische Element besonders ausgeprägt ist. Planungsgegenstände wie → Mitarbeiterführung, → Entgeltpolitik oder Einführung methodischer Instrumente (→ Personalwirtschaft) werden deshalb nicht angesprochen.

Das generelle Ziel der Personalplanung besteht darin, die für betriebliche Zwecke benötigten Mitarbeiter bereitzustellen und Bedingungen zu schaffen, die eine wirtschaftliche und den Interessen des einzelnen entsprechende Tätigkeit ermöglichen. Im Rahmen von personalwirtschaftlichen Einzelplänen wird dieses Ziel konkretisiert.

Die *Personalbedarfsplanung* ermittelt den künftigen Personalbedarf. Unterstellt man kurzfristig eine gegebene Organisationsstruktur (Stellenplan), so bestimmt das geplante Produktions- bzw. Absatzvolumen den künftigen Personalbedarf. Bei mittel- und längerfristiger Betrachtungsweise, wenn die Organisations- und Fertigungsstrukturen gleichfalls variabel sind, beeinflussen auch diese Größen den Personalbedarf. Der für eine Periode ermittelte Personalbedarf ist als Soll-Kapazität dem Personalbestand (Ist-Kapazität) gegenüberzustellen, der für die jeweilige Periode zu erwarten ist, ohne daß bereits beschäftigungspolitische Maßnahmen (z.B. Ersatzbeschaffung für ausgeschiedene Mitarbeiter) berücksichtigt werden. Abweichungen zwischen Personalbedarf und zu erwartendem Personalbestand lösen Entscheidungen der Beschäftigungspolitik und/oder andere Maßnahmen zur Angleichung von Personalbedarf und -bestand aus.

Im Rahmen der *Bedarfsdeckungsplanung* werden die Schritte festgelegt, mit denen diese Angleichung erreicht werden soll. Vergegenwärtigt man sich, daß dafür auch → Entlassungen in Betracht kommen, tritt der darin angelegte potentielle Interessenkonflikt zu Tage. Soweit die → betriebliche Beschäftigungspolitik eine Angleichung von Personalbedarf und -bestand nicht bewirken kann, besteht auch die Möglichkeit, durch Maßnahmen in anderen Bereichen der Unternehmenspolitik über deren Auswirkungen auf den Personalbedarf die Abweichung zu verringern (z.B. durch arbeitssparende Investitionen).

Mittels der *Personaleinsatzplanung* als kurzfristig orientiertem Bereich der Personalplanung wird festgelegt, in welcher Weise die vorhandenen Mitarbeiter auf die gegebenen Arbeitsplätze zu verteilen sind (→ Personalplanungsmodell). Hierzu läßt sich in größeren Unternehmen ein → Personalinformationssystem heranziehen. Bei längerfristiger Betrachtung wird die Prämisse gegebener Arbeitsplätze bzw. Stellen aufgegeben, die anzustrebende → Organisationsstruktur ihrerseits also zum Planungsgegenstand.

Die *Nachfolgeplanung* verfolgt das Ziel, die Wiederbesetzung von freien Stellen rechtzeitig zu sichern, indem für jede Stelle, insb. für Führungsstellen, Nachfolger bestimmt werden, die ggf. durch → Personalentwicklung auf die künftigen Aufgaben vorbereitet wer-

den müssen. Eng damit verknüpft ist die *Laufbahnplanung* (→ Karriereplanung).

Die Personalplanung des Unternehmens ist nach § 92 und § 102 BetrVG mitbestimmungspflichtig. Namentlich in größeren Unternehmen nehmen die Betriebsräte vor allem auf Maßnahmen der Bedarfsdeckungsplanung und damit auf die betriebliche Beschäftigungspolitik Einfluß. Dieses Recht steht ihnen auch unabhängig von den genannten Normen aufgrund von diversen Mitbestimmungsrechten bei zahlreichen Einzelmaßnahmen zu.

D. v. E./R. J.

Literatur: *v. Eckardstein, D.*, Betriebliche Personalpolitik, 4. Aufl., München 1987. *Gaugler, E.*, Betriebliche Personalplanung, Göttingen 1984. *Wächter, H.*, Grundlagen der langfristigen Personalplanung, Herne, Berlin 1984.

Personalplanungsmodelle

→ Planungsmodelle des → Operations Research für den Funktionsbereich Personal (→ Funktionsbereichsmodelle). Diese Modelle können einerseits für die kurzfristige Personaleinsatzplanung, andererseits für die längerfristige Stellenbesetzungsplanung erstellt werden (→ Personalplanung).

Bei der kurzfristigen Personaleinsatzplanung ist ein vorhandener Personalbestand auf die einzelnen Aufgaben zu verteilen. Probleme dieser Art fallen typischerweise in Verkehrsunternehmungen an (→ kombinatorische Optimierung), z.B. bei Fluggesellschaften. Hier ist für jeden Kalendertag festzulegen, welcher Flugkapitän, Co-Pilot oder Flugingenieur und welche Flugbegleiter welche Flüge auf welchen Maschinen durchführen sollen. Ansatzpunkte zur Lösung einfacher Probleme dieser Art bieten Modelle im Sinne des → Set-Covering-Problems und des → Set-Partitioning-Problems. Allerdings sind in der Realität die Gegebenheiten meist wesentlich komplizierter, so daß diese einfachen Modelle nur selten anwendbar sind. Gewöhnlich werden solche Personaleinsatzprobleme (ähnlich wie die Probleme der → Maschinenbelegungsplanung) mit → heuristischen Verfahren gelöst.

Modelle der langfristigen Stellenbesetzungsplanung sollen dagegen die Einstellungs- und Ausbildungsaktivitäten auf den jeweiligen Personalbedarf abstellen und langfristig hinreichend qualifiziertes Personal für die Gesamtheit der Anforderungen bereitstellen. In der Literatur sind verschiedene Modelltypen dieser Art diskutiert worden; in der betrieblichen Praxis werden sie nur in seltenen Fällen eingesetzt. Da sich der Personalbedarf im Zeitverlauf rasch ändert, die Qualifikationsanforderungen (z.B. durch neue Technologien) unablässig wandeln und die qualitativen und quantitativen Anforderungen nicht langfristig vorhergesehen werden können, vermag dies nicht zu verwundern.   *H. M.-M.*

Literatur: *Domsch, H.,* Systemgestützte Personalarbeit, Wiesbaden 1980. *Drumm, H. J./Scholz, Chr.,* Personalplanung – Planungsmethoden und Methodenakzeptanz, Bern, Stuttgart 1983. *Kilian, W.,* Personalinformationssysteme in deutschen Großunternehmen, Berlin u. a. 1981.

Personalpolitik → Personalwirtschaft

Personalrat → Personalvertretungsrecht

Personalstatistik

erfaßt als Element der → Betriebsstatistik alle zahlenmäßig ausdrückbaren Beziehungen zwischen dem Betrieb und seinen Mitarbeitern. Sie ist auch Teil eines in vielen Großunternehmen vorhandenen oder im Aufbau befindlichen → Personalinformationssystems, das auf einer tief gegliederten Erfassung und Analyse des Personalaufwandes aufbaut und im Rahmen des sog. → human resource accounting auch die Personalinvestitionen einbezieht. Angesichts der großen Bedeutung von Personalentscheidungen für Entwicklung und Erfolg von Unternehmen wird aber auch in kleinen und mittleren Unternehmen zumindest ein Teil der folgenden Statistiken geführt:
(1) Die *Personalstrukturstatistik* informiert über die Zusammensetzung der Belegschaft an bestimmten Stichtagen hinsichtlich verschiedener Merkmale wie:
- Beschäftigtengruppen (z. B. Arbeiter, Angestellte, Auszubildende, Aushilfskräfte),
- Tätigkeitsgruppen (z. B. ungelernte, angelernte, gelernte Arbeitskräfte),
- Betriebsbereiche (z. B. Fertigungsstelle 1, 2, ..., Versand, Verwaltung, Forschung und Entwicklung),
- sozio-demographische Merkmale der Beschäftigten (z. B. Alter, Geschlecht, Familienstand, Wohnort).

(2) Die *Personalbewegungsstatistik* registriert die Zu- und Abgänge mit dem Ziel, frühzeitig die Gründe für überdurchschnittliche Häufungen erkennen zu können. Starke Bewegungen im Arbeitskräftebestand wirken sich ungünstig auf das betriebliche Ergebnis aus, da für neue Arbeitskräfte beträchtliche Anlernkosten anfallen und meist auch die Unfallhäufigkeit größer ist. In vielen Fällen sind Spezialkräfte auch nur mit erheblichen Werbeaufwendungen und Sonderzusagen zu gewinnen. Neben den „natürlichen" Abgängen durch Invalidität, Pensionierung, familiäre und persönliche Gründe (Eheschließung, Kindererziehung) sind es vor allem die Abgänge zu anderen Betrieben, die besonders erfaßt werden. Hierfür dient die → Fluktuation als Kennzahl, bei der die Abgänge zu anderen Betrieben zur durchschnittlichen Beschäftigtenzahl in Beziehung gesetzt werden. Zur Beurteilung der Fluktuation muß auch festgestellt werden, welcher Personenkreis häufig wechselt und ob bestimmte Berufe und bestimmte Abteilungen davon besonders betroffen sind. Außerdem interessiert, wieviele Jahre die Ausscheidenden im Betrieb gearbeitet haben. Zur Beantwortung der letzten Frage stellt man die durchschnittliche Betriebszugehörigkeit der abgehenden Arbeitskräfte fest.
(3) Die *Arbeitszeitstatistik* gibt Aufschluß über die Zahl der geleisteten Normalarbeitsstunden, Überstunden sowie Ausfallzeiten, d. h. Zeiten, in denen keine Arbeit geleistet wird. Diese lassen sich in vom Betrieb nicht beeinflußbare (z. B. Urlaub, Krankheit) und in beeinflußbare (z. B. Warte- und Stillstandszeiten, unentschuldigtes Fehlen) Ausfallzeiten unterteilen. Beide Zeiten werden meistens monatsweise erfaßt und differenziert nach Arbeitsbereichen, Abteilungen o. ä. zu den Arbeitsbereichen in Beziehung gesetzt. Um jahreszeitliche Schwankungen auszugleichen, werden nicht nur aufeinanderfolgende Monate, sondern auch die entsprechenden Monate der Vorjahre miteinander verglichen.
(4) In der *Lohn- und Gehaltsstatistik* werden die tarifmäßigen Einstufungen der Arbeitnehmer nach Lohn- und Gehaltsgruppen sowie nach Betriebsabteilungen differenziert ausgewiesen. Auswertungen ermöglichen einen Vergleich des Lohnniveaus im Vergleich zu anderen Betrieben. Die nach Abteilungen (z. B. Fertigung, Verwaltung), → Lohnformen (Zeit-, Akkord-, Prämienlohn) oder Verrechnungsarten (z. B. Fertigungskosten-, Gemeinkostenlohn) oder nach zeitlichen Gesichtspunkten (z. B. Überstundenlöhne) weiter aufgegliederten absoluten Beträge bilden die Grundlage für die betriebliche → Kostenrechnung.
(5) Die *Sozialstatistik* enthält Informationen über die außertariflichen Leistungen des Unternehmens, wie Urlaubs-, Weihnachtsgeld oder sonstige Gratifikationen (z. B. Gratisaktien), die → betriebliche Altersversorgung, Sozialeinrichtungen wie Kantine, Bibliothek, Werkswohnungen, Erholungsheime u. ä. Die Veröffentlichung dieser Informationen dient als Teil der → Öffentlichkeitsarbeit bzw. des Personalmarketings der Verbesserung des Ansehens des Unternehmens in der Öffentlichkeit.   *E. M.*

Personalsteuer

(Subjektsteuer) →Steuer, die auf die wirtschaftlichen Verhältnisse von Personen abstellt. Im Gegensatz dazu stehen die →Objektsteuern. Die wichtigsten Personalsteuern sind die →Einkommen-, →Erbschaft- und →Vermögensteuer.

Personalstrukturstatistik → Personalstatistik

Personalvermögensrechnung →human resource accounting

Personalumsetzung

auf einen anderen Arbeitsplatz wird als →Job rotation mit dem Ziel der Arbeitsanreicherung (→Job enrichment), des Belastungsabbaus und der Qualifikationsverbesserung vor dem Hintergrund eines möglichen innerbetrieblichen Aufstiegs (→innerbetrieblicher Arbeitsmarkt) durchgeführt. Im Rahmen →betrieblicher Beschäftigungspolitik werden Personalumsetzungen zum internen Kapazitätsausgleich bei variierender betrieblicher Aufgabenstruktur vorgenommen (→Arbeitsvertrag).

Personalvertretungsrecht

gestaltet die →Betriebsverfassung im Bereich des →öffentlichen Dienstes. Das Bundespersonalvertretungsgesetz regelt nur die Dienststellenverfassung des Bundes und der bundesunmittelbaren Körperschaften, Anstalten und Stiftungen des öffentlichen Rechts. Für die Dienststellen und Betriebe der Länder, Gemeinden und sonstigen landesrechtlichen juristischen Personen des öffentlichen Rechts haben die Länder der Bundesregelung weitgehend entsprechende Landespersonalvertretungsgesetze erlassen. Nicht unter das Personalvertretungsrecht, sondern unter das →Betriebsverfassungsgesetz fallen →öffentliche Unternehmen, die in Form einer juristischen Person des Privatrechts betrieben werden, auch wenn diese ansonsten völlig unter öffentlicher Trägerschaft stehen.

Nach Personalvertretungsrecht wird in jeder Dienststelle (→Behörde, →öffentlicher Verwaltungsbetrieb) ein Personalrat gewählt, der gegenüber der Dienststelle Mitwirkungs- und Mitbestimmungsrechte ausübt. Entsprechend dem →Behördenaufbau werden Stufenvertretungen gebildet, die bei Mittelbehörden den Bezirkspersonalrat und bei der obersten Dienstbehörde den Hauptpersonalrat vorsehen. Für verselbständigte Nebenstellen und Teile einer Dienststelle wird neben den einzelnen Personalräten ein Gesamtpersonalrat gebildet. Weiteres Organ ist die Personalversammlung.

Analog dem Betriebsverfassungsrecht wird im Personalvertretungsrecht zwischen Mitwirkungsrechten und Mitbestimmungsrechten unterschieden. Mitwirkungsrechte bedeuten dabei Konsultationen, d.h. daß eine beabsichtigte Maßnahme vor ihrer Durchführung mit dem Ziel der Verständigung rechtzeitig und eingehend mit dem Personalrat zu erörtern ist, wie z.B. bei der Vorbereitung von Verwaltungsanordnungen, bei Kündigungen oder bei der Unfallverhütung. Mitbestimmung verlangt vor allem die Einholung der Zustimmung des Personalrats, z.B. für bestimmte Personalangelegenheiten der Angestellten, Arbeiter und auch Beamten sowie bei bestimmten sozialen Angelegenheiten der Angestellten und Arbeiter. *W.O.*

Personalwerbung

Instrument der Kommunikation mit dem externen Arbeitsmarkt zur Gewinnung von Bewerbern für →offene Stellen. Die Personalwerbung will über die Tatsache der vakanten Stelle informieren und Mitglieder der anzusprechenden Zielgruppe dazu anregen, sich um die angebotene Stelle zu bewerben (→Bewerbung). Die Auswahl der zu vermittelnden Informationen und die Bestimmung der Zielgruppen bei der Personalwerbung haben erhebliche Bedeutung für die Gewinnung geeigneter Mitarbeiter, da sie die Zusammensetzung der Bewerber beeinflussen. Die zu vermittelnden Informationsinhalte beziehen sich vor allem auf die Anforderungen, die die zu besetzende Stelle an den gesuchten Mitarbeiter stellt, auf die Entlohnung, spezifische Arbeitsbedingungen und die gewünschte Form der Bewerbung. Als Werbemittel werden vornehmlich Anzeigen in Tages- und Fachzeitschriften eingesetzt. In größeren Unternehmen und in der Verwaltung bedient man sich zur Personalsuche oft auch der →internen Stellenausschreibung, um bereits im Unternehmen tätige Mitarbeiter auf entsprechende Positionen aufmerksam zu machen. Unternehmen, die bei der Mitarbeitersuche zunächst anonym bleiben bzw. sich der Sachkenntnis des Spezialisten bedienen wollen, übertragen die Personalwerbung einem →Personalberater. *D. v. E.*

Personalwesen →Personalwirtschaft

Personalwirtschaft

(Personalwesen) Erkenntnis- und Gestaltungsbereich, der sich auf die Beschäftigung des arbeitenden Menschen als Arbeitnehmer in wirtschaftlichen Organisationen bezieht. Die Personalwirtschaft wird gelegentlich als eine betriebliche Querschnittsfunktion definiert.

Personalwirtschaft wird von zahlreichen Autoren als komplexer Begriff verstanden, der die Personalverwaltung als administrative Funktion, die Personalpolitik als Inbegriff der grundlegenden Gestaltungsentscheidungen sowie die Personalführung (→ Mitarbeiterführung) als zielorientierte Interaktion zwischen Vorgesetzten und Untergebenen umfaßt.

Im Rahmen der Betriebswirtschaftslehre wurde personalwirtschaftlichen Fragen lange Zeit nur geringe Aufmerksamkeit entgegengebracht; erst im letzten Jahrzehnt hat die Personalwirtschaft als betriebswirtschaftliche Teildisziplin zunehmende Bedeutung erfahren, was sich auch an der Anzahl der Veröffentlichungen und der neu eingerichteten Lehrstühle bzw. Institute ablesen läßt. Die Bearbeitung personalwirtschaftlicher Fragestellungen im Rahmen der betriebswirtschaftlichen Forschung weist als besonderes Merkmal den fachübergreifenden Bezug zu mehreren der Personalwirtschaft nahestehenden Disziplinen auf, insb. → Arbeitsrecht, → Arbeits-, → Betriebs- oder → Industriesoziologie, → Arbeits- oder Betriebspsychologie, → Arbeitswissenschaft mit ihrem ergonomischen Kern und Arbeitsökonomie.

Die Bedeutung der Personalwirtschaft für eine Organisation kann insb. an den Kriterien Personalkosten, Personalleistung und Anpassungsfähigkeit ersehen werden. In vielen Branchen haben die Personalkosten im Verhältnis zu den übrigen Kostenarten das größte Gewicht. In leistungsmäßiger Hinsicht ergibt sich die Bedeutung daraus, daß in → Arbeitsverträgen die vom Mitarbeiter zu erbringende Leistung nur schwer definiert werden kann. In welchem Umfang das im Mitarbeiter verkörperte Leistungspotential tatsächlich realisiert werden kann, wird vor allem durch die Personalpolitik bestimmt. Schließlich beruht die Anpassungsfähigkeit der Organisation an interne und externe Veränderungen vornehmlich auf der Anpassungsfähigkeit der Personalwirtschaft.

Weiterhin haben die rechtliche Entwicklung und Ausdifferenzierung der Betriebs- und Unternehmensverfassung sowie des Arbeitsrechts erheblich zur zunehmenden Bedeutung der Personalwirtschaft in wirtschaftlichen Organisationen beigetragen, indem sie die Beachtung von Normen erfordern und ein komplexes System der Entscheidungsfindung

zur Einbeziehung der Arbeitnehmerinteressen institutionalisiert haben. Verstöße gegen formale Prozeduren und materielle Interessen der Arbeitnehmer können gravierende Konsequenzen für die Leitung der Organisation nach sich ziehen. Die Kostenträchtigkeit, das häufig zu beobachtende Leistungs- und Anpassungsdefizit sowie die Existenz von Interessenkonflikten lassen die Personalwirtschaft vielen als permanenter potentieller Problembereich erscheinen.

Die Personalpolitik orientiert sich zunächst an den Zielen der wirtschaftlichen Organisation (wirtschaftliche Ziele). Sie hat jedoch gleichzeitig den Zielen der Mitglieder der Organisation zu entsprechen (soziale Ziele), die ihre Mitgliedschaft und ihre Leistungserbringung in der Organisation davon abhängig machen, daß ihre Ziele in einem von Person zu Person variierenden Mindestmaß erfüllt werden. Die wirtschaftlichen Ziele werden institutionell durch die Unternehmensleitung und hier, soweit vorhanden, durch den Personalverantwortlichen (Personalleiter, → Arbeitsdirektor) verkörpert. Darüber hinaus sind alle der Leitung nachgeordneten Vorgesetzten als Träger wirtschaftlicher Ziele gegenüber den Untergebenen einzuordnen. Soziale Ziele werden demgegenüber vor allem durch die Mitarbeiter und ihre gesetzliche Vertretung, den → Betriebsrat, in den personalpolitischen Entscheidungsprozeß hineingetragen. Die Handlungsmöglichkeiten der Personalpolitik werden durch die jeweilige Konstellation des Systems der → Arbeitsbeziehungen bestimmt.

Schwerpunktmäßig bezieht sich die Gestaltungsfunktion der Personalpolitik auf folgende Bereiche: → Beschäftigungspolitik, Personal- bzw. → Mitarbeiterführung, → betriebliche Entgeltpolitik, → betriebliche Sozialleistungspolitik, → Arbeitsorganisation, Arbeitsplatzgestaltung.

Zur Stützung der Gestaltungsfunktion werden zahlreiche methodische Instrumente angewandt, die speziell für die Personalwirtschaft entwickelt wurden, z.B. → Arbeitsbewertung, → Mitarbeiterbefragung, → Personalbeurteilung, → Stellenbeschreibung, Methoden der → Personalplanung sowie Methoden zur → Vorgabezeitermittlung. Andere Methoden wurden zwar zunächst für andere Funktionsbereiche konzipiert, aber dann für die Zwecke der Personalwirtschaft adaptiert, z.B. → Personalinformationssysteme und Arbeitsmarktforschung. Auch das → Personal-Controlling als methodisches Konzept der Schwachstellenermittlung im Personalbereich ist in diesen Zusammenhang einzuordnen.

D. v. E.

Literatur: *v. Eckardstein, D.*, Betriebliche Personalpolitik, 4. Aufl., München 1987. *Gaugler, E.* (Hrsg.), Handwörterbuch des Personalwesens, Stuttgart 1975. *Marr, R./Stitzel, M.*, Personalwirtschaft, München 1979.

Personalzusatzkosten → betriebliche Lohnstruktur, → Sozialkosten

Personengesellschaft

gesellschaftsrechtliche Ausprägung der → kapitalistischen Unternehmensverfassung, bei der sich mindestens zwei Personen zwecks gemeinsamen Betreibens einer Unternehmung zu einem Eigentümerverband (Gesellschaft) zusammenschließen, wobei diesem persönlich und unbeschränkt, d. h. auch mit ihrem Privatvermögen haftende Gesellschafter angehören müssen. Im Gegensatz zu den → Kapitalgesellschaften als sog. juristischen Personen richten sich Ansprüche Dritter (aus Vertrag oder Gesetz) nicht nur gegen das Gesellschaftsvermögen, sondern auch gegen diese vollhaftenden Gesellschafter. Das Recht geht ferner vom (abdingbaren) Regelfall aus, daß die Gesellschafter in so enger Beziehung zueinander stehen, daß ein Wechsel der Gesellschafter nicht ohne Zustimmung aller anderen möglich sein soll.

Zu den Personengesellschaften in diesem Sinne gehören insb. die → offene Handelsgesellschaft (oHG) und die → Kommanditgesellschaft (KG), ferner sind die → Gesellschaft bürgerlichen Rechts (§ 705 BGB) und die stille Gesellschaft (§§ 335 ff. HGB) zu erwähnen, bei der sich der stille Gesellschafter am Unternehmen des tätigen Gesellschafters mit einer Vermögenseinlage in der Weise beteiligt, daß die Einlage in das Vermögen des tätigen Gesellschafters übergeht und der stille Gesellschafter (zumindest) am Gewinn des Unternehmens beteiligt ist.

Im Gegensatz zu anderen Rechtsordnungen, wo nur natürliche Personen als Gesellschafter zugelassen sind, können sich im deutschen Recht auch juristische Personen (z.B. → Aktiengesellschaft, → Gesellschaft mit beschränkter Haftung) oder andere Personengesellschaften an Personengesellschaften beteiligen. Es entstehen dann Rechtsformen, bei denen der voll haftende Gesellschafter einer oHG oder KG eine Gesellschaft mit beschränkter Haftung (z.B. GmbH & Co. KG) oder eine Aktiengesellschaft (z.B. AG & Co. KG) ist. *H. S.*

Literatur: *Kübler, F.*, Gesellschaftsrecht, 2. Aufl., Heidelberg 1986. *Raisch, P.*, Unternehmensrecht 1, Reinbek bei Hamburg 1973.

Personenkilometer

Maßstab der Verkehrsstatistik zur Messung der → Verkehrsleistung im Personenverkehr. Ein Personenkilometer errechnet sich als Produkt aus der Zahl der beförderten Personen und der Beförderungsentfernung (z.B. 10 P × 1 km = 10 Pkm). Die Problematik des Maßstabs wird erkennbar, wenn 100 Pkm einerseits als Transport einer Person über 100 km, andererseits als Transport von 100 Personen über 1 km interpretiert werden. Diese zwei extremen Transportvorgänge unterscheiden sich ganz erheblich hinsichtlich der Anforderungen an die → Infrastruktur (100 km Weg gegenüber 1 km Weg) oder das → Verkehrsmittel (für eine oder für 100 Personen). Deshalb werden die errechneten Pkm durch die Anzahl der beförderten Personen oder die mittlere Reiseweite (in km) ergänzt (vgl. Tab.) *S. K.*

Personenverkehr in der Bundesrepublik, 1984

	Verkehrsleistung in Mrd. Pkm	beförderte Personen in Mrd.	mittlere Reiseweite in km
Eisenbahnverkehr	39,6	1,106	36,0
Individualverkehr	484,1	28,280	17,1
Flugverkehr	11,8	0,039	337,1

Quelle: *Bundesminister für Verkehr* (Hrsg.), Verkehr in Zahlen 1985, Bonn 1985.

Personennahverkehr → öffentlicher Personennahverkehr

Personenverkehr → Verkehr, → Verkehrsaufkommen, → Verkehrsleistungen

PERT

Abk. für Program Evaluation and Review Technique (→ Netzplantechnik).

Peter-Prinzip

(anekdotisch bzw. ironisch gemeintes) Prinzip der Beförderungspraxis, wonach in einer → Hierarchie jeder Beschäftigte dazu neige, bis zur Stufe der Unfähigkeit (Inkompetenz) aufzusteigen. Daraus folgt: Nach einer gewissen Zeit wird jede Position von einem Mitarbeiter besetzt, der unfähig ist, seine Aufgabe zu erfüllen.

Das Prinzip soll anzeigen, daß beim beruflichen Aufstieg nicht immer die leistungsstärksten und höchstmotivierten Mitarbeiter die zentralen Positionen besetzt halten (→ betriebliche Hierarchie). *G. Wi.*

Literatur: *Peter, L. J./Hull, R.,* Das Peter-Prinzip oder die Hierarchie der Unfähigen, Reinbek bei Hamburg 1970.

Petersburger Paradoxon

konstruiertes Glücksspiel, auf das als Argument gegen die Sinnhaftigkeit des $\rightarrow\mu$-Prinzips als $\rightarrow$ Entscheidungsregel für $\rightarrow$ Risikosituationen hingewiesen wird: Eine ideale Münze wird so lange geworfen, bis zum ersten Mal „Zahl" erscheint. Ist dies schon beim ersten Wurf der Fall, so erhält der Spieler 2 DM; fällt „Zahl" erst im zweiten Wurf, so erhält er den doppelten Betrag, also 4 DM; erscheint „Zahl" erst beim dritten Wurf, so beträgt der Gewinn noch einmal das Doppelte, also 8 DM, usw. Der mathematische $\rightarrow$ Erwartungswert für den bei diesem Spiel erzielbaren Gewinn ist unendlich hoch. Bei Anwendung des $\rightarrow\mu$-Prinzips müßte die Teilnahme an diesem Spiel also jeder anderen Handlungsalternative mit endlichem Erwartungswert, z. B. auch einem Geschenk von 1000 DM oder 1 Mio. DM, vorgezogen werden, was allgemein wohl kaum als vernünftige Verhaltensweise angesehen würde. *M. B.*

Petrodollar

aus den Erdölexporten der OPEC-Länder resultierende Einnahmen, die auf den $\rightarrow$ internationalen Finanzmärkten angelegt werden. Vor allem Mitte der 70er Jahre wurde die Rückschleusung (Recycling) dieser Gelder in den Geldkreislauf der Weltwirtschaft als schwieriges Problem angesehen, das jedoch nahezu reibungslos bewältigt wurde.

Pfadanalyse

ist den Methoden der $\rightarrow$ multivariaten Analyse, insb. der $\rightarrow$ Kausalanalyse zuzuordnen. Es geht dabei um die Prüfung des Vorhandenseins kausaler Beziehungen zwischen Variablen und ihre Quantifizierung.

Ausgangspunkt ist ein Pfadmodell, in das drei Variablentypen aufgenommen werden:

- *exogene Variablen,* die – wenn überhaupt – nur von Variablen außerhalb des Modells beeinflußt werden,
- *endogene Variablen,* die als linear abhängig von exogenen und/oder endogenen Variablen (des Modells) postuliert werden,
- *Residualvariablen,* die den Einfluß auf endogene Variablen repräsentieren, der nicht auf die im Modell verankerten endogenen und/oder exogenen Variablen zurückzuführen ist (nichterklärte Varianz).

Die Modelle der Pfadanalyse sind nach mehreren Kategorien unterscheidbar:

- Es werden entweder direkt beobachtbare oder indirekt und direkt beobachtbare Variablen betrachtet.
- Die Variablen werden metrisch und/oder nichtmetrisch gemessen.
- Es kann sich um rekursive Modelle handeln, in denen Kausalbeziehungen nur in einer Richtung auftreten, oder um nichtrekursive Modelle, in denen Wechselwirkungen und Rückwirkungsschleifen zugelassen werden.

Das Pfaddiagramm (vgl. Abb.) erläutert den rekursiven Fall. Die Pfeile stellen kausale Beziehungen von der determinierenden zu der determinierten Variablen dar.

Pfaddiagramm

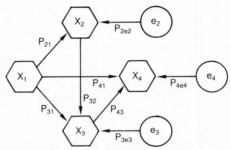

- Endogene Variable: X_2, X_3, X_4
- Exogene Variable: X_1
- Residualvariable: e_2, e_3, e_4

Quelle: *Hildebrandt, L.,* Konfirmatorische Analysen von Modellen des Konsumentenverhaltens, Berlin 1983.

Im nächsten Schritt wird das Modell in ein lineares Gleichungssystem transformiert.

$$X_2 = P_{21} X_1 + P_{2e2} e_2$$
$$X_3 = P_{31} X_1 + P_{32} X_2 + P_{3e3} e_3$$
$$X_4 = P_{41} X_1 + P_{43} X_3 + P_{4e4} e_4$$

Die Pfadkoeffizienten P gilt es alsdann zu schätzen. Sie sind als Quantifizierung der kausalen Beziehung zwischen zwei Variablen zu interpretieren; somit kann mit ihrer Hilfe sowohl die Frage beantwortet werden, ob eine kausale Beziehung vorliegt ($\rightarrow$ Kausalanalyse), als auch diejenige, wie stark die Beziehung ist. *G. B.*

Literatur: *Hildebrandt, L.,* Konfirmatorische Analysen von Modellen des Konsumentenverhaltens, Berlin 1983. *Hüttner, M.,* Informationen für Marketing-Entscheidungen, München 1979, S. 325 ff. *Wold, H.,* Open Path Models with Latent Variables, in: *Helmstädter, E./Albach, H.* (Hrsg.), Quantitative Wirtschaftsforschung, Tübingen 1977, S. 729 ff.

Pfaddiagramm $\rightarrow$ Pfadanalyse

Pfadkoeffizient $\rightarrow$ Pfadanalyse

Pfändung

staatliche Beschlagnahme eines Gegenstandes zum Zweck der Befriedigung oder Sicherung eines Gläubigers einer Geldforderung. Sie ist →Zwangsvollstreckung in das bewegliche Vermögen. Die Pfändung hat die Verstrikkung der Sache und ein Pfändungspfandrecht an der Sache zur Folge (→Pfandrecht). Die Pfändung beweglicher Sachen geschieht durch Inbesitznahme durch den Gerichtsvollzieher oder durch Anlegung eines Pfandsiegels. Forderungen werden durch Pfändungsbeschluß des Vollstreckungsgerichts gepfändet, durch den dem Schuldner der gepfändeten Forderung verboten wird, an seinen Gläubiger zu leisten (Arrestatorium), und dem Vollstreckungsschuldner jede Verfügung über die Forderung verboten wird (Inhibitorium). Die Verwertung gepfändeter Sachen erfolgt durch Versteigerung (→Auktion), die Verwertung gepfändeter Forderungen durch Überweisung an den Gläubiger und Einziehung durch diesen.   *M. J.*

Pfandbrief

(Hypothekenpfandbrief) festverzinsliche, unkündbare Schuldverschreibung (→Anleihe) eines Kreditinstituts (Pfandbriefanstalt) zur Finanzierung von Hypothekarkrediten. Für Emission und Deckung der Pfandbriefe bestehen spezielle Vorschriften, die für →Hypothekenbanken im Hypothekenbankgesetz, für öffentlich-rechtliche Kreditanstalten im öffentlichen Pfandbriefgesetz und für Schiffshypothekenbanken im Schiffs-Hypothekenbankgesetz geregelt sind.

Der Gesamtbetrag der im Umlauf befindlichen Pfandbriefe muß in Höhe des Nennwertes jederzeit durch in ein Hypothekenregister eingetragene →Hypotheken von mindestens gleicher Höhe (Qualitätskongruenz) und gleichem Zinsertrag (Rentabilitätskongruenz) gedeckt sein. Aus dem Verwendungszweck der Pfandbriefmittel ergibt sich, daß sie mit langen Laufzeiten ausgestattet sein sollen (Fristenkongruenz). Die Laufzeiten früherer Jahre von 30 bis 50 Jahren sind heute jedoch wegen des Geldentwertungsrisikos kaum mehr üblich. Gängige Laufzeiten sind 15–25 Jahre; in neuerer Zeit werden Pfandbriefe z. T. mit einer Laufzeit von 10 Jahren ausgegeben, für bisherige Verhältnisse ausgesprochene „Kurzläufer".

Pfandbriefe werden als →Wertpapiere (i. d. R. auf den Inhaber) an den deutschen Börsen gehandelt; sie unterliegen gegenüber Aktien nur geringen Kursschwankungen. Wegen der Fungibilität, des geringen Kursrisikos, der festen Verzinsung und der grundpfandrechtlichen Sicherung werden Pfandbriefe gerne als Geldvermögen institutioneller Anleger und als Anlageform privaten Sparkapitals erworben. Pfandbriefe sind lombardfähig, mündelsicher und deckungsstockfähig.

Pfandrecht

dingliches Recht zur Sicherung einer Forderung (→Kreditsicherheiten), das i. d. R. vom Bestand der Forderung abhängt (akzessorisches Recht). Es befugt den Forderungsinhaber (Pfandgläubiger) unter bestimmten Voraussetzungen, sich zur Erfüllung seiner Forderung aus dem verpfändeten Gegenstand zu befriedigen. Pfandrechte können durch Gesetz (Vermieterpfandrecht, § 559 BGB; Werkunternehmerpfandrecht, § 647 BGB), durch →Pfändung (Pfändungspfandrecht, § 804 ZPO) oder durch vertragliche Vereinbarung (§§ 1204 ff., 1113 ff. BGB) entstehen. Ein Pfandrecht kann begründet werden an Sachen, Rechten und Grundstücken (→Grundpfandrechte).

Das vertragliche Pfandrecht an beweglichen Sachen setzt voraus, daß der Pfandgläubiger im Besitz der Sachen ist (Faustpfand). Deshalb sind im Wirtschaftsverkehr viele Sachen, vor allem Maschinen und Warenlager, sinnvollerweise zur Sicherung eines Kredits nicht verpfändbar, da der Schuldner diesen u. a. aus der Nutzung der betreffenden Gegenstände zurückzahlen soll. Deshalb hat man als Sicherungsrecht an beweglichen Sachen die →Sicherungsübereignung entwickelt.   *M. J.*

Pfennig

seit der Karolingerzeit beherrschende Silbermünze in Deutschland. *Karl der Große* teilt 327,45 g Silber in 20 Solidi (= Schilling) und 240 Pfennig, die allein ausgeprägt werden (1,7 g). Münzverschlechterungen („Verrufung") und regionale Sonderprägungen lassen die Kaufleute schon im 11. Jh. den „ewigen Pfennig" fordern, doch vermindert sich der Silbergehalt bis zum 14. Jh. auf 0,5 g. Mit dem Aufkommen von Kupferpfennigen im 16. Jh. sinkt er zur Scheidemünze herab.

Pflegegeld

Versicherte der gesetzlichen →Unfallversicherung erhalten, wenn sie als Folge eines Arbeitsunfalls oder einer Berufskrankheit hilflos sind, Pflege. Statt der Pflege kann ein monatliches Pflegegeld gewährt werden (wegen der Anpassung des Pflegegeldes: →Unfallrente).

Pflegekrankenversicherung → private Krankenversicherung

Pflegerentenversicherung → Lebensversicherung

Pflegerisiko

Lebensrisiko, das jedermann und nicht nur sozial Schwache treffen kann und i.d.R. erst im Alter auftritt. Die finanzielle Absicherung des Pflegerisikos wird derzeit (1984) durch die privaten und gesetzlichen Krankenkassen nicht übernommen. Da die Pflegekosten sehr hoch sind und oft nicht aus den Rentenzahlungen finanziert werden können, sind 70% der Pflegebedürftigen in Altenpflegeeinrichtungen zu Sozialhilfeempfängern geworden. Die prognostizierte Zunahme der pflegebedürftigen Personen macht die Finanzierung der altersbedingten Pflegekosten zu einem vorrangigen Problem der → sozialen Sicherung in der Bundesrepublik Deutschland.

Die vier grundsätzlichen Formen einer finanziellen Absicherung des Risikos der Pflegebedürftigkeit gehen aus dem Schema hervor. Da pflegebedürftige Menschen nach unbestrittener Ansicht solange wie möglich in ihrer gewohnten Umgebung betreut werden sollen, ist es das vorrangige Ziel der finanziellen Vorsorge, diese Pflege möglichst lange –

Formen der finanziellen Absicherung des Risikos der Pflegebedürftigkeit

Steuer-finanzierte Lösungen	— Erweiterung des Bundessozialhilfegesetzes
	— Subventionierung von Pflegeheimen bzw. -plätzen
	— neue Pflegegesetze des Bundes und der Länder
	— Ausweitung ambulanter Pflegedienste (z.B. Sozialstationen)

Sozial-abgaben-finanzierte Lösungen	— über gesetzliche Pflegeversicherung
	— über gesetzliche Rentenversicherung
	— über gesetzliche Krankenversicherung

| Prämien-finanzierte Lösungen | — über private Versicherungen | — staatlich vorgeschrieben |
| | | — freiwillig |

| Eigen-leistung | — Sparen |

ggf. unter Einschluß ambulanter Dienste – wahrzunehmen. Wird die Bedarfsgerechtigkeit zum entscheidenden Kriterium, erscheinen prämienfinanzierte Lösungen sowie die Ausweitung ambulanter Pflegedienste über Sozialstationen besonders vorteilhaft. Sozialabgaben und andere steuerfinanzierte Lösungen bergen die Gefahr in sich, daß die Bereitschaft, alte Menschen zu Hause zu pflegen, abnimmt, was, wie ausländische Beispiele (Niederlande, USA) zeigen, auch zu starken Ausgabensteigerungen führen kann. *K.-D. H.*

Literatur: *Heuser, M. R.* u.a., Pflegeversicherung. Modellkritik und Lösungsvorschläge, Wissenschaftliche Reihe des Zentralinstituts für die kassenärztliche Versorgung in der Bundesrepublik Deutschland, Bd. 27, Köln 1984.

Pflichtenheft → Anforderungsdefinition

Pflichtprüfungen

werden i.d.R. in periodische und aperiodische unterteilt. *Periodische* Pflichtprüfungen werden in regelmäßigen zeitlichen Abständen durchgeführt. Hauptform ist die → (Jahres)-Abschlußprüfung, die nach Abschluß des Geschäftsjahres durchzuführen ist. Weitere periodische Pflichtprüfungen sind die → Geschäftsführungs- und die Depotprüfung.

Periodische Pflichtprüfungen bestehen für Unternehmen bestimmter Rechtsform, Wirtschaftszweige und Größe sowie für Konzerne (→ Konzernabschlußprüfung):

● Kapitalgesellschaften, die nicht kleiner i.S. des § 267 Abs. 1 HGB zu (§ 316 Abs. 1 HGB)
● Konzerngesellschaften, soweit sie einen Konzernabschluß und Konzernlagebericht aufstellen (§ 316 Abs. 2 HGB, § 14 Abs. 1 PublG, § 28 EGAktG)
● Genossenschaften (§ 53 GenG),
● Kreditinstitute (§ 27 KWG),
● Versicherungsunternehmen (§ 57 VAG),
● Investmentgesellschaften (§ 25 KAGG),
● gemeinnützige Wohnungsunternehmen (§ 26 WGG),
● Großunternehmen, sofern die in § 1 PublG genannten Größenmerkmale überschritten werden (§ 6 PublG).

Gründe der periodischen Pflichtprüfungen sind das Schutzinteresse beteiligter Personen und die Sicherung der für die gesamte Wirtschaftsordnung bedeutsamen Wirtschaftsbereiche.

Aperiodische Pflichtprüfungen, vielfach mit → Sonderprüfungen gleichgesetzt, stellen einmalige oder in unregelmäßigen Abständen anfallende Prüfungen dar. Prüfungsanlaß sind bestimmte Vorgänge im Unternehmen, die der

Gesetzgeber zum Schutz außenstehender Dritter der Prüfungspflicht unterworfen hat. *J. S.*

Literatur: *v. Wysocki, K.,* Wirtschaftsprüfung und Wirtschaftsprüfungswesen, in: HWRev, Stuttgart 1983, Sp. 4606 ff.

Pflichtversicherung

Im Gegensatz zur Privatversicherung wird in der → Sozialversicherung die Versicherungsgemeinschaft nicht freiwillig, sondern zwangsweise gebildet. Das Zwangselement ist ein entscheidendes Kriterium, das die Sozialversicherung von der Privatversicherung (Individualversicherung) abhebt. Es genügt das Vorliegen bestimmter Tatbestände, um eine Versicherungspflicht zu begründen. Dagegen spricht nicht, daß es die Möglichkeiten gibt, die Mitgliedschaft im Zwangsversicherungssystem auch freiwillig zu begründen. In einer besonderen Form des Zwangsprinzips wird nicht nur ausreichende Versicherung vorgeschrieben, sondern darüber hinaus auch die Mitgliedschaft in einer bestimmten Kasse (Kassenzwang). Versicherungspflichtige können beim Vorliegen bestimmter Voraussetzungen auf Antrag von ihrer Versicherungspflicht in der → gesetzlichen Krankenversicherung, der → Rentenversicherung, der → Unfallversicherung, der → Arbeitslosenversicherung und der → Alterssicherung der Landwirte freigestellt werden.   *H. W.*

Pfund

von den Römern übernommenes Münzgewicht; es schwankte zwischen 327 und 491 g. Als „Zollpfund" im → Deutschen Zollverein 1857 (Wiener Münzvertrag) wurde das Gewicht einheitlich auf 500 g festgelegt; als Währungseinheit wurde es in Deutschland durch die → Mark verdrängt.

In anderen Ländern ist das Pfund als Währungseinheit noch immer gebräuchlich, so etwa in Großbritannien (Pfund Sterling).

Phillips-Kurve

inverse Beziehung zwischen Nominallohnsteigerungsrate g_W und Arbeitslosenquote u (originäre Phillips-Kurve) bzw. zwischen Inflationsrate g_{PI} und Arbeitslosenquote u (modifizierte Phillips-Kurve).

Die nach *Alban W. Phillips* (1958) benannte Kurve beherrschte die stabilitätspolitische Diskussion der 60er Jahre, weil sie auf einen Zielkonflikt (→ trade-off) zwischen Preisniveaustabilität ($g_{PI} \to 0$) und Vollbeschäftigung (u → 0) hinzudeuten schien (vgl. Abb.). Ein solcher Zielkonflikt kann nur bei negativer Neigung und stabiler Lage der kurzfristigen

Phillips-Kurve KPK auftreten. Bisher ist jedoch für kein einziges Land eine eindeutig negativ geneigte und im Zeitablauf stabile Phillips-Kurve nachgewiesen worden.

Auf Dauer scheint vielmehr die Tendenz zu einer langfristigen Phillips-Kurve LPK vorzuherrschen, die senkrecht über der sog. „natürlichen" Arbeitslosenquote verläuft (vgl. Abb.). Hierbei handelt es sich um den strukturell bedingten Teil der Arbeitslosigkeit, der mit geld- und fiskalpolitischen Mitteln nicht beeinflußbar ist und daher sowohl bei absoluter Preisniveaustabilität ($g_{PI} = 0$) als auch bei jedem beliebigen → inflatorischen Gleichgewicht ($g_{PI} = g_{PI}^e$) zu verzeichnen wäre.

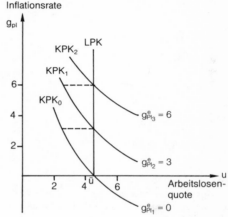

Kurzfristige und langfristige Phillips-Kurven

Die Behauptung, daß Vollbeschäftigung nur bei einer bestimmten Höhe der Inflationsrate erreichbar sei und Preisniveaustabilität mit einer bestimmten Höhe der Arbeitslosenquote erkauft werden müsse, läßt sich nicht mehr aufrechterhalten, wenn sich die kurzfristige Phillips-Kurve KPK entlang der langfristigen Phillips-Kurve LPK auf und ab bewegt. Diese Instabilität läßt sich mit einem häufigen Wechsel des Inflationstempos und der dadurch ausgelösten Dynamik von → Inflationserwartungen erklären. Fällt nämlich die tatsächliche Inflationsrate g_{PI} höher (niedriger) als die zuvor erwartete Inflationsrate g_{PI}^e aus, so erhöht (vermindert) sich die Inflationserwartung für die Folgeperiode, und die kurzfristige Phillips-Kurve KPK verschiebt sich nach oben (unten). Sobald im langfristigen Gleichgewicht die tatsächliche mit der zuvor erwarteten Inflationsrate übereinstimmt, weicht auch die tatsächliche Arbeitslosenquote u nicht mehr von der „natürlichen" Arbeitslosenquote ū ab.

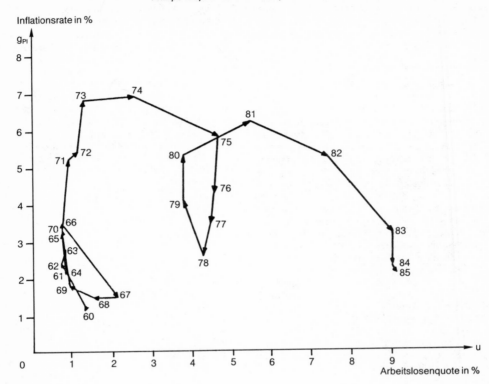

Phillips-loops in der Bundesrepublik 1960-85

Auf längere Sicht ergibt sich bei den jährlichen Kombinationen von Inflationsraten und Arbeitslosenquoten in der Bundesrepublik Deutschland das Erscheinungsbild deutlich ausgeprägter Schleifen (Phillips-Loops), die sich im Uhrzeigersinn zunehmend nach rechts verschoben haben (vgl. Abb.). Sollte also jemals ein kurzfristiger trade-off zwischen Preisniveaustabilität und Vollbeschäftigung existiert haben, so hätte er sich im Lauf der Jahre erheblich verschlechtert.   R. Ca.

Literatur: *Phillips, A. W.*, The Relationship between Unemployment and the Rate of Change of Money Wage Rates in the United Kingdom, 1861–1957, in: Economica, Vol. 25 (1958), S. 283 ff. *Siebke, J.*, Der Zusammenhang zwischen Preisniveauentwicklung und Beschäftigungsgrad: Die Phillips-Kurve, in: Jahrbuch für Sozialwissenschaft, Bd. 23 (1972), S. 289 ff. *Woll, A.*, Das Phillips-Theorem, in: *Pütz, Th.* (Hrsg.), Studien zum Inflationsproblem, Berlin 1975, S. 101 ff.

Physiokratie

beruht auf einem Denkansatz, der einer Person zugeschrieben werden kann: *François Quesnay*. Als „science économique" von die-

sem konzipiert, versteht sie ihren Namen „Naturherrschaft" als Ausdruck für die natürliche Verfassung, deren Beachtung durch eine Regierungsgewalt dem menschlichen Geschlecht höchstmögliche Vorteile bietet. Physiokratie ist eine natürliche und soziale Ordnung, die durch äußere Notwendigkeit und die „unwiderstehliche Kraft der Vorsehung" bestimmt wird. „Science économique" ist eine Weltanschauung mit ökonomischer Basis: Sie umschließt alles, was zum Glück der Souveräne und Untertanen beitragen mag.

Anlaß für die Beschäftigung *Quesnays* mit ökonomischen Fragen war der Niedergang der französischen Landwirtschaft durch die Machtpolitik absoluter Herrscher. *Quesnay* sucht die Begründung für eine allgemeine Sozial- und Staatsreform, in der kein Übergewicht eines Standes (Gewerbe) gegenüber einem anderen (Landwirtschaft) dem Gesamtwesen Schaden zufügt. Nur die wechselseitige Verbindung seiner Elemente verleiht einem Gemeinwesen seinen vollständigen Sinn. Dieser Sinn enthüllt sich ganz unmißverständlich in der Entdeckung der Interdependenz von Wirtschaft, Gesellschaft und Politik. *Quesnay* zeigt, daß ein Systemablauf möglich ist, der den Vorstellungen der natürlichen Vernunft entspricht.

Er erwartet, daß die durch die Verkündung des Naturrechts gewonnenen Einsichten in eine natürliche Gesellschaftsordnung es einem ideal regierenden Königtum ermöglichen, Gerechtigkeit durch Administration zu bewirken. Zu leisten sind die Durchführung öffentlicher Aufgaben und die Überwachung des wahren Funktionierens natürlichen Rechts. Was für den Herrscher wirklich das vorteilhafteste ist, ist zugleich auch das vorteilhafteste für die Untertanen.

Voraussetzung ist, daß nur ein aufgeklärtes Volk in Übereinstimmung mit den natürlichen Regeln der Gesellschaft zu handeln vermag. Einer solchen Nation könnte kein unvernünftiges Gesetz vorgeschlagen werden. Regierung und Bürger würden es sofort als absurd erkennen. Das natürliche Recht fördert die Freiheit des Menschen, von allen Fähigkeiten, die ihm verliehen sind, einsichtsvollen Gebrauch zu machen, auch von seiner Fähigkeit, Eigentümer zu sein. Es bewirkt zudem, daß der Mensch in seinen Bemühungen zur Verbesserung seiner Lebensbedingungen die Rechte anderer achtet. So bewahrt Vernunft den Menschen vor Aktivitäten, die durch Zerstörung oder ernsthafte Beeinträchtigung sozialer Bindungen zu einem größeren Elend für alle führen mögen.

Freiheit für Toren verstößt gegen das Gebot der Harmonisierung der Interessen als Voraussetzung für eine Gesellschaft, die den Prinzipien der natürlichen Ordnung und Vernunft folgt. Rein egoistische Antriebe lassen sich mit einem Höchstmaß an Wohlfahrt für die gesamte Gesellschaft nicht vereinbaren. So wird die Physiokratie zu einer Theorie des „legalen Despotismus", einer absoluten Herrschaft des natürlichen Rechts. Dem Monarchen fällt kein Machtmonopol zu. Er ist nur als Administrator der natürlichen Gesellschaftsordnung da. Eine gute Regierung sichert durch eine starke Zentralgewalt die Autorität ausschließlich an das natürliche Recht gebundener positiver Gesetze – und mit ihnen das Recht der Individuen auf Eigentum, ihr Recht auf ökonomische Freiheit, auf freie Berufswahl, auf freien Handel und Austausch.

Die gedankliche Voraussetzung für eine vernunftgerechte Reform der französischen Wirtschaft seiner Zeit schien Quesnay die Verankerung der Erkenntnis von der Komplementarität der individuellen Interessen innerhalb einer auf Arbeitsteilung und Tausch ausgerichteten Gesellschaft zu sein. Zudem war die Idee zu vermitteln, daß nicht die Zirkula-

tion, sondern die Produktion Werte schafft. Für die Landwirtschaft ist der Boden die einzige Reichtumsquelle. In diesem Sinn zeigt das berühmte → Tableau économique Quesnays, wie jeder ökonomische Sektor von den Aktivitäten der anderen Sektoren abhängt – insb. aber, wie der Wohlstand der Grundbesitzer den Wohlstand der anderen Klassen bedingt. Ohne Zweifel ist das Tableau nur ein Anhängsel, es deckt nicht den Kern der physiokratischen Position ab (Joseph A. Schumpeter).

Träger der Unternehmertätigkeit in der Landwirtschaft jener Zeit war nach Quesnay ein intelligenter, aktiver Pächterstand, der alle technischen und kommerziellen Möglichkeiten seiner Zeit zu nutzen suchte. Er war nicht Eigentümer des Bodens, dennoch frei von jeder wirtschaftlichen Einflußnahme der Grundbesitzer, von denen er den Boden – urbar gemacht und mit Gebäuden ausgestattet – langfristig pachtete. Bäuerliche Unternehmertätigkeit setzt die Existenz wirtschaftlich gebundenen Vermögens als „Avances" voraus. Das erzeugte Produkt dient zunächst der Reproduktion des Vermögensbestandes, erzielte Überschüsse gehen an die Grundbesitzer. Ein Teil davon dient dem Konsum, ein anderer dem Kauf von Handwerksprodukten.

Ein vernunftgemäßer Ablauf ist gewährleistet, wenn jede Gruppe der Produzenten mit den erzielten Erlösen ihre Kosten sowie ihren Konsum zu decken vermag. Unterstellt wird, daß die Ausgaben der Grundbesitzer dafür sorgen, den Wirtschaftskreislauf nicht zu unterbrechen. Die Maxime lautet: Die Gesamtheit der Einkommensbeträge muß stets wieder in die jährliche Zirkulation zurückkehren und sie in ihrem ganzen Umfang durchlaufen. Hinzu kommt die Mahnung: Grundbesitzer und andere Großverdiener dürften die „Ersparnisse des Königreichs" nicht zum Schaden der Allgemeinheit zurückhalten. Die Quesnaysche Lehre gilt weithin als zentrale Vorstufe für die Entwicklung der klassischen Theorie, insb. des → Liberalismus.

Bislang ist in der nicht-marxistischen Literatur jedoch übersehen worden, daß im Quesnayschen System zugleich eine Präformation sozialistischer Gesellschaftstheorie enthalten ist. Im Grundtypus dieses Systems findet Karl Marx jene Strukturen gedanklich vorgebildet oder zumindest angedeutet, die seine Erwägungen über die Bauelemente einer sozialistischen Gesellschaft prägen. Er vermerkt z. B. anhand des ökonomischen Tableaus, daß es der verteilenden Klasse der Eigentümer möglich ist, die Reproduktion durch eine bestimmte Verteilung des Jahresergebnisses derart zu regeln, daß eine Stockung der Zirkulation des gesellschaftlichen Gesamtkapitals verhindert wird. Vom Standpunkt der Kapitalreproduktion erscheint allerdings die herrschende Klasse als überflüssig; schließlich sind die Akteure dieses Systems nicht die Grundeigentümer, sondern innovative Pächter.

Damit kann der sozialistische Staat an die Stelle der Grundeigentümer treten, um die Funktionen zu übernehmen, die nach objektiven ökonomischen Gesetzen zu einem Höchstmaß an Revenuen führen. Er kann ferner die notwendigen politischen Bedingungen festlegen, durch welche die einmal erkannten ökonomischen Gesetzmäßigkeiten in wachsendem Maße Förderung anstelle von Behinderung erfahren können. *Marx* betrachtet das System der Physiokratie zwar als die innerhalb des Rahmens der feudalen Gesellschaft durchdringende neue kapitalistische Gesellschaft. Er betont jedoch, daß jenes System selbst über diese neue Gesellschaft hinauswächst. Es enthält Ansätze, die eine sozialistische Transformation der Gesellschaft als funktionsfähig erscheinen lassen.   *H. G. K.*

Literatur: *Hoselitz, B. F.,* Agrarian Capitalism, the Natural Order of Things: François Quesnay, in: Kyklos, Vol. XXI (1968), S. 637ff. *Quesnay, F.,* Ökonomische Schriften, mit einer Einleitung von *Kuczynski, M.,* Berlin (O) 1971, 1976. *Krüsselberg, H. G.,* Vermögen, Kapital, Eigentum – Schlüsselbegriffe der Ordnungstheorie?, in: *Krüsselberg, H. G.* (Hrsg.), Vermögen im Systemvergleich, Stuttgart, New York 1984, S. 37ff.

physische Distribution

Teil des betrieblichen Distributionssystems, der den Transport der Fertigprodukte vom Hersteller zum Einzelhandel besorgt. Sie verkörpert ein Element der Marketinglogistik, die auch noch das Versandwesen und die Außenlager umfaßt. Die Begriffe Marketinglogistik und physische Distribution werden häufig als Synonyme verwandt.

Organe der physischen Distribution sind sowohl selbständige Transportunternehmen als auch firmeneigene Einrichtungen und Großhandelsbetriebe, die alle Handelfunktionen selbst wahrnehmen. Sie alle sollen gewährleisten, daß die bereits veräußerten oder noch zu verkaufenden Produkte dem Einzelhandel in ausreichender Menge und stets rechtzeitig zur Verfügung stehen. Entscheidungen im Bereich der Marketinglogistik bzw. der physischen Distribution können allein unter Kostengesichtspunkten gefällt werden, solange die Lieferzeit dadurch nicht merklich beeinflußt wird.

Bezüglich der Transportleistungen sind vor allem Entscheidungen über

- die → Transportmittel (LKW, Bahn, Flugzeug etc.) und
- die Organisation des Transportwesens (unternehmenseigen/unternehmensfremd, Abwicklungsmodalitäten) zu treffen.

Beide Bereiche zusammen bestimmen wesentlich die Lieferzeit.

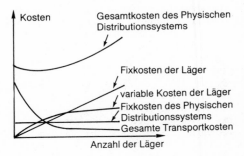

Kostenverläufe eines physischen Distributionssystems

Die Abbildung verdeutlicht die Abhängigkeit einzelner Kostenbestandteile des physischen Distributionssystems von dessen Struktur. Da jedes Lager bestimmte Fixkosten verursacht, steigt die entsprechende Funktion für alle Läger (stufenweise) an. Hinzu kommen die vom durchschnittlichen Lagerbestand abhängigen Lagerkosten. Die Transportkosten schließlich nehmen mit zunehmender Anzahl an Einrichtungen ab, da ein größerer Teil der Warenbewegungen im Wege vergleichsweise billigerer Großtransporte vorgenommen wird. Als Summe der einzelnen Kosten ergeben sich die Gesamtkosten der physischen Distributionssysteme, die bei einer bestimmten Lageranzahl minimal sind.

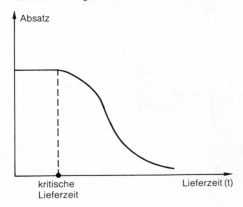

Zusammenhang zwischen Lieferzeit und Absatz

Die Anzahl der Läger bestimmt nicht nur die Kosten, sondern auch die durchschnittliche Lieferzeit, die das physische Distributionssystem benötigt, und damit (zum Teil) auch den Absatzerfolg (vgl. Abb).   *F. B.*

Literatur: *Ihde, G. B.,* Distributionslogistik, Stuttgart, New York 1978. *Kirsch, W./Bamberger, I./ Gabele, E./Klein, H.-K.,* Betriebswirtschaftliche Logistik, Systeme, Entscheidungen, Methoden, Wiesbaden 1973. *Wagner, G. R.,* Die Lieferzeitpolitik der Unternehmen, 2. Aufl., Wiesbaden 1978.

Picture-frustation-Test → Rosenzweig-Test

piecemeal engineering → Stückwerk-Technik

Pigou-Effekt

(Realkasseneffekt) direkter Einfluß von Änderungen der realen Geldmenge über → Vermögenseffekte auf die → Konsumgüternachfrage im Gegensatz zu dem indirekt (über Zinssatzvariationen, die auf dem Geldmarkt bestimmt werden) wirkenden → Keynes-Effekt. Mit Hilfe des Pigou-Effektes läßt sich der Transmissionsmechanismus erklären, der im neoklassischen System (ohne Zinsabhängigkeit der Geldnachfrage) von einer Erhöhung der nominalen Geldmenge zu der von der klassischen → Quantitätstheorie behaupteten proportional gleich großen Erhöhung des Güterpreisniveaus führt, wenn der → walrasianische Preismechanismus auf allen Märkten funktioniert. Aus der klassischen „Dichotomie der Märkte" wird die „Dichotomie der Effekte".   *J. R.*

Literatur: *Patinkin, D.,* Money, Interest, and Prices, 2. Aufl., New York u.a. 1965. *Claassen, E.-M.,* Grundlagen der makroökonomischen Theorie, München 1980.

Pigou-Steuer

nach dem englischen Nationalökonomen *Arthur C. Pigou* benanntes Prinzip der Besteuerung.

In einer pareto-optimalen Situation stimmt bei allen Gütern das Verhältnis von Grenznutzen und Grenzkosten überein. Über das Wirken des Preismechanismus bei vollkommener Konkurrenz kann eine solche Lösung im Sinne eines gesellschaftlichen Wohlfahrtsmaximums aber nur erreicht werden, wenn überall private und soziale Grenzkosten bzw. der Grenznutzen gleich sind. Wird jedoch z.B. ein Gut mit externen Kosten produziert, indem die Umwelt belastet wird, so gehen diese Kosten zunächst nicht in die privatwirtschaftliche Kalkulation ein. Ohne entsprechende Korrekturen würde von diesem Gut folglich eine größere Menge erzeugt, als dies aus gesamtwirtschaftlicher Sicht erwünscht ist.

Hier setzt nun die Idee der Pigou-Steuer an. Wird nämlich die Produktion eines solchen Gutes mit einer Steuer belastet, deren marginaler Satz in der Höhe genau den marginalen externen Kosten entspricht, die jeweils bei der pareto-optimalen Menge bestehen, dann korrigiert diese Steuer die privatwirtschaftliche Entscheidung in der gesamtwirtschaftlich erwünschten Weise, und es wurde das soziale Optimum erreicht. Die externen Kosten werden über die Pigou-Steuer also im Sinne des → Verursacherprinzips internalisiert.

Analog spricht man von einer Pigou-Subvention, wenn positive externe Effekte vorliegen; durch eine entsprechende Subvention wird die Produktion des Gutes auf das gesamtwirtschaftlich erwünschte Niveau erhöht.

Die Kritik an der Pigou-Steuer geht vor allem von den technischen Schwierigkeiten ihrer Realisierung aus (Bestimmung der Höhe des Steuersatzes, Kosten der Steuererhebung etc.). Von allgemeinen Einwänden gegen den wohlfahrtstheoretischen Ansatz abgesehen, werden weiter u.a. mögliche negative Verteilungswirkungen betont. Unter umweltpolitischen Aspekten verdienen schließlich u.U. andere Maßnahmen den Vorzug, von denen Impulse zur Verbesserung der Technologie ausgehen (→ Umweltökonomie).   *O. I.*

Literatur: *Pollak, H.,* Verbrauchsteuern I: Ziele und Ausgestaltung, in: HdWW, Bd. 8, Stuttgart u.a. 1980, S. 198 ff.

Pigou-Subvention → Pigou-Steuer

PIMS-Modell

(Profit Impact of Market Strategies) auf Untersuchungen der General Electric Company in den frühen 60er Jahren zurückgehendes Modell für deren → strategische Planung. Es sollte möglichst alle Schlüsselgrößen herausfinden, die die Höhe des → Return on Investment (RoI) und damit die Erfolgsentstehung im Unternehmen bestimmen. Die zentrale Rolle beim Zustandekommen des RoI, spielt der relative → Marktanteil, eine wichtige Dimension der → Portfolio-Planung. Der Befund hierzu lautet: Der RoI steigt mit zunehmendem relativen Marktanteil einer Unternehmung. Neuere Forschungsergebnisse stellen indessen die Vorstellung eines „Je größer, desto besser!" in Frage. Auch Unternehmen mit kleinem Marktanteil können erfolgreich sein, mehr noch als größere. Die Ursache dafür sind die von ihnen entdeckte Marktnische oder die von ihnen ausgenutzte staatliche Reglementierung. Deshalb sind z. B. die kleineren amerikanischen Luftfahrtunternehmen durchaus rentabler als ihre großen Konkurrenten.

Man erkennt hieran die Notwendigkeit, die Variable Marktanteil in der Portfolio-Planung differenzierter zu betrachten. Die PIMS-Studie trägt dieser Anforderung durchaus Rechnung; denn die von ihr erfaßte Palette von Einflußfaktoren des RoI ist breit angelegt. Dazu gehören: Marktanteil, Produktqualität, Marketing-Aufwendungen, Forschungs- und Entwicklungsausgaben, Investitionsintensität und Diversifikationsgrad eines Unternehmens.

Diese Größen sind unverkennbar an der Vergangenheit orientiert, wodurch die Leistungsfähigkeit für langfristige strategische Entscheidungen sehr beeinträchtigt wird. Doch bietet das PIMS-Modell, zu dem derzeit ca. 220 amerikanische und 15 europäische Unternehmen mit ca. 2100 Produkten bzw. →strategischen Geschäftsfeldern Daten beisteuern, immerhin gute Ansatzpunkte für inner- und überbetriebliche Vergleiche.

Insgesamt betrachtet reicht die Leistungsfähigkeit der PIMS-Studie für strategische Entscheidungen, verglichen mit der →Erfahrungskurve, konzeptionell erheblich weiter und erscheint empirisch erheblich besser fundiert als diese. *E. G.*

Literatur: *Hamermesh, R. G./Anderson, M. J./Harris, J. E.*, Erfolgreich mit kleinem Marktanteil, in: Manager Magazin & Harvard Business Review, Heft 12 (1978), S. 162 ff. *Schoeffler, S./Buzzell, R. D./Heany, D. F.*, Impact of Strategic Planning on Profit Performance, in: Harvard Business Review, März-April 1974, S. 137 ff.

Pioniergewinn → Wettbewerb

Pionierkonsument → Einführungsphase

Pionierunternehmer → dynamischer Unternehmer, → Wettbewerb

Pipeline-Effekt

Unterschied zwischen der Absatzmenge ab Fabrik und jener ab Einzelhandel. Der Effekt ist darauf zurückzuführen, daß der Auf- oder Abbau der Läger des Handels nicht in die Überlegungen einbezogen wird, woraus häufig Fehldispositionen der Produzenten resultieren. Beachtlich ist der Pipeline-Effekt insb. bei neuen bzw. auslaufenden Produkten und bei stark ansteigender bzw. stark abfallender Branchenkonjunktur, die i. d. R mit einem entsprechenden Lagerauf- bzw. Lagerabbau einhergeht. *F. B.*

PLAN

Computerprogramm der DATEV, mit dem die →Bilanzplanung sowie →Gewinn- und Verlustrechnungsplanung bis zu fünf Jahren maschinell unterstützt werden kann. Ansatzpunkte dafür bieten die Bilanz und Gewinn- und Verlustrechnung nach Steuer- und Handelsrecht. Aus der Sicht des Planers handelt es sich hierbei um das sog. Basisjahr, das zunächst zahlenmäßig festgehalten und in einem als →Momentum bezeichneten Ausdruck wiedergegeben wird. Nunmehr beginnen die planerischen Überlegungen, die in der Form von →PLAN-Strategien das Momentum verändern, mit dem Ziel, die Werte des Basisjahres realistisch in die Zukunft hinein zu projizieren.

PLAN ist für Personen- und Kapitalgesellschaften gleichermaßen einsetzbar, mit allen gliederungsmäßigen und steuerlichen sowie sonstigen Konsequenzen. Es bevorzugt einfache Ermittlungsgleichungen und vermeidet schwer überprüfbare Optimierungsrechnungen. Die Prognoseleistung bleibt eindeutig beim Anwender, geschieht somit außerhalb des Programms. Dies ist vielleicht dort ein Vorzug, wo der Anwender selbst schon Informationen über die Zukunft besitzt, die als realistisch gelten können. Andererseits kann dadurch eine Überforderung eintreten, wenn keine hinreichend genauen Daten zur Verfügung stehen, sondern solche erst erarbeitet werden müssen.

Dem Programm fehlen weitergehende Möglichkeiten, etwa aus Trends und Saisonkomponenten Umsätze zu planen. Grundsätzlich bleiben Strukturzusammenhänge in der Gewinn- und Verlustrechnung, etwa zwischen Umsatz und Wareneinsatz, offen, d. h. es gibt hier keine feststehenden Relationen. Allein die Debitoren sind in einer Kennzahl in Abhängigkeit vom Umsatz definiert, die Kreditoren in Abhängigkeit vom Wareneinsatz. Insoweit findet die Steuerung automatisch über die prozentuale Festlegung statt. Automatisch berechnet werden darüber hinaus alle Steuern — bei Personengesellschaften bis auf die Gesellschafterebene — sowie die gesamten Kredite als Funktion des Kredittyps. Die Ergebnisse solcher Nebenrechnungen fließen automatisch in die betreffende Bilanz- sowie Gewinn- und Verlustrechnungszeile ein.

PLAN liefert — schon deshalb, weil es auf Jahreszeiträume abstellt — allein Aussagen zur strukturellen Liquidität. Genau genommen handelt es sich also gerade nicht um eine

→Liquiditätsplanung im engeren Sinne, sondern allenfalls um die Liquidität als Ergebnis der jährlichen → Finanzplanung.

Die Ergebnisse des Programms PLAN müssen zurückhaltend beurteilt werden, weil unterstellt wird, daß alle Umsätze im Zeitpunkt ihrer Entstehung Geldzuflüssen entsprechen; analog dazu treten Geldabflüsse zeitlich mit dem Wareneingang sowie allen übrigen Aufwendungen auf. Da der Angelpunkt jeder Art von Liquidität gerade die zeitlich möglichst exakte Prognose der eingehenden sowie ausgehenden Zahlungen ist, zeichnen solche Vereinfachungen mitunter ein völlig falsches Bild von der wirklichen finanziellen Lage. Eine genauere Zuordnung von Geldzu- und -abflüssen erscheint deshalb als der einzige Ausweg aus dieser Situation.   *E. G.*

Literatur: *Knief, P.,* Erste Erfahrungen mit PLAN, dem Finanzplanungsmodell der DATEV, in: Datenverarbeitung – Steuer – Wirtschaft – Recht, 1/2/ 1980, S. 7 ff. *Schumacher, W.,* Das DATEV-Dialog-Programm PLAN, in: Datenverarbeitung Steuer – Wirtschaft – Recht, 9/1979, S. 195 ff. *Szyperski, N./ Luther, F.,* FIESTA und PLAN – Dialogmodelle des BIFOA und der DATEV zur integrierten Finanz-, Ergebnis- und Steuerplanung kleiner Unternehmen, in: *Stahlknecht, P.* (Hrsg.), EDV-Systeme im Finanz- und Rechnungswesen, Berlin u. a. 1980, S. 220 ff.

Plan

Instrument zur rationalen Vorbereitung wirtschaftlicher Entscheidungen und Grundlage wirtschaftlichen Handelns aller am wirtschaftsprozeß Beteiligten: der Individuen, Haushalte, Unternehmen, sonstiger Organisationen und des Staates.

In Plänen wird entschieden, wie knappe Mittel zur Erreichung bestimmter Ziele verwendet werden sollen. Hierbei haben die Plansubjekte von gegebenen bzw. erwarteten einzel- und gesamtwirtschaftlichen Daten auszugehen. Die Realisierung der Pläne erfordert die Abstimmung mit den Plänen anderer Plansubjekte, wobei sich erweist, ob Plandaten und faktische Daten divergieren (Planrisiko). Die Koordination aller Einzelpläne ist Aufgabe eines jeden → Wirtschaftssystems; unterschiedlich ist jedoch, nach welchen Kriterien und mit welchen Methoden die Einzelpläne zu einem gesamtwirtschaftlichen Plansystem koordiniert werden.

Die gängige Unterscheidung von „Plan" und „Markt" bezeichnet die beiden grundsätzlichen Koordinationsformen: Werden Einzelpläne nach Maßgabe zentraler Zielprioritäten und mittels verbindlicher Auflagen für die Ausarbeitung der Einzelpläne koordiniert, handelt es sich um den Grundtyp der → Zentralverwaltungswirtschaft; werden sie auf der Basis einzelwirtschaftlicher Zielprioritäten über Märkte und Preise zu einem Gesamtsystem koordiniert, liegt der Grundtyp der → Marktwirtschaft vor.

Obwohl also auch Marktwirtschaften auf Plänen beruhen, wird „Plan" meist als Synonym für die Koordination der Einzelpläne gemäß zentralen Planentscheidungen in den sozialistischen Ländern verwendet. Hier konkretisiert sich der Plan in volkswirtschaftlichen Fünfjahr- und Jahresplänen.

In den Fünfjahrplänen werden die grundlegenden ökonomischen, sozialen, wissenschaftlich-technischen, bildungspolitischen und kulturellen Ziele sowie die zu ihrer Verwirklichung erforderlichen Aufgaben und Maßnahmen festgelegt. Hierbei wird von den langfristigen Entwicklungszielen (15–20 Jahre), von internationalen Abkommen und vom Erfüllungsgrad des vorangegangenen Fünfjahrplans ausgegangen. Gemäß den von der Parteiführung festgelegten makroökonomischen Zielen (Wachstum der Warenproduktion und des Nationaleinkommens, Verhältnis von Akkumulation und Konsumtion, Im- und Export, Staatseinnahmen und -ausgaben, Preisniveau, Beschäftigung u. a.) werden von den zentralen Planungsorganen Teilpläne ausgearbeitet und aufeinander abgestimmt. Die Fünfjahrpläne gelten als Hauptinstrument der sozialistischen Wirtschaftspolitik. Ihre Umsetzung erfolgt entweder mittels staatlicher Planauflagen, die verbindliche Grundlage für die Erarbeitung der Jahrespläne sind, oder – wie im → ungarischen Wirtschaftssystem – mittels eines wirtschaftspolitischen Regulatorensystems.

Die Jahrespläne sind die sog. operativen, für den Wirtschaftsablauf verbindlichen Pläne. Datenänderungen, die sich während der Fünfjahrplanperiode ergeben, können in ihnen berücksichtigt werden, wodurch sich das Planrisiko reduziert. Sie sind gegliedert nach Produktionszweigen, nichtproduzierenden Bereichen (z. B. Bildungswesen), nach Gebieten, der Leitungsstruktur (zentralgeleitete und örtliche Betriebe) und nach volkswirtschaftlichen Querschnittsaufgaben (Investitionen, Außenhandel u. a.). Die Aufgaben der Jahrespläne werden mittels eines detaillierten Kennzahlensystems adressierbar, kontrollierbar und abrechenbar gemacht. Die Ausarbeitung und Koordinierung der Jahrespläne erfolgen mit Hilfe eines pyramidenförmigen Systems von materiellen und finanziellen Bilanzen, in denen jeweils Aufkommen und Verwendung von Erzeugnissen, Arbeitskräften, Grundmitteln u. a. sowie Einnahmen und Ausgaben (des Staates, der Bevölkerung u. a.) abgestimmt werden. Auf betrieblicher Ebene werden die Jahrespläne außerdem durch ein Vertragssystem über zwischenbetriebliche Lieferungen und Leistungen ergänzt (Einheit von Plan, Bilanz und Vertrag). Der als Gesetz beschlossene Jahresvolkswirtschaftsplan und die in ihm enthaltenen staatlichen Planauflagen bilden die verbindliche Grundlage für die gesamte Wirtschaftstätigkeit des folgenden Jahres und für die Kontrolle der Planerfüllung. *H. H.*

Literatur: *Hensel, K. P.*, Grundformen der Wirtschaftsordnung: Marktwirtschaft – Zentralverwaltungswirtschaft, 3. Aufl., München 1978.

Planbilanz → Bilanzplanung, → Planungsordnung

Planer → Planungsträger

Planerfüllungsprinzip

Formalziel staatlich geleiteter Betriebe in → Wirtschaftsordnungen mit zentraler Planung der Wirtschaftsprozesse. Weil die Verwirklichung der zentralen Produktionspläne auf der untergeordneten Ebene in den einzelnen Betrieben erfolgt, ist die Planerfüllung als wesentliches Prinzip betrieblichen Verhaltens in der → Ergebnisrechnung zu etablieren. Dazu werden einmal möglichst genaue Planauflagen hinsichtlich Art, Qualität und Umfang der Produktion, Faktoreinsatz, Arbeitsproduktivität, Betriebsgewinn usw. in Form von Plankennzahlen vorgegeben.

Gleichzeitig erfolgt eine Verkoppelung der Planerfüllung mit einem System von Prämien, das nach Haupt- und Nebenkennzahlen gestaffelt ist: Für die Erfüllung und Übererfüllung der relevanten Kennzahlen erhalten die Betriebe Prämien, die entsprechend einem Schlüssel an die Beschäftigten verteilt werden, während Planuntererfüllung Sanktionen in

Erlös
⁒ Lohnkosten
⁒ Materialkosten
⁒ Abschreibungen
⁒ Kapitalkosten
⁒ sonstige Kosten
_____
= Gewinn (Soll/Ist)

Abführungen an den Staat	Zuführungen zu den betrieblichen Fonds (Investitions-, Reparatur-, Sozialfonds)	Zuführungen zum Prämienfonds

Form von Prämienverlusten nach sich zieht. Betriebliches Verhalten ist somit auf Planerfüllung und Prämienerhalt gerichtet, was seinen Ausdruck in der betrieblichen Ergebnisrechnung findet, die alle relevanten Größen als Plan- und als Istgrößen zu erfassen hat.

Aus dem Prinzip der Planerfüllung – dargestellt am Beispiel der Hauptkennzahl Gewinn – folgt, daß die Prämierung nicht unmittelbar von der absoluten Höhe der erreichten Kennzahlen abhängt, sondern von der Differenz zwischen Soll- und Istgrößen. Zentral geleitete Betriebe streben damit nicht nur danach, die Planauflagen bestmöglich zu erfüllen, sondern sie sind insb. auch an möglichst niedrigen, leicht erfüllbaren Planvorgaben interessiert. *K.-H. H.*

Planfeststellung

hoheitlicher Akt, der bei überörtlichen Baumaßnahmen insb. der Infrastruktur für die Verkehrs- und Wasserwirtschaft im Rahmen von gesetzlich festgelegten, förmlichen Planfeststellungsverfahren die Aufgabe und zeitliche Wirkung einer → Bebauungsplanung hat (→ Verkehrsplanung).

Plan-Gewinn- und Verlustrechnung → Gewinn- und Verlustrechnungsplanung

Planification

allgemeiner Ausdruck für → Wachstumsplanung in der Marktwirtschaft und offizielles Leitbild der französischen Wirtschaftspolitik nach 1945.

In Frankreich ist die Planification aus der seit dem → Merkantilismus vorherrschenden Auffassung von der Überlegenheit kollektiver Entscheidungen gegenüber der freien Marktkoordination entstanden. Gemessen am staatlichen Einfluß auf die privaten Entscheidungen geht die Planification über die Planung der → Ordnungspolitik sowie über die Globalsteuerung hinaus, bleibt jedoch hinter der imperativen Planung der → Zentralverwaltungswirtschaft zurück (vgl. Organisationsschema).

Hauptinstrumente der französischen Planification sind:
(1) sektorale staatliche Lenkung der Investitionen durch eine selektive Finanz-, Kredit- und Außenwirtschaftspolitik, durch öffentliche Aufträge und direkte Preiskontrollen;
(2) Ex-ante-Koordination der Beschaffungs- und Absatzpläne in den Modernisierungskommissionen mit dem Ziel eines hohen plankonformen Wachstums;
(3) wachstumsbestimmender Einfluß nationa-

Aufbau der französischen Planification

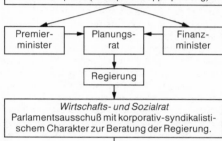

aversive Grundhaltung der französischen Wirtschaft und ihre durch die → Investitionslenkung begünstigte Neuerungsfeindlichkeit wie auch die Beharrungskräfte eines traditionell interventionistischen Staates gegenüber Reformen entgegen, wie das „Experiment Barre" (1976–1981) gezeigt hat. Erst nach den Parlamentswahlen im Frühjahr 1986 deutet vieles darauf hin, daß – nach jahrzehntelangem Widerstand – auch für Frankreich die Stunde der ordnungspolitischen Wende zur Marktwirtschaft schlagen wird.   *A. S.*

Literatur: *Lutz, V.,* Zentrale Planung für die Marktwirtschaft, Tübingen 1973. *Bilger, F.,* Frankreich vor der ordnungspolitischen Wende?, in: Ordo, Bd. 37 (1986), S. 3 ff.

Plankalkulation → Kalkulation

Plankosten → Plankostenrechnung

Plankostenrechnung

Die Entwicklung dieses → Kostenrechnungssystems ist dadurch gekennzeichnet, daß man sich bemühte, „Kostenvorgaben mit Hilfe von technischen Berechnungen und Verbrauchsstudien festzulegen. Bei gleichzeitiger Verwendung von Planpreisen entstand auf diese Weise eine neue Kategorie von Kosten, bei der sowohl das Mengen- oder Zeitgerüst als auch die Wertansätze geplante Größen sind. Derartige Kosten bezeichnet man in der deutschsprachigen Literatur als Plankosten" *(Wolfgang Kilger).*

Bei der *starren Plankostenrechnung* werden die erwarteten (optimalen) Kosten, nämlich die Plankosten, für die Planausbringung (-beschäftigung) festgelegt und, obwohl für Zwecke der Kostenkontrolle und Kalkulation eigentlich erforderlich, nicht auf die Istbeschäftigung umgerechnet. Diese fehlende Anpassung der Kostenwerte an Beschäftigungsschwankungen gestattet zwar eine schnelle und einfache Abrechnung, beeinträchtigt aber ganz erheblich die Aussagefähigkeit der Rechnungen, insb. die Möglichkeiten der Wirtschaftlichkeitskontrolle. Starre Plankostenrechnungen sind deshalb in der Praxis kaum noch zu finden.

In der *flexiblen Plankostenrechnung* werden die Plankosten nicht mehr starr gehalten, sondern (flexibel) an die in aller Regel auftretenden Beschäftigungsänderungen angepaßt. Dieses System erfordert im Gegensatz zur starren Plankostenrechnung bereits eine Trennung der Kosten in fixe und variable Bestandteile; denn anderenfalls ist keine sinnvolle Umrechnung der Plankosten von der Plan- auf

lisierter Unternehmen auf der Basis eines staatlich geförderten hohen Monopolgrades der Wirtschaft.

Praktisch ist das reale Wachstum in allen bisherigen Planperioden hinter den Plangrößen zurückgeblieben; es war stets begleitet von Fehlinvestitionen aufgrund falscher Prognosen, von relativ hohen Raten der Inflation und Arbeitslosigkeit, von Krisen der Staatsfinanzen und der Zahlungsbilanz sowie von sozialen Unruhen. Vor allem die Öffnung der französischen Handelsgrenzen zeigte, daß in einer Volkswirtschaft, die in die internationale Arbeitsteilung einbezogen ist, die Planansätze sehr viel stärker in ihrem Realitätsgehalt in Frage gestellt sind als in einem abgeschlossenen Land.

Die Sachzwänge des Außenhandels haben schließlich dazu geführt, daß die Planification praktisch in Richtung auf eine Konzeption der → sozialen Marktwirtschaft verändert worden ist. Dem stand allerdings bisher eine starke Neigung der Verantwortlichen zu dirigistischen Stabilisierungsmaßnahmen (Preis- und Lohnstopps, Devisenbewirtschaftung), die kartellartige Beherrschung der Investitionspolitik durch die Produzenten, die wettbewerbs-

die Istbeschäftigung möglich. Man bezeichnet diese auf die Istbeschäftigung umgerechneten Plankosten als → Sollkosten. Durch Vergleich der Istkosten mit den Sollkosten, die Vorgabecharakter haben, führt man eine leistungsfähige → Kostenkontrolle, den Soll-Ist-Vergleich, durch.

Eine flexible Plankostenrechnung, in der nur die variablen Kostenteile auf die Leistungen (→ Kostenträger) verrechnet werden, bezeichnet man als Grenzplankostenrechnung (→ Voll- und Teilkostenrechnung). Sie unterscheidet sich von einer flexiblen Plankostenrechnung auf Vollkostenbasis vor allem in der Kostenträgerrechnung, weniger in der Kostenkontrolle.   *L. H.*

Literatur: *Haberstock, L.,* Kostenrechnung I, Einführung, 7. Aufl., Hamburg 1985. *Haberstock, L.,* Kostenrechnung II, (Grenz-)Plankostenrechnung, 7. Aufl., Hamburg 1986. *Kilger, W.,* Flexible Plankostenrechnung und Deckungsbeitragsrechnung, 8. Aufl., Wiesbaden 1981.

Planleistungsrechnung → Gewinn- und Verlustrechnungsplanung

planmäßige Abschreibungen

Planmäßige → bilanzielle Abschreibungen sind nach § 253 Abs. 2 HGB bei den Gegenständen des abnutzbaren Anlagevermögens vorzunehmen, um den zeitlich, technisch oder wirtschaftlich bedingten, vorhersehbaren Werteverzehr buchmäßig zu erfassen. Dabei werden die → Anschaffungs- oder → Herstellungskosten nach einem bestimmten Abschreibungsplan auf die Geschäftsjahre verteilt, in denen der Gegenstand voraussichtlich genutzt werden kann.

Planning-Programming-Budgeting-System → Programmbudget

Planspiel

dynamische, in Zeitabläufe gegliederte Spielsituation mit ständig wechselnden Aufgabenstellungen. Mit Hilfe der EDV lassen sich Spielmodelle entwickeln, die z. B. komplexe Prozesse der Unternehmensführung simulieren. Die Spielteilnehmer, meist Führungs- und Führungsnachwuchskräfte, üben sich in der Wahrnehmung wesentlicher Managementfunktionen. Sie steuern Planungs-, Entscheidungs-, und Kooperationsprozesse, erfahren die Ergebnisse ihrer Maßnahmen nach jeder Spielrunde und treffen nach systematischer Beurteilung der Ergebnisse neue Entscheidungen.   *K. F.*

PLAN-Strategie

Das Computer-Programm → PLAN sieht vier Optionen vor, mit deren Hilfe → Bilanzplanung sowie → Gewinn- und Verlustrechnungsplanung betrieben werden können. Diese Optionen fungieren als eigenständige Modulen unter dem Namen „PLAN-Strategien". Im einzelnen handelt es sich um Investition, Desinvestition, Finanzierungsänderung sowie Gewinn- und Verlustrechnungsänderung.

Die Variante „Investition" wird z. B. angewandt, wenn das Unternehmen neue Maschinen zu kaufen beabsichtigt. „Finanzierungsänderungen" sind bei der Aufnahme bisher nicht einbezogener Kredite vorzusehen. Ändert sich eine Aufwandsposition, ist eine „Gewinn- und Verlustrechnungsänderung" durchzuführen.

Der Anwender hat über diese Strategiemodulen vielfältige Möglichkeiten, Bilanz sowie Gewinn- und Verlustrechnung gemäß den ihm verfügbaren Daten zu modifizieren, wobei die Programmsteuerung über Menüs geschieht. Alle Modulen sind beliebig miteinander verknüpfbar und dialogfähig. Die Ergebnisse der einzelnen Dialogschritte können auch abgespeichert werden.   *E. G.*

Planung

gibt sowohl die Objekte an, die geplant werden sollen, als auch die Art und Weise, wie man sich mit diesen Objekten beschäftigt. Objekte der betriebswirtschaftlichen Planung können sein:
(1) Mit dem *Zweck* eines Unternehmens können die generelle Aufgabe oder Mission gemeint sein, die Branche, der Geschäftszweig.
(2) In engem Zusammenhang mit den Zwecken einer Unternehmung stehen *Ziele,* wie z. B. Gewinn, Rentabilität, Produktivität, Wachstum, Innovation, Selbständigkeit, Unabhängigkeit, Sicherheit oder Risiko.
(3) *Potentiale:* Dies kennzeichnet Ressourcen finanzieller Art ebenso wie Know-how und Investitionen in Sachen und Personen.
(4) *Verhaltensweisen* als Objekte der Planung betreffen die Mitarbeiter, ihre Leistungsfähigkeit, Identifikation, Einsatzbereitschaft, Motivation sowie das Erscheinungsbild des gesamten Unternehmens nach außen.

Die Beschäftigung mit den Objekten der Planung spielt sich im gedanklichen Bereich ab, was nicht verhindert, daß die systematische Auseinandersetzung mit diesen Fragen schriftlich festgehalten wird. Zudem spielen die berücksichtigten zukünftigen Situationen eine wichtige Rolle. Wegen der prinzipiellen Ungewißheit geht der Planer u. U. sogar von alternativen Situationen aus. Planung kann somit definiert werden als ein Prozeß der systematischen gedanklichen Vorwegnahme und Umsetzung zukünftiger Zwecke, Ziele, Potentiale und Verhaltensweisen der gesamten Organisation unter Berücksichtigung alternativer Situationen.

Kern des gesamten Planungsgeschehens ist der → Planungsprozeß mit Prozeßstufen oder Phasen. Typische Phasen sind: Analyse, Synthese, Evaluation und Output.

Dem Planer stehen bei seiner Arbeit → Planungsmethoden zur Verfügung, im Sinne von Instrumenten oder Werkzeugen. Besonderer Stellenwert kommt → Prognosemethoden und mathematischen Planungstechniken zu.

Als schwierigste Aufgabe der Planung muß die Informationsbeschaffung bezeichnet werden. Informationen fallen in sämtlichen Phasen des Planungsprozesses, mit unterschiedlicher Verfügbarkeit und Genauigkeit, an.

Planung ohne einen Träger, eine Person oder Institution, die sich dieser Aufgabe annimmt, ist nicht denkbar. Die → Planungsorganisation sagt etwas darüber aus, wer, was, für wen, in wessen Auftrag, mit welchen Mitteln, mit welcher Kompetenz und welchen Folgen für die Betroffenen plant. Gleichzeitig bringen Personen und Institutionen ihre spezifische Denkweise, ihre Einstellungen und Verhaltensweisen in den Prozeß ein.

In der praktischen Planungsarbeit von Unternehmen bereitet die Erarbeitung von Plänen für überschaubare, in sich abgegrenzte Teilfelder kaum Schwierigkeiten. Dies gilt etwa für gängige Einsatzbereiche wie → Investitionsplanung, → Finanzplanung, → Marketingplanung, → Fertigungsplanung, → Personalplanung, → Beschaffungsplanung, Organisationsplanung sowie Forschungs- und Entwicklungsplanung. Probleme treten meist massiert auf, wenn diese Teilpläne zu einer → Gesamtplanung vereinigt werden sollen, die ihrerseits abgestimmt sein sollte auf die → Grundsätzeplanung und zudem über einschlägige Planungsmethoden zu praktikablen, handhabbaren Ergebnissen gelangen müßte.

E. G.

Literatur: *Gesellschaft für Planung – AGPLAN e. V.* (Hrsg.), agplan-Handbuch zur Unternehmensplanung, fünf Bände, Loseblattsammlung, Berlin 1970. *Szyperski, N.* (Hrsg.), Handwörterbuch der Planung, Stuttgart 1987.

Planung unter Unsicherheit

Entscheidungsvorbereitung bei unvollkommener Information. Zumeist bezieht sich die Unsicherheit auf die Entwicklung der Pla-

nungsumwelt (→ Entscheidungs-Umwelt-Matrix, → Problemanalyse). Grundsätzlich ist die Umweltentwicklung bei jeder (in die Zukunft gerichteten) Planung unsicher, nur ist der Unsicherheitsgrad häufig gering, so daß man ihn vernachlässigt. Vor allem bei langfristig wirkenden Entscheidungen, etwa bei Investitionen, erscheint es dagegen zweckmäßig, die Unsicherheit explizit zu berücksichtigen. Dazu gibt es verschiedene methodische Ansätze, insb. folgende:

- Man kann Unsicherheit nicht beseitigen, wohl aber oft durch Expertenbefragung eingrenzen (→ Delphi-Methode).
- Insoweit, als man Unsicherheit nicht beseitigen kann, erscheint es sinnvoll, sie hinsichtlich ihrer Auswirkungen zumindest kenntlich zu machen (→ Risikoanalyse).
- Man kann bestimmte Arten von Unsicherheit auch in mathematischen → Planungsmodellen, sogar in → Optimierungsmodellen verarbeiten, etwa durch → stochastische Planungsmodelle oder durch → unscharfe Mathematik.
- Man kann verschiedene Umweltentwicklungen experimentell durchspielen und dabei Erfahrungen über die möglichen Zukunftskonstellationen sammeln (→ Simulation, → Szenario-Technik).
- Man kann ferner versuchen, robuste Entscheidungen zu finden, die bei der Mehrzahl der möglichen Umweltentwicklungen vorteilhaft sind (→ robuste Schritte der Planung).

Welche dieser Methoden im Einzelfall zu empfehlen ist, hängt von der jeweiligen Planungssituation ab. *H. M.-M.*

Literatur: *Laux, H.,* Entscheidungstheorie, Berlin u. a. 1982. *Pfohl, H.-Chr./Braun, G. E.,* Entscheidungstheorie, München 1981.

Planungs- und Kontrollkoordination

Gesamtheit der → Controllingaufgaben, die das Planungs- und Kontrollsystem betreffen (→ Controller – Planungsbeteiligung). Die Koordinationsaufgaben lassen sich wie folgt differenzieren:

- Systemorientiert: systembildende Koordination: Schaffung und Pflege des Planungs- und Kontrollsystems; systemkoppelnde Koordination: Inganghaltung der Planungstätigkeit, Vornahme von Abstimmungen und Beratung der Linie;
- Planungsorientiert: Koordination von strategischer und operativer Planung;
- Phasenorientiert: Koordination von Planung und Kontrolle;
- Informationsorientiert: Koordination von

Informationsbedarf und Informationsversorgung;

● Planungszielorientiert: Koordination von sachziel- und formalzielorientierter Planung.   *P. Ho.*

Literatur: *Pfohl, H. C.,* Planung und Kontrolle, Stuttgart u. a. 1981.

Planungs- und Kontrollrechnung

alle Verfahren des Rechnungswesens, die bei Zielen und Maßnahmen des Managements Plan- und Istgrößen zu verknüpfen erlauben (→ führungsorientiertes Rechnungswesen).

Planungsaktoren → Planungsträger

Planungsaufgaben

Die geläufigste Unterscheidung innerhalb der → Planungsorganisation ist zunächst jene nach dem Zeitraum, für den geplant wird, z. B. kurz-, mittel- und langfristige Planungsaufgaben. Man setzt diese meist mit der sog. operativen, taktischen und → strategischen Planung gleich.

Norbert Szyperski und *Detlef Müller-Böling* unterscheiden etwas weitergehend:
(1) Aufgaben der inhaltlichen, materiellen Planung im Sinne der Problemerkennung und gedanklichen Problemlösung *(Planerfunktion):* Planungsproblem identifizieren, Planungsinformationen beschaffen/generieren, Planungsinformationen auswerten, Sollwerte aufstellen, Planprämissen erarbeiten, Planentwürfe erstellen, Planalternativen testen, Planbewertungen vorschlagen, Plankorrekturen vornehmen, Plan genehmigen.
(2) Aufgaben der Planung, Organisation und Steuerung des Planungsprozesses *(Planungsmanagementfunktion):* Sammlung und Kommentierung von Planentwürfen, deren Überprüfung und Aufbereitung für die Entscheidungsträger, Erarbeitung von Planungstechniken (Modelle, Methoden etc.), Koordination der Planungstechniken (verwendete Begriffe), Erarbeitung und Wartung von Datenbanksystemen, Aus- und Weiterbildung der Planungsträger.
(3) Aufgaben der Erarbeitung und Bereitstellung von Planungstechniken oder Erarbeitung und Wartung von Datenbanken im Sinne von Hilfs- bzw. Servicediensten *(Planungstechnikerfunktion):* Abgrenzung des Planinhaltes, Erarbeitung von Vorgehensweisen und Richtlinien der Planung, Genehmigung dieser Richtlinien, Terminierung von Planungsarbeiten, Überwachung und Kontrolle der Planerstellung, Motivieren zum Planen, Planerstellung veranlassen, Koordination und Integration mit anderen Plänen.   *E. G.*

Literatur: *Szyperski, N./Müller-Böling, D.,* Aufgabenspezialisierung in Planungssystemen, in: ZfbF, 36. Jg. (1984), S. 124 ff.

Planungsforschung → Planungsprozeß

Planungshorizont

definiert den Planungszeitraum als ein wichtiges Kriterium bei der Beurteilung von Plänen und deren Konsequenzen. Darin kommt zum Ausdruck, bis zu welchem Zeitpunkt die in den Plänen verankerten Angaben maximal gelten sollen. Die tatsächlichen Auswirkungen einer Planung können selbstverständlich den Planungshorizont über- oder unterschreiten.

Planungsmanagement

Teilgebiet der → Planungsmethodik des → Operations Research. Je nach Aufgabenumfang und Einmaligkeit können Planungsaufgaben als Projekt klassifiziert und durch ein eigenes Projekt-Team durchgeführt werden. Planungs-Teams sind insb. für die Fälle der Einmal-Planung und der Grundsatz-Planung (→ Planungsmethodik) empfehlenswert, nicht jedoch für die Routine-Planung. Zur Leitung des Projekt-Teams gibt es drei Organisationsformen: das reine → Projektmanagement, das → Matrix-Projektmanagement und das → Einfluß-Projektmanagement.

Unabhängig von der Organisationsform obliegt dem Projektleiter die Gestaltung des → Planungsprozesses.

Ein Projekt-Team sollte sowohl aus Planungsfachleuten als auch aus Vertretern der betroffenen Fachabteilungen zusammengesetzt sein, so daß sowohl das Fachwissen über die Aufgabe als auch das Methodenwissen der Planung repräsentiert sind. Planung ohne Partizipation der Fachabteilung – sog. „Planung im Auftrag" – führt häufig zu unzureichenden Ergebnissen.

Erfolgreiche Planung setzt gegenseitiges Verstehen zwischen der Fachabteilung, für die geplant wird, und den Planern voraus. Auf dieses „mutual understanding" haben *C. W. Churchman* und *A. H. Schainblatt* schon 1965 hingewiesen.   *H. M.-M.*

Literatur: *Churchman, C. W./Schainblatt, A. H.,* The Researcher and the Manager: A Dialectic of Implementation, in: Management Science, Vol. 11 (1965), No. 4, S. B-69 ff. *Hanssmann, F.,* Einführung in die Systemforschung, München 1978.

Planungsmathematik

wichtiges Hilfsmittel des → Operations Research (OR). Sie dient zur numerischen Auswertung von → Planungsmodellen des OR. In der Planungsmathematik werden alle geeigneten Verfahren aus „klassischen" Gebieten der Mathematik eingesetzt, ferner eine Vielzahl an neuen, innerhalb des OR entwickelten Verfahren.

Zur ersten Gruppe gehören vor allem Systeme linearer Gleichungen und die Matrizenrechnung, die Differential- und die Integralrechnung, Differential- und Differenzengleichungen, die Wahrscheinlichkeitsrechnung und Statistik, die Kombinatorik und Reihenrechnung. Innerhalb des OR neu entwickelt bzw. vom OR stark beeinflußt sind verschiedene Gebiete der → mathematischen Optimierung, insb. die → lineare Optimierung, die → nichtlineare Optimierung, die → ganzzahlige Optimierung, die → kombinatorische Optimierung und die → dynamische Optimierung, ferner in enger Nachbarschaft zur linearen Optimierung die → Spieltheorie. Weiterhin wurden die → Graphentheorie einschl. der → Netzplantechnik innerhalb des OR wesentlich weiterentwickelt. Es entstand ferner eine weit gefächerte Theorie der → stochastischen Prozesse einschl. der → Warteschlangentheorie. Zur praktischen Untersuchung komplexer stochastischer Prozesse wurde die → Simulation als eine experimentelle Mathematik geschaffen. Eine Variante der Simulation bildet die Untersuchung von → dynamischen Regelkreismodellen (→ system dynamics).

Die Planungsmathematik steht im Dienste der Auswertung von → Planungsmodellen des OR. Die Planungsmodelle repräsentieren soziotechnische Systeme bzw. Teilsysteme. Mit Hilfe der Planungsmathematik sollen Fragen, die an die Planungsmodelle gestellt werden, zu beantworten sein. Das können im Falle von → Optimierungsmodellen Fragen nach optimalen Entscheidungen sein, im Falle von → Bewertungsmodellen solche nach der Eignung bestimmter Entscheidungen.   *H. M.-M.*

Literatur: *Müller-Merbach, H.,* Mathematik für Wirtschaftswissenschaftler, Bd. 1, München 1974. *Ohse, D.,* Mathematik für Wirtschaftswissenschaftler I: Analysis, München 1983. *Ohse, D.,* Mathematik für Wirtschaftswissenschaftler II: Algebra, München 1984.

Planungsmethoden

Instrumente und Werkzeuge, die dem Planer helfen, Probleme zu analysieren, Entwicklungen vorherzusagen, Alternativen zu finden und daraus Lösungen abzuleiten, diese zu bewerten und sich auf eine festzulegen sowie schließlich Plandokumente zu produzieren. Jede Phase des Planungsprozesses verlangt die dazu passende Methode.

In aller Regel sind an einem Planungsprozeß mehrere Personen gleichzeitig oder nacheinander beteiligt. Beginnt dieser an der Unternehmensspitze, spricht man von → retrograder Planung (Top-down-Planung), im umgekehrten Fall von → progressiver Planung (Bottom-up-Planung). Treten beide Formen gemeinsam auf, liegt → Bottom-up-top-down-Planung vor.

In der praktischen Arbeit des Planers kommen nicht alle Methoden gleich häufig zum Einsatz. Wie *Herbert Uebele* zeigen konnte, werden subjektive Verfahren, wie Schätzungen von Außendienstmitarbeitern, Abnehmerbefragungen, → Gap-Analyse und → Portfolio-Matrix, den mathematisch-statistischen Varianten vorgezogen. Zu letzteren rechnen z.B. → Trendschätzung, Methode der → gleitenden Durchschnitte sowie → Regressionsanalyse, die allesamt äußerst zurückhaltend herangezogen werden. Soweit es doch dazu kommt, stehen einfache Methoden, wie die → Netzplantechnik, finanzmathematische Verfahren und spezielle Varianten der Lager- und Transportoptimierung, im Vordergrund des Interesses (→ optimale Bestellmenge, → Transportmodelle).

Ohne Zweifel gewinnen formalisierte Verfahren in dem Maße an Bedeutung, in dem die → computergestützte Planung, wie sie etwa mit dem Programm → PLAN im Rahmen der → Bilanzplanung sowie der → Gewinn- und Verlustrechnungsplanung zum Einsatz kommt, Fortschritte macht.   *E. G.*

Literatur: *Grochla, E./Szyperski, N.* (Hrsg.), Modell- und Computer-gestützte Unternehmensplanung, Wiesbaden 1973. *Uebele, H.,* Einsatzbedingungen und Verhaltenswirkungen von Planungstechniken im Absatzbereich von Unternehmen, Diss., Aachen 1980. *Wild, J.,* Grundlagen der Unternehmungsplanung, 3. Aufl., Opladen 1981.

Planungsmethodik

zentrales Instrument des → Operations Research. Sie bildet den Rahmen für den Einsatz von → Planungsmodellen und die Anwendung der → Planungsmathematik.

Die Planungsmethodik umfaßt vier Teilgebiete:
- → Planungsprozeß und → Planungsmanagement, also sowohl aufbau- als auch ablauforganisatorische Aspekte der Planung. Dabei spielt die → Interdisziplinarität der Planung eine entscheidende Rolle.
- → Problemanalyse, die durch die → Fünf-Felder-Analyse ihre inhaltliche Struktur erhalten kann,
- Konstruktionsprozeß von Planungsmodellen (→ Systemansatz und Modellbau),
- Informationshandhabung, insb. bei unsi-

cheren Informationen (→ Planung unter Unsicherheit).

Hinsichtlich der Planungshäufigkeit und -grundsätzlichkeit lassen sich Planungsprozesse wie folgt gliedern:

(1) *Einmalplanung:* Eine einmalige Entscheidung ist vorzubereiten, und es liegen keine Erfahrungen aus ähnlichen Entscheidungssituationen vor. Beispiele: Fusion mit einer anderen Unternehmung, Einstieg in neue Produktbereiche, Marktbereiche oder Fertigungstechniken, Eindringen in Auslandsmärkte.

(2) *Wiederholungsplanung:* Entscheidungen bestimmter Art sind regelmäßig zu treffen und müssen daher regelmäßig durch Planung vorbereitet werden. Beispiele: Absatzmengenplanung, → Produktionsprogrammoptimierung, → Finanzplanung, → Investitionsplanung. Die Wiederholungsplanung gliedert sich in:

(a) *Grundsatzplanung:* In den meisten Fällen der Wiederholungsplanung ist es nützlich, durch Grundsatzplanung (Richtlinienplanung) den Routineplanungsprozeß im einzelnen festzulegen und ihn dadurch effektiver zu machen.

(b) *Routineplanung:* Die Routineplanung betrifft die eigentliche Ausführung der Wiederholungsplanung. Sie erhält durch die Grundsatzplanung einen Rahmen, durch den sie sich einfacher, systematischer und wirksamer gestalten läßt. H. M.-M.

Planungsmodelle

zentrales Werkzeug des → Operations Research (OR), also der modellgestützten Planung oder modellgestützten Entscheidungsvorbereitung. Mit Planungsmodellen werden reale Systemzusammenhänge in (weitgehend) mathematischer Weise beschrieben. Sie dienen der Durchleuchtung komplexer Entscheidungssituationen. Dazu wird erstens versucht, möglichst alle relevanten Abhängigkeitsbeziehungen innerhalb des betrachteten Systems sowie zwischen dem System und seiner Umwelt in das Modell einzubauen. Zweitens wird eine solche Aussagenbreite der Modelle angestrebt, daß sich möglichst alle bedeutungsvollen Auswirkungen der zu treffenden Entscheidungen ermitteln lassen. Die Modelle bleiben jedoch als Konstruktionen durch Menschen stets nur Stellvertreter der Realität und sind nicht die Realität selbst.

In Unternehmungen werden Planungsmodelle auf unterschiedlichen Ebenen eingesetzt, teils auf der Ebene der gesamten Unternehmung, teils auf der Ebene einzelner Funktionsbereiche. Man spricht daher einerseits von → Unternehmungsmodellen, andererseits von → Funktionsbereichsmodellen, z.B. von → Absatzplanungsmodellen, → Beschaffungsplanungsmodellen, → Finanzplanungsmodellen, → Investitionsplanungsmodellen, → Lagerplanungsmodellen, → Personalplanungsmodellen, → Produktionsplanungsmodellen und → Projektplanungsmodellen. Die Unternehmungsmodelle stehen zumeist im Zusammenhang mit langfristigen, strategischen Unternehmungsentscheidungen, während die Funktionsbereichsmodelle überwiegend der Vorbereitung von mittel- und kurzfristigen, taktischen und operativen Entscheidungen dienen.

Planungsmodelle werden zweckmäßig in → Optimierungsmodelle und → Bewertungsmodelle eingeteilt. Mit Bewertungsmodellen lassen sich alternative, explizit definierte Entscheidungen hinsichtlich vorgegebener Zielsetzungen bewerten. Optimierungsmodelle gestatten darüber hinaus die Bestimmung von (nicht vorgegebenen) Lösungen, die hinsichtlich einer gegebenen Zielsetzung optimal sind. Bewertungsmodelle setzen also die explizite Formulierung von Lösungen voraus, die hinsichtlich ihrer Lösungsqualität zu untersuchen sind. Demgegenüber lassen sich mit Optimierungsmodellen eigene Lösungsvorschläge erzeugen, und zwar solche, die unter der Vielfalt möglicher Lösungen optimal sind. Die Grenze zwischen Bewertungs- und Optimierungsmodellen ist allerdings nicht scharf zu ziehen; insb. findet man häufig Hierarchien von übergeordneten Bewertungsmodellen und untergeordneten Optimierungsmodellen.

In der Literatur werden weitere Modelltypen genannt, z.B. → Beschreibungs-, Ermittlungs-, → Erklärungs-, → Prognose- und → Entscheidungsmodelle. Die meisten realen Planungsmodelle lassen sich nicht isoliert einem einzelnen dieser Typen zuordnen, sondern enthalten zumeist gleichzeitig Komponenten aus mehreren oder allen dieser Typen.

Weiterhin unterscheidet man bezüglich der Darstellungsform zwischen bildhaften („ikonischen", analogen) und symbolischen Modellen. In der Planung im Sinne des OR werden überwiegend symbolische Modelle eingesetzt, während bildhafte Modelle weitgehend nur zur Veranschaulichung von Zusammenhängen und Planungsergebnissen herangezogen werden. Zu den symbolischen Modellen gehören vor allem die mathematischen Modelle, ferner verbale Modelle und Graphen-Modelle (z.B. Netzpläne, Organigramme).

Unterschiedliche Auffassungen bestehen darüber, inwieweit der Bau von Planungsmodellen Abbildung einer bereits strukturierten Realität bzw. Strukturgebung einer an sich strukturlosen Realität ist. Insoweit als Sachverhalte in der realen Welt beobachtbar sind, könnte man ihre Darstellung eher als Abbildung auffassen, die Modellierung von gewünschten oder theoretisch erforschten Zusammenhängen dagegen eher als Strukturgebung.

Zu den Strukturierungsaufgaben des Modellbauers gehört auch die Wahl zwischen →deterministischen und →stochastischen Planungsmodellen.   *H. M.-M.*

Literatur: *Stachowiak, H.*, Allgemeine Modelltheorie, Wien, New York 1973. *Müller-Merbach, H.*, Operations Research, 3. Aufl., München 1973. *Bretzke, W.-R.*, Der Problembezug von Entscheidungsmodellen, Tübingen 1980. *Dinkelbach, W.*, Entscheidungsmodelle, Berlin, New York 1982.

Planungsordnung

Gesamtheit der rechtlich-institutionellen Regeln zur Organisation der Entscheidungsprozesse über Einsatz und Verwendung knapper Ressourcen. Die Planungsordnung gilt als konstitutives Formelement der →Wirtschaftsordnung, weil sie darüber entscheidet, wer die wirtschaftlichen Aktivitäten in einer Volkswirtschaft plant und auf welche Weise die einzelwirtschaftlichen Pläne koordiniert werden. Grundsätzlich besteht die Möglichkeit, die Wirtschaftsprozesse dezentral oder zentral zu planen.

Bei *dezentraler Planung* planen und entscheiden private, gesellschaftliche und öffentliche Haushalte sowie Unternehmen autonom entsprechend ihren einzelwirtschaftlichen Zielvorstellungen. Die einzelwirtschaftlichen Pläne werden auf Märkten zu einem gesamtwirtschaftlichen Planungszusammenhang koordiniert. Zentrale Orientierungsgrößen für die einzelwirtschaftlichen Planentscheidungen sind Marktpreise. Sie sind der Indikator für die Knappheitsgrade der einzelnen Güter. Die Informationsermittlung über Marktpreise erfolgt dann am schnellsten und am kostengünstigsten, wenn die Marktordnung durch Wettbewerb geprägt ist.

Bei *zentraler Planung* werden die Planentscheidungen von einer zentralen Instanz getroffen (→Plan). Ausgehend von ihren ökonomischen Zielen hat sie den jeweiligen Bedarf an ökonomischen Gütern mit den Produktionsmöglichkeiten abzustimmen und die Planverwirklichung in den ausführenden Einheiten durchzusetzen. Der gesamtwirtschaftliche Planzusammenhang wird über Planbilanzen entfaltet. In Form von Bedarfs- und Produktionsbilanzen erfassen sie periodenbezogen die Salden aus Versorgungssoll und Bestand an knappen Gütern sowie die daraus resultierenden Produktionserfordernisse. Die

Ergebnisse des Planungsprozesses werden den ausführenden Instanzen durch genaue Anweisungen vorgegeben, so daß ein hierarchisch strukturiertes Organisationsnetz der Planung und Planverwirklichung entsteht. Von unten nach oben laufen Informationen und Ergebnisse, von oben nach unten Direktiven und Planauflagen.

In der Realität sind die beiden Planungsordnungen vielfältig ausgeprägt: Dezentrale Planung ist kombiniert mit Staatseingriffen unterschiedlichen Umfangs und unterschiedlicher Qualität in den Marktmechanismus. Zentrale Planung existiert in Verbindung mit begrenzter betrieblicher Entscheidungsautonomie bezüglich Produktionssortiment und Faktoreinsatz sowie grundsätzlicher Dispositionsfreiheit der privaten Haushalte über Einkommensverwendung und Arbeitsplatzwahl.

Dezentrale Entscheidungsspielräume bewirken allerdings so lange keine Transformation der zentralen Planungsordnung, wie zentrale Instanzen über die Rangordnung der Ziele und damit letztlich über Güterproduktion und -verwendung befinden. Ebensowenig implizieren staatliche Eingriffe eine Transformation der dezentralen Planungsordnung, sofern damit lediglich Variationen des Bedingungsrahmens für einzelwirtschaftliche Planung verbunden sind.   *K.-H. H.*

Literatur: *Gutmann, G.*, Volkswirtschaftslehre, Stuttgart u.a. 1981. *Hensel, K. P.*, Grundformen der Wirtschaftsordnung, 3. Aufl., München 1978. *Leipold, H.*, Wirtschafts- und Gesellschaftssysteme im Vergleich, 4. Aufl., Stuttgart 1985.

Planungsorganisation

sagt etwas darüber aus, wer, was, für wen, in wessen Auftrag, mit welchen Mitteln, mit welcher Kompetenz und welchen Folgen für die Betroffenen plant. Konkret geht es um Fragen wie etwa folgende: Soll die Planung als Stabs- oder Linienfunktion bzw. zentral oder dezentral durchgeführt werden? Sollen Planungsbeauftragte oder Planungsausschüsse bzw. -teams eingesetzt werden? Dabei bleibt es hier zumeist bei der Feststellung allgemeiner Vor- und Nachteile dieser Strukturierungsalternativen. Einen genaueren Einblick vermitteln empirische Untersuchungen, die das Aussehen der Planungsorganisation, die eingerichteten Planungsstellen und →Planungsträger in Abhängigkeit von wichtigen Einflußgrößen zeigen, etwa dem Einfluß des →Planungsumfangs, der Markt- und Umweltdynamik, dem →Planungsumfeld, der Innovationsneigung sowie den Integrationsanstrengungen auf die Planungsorganisation.   *E. G.*

Literatur: *Grochla, E.,* Betriebliche Planung und Informationssysteme, Reinbek bei Hamburg 1975. *Keppler, W./Bamberger, I./Gabele, E.,* Organisation der Langfristplanung, Wiesbaden 1977. *Szyperski, N./Müller-Böling, D.,* Aufgabenspezialisierung in Planungssystemen, in: ZfbF, 36. Jg. (1984), S. 124 ff.

Planungsphasen → Planungsprozeß

Planungsproblem → Planungsprozeß

Planungsprojekt → Gesamtplanung

Planungsprozeß

Teil der → Planungsmethodik des → Operations Research. Er ist bezüglich des Inhalts der Planungsaktivitäten und der Ablaufstruktur zu gestalten.

Zur Gestaltung der Ablaufstruktur werden mehrheitlich *Phasenschemata* empfohlen. In ihnen werden die Planungaktivitäten in eine geschlossene Reihenfolge gebracht, deren Glieder nacheinander abzuarbeiten sind. Rücksprünge zu früheren Phasen werden zwar im allgemeinen zugelassen, widersprechen aber dem Ideal eines Phasenschemas.

Im Gegensatz zu den Schemata nacheinander ablaufender Phasen steht das *Komponentenschema.* Hier werden die Planungsaktivitäten als parallel zueinander anzuordnende Komponenten verstanden, die durch zahlreiche, einander kreuzende Informationsströme verbunden sind und sich daher gegenseitig anregen können. Hinsichtlich des Inhalts und des Umfangs der Planungsaktivitäten bestehen keine grundsätzlichen Unterschiede zwischen Phasen- und Komponentenschema. Allerdings läßt das Komponentenschema eine feinere inhaltliche Gliederung und einen breiteren Aktivitätsumfang zu, da die Aktivitäten nicht in eine konsequente Reihenfolge gebracht werden müssen.

Die folgenden 14 Komponenten umfassen die wichtigsten Aktivitäten, die in einem Planungsprozeß im Sinne des Operations Research anfallen. Dabei sei am Anfang nicht mehr vorgegeben als die Angabe eines Problembereichs innerhalb eines soziotechnischen Systems (z.B. einer Unternehmung).

- *Komponente 1* – Wahrnehmung und Formulierung der Problemstellung. Unter Einbeziehung verschiedener Personen (→ Cognitive Mapping) wird das Problemempfinden erforscht und zu einer Problemformulierung verdichtet, die die Zustimmung aller Beteiligten findet. Da sich die Problemsicht im Laufe des Planungsprozesses durch neue Erkenntnisse verändern kann, steht diese Komponente – wie auch die anderen – nicht lediglich am Anfang des Prozesses, sondern begleitet den Prozeß von Anfang an.

- *Komponente 2:* Analyse (und ggf.) Neuentwurf der → Aufbauorganisation.

- *Komponente 3:* Analyse (und ggf.) Neuentwurf der → Ablauforganisation.

- *Komponente 4:* Analytische Strukturierung des soziotechnischen Systems. Es empfiehlt sich, die für die Planung relevanten Teile des soziotechnischen Systems in ihren Zusammenhängen und Abhängigkeiten zu beschreiben. Dazu bietet sich der erweiterte Systemansatz bzw. Objekttypen-Ansatz an (→ Systemansatz und Modellbau).

- *Komponente 5:* Analyse des Zielsystems und Festlegung der Entscheidungskriterien.

- *Komponente 6:* Analyse und Prognose der Umweltentwicklung.

- *Komponente 7:* Entwicklung von Entscheidungsalternativen bzw. Entscheidungsräumen. Durch → Planungsmodelle werden die möglichen Entscheidungen eingegrenzt, und zwar außerhalb der Modellrechnung. Die möglichen Entscheidungsalternativen bzw. Entscheidungsräume sollten daher bewußt dargestellt werden.

- *Komponente 8:* Modellentwurf. Im Zusammenhang mit den vorhergehenden Komponenten (insb. 4 bis 7) sind → Planungsmodelle zu konstruieren (→ Systemansatz und Modellbau). Sie sollen die Entscheidungsalternativen bzw. Entscheidungsräume (Komponente 7) hinsichtlich der möglichen Umweltentwicklung (Komponente 6) in bezug auf die Ziele (Komponente 5) bewerten helfen (→ Entscheidungs-Umwelt-Matrix).

- *Komponente 9:* Datenbeschaffung, Datenorganisation, Datenqualität.

- *Komponente 10:* Auswahl bzw. Entwicklung von Algorithmen. Die Planungsmodelle dienen der Beantwortung von Fragen über das soziotechnische System und die Auswirkung von Entscheidungen. Dazu sind Rechenverfahren (Algorithmen) erforderlich (→ Planungsmathematik).

- *Komponente 11:* Auswahl bzw. Entwicklung von EDV-Programmen.

- *Komponente 12:* Modellrechnungen. Schließlich sind Algorithmen (Komponente 10) und EDV-Programme (Komponente 11) auf das Modell und die verfügbaren Daten (Komponenten 8 und 9) anzuwenden.

- *Komponente 13:* Interpretation der Modellergebnisse.

- *Komponente 14:* Implementation und

Wartung der Modelle. Die Planungsmodelle sind in die Realität einzufügen und stets an die neuen Anforderungen anzupassen. Diese Komponente begleitet – wie alle anderen Komponenten auch – den Planungsprozeß vom Anfang bis zum Ende.

Der intellektuelle Aufwand für eine Planung entsteht schwerpunktmäßig in unmittelbarer, enger Beziehung zum realen Problem und zum Verständnis des soziotechnischen Systems. Die mathematischen und algorithmischen Aspekte sind für die Praxis des → Operations Research oft nachrangig. *H. M.-M.*

Literatur: *Müller-Merbach, H.,* Operations Research, in: RKW-Handbuch Logistik, Berlin, Loseblattsammlung, 3. Lieferung II/1982, Kennziffer 9175.

Planungsrahmen

erleichtert die Einrichtung umfassender → Planungssysteme. Er legt einheitliche Begriffe für die zu planenden Größen bzw. Tatbestände fest, enthält die zu erstellenden Pläne und Plandokumente, gibt die Reihenfolge an, in der diese zu erstellen sind, und zeigt die zwischen den einzelnen Plänen bestehenden Zusammenhänge auf. Solche Steuerungsinformationen werden in Analogie zum Kontenrahmen auch als Planungsrahmen bezeichnet. Dieser steuert demnach die Gestaltungs- und Einführungsaktivitäten bezüglich Planungssystemen.

Planungsrechnung → mathematische Optimierung

Planungsschema → Planungsprozeß

Planungssprachen

spezielle höhere Programmiersprache zur gezielten Anwendung in Planungs- und Berichtsprozessen. Sie verfügt über programmierte Funktionen, die als Makro-Befehle mittels Parametereingabe in Programme eingebaut werden können. Strenggenommen sind Planungssprachen damit bereits Programme bzw. Programmsysteme und keine reinen Programmiersprachen mehr; sie werden selbst in Sprachen wie FORTRAN, PL/1 und ASSEMBLER erstellt. Vorläufer der Planungssprachen waren die impliziten Sprachen wie RPG, soweit diese in erster Linie zur Generierung von Berichten herangezogen wurden.

Für → Mikrocomputer bieten die sog. Tabellenkalkulationsprogramme oder Spreadsheet-Programme eine Alternative zur Planungssprache. Ihren deutschen Namen tragen sie aufgrund ihrer Orientierung an Zeilen und Spalten. Mit dem „ausgebreiteten Blatt" ist das sog. „elektronische Arbeitsblatt" gemeint, das den Kern der Programme bildet. Man spricht hierbei nicht mehr von Sprachen, obwohl eine Programmierung in diesen Systemen durchgeführt wird. Die Idee ist dabei vielmehr, dem Anwender eine gewohnte Arbeitsumgebung, d.h. kariertes Papier und einen Taschenrechner auf einem Bildschirm zu vermitteln. Dieser verkörpert ein „Fenster", durch das ein Ausschnitt des gesamten Arbeitsblattes zu sehen ist.

Der Benutzer findet eine Matrix aus Zeilen und Spalten vor, deren Felder er durch einfaches Bewegen des → Cursors mittels Pfeiltasten auf der Tastatur des Computers durch Eingabe gewohnter Formeln miteinander verknüpfen kann. Die Errechnung der Ergebnisse gestaltet sich damit ähnlich wie beim Taschenrechner, mit dem Unterschied, daß alle einmal eingegebenen Zahlen und Rechenoperationen gespeichert bleiben. Ändern sich z.B. die Eingabedaten, so muß nicht auch der gesamte Rechenvorgang neu eingegeben werden. Da viele dieser Programme über einen gewissen, fest programmierten Funktionenvorrat verfügen, und mittels der arithmetischen Rechenregeln auch umfangreichere Formeln konstruiert werden können, erscheinen sie für den Planungsbereich besonders gut geeignet (→ computergestützte Planung). *E. G.*

Literatur: *Gabele, E./Sahm, B.,* Finanz,- und Bilanzplanung FIBIP/K für Kapitalgesellschaften nach neuem Recht mit LOTUS 1-2-3, Landsberg am Lech 1986. *Schneider, S./Schwab, P./Renninger, W.,* Wesen, Vergleich und Stand von Software zur Produktion von Systemen der computergestützten Unternehmensplanung, Arbeitsberichte des Instituts für mathematische Maschinen und Datenverarbeitung (Informatik), Bd. 16, Nummer 5, Universität Erlangen-Nürnberg 1983. *Springer, H.-P.,* Microcomputergestützte Liquiditätsplanung, Diss., Bamberg 1984.

Planungssystem

Die Planungsrealität in Unternehmen stellt sich üblicherweise so dar: Es existiert eine Reihe von Teilplänen, wie etwa ein Umsatz-, Produktions-, Kapazitäts-, Investitions- und Finanzierungsplan, mit unterschiedlicher zeitlicher Reichweite und Geltungsdauer sowie schlecht aufeinander abgestimmten Inhalten. Zudem werden bei derartigen Teilplanungen i.d.R. lediglich einfache Ermittlungsmodelle eingesetzt, die etwa mit Gleichungen wie dieser arbeiten: Umsatz = Menge × Preis. Kompliziertere Prognose- und Bewertungsprozeduren bleiben innerhalb der Planungsarbeiten außer Ansatz; sie laufen allenfalls im Vorfeld der Planung ab. Zu einer fortschrittlichen Planung gelangt ein Unternehmen z.B. durch Zusammenfassung mehrerer Teilpläne zu einem System → integrierter Planung mit Hilfe eines → Planungsrahmens. *E. G.*

Planungsträger

(Planungsaktoren, Planer) Individuen, Gruppen oder Mensch-Maschine-Kommunikationssysteme, die als Stelle aktiv am Auffinden relevanter Probleme und an deren Lösung im Rahmen eines definierten → Planungsprozesses beteiligt sind.

Nun ist die Beteiligung von Planungsträgern an → Planungsaufgaben über die gesamte → Planungsorganisation hinweg nicht etwa gleichförmig. Bestimmte Klassen von Planungsaufgaben werden automatisch bestimmten Planungsträgern zugesprochen. Eine gängige Hypothese lautet: Strategische, taktische und operative Planungsaufgaben werden in dieser Gruppierung, streng voneinander abgegrenzt, ausgeführt vom → Top-Management, → Middle-Management und → Lower-Management (vgl. Abb.). Zunächst unterstellt man hierbei, daß langfristige (strategische) Aufgaben wichtiger sind als mittelfristige und diese wiederum bedeutungsvoller als kurzfristige (operative) Planungsaufgaben. Ferner wird postuliert, daß wichtige Aufgaben in einer Unternehmung vom Top-Management ausgeführt werden, weniger wichtige von untergeordneten Ebenen. Nach der These der Entsprechung von Planungsaufgaben und → Unternehmenshierarchie sieht ein → Planungsprozeß vereinfacht etwa wie folgt aus:

- Das Top-Management erarbeitet Planungsimpulse grundsätzlicher Natur.
- Diese verfeinert das Middle-Management, indem es einzelne Teilpläne für das jeweilige Arbeitsgebiet (z.B. Forschung und Entwicklung, Logistik, Produktion, Marketing, Verwaltung, Finanzierung) erstellt.
- Die dritte Stufe plant bis zum letzten Arbeitsvollzug.

Eine solche Einbahnstraße der → retrograden Planung dürfte in der Realität untypisch sein. Vermutlich beschreiben Mischformen der → Planungsorganisation, die zwischen zentraler und dezentraler Planung liegen, die Wirklichkeit des Einsatzes von Planungsträgern besser. *E. G.*

Literatur: *Szyperski, N./Winand, U.*, Grundbegriffe der Unternehmensplanung, Stuttgart 1980.

Planungsumfang

Die Menge, Häufigkeit und Intensität, mit der geplant wird, wirken sich auf die institutionellen Merkmale der → Planungssysteme, die → Planungsorganisation, aus. Eine gängige Hypothese leuchtet unmittelbar ein: Viel Planung verlangt letztlich den Einsatz von vielen Personen, wenig Planung den Einsatz von wenigen, während bei Verzicht auf Planung niemand erforderlich ist. Eine Aussage darüber, welche Personen (→ Planungsträger) im Unternehmen für → Planungsaufgaben eingesetzt werden, hängt also zunächst einmal vom Umfang der Planung ab.

Um den Einfluß des Planungsumfangs auf die Institution der Planung messen zu können, muß man den Umfang der Planung selbst feststellen, also etwa die Anzahl der Problembereiche, in denen Unternehmen planen. Solche Planungsbereiche sind: Investitionen, Marketing, Finanzen, Produktion, Produkte und Produktgruppen, Forschung und Entwicklung, Personal, Organisation und EDV sowie Beschaffung.

Empirische Ergebnisse zeigen folgendes Bild:

(1) Ein hoch-signifikanter Einfluß des Planungsumfangs besteht hinsichtlich der Bildung von Planungsstäben und zentralen Planungsstellen bzw. -abteilungen: Je mehr organisatorische Problembereiche in die langfristige Planung einbezogen werden, desto dringlicher wird eine Abstimmung der einzelnen Entscheidungen. Die zentrale Koordination der Planungsaktivitäten vollzieht sich in aller Regel in der Unternehmungsspitze.

(2) Mit der Errichtung zentraler Planungsstellen ist keine Entlastung der Geschäftsleitung von langfristigen Planungsaufgaben verbunden. Im Gegenteil, es erhöhen sich bei zunehmendem Planungsausmaß sowohl die aktive Beteiligung der Geschäftsleitung als auch die Anzahl der von dieser vorzugebenden Prämissen. *E. G.*

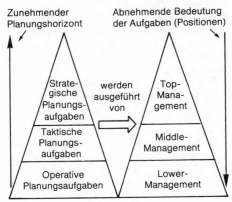

Zusammenhang zwischen Planungsaufgaben und Planungsträgern

Zunehmender Planungshorizont

Abnehmende Bedeutung der Aufgaben (Positionen)

Strategische Planungsaufgaben		Top-Management
Taktische Planungsaufgaben	werden ausgeführt von	Middle-Management
Operative Planungsaufgaben		Lower-Management

Planungsumfeld

Planung muß vorrangig Umfeldfaktoren beachten. Gängige Annahmen hierzu lauten: Hohe Markt- und Umweltdynamik erfordern eher Antizipation und damit Planung als statische Märkte. Mit zunehmender Markt- und Umweltdynamik wird es also immer dringlicher, die künftige Entwicklung vorherzusagen. Doch zeigt die Praxis oftmals ein entgegengesetztes Bild: Je größer die Markt- und Umweltdynamik, desto weniger Planung. Dies ist nicht zuletzt ein Grund dafür, daß manche Unternehmen überhaupt auf Planung, vornehmlich auf langfristige Planung, verzichten.

Daß die Zunahme der Markt- und Umweltdynamik die langfristige Planung eher hemmt als fördert, ist insofern bemerkenswert, als die verstärkte Entwicklung von → Planungssystemen gerade mit dieser Dynamik begründet wird. Ob und in welchem Ausmaß langfristige Pläne erstellt werden, wird also wesentlich mehr von den Möglichkeiten zur Prognose zukünftiger Ereignisse als von den Planungsnotwendigkeiten bestimmt.   *E. G.*

Planungswertausgleich

Idee eines „gerechten Ausgleichs" für Grundstückwerterhöhungen durch hoheitliche Planungs-, Bodenordnungs- und Erschließungsmaßnahmen. Der Ausgleich hätte durch Zahlungen des Grundeigentümers an den Träger der Maßnahmen als besonderer Erschließungsbeitrag (zweckgebunden) oder als „Gewinnabschöpfung" durch Sondersteuer zu erfolgen. Der Planungswertausgleich wurde im Zusammenhang mit der Beratung des → Städtebauförderungsgesetzes diskutiert, aber wegen erheblicher grundsätzlicher Bedenken nicht realisiert, da er im Prinzip auch bei Wertminderungen anzuwenden wäre.

Planverfahren → Verkehrsplanung

Planwirtschaft   → Zentralverwaltungswirtschaft

Platzkostenrechnung

(Kostenplatzrechnung) Für Zwecke einer exakten → Kalkulation ist insb. im Fertigungsbereich eine tief gegliederte Einteilung der → Kostenstellen erforderlich, die (als Platzkostenrechnung) häufig bis auf einzelne Maschinen oder Handarbeitsplätze zurückgeht. Die Unterteilung des Betriebs in Kostenstellen ist damit differenzierter als die räumliche und/oder verantwortungsmäßige Gliederung. Die hierbei auftretenden Abrechnungsschwierig-keiten kann man umgehen, indem man zwar mehrere Aggregate oder Arbeitsplätze zu einer Kontierungseinheit zusammenfaßt, dennoch aber keinen Durchschnittssatz, sondern differenzierte Sätze für die Plankalkulation verwendet. Dadurch ist die Kalkulationsgenauigkeit sichergestellt, und die Kontierungsschwierigkeiten sind überwunden. Die → Kostenkontrolle wird allerdings vergröbert; denn die einzelnen Aggregate oder Arbeitsplätze sind nicht mehr kontrollierbar.

Bei der sog. Maschinenstundensatzrechnung als Variante der Platzkostenrechnung faßt man alle maschinenabhängigen Kosten in einem maschinenspezifischen Kalkulationssatz zusammen.

Es kann aber auch der (umgekehrte) Fall eintreten, daß nämlich die räumliche und/oder verantwortungsmäßige Gliederung von Betriebsbereichen feiner ist als die abrechnungstechnische. Dies tritt insb. im Verwaltungs- und auch im Vertriebsbereich auf, weil dort verursachungsgerechte Bezugsgrößen nur sehr schwer zu finden sind und deshalb globaler kalkuliert und kontrolliert wird. Dennoch gliedert man hier nach dem Gesichtspunkt der (Kosten-) Verantwortung etwa bis zur Hauptabteilungs- oder Abteilungsebene in Kostenstellen.   *L. H.*

Literatur: *Haberstock, L.,* Kostenrechnung I, Einführung, 7. Aufl., Hamburg 1985. *Haberstock, L.,* Kostenrechnung II, (Grenz-)Plankostenrechnung, 7. Aufl., Hamburg 1986.

Plausibilitätsüberwachung

→ Überwachung   (→ Prüfung,   → Kontrolle) mit dem Ziel festzustellen, ob die betrachteten Merkmalsausprägungen des → Istobjektes in einem zulässigen Lösungsbereich liegen und einleuchtend erscheinen. Plausibilitätsüberwachungen verkörpern häufig Vergleiche zwischen einem hoch aggregierten Istobjekt und einem → Vergleichs-(Ist- oder Soll-)Objekt, das entweder überschlägig gebildet oder nur in Form einer relativ großen Bandbreite angegeben werden kann. Solche Plausibilitätsüberwachungen sparen daher Zeit und Kosten. Allerdings kann keine Garantie für die Richtigkeit der untersuchten Istobjekte gegeben, sondern nur gewährleistet werden, daß es nicht zu extremen Soll-Ist- bzw. Ist-Ist-Abweichungen kommt. Bei nicht aggregierten Istobjekten wird zum einen untersucht, ob die Merkmalsausprägung des Istobjektes zulässig und möglich ist, zum anderen, ob sie glaubwürdig ist, also in einem auf Erfahrungen basierenden Toleranzbereich liegt. Werden die Merkmalsausprägungen für unzulässig oder unmöglich gehalten oder liegen sie jenseits der Toleranzbereiche, bedingt dies eine detailliertere Überwachung sowie u. U. eine Korrektur der Istobjekte. Im Bereich der → Wirtschaftsprüfung werden Plausibilitätsprüfungen häufig für den Vergleich von aus dem Rechnungswesen gewonnenen Globalwerten mit Vorjahres- oder Branchenkennzahlen verwendet, um dem Prüfer einen Anhaltspunkt für die inhaltliche Richtigkeit des Prüfungsstoffes zu vermitteln.

Bei nicht automatisierter Datenverarbeitung in Unternehmen wird die Plausibilitätsüberwachung z. B. durch Vorgesetzte (→ Kontrollträger) überwiegend fallweise durchgeführt. Im Bereich der automatisierten Datenverarbeitung wird neben diesen fallweisen Kontrollen die Plausibilität der eingegebenen, verarbeiteten und ausgegebenen Daten mittels programmierter Verfahren ständig überwacht. Bei den programmierten Plausibilitätsüberwachungen unterscheidet man
(1) Kriterienkontrollen, die die Zulässigkeit von Datenfeldern überprüfen,
(2) Grenzwertkontrollen, die bei unzulässigen Mindest- oder Höchstwerten eine Fehlermeldung hervorrufen,
(3) Kombinationskontrollen, die inhaltlich zusammenhängende Datenfelder auf gültige Kombinationen überprüfen,
(4) Formatkontrollen, die die Stellenzahl der Eingabe mit der im Rechner vorgesehenen Stellenzahl vergleichen, sowie
(5) Vorzeichenkontrollen, die durch Ausschließlichkeitsregeln das Entstehen von Vorzeichenfehlern verhindern sollen. *M. Fr.*

Pluralismus → wissenschaftlicher Pluralismus

Point-and-Figure-Charts → Chartanalyse

point of purchase → Werbung

point of sale → Werbung

point of sale banking
bargeldlose Zahlung an der Kasse eines Einzelhandelsgeschäfts, i. d. R. gekoppelt mit → scanning. Dafür gibt es auf der Basis von Scheckkarten (Debitkarten) und → Kreditkarten Online- und Offline-Lösungen.

Bei Offline-Lösungen erfolgt eine unmittelbare Abbuchung von der Karte, die über einen Speicher verfügt (memory card), oder eine Übertragung der Daten an das Kreditinstitut in Zeiten geringer Ladenfrequenz bzw. nach Ladenschluß. Bei Online-Lösungen erfolgt eine sofortige Abbuchung beim Kreditinstitut bzw. eine Abfrage der Kreditwürdigkeit der Kunden über Autorisationscomputer.

Poissonverteilung
geht auf eine Veröffentlichung von *Simeon Denis Poisson* (1837) zurück. Er leitete die nach ihm benannte Verteilung als Grenzfall der → Binomialverteilung her, und zwar für ein → Bernoulli-Experiment mit einer sehr großen Zahl n von Einzelversuchen (streng genommen n → ∞) und für eine sehr kleine Wahrscheinlichkeit W (A) = θ für das Eintreten des Ereignisses A (streng genommen θ → 0). Unter gewissen Bedingungen geht dann die Wahrscheinlichkeitsfunktion der Binomialverteilung $f_B (x/n; \theta)$ in die Wahrscheinlichkeitsfunktion der Poissonverteilung, nämlich

$$f_P (x/\mu) = \begin{cases} \dfrac{\mu^x e^{-\mu}}{x!} & \text{für } x = 0, 1, \ldots \\ & (e = 2{,}71828\ldots) \\ 0 & \text{sonst} \end{cases}$$

mit $\mu = n \cdot \theta$ über.

Die Form der Verteilung wird durch den numerischen Wert des → Parameters μ bestimmt, der gleichzeitig als → arithmetisches Mittel und als → Varianz dieser Verteilung interpretiert werden kann.

Beispielsweise dient die Poissonverteilung in der Bedienungstheorie zur Beschreibung unabhängiger Ankünfte pro Zeiteinheit (Ankunftsverteilung). Sie wird oft auch zur Approximation der Binomial- oder der → hypergeometrischen Verteilung verwendet (→ Approximationen). *J. Bl./G. G.*

Literatur: *Heinhold, J./Gaede, K.-W.*, Ingenieurstatistik, 3. Aufl., München, Wien 1972.

Pol → Kreislauf

Polarisationskonzept
Ansatz zur Erklärung von Entwicklungsunterschieden zwischen Regionen im Rahmen der regionalen → Entwicklungsstrategien. Allen Varianten gemeinsam ist die Vorstellung, daß Wachstumsprozesse interregional ungleichgewichtig ablaufen und sich in bestimmten Zentren räumlich konzentrieren.

Polaritätsprofil → semantisches Differential

Policendarlehen → Lebensversicherung

policy mix
wirtschaftspolitische Strategie des (gleichzeitigen) optimalen Einsatzes verschiedener Instrumente. Sie geht auf *Robert A. Mundell* zurück, der für den Fall eines Konfliktes zwischen binnen- und außenwirtschaftlichem Gleichgewicht folgende Zuordnung (assignment) vornimmt. Die Fiskalpolitik ist zur Si-

cherung der Vollbeschäftigung und stabiler Preise im Inneren einzusetzen, die Geldpolitik dagegen am Ausgleich der Zahlungsbilanz zu orientieren.

Der Zins soll die grenzüberschreitenden Kapitalströme zahlungsbilanzgerecht lenken, während die ungewollte Binnenwirkung der zahlungsbilanzorientierten Geldpolitik durch eine entgegengerichtete Fiskalpolitik ausgeglichen werden soll. Die Fiskalpolitik hat also zwei Aufgaben gleichzeitig zu erfüllen. Einmal soll sie den Binneneffekt der zahlungsbilanzorientierten Geldpolitik kompensieren und zum anderen die internen Zyklen verstetigen.

Bei überschüssiger Leistungsbilanz und Arbeitslosigkeit bzw. bei defizitärer Leistungsbilanz und Nachfrageinflation decken sich interne Konjunktur- und Zahlungsbilanzpolitik. Geld- und Fiskalpolitik dienen beiden Zielen zugleich. Soll aber trotz zahlungsbilanzorientiertem Kapitalabfluß die Nachfrage im Inland ausgedehnt werden, dann stehen sich auf dem Binnenmarkt als Folge des Kapitalexportes ein restriktiver monetärer und ein expansiver fiskalischer Effekt gegenüber. Bei straff gesteuerter Geldmenge setzt sich zwar langfristig der restriktive Geldmengeneffekt durch, in der Zwischenzeit können aber aufgrund der unbestrittenen kurzfristigen Wirksamkeit des expansiven Fiskaleffektes die Vollbeschäftigung bereits wieder erreicht und die konjunkturpolitische Aufgabe damit gelöst sein.   U. T.

Literatur: *Teichmann, U.,* Grundriß der Konjunkturpolitik, 3. Aufl., München 1982.

Politikfunktion

erfaßt den Einfluß des politischen Bereichs auf den ökonomischen Sektor und stellt das Pendant zur →Popularitätsfunktion dar. Determinanten sind die ideologischen Vorstellungen der Regierungspartei(en), die Wiederwahlchancen, die Budgetsituation und die Eigeninteressen der staatlichen →Bürokratie (→politischer Konjunkturzyklus).

Politikversagen

systematisch bedingte, aus Funktionsmängeln des demokratischen Entscheidungsprozesses resultierende Fehlentwicklungen der Wirtschaftspolitik (→Public Choice).

Bekanntes Beispiel für Politikversagen ist die Neigung, dem Druck von Produzentenverbänden nachzugeben und diesen z.B. Erhaltungssubventionen zu Lasten der Steuerzahler zu gewähren. Der Markt hätte „widersprochen" und die Stillegung der submarginal gewordenen Kapazitäten erzwungen.

Beklagt wird auch die Tendenz zur Inflation in der Demokratie. Die Politiker sind immer wieder versucht, besonders vor Wahlen, Ansprüche monetär zu befriedigen, auch dann, wenn sie real nicht erfüllt werden können. Die Preise werden steigen und die monetären Ansprüche wieder auf das real befriedigbare Maß zurückführen. Der Zeitgewinn ist dem Politiker, vor allem vor Wahlen, die spätere Inflation „wert", für Gesellschaft und Wirtschaftsprozeß ist sie eine Last.   *U. T.*

politisch-administratives System

ist gekennzeichnet durch das Prinzip der Volkssouveränität; es sieht als Entscheidungszentren Parlament und Regierung sowie als Kontrollinstanzen →Rechnungshöfe und Rechtsprechung vor. Aus der Kompetenzaufteilung zwischen Parlament und Regierung ergeben sich die Steuerungskapazität des politisch-administrativen Systems und die Zentralisierung bzw. Dezentralisierung von Verwaltungen, die Hoheits- und Leistungsaufgaben erfüllen.

Politische Ökonomie →Volkswirtschaftslehre, →Neue Politische Ökonomie

politische Theorie der Inflation →Inflationstheorie

politischer Konjunkturzyklus

Konjunkturbewegung, die die Regierung bewußt zu ihren Gunsten erzeugt oder zu erzeugen versucht, um ihre Wiederwahl zu sichern. Die Theorie des politischen Konjunkturzyklus geht davon aus, daß die Popularität einer Regierung wesentlich von der Wirtschaftslage bestimmt wird, wobei in die →Popularitätsfunktion insb. die Arbeitslosenquote und die Inflationsrate als Argumente eingehen. Die Regierung muß zwar darauf achten, daß beide Größen nicht zu groß werden, sie kann jedoch den Akzent unterschiedlich setzen.

So wird nach *Bruno S. Frey* die Regierung – vorausgesetzt, daß mangelnde Popularität ihr eine solche Strategie nahelegt – rechtzeitig vor der Wahl eine expansive Politik betreiben, um die Arbeitslosenquote zu reduzieren, wobei sie einen gewissen Anstieg der Inflationsrate hinnimmt. Verschiebt sich die kurzfristige →Phillips-Kurve infolge der Bildung von Inflationserwartungen nach rechts, wird die Popularität der Regierung wegen der hohen Inflationsrate bedroht. Sie wird daher nach der Wahl eine restriktive Politik mit sinkender Inflationsrate und steigender Arbeitslosenquote einleiten, um die Inflationsrate zu senken und die kurzfristige Phillips-Kurve wieder nach links zu verschieben. Dies schafft die Voraussetzungen für eine erneute expansive Politik vor der nächsten Wahl. Dabei wird auf ein kurzfristiges Gedächtnis der Wähler abgestellt, Lernprozesse finden nicht statt. Die Erfahrungen des letzten Jahrzehnts lassen diese Annahme allerdings fragwürdig erscheinen (→ rationale Erwartungen).

Dieser die Interaktionen zwischen dem ökonomischen und dem politischen Bereich im Kern darstellende theoretische Ansatz ist inzwischen durch eine umfassendere Formulierung der Popularitätsfunktion (Einführung des „Wirtschaftswachstums" als weitere Variable) und der → Politikfunktion zu empirisch gut fundierten politisch-ökonomischen Gesamtmodellen ausgebaut worden. Während die Popularitätsfunktion zeigt, wie die wirtschaftlichen Variablen die Regierungspopularität und damit das politische System beeinflussen, beschreibt die Politikfunktion umgekehrt den Einfluß, den der politische auf den wirtschaftlichen Sektor hat. Sie wird von der ideologischen Position der Regierungspartei und den Wiederwahlchancen bestimmt, berücksichtigt aber auch die Budgetsituation und die Eigeninteressen der → Bürokratie als Nebenbedingungen.

Die Ideologie als der eigentliche Antrieb einer Partei kommt insb. dann zum Zuge, wenn die Regierung bei hoher Wiederwahlchance (hoher Popularität) einen diskretionären Spielraum besitzt, der ihr das Moment der Stimmenmaximierung zu relativieren gestattet. Es wird vermutet, daß die Ideologie einer „linken" Partei sich in einer Neigung zur Erhöhung des Staatsausgabenzuwachses niederschlägt, während eine „rechte" Partei diesen eher dämpfen möchte.

Die empirischen Befunde zeigen, daß die deutschen Regierungen auf die Wahlen hin eine expansive Politik betrieben haben, was sich indessen an den aggregierten Zeitreihen nicht unmittelbar ablesen läßt, da der politische Konjunkturzyklus von anderen Faktoren überlagert wird.   *U. F.*

Literatur: *Frey, B. S.,* Moderne Politische Ökonomie, München, Zürich 1977.

polnische Wirtschaftsreformen

Nach der Übertragung des → sowjetischen Wirtschaftssystems ab 1949 gab es in Polen periodisch immer wieder Reformbemühungen, die im Kern stets darauf zielten, dieses System durch eine effizientere, marktorientierte Gestaltung der Wirtschaftsprozesse zu ersetzen und durch Übertragung von Entscheidungsrechten und Pflichten an die Unternehmen deren Position als wirtschaftlich verantwortliche Handlungseinheit zu stärken.

Neben theoretischen Diskussionen gab es im wesentlichen drei Reformansätze.

1956–1958: Die zentrale naturale Planung sollte durch eine indikative Planung ersetzt, die Unternehmen sollten entsprechend ihrer Rentabilität bewertet und das Preissystem modifiziert werden; es bildeten sich in den rd. 10 500 staatlichen Unternehmen spontan über 5600 Arbeiterräte. Die dauerhafte Umsetzung dieser Reform wurde von der kommunistischen Staatspartei verhindert.

1973–1975: Die zentrale Planung und dirigistische Lenkung sollten durch eine staatliche Orientierungsplanung vermittels ökonomischen Parametern ersetzt werden. Es wurden zumeist branchenumfassende „Großwirtschaftliche Organisationen" (WOG) gebildet; betriebliches Erfolgskriterium wurde die Wertschöpfung. Ab 1975 wurde faktisch das zentral-administrative System wieder eingeführt.

1980–1982: Weitestgehender Reformansatz. Der zentrale Volkswirtschaftsplan wurde abgeschafft, die Staatliche Plankommission verlor ihre Anweisungsrechte. Der Markt wurde, gesetzlich beschlossen, primäres Koordinationsinstrument der Wirtschaftsprozesse. An der Unternehmensleitung sollten Belegschaftsräte mitwirken. Das 1981 verkündete Kriegsrecht führte zur Suspension der Reformgesetze.

Allen drei Reformen ist die Bemühung gemeinsam, einen „eigenständigen polnischen Weg zum Sozialismus" zu finden, wie er bereits 1945–1947 propagiert worden war. Eine erste Gesamtkonzeption hierfür enthielt der letzte Reformansatz, der Ordnungselemente → des jugoslawischen Wirtschaftssystems wie auch des → ungarischen Wirtschaftssystems aufwies.   *R. Pe.*

Literatur: *Peterhoff, R.,* Polen: Wirtschaftspolitik im Zwiespalt zwischen Plan und Markt, in: *Cassel, D.* (Hrsg.), Wirtschaftspolitik im Systemvergleich, München 1984.

Polynomial Conjoint Measurement → Verbundmessung

Polypol

Viele kleine Anbieter befinden sich auf einem vollkommenen Markt (→ vollständige Konkurrenz) oder unvollkommenem Markt (→ monopolistische Konkurrenz, → Marktform).

Pooling of Interests-Methode

durch das Bilanzrichtlinien-Gesetz zulässige Methode zur → Kapitalkonsolidierung, die dem angelsächsischen Merger Rechnung trägt. Dabei erfolgt der Erwerb der Anteile an dem anderen Unternehmen durch Hingabe eigener Anteile im Wege der Kapitalerhöhung. Es handelt sich also um eine Interessenzusammenführung. Um sicherzustellen, daß der Anteilserwerb nicht nur von einseitigen Interessen bestimmt wird, müssen

- die erworbenen Anteile 90% betragen und mit vollen Rechten ausgestattet sein,
- der Erwerb auf Vertrag beruhen,
- ein eventueller Spitzenausgleich unter 10% des Nennwerts der Anteile liegen.

Die Konsolidierung erfolgt dann durch Aufrechnung des Beteiligungsbuchwerts mit dem → gezeichneten Kapital. Eine Aufrechnungsdifferenz wird mit den zusammengefaßten, bereits vor dem Erwerb gebildeten Rücklagen saldiert (§ 302 HGB).   W. E.

Poolung → Gewinnpooling

POP

Abk. für point of purchase (→ Werbung).

Popitzsches Gesetz

empirisch nicht eindeutig belegtes Gesetz, das von *Johannes Popitz* 1927 formuliert wurde und besagt, daß in einem föderativen Staat zentrale Instanzen dazu neigen, ihre Kompetenzen und ihr Finanzvolumen in Relation zu den anderen Gebietskörperschaften zu vergrößern (Gesetz von der Anziehungskraft des zentralen Etats). Als Begründung für eine solche Entwicklung können vor allem die geringer werdende → Finanzkraft der unteren Ebenen, neue öffentliche Aufgaben mit erheblichen → externen Effekten, wachsende Aufgaben im Bereich der Stabilisations- und Distributionspolitik sowie die politische Dominanz der Zentralinstanz angeführt werden.

Popper-Kriterium

von *Karl R. Popper*, dem Begründer des → Kritischen Rationalismus vorgeschlagenes Kriterium zur Abgrenzung realwissenschaftlicher Sätze. Es besagt in *Poppers* Formulierung, daß ein empirisch-wissenschaftliches System an der Erfahrung scheitern können bzw. einer Nachprüfung durch die Realität fähig sein muß. Diese Eigenschaft realwissenschaftlicher Sätze wird als Falsifizierbarkeit bezeichnet. Bei Nichtbeachtung besteht die Gefahr des → Modellplatonismus.

Von der grundsätzlichen Forderung der Überprüfbarkeit ist die tatsächliche Falsifikation realwissenschaftlicher Sätze sorgfältig zu unterscheiden. Hierzu sind andere Kriterien erforderlich.   *G. S.*

Literatur: *Popper, K. R.,* Logik der Forschung, 8. Aufl., Tübingen 1984, S. 47 ff.

Popularitätsfunktion

erfaßt den Einfluß des ökonomischen Bereichs auf den politischen Sektor, indem sie die Popularität der Regierung aus den ökonomischen Variablen wie Arbeitslosenquote, Inflationsrate und Wirtschaftswachstumsrate erklärt (→ politischer Konjunkturzyklus).

PoP-Werbung → Werbung

Portefeuille-Analyse

Ursprünglich für die Zusammenstellung eines Wertpapier-Portefeuilles unter Ertrags- und Risikoaspekten entwickelt (→ Portfoliotheorie), wurde die Portefeuille-Analyse später auch auf die Planung eines Programms von Realinvestitionen unter Unsicherheit übertragen. Man könnte sie als programmbezogene → Risikoanalyse bezeichnen. Ihr Ziel ist die Ermittlung effizienter Wertpapiermischungen (Realinvestitionsprogramme), aus denen dann die optimale Mischung (das optimale Realinvestitionsprogramm) mit Hilfe einer Risikopräferenzfunktion bestimmt werden kann, die die subjektive Risikoeinstellung des Entscheidungsträgers zum Ausdruck bringt. Als effizient werden in diesem Zusammenhang solche Wertpapiermischungen (Realinvestitionsprogramme) bezeichnet, die bei gegebener Risiko-Obergrenze (gemessen durch die Varianz) den Erwartungswert des Portefeuille-Ertrages (z. B. Dividende, Kapitalwert) maximieren.

Formal läßt sich eine Portefeuille-Analyse für ein einfaches Problem der Realinvestitionsprogrammplanung wie folgt beschreiben:

Zielfunktion:

$$\sum_{j=1}^{n} E(c_j) \cdot x_j = \max.$$

Die x_j bezeichnen die realisierbaren Investitionsprojekte, $E(c_j)$ ist der Erwartungswert des Kapitalwertes für das jeweilige Projekt. Zu maximieren ist der Erwartungswert des Kapitalwertes für das gesamte Investitionsprogramm.

Nebenbedingungen:

$$\sum_{i=1}^{n} \sum_{j=1}^{n} \sigma_{ij} x_i x_j \leq \bar{V} \quad (1)$$

$$\sum_{j=1}^{n} \hat{a}_{jt}\, x_j \le b_t \ (t = 1, \ldots, T) \quad (2)$$

$$x_j = 0 \text{ oder } 1 \qquad (j = 1, \ldots, n) \quad (3)$$

Die Nebenbedingung (1) enthält links die Varianz des Portefeuilles, die sich aus den Varianzen ($i = j$) der zur Realisierung vorgesehenen Projekte und aus den Kovarianzen ($i \ne j$) zwischen diesen Projekten ergibt. Auf der rechten Seite der Ungleichung findet man die vorgegebene Obergrenze für die Varianz des Portefeuilles. Die Nebenbedingungen (2) stellen sicher, daß die Investitionsausgaben a_{jt} der einzelnen Projekte die verfügbaren Finanzmittel b_t nicht überschreiten. Aus den Nebenbedingungen (3) folgt, daß ein Projekt nur als Ganzes und nicht mehrfach realisiert werden kann. Als Lösung dieses Ansatzes der nichtlinearen ganzzahligen Programmierung erhält man ein effizientes Portefeuille. Will man sämtliche effizienten Lösungen bestimmen, so kann dies durch parametrische Variation der Varianzobergrenze $\bar{V}$ in Nebenbedingung (1) erfolgen.

Besondere Probleme bei der Planung von Realinvestitionsprogrammen mit Hilfe der Portefeuille-Analyse ergeben sich vor allem hinsichtlich der Schätzung der Kovarianzen zwischen den Kapitalwerten der einzelnen Investitionsprojekte aufgrund bestehender stochastischer Abhängigkeiten und bei der exakten Lösung des nichtlinearen ganzzahligen Optimierungsproblems. *K. L.*

Literatur: *Blohm, H./Lüder, K.*, Investition, 5. Aufl., München 1983, S. 267 ff. *Lüder, K.* (Hrsg.), Investitionsplanung, München 1977, S. 287 ff.

Portfolio-Analyse → Portfolio-Planung

Portfolioinvestition

Form des langfristigen → internationalen Kapitalverkehrs. Dazu zählen der Erwerb von ausländischen Wertpapieren und von Beteiligungstiteln an Unternehmen, sofern damit nicht die Absicht verbunden ist, auf die Geschäftstätigkeit des kapitalnehmenden ausländischen Unternehmens Einfluß zu nehmen (→ Direktinvestition).

Der Grund für Portfolioinvestitionen ist wie bei allen internationalen Kapitalbewegungen in Renditeüberlegungen zu sehen. Internationale Zinsdifferenzen und Wechselkurserwartungen spielen dabei eine wichtige Rolle. Oftmals steht aber auch bei → Kapitalflucht ein Sicherheitsbedürfnis bei diesen Kapitalbewegungen im Vordergrund. *J. Kl.*

Portfolio-Management → strategische Planung

Portfolio-Matrix

technisches Hilfsmittel der → Portfolio-Planung. Zwei Konzeptionen stehen dabei im Vordergrund, das Marktwachstum-Marktanteil-Portfolio und das Marktattraktivität-Wettbewerbsvorteil-Portfolio. Beide trugen wesentlich zum hohen Bekanntheitsgrad moderner → Planungsmethoden, der → strategischen Planung im besonderen sowie des Portfolio-Managements ganz allgemein, bei. Weitere Portfolio-Ansätze sind das Markt-Produktlebenszyklus-Portfolio, das Geschäftsfeld-Ressourcen-Portfolio, das Technologie-Portfolio und die RONAgraph-Analyse.

Allen Konzepten gemeinsam ist der Versuch, die Vielfalt strategisch bedeutsamer Faktoren zu erfassen. Dabei lassen sich zwei generelle Konstruktionsprinzipien erkennen: (1) *Verdichtungsprinzip:* Die Fülle von Einflußfaktoren des Erfolges der Strategischen Geschäftsfelder (→ Geschäftsfeldplanung) wird auf relevante Hauptvariablen reduziert. (2) *Dekompositionsprinzip:* Dieses sorgt dafür, daß die Aufgaben des Unternehmens in → strategische Geschäftsfelder zerlegt werden.

Wie beim → PIMS-Modell näher dargelegt wird, gehen die Einflußgrößen des Erfolges über die in der einfachsten Form der → Portfolio-Planung der Boston Consulting Group erwähnten Variablen Marktwachstum und relativer Marktanteil wesentlich hinaus. Symptomatisch für diesen Ansatz ist das Konzept

Dimensionen der Marktattraktivität

Marktattraktivität
- Marktwachstum und Marktgröße
- Marktqualität
- Energie- und Rohstoffversorgung
- Umweltsituation

Quelle: *Hinterhuber, H. H.,* Strategische Unternehmensführung, 3. Aufl., Berlin, New York 1984, S. 102.

Dimensionen der relativen Wettbewerbsvorteile (Stärken) der Unternehmung

Relative Wettbewerbsvorteile
- Relative Marktposition
- Relatives Produktionspotential
- Relatives Forschungs- und Entwicklungspotential
- Relative Qualifikation der Führungskräfte und Mitarbeiter

Quelle: *Hinterhuber, H. H.,* Strategische Unternehmensführung, 3. Aufl., Berlin, New York 1984, S. 105.

von *McKinsey,* das sog. Marktattraktivität-Wettbewerbsvorteil-Portfolio. Es unterscheidet sich vom Portfolio der Boston-Consulting-Group inhaltlich durch die Ausweitung zu multidimensionalen Hauptachsen, die in Einzelaspekte zerlegt werden. Einen Vorschlag zur Operationalisierung der Kernvariablen der Portfolio-Matrix unterbreitet *Hans H. Hinterhuber* mit den in den beiden Abbildungen zusammengestellten Indikatoren der Marktattraktivität sowie der relativen Wettbewerbsvorteile.   *E. G.*

Literatur: *Dunst, K. H.,* Portfolio Management, 2. Aufl., Berlin, New York 1983. *Hinterhuber, H. H.,* Strategische Unternehmungsführung, 3. Aufl. Berlin, New York 1984. *Roventa, P.,* Portfolio-Analyse und Strategisches Management, 2. Aufl., München 1981.

Portfolio-Planung

(Portfolio-Analyse) Instrument der → strategischen Planung. Große Beraterfirmen verdanken ihr einen beträchtlichen Teil ihres Umsatzes. Erster prominenter Anwender war General Electric Ende der 60er Jahre. Der Rückzug dieses größten amerikanischen Elektrokonzerns aus dem Computergeschäft war ein spektakuläres Ergebnis des konsequenten Einsatzes der Portfolio-Analyse.

Ziel der strategischen Portfolio-Analyse ist es, die zu erwartenden Ressourcen in solche → Geschäftsfelder zu lenken, in denen die Marktaussichten günstig erscheinen und die Unternehmung relative Wettbewerbsvorteile nutzen kann. Die Grundkonzeption illustriert die Abbildung.

Die Portfolio-Matrix der Boston Consulting Group

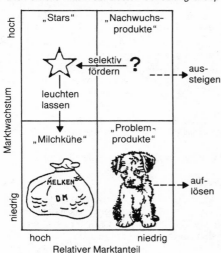

Zunächst werden → strategische Geschäftsfelder abgegrenzt, z.B. nach Maßgabe der Kundengruppen, an die ein Produkt verkauft werden soll, oder der eigenständigen Aufgabenbereiche, über die ein Unternehmen verfügt. Diese werden dann in eine mit den Schlüsseldimensionen relativer Marktanteil und Marktwachstum gebildete Matrix (Vierfeldertafel) eingeordnet.

Für jedes strategische Geschäftsfeld werden in Abhängigkeit von seiner Lage sog. Normstrategien vorgeschlagen. Diese besitzen den Charakter heuristischer Prinzipien, insb. für die Suche nach dem gewünschten Zielportfolio und den strategischen Stoßrichtungen.

Am wenigsten geschätzt sind Plazierungen im rechten unteren Quadranten. Die darin versammelten Problemprodukte oder „armen Hunde" besitzen aufgrund ihres niedrigen Marktanteils eine schwache Wettbewerbsstellung. Sie wären nur unter unverhältnismäßig hohen finanziellen Anstrengungen in günstigere Positionen zu bringen und sind deshalb aufzugeben.

Ungleich vorteilhafter zu beurteilen sind Geschäftsfelder mit zwar niedrigem Marktwachstum, aber hohem relativen Marktanteil, die sog. Milchkühe. Sie lassen es zu, die erwirtschafteten Kostenvorteile auszuschöpfen. Große Investitionen sind dazu nicht erforderlich; langfristig wären solche sogar ökonomisch widersinnig. Die entsprechenden Produkte sollten vielmehr „gemolken" werden. Es bleibt dann ein Finanzüberschuß, der zur Unterstützung anderer Geschäftsfelder herangezogen werden kann.

Finanziell zu unterstützen sind in erster Linie „Stars", aber auch Nachwuchsprodukte. Erstere sollen zum „Leuchten" gebracht werden, weil sie das Überleben des Unternehmens in Zukunft durch Freisetzung von Finanzmitteln sichern können. Bei den Nachwuchsprodukten steht ein großes Fragezeichen. Dieses soll das Dilemma verdeutlichen, vor dem ein Unternehmen steht, nämlich entweder den Marktanteil zu erhöhen oder wegen zu geringer Chancen aus diesem Geschäft „auszusteigen".   *E. G.*

Literatur: *Gabele, E.,* Die Leistungsfähigkeit der Portfolio-Analyse für die Strategische Unternehmensführung, in: *Rühli, E./Thommen, J.-P.* (Hrsg.), Unternehmungsführung aus finanz- und bankwirtschaftlicher Sicht, Stuttgart 1981, S. 45 ff. *Hedley, B.,* Strategy and the „Business Portfolio", in: Long Range Planning, Vol. 10 (1977), S. 9 ff.

Portfoliotheorie

(Portfolio(Selection)-Theorie) analysiert das Verhalten von Wirtschaftssubjekten hinsichtlich der Anlage von Vermögen. Entwickelt wurde diese Theorie insb. von *William S. Baumol* und *James Tobin*. Wesentlich für diese Theorie ist das optimale Portfolio. Die Portfoliotheorie geht von der Überlegung aus, daß sich Aktiva, insb. Wertpapiere, hinsichtlich ihrer Rentabilität (Ertragsraten) und des Verlustrisikos unterscheiden; je höher das Risiko, desto höher ist regelmäßig die Ertragsrate. Es können nun solche Portfeuilles an Wertpapieren zusammengestellt werden, die bei einem bestimmten Verlustrisiko den höchsten Ertrag erwarten lassen; dies sind effiziente Portfolios. In dem Maße, in dem ein Wirtschaftssubjekt Risiken gegenüber Erträgen abwägt, läßt sich aus den effizienten Portefeuilles ein optimales Portfolio ermitteln, das eine ganze bestimmte Zusammensetzung an Aktiva und damit auch eine ganz bestimmte Ertragsraten-Struktur aufweist.

Die Portfoliotheorie ist ein wichtiger Baustein der sog. postkeynesianischen wie auch der monetaristischen Geldnachfragetheorie; auf ihr beruht die Theorie der relativen Preise, nach der zwischen allen Gütern und Aktiva einer Volkswirtschaft im Gleichgewicht eine optimale Preisrelation besteht. Wird diese optimale Preisrelation an irgendeiner Stelle geändert (z.B. wird der Preis eines einzelnen Gutes erhöht), so setzt ein Anpassungsprozeß (→ Transmissionsmechanismus) in Richtung eines neuen Gleichgewichts ein, das nur deshalb nicht sofort erreicht wird, weil die Anpassung aufgrund von Substitutionsbeziehungen nur zwischen ähnlichen Produkten und damit sukzessive abläuft. Dieser Anpassungsprozeß wird auch dadurch behindert, daß sich manche Wirtschaftssubjekte scheuen, z.B. aus Furcht vor Konkurrenz, Preisanpassungen vorzunehmen. Bei einer Scheu vor Realisierung von Buchverlusten im Rahmen solcher Anpassungsprozesse spricht man vom Roosa-Effekt oder Locking-in-Effekt.

Die monetaristische Theorie, die im Prinzip sämtliche verfügbaren Güter aus laufender Produktion und aus Beständen (Vermögen) in ihr Portfolio einschließt, braucht deshalb Übertragungen monetärer Impulse der → Geldpolitik in den realwirtschaftlichen Sektor auf das Volkseinkommen nicht durch Zinseinflüsse darzustellen; für sie genügen Preisanpassungen. Diese ergeben sich bei monetären Impulsen aufgrund des → Pigou-Effektes (→ Vermögenseffekte), bei dem mit einer Geldmengenerhöhung bei zunächst noch konstantem Preisniveau ein Geldmarktungleichgewicht entsteht (Geldangebot > Geldnachfrage). Die Konsequenz ist eine verstärkte Nachfrage mit dem Geldangebotsüberhang nach Gütern oder Aktiva, die solange anhält, bis wieder eine optimale Preisstruktur erreicht ist. Da nach monetaristischer Auffassung in reinen Marktwirtschaften eine völlige Flexibilität von Preisen und Löhnen besteht, herrscht auch stets Vollbeschäftigung. Geldpolitische Maßnahmen können daher nach dieser Auffassung wie in der → Quantitätstheorie nur das Preisniveau, nicht die Preisstruktur beeinflussen.

Die Portfoliotheorie hat auch die Liquiditätstheorie von *John Maynard Keynes* entscheidend verbessert. Die keynesianische Theorie in der Fassung der LM-Kurvendarstellung des Hicks-Hansen-Diagramms kennt zwar den Einfluß von Bestandsänderungen der Geldmenge, vernachlässigt aber völlig den Einfluß des hinter der → Spekulationskasse stehenden Bestandes an Wertpapieren (oder auch anderen Aktiva).

In der postkeynesianischen Theorie besteht das Portfolio ausschließlich aus Vermögen, also Bestandsgrößen, so daß monetäre Impulse in den realwirtschaftlichen Bereich nur durch Erwartungen über das Zins- und Preisniveau übertragen werden können. Dabei wird die Grenzleistungsfähigkeit des Kapitals i_k – das ist derjenige Zinssatz z, der die für die Zukunft erwarteten Erträge auf die Anschaffungskosten eines Kapitalgutes abdiskontiert – zum supply price of capital i_i – das ist die von Investoren geforderte Mindestrendite eines Kapitalgutes – in Beziehung gesetzt:

$$q = \frac{i_k}{i_i}.$$

Diese relative Ertragsrate des Realkapitals ist das sog. → Tobin-q. Ist q > 1, also $i_k > i_i$, so besteht ein Investitionsanreiz. Das durch die Geldpolitik beeinflußte nominelle Zinsniveau am → Geldmarkt und → Kapitalmarkt beeinflußt nicht nur direkt die Ertragsraten, sondern auch indirekt die Kosten und Ertragserwartungen der Unternehmer. M. Bo.

Literatur: *Borchert, M.,* Geld und Kredit, Stuttgart u.a. 1982. *Jarchow, H.J.,* Theorie und Politik des Geldes, Bd. I, 6. Aufl., Göttingen 1984.

POS

Abk. für point of sale (→ Werbung).

POS-Banking → point of sale banking

Positionierung

Plazierung von Vermarktungsobjekten (Produkten, Dienstleistungen, Organisationen, Persönlichkeiten etc.) in einem mehrdimensionalen Marktmodell mit dem Ziel, eine eindeutige Stellung in der Psyche der Verbraucher zu sichern (Beispiel: → Produktpositionierung). Ein Marktmodell wird durch die Anzahl der Konkurrenzobjekte, die zu deren Unterscheidung nötigen objektiven und subjektiven, von Kunden und Nichtkunden perzipierten Charakteristika und die Verknüpfungsvorschriften zur Kombination dieser Merkmale (Angebot) sowie die Präferenzen der Konsumenten (Nachfrage) determiniert.

Positionierungsstudien lassen sich insb. mit speziellen Verfahren der → multivariaten Analyse erstellen.

Grundsätzlich ergeben sich aus solchen Analysen zwei mögliche Strategien:

● Jetzige Marktposition konsequent nutzen oder, wenn die ermittelte Position keinen Erfolg verspricht,

● durch gezielte absatzpolitische Maßnahmen (z.B. Modifizierung produktpolitischer Komponenten) eine Korrektur der Positionierung vornehmen. Dies erfordert allerdings meist langfristig orientierte, umfangreiche Anstrengungen. Der Erfolg solcher Korrekturbemühungen kann durch mehrmalige Durchführung von Positionierungsstudien mit anschließendem Vergleich von Ist- und Soll-Positionen ermittelt werden.

Positionsmacht

In der Betriebswirtschaftslehre wird → Macht als die Möglichkeit von Personen oder Personengruppen verstanden, auf Handlungen und Entscheidungen anderer Personen einzuwirken. Eine wichtige Machtgrundlage innerhalb der Unternehmung stellt die formale → Organisationsstruktur dar, in der jede Position hinsichtlich ihrer Stellung in der Hierarchie, ihrer Kompetenzen und der damit verbundenen Anordnungs- und Sanktionsbefugnisse definiert ist. Die Befehlsgewalt, die an die Stellung des einzelnen innerhalb des organisatorischen Hierarchiegebäudes geknüpft ist, wird als Positionsmacht oder formelle Autorität bezeichnet. Die Ausübung von Positionsmacht ist nicht an die Person des Stelleninhabers gebunden, sondern Bestandteil der Definition der Stelle.

Mit der Positionsmacht sind Führungsfunktionen für den Stelleninhaber verbunden (→ Managementfunktionen, → Führungssysteme, → Unternehmensführung). Die Ausübung von Positionsmacht in Form von Anordnungen, Befehlen und Sanktionen hat jeweils der Erreichung der Ziele der Unternehmung zu dienen. Durch die formale Ordnung sollen die Regelmäßigkeit und Vorhersehbarkeit der Machtausübung gewährleistet werden. Für den Mitarbeiter ist die Positions-

macht des Vorgesetzten insofern von Bedeutung, als sich hieraus die Möglichkeit positiver oder negativer Sanktionen (z.B. Beförderungsvorschlag, Gehaltsaufbesserung oder aber Tadel, Rückstufung) ergeben kann.

Die Messung der Positionsmacht erweist sich in der Praxis als sehr problematisch. Zum einen sind im Unternehmen der formale Aufbau des Leitungssystems und die Aufbaustruktur der Macht nicht deckungsgleich, zum anderen ist die Ausübung von Macht an Eigenschaften und Fähigkeiten von Personen gebunden.

Die klassische Sanktionsmacht des Amtsinhabers hat in letzter Zeit erheblich an Bedeutung verloren. Als Machtbasis gewinnt in modernen Organisationen die Information zentrale Bedeutung. Damit fällt bei unveränderter hierarchischer Struktur z.B. Stabsangehörigen, Unternehmensexternen oder hierarchisch nachgelagerten Ebenen in verstärktem Maße Macht zu. Konsequenterweise werden Befugnisse und Kompetenzen im Unternehmen an diejenigen Mitarbeiter delegiert (→ Delegation), die aufgrund ihres Informationsstandes Fachmachtinhaber darstellen.

Die Unvereinbarkeit der klassischen, in Pyramidenform aufgebauten eindimensionalen Organisationsstruktur mit den faktischen Machtverhältnissen in Unternehmen war Anlaß zur Entwicklung neuartiger, mehrdimensionaler Organisationsstrukturen. Im Mittelpunkt der Probleme steht dabei die Aufteilung der Kompetenzen auf die Stelleninhaber. Entscheidungskompetenzen werden nicht mehr ungeteilt an einzelne Instanzen übertragen, sondern auf Personenmehrheiten gleich- oder nachgeordneter Hierarchieebenen aufgeteilt. Damit verliert die an die Stelle gebundene reine Positionsmacht zugunsten der Informationsmacht des Stelleninhabers an Bedeutung.

H. Ho.

Literatur: *Krüger, W.*, Macht, organisatorische Aspekte der, in: *Grochla, E.* u.a. (Hrsg.), HWO, 2. Aufl., Stuttgart 1980, Sp. 1235ff. *Reber, G.* (Hrsg.), Macht in Organisationen, Stuttgart 1980.

positive Ökonomik

Bereich der Wirtschaftswissenschaft, der sich als Erfahrungswissenschaft versteht, d.h. Informationen über Eigenschaften der „ökonomischen" Realität (Ursache-Wirkungs-Zusammenhänge) aufzudecken versucht und auf die Abgabe von → Werturteilen verzichtet. Mit Hilfe der in der positiven Ökonomik gefundenen Wenn-Dann-Aussagen lassen sich auch Ziel-Mittel-Beziehungen beurteilen. Die Grenzen der positiven Ökonomik werden jedoch überschritten, wenn die Ziele selbst begründet werden sollen (→ normative Ökonomik).

Positivismus

philosophisch-wissenschaftstheoretische Position, die verlangt, daß sich die Einzelwissenschaften auf die Erforschung der positiven Tatsachen (im Sinn von wahrnehmbaren Sachverhalten) beschränkt. Der Name geht auf *Auguste Comte* zurück; als Begründer gilt *David Hume*. Nach *Comtes* Drei-Stadien-Gesetz durchlaufen (Real-)Wissenschaften die folgenden Stufen: Eine theologische, in der die realen Erscheinungen durch den Einfluß von Göttern oder eines Gottes gedeutet werden; eine metaphysische, in der mit Vorstellungen vom allgemeinen Wesen (→ Essentialismus) der interessierenden Dinge gearbeitet wird; schließlich eine positive, die sich strikt auf Beschreibung von Tatsachen und den für ihr Zustandekommen maßgeblichen Gesetzmäßigkeiten beschränkt.

Eine Zuspitzung stellt der logische Positivismus des Wiener Kreises (*Moritz Schlick* u.a.) dar, der nur das für wissenschaftlich sinnvoll erklärt, was durch die Erfahrung nachprüfbar (spezieller: verifizierbar) ist. Faktisch läuft dies darauf hinaus, jegliche Metaphysik (d.h. Aussagen über die Realität, ohne daß diese unmittelbar überprüft werden können) aus den Realwissenschaften zu verbannen. Auf die mit einem derartigen Rigorismus verbundene Problematik hat bereits *Karl R. Popper* in seiner „Logik der Forschung" hingewiesen und dabei als Abgrenzungskriterium (nicht: Sinnkriterium) zwischen Realwissenschaft und Metaphysik die prinzipielle Falsifizierbarkeit (→ Kritischer Rationalismus) vorgeschlagen.

In den Einzelwissenschaften findet sich naiv-positivistisches Gedankengut vor allem in jenem radikalen Empirismus wieder, der sich im wesentlichen auf die Sammlung von Erfahrungstatsachen beschränkt, ohne daß diese in umfassende theoretische Systeme integriert werden. *G. S.*

Literatur: *Popper, K. R.,* Logik der Forschung, 8. Aufl., Tübingen 1984. *Feyerabend, P. K.,* Wie wird man ein braver Empirist?, in: *Krüger, L.,* (Hrsg.), Erkenntnisprobleme der Naturwissenschaften, Köln, Berlin 1970, S. 302. *Kolakowski, L.,* Die Philosophie des Positivismus, München 1971.

Post

in den meisten Ländern ein staatliches Unternehmen, dem ursprünglich nur die Beförderung von Personen, Gütern (Pakete, Päckchen) und Nachrichten in unterschiedlicher Form (mündlich, schriftlich, signalgebunden) oblag. Hinzu kamen Dienste des Geldverkehrs (Postspar- und Postscheckdienste) und neuere Formen der Informationsübertragung (Rundfunk, Fernsehen). Das → Postmonopol (Postzwang) und gemeinwirtschaftliche Zielsetzungen (→ Verkehrsbedienung) sind Ausdruck staatlicher Gebundenheit der Post.

In der Organisation manifestiert sich diese Abhängigkeit durch Aufsichts- und Genehmigungsrechte des zuständigen Ministeriums oder nachgeordneter Behörden (Direktionen). Die → Tarifpolitik der Post muß sich häufig übergeordneten staatlichen Zielen unterwerfen, wobei infolge der Signalwirkung der → Tarife für postalische Leistungen nur eine verzögerte Anpassung der Preise an betriebliche Zielvorstellungen möglich ist. Daraus folgen Defizite in einigen Sparten des → Postverkehrs (→ Deutsche Bundespost). *S. K.*

Postgiro- und Postsparkassenämter

Teilgruppe der → Spezialbanken innerhalb des deutschen → Bankensystems. Die Ämter sind rechtlich unselbständige Teilbereiche der → Deutschen Bundespost, durch die diese (in Konkurrenz zu den → Universalbanken) einige typische Bankleistungen anbietet: Sie wickelt für Betriebe und Privatpersonen den Zahlungsverkehr ab (seit 1909), und sie nimmt Spareinlagen entgegen (seit 1938). Die Buchhaltung ist in 13 Postgiro- bzw. in 2 Postsparkassenämtern konzentriert; als Geschäftsstellen kann man praktisch die annähernd 20 000 Postämter und -stellen im gesamten Bundesgebiet ansehen.

Am Gesamtvolumen der Spareinlagen und dem des bargeldlosen Zahlungsverkehrs hat die Post einen Marktanteil von jeweils etwa 5%. Da wegen der günstigeren Konditionen vor allem die kleineren Zahlungen über die Post getätigt werden, liegt der Anteil an der Stückzahl bargeldloser Zahlungen höher, nämlich bei 10–15%.

Literatur: *Eidenmüller, A.,* Postbankrecht, Kommentar, Frankfurt a. M. 1980. *Schubert, M./Schneider, F.,* Die Bankdienste der Post, 3. Aufl., Frankfurt a. M. 1980.

postindustrielle Gesellschaft

Gesellschaftsform, in der die industrielle Produktion nicht mehr das bestimmende und strukturprägende Prinzip ist (→ Industriegesellschaft). Im allgemeinen wird der Begriff der postindustriellen Gesellschaft mit dem Anwachsen des → tertiären Sektors (Dienstleistungsbereich) in Verbindung gebracht. Auch wird betont, daß zahlreiche produktive Aktivitäten in die Haushalte zurückwandern (haushaltliche Eigenproduktion) und damit dem produktiven „Kernsystem" entzogen werden.

Die Thesen *Daniel Bells* zur nachindustriellen Gesellschaft werden neuerdings allerdings stark in Zweifel gezogen. Insbesondere wird darauf hingewiesen, daß der tertiäre Sektor – zumal unter dem Einfluß der Mikroelektronik – zunehmend unter das Diktat industrieller Produktionsmethoden, Organisationsformen und Rationalisierungsmuster gerate. *G. Wi.*

Literatur: *Bell, D.,* Die nachindustrielle Gesellschaft, Frankfurt a. M. 1975.

Postkeynesianismus → Fiskalismus

Postmonopol

Recht der ausschließlichen Briefbeförderung durch staatliche Unternehmen. Dieses Vorrecht stellt den „Postzwang" dar, der eine monopolistische Preisdifferenzierung ermöglicht. Das Postmonopol umfaßt auch die Beförderung „offener" Briefsendungen (Karten, Drucksachen, Warenproben). Es schließt dagegen nicht die Paketbeförderung ein; auch der Postpersonenverkehr und der Postgeldverkehr erfolgen in Konkurrenz zu anderen Unternehmen.

Das Postmonopol im weitesten Sinne gilt in der Bundesrepublik auch für die neueren Zweige der drahtlosen und drahtgebundenen Nachrichtenübermittlung: den Telegraphen-, Fernsprech- und Telexverkehr. Diese Postdienste werden in außereuropäischen Ländern (insb. in den USA) von privaten Unternehmen durchgeführt. *S. K.*

Posttest → Werbemitteltest

Postverkehr

Leistungen des Post- und Fernmeldewesens, dessen Träger in der Bundesrepublik Deutschland die → Deutsche Bundespost (DBP) ist. Das Postwesen gliedert sich in den Brief-, Päckchen-, Paket-, Postzeitungs-, Geld-, Postreise-, Postscheck- und Postsparkassendienst, das Fernmeldewesen in Telefon-, Telegramm- und Telexverkehr. Das Postwesen ist bei steigenden Leistungen (bis auf Paket- und Telegrammdienst) – in der Bundesrepublik Deutschland – weitgehend defizitär, das Fernmeldewesen stark wachsend und gewinnbringend. Das Aufkommen im Briefdienst steigt noch (trotz Leistungsrückgang hinsichtlich der Geschwindigkeit und Häufigkeit der Zustellung), im Päckchen- und Paketdienst (bei steigendem Wettbewerb mit privaten Paket-

diensten) stagniert es, im Telegrammdienst ist es rückläufig.

Alle Bereiche des Fernmeldewesens zeigen wachsende Tendenz (vgl. Tab.). Obwohl das Fernmeldewesen große Investitionsbeträge erfordert (durch die allerdings auch ein beachtlicher technischer Fortschritt realisiert wird), hat es infolge der monopolistischen Tarifdifferenzierung hohe Kostendeckungsgrade (1978: 135%, 1980: 113% und 1984: 112%; vgl. Tab.).

Den Postreiseverkehr betrieb die DBP in Konkurrenz zum Bahnbusverkehr; diese Verhaltensweise wurde durch eine Novellierung

Verkehrsaufkommen des Postverkehrs in der Bundesrepublik

	1960	1970	1984
Briefsendungen, Mio.	8 500	10 680	12 712
Paketsendungen, Mio.	287	320	247
Postreisedienst, Beförderungsfälle, Mio.	335	386	–
Ortsgespräche, Mio.[1]	} 2 167	6 878	16 543
Ferngespräche, Mio.[1]		3 338	9 889
Übermittelte Telegramme, Mio.	32,5	16,4	10,0
Telexverkehr im Inland, Mio.[1,3]		1 164	170,6
in das Ausland, Mio.[2,3]	} 600	69	77,6

[1] Gebühreneinheiten;
[2] Gebührenminuten.
[3] 1984: Anzahl der abgehenden Telexverbindungen in Mio.

Quelle: Geschäftsbericht der Deutschen Bundespost 1970, 1984.

Kostendeckung der Arten des Postverkehrs Kostenüberdeckung (+) bzw. Kostenunterdeckung (–) in Mio. DM

	1969	1978	1984[1]
Briefdienst	+ 46	– 884	+ 51
Päckchendienst	– 99	– 243	– 271
Paketdienst	– 475	– 917	– 1 070
Postzeitungsdienst	– 347	– 572	– 481
Gelddienst	– 415	– 659	– 527
Postreisedienst	– 94	– 80	–
Postscheckdienst	+ 38	– 20	– 94
Postsparkassendienst	+ 62	+ 504	+ 652
Postwesen insgesamt	– 875	– 2 874	– 1 741
Fernmeldewesen	+ 986	+ 6 601	+ 3 298
Bundespost insges.	+ 111	+ 3 727	+ 1 558

[1] Vorläufige Ergebnisse

Quelle: Geschäftsberichte der Deutschen Bundespost 1970, 1984.

des Personenbeförderungsgesetzes im Jahre 1969 abgelöst durch die Pflicht der Kooperation der Träger des öffentlichen Straßenpersonenverkehrs.   S. K.

Postverwaltungsgesetz → Deutsche Bundespost

Postzwang → Postmonopol

Potentialeplanung

Bei der → Grundsätzeplanung heben die Unternehmen spezifische Potentiale und Verhaltensweisen heraus. Sie setzen damit Prioritäten für das Unternehmen und seine Aktivitäten. Die Grundsätze geben Auskunft darüber, wie die gewählte Aufgabenstellung erfüllt werden soll.

Die Grundsätze zu Potentialen und Verhaltensweisen lassen sich in zwei Gruppen einteilen: Ein Teil bezieht sich auf die traditionellen Funktionsbereiche eines Unternehmens, also auf Absatz, Produktion, Beschaffung, Forschung und Entwicklung, Finanzwirtschaft und Rechnungswesen. Die zweite betrifft die sog. Führungs- und Managementinstrumente. Hierzu gehören auch die Organisations- und Führungsstruktur. Während Festlegungen der ersten Gruppe fast ausschließlich in den Unternehmensgrundsätzen getroffen werden, findet man jene der zweiten bevorzugt in den Führungsgrundsätzen   (→ Verhaltensplanung).   E. G.

Potentialfaktor

1. → Produktionsfaktor, der bei der Herstellung und Verwertung von Produkten mehrfach gebraucht oder genutzt werden kann. Er geht nicht mit dem einmaligen Einsatz unter. Ein Teil der Gebrauchsgüter wird durch den wiederholten Einsatz abgenutzt (z. B. Maschinen und Werkzeuge), während andere praktisch unbegrenzt zur Verfügung stehen (z. B. Grundstücke) oder durch andere Tatbestände als den Einsatz (z. B. den Fristablauf bei Rechten oder Mieten) in ihrer Verwendungsdauer begrenzt werden.
2. Größe, die für bestimmte Nutzungsarten in unterschiedlicher Relation benötigt wird und damit – bei raumwirtschaftlicher Ausrichtung – die Produktionsmöglichkeiten einer Region bestimmt (Produktivität von Produktionsfaktoren, regionale Verfügbarkeit von Neuerungen). Bei der Berücksichtigung der längerfristigen Entwicklungsmöglichkeiten sind Potentialfaktoren Voraussetzung für die regionalen Entwicklungsmöglichkeiten. Bis zu einem gewissen Grade, jedoch nicht unbegrenzt, läßt sich je nach Nutzungsart das Fehlen eines

Faktors durch den Mehreinsatz eines anderen ausgleichen.

Die Potentialfaktoren lassen sich zu folgenden Gruppen zusammenfassen:
- Angebotspotential (Arbeitskräfte-, Kapital-, Infrastrukturpotential),
- Nachfragepotential (Marktpotential),
- ökologisches Potential (Umwelt-, Flächen-, Landschaftspotential).

Ist ein für erforderlich gehaltener Potentialfaktor nicht ausreichend vorhanden, spricht man von einem → Engpaßfaktor.

PPBS

Abk. für Planning-Programming-Budgeting-System (→ Programmbudget).

PPS-Sampling → Stichprobenverfahren

PR

Abk. für Public Relations (→ Öffentlichkeitsarbeit).

Prädiktorvariable   → Strukturgleichungsmethoden

Präferenz

(Bevorzugung) insbesondere in der Marktformenlehre und Preistheorie verwendeter Begriff für → Verhaltensweisen der Nachfrager bzw. Anbieter, die zu einer Differenzierung von Gütern führt. Es lassen sich hierbei folgende Arten von Präferenzen unterscheiden:
- *sachliche* Präferenzen: tatsächliche oder vermeintliche Unterschiede der Güter (z. B. technische Unterschiede, Unterschiede aufgrund von Werbung),
- *persönliche* Präferenzen: Unterschiede, die sich aus persönlichen Beziehungen zwischen Käufer und Verkäufer ergeben (z. B. Stammkunde),
- *räumliche* Präferenzen: Differenzierungen, die sich aus dem Standort ergeben (Transportkosten),
- *zeitliche* Präferenzen: Unterschiede, die in der Zeit begründet sind (z. B. Lieferfähigkeit).

Präferenzfunktion

im Rahmen der präskriptiven → Entscheidungstheorie eine im Hinblick auf die Ergebnisverteilung der Handlungsalternativen (→ Entscheidungsmatrix) definierte Funktion, durch die jeder Alternative ein Präferenzwert zugeordnet wird, der letztlich für die Auswahl der Optimalalternative entscheidend ist. Die Präferenzfunktion soll Ausdruck der subjektiven Präferenzvorstellungen des Entscheidungssubjektes sein, wobei im allgemeinsten Fall vier Arten von Präferenzen zu berücksichtigen sind:

(1) *Höhenpräferenzen* kennzeichnen das Ausmaß der subjektiven Zufriedenheit des Entscheidungssubjektes in Abhängigkeit von unterschiedlichen Ergebnishöhen.

(2) *Risikopräferenzen* verdeutlichen die subjektive Bereitschaft des Entscheidungssubjektes, in bestimmtem Umfang Risiken einzugehen.

(3) *Zeitpräferenzen* geben die Unterschiede in der subjektiven Wertschätzung wieder, die das Entscheidungssubjekt zu unterschiedlichen Zeitpunkten eintretenden Ergebnissen entgegenbringt.

(4) *Artenpräferenzen* werden dann relevant, wenn sich die Zielvorstellungen des Entscheidungssubjektes auf mehrere Arten von Ergebnisgrößen zugleich beziehen (z.B. auf Gewinn und Umsatz). Sie spiegeln für solche Situationen die Bereitschaft des Entscheidungssubjektes wider, wegen einer möglichen Ergebnisverbesserung im Hinblick auf ein Teilziel Ergebnisverschlechterungen bei einem anderen Teilziel in Kauf zu nehmen (→ Zielbeziehung).

Im Rahmen der präskriptiven Entscheidungstheorie werden vorwiegend solche Probleme analysiert, bei denen nur eine, auf einen einzigen Zeitpunkt bezogene Ergebnisart relevant ist, so daß in der Präferenzfunktion nur Höhen- und Risikopräferenzen zum Ausdruck zu bringen sind.   *M. B.*

Literatur: *Bamberg, G./Coenenberg, A.,* Betriebswirtschaftliche Entscheidungslehre, 4. Aufl., München 1985. S. 25 ff. *Sieben, G./Schildbach, T.,* Betriebswirtschaftliche Entscheidungstheorie, 2. Aufl., Düsseldorf 1980, S. 22 ff.

Präferenzordnung

(Präferenzstruktur) Ordnung individueller und kollektiver → Bedürfnisse nach der Dringlichkeit. Ein Wirtschaftssubjekt bevorzugt gemäß seiner Präferenzordnung ein Güterbündel gegenüber anderen oder betrachtet mehrere Güterbündel als gleichwertig, d.h. es verhält sich ihnen gegenüber indifferent (→ Indifferenzkurve).

Präferenzraum → Handelspräferenzen

Präferenzstruktur → Präferenzordnung

Prämie → Report, → Optionsschuldverschreibung

Prämienangleichungsklausel   → Beitragsanpassungsklausel

Prämienlohn

leistungsbezogene → Lohnform: Zu einem vereinbarten Grundlohn, der nicht unter dem → Tariflohn liegen darf, wird planmäßig die Prämie als zusätzliches Entgelt gewährt, sofern quantitative oder qualitative Mehrleistungen (z.B. Gütegrad der produzierten Teile) des Arbeitnehmers vorliegen. Der Anwendungsbereich des Prämienlohnes ist somit größer als beim → Akkordlohn. Neben der Festlegung der Prämienbezugsgröße und der zu erbringenden → Normalleistung, d.h. eines Leistungsgrades, ab dem Mehrleistungen zum Prämienbezug führen, besteht der lohnpolitische Gestaltungsspielraum in der Wahl des Prämienverlaufs. Je nachdem, ob mit zunehmender Mehrleistung der Geldbetrag gleich, schneller oder langsamer wächst, unterscheidet man proportionale, progressive oder degressive Prämienkurvenverläufe; Entscheidungskriterien für den Prämienverlauf sind Art und Ausmaß der beabsichtigten Leistungssteigerung.   *W. La.*

Literatur: *Böhrs, H.,* Leistungslohngestaltung, 3. Aufl., Wiesbaden 1980.

Prämienverlauf → Prämienlohn

Prämisse

im logischen Sinn Vordersatz eines Schlusses. Beim sog. Syllogismus wird aus zwei Prämissen eine Konklusion abgeleitet (Prämisse 1: Alle Menschen sind sterblich; Prämisse 2: *Sokrates* ist ein Mensch; Konklusion: *Sokrates* ist sterblich).

Im umgangssprachlichen Sinn steht „Prämisse" i.d.R. für „Voraussetzung" bzw. „Annahme".

Präventionsmaßnahmen

im Bereich der → sozialen Sicherung die Summe aller Maßnahmen, die darauf gerichtet sind, Krankheiten bzw. Unfälle zu verhüten oder in ihrer Wirkung abzuschwächen bzw. zu bessern. Prävention ist damit das Gegenstück zur → Rehabilitation.

Man unterscheidet dabei:

- *Primäre* Prävention, die darauf gerichtet ist, Erkrankungen und Unfälle zu verhindern bzw. die Gesundheit zu erhalten,
- *sekundäre* Prävention, bei der eine Krankheit frühzeitig möglichst im sogenannten präklinischen Stadium zu erkennen (Vorsorge) und zu behandeln ist,
- *tertiäre* Prävention, die Maßnahmen der Rehabilitation bei chronischen Zuständen umfaßt.

Präventionsmaßnahmen richten sich vorzugsweise an bestimmte Bevölkerungsgruppen bzw. an die Gesamtbevölkerung, weniger an Individuen. Die wichtigsten Maßnahmen im Bereich der Prävention sind Gesundheitserziehung, Vorsorge- und Früherkennungsuntersuchungen. So haben Versicherte der → gesetzlichen Krankenversicherung für sich und ihre anspruchsberechtigten Familienangehörigen Anspruch auf Maßnahmen zur Früherkennung von Krebserkrankungen, und zwar einmal jährlich bei Frauen ab dem 20. Lebensjahr und bei Männern ab dem 45. Lebensjahr, sowie für Kinder bis zur Vollendung des 4. Lebensjahres zur Früherkennung von Krankheiten, die eine normale körperliche und geistige Entwicklung in besonderem Maße gefährden. Werdende Mütter haben Anspruch auf Vorsorgeuntersuchungen im Rahmen der → Mutterschaftshilfe, dies unabhängig von einer Mitgliedschaft bei einer gesetzlichen → Krankenkasse.

Vorsorgemaßnahmen werden auch von der → Sozialhilfe oder → Kriegsopferfürsorge im Rahmen der vorbeugenden Gesundheitshilfe gewährt. Ein ganz besonderes Gewicht hat die Prävention im Bereich der → Unfallversicherung. Im Bereich des → Arbeitsschutzes ist sie praktisch mit dem → Unfallschutz identisch.

H. W.

Präventivwirkung → Kontrollwirkung

Prager Frühling

Reformversuch in der Tschechoslowakei 1965–1968 mit den Grundzügen der Politischen Demokratisierung („Sozialismus mit menschlichem Antlitz") und wirtschaftliche Liberalisierung, d. h. parametrische Steuerung der Marktprozesse durch staatliche Instanzen und Selbstverwaltung der Unternehmen („regulierte → sozialistische Marktwirtschaft"). Unmittelbarer Anlaß waren der absolute Rückgang von Produktion und Nationaleinkommen 1963/64 sowie das Sinken der Reallöhne. Strukturelle Ursache war die spätestens seit dem Reformansatz 1958 erkannte Ineffizienz der dem → sowjetischen Wirtschaftssystem seit 1949 nachgebildeten Ordnung.

Das „Aktionsprogramm der Kommunistischen Partei der Tschechoslowakei" vom 5. 4. 1968 unterstreicht die Funktion eines „sozialistischen" Marktes als Koordinationsinstrument der Volkswirtschaft, fordert eine tatsächliche Beteiligung der Belegschaft an der Unternehmensleitung und weist die staatlichen Gewerkschaften auf ihre Aufgaben als Vertreter der Arbeiterinteressen (nicht mehr „Transmissionsriemen") hin, betont die gesellschaftliche Bedeutung freier genossenschaftlicher Zusammenschlüsse („genossenschaftliches Unternehmertum"). Betriebliches Erfolgskriterium war das erwirtschaftete Bruttoeinkommen (Bruttoeinkommensprinzip).

Die militärische Intervention der Sowjetunion am 21. 8. 1968 entzog den Reformbemühungen die machtpolitische Basis. Verlautbarungen der Regierung und Gesetzentwürfe ließen noch bis Januar 1969 deutliche Tendenzen zu einem Selbstverwaltungssystem mit Belegschaftseigentum (→ jugoslawisches Wirtschaftssystem) erkennen. Ab April 1969 vollzogen sich der endgültige Abbruch des Prager Frühlings und die Rückkehr zum administrativen Sozialismus sowjetischer Prägung.

R. Pe.

Literatur: *Hensel, K. P.* u. a., Die sozialistische Marktwirtschaft in der Tschechoslowakei, Stuttgart 1968.

Prebisch-Singer-These

von *Raúl Prebisch* und *Hans W. Singer* aufgestellte These, nach der die säkulare Verschlechterung der terms of trade (→ reales Austauschverhältnis) der Entwicklungsländer sich als Entwicklungshemmnis auswirkt und damit eine Ursache der → Unterentwicklung darstellt. Zustande kommt die Verschlechterung der terms of trade laut *Prebisch/Singer* durch einen sinkenden Preisindex für agrarische und mineralische Rohstoffe, die von den Entwicklungsländern exportiert und von den Industrieländern importiert werden, sowie einen steigenden Preisindex für industrielle Fertigprodukte, die von Industrieländern exportiert und von Entwicklungsländern importiert werden (→ „ungleicher Tausch").

Die daraus resultierende Reduktion des Importgütervolumens an Kapitalgütern oder produktiv wirkenden Konsumgütern bei einem gegebenen Exportgütervolumen reduziert dann die Entwicklungsmöglichkeiten. Als Ursache für die divergierende Preisentwicklung sehen *Prebisch/Singer* unterschiedliche Einkommens-/Preiselastizitäten der Nachfrage sowie eine unterschiedliche Wettbewerbsintensität der Entwicklungs- und Industrieländer an.

Gegen die Prebisch-Singer-These sind allerdings folgende Einwände vorzubringen:
(1) Unterschiedliche Verfahren der Indexbildung können zu einer unterschiedlichen Entwicklung der terms of trade führen.
(2) Qualitätsverbesserungen der international gehandelten Produkte werden in Preisindices nicht berücksichtigt.
(3) Die Gleichsetzung von „Industrieländer" mit „Exporteure industrieller Erzeugnisse"

und „Entwicklungsländer" mit „Exporteure von Primärgütern" ist stark vereinfachend.

(4) Eine Abnahme der terms of trade bedeutet nur dann automatisch eine „Verschlechterung", wenn die Änderung des Weltmarktpreisverhältnisses vom Ausland ausgeht. Allerdings kann es auch bei inlandsinduziertem Sinken der terms of trade zu Wohlfahrtsverlusten kommen, wie das Beispiel des → Verelendungswachstums zeigt.

(5) Die (commodity) terms of trade berücksichtigen weder die Produktivitätsentwicklung im Exportgütersektor noch die Veränderung des mengenmäßigen Exportvolumens, die beide – trotz einer Verschlechterung der (commodity) terms of trade – zu einer Verbesserung der außenhandelsbedingten Wohlstandssituation führen können.

H.-R. H./H.-J. Te.

Literatur: *Hemmer, H.-R.*, Außenhandel II: Terms of Trade, in: HdWW, Bd. 1, Stuttgart u.a. 1977. *Prebisch, R.*, International Trade and Payments in an Era of Coexistence: Commercial Policy in Underdeveloped Countries, in: AER, Papers and Proceedings, Bd. 49 (1959), S. 251 ff.

precious metal futures → Terminkontraktmarkt

Preis

→ Tauschwert eines Gutes, in Geld ausgedrückt. Voraussetzung für die Entstehung eines Preises sind:
(1) Das Gut muß sich subjektiv zur → Bedürfnisbefriedigung eignen.
(2) Das Gut muß ökonomisch knapp sein, d. h. die potentielle Nachfrage muß größer als die ihr gegenüberstehende angebotene Menge sein.
(3) Das Gut muß darüber hinaus potentieller Gegenstand des Tausches sein.
Im allgemeinen ist der Preis Ergebnis des Zusammentreffens von Nachfrage und Angebot auf Märkten (→ Preisbildung).

Preisabrufverfahren → Price-look-up-Verfahren

Preisabsatzfunktion

mathematische Formulierung des Zusammenhangs zwischen der Höhe des Angebotspreises (p) und der erwarteten Absatzmenge (x) eines Produktes:
$$x = f(p) \text{ bzw. } p = f(x).$$
Im Rahmen der betrieblichen → Preispolitik wird im Gegensatz zur Preistheorie zumeist die erste Variante gewählt, da der Preis als Aktionsparameter gilt. Die wichtigsten Typen

von Preisabsatzfunktionen (vgl. Tabelle auf S. 352) basieren alle auf folgenden Prämissen:
- Gegebener Markt (keine → Ausstrahlungseffekte),
- konstantes → Marketingmix,
- statische Betrachtung (keine → Carry-over-Effekte),
- einstufiger Markt und
- konstante Marktbedingungen.

Diese Einschränkungen können durch komplexere Modellansätze (z.B. Lag-Modelle) teilweise aufgehoben werden. Die Parameter werden empirisch-ökonometrisch bzw. durch Tests bestimmt oder ersatzweise von Experten geschätzt.   *H. D.*

Preisabsprache → Preiskartell, → abgestimmtes Verhalten, → Preisführerschaft

Preisaktion → Preisvariation

Preisangabenverordnung   → Preisauszeichnung

Preisanpassungsklausel

(Indexklausel) → Indexierung nominaler Kontrakte. Festpreise unterliegen insb. in Zeiten hoher Inflation sowie bei Geschäftsabschlüssen, deren Erfüllung sich wie z.B. im Großanlagenbau über Jahre hinzieht, einem erheblichen Risiko bezüglich des Wert- und Mengengerüstes der mit einem Auftrag verbundenen Kosten. Speziell im Exportgeschäft kommen noch Wechselkursschwankungen hinzu. Zur Absicherung solcher Risiken können zwischen den Vertragspartnern Preisanpassungsklauseln vereinbart werden. Diese unterliegen in der Bundesrepublik allerdings rechtlichen Beschränkungen (Währungsgesetz, AGB-Gesetz).

Man unterscheidet:
- *Kostenelementsklauseln* (Bindung bestimmter Preisbestandteile und Preisindizes für bestimmte Kosten des Produktes, vor allem Löhne und Materialien),
- *Preisgleitklauseln* (Bindung des Gesamtpreises an bestimmte Preisindizes) und
- *Preisvorbehaltsklauseln* (Rücktrittsvorbehalt des Käufers und/oder Verkäufers im Fall wesentlicher Preissteigerungen).   *H. D.*

Preisauszeichnung

Preisinformationen auf dem Produkt oder an der Verkaufsstelle müssen den Grundsätzen der Preisklarheit und Preiswahrheit entsprechen sowie dem Angebot eindeutig zuordenbar, deutlich lesbar oder sonst gut wahrnehmbar sein (§ 1 der Verordnung über Preisanga-

Vergleichende Darstellung der vier Grundtypen von Preis-Absatzfunktionen

Modelltyp / Kennwerte	linear, ohne Konkurrenzeinfluß (1a)	linear, mit Konkurrenzeinfluß (1b)	multiplikativ, ohne Konkurrenzeinfluß (2a)	multiplikativ, mit Konkurrenzeinfluß (2b)	doppelt gekrümmte Funktion (3)	logistische Funktion (4)
Funktionsspezifikation	$x_i = \alpha + \beta \cdot p_i$ $\alpha > 0; \beta < 0$	$x_i = \alpha + \beta p_i + \gamma \cdot \bar{p}_i$ $\gamma > 0$	$x_i = \alpha \cdot p_i^{\beta}$	$x_i = \alpha \cdot p_i^{\beta} \cdot \bar{p}_i^{\gamma}$ $(\beta < 0; \gamma > 0)$	$x_i = \alpha + \beta p_i + \gamma_i \sinh [\gamma_2 (\bar{p}_i - p_i)]$	$x_i = \alpha + \dfrac{\beta_i \cdot p_i^{\gamma_i}}{\sum\limits_j \beta_j \cdot p_j^{\gamma_j}}$
Sättigungsabsatz	α	$\alpha + \gamma p_i$	$\rightarrow \infty$	$\rightarrow \infty$	α	α
Höchstpreis	$-\dfrac{\alpha}{\beta}$	$-\dfrac{\alpha + \gamma \cdot \bar{p}_i}{\beta}$	$\rightarrow \infty$	$\rightarrow \infty$	nicht allgemein bestimmbar	$\rightarrow \infty$
Grenzabsatz	β	β	$\alpha \cdot \beta \cdot p_i^{\beta-1}$	$\alpha \cdot \beta \cdot p_i^{\beta-1} \cdot \bar{p}_i^{\gamma}$	$\beta - \gamma_1 \cdot \gamma_2 \cdot \cosh [\gamma_2 (p_i - p_i)]$	$\gamma_i \cdot x_i (1 - x_i)/p_i$
Preiselastizität	$\dfrac{\beta p_i}{\alpha + \beta_{pi}}$	$\dfrac{\beta p_i}{\alpha + \beta_{pi} + \gamma p_i}$	β	β	$[\beta - \gamma_1 \gamma_2 \cosh \gamma_2 (p_i, p_i)] \dfrac{p_i}{x_i}$	$-\beta_i (1 - x_i)$
Kreuzpreiselastizität	–	$\dfrac{\gamma \cdot \bar{p}_i}{\alpha + \beta p_i + \gamma \cdot \bar{p}_i}$	–	$-\beta$	$\gamma_1 \cdot \gamma_2 \cdot \dfrac{p_i}{x_i} \cdot \cosh \gamma_2 (\bar{p}_i - p_i)$	$-\beta_i \cdot x_i$
Funktionsverlauf		steigender Konkurrenzpreis p_i		steigender Konkurrenzpreis		

ben). Bei Fertigpackungen sind die im Eichgesetz und in der Fertigpackungsverordnung geregelten Bestimmungen zur Grundpreisauszeichnung (Preisangabe pro Mengen- oder Volumeneinheit, unit pricing) zu beachten, wobei aber zahlreiche Ausnahmeregelungen bestehen.

Die Art der Preisangabe (Schriftgröße, bildliche oder semantische Etikettierung, Preisgegenüberstellung, Plazierung etc.) kann den subjektiven Preiseindruck vor allem beim → Impulskauf stark beeinflussen (→ Preisoptik); sie stellt deshalb vor allem im Einzelhandel ein wichtiges Element der Preiswerbung und Imagegestaltung dar.   *H. D.*

Preisbereinigung   → Inflationsmessung, → Preisindex des Bruttosozialprodukts

Preisbereitschaftsfunktion   → Buy-Response-Funktion

Preisbeurteilung → Preisbewußtsein

Preisbewußtsein
alle offen beobachtbaren oder inneren (psychischen) Verhaltensweisen von Nachfragern gegenüber dem Preis als Merkmal von Kaufentscheidungsalternativen. Es stellt eine wichtige Umweltgröße für die → Preispolitik dar und läßt sich weiter aufgliedern (vgl. Abb.):

Das *Preisinteresse* kennzeichnet das Bedürfnis eines Nachfragers nach Preisinformationen zu suchen und diese bei seinen Einkaufsentscheidungen zu berücksichtigen (motivationale Dimension des Preisbewußtseins). Seine Ursachen liegen nicht nur im Konsumstreben, sondern auch im Wunsch nach Sozialprestige, Erfüllung sozialer Rollen und/oder in der allgemeinen Leistungsmotivation. Konträr wirkt ein Streben nach Entlastung von ökonomischen Aufgaben. Das Preisinteresse steht oft im Konflikt mit dem Qualitätsinteresse und ist auch deshalb inter- und intrapersonell unterschiedlich stark ausgeprägt. Tendenziell kann man jedoch eine Zunahme der Intensität des Preisinteresses beobachten.

Seine Ausrichtung (Gegenstand) ist selektiv, d.h. es kommt bei bestimmten Entscheidungen (z.B. Packungsgrößen- oder Einkaufsstättenwahl) stärker zur Geltung als bei anderen (z.B. → Markenwahl), und berücksichtigt nicht immer alle objektiv relevanten Preisbestandteile („Zusatzkostenbewußtsein"). Beliebte Äußerungsformen des Preisinteresses sind jene, die wenig belastend wirken (z.B. Preisvergleiche im Geschäft), oder wo auf Generalisierungen zurückgegriffen werden kann

(z.B. generelle Präferenz von Sonderangeboten).

Vom Preisinteresse der jeweiligen Zielgruppe hängt es u.a. ab,
- ob bzw. bei welchen Zielgruppen ein Anbieter mit einer aktiven Preispolitik überhaupt Resonanz erzielen kann und wie stark er von einer Preisunterbietung durch Konkurrenten betroffen wird (→ Preisstrategie),
- welche Erfolgsaussichten bestimmte emotionale Färbungen der Preiswerbung besitzen (→ Preisdurchsetzung),
- ob eine → Ausgleichskalkulation zwischen verschiedenen Preisbestandteilen (z.B. zwischen Verkaufspreis, Ersatzteilpreisen, Finanzierungskosten usw.) möglich ist und
- welche Werbemedien für die Preiswerbung am besten geeignet sind.

Ein zweiter Verhaltensausschnitt des Preisbewußtseins (Preisverhalten) betrifft die *Preisbeurteilung*, d.h. den kognitiven Prozeß der Wahrnehmung und Verarbeitung von Preisinformationen. Dabei lassen sich Preiswürdigkeitsurteile (Beurteilung des Preis-Leistungs-Verhältnisses) und Preisgünstigkeitsurteile (Beurteilung allein des Zählers, also des Entgelts im Vergleich zu (nahezu) identischen Alternativangeboten oder zum Geldnutzen) unterscheiden. Bei beiden interessiert vor allem, auf welche Weise objektive Preisinformationen subjektiv enkodiert und welche Urteilsanker zur Einstufung der Preise als „billig" oder „teuer" bzw. mehr oder minder „preiswert" herangezogen werden.

Zwei wichtige Unteraspekte davon sind die

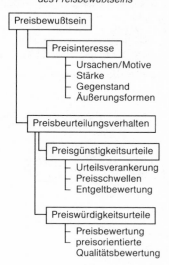

Untergliederung preispolitisch wichtiger Aspekte des Preisbewußtseins

Existenz subjektiver → Preisschwellen und die → preisorientierte Qualitätsbeurteilung.

Genauere Kenntnisse der Preisbewertungsfunktion, etwa in Form sog. → Buy-Response-Funktionen, bieten eine wichtige Grundlage für die marktorientierte (retrograde) → Preiskalkulation, die → Preislinienpolitik und die Möglichkeit der Beeinflussung des Preisurteils durch Maßnahmen der → Preispolitik. Darüber hinaus sind sie grundlegend für die Abstimmung von Preis und Qualität im Rahmen der Angebotspolitik einer Unternehmung und die theoretische Untermauerung von ökonometrisch gewonnenen → Preisabsatzfunktionen.   *H. D.*

Literatur: *Monroe, K. B.*, Buyer's Subjective Perception of Price, in: Journal of Marketing Research, Vol. 10 (1973), S. 73 ff. *Kaas, K. P.*, Empirische Preisabsatzfunktionen bei Konsumgütern, Berlin u. a. 1977. *Diller, H.*, Das Preisinteresse der Konsumenten, in: ZfbF, 34. Jg. (1982), S. 315 ff. *Diller, H.*, Preispolitik, Stuttgart 1985.

Preisbildung

Zustandekommen eines Preises in einer Marktwirtschaft und Ermittlung der Preishöhe. Die Mikroökonomie unterscheidet je nach Art der → Marktform unterschiedliche Typen der Preisbildung:

(1) *Vollständige Konkurrenz:* Der einzelne Anbieter betrachtet ebenso wie der einzelne Nachfrager den Preis als Datum, d. h. es liegt polypolistische → Verhaltensweise vor. Durch das Zusammenspiel von Marktangebot (Branchenangebot) als die Summe der Teilangebote der einzelnen Produzenten und Marktnachfrage als die Summe der Bedarfsäußerungen der einzelnen Nachfrager ergeben sich im Gleichgewichtsschnittpunkt der → Gleichgewichtspreis $\bar{p}$ und die Gleichgewichtsmenge $\bar{x}$ (vgl. Abb.).

Beim Gleichgewichtspreis ($\bar{p}$) kommen alle Produzenten, die bereit sind, ihr Gut zu diesem Preis oder darunter zu verkaufen, und alle Nachfrager, die mindestens diesen Preis für das betreffende Gut bezahlen wollen, zum Zuge. Auf einem homogenen Markt gilt hierbei das Prinzip der Preiseinheitlichkeit (→ Gesetz der Unterschiedslosigkeit). Der letzte – gerade noch zu diesem Preis ($\bar{p}$) zur Befriedigung der Nachfrager erforderliche – Anbieter wird → Grenzanbieter.

(2) *Monopolistische Konkurrenz* (unvollständiger Wettbewerb, imperfect competition): Hier gibt es viele kleine Anbieter (→ Polypol) auf einem unvollkommenen Markt (→ Marktformen). Aufgrund von → Präferenzen entsteht ein unvollkommener Markt; jeder Anbieter nimmt eine schwache monopolistische Stellung ein. Der einzelne Anbieter ist in der Lage, seinen Preis innerhalb bestimmter Grenzen wie ein Monopolist autonom festzusetzen (→ Preisfixierer), weil aufgrund seines geringen Marktanteils seine Aktionen für seine Konkurrenten nicht fühlbar und somit keine Reaktionen zu erwarten sind. Konkurrentenreaktionen treten erst auf, wenn dieser Bereich überschritten wird und die Aktionen für die Konkurrenten fühlbar werden. In der Literatur existieren zwei Lösungsvorschläge:

(a) *Chamberlinsche Tangentenlösung:* Der einzelne Anbieter bestimmt sein Gewinnmaximum gemäß der Bedingung Grenzerlös = Grenzkosten (→ Monopoltheorie). Solange in diesem kurzfristigen betrieblichen Gleichgewicht Gewinne entstehen, werden bei freiem Marktzugang neue Anbieter in den Markt eintreten, indem sie ein ähnliches oder ein identisches Produkt anbieten. Dadurch wird die → Preisabsatzkurve des bisherigen Anbieters zum Ursprung hin verschoben, bis schließlich im langfristigen Gleichgewicht kein Gewinn mehr entsteht. In diesem Gruppengleichgewicht tangiert bei allen Anbietern die Stückkostenkurve die Preisabsatzkurve im Cournotschen Punkt C (vgl. Abb.). Kenn-

Preisbildung bei vollständiger Konkurrenz

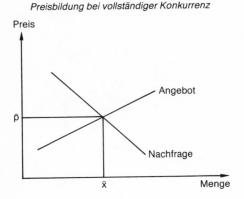

Chamberlinsche Tangentenlösung

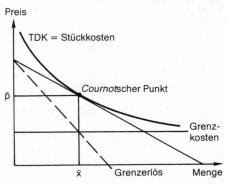

zeichnend für diese Situation sind freie Kapazitäten.

(b) *Gutenbergsche Lösung:* Aufgrund der bestehenden Präferenzen ist die individuelle Preisabsatzkurve doppelt geknickt. *Erich Gutenberg* nennt den Bereich, innerhalb dessen sich bei Preisänderungen die nachgefragte Menge relativ wenig ändert, monopolistischen Bereich ($\overline{AB}$ in der Abb.) in der polypolistischen Preisabsatzkurve.

Gutenbergsche Lösung

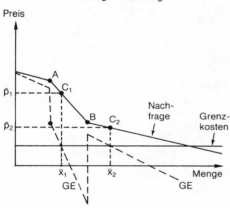

Bei Preisänderungen über A bzw. B hinaus findet ein starker Ab- bzw. Zugang von Nachfragern statt, so daß die Nachfragekurve flacher, d.h. preisempfindlicher wird. Das Gewinnmaximum wird gemäß *Cournot* bestimmt, d.h. es gilt die Bedingung Grenzkosten = Grenzerlös. Aufgrund des doppelten Knicks muß der Anbieter im vorliegenden Fall zwischen den beiden relativen Gewinnmaxima C_1 und C_2 wählen.

Besonderheiten ergeben sich bei Teilmonopolen (→ Oligopol, → Preisführer- und → Preisfolgerschaft), monopolistischer Preisdifferenzierung, → Nachfragemonopolen und bilateralen Monopolen (→ Kontraktkurve).

(3) *Angebotsoligopol:* Hierzu gibt es mannigfaltige Lösungsansätze. Eine Gruppe ist hierbei durch alternative Reaktionshypothesen (z.B. Politik der festen Preisrelation; *Ernst Heuß*) gekennzeichnet. Eine andere Gruppe erklärt die Preisbildung mit Hilfe der → Spieltheorie.

(4) In der klassischen Theorie der Preisbildung wurde zwischen reproduzierbaren Gütern – die Preise werden hierbei vom Faktoraufwand bestimmt (→ Arbeitswertlehre) – und nicht reproduzierbaren Gütern – die Preise hängen von der Nachfrage ab – unterschieden.

Die Preisbildung auf den Faktormärkten wird unter Verwendung analoger Anbieter-Nachfrager-Beziehungen, wie sie beim Gütermarkt verwendet wurden, erklärt.   *P. O.*

Literatur: *Heuß, E.*, Grundelemente der Wirtschaftstheorie, 2. Aufl., Göttingen 1981. *Fehl, U./ Oberender, P.*, Grundzüge der Mikroökonomie, 2. Aufl., München 1985, S. 7 ff. *Ott, A. E.*, Grundzüge der Preistheorie, 3. Aufl., Göttingen 1979.

Preisbindung

(vertikale Preisbindung, Preisbindung der zweiten Hand) konstituiert eine im Gegensatz zur → Preisempfehlung verbindliche, da vertraglich abgesicherte Verpflichtung gewerblicher Abnehmer einer Ware, diese nur zu dem vom Lieferanten bestimmten Preis weiterzuverkaufen. Nach § 15 GWB sind derartige Vereinbarungen in der Bundesrepublik grundsätzlich verboten, wobei seit dem 1. 1. 1974 auch die Ausnahmebestimmungen für die Hersteller von → Markenartikeln, die bis dahin galten, aufgehoben wurden. Lediglich für Verlagserzeugnisse (§ 16 GWB) ist die Preisbindung, und zwar aus kulturpolitischen Gründen, weiter zulässig.   *H. D.*

Preisdifferenzierung

Ein gleiches Gut wird zu unterschiedlichen Preisen an verschiedene Käufer verkauft. Eine wichtige Voraussetzung für die Durchsetzung einer Preisdifferenzierung ist, daß das Gut zwischen den Nachfragern nicht gehandelt werden kann, d.h. kein Arbitragehandel möglich ist. An sich ist die Preisdifferenzierung wettbewerbsmäßig neutral, wenn es sich um keine → Diskriminierung handelt, d.h. wenn sie auf keiner künstlichen Wettbewerbsbeschränkung beruht.

Gemäß den Kriterien, nach denen eine Preisdifferenzierung vorgenommen wird, sind verschiedene Arten zu unterscheiden.

(1) *Persönliche* Preisdifferenzierung: Sie stellt auf persönliche Kriterien ab (z.B. unterschiedliche Honorare bei Ärzten und Rechtsanwälten für eine gleiche Leistung).

(2) *Räumliche* Preisdifferenzierung: Verschiedene Preise für Käufer an unterschiedlichen Standorten. Hierbei dürfen die Preisunterschiede nicht auf unterschiedliche Transportkosten zurückzuführen sein.

(3) *Zeitliche* Preisdifferenzierung (peak load pricing): Verschiedene Preise entsprechend dem zeitlichen Anfall der Nachfrage (z.B. Tag- und Nachttarif).

(4) *Qualitative* Preisdifferenzierung: Unterschiedliche Preise nach Art der Verwendung (Strom- und Gastarife für Haushalt und Industrie).

(5) *Quantitative* Preisdifferenzierung: Preisunterschiede aufgrund der Menge (z. B. Mengenrabatt).

Preisdifferenzierungen ergeben sich auch aufgrund unterschiedlicher Marktverhältnisse:

(1) *Deglomerative* Preisdifferenzierung: Es findet eine Spaltung der Gesamtnachfrage in einzelne Nachfrageschichten statt, um durch eine solche Abschottung (Isolierung) die → Konsumentenrente abzuschöpfen und sie damit in eine → Produzentenrente zu verwandeln. Die Isolierung der Nachfrage wird hierbei künstlich durch den Anbieter herbeigeführt. Auf diese Weise wird ein vollkommener Markt zu einem unvollkommenen.

(2) *Agglomerative* Preisdifferenzierung: Der Monopolist bestimmt bei (zwei) bestehenden Teilmärkten, d. h. eine Heterogenität der Nachfrage ist bereits vorhanden, seine gewinnmaximale Gesamtmenge (x_N). Diese Menge wird dann auf die (beiden) Teilmärkte so aufgeteilt, daß der Grenzerlös (GE) auf jedem Teilmarkt gleich den Grenzkosten ist. Dadurch werden zugleich auch die jeweiligen Monopolpreise p_1^M und p_2^M bestimmt. Der Monopolist fordert zwei verschiedene Preise: den höheren p_1^M (niedrigeren p_2^M) – bei gleichem Preis – auf dem Teilmarkt mit der absolut niedrigeren (N_1) (höheren N_2) → Preiselastizität der Nachfrage (vgl. Abb.).

Preisdifferenzierungen

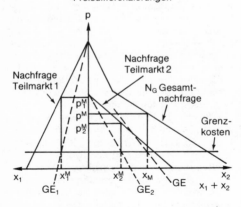

Die Preise eines Gutes sind auf Auslandsmärkten oft deshalb niedriger als im Inland, weil die Preiselastizität der Nachfrage auf dem Auslandsmarkt im relevanten Bereich der Nachfragekurve größer als auf dem Inlandsmarkt ist.

Literatur: *Fehl, U.,* Preisdifferenzierung (Preisdiskriminierung), in: HdWW, Bd. 6, Tübingen u. a. 1981, S. 160 ff.

Preisdiskriminierung → Diskriminierung, → Preisdifferenzierung

Preisdurchsetzung

alle Maßnahmen, die dazu dienen, daß die auf der Grundlage eines unvollkommenen Informationsstandes bestimmten Angebotspreise von den Nachfragern akzeptiert werden (→ Preispolitik). Hierzu zählen → Preisbindung und → Preisempfehlung, → Vertriebsbindung, Maßnahmen zur Verbesserung der → Preisoptik im Rahmen der → Preisauszeichnung, der Preiswerbung oder bei Verkaufsgesprächen und → Preisanpassungsklauseln zur Absicherung der kalkulatorischen Zielsetzung bei längerfristigen Geschäften. *H. D.*

Literatur: *Diller, H.,* Preispolitik, Stuttgart 1985.

Preiselastizität

bringt die relative Veränderung des Absatzes im Verhältnis zur relativen Veränderung des Angebotspreises eines Wirtschaftsgutes zum Ausdruck. Die Größe (ε) sagt damit aus, um wieviel Prozent sich der Absatz (x) verändert, wenn der Preis (p) um ein Prozent angehoben oder gesenkt wird. Es gilt also:

$$\varepsilon = \frac{\partial x}{x} : \frac{\partial p}{p} = \frac{\partial x \cdot p}{\partial p \cdot x}$$

Da der Absatz i. d. R. mit steigendem Preis fällt, kann ε Werte zwischen $-\infty$ und 0 annehmen (→ direkte Preiselastizität, → Kreuzpreiselastizität).

Preisempfehlung

im Gegensatz zur → Preisbindung eine rechtlich unverbindliche, durch einseitige Erklärung des Lieferanten (Produzent, Großhändler) zustandekommende Orientierungshilfe für die Bestimmung des Wiederverkaufspreises von Markenwaren. Sie kann entweder nur dem Handel (Handelspreisempfehlung) oder auch den Endverbrauchern bekannt gemacht werden (Verbraucherpreisempfehlung). Im ersten, in der Praxis weitaus häufiger vorkommenden Fall bedienen sich die Hersteller sog. Bruttopreislisten, während Verbraucherpreisempfehlungen durch Preisangaben auf der Verpackung, in Prospekten oder durch die Mediawerbung publik gemacht werden und dann nach § 38 a GWB ausdrücklich als unverbindlich gekennzeichnet werden müssen. Dem → Bundeskartellamt obliegt eine → Mißbrauchsaufsicht, die insb. dann zur Untersagung führt, wenn im Vergleich zum Marktpreisniveau stark überhöhte Preisempfehlungen („Mondpreise") abgegeben, Druckmittel zur Durchsetzung angewendet oder die empfohlenen Werte von vielen Wiederverkäufern wesentlich unterschritten werden.

Preisempfehlungen besitzen aus verkaufspsychologischen Gründen faktisch Höchstpreischarakter, entlasten den Handel bei der → Preisauszeichnung und dienten ursprünglich der Vereinheitlichung des vor allem für das Markenimage wichtigen Marktpreisniveaus. Da letzteres immer weniger gelingt, weil gerade Preisempfehlungen den Handel zu werbewirksamen Preisunterschreitungen reizen, wird die Preisempfehlung von Herstellerseite zunehmend durch indirekte Maßnahmen der Preissteuerung ersetzt.   *H. D.*

Preisentwicklung → Preisindex des Bruttosozialprodukts, → Preisindex für die Lebenshaltung

Preis-Erfahrungseffekt → Erfahrungskurve

Preisfixierer → Monopoltheorie

Preisfolger

Unternehmer, der bei seiner Preisfestsetzung einem anderen (Preisführer) folgt.

Preisführerschaft

vor allem auf (teil-)oligopolistischen Märkten beobachtbare Form der Marktpreisbildung, bei der die verschiedenen Anbieter ihre Preise an dem des Preisführers orientieren, also auf eine aktive Preispolitik verzichten (→ Preisstrategie). Je nach Stärke des akquisitorischen Potentials kann der jeweilige Leitpreis des Preisführers auch in bestimmtem Umfang unter- oder überschritten werden.

Besitzen alle Anbieter etwa gleich große Marktanteile, wechselt der Preisführer häufig (barometrische Preisführerschaft), während vor allem in Teiloligopolen der marktmächtigste Anbieter oft permanent die Rolle des Preisführers übernimmt (dominante Preisführerschaft). Nach außen wirkt eine solche Preispolitik wie abgestimmtes oder gar kartellmäßiges Verhalten, obwohl es in Wirklichkeit auf ökonomischen Sachzwängen beruht (→ Oligopol).   *H. D.*

Preisfunktionen

Preise, die sich frei am Markt durch das Zusammenspiel von Angebot und Nachfrage bilden, sind in → Marktwirtschaften von zentraler Bedeutung und erfüllen eine Reihe von Funktionen (im Sinne von Aufgaben):
(1) Preise sind das zentrale Koordinierungsinstrument *(Koordinationsfunktion)* zwischen den einzelwirtschaftlichen Plänen, d.h. sie stimmen die Wünsche der Nachfrager und die Produktionspläne der Anbieter aufeinander ab.
(2) Mit Hilfe von Preisen werden Informationen (Signale) gegeben; z.B. findet in der relativen Preishöhe die relative Knappheit der Güter ihren Niederschlag. Preisänderungen zeigen sofort eine Knappheitsveränderung an und eröffnen Anbietern sowie Nachfragern Möglichkeiten, sich der veränderten Situation anzupassen (*Signalfunktion*).
(3) Über Preise werden die knappen Güter auf die Nachfrager verteilt *(Zuteilungsfunktion)*, wobei diejenigen Nachfrager zum Zuge kommen, die aufgrund der hohen Dringlichkeit ihrer Bedürfnisse bereit sind, den höchsten Preis zu bezahlen. Diese Kaufbereitschaft hängt neben der Wertschätzung auch von der Kaufkraft und somit vom Einkommen der Wirtschaftssubjekte ab. Auch innerhalb einer Wirtschaftseinheit (z.B. Haushalt) wird mit Hilfe der Preise ein → Nutzenvergleich ermöglicht, indem der gewogene → Grenznutzen (Grenznutzen/Preis des Gutes) der verschiedenen Verwendungsmöglichkeiten des Einkommens miteinander verglichen wird (zweites → Gossensches Gesetz).
(4) Auf der Angebotsseite haben Preise die Aufgabe, alle Produzenten, deren Kosten höher als der Marktpreis sind, aus dem Markt zu drängen *(Auslesefunktion)*. Leistungsfähige Unternehmen, deren Kosten unter den jeweiligen Marktpreisen liegen, werden belohnt; sie erzielen → Differentialgewinne.
(5) Preisen fällt auch die Aufgabe der Allokation der Produktionsfaktoren zu *(Lenkungsfunktion)*. Durch steigende Preise eines Gutes werden Unternehmer angelockt, dieses Gut zu produzieren. Zur Realisierung ihrer Pläne müssen sie Faktoren einsetzen, die sie auf den Faktormärkten nachfragen und kaufen müssen. Aufgrund steigender Preise sind sie bereit, höhere Faktorpreise zu bezahlen als Unternehmer, deren Güterpreise stagnieren oder sinken. Auf diese Weise passen sich das Angebot und damit der Faktoreinsatz der veränderten Situation an. Mit Hilfe der Allokationsfunktion lösen Preise damit auch das Problem, was, wieviel, von wem, wann und wo erzeugt wird.   *P. O.*

Preisgleitklausel → Preisanpassungsklausel

Preisimage

subjektiver Eindruck (→ Image) der Nachfrager von der Preisgünstigkeit und Preiswürdigkeit eines Produktes oder Anbieters, der in

Abhängigkeit vom →Preisbewußtsein mehr oder minder stark von einer objektiven Beurteilung abweichen kann.

Preisindex

eine Formel (genauer: eine Funktion) zur Berechnung einer Maßzahl (Preisindexwert oder Preisindexzahl). Diese soll die in der Vergangenheit stattgefundenen Änderungen in den Preisen bestimmter Gütergruppen, die durch →Warenkörbe repräsentiert werden, von einer Periode (Basisperiode) zu einer zeitlich nachfolgenden (Vergleichsperiode) summarisch erfassen.

Für eine bestimmte Zahl von Gütern (z.B. $N = 200$ Güter) läßt sich der Preisindex allgemein wie folgt darstellen:

Bezeichnet man mit p_i^1 den Preis (in DM), den man für eine Einheit des Gutes i (i = 1, ..., N) in der Vergleichsperiode 1 zu bezahlen hat, und mit p_i^o den Preis desselben Gutes in der Basisperiode 0, dann gibt $(p_i^1/p_i^o) \cdot 100$ die prozentuale Preisänderung für Gut i von Periode 0 auf Periode 1 an.

Der Preisindex I läßt sich nun als eine gewogene Summe der prozentualen Preisänderungen aller in Betracht gezogenen Güter definieren:

$$I_p = [(p_1^1/p_1^o) \cdot g_1 + (p_2^1/p_2^o) \cdot g_2 + \ldots$$
$$+ (p_N^1/p_N^o) \cdot g_N] \cdot 100 =$$
$$= \left[\sum_{i=1}^N (p_i^1/p_i^o) \cdot g_i \right] \cdot 100$$

Jedes der Gewichte g_i ist dabei größer als oder gleich Null und die Summe aller Gewichte ergibt Eins (d.h. $g_i \geqq 0$, i = 1, ..., N, und $\sum_{i=1}^N g_i = 1$). Der jeweilige Wert für I_p ergibt dann die durchschnittliche prozentuale Änderung aller in Betracht gezogenen Preise. Je nach Wahl der Gewichte erhält man andere Indexformeln und damit im allgemeinen auch andere Preisindexwerte. Obwohl sich eine Vielzahl theoretisch plausibler Formeln bzw. Gewichtungsschemata angeben läßt, werden in der statistischen Praxis nahezu ausschließlich die Formeln nach Laspeyres bzw. Paasche verwendet (→Laspeyres-Index, →Paasche-Index).

Wählt man als Gewicht für die prozentualen Änderungen der einzelnen Preise den jeweiligen Anteil der Ausgaben für ein bestimmtes Gut i an den Gesamtausgaben der Basisperiode, d.h.

$$g_i = \frac{p_i^o \cdot x_i^o}{A_o},$$

wobei x_i^o die jeweilige Menge des Gutes i in der Basisperiode und

$$A_o = \sum_{i=1}^N p_i^o \cdot x_i^o$$

die Gesamtausgaben in der Basisperiode bezeichnen, so erhält man die Laspeyres-Preisindexformel Lp:

$$Lp = \left[\sum_{i=1}^N \left(\frac{p_i^1}{p_i^o} \right) \cdot \left(\frac{p_i^o \cdot x_i^o}{A_o} \right) \right] \cdot 100$$
$$= \frac{\sum_{i=1}^N p_i^1 \cdot x_i^o}{A_o} \cdot 100 =$$
$$= \left[\frac{\sum_{i=1}^N p_i^1 x_i^o}{\sum_{i=1}^N p_i^o x_i^o} \right] \cdot 100$$

Werden dagegen als Gewichte

$$g_i = A_1/p_i^1 \cdot x_i^1, \text{ wobei } A_1 = \sum_{i=1}^N p_i^1 \cdot x_i^1$$

gewählt, so erhält man, nach entsprechenden Umformungen, die Paasche-Preisindexformel P_p:

$$P_p = \left[\frac{\sum_{i=1}^N p_i^1 x_i^1}{\sum_{i=1}^N p_i^o x_i^1} \right] \cdot 100$$

Der Laspeyres-Preisindex läßt sich nun als die prozentuale Änderung in den Aufwendungen für einen bestimmten, in der Basisperiode zusammengestellten Warenkorb interpretieren. Der Paasche-Preisindex erfaßt dagegen die prozentuale Änderung der Aufwendungen für einen in der Vergleichsperiode zusammengestellten Warenkorb. Der Paasche-Index kann demnach als der „aktuellere" bezeichnet werden.

Interpretationsprobleme:

(1) Da die Mitglieder einer Personengruppe in aller Regel nicht dieselben Güter und die Güter in unterschiedlichen Mengen kaufen, sind sie durch die Änderungen einzelner Preise unterschiedlich betroffen. Deshalb kann ein globaler Preisindexwert stets nur ein ungefähres Bild der tatsächlich für ein Individuum relevanten Preissteigerungen liefern. Der Preisindexwert spiegelt nur die Preisentwicklung wider, die für ein im Wege der Durchschnittsbildung konstruiertes „repräsentatives Subjekt" gilt.

(2) Dieselben Güter werden häufig zu unterschiedlichen Preisen (z.B. Mengenrabatte,

Sonderangebote, regionale Preisunterschiede) abgegeben. Der „Preis eines Gutes" stellt daher ebenfalls einen (gewogenen) Durchschnitt aus den verschiedenen Preisen dar, zu denen dieses Gut abgegeben wird.

(3) Änderungen in den Preisen einzelner Güter können u. a. auch durch Qualitätsänderungen verursacht sein, die z. B. die Lebensdauer und die Nutzungsmöglichkeiten von Gütern verändern. In der Praxis ist es vielfach schwierig, jenen Teil der Preisänderungen zu eliminieren, der auf Qualitätsänderungen zurückzuführen ist.

(4) Die Preisindexwerte, insb. die nach der Laspeyres-Formel berechneten, verlieren an Aussagekraft durch verändertes Konsumverhalten oder durch das Auftreten neuer bzw. durch das Ausscheiden veralteter Güter. Dadurch wird von Zeit zu Zeit eine Neubestimmung des Warenkorbes erforderlich.

Das → Statistische Bundesamt weist Preisindexwerte für verschiedene Güter- und Käufer- bzw. Verkäufergruppen aus. Praktisch am bedeutendsten sind die → Preisindizes für die Lebenshaltung und der → Preisindex für das Bruttosozialprodukt. Darüber hinaus werden monatlich z. B. Indexwerte für die Grundstoffpreise, die Erzeugerpreise gewerblicher Produkte, die Großhandelsverkaufspreise und die Einzelhandelspreise ermittelt.   *F. H.*

Literatur: *Haslinger, F.,* Volkswirtschaftliche Gesamtrechnung, 4. Aufl., München, Wien 1986. *Fürst, G.* (Hrsg.), Messung der Kaufkraft des Geldes, Göttingen 1976.

Preisindex des Bruttosozialprodukts

Maßstab für die gesamtwirtschaftliche Preisentwicklung nach der Paasche-Formel. Im Unterschied zum → Preisindex für die Lebenshaltung repräsentiert er nicht nur die Preisentwicklung typischer Konsumgüter, sondern die aller Verwendungskomponenten des → Sozialprodukts (vgl. Tab.). Die Verwendung der Paasche-Formel macht ihn jedoch zur laufenden → Inflationsmessung weniger geeignet. Seine Bedeutung liegt vorwiegend in der Preisbereinigung (Deflationierung) des nominalen Bruttosozialprodukts   (→ Quantitätsgleichung). Er wird deshalb auch als Sozialproduktdeflator bezeichnet.   *R. Ca.*

Preisindex für die Lebenshaltung

Maßstab für die Preisentwicklung typischer Güter der Lebenshaltung von Durchschnittshaushalten (z. B. alle privaten Haushalte oder 4-Personen-Arbeitnehmerhaushalte). Die auf der Laspeyres-Formel beruhenden Preindexsteigerungsraten würden nur dann zuverlässige Informationen über die reine Verteuerung der Lebenshaltung liefern, wenn neben den Quantitäten auch die Qualitäten der im Wägungsschema des Basisjahres enthaltenen Güter unverändert blieben (→ Inflationsmessung). Bei quantitativen und qualitativen Veränderungen in der Struktur der tatsächlich gekauften Güterbündel (vgl. Tab. auf S. 360) ergibt sich i. d. R. eine leichte Übertreibungstendenz der Preisindexsteigerungsraten (Laspeyres-Effekt), so daß der Preisindex für

Preisindex des Bruttosozialprodukts

Jahr	insgesamt		davon:					
	1980 = 100	Veränderung gegen Vorjahr %	Privater Verbrauch	Staatsverbrauch	Ausrüstungsinvestitionen	Bauinvestitionen	Ausfuhr	Einfuhr
1973	72,1	6,3	72,1	67,0	72,6	67,6	69,9	62,3
1974	77,2	7,1	77,2	75,1	78,4	72,3	80,2	76,0
1975	81,8	6,0	82,0	79,9	84,9	73,2	83,5	78,5
1976	84,8	3,7	85,4	83,1	88,5	76,0	86,6	82,5
1977	88,0	3,8	88,5	86,9	90,9	79,0	88,4	84,4
1978	91,7	4,2	90,9	90,0	93,4	83,7	89,8	82,8
1979	95,4	4,0	94,5	94,2	95,8	91,1	94,1	89,3
1980	100	4,8	100	100	100	100	100	100
1981	104,0	4,0	106,2	104,9	104,8	104,9	105,6	111,1
1982	108,6	4,4	111,2	108,5	110,0	106,7	109,8	114,4
1983	112,2	3,3	114,8	111,5	113,1	108,3	111,8	115,2
1984[1]	114,3	1,9	117,6	113,4	115,3	111,0	115,5	120,4
1985 1.Vj.[1]	115,0[2]	1,9	119,5	110,2	117,3	112,5	117,6	124,3
2. Vj.[2]	115,4[2]	1,9	120,4	110,5	117,8	111,6	119,1	125,1

[1] Vorläufige Angaben.   [2] Auf das Vorjahresquartal bezogen

Quelle: *Sachverständigenrat* 1985

Preisindex für die Lebenshaltung aller privaten Haushalte

Jahr	insgesamt		davon:			
	1980 = 100	Veränderung gegen Vorjahr %	Nahrungs-mittel	andere Ver-brauchs- und Gebrauchs-güter	Dienstleistun-gen und Reparaturen	Wohnungs-und Garagen-nutzung
1973	72,4	6,9	77,6	71,3	69,9	74,3
1974	77,4	6,9	81,8	77,0	75,1	77,9
1975	82,0	5,9	86,8	81,3	80,1	82,9
1976	85,6	4,4	91,0	84,2	83,8	87,0
1977	88,7	3,6	93,1	87,3	87,9	89,8
1978	91,1	2,7	94,3	89,7	91,2	92,4
1979	94,9	4,2	95,9	94,1	95,5	95,3
1980	100	5,4	100	100	100	100
1981	106,3	6,3	105,3	107,3	106,2	104,4
1982	111,9	5,3	110,4	112,9	112,0	110,2
1983	115,6	3,3	112,1	115,9	116,6	116,5
1984	118,4	2,4	114,2	118,4	119,3	120,9
1985 1. Vj.	120,5[1]	2,4	114,9	120,7	121,5	123,7
2. Vj.	121,2[1]	2,5	116,6	121,1	122,1	124,4
3. Vj.	120,9[1]	2,2	113,5	121,0	122,8	125,0

[1] Auf das Vorjahresquartal bezogen

Quelle: *Sachverständigenrat*, 1985

die Lebenshaltung von Zeit zu Zeit umbasiert, d.h. auf ein aktualisiertes Wägungsschema umgestellt wird.

Andererseits kann die am Preisindex für die Lebenshaltung gemessene Inflationsrate das tatsächliche Ausmaß des Preisanstiegs auch untertreiben, sofern tatsächlich eingetretene Preissteigerungen nicht korrekt erfaßt werden. In diesem Fall spricht man im Gegensatz zur offenen Inflation auch von versteckter (verdeckter) Inflation.   *R. Ca.*

Literatur: *Neubauer, W.*, Preisindex der Lebenshaltung, in: HdWW, Bd. 6 (1981), S. 213 ff.

Preisindexierung → Indexierung, → Preisan-passungsklausel

Preisinflation → Inflation

Preisinteresse → Preisbewußtsein

Preiskalkulation

rechnerische Bestimmung des kurzfristig gültigen Angebotspreises (→ Preispolitik). Ursprünglich nur auf kostenrechnerischen Konzepten aufgebaut (progressive Kalkulation), werden dabei zunehmend auch marktbezogene Aspekte (retrograde Kalkulation) sowie marginalanalytische Optimierungsverfahren in den Planungsprozeß einbezogen.
(1) Die *progressive Kalkulation* erfolgt durch einen prozentual fixen oder auslastungs- bzw. marktabhängigen Gewinnaufschlag g auf die

im Rahmen der → Kostenträgerrechnung ermittelten Stück- oder Selbstkosten k. Es gilt also p = k(1 + g/100) (Kosten-plus-Regel, cost-plus-pricing). Handelt es sich bei k um → Plankosten, so spricht man von Vorkalkulation, entsprechend bei → Istkosten von Nachkalkulation. Die Ermittlung der Selbstkosten kann auf Voll- oder Teilkostenbasis erfolgen. Letzteres führt zu beschäftigungsunabhängigen Preisen; g stellt dann eine Deckungsbeitragsrate dar. Unabhängig davon bleibt jedoch auch hier das Problem der Gemeinkostenschlüsselung und der Bestimmung des Gewinnaufschlags. Orientiert man sich dabei an der Tragfähigkeit, geht man implizit bereits auf ein marktbezogenes, also retrogrades Verfahren über.

Entscheidender Nachteil der progressiven Kalkulation ist die Nichtberücksichtigung der – über die Absatzmenge – indirekten Abhängigkeit der Kosten von den Preisen. Dadurch entsteht ein logischer Zirkelschluß, der bei starrer Anwendung der Kosten-plus-Regel zu Fehlkalkulationen immer größeren Ausmaßes führen kann, weil die Fixkostenumlage pro Stück mengen- und damit preisabhängig ist. Trotzdem findet die progressive Kalkulation in der Praxis breite Anwendung, da sie der Fiktion vom gerechten Kostenpreis entspricht, scheinbar einfach anzuwenden ist und die mit Tragfähigkeitsüberlegungen verbundenen Unsicherheiten weitgehend ausklammert.
(2) Grundprinzip der *retrograden Kalkulation* ist es, daß die Angebotspreise nicht rechne-

risch bestimmt, sondern im Wege einer Rückrechnung auf ihre Erfolgswirkung hin überprüft werden. Dazu wählt man verschiedene, am Markt durchsetzbar erscheinende Preise (z.B. Konkurrenzpreise, Preise in der Nähe des bisherigen Preises, nutzenorientierte Preise usw.) aus, schätzt oder ermittelt (z.B. durch Preistests) die damit jeweils erzielbaren Absatzmengen bzw. Erlöse, bestimmt die hierfür erforderlichen Kosten und ermittelt schließlich den jeweiligen Periodengewinn. Durch Vergleich der geprüften Preisalternativen ergibt sich der günstigste Preis, der allerdings keine Garantie für ein absolutes Optimum bietet, da es sich um ein heuristisches Vorgehen handelt. In der Regel greift man bei der Rückrechnung auf Deckungsbeitragskalküle, z.B. das →direct costing, zurück. Als Kalkulationsregel gilt dann:

$$p = \max_{p_i} [p_i \cdot x_i(p_i) - k(x_i) \cdot x_i\,(p_i)]$$

p_i = geprüfte Preisalternativen,
$x_i\,(p_i)$ = bei p_i zu erwartende Absatzmenge x_i,
$k_i\,(x_i)$ = bei x_i (und damit p_i) zu erwartende variable Stückkosten.

Risikopolitische Überlegungen können über vergleichende →Break-even-Analysen angestellt werden. Zur Bewältigung des Gemeinkostenproblems wird die retrograde Kalkulation in Mehrproduktunternehmen in aller Regel ferner durch Deckungsbudgets ergänzt. Sie bietet dann ein flexibles und sowohl kosten- als auch marktorientiertes Preisbildungsverfahren, das auch für preistaktische Überlegungen Raum läßt.

(3) Bei der dritten Gruppe von Kalkulationsformen, den *marginal analytischen Optimierungsverfahren,* stützt man sich auf die in der Preistheorie entwickelten und jeweils für bestimmte Marktformen gültigen Entscheidungsmodelle. Grundprinzip ist die Maximierung einer Zielfunktion mit Hilfe der Differentialrechnung, wobei die Zielgröße definitorisch in eine Kosten- und eine Erlösfunktion zerlegt wird. Bei Gewinnmaximierung ergibt sich der Optimalpreis im Schnittpunkt der Grenzkosten- und der Grenzerlösfunktion, was sich in der sog. →Amoroso-Robinson-Relation auch in Abhängigkeit von der →Preiselastizität des Absatzes formulieren läßt. Der Optimalpreis ist bei allen →Marktformen um so niedriger, je elastischer der Absatz auf Preisänderungen reagiert.   *H. D.*

Literatur: *Diller, H.,* Preispolitik, Stuttgart 1985.

Preiskartell

Inhalt des Kartellvertrages ist die Verpflichtung der Kartellmitglieder, den Absatz zu einheitlichen Festpreisen (Festpreiskartell) vorzunehmen oder vereinbarte Mindestpreise nicht zu unterbieten (Mindestpreiskartell). Zur Sicherung der Kartellpreise erfolgen zumeist auch Regelungen zur Angebotsbegrenzung und zur Aufteilung des Gesamtangebots auf die einzelnen Mitglieder des Kartells (Kontingentkartell, Quotenkartell).

Die Funktionen sich frei bildender Marktpreise und eines uneingeschränkten Leistungswettbewerbs werden durch Preiskartelle außer Kraft gesetzt. Es besteht zudem die Gefahr einer Ausbeutung der Marktgegenseite durch die kollektive Monopolisierung, die die Angebotsseite durch das Preiskartell erfahren hat. Das Ausscheiden dauerhaft leistungsschwacher Anbieter unterbleibt; der Anreiz zur Innovation entfällt, die Anpassungsflexibilität wird zumeist erheblich reduziert. In einer Marktwirtschaft sind Preiskartelle somit eindeutig ordnungswidrig. Ihre Unterwerfung unter das →Kartellverbot des § 1 GWB ist folglich ohne Zweifel gerechtfertigt.   *H. B.*

Literatur: *Emmerich, V.,* Kartellrecht, 4. Aufl., München 1982.

Preiskontrollen

1. in der →Wettbewerbspolitik ein Instrument der →Mißbrauchsaufsicht.
2. In der Globalsteuerung sind Preiskontrollen auf das Ziel der Preisniveaustabilität gerichtet; sie setzen vorübergehend die Allokation über den Markt außer Kraft und gelten als letzter Ausweg, wenn sich die Gewerkschaften – unkontrolliert durch Gegenmacht – nicht auf eine Leitlinie verpflichten lassen und Löhne und Preise trotz restriktiver Konjunkturpolitik ungebrochen ansteigen.

Bei Interdependenz genügt es, entweder an den Löhnen oder an den Preisen anzusetzen. Wird der Lohnanstieg aufgehalten, dann fällt der Kostendruck als Begründung für die Preissteigerungen weg. Werden die Preise gestoppt, dann sind die Unternehmen gezwungen, Lohnforderungen Widerstand entgegenzusetzen und innerhalb der Tarifautonomie den Lohnauftrieb zu begrenzen.

Die Praxis der Lohn- und Preiskontrollen zeigt aber, daß man Löhne und Preise zugleich kontrollieren muß. Trotz →Lohnstopps sind die Unternehmen immer wieder versucht, Überwälzungen nachzuholen, die sie mit früheren Lohnsteigerungen begründen. Bei alleiniger Preiskontrolle ist zu befürchten, daß sich die Unternehmen im Tarifkonflikt nicht durchsetzen können, Gewinnkürzungen hinnehmen müssen und deshalb die Investitionen einschränken.

Lohn- und Preiskontrollen, die sich gegen

die Macht des Doppelmonopols (Gewerkschaften bestimmen die Löhne, die Unternehmen anschließend die Preise) allein richten, haben häufig Erfolg gehabt. Gegen Machteinsatz und Nachfragesog zugleich erwiesen sie sich aber regelmäßig als erfolglos.

Allenfalls für kurze Zeit konnten sie den Auftrieb unterbrechen, der sich dann nach der (freiwilligen oder erzwungenen) Aufgabe der Kontrollen beschleunigt fortsetzte.

Die politische Durchsetzbarkeit verlangt neben der Verteilungsneutralität ein einheitliches Vorgehen. Der Markt mit seinem Differenzierungsbedarf bleibt dabei auf der Strekke. Überkommene Lohnstrukturen werden fortgeschrieben. Von der Idee her geben zwar Kontrollen, wie auch → Lohnleitlinien als deren mildere Form, Marktfaktoren Spielraum; Ausnahmen von der generellen Leitlinie – auch vom Markt her gesehen berechtigte – können aber nachfolgende Gewerkschaften zur Orientierung am vorliegenden Abschluß verleiten, diesen zur neuen Richtschnur werden lassen und die frühere staatliche Norm in den Augen der fordernden Mitglieder entwerten.   *U. T.*

Literatur: *Kleps, K.*, Staatliche Preispolitik, München 1984.

Preislage

für die → Preislinien- und → Programmpolitik bedeutsamer Preisbereich, innerhalb dessen sich ein Anbieter mit seinem Produktionsprogramm bzw. Sortiment bewegt. Dieser kann relativ eng begrenzt (punktuelle Preislagenbildung, z.B. Anzüge um 300 DM) oder auf branchen- bzw. betriebsformenspezifische Intervalle (z.B. Anzüge zwischen 200 DM und 300 DM, 300 DM und 400 DM etc.) bezogen sein. Preislagen dienen der Strukturierung, Abstimmung und Vereinfachung der → Preis- und → Sortimentspolitik und fungieren als Orientierungshilfe für die Nachfrager.

H. D.

Preislinienpolitik

Produkte, zwischen denen relativ starke kosten- und/oder nachfragemäßige Interdependenzen bestehen (→ Ausstrahlungseffekte, → Sortimentsverbund), bilden sog. Produktlinien im Produktionsprogramm einer Unternehmung. Bei der Preisstellung für jeden Artikel einer Produktlinie müssen diese Interdependenzen derart berücksichtigt werden, daß die Produktlinie insgesamt die Zielfunktion optimal erfüllt. Dieser Entscheidungsprozeß im Rahmen der → Preispolitik wird als Preislinienpolitik bezeichnet. Diese erstreckt sich im einzelnen auf die

- Bestimmung der Endpreise einer Produktlinie (→ Preislage),
- Festlegung der Preisabstände zwischen austauschbaren Elementen der Produktlinie,
- Abstimmung der Preisstellung für funktional komplementäre oder im Nachfrageverbund stehende Produkte (→ Ausgleichskalkulation) und
- Besetzung von Preislücken in der Produktlinie durch entsprechende Sortimentserweiterung.

Bei kostenmäßigen Interdependenzen (z.B. Kuppelproduktion) versagen die kostenorientierten Verfahren der → Preiskalkulation, da eine verursachungsgerechte Kostenverrechnung unmöglich ist. Man geht deshalb zur retrograden Preisbestimmung für die gesamte Produktlinie über. Genauso ist bei nachfragemäßigen Interdependenzen zu verfahren, etwa wenn Produkte von den Nachfragern gemeinsam eingekauft werden (z.B. im Lebensmittelhandel oder bei Photoartikeln). Angestrebt wird der maximale Erfolgsbeitrag (Gewinn, Deckungsbeitrag etc.) der gesamten Produktlinie, wobei einzelne Artikel selbst zu Preisen unterhalb der zurechenbaren Teilkosten bzw. des → Einstandspreises abgegeben werden können (→ Ausgleichskalkulation).

Für die Preislinienpolitik sind psychologische Aspekte des Nachfragerverhaltens (→ Preisbewußtsein) von besonderer Relevanz, da viele Verbundeffekte darauf zurückgeführt werden können.   *H. D.*

Preismechanismus

Mechanismus zur Lösung von Allokationsproblemen im Modell einer dezentral organisierten Volkswirtschaft.

(1) Durch den Preismechanismus wird bestimmt, welche Güter produziert werden. Befinden sich die Preise zweier Güter A und B im Gleichgewicht, und kommt es nun zu einer Mehrnachfrage nach Gut A und einem Nachfragerückgang bei Gut B, so resultieren daraus kurzfristig (falls die Angebotsfunktion nicht völlig elastisch ist) ein Preisanstieg bei Gut A und eine Preissenkung bei Gut B. Dadurch steigt der Gewinn des Produzenten von Gut A über das Normalniveau, während der Gewinn des Produzenten von Gut B unter dieses Niveau absinkt. Längerfristig besteht damit für die Produktivkräfte ein Anreiz, aus dem weniger rentablen in den lukrativeren Produktionszweig überzuwechseln. Durch eine Erweiterung bestehender Unternehmen und den Marktzutritt neuer Unternehmen kommt es zu einer Erhöhung des Angebots, wodurch weitere Anpassungsprozesse ausgelöst werden, bis schließlich Preise und Gewin-

ne bei allen Gütern wieder das Normalniveau erreicht haben.

(2) Der Preiswettbewerb zwingt die Produzenten zur Wahl der kostengünstigsten Produktionsmethode. Anbieter eines bestimmten Gutes, die kostenungünstiger als ihre Konkurrenten arbeiten, müssen langfristig aus dem Markt ausscheiden, da der Preis die langfristigen Stückkosten nicht abdeckt und deshalb keine Gewinne mehr erzielt werden können.

(3) Die Faktorpreise bestimmen schließlich die Verteilung des Produktionsergebnisses. Gemäß der → Grenzproduktivitätstheorie der Verteilung wird ein Produktionsfaktor mit seinem Grenzprodukt entlohnt. Unter der Annahme einer linearhomogenen Produktionsfunktion besagt das → Eulersche Theorem, daß das Produktionsergebnis gerade ausreicht, um die Produktionsfaktoren gemäß diesem Prinzip zu entlohnen. *F. J. L.*

Preismißbrauch → Vergleichsmarkt

Preismix → Marketinginstrumentarium

Preisnehmer → vollständige Konkurrenz

Preisniveau → Preisindex

Preisnotierung → Wechselkurs

Preisoptik

bezieht sich auf alle Versuche eines Anbieters, im Rahmen der Preiswerbung oder bei Preisverhandlungen die von ihm geforderten Preise als relativ günstig erscheinen zu lassen. Bei schriftlichen Preisinformationen (→ Preisauszeichnung) geschieht dies vor allem durch sprachliche Etikettierung (z. B. „Knüllerpreis", „Sonderangebot"), auffällige (z. B. plakative) graphische Aufmachung und optische Präsentation, Gegenüberstellung höherer Vergleichspreise oder hervorgehobene Plazierung bzw. Darbietung des jeweiligen Artikels (z. B. Schüttplazierung).

Bei Verhandlungen wird der Preis vor allem durch Bezugnahme auf das Nutzenpotential des Produktes, Bagatellisierung von Preisdifferenzen und – je nach Preisniveau – Argumentation in Prozent- bzw. Absolutgrößen, also durch Einsatz verkaufspsychologischer Techniken des → persönlichen Verkaufs, relativiert. *H. D.*

preisorientierte Qualitätsbeurteilung

Basiert die subjektive Qualitätseinstufung eines Produktes seitens der Nachfrager ganz oder teilweise auf der relativen Preishöhe des Produktes, so spricht man von preisorientierter Qualitätsbeurteilung oder vom Preis als Qualitätsindikator. Ein solches Preisbeurteilungsverhalten (→ Preisbewußtsein) dient der Reduktion des → subjektiven Kaufrisikos und ist streng vom sog. → Veblen-Effekt zu unterscheiden. Es wurde empirisch häufig nachgewiesen und führt zu einer glockenförmigen → Buy-Response-Funktion. Preispolitisch relevant ist die preisorientierte Qualitätsbeurteilung vor allem bei der Einführung neuer Produkte (→ Preisstrategie) und bei einer → Preisdurchsetzung, bei der es, z. B. im Wege der Preiswerbung, um die Begründung relativ hoher bzw. die Rechtfertigung niedriger Preise geht. *H. D.*

Preispolitik

1. (betriebliche Preis- oder Entgeltpolitik) umfaßt alle Informations- und Aktionsentscheidungen zur Bestimmung und Durchsetzung der von einer Unternehmung geforderten Preise, d. h. der i. d. R. monetären Gegenleistungen der Käufer für die angebotenen Sach- und Dienstleistungen. Sie besitzt einen weiten Überschneidungsbereich zur → Produktpolitik, weil letztlich das Verhältnis zwischen Entgelt und Leistung (Preisquotient) auf Käufer- wie Verkäuferseite für den Kaufabschluß entscheidend ist und deshalb beide Komponenten aufeinander abzustimmen sind (Angebotspolitik).

Der Aufgabenbereich der Preispolitik (vgl. Abb.) umfaßt deshalb neben den Informationsaufgaben (Abschätzung der Nachfragerreaktion, Konkurrenzpreisbeobachtung etc., → Marktforschung) nicht nur die → Preiskalkulation i. e. S., sondern auch die Festlegung einer langfristigen → Preisstrategie, die → Preisdifferenzierung und → Preisvariation, die Abstimmung der Angebotspreise innerhalb des Sortiments (→ Preislinienpolitik) sowie Maßnahmen zur → Preisdurchsetzung.

Wegen der beidseitigen Beeinflussung des Betriebserfolges durch den Preis – sowohl Er-

Aufgabenbereiche der betrieblichen Preispolitik

löse als auch Kosten (Mengendegression!) hängen unmittelbar vom Preis ab – steht die Preispolitik in einem Spannungsfeld absatz-, produktions- und finanzwirtschaftlicher Ziele, das durch die notwendige Einbringung in das Marketingmix noch zusätzlich aufgeladen wird. Die ausschließliche Ausrichtung der Preispolitik an Gewinnzielen (Nettogewinn, Deckungsbeitrag, Rentabilität, RoI etc.) ist deshalb einerseits verständlich (Verrechnungsfunktion), andererseits aber nicht unproblematisch, da sich je nach Art der Operationalisierung des Gewinns unterschiedliche Optima ergeben.

Entscheidende Einflußgrößen preispolitischer Entscheidungen aus der →Marketingumwelt sind die →Marktformen (→Marktstruktur, Marktvollkommenheit), das →Preisbewußtsein der Nachfrager auf den End- und Zwischenmärkten, das Angebotsverhalten der Konkurrenten sowie zahlreiche rechtliche Beschränkungen, insb. im Rahmen des →Wettbewerbs- und →Verbraucherrechts.

Die Abbildung veranschaulicht in Anlehnung an *Hermann Simon* (1982, S. 19) die grundlegenden Zielrelationen in der Preispolitik unter Einschluß dynamischer Effekte und wichtiger Verhaltensbeziehungen. Letztere sind häufig interdependent (z. B. Konkurrenzpreis und eigener Preis) und nur schwer quantifizierbar. Deshalb gibt es keine Patentrezepte für optimale Preisentscheidungen. Der Preisbildungsprozeß erfolgt vielmehr in heuristischer Form durch iterative Analyse kosten- und finanzwirtschaftlicher sowie abnehmer- und konkurrenzbezogener Aspekte.

Grundlegende Zielrelationen in der Preispolitik

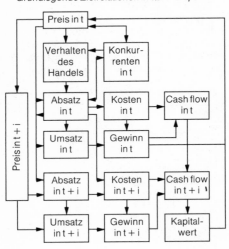

Die beträchlichen Unsicherheiten und Risiken der Preispolitik bedingen jedoch den Einsatz aussagefähiger Rechenkalküle, wie z. B. Erlös- und Kostenstatistiken, →Break-Even-Analysen, →Marktreaktionsfunktionen und darauf aufbauenden Entscheidungsmodellen, Deckungsbudgets und →Absatzsegmentrechnungen. Gleichzeitig sind im Rahmen des →Controlling organisatorische Vorkehrungen für die Abstimmung der von der Unternehmensspitze bis hin zum Außendienst auf ganz verschiedenen Ebenen zu fällenden Preisentscheidungen zu treffen.

2. →Staatliche Preissetzung.   *H. D.*

Literatur: *Diller, H.,* Preispolitik, Stuttgart 1985. *Jacob, H.,* Preispolitik, 2. Aufl., Wiesbaden 1971. *Simon, H.,* Preismanagement, Wiesbaden 1982.

Preispositionierung →Preisstrategie

Preis-Reaktionskoeffizient →Verhaltensweise

Preis-Reaktionskurve →Buy-Response-Funktion

Preisregulierung

Element der →Marktregulationen. Diese werden entweder vom Staat verordnet (→Regulierung) oder privat von den Unternehmen verabredet. Mögliche Formen sind Festpreise, →Mindestpreise, →Orientierungspreise, Preisdisziplin-Abkommen mit anderen Ausfuhrländern sowie Gebote zur Einhaltung von Listenpreisen der Erzeuger durch die Händler. In Krisensektoren sollen dadurch höhere Preise und bessere Wettbewerbsbedingungen garantiert und die Einkommenslage einer Erzeugergruppe stabilisiert werden. Die Preisregulierung bezieht sich entweder auf alle oder auf die wichtigsten Produkte mit „Eckpreis"-Funktion eines Wirtschaftszweiges.

Preisrevolution

das 16. und beginnende 17. Jh. kennzeichnende Erscheinung andauernder Inflation mit kontinuierlicher Entwertung vorhandener Geldvermögen und fester Einnahmen (z. B. aus der Grundherrschaft). Ursache war eine starke Vermehrung des Geldumlaufs, ausgelöst durch wachsende Edelmetallgewinnung und durch Gold- und Silberimporte aus der Neuen Welt (spanisches Silber). Münzverschlechterungen (unterwertige Prägungen, beschneiden vollwertiger Münzen u. ä., Münzverrufung) begünstigten ebenso diese Entwicklung wie Nachfragesteigerungen seitens einer nach den Pestzügen des 14. Jh. wieder zunehmenden Bevölkerung. Allein für Getreide, das Hauptnahrungsmittel, betrugen die Preissteigerungen vom 15. Jh. bis zum Ausbruch des 30-jährigen Krieges (1618) über 260%, für tierische Produkte waren es 180%; Lohneinkommen stiegen in diesem Zeitraum dagegen nur um ca. 150%.

Preisschwellen

Diskontinuitäten der (subjektiven) Preisbewertungsfunktion von Nachfragern im Rahmen von Preisurteilen (→ Preisbewußtsein). Man unterscheidet absolute und relative Preisschwellen. Erstere begrenzen den Preisbereitschaftsbereich, wobei die untere Schranke durch → preisorientierte Qualitätsbeurteilung, die obere vor allem durch das verfügbare Einkommen bedingt ist. Relative Preisschwellen treten innerhalb des Bereichs grundsätzlich akzeptabler Preise auf und beruhen auf einer kategorialen Urteilstechnik, wie sie in der Abbildung im Sinne eines Beispiels dargestellt ist. Sie liegen oft, wahrscheinlich bedingt durch die empirische Häufigkeit, bei gebrochenen Preisen, d.h. Preisen knapp unter runden Preisziffern (z.B. 0,99 DM, 99 DM). Ihr Überschreiten führt zumindest kurzfristig zu einem verstärkten Preiswiderstand der Nachfrager.   *H. D.*

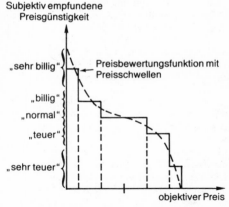

Preisbewertungsfunktionen mit und ohne Preisschwellen

Literatur: *Diller, H.,* Preispolitik, Stuttgart 1985. *Kaas, P./Hay, Ch.,* Preisschwellen bei Konsumgütern – eine theoretische und empirische Analyse, in: ZfbF, 36. Jg. (1984), S. 333 ff.

Preissetzer → Monopoltheorie

Preisstabilität → Geldwertstabilität

Preissteigerungsrücklage → steuerfreie Rücklagen

Preisstop

Form → staatlicher Preissetzung. Durch staatliche Verordnung werden die Preise einzelner Sachgüter und/oder Dienstleistungen (z.B. Mietwohnungen) in einer bestimmten Region für eine bestimmte Zeit festgelegt. Der Preis wird damit seiner Funktion beraubt (→ Preisfunktionen).

Ein partieller Preisstop in Form eines → Höchstpreises führt zur Entstehung schwarzer Märkte oder zu Qualitätsverschlechterungen. Ein genereller Preisstop zur Inflationsbekämpfung hat eine zurückgestaute Inflation zur Konsequenz *(Wilhelm Röpke).*

Ein Preisstop zieht im allgemeinen auch einen → Lohnstop nach sich.

Literatur: *Kleps, K.,* Staatliche Preispolitik, München 1984.

Preisstrategie

konstitutive Grundsatzentscheidung über den Einsatz der preispolitischen Parameter unter Berücksichtigung langfristiger Wirkungen (dynamische Betrachtung). Es geht dabei um drei Fragenkreise:

● Soll eher eine aktive (preisaggressive und/oder preisflexible) oder eine passive Preispolitik betrieben werden (Stellenwert der Preispolitik im → Marketingmix)?

● In welcher Preislage soll ein Produkt angesiedelt werden?

● Welche Abfolge von Preisen ist langfristig optimal?

Der Stellenwert der Preispolitik hängt stark von unternehmens- und branchenspezifischen Faktoren (relative Größe, Kostenstruktur, Finanzverhältnisse, Marktstruktur etc.) ab. Newcomer bevorzugen häufig eine aktive Preisstrategie, weil eine solche Aufmerksamkeit und Sympathie verschafft sowie Schwachstellen der Konkurrenten auszunutzen vermag. Etablierte Firmen bevorzugen dagegen zumeist eine passive Preispolitik (→ Preisführerschaft), oft aus Furcht vor Preiskämpfen und zur Minderung von Absatzrisiken, aber auch zur Pflege des Qualitätsimages.

Die Preispositionierung ist eng mit der Qualitätspolitik (→ Produktpolitik) und der → Marktsegmentierung verknüpft. Unter Ausnutzung von Lücken im Konkurrenzumfeld und unter Berücksichtigung der eigenen Leistungsfähigkeit gibt es eine eindeutige Wettbewerbsposition (im Extrem z.B. als → Diskonter oder als für hohe Preise bekannter Fachspezialist) zu finden.

Für die Planung der Preisabfolge bieten sich

zu Beginn eines → Produktlebenszyklus vier grundsätzliche Alternativen an:

- Bei der *Skimming- (Abschöpfungs-, Absahn-)Strategie* liegt der Einführungspreis oberhalb des kurzfristig optimalen Preises (p*; vgl. Abb.), um dann schrittweise gesenkt zu werden.
- Bei der *Penetrations-(Marktdurchdringungs-)Strategie* wird der Einführungspreis dagegen deutlich unterhalb p* festgesetzt, um eine rasche Produktdiffusion, eine hohe Kostendegression und – damit verbunden – eine Marktführerposition zu erringen.
- Bei der *Pulsationsstrategie* wechselt man, zumeist ausgehend von einem relativ hohen Preisniveau, zwischen relativ starken Preissenkungen als besonderen Kaufanreizen und nachfolgenden Preisanhebungen ab.
- Auch die umgekehrte Reihenfolge, eine Art „Schnibbelstrategie", läßt sich beobachten. Hier wird das Preisniveau der Konkurrenten immer wieder unterboten, wobei diese jeweils nachziehen, bis der dann branchenweite Kostendruck eine allgemeine und spürbare Preisanhebung erforderlich macht.

Die Abwägung dieser Strategien stellt eine überaus komplizierte Aufgabe dar, weil dabei sowohl → Carry-over-Effekte auf den Absatz, die Stückkosten und die Wettbewerbssituation als auch mögliche Reaktionen von Konkurrenten und davon ausgelöste eigene Gegenreaktionen ins Kalkül gezogen werden müssen. Von besonderer Relevanz ist dabei der Einfluß der Preisabfolge auf die

- Kostendynamik (→ Erfahrungskurve),
- Produktlebenszyklusdynamik (z.B. Multiplikator- und Obsoleszenzeffekte hoher Diffusionsraten),
- → Wettbewerbsdynamik (z.B. Aufbau von → Marktzutrittsschranken) und
- Preiswahrnehmung der Abnehmer (z.B. zusätzliche Kaufanreize bei Unterschreitung von → Preisschwellen).   *H. D.*

Idealtypische Preisabfolgen im Rahmen geplanter Preisstrategien

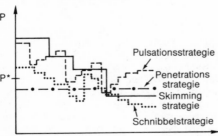

Literatur: *Simon, H.*, Preisstrategien für neue Produkte, Opladen 1976. *Hilke, W.*, Dynamische Preispolitik, Wiesbaden 1978. *Diller, H.*, Preispolitik, Stuttgart 1985.

Preistest → Testmarkt, → Store-Test

Preistheorie   → Preis,   → Preisbildung, → Marktformen,   → Produktion,   → Nachfrage

Preistreiberei

(Preisüberhöhung) liegt vor, wenn jemand vorsätzlich oder leichtfertig im Rahmen eines Berufes oder Gewerbes für Gegenstände oder Leistungen des lebenswichtigen Bedarfs unter Ausnutzung von → Wettbewerbsbeschränkungen, einer Monopolstellung oder einer Mangellage unangemessen hohe Entgelte fordert, verspricht, vereinbart, annimmt oder gewährt (§ 4 WiStG).

Die Preistreiberei kann als Ordnungswidrigkeit mit einer Geldbuße bis zu 50000 DM geahndet werden.

Preistypen

artikelspezifische Kalkulationsregeln für die → Preispolitik im Handel, mit deren Hilfe den unterschiedlichen Marktbedingungen einzelner Artikel Rechnung getragen werden soll. Ihre Anwendung bedingt differenzierte Kalkulationsaufschläge nach den Prinzipien der → Ausgleichskalkulation. Es lassen sich folgende Preistypen unterscheiden:

(1) *Schlüsselartikel* werden als Ausgleichsnehmer unterdurchschnittlich kalkuliert. Sie dienen der Demonstration des Preisniveaus eines Betriebes und dessen preispolitischen Wettbewerbswillens.

(2) *Zugartikel* dienen der Kundengewinnung und werden besonders preisgünstig, u.U. sogar als → Untereinstandspreisverkäufe, offeriert.

(3) *Sonderangebotsartikel* mit leicht überdurchschnittlicher, aber für den Kunden attraktiver Handelsspanne sollen Impulskäufe induzieren, überhöhte Lagerbestände vermindern oder Liquiditätsengpässe beseitigen.

(4) *Kompensationsartikel* werden als Ausgleichsgeber (weit) überdurchschnittlich kalkuliert. In Frage kommen dabei insb. komplementäre Produkte zu Zug- oder Schlüsselartikeln mit relativ geringer → Preiselastizität und Preistransparenz.   *H. D.*

Literatur: *Hansen, U./Algermissen, J.*, Handelsbetriebslehre, Bd. 2, Taschenlexikon, Göttingen 1979.

Preisüberhöhung → Preistreiberei

Preisuntergrenze

Mindesthöhe des Preises für ein Gut, bei der ein Unternehmen keinen Verlust macht.

Die *kurzfristige* Preisuntergrenze wird von den variablen →Durchschnittskosten gebildet. Langfristig muß jedoch das Unternehmen mindestens seine fixen und variablen Kosten, d.h. seine Totalkosten, decken. Somit stellt die Höhe der Stückkosten (durchschnittliche Totalkosten) die *langfristige* Preisuntergrenze dar.

Preisvariation

Verändert ein Anbieter systematisch seinen Angebotspreis innerhalb der Planperiode zwecks bewußter Beeinflussung des Absatzes, so betreibt er eine Politik der Preisvariation. Diese kann regelmäßig, nämlich in Form branchenüblicher Nebensaison-, Einführungs- oder sonstiger Zeitrabatte, oder unregelmäßig, nämlich als Sonderangebotsaktionen, d.h. kurz befristeten Preissenkungen, erfolgen.

Die Preisvariation erfordert neben der Grundsatzentscheidung für eine solche Politik und der Zielgruppenbestimmung die Auswahl geeigneter Artikel, die Bestimmung der Höhe des Preisnachlasses, die Festlegung von Aktionsbeginn und -zeitraum, von Aktionshäufigkeit sowie bereitzustellender Aktionsmenge. Schließlich sind Entscheidungen über Art und Umfang der Preisreduktion begleitenden sonstigen Absatzaktivitäten (Außendienstwettbewerbe, Werbung, Displays etc.) zu treffen.

Die wichtigsten Zielsetzungen von Preisvariationen lassen sich wie folgt unterteilen:

● *Innengerichtete Ziele* (z.B. Glättung zyklischer Absatzschwankungen, Überbrückung von Liquiditätsengpässen, Abbau überhöhter Lagerbestände, Motivation des Außendienstes);

● *handelsbezogene Ziele* (z.B. segmentspezifische Erhöhung der Distributionsquote, Lageraufstockung im Handel, flexible, dem Profilierungsstreben des Handels entsprechende Preispolitik ohne Diskriminierung anderer Abnehmer) und

● *verbraucherbezogene Ziele* (z.B. Kaufanreiz durch Gelegenheitscharakter von Sonderpreisen, Induzierung von Impulskäufen und Markenwechsel, Markenbindung durch Großpackungen).

Möglichen positiven Effekten kurzfristiger Preisvariationen stehen negative →Carry-over-Effekte in der Vor- und Nachaktionsphase (Lageraufbau bei den Abnehmern), eine langfristige Senkung der Preisbereitschaft bei den Abnehmern und u.U. auch eine langfristige Imagegefährdung gegenüber. Um hier vernünftig abwägen zu können, wurden eine Reihe quantitativer Modelle entwickelt, deren Einsatz angesichts der Häufigkeit von Preisvariationen zunehmend wichtiger wird.   *H. D.*

Literatur: *Glinz, M.*, Sonderpreisaktionen des Herstellers und des Handels, Wiesbaden 1978. *Raffée, H./Rieder, B./Deutsch, W.*, Quantitative Modelle als Entscheidungshilfen bei Sonderpreis-Aktionen von Konsumgüterherstellern, in: Marketing – ZFP, 3. Jg. (1981), S. 267ff. *Diller, H.*, Preispolitik, Stuttgart 1985.

Preisverbund

→Preispolitik für einander ergänzende bzw. komplementäre Artikel. Man spricht dabei auch von Systempreisen. Dies sind Preise für zumeist von unterschiedlichen Lieferanten angebotene, zusammengehörige Waren, die in festen oder variablen Proportionen von den Endabnehmern oder von den Wiederverkäufern nachgefragt werden.

Ein typisches Beispiel für einen solchen Warenkomplex sind Automobil, Automobilzubehör, Benzin, Versicherungsleistungen und die Belastung mit Kfz-Steuer. Die Nachfrage nach Automobilen wird einmal durch Menge und Preis des verbrauchten Benzins, zum anderen durch den Hubraum als Basis für die Kfz-Steuerbelastung mitgeprägt. Die Preisstellung bei Warenkomplexen unterliegt somit dem Einfluß von →Substitutionalität und →Komplementarität. Die Komplementarität ist bei Abnahmeverpflichtungen von besonderer Bedeutung, z.B. bei Kühltruhen und Tiefkühlkost, bei denen die Kühltruhen z.T. sogar kostenlos zur Verfügung gestellt werden.

Der Umsatz kann sich bei einem Verkaufsakt aus mehreren getrennt abgerechneten Teilleistungen in Verbindung mit einer Ware zusammensetzen, z.B. aus dem Warenerlös, dem Serviceerlös (z.B. Warenänderung, Hauszustellung), dem Erlös aus Finanzierung und/oder Warenversicherung und dem Erlös aus einem Aufbewahrungsvertrag (z.B. bei Pelzen).   *B. T.*

Preisverhalten → Preisbewußtsein

Preisvorbehaltsklausel   → Preisanpassungsklausel

Preiswerk → Verlagswesen

premium → Report

Pre-sale-Service → Kundendienst

Prestige-Effekt → Veblen-Effekt

Prestigemotiv → Motivation, → Bedürfnishierarchie

Pretest → Werbemitteltest

price-dividend-ratio → Fundamentalanalyse

price-earnings-ratio → Fundamentalanalyse

Price-look-up-Verfahren

(Preisabrufverfahren) Form der Preisregistrie-
rung durch Kassenterminals im Einzelhandel,
bei der das Artikelkennzeichen (z.B. → Europäische Artikelnummer) mechanisch oder optisch-elektronisch durch → Belegleser (z.B.
→ scanning) festgehalten und der entsprechende Tagespreis aus dem Zentralspeicher
abgerufen wird. Dies erleichtert die → Preisauszeichnung, vermindert Registrierfehler
beim Kassiervorgang und läßt eine flexible
Preispolitik im Handel zu.

Primacy-Recency-Effekt

Nach diesem Konzept hat bei der Wahrnehmung von Sinneseindrücken (→ Kommunika-
tionstheorie) die Reihenfolge der Reize, mit
denen das Individuum konfrontiert ist, einen
Einfluß auf die Formung des Gesamtbildes.
Wird dieses vorrangig vom ersten Eindruck
geprägt, spricht man von Primacy-Effekt,
überwiegen jedoch die zuletzt wahrgenommenen Reize, wird dies als Recency-Effekt bezeichnet.

Primärbedarf → Materialbedarfsarten

primäre Kosten

(ursprüngliche oder einfache Kosten) ihnen
liegen Faktormengen zugrunde, die der Betrieb von den Beschaffungsmärkten, d.h. von
außen bezogen hat. Beispiele: Lohnkosten
oder Kosten für Büromaterial.

primäre Kostenstellen → Haupt- und Hilfskostenstellen

primäre Prämiendifferenzierung

im Rahmen der → Tarifierung Bezeichnung
für eine Abstufung der Prämien nach im voraus feststellbaren Merkmalen, von denen der
Versicherer annimmt, daß sie das zu transfe-
rierende Risiko hinreichend kennzeichnen,
wobei aber nicht auf die individuelle Schadenerfahrung einer versicherungstechnischen Einheit (Person, Vertrag) zurückgegriffen wird.

Primärenergieträger → Energieträger

Primärenergieverbrauch

Gesamtheit der in einer Periode für die Versorgung der Volkswirtschaft bereitgestellten
→ Energieträger; er belief sich im Jahre 1985
für die Bundesrepublik auf rd. 388 Mio. t
Steinkohleneinheiten (SKE). Dies entspricht –
gemessen am bisherigen Höchstwert von rd.
408 Mio. t SKE im Jahre 1979 – einem Rückgang von ca. 5%. In den drei Jahrzehnten zuvor war mit Ausnahme eines vorübergehenden Einbruchs Mitte der 70er Jahre der Primärenergieverbrauch in der Bundesrepublik
kontinuierlich auf mehr als das Dreifache des
Ausgangswertes angestiegen (vgl. Abb.). Alle
Verbrauchssektoren haben zu diesem Anstieg
beigetragen, allerdings in unterschiedlichem
Maße (vgl. Tab. auf S. 369). Hierdurch bedingt ist das Gewicht des industriellen End-
energieverbrauchs im Zeitablauf stark gesunken, während die Bedeutung des Sektors
Haushalte und Kleinverbraucher erheblich
angestiegen ist. Stark zugenommen hat auch
der Verbrauch des Umwandlungsbereichs,
vornehmlich als Folge des überproportionalen
Anstiegs des Stromverbrauchs (→ Elektrizitätswirtschaft) und der bei der Stromerzeugung in hohem Maße in Kauf zu nehmenden
Umwandlungsverluste.

Dieser starke Anstieg des Energieverbrauchs war begleitet von durchgreifenden
Umschichtungsprozessen zwischen den einzelnen Energieträgern (vgl. Abb.). Die Steinkohle
deckte noch im Jahre 1950 nahezu ¾ des gesamten Primärenergieverbrauchs, Steinkohle

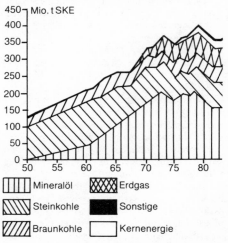

*Entwicklung und Struktur des
Primärenergieverbrauchs nach Energieträgern,
1950 bis 1984 (in Mio. t SKE)*

Mineralöl Erdgas
Steinkohle Sonstige
Braunkohle Kernenergie

Quelle: *Arbeitsgemeinschaft Energiebilanzen.*

Struktur des Energieverbrauchs

	1950 a)	1950 b)	1960 a)	1960 b)	1973 a)	1973 b)	1979 a)	1979 b)	1984 a)	1984 b)
Haushalte und Kleinverbraucher	30,0	22,1	48,9	23,1	108,2	28,6	117,7	28,8	104,8	27,8
Verkehr	14,9	11,0	22,6	10.7	45,7	12,1	56,1	13,7	57,7	15,3
Industrie	39,7	29,3	70,7	33,4	95,6	25,3	92,1	22,6	78,4	20,8
Militärische Dienststellen	2,1	1,6	3,5	1,7	4,4	1,1	3,4	0,9	3,6	1,0
Endenergieverbrauch	86,7	64,0	145,7	68,9	253,9	67,1	269,3	66,0	244,5	64,9
Energieumwandlung[1] (einschl. Verluste)	46,2	34,1	58,9	27,9	94,7	25,0	106,2	26,0	106,0	28,2
Nichtenergetischer Verbrauch	2,6	1,9	6,9	3,2	29,9	7,9	32,7	8,0	26,0	6,9
Primärenergieverbrauch	135,5	100,0	211,5	100,0	378,5	100,0	408,2	100,0	376,5	100,0

[1] Einschl. statistischer Differenzen.

a) = Mio. t SKE   b) = in % am Primärenergieverbrauch

Quelle: *Arbeitsgemeinschaft Energiebilanzen.*

und Braunkohle zusammen brachten es auf über ⅕; auf das Mineralöl entfiel zu diesem Zeitpunkt lediglich ein Anteil von 5%, während Erdgas und Kernenergie in der → Energiebilanz der Bundesrepublik überhaupt noch nicht vertreten waren.

Bis Mitte der 70er Jahre hatte das Öl aufgrund seiner Preisüberlegenheit sowie seiner Handhabungsvorteile einen Marktanteil von über 50% erreicht, während der der Steinkohle unter 20% gesunken war. Mit den gravierenden Veränderungen auf den Weltenergiemärkten, die von den zweifachen Ölpreissprüngen ausgelöst wurden, haben sich die bis Ende der 70er Jahre zu verzeichnenden Trends umgekehrt: Der Energieverbrauch hat sich beträchtlich vermindert, die → Energieintensität unserer Volkswirtschaft ist stark rückläufig, der Mineralölanteil ist überproportional gesunken (von 51% 1979 auf knapp 42% 1985), der Anteil der Steinkohle seit 1979 dagegen erneut leicht angestiegen.

J. Sch./Di. Sch.

primärer Sektor

Teilbereich der in drei Sektoren gegliederten Gesamtwirtschaft. Hierzu zählen die Land- und Forstwirtschaft, Tierhaltung und Fischerei. Der wichtigste Wirtschaftszweig im primären Sektor ist die → Landwirtschaft. Der nach der → Drei-Sektoren-Hypothese zu erwartende sinkende Bedeutungsanteil bei steigendem Pro-Kopf-Einkommen wird durch die tatsächliche Entwicklung in der Bundesrepublik Deutschland bestätigt.

Der wichtigste Grund für die rückläufige Bedeutung des primären Sektors ist in der mit

Erwerbstätigen- und Produktionsanteile des primären Sektors

	1950	1960	1970	1980	1983
Anteil an den Erwerbstätigen	24,8	13,7	8,5	5,5	5,5
Anteil am Bruttoinlandsprodukt in Preisen von 1976	7,1	4,5	3,3	2,6	2,9

Quelle: SVR 1969/70 und 1984/85

dem Einkommenswachstum sich ändernden Nachfragestruktur zu sehen. Die Einkommenselastizitäten der Nachfrage nach Nahrungsmitteln sind zwar positiv, aber kleiner als Eins, so daß nachfragebedingt die Produktionsentwicklung dieses Sektors hinter der gesamtwirtschaftlichen zurückbleibt. Hierbei ist noch zu berücksichtigen, daß aufgrund nationaler Erhaltungsmaßnahmen der → sektoralen Wirtschaftspolitik und aufgrund von → Marktinterventionen im Rahmen der EG-Marktordnungen (insb. bei Milch, Butter, Rindfleisch, Obst) der Druck zur Anpassung der Produktionsstruktur an die Nachfragestruktur erheblich abgeschwächt wird (→ EG-Agrarpolitik). Die deutlich stärkere Verringerung der Erwerbstätigenanteile spiegelt den Produktivitätsfortschritt (als Folge verstärkter Mechanisierung, Flurbereinigung, Einsatz von Düngemitteln etc.) wieder, der zugleich insb. in den 50er und 60er Jahren die Expansion des → sekundären und → tertiären Sektors begünstigte.

E. Gö.

Literatur: *Lampert, H.,* Die Wirtschaft der Bundesrepublik Deutschland, in: HdWW, Bd. 8, Stuttgart u. a. 1980, S. 705 ff. *Willms, M.,* Strukturpolitik, in: Vahlens Kompendium der Wirtschaftstheorie und Wirtschaftspolitik, Bd. 2, 2. Aufl., München 1985, S. 361 ff.

Primärerhebung

im Rahmen der → Datenerhebung Beschaffung neuer bzw. neuartiger Daten unmittelbar aus dem Untersuchungsfeld. Es wird also nicht wie bei der → Sekundärerhebung auf bereits bestehendes Datenmaterial zurückgegriffen, auch wenn im allgemeinen die Analyse bereits vorhandenen Datenmaterials vorausgehen wird. Üblicherweise unterscheidet man hierbei zwischen → Befragung und → Beobachtung, wobei beide als → Experiment angelegt sein können. Dies ist immer dann erforderlich, wenn anhand der Ergebnisse des Experiments Ursache-Wirkungszusammenhänge analysiert bzw. Kausalhypothesen überprüft werden sollen.

Einer Primärerhebung wird man, sofern man überhaupt eine Wahl hat, immer dann den Vorzug geben, wenn sehr detaillierte Fakten über die interessierende Grundgesamtheit in Erfahrung gebracht werden sollen. Dafür sind allerdings auch höhere Kosten in Kauf zu nehmen.

Die Planung der Primärerhebung gehört jedoch zu den zentralen Aufgaben der betrieblichen Marktforschungsinstanz (→ Erhebungsplanung). Die Durchführung der Erhebung wird aus Kapazitäts- und Kostengründen häufig Marktforschungsinstituten übertragen.

E. K.

Literatur: *Schäfer, E./Knoblich, H.,* Grundlagen der Marktforschung, 5. Aufl., Stuttgart 1978, S. 276 ff.

Primärgenossenschaft → Warenhandelsgenossenschaft

Primärinput → Input-Output-Tabelle

Primärliquidität → Liquidität

Primärmarkt → Kapitalmarkt

Primärstatistik → Daten

Primärverteilung

die sich aus dem Preisbildungsprozeß über die Märkte ergebende funktionelle und personelle → Einkommensverteilung. Sie ist nicht als Gegensatz zu der → Sekundärverteilung in dem Sinne zu verstehen, daß sie die Verteilung vor den Auswirkungen verteilungspolitischer Aktivitäten des Staates darstellt. Vor allem ordnungspolitische Maßnahmen der → Einkommensverteilungspolitik beeinflussen die Pri-

märverteilung, und Folgewirkungen aus dem Einsatz anderer wirtschaftspolitischer Instrumente (z.B. → Steuerüberwälzungen) lassen sie nicht unberührt.

Primanota → Übertragungsbuchführung, → EDV-Buchführung, → Buchführungsorganisation

Primary-Effekt → Primacy-Recency-Effekt

Printmedium → Werbeträger

Prioritäten

1. Syn. für Vorrang (lat. prior = vorderer, vorderster, eher, früher, erster, zuerst).
2. Prioritäten zu setzen ist Voraussetzung für erfolgreiches → Zeitmanagement. Es ist darüber zu entscheiden, welche Aufgaben erstrangig, zweitrangig etc. und welche nachrangig zu behandeln sind. Aufgaben mit höchster Priorität müssen zuerst erledigt werden. Durch Prioritätensetzung werden Arbeitsabläufe aktiv gesteuert, Konzentration und Energien auf die jeweils wesentlichen Dinge gelenkt sowie Konflikte und unnötiger Streß vermieden.

Oft erbringen bereits 20% der strategisch richtig eingesetzten Zeit und Mittel 80% der Ergebnisse (Pareto-Zeitprinzip, vgl. Abb.).

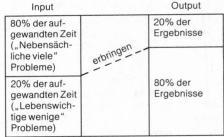

Pareto-Zeitprinzip

Input	Output
80% der aufgewandten Zeit („Nebensächliche viele" Probleme)	20% der Ergebnisse
20% der aufgewandten Zeit („Lebenswichtige wenige" Probleme)	80% der Ergebnisse

erbringen

„Lebenswichtige wenige" Probleme sind vor den „nebensächlich vielen" Problemen in Angriff zu nehmen *(Alan Lakein)*. Prioritäten werden zweckmäßigerweise nach der → ABC-Analyse festgelegt:

- A für die wichtigsten Aufgaben (nicht delegierbar),
- B für durchschnittlich wichtige Aufgaben (delegierbar),
- C für Kleinkram, Routineaufgaben, Papierkram.

Werden Prioritäten nach den Kriterien hoher/niedriger Dringlichkeit und Wichtigkeit gesetzt, lassen sich vier Möglichkeiten der Bewertung und anschließenden Erledigung von Aufgaben unterscheiden (Eisenhower-Prinzip, vgl. Abb.):

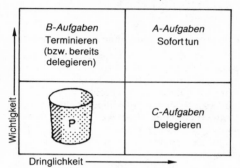

Eisenhower-Prinzip

(1) Dringliche/wichtige Aufgaben muß man sofort und selbst in Angriff nehmen (A-Aufgaben).
(2) Wichtige/weniger dringliche Aufgaben können geplant, d. h. terminiert bzw. kontrolliert delegiert werden (B-Aufgaben).
(3) Wenig wichtige/dringliche Aufgaben sollten delegiert oder nachrangig erledigt werden (C-Aufgaben).
(4) Weniger wichtige/weniger dringliche Aufgaben sollten vernachlässigt werden (Papierkorb oder Ablage).   *L. J. S.*

Literatur: *Lakein, A.*, Lakeins Zeitsystem, Hamburg 1974. *Seiwert, L. J.*, Mehr Zeit für das Wesentliche, 4. Aufl., Landsberg a. Lech 1986.

Prioritätsregeln

(Vorrangregeln) einfache Form von → heuristischen Verfahren für die → Reihenfolgeplanung, insb. die → Maschinenbelegungsplanung. Sie geben an, welcher Auftrag als nächster an einem Arbeitsträger zu bearbeiten ist, wobei sie eines oder mehrere Merkmale der Aufträge bzw. der Arbeitsträger zur Auswahl des nächsten Auftrages heranziehen, die Prioritätszahlen vergleichen und jene mit dem höchsten Wert auswählen. Vor allem werden die Auftragstermine (z. B. bei first come first serve), die Bearbeitungszeiten (z. B. Kürzeste-Operations-Zeit-Regel), die Arbeitsgangzahl, die Auftragszahl und der Auftragswert verwendet. Nach der Zahl berücksichtigter Merkmale unterscheidet man zwischen Basis- und kombinierten Prioritätsregeln. So wird bei der Schlupfzeitregel die Differenz zwischen einem vorgegebenen Fertigstellungstermin und der Restbearbeitungszeit als Merkmal herangezogen. Ändert sich der Kennzahlenwert eines Auftrages während seines Durchlaufes bis zur Fertigstellung, so liegt eine dynamische Prioritätsregel vor. Ein Beispiel hierfür ist die „dynamische Wertregel", bei der auf jeder Stufe der Auftrag mit dem höchsten Wert der bis dahin aufgelaufenen Herstellkosten auszuwählen ist.   *H.-U. K.*

Literatur: *Hoss, K.*, Fertigungsablaufplanung mittels operationsanalytischer Methoden, Würzburg, Wien 1975. *Seelbach, H.*, Ablaufplanung, Würzburg, Wien 1975. *Kern, W.*, Industrielle Produktionswirtschaft, 3. Aufl., Stuttgart 1980.

prisoner's dilemma → Gefangenendilemma

Privatbankier

Kreditinstitut in der Rechtsform der Einzelfirma oder der → Personengesellschaft (oHG, KG). In den Statistiken, die die → Deutsche Bundesbank über das deutsche → Bankensystem veröffentlicht, werden Privatbankiers als Teilgruppe der → Kreditbanken geführt.

Privatbankiers sind eine traditionsreiche, aber immer kleiner werdende Gruppe. Bis weit in das vorige Jh. hinein waren sie der Inbegriff des privaten Bankgewerbes; zu Beginn unseres Jh. gab es noch mehr als 1000 von ihnen. Mit dem starken Wachstum der Aktienbanken, die sich mit umfangreichen → Bankstellennetzen die Espannise der Bevölkerung erschlossen, ist ihre Bedeutung ständig zurückgegangen; allein zwischen 1957 und 1985 ist ihre Zahl von 245 auf 69 gesunken.

Typisch für Privatbankiers ist die individuelle Betreuung größerer Industrie- und Privatkunden bei gleichzeitigem Verzicht auf das Geschäft mit weiten Kreisen der Bevölkerung. So unterhalten sie meist keine oder nur wenige Geschäftsstellen; Spareinlagen spielen keine größere Rolle bei ihrer Mittelbeschaffung. Sie finanzieren sich vor allem mit Geldern von Großkunden und von anderen Banken; die Kreditvergabe ist überwiegend kurzfristig.

Größte Einzelinstitute sind: Sal. Oppenheim jr. & Cie., Trinkaus & Burkhardt.   *M. H.*

Literatur: *Neumann, R.*, Der deutsche Privatbankier, Wiesbaden 1965. *Zahn, J. C. D.*, Der Privatbankier, 3. Aufl., Frankfurt a. M. 1972.

Privatdiskont → Akzeptkredit

private automatic branch exchange → CBX-Systeme

private Haftpflichtversicherung → Haftpflichtversicherung

private Krankenversicherung

→ Versicherungszweig, der Schutz gegen finanziellen Mittelbedarf aufgrund von Heilbehandlungen und gegen Einkommensausfälle aufgrund von Krankheit bietet. Formen der privaten Krankenversicherung sind:

- *Krankheitskostenversicherung:* Ersatz von Heilbehandlungskosten, untergliedert nach ambulanter Heilbehandlung, stationärer Heilbehandlung, ferner Zahnbehandlung und -ersatz sowie Kieferorthopädie;
- *Verdienstausfallversicherung* (Krankentagegeldversicherung): Geldzahlungen für Zeiten der Arbeitsunfähigkeit aufgrund von Krankheit;
- *Krankenhaustagegeldversicherung:* Geldzahlungen für Zeiten stationärer Heilbehandlung; für Pflichtversicherte als Zusatzversicherung möglich;
- *Krankenhauszusatzversicherung:* Ersatz von Zusatzleistungskosten bei stationärer Heilbehandlung für Pflichtversicherte;
- *Reisekrankenversicherung:* Ersatz von den Heilbehandlungskosten im Ausland, welche die gesetzliche Krankenversicherung nicht erstattet, sowie Übernahme der Rücktransportkosten (Zusatzversicherung für Pflichtversicherte);
- *Pflegekrankenversicherung:* Ersatz von Aufwendungen für Pflege oder Zahlung eines Pflegetagegeldes bei Eintritt der Pflegebedürftigkeit der versicherten Person (Versicherungsfall). Pflegebedürftigkeit liegt vor, wenn die versicherte Person so hilflos ist, daß sie nach objektivem medizinischen Befund für bestimmte Verrichtungen des täglichen Lebens (An- und Auskleiden, Aufstehen und Zubettgehen, Waschen, Kämmen und Rasieren, Einnehmen von Mahlzeiten und Getränken, Stuhlgang und Wasserlassen) in erheblichem Umfang täglich der Hilfe einer anderen Person bedarf.

Die Tarife in der privaten Krankenversicherung sind äußerst differenziert nach Preis und Leistung, z.B. durch unterschiedliche Selbstbeteiligungsformen und -beträge bzw. -prozentsätze. Die Tarife für Zahnbehandlung, -ersatz und Kieferorthopädie weisen teilweise Erstattungshöchstsätze für die ersten Jahre der Versicherungsdauer und Wartezeiten (Kostendämpfung) auf.

Wie in der Lebensversicherung wird auch in der privaten Krankenversicherung vorsichtig kalkuliert, wodurch Überschüsse entstehen, an denen die Versicherten über Beitragsrückerstattung beteiligt werden. Die Rückerstattungssysteme der einzelnen Versicherer weisen große Unterschiede auf.

Krankenversicherungspflichtige können, falls ihr monatliches Bruttoeinkommen die Beitragsbemessungsgrenze übersteigt (75% der Bemessungsgrenze der gesetzlichen Rentenversicherung, 1986: 75% von 5600 DM

= 4200 DM), zu einer privaten Krankenversicherung übertreten.   *E. H./E. S.*

Literatur: *Moser, H.,* Besondere Versicherungslehre – Private Krankenversicherung, Teil I–II, in: *Müller-Lutz, H.-L./Schmidt, R.* (Hrsg.), Versicherungswirtschaftliches Studienwerk, Wiesbaden 1983.

private Organisation ohne Erwerbscharakter

Wirtschaftseinheiten (Organisationen, Vereine, Verbände, Institute usw.), die Dienstleistungen produzieren, welche überwiegend an private Haushalte abgegeben werden, sich hauptsächlich aus freiwilligen Zahlungen privater Haushalte (Beiträge, Spenden, Schenkungen) finanzieren, nicht auf Gewinnerzielung ausgerichtet und keine →öffentlichen Haushalte sind.

Zu den privaten Organisationen ohne Erwerbscharakter zählen z.B. Kirchen und andere religiöse Vereinigungen, karitative, kulturelle und wissenschaftliche Organisationen, Stiftungen, politische Parteien, Gewerkschaften, Sportvereine usw. Nicht als private Organisationen ohne Erwerbscharakter, sondern als Unternehmen werden →Unternehmensverbände erfaßt, da sie durch Beitragsleistungen der Unternehmen finanziert werden und ihre Dienstleistungen vorwiegend an diese abgeben. In der →Volkswirtschaftlichen Gesamtrechnung der Bundesrepublik Deutschland werden die privaten Organisationen ohne Erwerbscharakter mit den →privaten Haushalten zu einem →Sektor zusammengefaßt.   *H. R.*

private Rentenversicherung →Lebensversicherung

private Unfallversicherung

Versicherung gegen die wirtschaftlichen Folgen durch Tod oder Invalidität aufgrund eines Unfalls. Der →Versicherungszweig private Unfallversicherung ergänzt die gesetzliche →Unfallversicherung, die nur bei Arbeits- und Wegeunfällen eintritt. Die Auszahlungen sind regelmäßig Kapitalleistungen, ausnahmsweise auch Renten. Neben Todesfall- und Invaliditätsleistungen können Tagegelder, Krankenhaustagegelder, Genesungsgelder und Heilkosten mitversichert werden. Die private Unfallversicherung weist teilweise Überschneidungen mit der Krankenversicherung auf, jedoch sind keine doppelten Entschädigungen möglich.

Privateigentum

Ausprägungsform der →Eigentumsordnung, bei der die →Eigentumsrechte an Gütern privaten Wirtschaftssubjekten zugeordnet sind. Wirtschaftssubjekte können aus einer Einzelperson bestehen oder aus einer Personengruppe, die als Eigentumsgemeinschaft auftritt. Privatrechtliche Formen von Eigentumsgemeinschaften finden sich bei → Genossenschaften, → Personen- und → Kapitalgesellschaften, bei Erbengemeinschaften und bei ehelichen Gütergemeinschaften.

Exklusive Eigentumsrechte implizieren eine eindeutige Zuordnung der positiven und negativen Handlungsfolgen auf den Eigentümer sowie die Möglichkeit, Eigentumsrechte an Gütern aufzuteilen und anderen Personen zu übertragen. Bei Delegation werden die Verhaltensweisen der Beauftragten im Interesse der Eigentümer kontrolliert (→ Eigentümerkontrolle). Da Kontrollen für die Eigentümer mit Kosten verbunden sind, werden Eigentumsrechte so lange delegiert, bis die Kontrollkosten die Erträge aus der Delegation überschreiten.

Im Gegensatz zum → Kollektiveigentum ist Privateigentum dadurch gekennzeichnet, daß die → Nutzungsrechte und die → Verfügungsrechte an Gütern für alle Personen gleichermaßen gelten und keine speziellen Gebote oder Ziele enthalten (Allgemeinheitsprinzip). Allgemeine Regeln bestehen vielmehr in Form genereller Verbote, die individuelle Handlungsspielräume eingrenzen.   *K.-H. H.*

privater Haushalt

Lebensgemeinschaft mehrerer Personen, die zusammen wirtschaften (Mehrpersonenhaushalt), oder allein wohnende und wirtschaftende Person (Einpersonenhaushalt), die auf den Märkten in erster Linie als Anbieter von Arbeitskraft und als Nachfrager von Gütern zu Konsumzwecken auftritt. Ihr Einkommen beziehen die privaten Haushalte aus

- unselbständiger Tätigkeit (Löhne und Gehälter),
- selbständiger Tätigkeit (Gewinne),
- Vermögen (Zinsen, Dividenden usw.) und
- unentgeltlichen Übertragungen bzw. Transfers (Renten, Pensionen, Kindergeld usw.).

Nach Abzug der direkten Steuern verwenden die privaten Haushalte ihr → verfügbares Einkommen zum Kauf von Konsumgütern und zur Ersparnisbildung.

Der Sektor private Haushalte (→ Haushaltsstruktur) umfaßt alle Ein- und Mehrpersonenhaushalte (einschl. Anstaltsbevölkerung). In der → Volkswirtschaftlichen Gesamtrechnung der Bundesrepublik Deutschland zählen auch die → privaten Organisationen ohne Erwerbs-

charakter zu diesem Sektor. Abgrenzungs-, Erfassungs- und Bewertungsprobleme haben bei der statistischen Behandlung der privaten Haushalte zu einer Vielzahl von Konventionen geführt, die es bei der empirischen Arbeit stets zu beachten gilt.   *H. R.*

privater Konsum → Verbrauch

privater Verbrauch → Verbrauch

privates Gut → Gut

Privatisierung

hat das Ziel, → öffentliche Unternehmen durch ordnungspolitische Maßnahmen effizienter zu gestalten. Im Vordergrund der Diskussion stehen zwei Maßnahmenbündel, die Privatisierung des Angebots und die Privatisierung des Eigentums am Kapital. Privatisierung stellt eine Bewegung von einem bestehenden zu einem neuen institutionellen Arrangement dar.

		Eigentum am Kapital	
		öffentlich	privat
Angebot	öffentlich	(1) städtische Straßen	(2) Müllabfuhr
	reguliert	(3) Mautstraße im öffentlichen Eigentum	(4) Mülldeponie
	privat	(5) Automobile	(6) Automobile

In obenstehender Matrix wird zwischen drei Angebotsformen und zwei Eigentumsformen als Ausgangszuständen für Privatisierungsmaßnahmen unterschieden. In der ersten Zeile befindet sich der klassische Fall der öffentlichen, vom Staat ohne direktes Entgelt angebotenen Leistungen. Häufig erstellt der Staat diese auch mit eigenen Mitteln. In diesem Fall sind Angebot und Kapitaleigentum staatlich. Ein Beispiel hierfür sind die vom Staat angebotenen und in eigener Regie betriebenen städtischen Straßen (Feld 1). In der zweiten Zeile sind die Fälle des staatlich regulierten Angebots angeführt. Darunter sind Mischformen von privatem, d.h. preislichem, Angebot zu verstehen, bei dem aber die Preise einer staatlichen Kontrolle unterliegen. Als Beispiel läßt sich eine Mautstraße anführen, deren Gebühren in einer Verordnung geregelt sind. Allgemein betrachtet gehören hierzu aber auch alle wettbewerblichen Ausnahmebereiche von Post, Telekommunikation und

Verkehr bis zu Banken und Versicherungen. Auf der dritten Zeile befindet sich das private Angebot, bei dem sich der Preis aus den Marktkräften ergibt. Zu dieser Gruppe gehören die gängigen privaten Güter wie Automobile, Kleider, Urlaubsreisen usw. Mit Einschränkungen lassen sich auch die wirtschaftspolitisch problematischeren Fälle der Kohle-, Stahl- und Schiffsbauindustrie hier einordnen.

Liest man die Matrix von links nach rechts, so erscheinen die verschiedenen Formen des Eigentums an Produktionsmitteln. Das Eigentum kann staatlich oder privat sein. Von Mischformen wird hier abgesehen. Es ist wichtig zu sehen, daß die Eigentumsform grundsätzlich unabhängig von der Form des Angebots ist. Das öffentliche Angebot der Müllabfuhr z.B. kann sowohl von einem staatlichen wie von einem privaten Unternehmen erbracht werden. Das gleiche gilt im Prinzip auch für den Fall des regulierten und des privaten Angebots. Versicherungs- oder Automobilunternehmen können staatlich oder privat sein.

Die ökonomische Analyse muß aber noch einen Schritt weiter gehen und die Frage beantworten, wie weit eine an sich mögliche Privatisierung des Angebots oder des Eigentums auch durchgeführt werden soll. Im Falle der Privatisierung des Angebots ergeben sich einmal Grenzen bei spezifisch öffentlichen Gütern, weil diese nicht marktfähig sind, d.h. nicht über Preise angeboten werden können. Liegen jedoch marktfähige Güter vor, so kann die Privatisierung des Angebots durchaus sinnvoll sein, wenn es gelingt, einen Wettbewerb hierfür in Gang zu setzen. So ist es z.B. im Falle des Luftverkehrs in den USA gelungen, die Preise von der staatlichen → Regulierung zu befreien und dem Wettbewerb zu unterwerfen (Verschiebung von Feld (3) nach Feld (5) in der Matrix). Bei Leistungen mit hohen produktionsspezifischen Investitionen, wie z.B. Eisenbahnen, wird dies schwieriger sein (vgl. hierzu die Theorie der strittigen Märkte von *William J. Baumol, John C. Panzar* und *Robert D. Willig*).

Die Privatisierung des Eigentums am Kapital unterliegt ebenfalls ökonomischen Grenzen. Diese treten vor allem dort auf, wo auch nach erfolgter Privatisierung ein unentgeltliches oder reguliertes Angebot aufrechterhalten werden soll. In diesen Fällen greift der Staat als Nachfrager oder als Regulierer in die privaten Unternehmensentscheidungen ein. Die Divergenz der Ziele zwischen dem nach Gewinn strebenden Unternehmen und dem an einer bestimmten Leistung interessierten Staat können zu Konflikten zwischen den beiden führen und damit gegen eine Privatisierung sprechen. Die Produktion in einem staatlichen Unternehmen erscheint dann vergleichsweise vorteilhaft. Beispiele für solche Konflikte zwischen Staat und privaten Anbietern finden sich im öffentlichen Auftragswesen (bei der Rüstungsbeschaffung und bei Bauaufträgen).

Im Falle des privaten Angebots von Gütern (Automobile, Kohle, Stahl, Schiffe) stellen sich die genannten Interessendivergenzen nicht. Denn der Staat greift definitionsgemäß nicht in die Produktionsentscheidungen ein. Das Angebot bildet sich auf dem Markt (freilich möglicherweise unter dem Schutz vor Importkonkurrenz durch Zölle und dgl.). So betrachtet, kann der Staat ebenso gut wie ein Privater als Kapitaleigner auftreten. Die Frage der Privatisierung (oder Veranstaltung) ist vom Staat rein erwerbswirtschaftlich zu entscheiden.

Allerdings lassen sich die Regierungen gerade bei solchen Entscheidungen im allgemeinen nicht (nur) von erwerbswirtschaftlichen Erwägungen leiten. Vielfach spielen wahltaktische Überlegungen wie die Vermeidung kurzfristiger Arbeitslosigkeit, die im Falle der Privatisierung etwa eines staatlichen Stahlwerks eintreten könnte, eine wichtige Rolle. Aus der Sicht der → Neuen Politischen Ökonomie sind daher die Möglichkeiten der Privatisierung wesentlich enger eingegrenzt als unter rein ökonomischen Gesichtspunkten.   *Ch. B. B.*

Literatur: *Baumol, W. J./Panzar, I. C./Willing, R. D.,* Contestable Markets and the Theory of Industry Structure, New York 1982. *Blankart, Ch. B./ Pommerehne, W. W.,* Zwei Wege zur Privatisierung öffentlicher Dienstleistungen: Wettbewerb auf einem Markt und Wettbewerb um einen Markt – eine kritische Beurteilung, in: *Monissen, H. G./Milde, H.* (Hrsg.), Rationale Wirtschaftspolitik in komplexen Gesellschaften, München 1985. *Finsinger, J.,* Die Ausschreibung, in: Jahrbuch für Sozialwissenschaft, Vol. 36 (1985).

Privatisierungsbörse

vom → Deutschen Industrie- und Handelstag Anfang 1984 ins Leben gerufener Dienst, in dem Kommunen öffentliche Betriebe oder Dienstleistungen zur Privatisierung anbieten und private Unternehmen solche zur Übernahme nachfragen können.

Privatwald

Wald im Eigentum von Einzelpersonen und Personengemeinschaften. Der Wald von Religionsgemeinschaften, der früher dem → Körperschaftswald zugerechnet wurde, zählt heute ebenfalls zum Privatwald. Von den über

700000 Privatwaldbesitzen sind rd. 600000 kleiner als 5 ha. Der Anteil des kleinen Privatwaldes, mit Besitzgrößen unter 200 ha, an der Gesamtwaldfläche beträgt 31%. Der große Privatwald mit Flächengrößen von mehr als 500 ha hat an der Gesamtwaldfläche nur einen Anteil von 6%. Die übrige Privatwaldfläche entfällt auf den mittleren Privatwald mit Besitzgrößen von 200–500 ha. Die Durchschnittsgröße aller Privatwälder beträgt 4 ha.

W. K.

Privilegien

ererbte, standesbezogene (Adelsprivilegien) oder verliehene Rechte (Markt-, Zollprivileg). Im → Merkantilismus waren sie durch Verleihung an Unternehmer Mittel zur Gestaltung staatlicher Wirtschaftspolitik und Beschaffung von Staatseinnahmen.

Probebilanz → Abschlußübersicht

Probit-Modell → Logit-Choice-Analyse

Problemanalyse

Teilgebiet der → Planungsmethodik des → Operations Research; geht dem Modellbau und der mathematischen Modelluntersuchung sachlich (nicht aber zeitlich) voraus und umfaßt die Komponenten 1 bis 7 des → Planungsprozesses. Wichtige Hilfsmittel der Problemanalyse sind → Entscheidungs-Umwelt-Matrix, → Fünf-Felder-Analyse und → Cognitive Mapping. *H. M.-M.*

Problemgebiet

Abgrenzung einer Region nach Aufgabenstellung der regionalen Wirtschaftspolitik, z.B. das → Zonenrandgebiet, ein städtisches → Sanierungsgebiet, → Abwanderungsraum.

Problemtreue

strategisches Leitbild für die → Programmpolitik. Es kennzeichnet die Ausrichtung der artmäßigen Zusammensetzung des Angebotsprogramms einer Unternehmung an bestimmten Problemkreisen der Lebens- bzw. Wirtschaftsgestaltung ungeachtet des jeweiligen Kundenkreises (→ Kundentreue), bestimmter Technologien (→ Wissenstreue) oder Verarbeitungsmaterialien (→ Materialtreue). Beispiel: Transportunternehmen mit verschiedenen Transportmitteln und -systemen für Güter und Kunden jeglicher Art.

product placement

Bestreben von Produzenten, in Film und Fernsehen ihre Produkte erkennbar und in positiver Weise als Requisiten unterzubringen. Dieses schon länger bekannte, mitunter als Schleichwerbung apostrophierte Verhalten erhielt ab Mitte der 80er Jahre einen neuen Impuls dadurch, daß z.B. die Herstellungskosten für Filme häufig schon im Vorgriff auf Einnahmen aus dem product placement kalkuliert werden. Diese Entwicklung begünstigte das Entstehen kleiner Agenturen, die sich der Vermittlung von Produkten bzw. Filmszenen widmen.

Die besondere Werbewirkung des product placement wird damit begründet, daß eine Produktauslobung durch eine andere Person als durch den Produzenten (wie in der „normalen" Werbung) mehr Glaubwürdigkeit und größeres Überzeugungspotential aufweist. Außerdem wird häufig (z.B. bei Filmen mit großer Zuschauerresonanz) eine enorme Streuwirkung des Werbeimpulses erzielt, was dem Bekanntheitsgrad des Produktes (oft sogar international) überaus förderlich sein kann.

production smoothing → Produktionsglättung

Produkt

Gut, das durch eine Kombination von → Produktionsfaktoren hergestellt und/oder verwertet wird. Als Ausbringungsgut spielt es in der betriebswirtschaftlichen → Produktionstheorie eine zentrale Rolle. Dieser Begriff des Produktes ist so weit gefaßt, daß er sowohl materielle (Sach-) als auch immaterielle Güter umfaßt. Nach der jeweiligen Güterart lassen sich Produkte entsprechend der nachfolgenden Übersicht weiter untergliedern (→ Produkttypologie).

Produkte stellen das in jedem ökonomischen Produktionsprozeß angestrebte Sachziel oder Ergebnis dar. Sie sind damit ein zentraler Ansatzpunkt für die Planung der Gütererzeugung in der → Fertigungsplanung und des Güterabsatzes im Marketing. Wichtig erscheint

Schema Produkte

```
┌─────────────────────────────────────┐
│ Produkte                             │
└─────────────────────────────────────┘
  Materielle
  ├ bewegliche oder unbewegliche
  ├ lagerfähige oder nicht lagerfähige
  └ u.a.
  Immaterielle
  ├ Menschliche Arbeit
  ├ Maschinelle Arbeit
  ├ Informationen
  ├ Rechte
  ├ Kapital
  └ u.a.
```

in diesem Zusammenhang, daß viele Unternehmungen nicht nur Einzelprodukte und Sortimente, sondern „Problemlösungen" herstellen und anbieten. Hierunter sind Konzepte zu verstehen, mit denen den Kunden eine möglichst weitgehende Erfüllung ihrer Bedürfnisse ermöglicht werden soll. Neben den Komponenten eines umfassenden Sachprojekts (z.B. ganze Fabrikanlagen) gehören hierzu auch ein mitzulieferndes Wissen (Know how) und Dienstleistungen wie Ausbildung und Wartung. *H.-U. K.*

Produktabnahmegeschäft → Rückkaufgeschäft

Produktdesign

kreative, verwenderorientierte Gestaltung des sinnlich wahrnehmbaren Äußeren eines Produktes im Rahmen der → Produktpolitik. Neben dem Prozeß des Gestaltens bezeichnet der Begriff Produktdesign auch dessen Resultat, die äußere Gestalt des Produktes.

Die Gestaltungsmittel des Designs sind vor allem Material, Form, Farbe und Zeichen, die zu einem in sich geschlossenen und auf die Lebensumwelt der Abnehmer abgestimmten Konzept vereint werden müssen. Diese Aufgabenstellung wird durch eine Vielzahl von Zielen gelenkt, die sich oft nur schwer in Übereinstimmung bringen lassen. Zunächst gilt es, die gebrauchstechnische Eignung eines Produktes, also z.B. seine Paßform, einfache und sichere Handhabung, Transport- und Lagerfähigkeit oder ergonomische Funktionalität zu gewährleisten bzw. zu verbessern. Ferner kann das Design einen ästhetischen Genuß, soziale Anerkennung und emotionale Produkterlebnisse (z.B. Modernität, Behaglichkeit etc.) vermitteln, also einen Zusatznutzen schaffen, der vor allem in technisch ausgereiften Produktkategorien für den Markterfolg des Produktes von hoher Bedeutung ist. Drittens unterstützt ein markantes und über das Sortiment sowie die Zeit hinweg von bestimmten Stilmerkmalen geprägtes, kontinuierliches Design die Markierung des Produktes und die Identifikation bestimmter Nachfrager mit dem Erzeugnis. Damit wird das Produktdesign viertens zu einem wichtigen Profilierungselement gegenüber konkurrierenden Anbietern.

Andererseits unterliegen diese Ziele jedoch i.d.R. fertigungs- oder materialtechnischen, kostenwirtschaftlichen, rechtlichen (z.B. Gebrauchsmusterschutzrechte von Konkurrenten) und auch ökologischen (z.B. Lärmentwicklung, Energieverbrauch) Restriktionen, die das Spannungsfeld des designpolitischen Zielsystems zusätzlich aufladen. Darüber hinaus unterscheiden sich die Designansprüche der Abnehmer oft beträchtlich, so daß zielgruppenspezifische Lösungen gesucht werden müssen. *H. D./K. Lo.*

Literatur: *Wieselhuber, N.,* Konzeption und Realisation von Produkt-Design in der Konsumgüterindustrie, Berlin 1981.

Produktdifferenzierung

liegt i.S. der → Produktpolitik dann vor, wenn eine oder mehrere Produkteigenschaften eines bereits am Markt eingeführten Produktes verändert und in Form einer zusätzlichen Produktvariante am Markt angeboten werden. Die für die Nutzenstiftung zentralen Produktmerkmale bleiben dabei i.d.R. unberührt.

Die Produktdifferenzierung dient vor allem der zielgruppenspezifischen Anpassung der → Produktgestaltung (Beispiel: Varianten bestimmter PKW-Modelle). Die Varianten müssen deshalb auf die jeweilige Präferenzstruktur bestimmter Nachfragersegmente zugeschnitten sein. Besonders gut gelingt dies zuweilen durch sog. Produktbaukastensysteme wie in der Automobilindustrie, wo der Kunde seine für ihn optimale Kombination von Ausstattungselementen bis hin zur Motorleistung und zur Kofferraumgröße selbst zusammenstellen kann. Damit wird auch dem Streben der Käufer nach Individualität oder Spezialisierung entsprochen. Gleichzeitig werden die durch kleinere Produktionslose bedingten kostenwirtschaftlichen Nachteile der Produktdifferenzierung u.U. abgeschwächt, wenn die Modellüberschneidungen in einzelnen Baukastenelementen relativ groß sind und die Fertigung entsprechend flexibel ausgelegt wird.

Mit der Produktdifferenzierung vermag ein Anbieter u.U. auch in andere Qualitäts- oder Preisklassen einzudringen (vertikale Differenzierung), wobei er auf niedrigeren Qualitätsstufen oft vom bisherigen Hochqualitätsimage profitieren wird (→ Synergieeffekt). Häufig kommt man mit Produktdifferenzierungen auch den Wünschen vertraglich gebundener Händler nach möglichst vollständiger Marktabdeckung entgegen und läßt keine Marktnischen für Wettbewerber offen.

Die Produktdifferenzierung bringt aber auch zusätzliche Entwicklungs-, Lager-, Umrüst-, Auftragsbearbeitungs-, Transport- und Absatzförderungskosten. Zudem kann ein Unternehmen seine Kräfte zu sehr zersplittern oder die Konkurrenten herausfordern (→ Programmpolitik). Negative → Austrahlungseffekte zwischen den verschiedenen Varianten sind ebensowenig auszuschließen wie eine zunehmende Intransparenz des Angebots für die Nachfrager. Einer übertriebenen Variantenvielfalt ist deshalb durch regelmäßiges, systematisches Ausmustern von Varianten und durch Zusammenstellung fester Ausstattungspakete zu begegnen.   *K. Lo.*

Produktdirektor → Produktmanagement

Produktelimination

Streichung eines Produktes aus dem Angebotsprogramm einer Unternehmung, wobei im Gegensatz zur → Produktvariation keine neue Variante an die Stelle des alten Erzeugnisses tritt. Eine solche Entscheidung kann deshalb von weitreichender strategischer Bedeutung sein, z.B. wenn ganze Produktlinien aufgegeben werden und damit eine Marktaustrittsentscheidung des Unternehmens verbunden ist (→ Programmpolitik).

Als idealtypische Anlässe einer Produktelimination lassen sich die Programmerneuerung, Programmstraffung und Programmbereinigung unterscheiden.

Bei der *Programmerneuerung* geht es vor allem um die Anpassung des Produktionsprogramms an veränderte Absatzbedingungen. Dabei werden Erzeugnisse, die in der Degenerationsphase des → Produktlebenszyklus stehen, nicht „abgeerntet", sondern durch Neuentwicklungen ersetzt. Damit sollen die Aktualität des Produktionsprogramms gewahrt und das Unternehmenswachstum vorangetrieben bzw. einem Umsatzverlust entgegengewirkt werden.

Produkteliminationen im Rahmen einer *Programmstraffung* dienen dagegen vornehmlich der Rationalisierung der Fertigung durch selteneren Produktionswechsel, geringere Zwischen- und Endlagerbestände sowie stärkere Einkaufskonzentration. Sie werden deshalb vor allem unter kostenwirtschaftlichen Aspekten durchgeführt.

Programmbereinigungen zielen schließlich auf die Elimination ertragsschwacher, nicht mehr wettbewerbsfähiger bzw. erfolglos gebliebener Produkte ab. Hier dominieren also das Gewinn- und Rentabilitätsstreben.

Eliminationsentscheidungen sollten auf Basis einer sorgfältigen → Programmanalyse mit konsequenter Orientierung an den jeweiligen sortimentspolitischen Zielprioritäten durchgeführt werden. Die (oft allerdings nur vermeintliche) Attraktivität breiter Produktionsprogramme für die Kunden konkurriert dabei stets mit kostenwirtschaftlichen und auslastungsbezogenen Überlegungen. Auch das Phänomen des → Sortimentsverbunds hindert das Management häufig an einer konsequen-

ten Durchforstung von zu breiten oder tiefen Produktionsprogrammen. Quantitativen Analyseverfahren und Optimierungsmodellen, die derartige Zielkonflikte berücksichtigen, kommt deshalb bei der Produktelimination große Bedeutung zu.   *H. D./K. Lo.*

Literatur: *Majer, W.,* Programmbereinigung als unternehmerisches Problem, Wiesbaden 1969.

Produktenbörse

eine → Warenbörse, an der nur Effektivgeschäfte (Kassageschäfte) abgeschlossen werden.

Produkterfolgsrechnung

Gegenüberstellung bzw. Verrechnung der Erlöse und Kosten eines einzelnen Produktes zur Ermittlung seines Brutto- oder Nettoerfolges. Dabei kann immer nur ein Teil aller Kosten (Einzelkosten) dem einzelnen Produkt verursachungsgerecht zugerechnet bzw. durch Änderung seiner Produktions- und Absatzmenge kurzfristig beeinflußt werden (variable Kosten). Um die Gefahr von Fehlentscheidungen zu vermeiden, werden im Rahmen der Produkterfolgsrechnung je nach Kostenrechnungssystem von den Produkterlösen nur die direkt zurechenbaren (Einzelkostenrechnung) bzw. variablen Kosten (→ direct costing) subtrahiert. Man erhält so den Deckungsbeitrag, der angibt, wie stark das Produkt zur Deckung der nicht zugerechneten Kosten (Gemein- bzw. Fixkosten) und zum Unternehmensgewinn beiträgt (→ Vertriebserfolgsrechnung).

Der Vergleich der Deckungsbeiträge der einzelnen Produkte oder Produktgruppen dient der Planung und Kontrolle des Angebotsprogramms einer Unternehmung (→ Programmanalyse). Man kann ferner die geplanten und erreichten Deckungsbeiträge oder die Ergebnisse mehrerer Perioden einander gegenüberstellen. Hilfreich ist auch die Bildung produktbezogener Kennzahlen, z.B. des Deckungsbeitrags in Relation zum Nettoerlös (Deckungsbeitragsrate) oder zu einer beanspruchten Engpaßeinheit des Unternehmens.   *K. Lo.*

Literatur. *Riebel, P.,* Einzelkosten- und Deckungsbeitragsrechnung – Grundfragen einer markt- und entscheidungsorientierten Unternehmung, 3. Aufl., Wiesbaden 1979.

Produktforschung

(Erzeugnisforschung) strebt im Unterschied zur → Verfahrensforschung die → Entwicklung neuer oder verbesserter Produkte an. Dabei ist zu berücksichtigen, daß das Produkt eines Unternehmens in einer nachgelagerten Produktionsstufe ein Verfahren sein kann (Textilmaschinenhersteller – Spinnerei). Etwa 80% der → Forschungs- und Entwicklungsaufwendungen der Wirtschaft werden für Produktforschung ausgegeben.

Produktgestaltung

umfaßt als Teilbereich der → Produktpolitik alle Entscheidungen über die Produktqualität, d. h. die nutzenstiftenden Merkmale eines Produktes. Dazu zählen neben den technisch-funktionalen Gebrauchseigenschaften auch das → Produktdesign, die Verpackung (→ Verpackungsgestaltung), die Markierung und die mit ihr verbundenen psychischen Anmutungsqualitäten des Produktes (→ Markenpolitik) sowie i. w. S. auch der → Kundendienst mit seinen produktbegleitenden Serviceleistungen.

Als Gestaltungsmittel dafür werden das Material, die Form, Farbe und Bezeichnung, die Konstruktions- und Funktionsprinzipien sowie kommunikationspolitische Instrumente (z. B. Imagewerbung) eingesetzt. Auswahl und Kombination der Gestaltungsmittel haben sich in erster Linie an den latenten und offenen Ansprüchen der anvisierten Produktverwender, den bestehenden Stärken und Schwächen des bisherigen Leistungsprofils gegenüber konkurrierenden Anbietern sowie vielfältigen internen und externen Restriktionen auszurichten (→ Produktpositionierung).

K. Lo.

Literatur: *Chmielewicz, K.,* Grundlagen der industriellen Produktgestaltung Berlin 1968. *Hamann, M.,* Die Produktgestaltung. Rahmenbedingungen, Möglichkeiten, Optimierung, Würzburg, Wien 1975.

Produkthaftpflichtversicherung → Haftpflichtversicherung

Produkthaftung → Produzentenhaftung

Produktinnovation

erstmalige gewerbliche Nutzung einer Problemlösung für ein bestimmtes Abnehmerbedürfnis. Aus Marketingsicht (→ Neuproduktentwicklung) besonders relevant ist, ob die Zielgruppe das Produkt hinsichtlich mindestens einer Nutzenkomponente wesentlich anders als die bisher angebotenen Produkte einstuft. Produktinnovationen werden deshalb in Markt- und Betriebsneuheiten unterteilt. Eine Marktneuheit ist in jeder Hinsicht neu. Dabei kann es sich um eine echte Basisinnovation oder nur um eine Weiterentwicklung (Verbesserungsinnovation) handeln.

Eine Betriebsneuheit ist lediglich neu im Angebotsprogramm des betroffenen Unternehmens. Ein solches Erzeugnis stellt oft eine Imitation dar (→ Me-too-Produkt), i. d. R. werden jedoch zumindest einige Eigenschaften modifiziert bzw. weiterentwickelt („innovatorische Imitation").

Ein gewisser Rechtsschutz vor Nachahmung kann durch → Patente, → Gebrauchsmuster, → Geschmacksmuster und → Warenzeichen erlangt werden, obgleich dadurch der internationalen → Markenpiraterie nur unzureichend begegnet werden kann.   *K. Lo.*

Produktion

(Fertigung) Einsatz und Kombination von materiellen und immateriellen Gütern zur Herstellung und Verwertung anderer Güter. Sie stellt eine maßgebliche Teilfunktion wirtschaftlicher Prozesse dar. In einer engen Fassung rechnet man zu ihr nur die Erzeugung materieller → Produkte. Dann wird der Begriff Produktion mit Fertigung gleichgesetzt. Vielfach zählt man aber in einer weiten Fassung auch die Prozesse zur Produktion, in denen immaterielle Güter wie Transport- und Dienstleistungen, die Bereitstellung und der Verkauf von Gütern u. a. „erstellt" werden. Dann umfaßt die Produktion als Leistungserstellung zugleich Tatbestände, die zur → Beschaffung und zum → Absatz gehören.

In der Realität kann man eine sehr große Zahl unterschiedlicher Formen der Produktion beobachten. Um die verschiedenartigen Erscheinungsformen der Produktion zu beschreiben, hat man → Produktionstypen herausgearbeitet. Mit ihnen kann die Vielfalt von Produktionsprozessen nach einzelnen und kombinierten Merkmalen geordnet werden.

Als Aufgabe der Wirtschaftswissenschaften wird es einerseits angesehen, die in der Realität vorkommenden Produktionsprozesse zu erklären und zu prognostizieren. Andererseits sollen sie Modelle und Instrumente entwickeln, mit denen man Produktionsprozesse planen, steuern und kontrollieren kann. Dementsprechend kann man als wichtige Teilbereiche zur wissenschaftlichen Analyse der Produktion die → Produktionstheorie und die → Fertigungsplanung unterscheiden.

In der Produktionstheorie werden Aussagen über gesetz- oder regelmäßige Zusammenhänge der Produktion aufgestellt und überprüft. Wenn man derartige Gesetzmäßigkeiten für Typen von Produktionsprozessen kennt, lassen sich deren Abläufe erklären und die Auswirkungen auf relevante Ziele voraussagen. Unter diesen besitzt das Gewinnziel i. d. R. eine herausragende Bedeutung. Neben der Produktionstheorie ist daher die → Kostentheorie entwickelt worden, welche die Beziehungen zwischen den Kosten des Gütereinsatzes und ihren Bestimmungsgrößen untersucht.

Die Produktionsplanung umfaßt die Menge aller Teilpläne, die auf die Gestaltung von Produktionsprozessen in Unternehmungen ausgerichtet sind. In der Praxis werden die konkreten Teilaufgaben zur Planung, Steuerung und Kontrolle der Fertigungsprozesse i. d. R. von der → Arbeitsvorbereitung vollzogen. Sie umfassen die Tätigkeiten, die üblicherweise bei der Durchführung von Fertigungsprozessen anfallen. Ein Teil von ihnen betrifft die organisatorische Gestaltung des Produktionsablaufs und gehört damit gleichzeitig zur → Ablauforganisation. In enger Beziehung hierzu stehen ferner die Möglichkeiten der → Arbeitsstrukturierung. Besonders für den Fertigungsbereich sind hier z. B. durch die Einrichtung → teilautonomer Gruppen neue Formen gefunden werden.

Die Aufgaben der Arbeitsvorbereitung möchte man in der Unternehmung möglichst zieloptimal lösen. Da die Auswirkungen von Fertigungsprozessen auf die Oberziele der Unternehmung (z. B. Rentabilität, Liquidität usw.) oft nicht unmittelbar feststellbar sind, kennt man eine Reihe von → Fertigungszielen. Sie betreffen unmittelbare Konsequenzen von Fertigungsprozessen wie Kosten, Durchlaufzeiten und Termineinhaltung. Deshalb lassen sich mit ihnen die Handlungsalternativen der Arbeitsvorbereitung und der Ablauforganisation bewerten und optimale Lösungen auswählen. *H.-U. K.*

Literatur: *Gutenberg, E.,* Grundlagen der Betriebswirtschaftslehre, Bd. 1: Die Produktion, 23. Aufl., Berlin u. a. 1979. *Kern, W.* (Hrsg.), Handwörterbuch der Produktionswirtschaft, Stuttgart 1979.

Produktionsabgabe

Instrument der EG-Zuckermarktorganisation (→ Agrarmarktordnung). Produzieren einzelne Landwirte mehr Zuckerrüben, als ihnen in Form der → Höchstmenge (sog. A-Rüben) zugestanden wird, so werden die Produzenten am finanziellen Risiko der Vermarktung dieser Übermengen z. T. (B-Rüben) oder voll (C-Rüben) beteiligt. Sie erhalten für die C-Rüben daher etwa den Weltmarktpreis.

Produktionselastizität

Verhältnis von relativer Änderung des Outputs x (abhängige Variable) und der relativen Änderung der Einsatzmenge eines Produktionsfaktors (Input) V (unabhängige Variable) bei Konstanz der übrigen Faktoreinsätze:

$$\varepsilon_{x,V} = \frac{dx}{x} : \frac{dv}{V} = \frac{dx}{dV} \cdot \frac{V}{x}$$

$$= \frac{\text{Grenzprodukt des Inputs V}}{\text{Durchschnittsprodukt des Inputs V}}$$

Näherungsweise gibt die Produktionselastizität eines Faktors den Prozentsatz an, um den der Output zunimmt, wenn der betreffende Faktor um 1% bei Konstanz aller übrigen Faktoreinsätze erhöht wird.

Bei $\varepsilon_{x,V} > 1$ ist das Grenzprodukt des Faktors V größer als sein Durchschnittsprodukt. Eine Erhöhung des Faktoreinsatzes V würde zu einer Erhöhung des Durchschnittsprodukts und damit zu einer Zunahme des Outputs führen. Der Output nimmt im Vergleich zum Faktoreinsatz überproportional zu. Bei $0 < \varepsilon_{x,V} < 1$ liegt der umgekehrte Sachverhalt vor. Gegenüber dem Faktoreinsatz nimmt der Output unterproportional zu.

Bei $\varepsilon_{x,V} = 1$ stimmen Grenzprodukt und Durchschnittsertrag überein. Der Durchschnittsertrag erreicht sein Maximum. Dies ist der technisch optimale Faktoreinsatz.

Bei $\varepsilon_{x,V} = 0$ ist das Grenzprodukt des Faktors V Null. Bei einer weiteren Erhöhung des Faktoreinsatzes V würde die Gesamtproduktion konstant bleiben. Dies entspricht einem technisch maximalen Faktoreinsatz.

Bei $\varepsilon_{x,V} < 0$ ist das Grenzprodukt negativ. Somit käme es bei einer Erhöhung des Faktoreinsatzes V zu einer absoluten Abnahme des Outputs (vgl. Abb.).

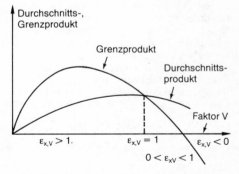

Produktionselastizität

Die Summe der partiellen Produktionselastizitäten ist gleich der → Skalenelastizität. Im Falle unvollkommen substituierbarer Produktionsfaktoren (→ Cobb-Douglas Produktionsfunktion) entsprechen die Exponenten der Faktoren den partiellen Produktionselastizitäten.

Bei Gültigkeit der → Grenzproduktivitätstheorie der Verteilung geben diese Exponenten zugleich den Anteil des betreffenden Faktors am Output an (→ Euler'sches Theorem).

P. O.

Literatur: *Fehl, U./Oberender, P.,* Grundlagen der Mikroökonomie, 2. Aufl., München 1985.

Produktionsfaktor

(Einsatzgut, Produktor) Gut, das zur Herstellung und Verwertung anderer Güter eingesetzt wird. Die Produktionsfaktoren müssen verfügbar sein und in einem Produktionsprozeß miteinander kombiniert werden. Die erste Stufe produktionstheoretischer Untersuchungen (→ Produktionstheorie) besteht daher in der Kennzeichnung jener Güter, die für die Erzeugung von anderen Gütern erforderlich sind.

Die Einteilung der Produktionsfaktoren hängt von der jeweiligen Zwecksetzung und dem Detaillierungsgrad der Betrachtung ab. In der Volkswirtschaftslehre stellt man aus der hochaggregierten makroökonomischen Sicht häufig → Boden, → Arbeit und → Kapital als maßgebliche Produktionsfaktoren heraus. Dabei sind Boden und Arbeit originär verfügbare Güter, während das Kapital sich auf produzierte Produktionsmittel bezieht und somit einen derivativen Faktor bildet. Für eine globale Betrachtung reicht es vielfach aus, auf diese Weise z. B. alle Arten von Arbeit durch einen Typ von Produktionsfaktor zu erfassen.

Für die betriebswirtschaftliche Betrachtungsweise sind Produktionsfaktoren stärker zu differenzieren. Anstelle von Kapital unterscheidet man z. B. zwischen → Werkstoffen und → Betriebsmitteln, während die Bedeutung des Bodens hinter diesen zurücktritt. Weite Verbreitung hat die Einteilung der betrieblichen Produktionsfaktoren nach *Erich Gutenberg* erlangt (vgl. Abb.). Er trennt zwischen Elementarfaktoren und dispositiven Faktoren. Elementarfaktoren werden unmittelbar zur Herstellung oder Verwertung von Gütern eingesetzt. Zu ihnen gehören Werk-

Gutenberg-Klassifikation

Produktionsfaktoren nach Erich Gutenberg

Elementarfaktoren
- objektbezogene menschliche Arbeit
- Betriebsmittel
  (Bauten, Maschinen, Werkzeuge, Hilfs- und Betriebsstoffe)
- Werkstoffe
  (Rohstoffe, Halb- und Fertigerzeugnisse)

Dispositive Faktoren
- Geschäfts- und Betriebsleitung
- Planung
- Organisation

stoffe, Betriebsmittel und objektbezogene menschliche Arbeit. Die dispositiven Faktoren beruhen ebenfalls auf dem Einsatz menschlicher Arbeit. Jedoch bewirken sie im Unterschied zum objektbezogenen → Arbeitseinsatz keine unmittelbaren Veränderungen an den Produkten. Neben der Unternehmensleitung kann man die Planung, Organisation und Kontrolle zu den dispositiven Faktoren rechnen. Ferner ist vorgeschlagen worden, in dieses Schema Zusatzfaktoren einzufügen. Durch sie sollen kostenverursachende Güter wie Steuern, Gebühren, Beiträge, Versicherungsprämien und Zinsen berücksichtigt werden, denen keine klar abgrenzbaren Mengengrößen zugrunde liegen.

Andere Klassifikationssysteme greifen für die Untergliederung zusätzliche Merkmale der Einsatzgüter auf. So kann man nach der Art des Verbrauchs → Potentialfaktoren bzw. Gebrauchsgüter und → Repetierfaktoren bzw. Verbrauchsgüter unterscheiden. Ferner können Gebrauchsgüter danach gegliedert werden, ob sie verschleißabhängig (z. B. Werkzeuge) sind oder nicht (z. B. Grundstücke). Ein weiteres Merkmal bezieht sich darauf, inwieweit sie Werkverrichtungen durchführen (z. B. Maschinen) oder nicht (z. B. Gebäude). Verbrauchsgüter werden auch danach gekennzeichnet, ob sie bei einem „direkten Verbrauch" in die Produkte eingehen (z. B. → Roh- und → Hilfsstoffe sowie Zwischenprodukte) oder bei „indirektem Verbrauch" zur Schaffung von Produktionsanlagen und zur Hervorbringung von menschlicher bzw. maschineller Arbeit (z. B. → Betriebsstoffe) benötigt werden.

Nachfolgende Übersicht geht nur vom Verbrauchscharakter und der Einsatzgüterart als Gliederungsmerkmalen aus. Gegenüber der Einteilung nach *Gutenberg* sind in ihr Informationen und Rechte stärker berücksichtigt. Ferner wird zwischen menschlicher bzw. maschineller Arbeit als Verbrauchsgütern und den sie leistenden Arbeitskräften bzw. Anlagen unterschieden. Letztere verkörpern Nutzungspotentiale und sind daher als Gebrauchsgüter zu bezeichnen. Arbeit wird mit der jeweiligen Durchführung verbraucht. Eine Reihe von Gütern ist weiter dadurch gekennzeichnet, daß i. d. R. nicht das Gut selbst, sondern dessen Nutzungsmöglichkeit verbraucht wird. Beispiele hierfür sind vor allem Grundstücke und Gebäude, Kapital, Rechte und Informationen.

Für produktionstheoretische und kostenrechnerische Zwecke ist maßgeblich, ob und wie sich die → Faktoreinsatzmengen der verschiedenen Produktionsfaktoren messen las-

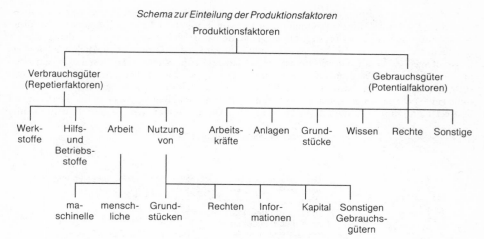

Schema zur Einteilung der Produktionsfaktoren

sen. Je besser der Einsatz quantitativ meßbar ist, desto genauere Aussagen und Hypothesen lassen sich über die zur Herstellung und Verwertung eines Produktes notwendigen Güter machen.   *H.-U. K.*

Produktionsfunktion

eine Art der Darstellung einer produktionstheoretischen Aussage (→ Produktionstheorie). Eine Produktionsfunktion drückt in mathematischer Formelsprache die Gesetzmäßigkeiten oder Regelmäßigkeiten in den mengenmäßigen Beziehungen von Gütereinsatz (Produktionsfaktoren, Input) und Güterausbringung (Produkte, Output) eines betrachteten Produktionsprozesses aus. Je nach Bestätigungsgrad handelt es sich bei der durch sie formulierten allgemeinen → Input-Output-Funktion um ein Produktionsgesetz, eine Produktionsregelmäßigkeit oder eine Produktionshypothese. Da die Produktionsfunktion als mathematisch-formale Wiedergabe der Produktionszusammenhänge eine exakte quantitative Formulierung höchster Präzision ermöglicht, ist sie anderen Darstellungsweisen, etwa einer nur verbalen Formulierung, überlegen.

Für die grundsätzliche Aufbauform einer Produktionsfunktion sind drei Möglichkeiten denkbar:

- outputorientierte explizite Formulierung: r = f (x),
- inputorientierte explizite Formulierung (→ Ertragskurve): x = g (r),
- implizite Formulierung: h (r, x) = 0.

Dabei symbolisieren r den Gütereinsatz, x die Ausbringung und f, g bzw. h die Produktionsfunktion. Oft sind weder der Gütereinsatz noch die Güterausbringung durch nur je eine Variable erfaßbar. Dann sind die Symbole r und x als Vektoren $r = (r_1, r_2, \ldots, r_m)$, $x = (x_1, x_2, \ldots, x_n)$ aufzufassen; die einzelnen Komponenten symbolisieren in diesem Fall die Mengen der verschiedenen (Einsatz- bzw. Ausbringungs-)Güterarten. Zu einer präziseren Formulierung der Input-Output-Beziehungen ist es häufig erforderlich oder mindestens zweckmäßig, neben diesen Produktionsmengenvariablen weitere den betrachteten Produktionszusammenhang kennzeichnende Variablen in die Funktion aufzunehmen. In Frage kommen z.B. Variablen, die die Qualität der Einsatzgüter kennzeichnen, etwa das Alter und den Zustand von Produktionsanlagen, oder Variablen, die Einzelheiten des Produktionsprozesses beschreiben, etwa die Art und Intensität der Produktion.

Produktionsfunktionen sind wichtige wirtschaftswissenschaftliche Aussagensysteme, denen sowohl in der betriebswirtschaftlichen als auch in der volkswirtschaftlichen Produktionstheorie grundlegende Bedeutung zukommt. Entsprechend den unterschiedlichen Schwerpunkten der Fragestellung werden in volkswirtschaftlichen Aussagen i.d.R. inputorientierte, in der Betriebswirtschaftslehre dagegen eher outputorientierte Produktionsfunktionen verwendet.

(1) *Volkswirtschaftliche Produktionsfunktionen* (vgl. Abb.): Mit Ausnahme der ertragsgesetzlichen Produktionsfunktion (→ Ertragsgesetz), bei der das Schwergewicht auf der graphischen Analyse (→ Ertragsgebirge) liegt, werden die aufgeführten einstufigen einsektoralen Produktionsfunktionen in parametrisch explizit formulierter Gestalt verwendet. Die einfachste Struktur weist dabei die → Leontief-Produktionsfunktion auf, bei der → Limitationalität der Einsatzgüter unterstellt ist. Bei

allen anderen Grundkonzeptionen volkswirtschaftlicher Produktionsfunktionen wird →Substitutionalität der Einsatzgüter angenommen.

Mit steigender Verallgemeinerung ist dabei in →Cobb-Douglas-Funktionen eine →Substitutionselastizität von Eins, in →CES-Funktionen eine beliebige, aber konstante Substitutionselastizität, in →VES-Funktionen eine variable (z. B. vom Einsatzgüterverhältnis, etwa von Kapital zu Arbeit, abhängige) Substitutionselastizität vorgesehen. Bei den Zellner/Revankar-Funktionen schließlich wird der bei anderen Funktionstypen bestehende Zusammenhang von Substitutionselastizität und →Skalenelastizität aufgegeben, beide Größen können unabhängig voneinander variieren.

Die genannten Grundtypen sind für reali-

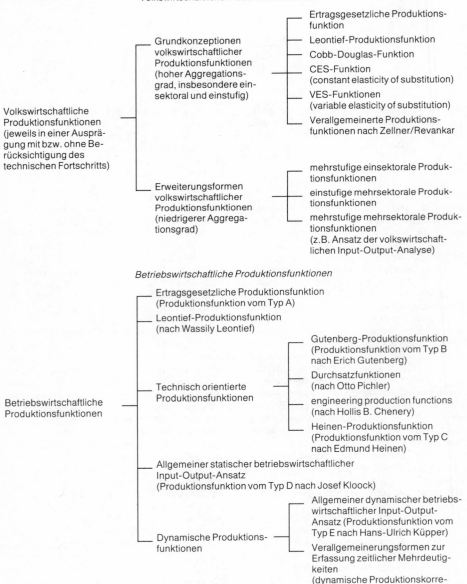

Volkswirtschaftliche Produktionsfunktionen

Volkswirtschaftliche Produktionsfunktionen (jeweils in einer Ausprägung mit bzw. ohne Berücksichtigung des technischen Fortschritts)

- Grundkonzeptionen volkswirtschaftlicher Produktionsfunktionen (hoher Aggregationsgrad, insbesondere einsektoral und einstufig)
  - Ertragsgesetzliche Produktionsfunktion
  - Leontief-Produktionsfunktion
  - Cobb-Douglas-Funktion
  - CES-Funktion (constant elasticity of substitution)
  - VES-Funktionen (variable elasticity of substitution)
  - Verallgemeinerte Produktionsfunktionen nach Zellner/Revankar
- Erweiterungsformen volkswirtschaftlicher Produktionsfunktionen (niedrigerer Aggregationsgrad)
  - mehrstufige einsektorale Produktionsfunktionen
  - einstufige mehrsektorale Produktionsfunktionen
  - mehrstufige mehrsektorale Produktionsfunktionen (z.B. Ansatz der volkswirtschaftlichen Input-Output-Analyse)

Betriebswirtschaftliche Produktionsfunktionen

Betriebswirtschaftliche Produktionsfunktionen

- Ertragsgesetzliche Produktionsfunktion (Produktionsfunktion vom Typ A)
- Leontief-Produktionsfunktion (nach Wassily Leontief)
- Technisch orientierte Produktionsfunktionen
  - Gutenberg-Produktionsfunktion (Produktionsfunktion vom Typ B nach Erich Gutenberg)
  - Durchsatzfunktionen (nach Otto Pichler)
  - engineering production functions (nach Hollis B. Chenery)
  - Heinen-Produktionsfunktion (Produktionsfunktion vom Typ C nach Edmund Heinen)
- Allgemeiner statischer betriebswirtschaftlicher Input-Output-Ansatz (Produktionsfunktion vom Typ D nach Josef Kloock)
- Dynamische Produktionsfunktionen
  - Allgemeiner dynamischer betriebswirtschaftlicher Input-Output-Ansatz (Produktionsfunktion vom Typ E nach Hans-Ulrich Küpper)
  - Verallgemeinerungsformen zur Erfassung zeitlicher Mehrdeutigkeiten (dynamische Produktionskorrespondenzen)

tätsorientierte Analysen nur bei höchstem Aggregationsgrad anwendbar. Bei weniger starker Aggregation sind mehrere Produktionsstufen (und damit die Abbildung von Zwischenprodukten) bzw. mehrere Produktionssektoren (und damit die Abbildung deren gegenseitiger Belieferung) vorzusehen. In einfacheren Erweiterungsformen werden dabei die genannten Grundkonzeptionen volkswirtschaftlicher Produktionsfunktionen kombiniert, bei größerer Anzahl von Stufen und Sektoren im Rahmen der → Input-Output-Rechnung nahezu ausschließlich Leontief-Funktionen verwendet. Häufigste zusätzliche Variable neben den Produktionsmengen ist in volkswirtschaftlichen Produktionsfunktionen der Zeitparameter t. Mit ihm sollen in → dynamischen Produktionsfunktionen die Änderung der Produktionszusammenhänge im Zeitablauf und die Wirkung des technischen Fortschritts erfaßt werden.

(2) *Betriebswirtschaftliche Produktionsfunktionen* (vgl. Abb.): Während → Ertragsgesetz und → Leontief-Produktionsfunktion ursprünglich als eine Übernahme aus der volkswirtschaftlichen Produktionstheorie anzusehen sind, kann seit 1950 mit der Formulierung von Produktionsfunktionen, die auch wesentliche Merkmale des Produktionsprozesses als Einflußgrößen berücksichtigen (→ Gutenberg-Produktionsfunktion, → Heinen-Produktionsfunktion, → Durchsatzfunktionen, → Engineering Production Functions), von spezifischen betriebswirtschaftlichen Produktionsfunktionen gesprochen werden.

Grundlage der heutigen betriebswirtschaftlichen Produktionstheorie ist häufig der allgemeine Input-Output-Ansatz. Er beruht auf der Überlegung, daß die Produktionsfunktion eines Betriebes nur durch eine Analyse von Partialprozessen gewonnen werden kann. Der gesamte Produktionsprozeß wird daher in Einzelprozesse zwischen definierten Produktionsstellen aufgespalten, deren jeweils spezifische Input-Output-Beziehungen in → Transformationsfunktionen abgebildet werden. Erst durch adäquates Zusammenfügen der Transformationsfunktionen aller Einsatzbeziehungen zwischen originären Einsatzgütern, Zwischenprodukten und Endprodukten läßt sich die gesamte, im allgemeinen mehrdimensionale Produktionsfunktion der Unternehmung bilden.

Über die Transformationsfunktionen können in betriebswirtschaftliche Produktionsfunktionen eine ganze Reihe technischer, organisatorischer und sonstiger Einflußgrößen als unabhängige Variablen eingehen. Abgesehen von Leontief-Funktionen ist eine parametrisch-explizite Formulierung allgemeiner betriebswirtschaftlicher Transformations- oder Produktionsfunktionstypen weder üblich noch zweckmäßig.

Den Zeitaspekt der Produktion erfassen die neueren → dynamischen Produktionsfunktionen, deren Grundform durch die Produktionsfunktion vom Typ E gegeben ist. Eine Analyse der Wirkungen des technischen Fortschritts ermöglichen → Jahrgangsproduktionsfunktionen, die das Alter der Bestandsfaktoren berücksichtigen.   *E. T.*

Literatur: *Hesse, H./Linde, R.,* Gesamtwirtschaftliche Produktionstheorie, 2 Bde., Würzburg, Wien 1976. *Schweitzer, M./Küpper, H.-U.,* Produktions- und Kostentheorie der Unternehmung, Reinbek bei Hamburg 1974.

Produktionsfunktion vom Typ B → Gutenberg-Produktionsfunktion

Produktionsgeschwindigkeit

(Fertigungsintensität) gibt das Verhältnis g der Ausbringung (x) zu der für ihre Erzeugung aufzuwendenden Arbeitszeit (T) an:

$$g = \frac{x}{T}.$$

Sie entspricht der in einer Zeiteinheit durchschnittlich gefertigten Ausbringungsmenge. Die Produktion unterschiedlicher Ausbringungsmengen bei gleicher Arbeitszeit durch Änderung der Produktionsgeschwindigkeit wird als → intensitätsmäßige Anpassung *(Erich Gutenberg)* bzw. intensive Variation *(Erich Kosiol)* bezeichnet. Die Produktionsgeschwindigkeit wirkt als → Kosteneinflußgröße auf die Höhe der → beschäftigungsvariablen Kosten ein.

Produktionsglättung

(production smoothing) mehrperiodische aggregierte Produktionsmengenplanung für lagerfähige Produkte, deren Aufgaben in der mittelfristigen Abstimmung von deterministisch (z.B. aufgrund saisonaler Einflüsse) schwankenden Nachfragemengen und vorhandenen bzw. kurzfristig variierbaren Produktionskapazitäten besteht. Ausgangspunkt der Produktionsglättung ist i. d. R. eine mittelfristige Prognose der Absatzmengen. Aktionsvariable der Produktionsglättung sind vor allem periodenbezogene Produktionsmengen und Lagerbestände (evtl. auch Fehlmengen). Der Bestand an Potentialfaktoren (Betriebsmittel und Arbeitskräfte) wird im Rahmen der kurz- bis mittelfristigen Betrachtungsweise im allgemeinen als konstant angenommen. Produktionsmengen werden dann allein durch

Maßnahmen der zeitlichen (z. B. Überstunden, Kurzarbeit), intensitätsmäßigen (kurzfristige Variation des Leistungsgrades) und/oder quantitativen Anpassung (z. B. kurzfristige Stillegung oder Reaktivierung von Betriebsmitteln, nicht aber durch Kauf oder Verkauf von solchen) verändert.

Ergebnis der mehrperiodischen Produktionsprogrammplanung ist eine mehr oder weniger stark an die zeitlichen Schwankungen der Nachfragemenge angepaßte zeitliche Verteilung der Produktionsmengen. Dabei ist zu unterscheiden zwischen den Extremformen der Synchronisation und der totalen Emanzipation sowie den Zwischenformen der partiellen Emanzipation.

(1) Bei Verfolgung des *Synchronisationsprinzips* stimmen in jeder Periode des Planungszeitraums (12–18 Monate) die festgelegten Produktionsmengen mit den prognostizierten Absatzmengen überein. Daher treten keine gewollten Lagerbestände bzw. Fehlmengen auf, so daß auch keine Lagerkosten entstehen. Soll ein dem Synchronisationsprinzip entsprechender Produktionsplan realisierbar sein, muß die Produktionskapazität (einschl. möglicher Überstunden und Leistungsgraderhöhungen) mindestens so groß sein, daß die maximale prognostizierte Absatzmenge einer Periode hergestellt werden kann. Da derartige Absatzmengen im allgemeinen nur selten auftreten, sind in den anderen Perioden die Produktionskapazitäten z. T. nur sehr gering ausgelastet.

(2) Bei *vollständiger Emanzipation* der Produktionsmengen von den prognostizierten Perioden-Absatzmengen wird für jede Periode ein Produktionsvolumen eingeplant, das der durchschnittlichen Plan-Absatzmenge aller Perioden des Planungszeitraums entspricht. Auf diese Weise wird sichergestellt, daß mittelfristig die gesamte Bedarfsmenge hergestellt wird. Kurzfristige Differenzen zwischen Produktion und Absatz werden dagegen durch den Auf- oder Abbau von Lagerbeständen (bzw. Fehlmengen, Rückstandsmengen) kompensiert. Der Kapazitätsbedarf ist gegenüber der Synchronisation geringer. Überstundenlöhne und Erhöhungen der Produktionskosten durch Abweichungen vom optimalen Leistungsgrad treten nicht auf. Dem stehen jedoch geplante Lagerkosten gegenüber.

(3) Nur bei Vorliegen extremer Datenkonstellationen wird eines der beiden genannten Prinzipien in reiner Form zur Anwendung kommen. Ein Kompromiß bezüglich der Lagerkosten einerseits und der Kosten, die mit variablen Produktionsmengen verbunden sind, andererseits stellt sich bei *partieller Emanzipation* (auch Zeitstufenprinzip genannt) ein. Hier wird wieder die (totale) Emanzipation der Produktionsmengen von den prognostizierten Absatzmengen angestrebt, jedoch nicht mehr während des gesamten Planungszeitraums, sondern lediglich bezogen auf einzelne Teil-Zeiträume. Der gesamte Planungszeitraum wird in mehrere Teil-Zeiträume aufgeteilt, innerhalb deren auf einem konstanten Produktionsniveau produziert wird, während zwischen den Produktionsniveaus der Teil-Zeiträume Unterschiede bestehen. Bei partieller Emanzipation sind sowohl die optimale Länge der Teil-Zeiträume als auch die jeweiligen Produktionsniveaus zu bestimmen.

Zur Lösung mehrperiodischer aggregierter Produktionsplanungsprobleme wurden zahlreiche Entscheidungsmodelle entworfen, die z. T. auch längerfristige Aspekte der Investitions- und Desinvestitionsplanung (Betriebsgrößenvariation) in die Betrachtung einbeziehen. In neuerer Zeit wird insb. empfohlen, diese Modelle in hierarchische Planungskonzepte einzubetten und sie auf der Basis der →gleitenden Planung zu realisieren. *H. T.*

Literatur: *Zäpfel, G.,* Produktionswirtschaft. Operatives Produktions-Management, Berlin u. a. 1982.

Produktionsgrenze →Transformationskurve

Produktionsgüterindustrie →Grundstoff- und Produktionsgüterindustrie

Produktionsindex →Index der Nettoproduktion für das produzierende Gewerbe

Produktionsintensität →intensitätsmäßige Anpassung, →Intensitätssplitting

Produktionskapazität →Kapazität

Produktionskoeffizient

Kennzahl von Input-Output-Zusammenhängen (besonders bei der →Leontief-Produktionsfunktion), die für ein bestimmtes Einsatzgut in bezug auf ein bestimmtes Ausbringungsgut angibt, wieviele Mengeneinheiten des Einsatzgutes für die Herstellung einer einzigen Einheit des betrachteten Ausbringungsgutes erforderlich sind.

Produktionskonten

erste Kontengruppe in der →Volkswirtschaftlichen Gesamtrechnung der Bundesrepublik Deutschland, in der auf der rechten Seite der →Produktionswert der Sektoren und auf der linken Seite die →Vorleistungen und die →Bruttowertschöpfung dargestellt werden.

Mio. DM

Position	1983[1]	Position	1983[1]
	1 Unternehmen		
	1-1 Produktionskonto		
Vorleistungen[2]	2 528 850	Produktionswert	3 845 440
Bruttowertschöpfung[2]	1 316 590		
Summe	3 845 440	Summe	3 845 440
	2 Staat		
	2-1 Produktionskonto		
Vorleistungen	191 590	Produktionswert	386 830
Bruttowertschöpfung	195 240		
Summe	386 830	Summe	386 830
	3 Private Haushalte und private Organisationen ohne Erwerbszweck		
	3-1 Produktionskonto		
Vorleistungen der privaten		Produktionswert	46 130
Organisationen o.E.	13 540	Private Haushalte	1 480
Bruttowertschöpfung	32 590	Private Organisationen o.E.	44 650
Summe	46 130	Summe	46 130

[1] Vorläufige Ergebnisse
[2] Bereinigte Ergebnisse (Vorleistungen um unterstellte Entgelte für Bankdienstleistungen erhöht, Bruttowertschöpfung entsprechend vermindert)

Quelle: *Statistisches Bundesamt*, Statistisches Jahrbuch 1985 für die Bundesrepublik Deutschland, Stuttgart, Mainz 1985, S. 531ff.

Die nähere Aufgliederung der Bruttowertschöpfung findet man in den → Einkommensentstehungs- und → -verteilungskonten. *T. Z.*

Literatur: *Haslinger, F.,* Volkswirtschaftliche Gesamtrechnung, 4. Aufl., München, Wien 1986.

Produktionskontrolle

1. Instrument der Angebotsregulierung. Die Möglichkeiten dieser → Marktintervention reichen von der quantitativen Festlegung der Produktionsfaktoren (z.B. Investitionsgenehmigung) und Produktionsmengen (z.B. Beschränkung von Anbauflächen) über Qualitätsvorschriften (z.B. Lebensmittelgesetz) bis zu den Normen des → Arbeits- und → Unfallschutzes.
2. → Fertigungsüberwachung.

Produktionsmöglichkeitenkurve → Transformationskurve

Produktionsoptimum → Transformationskurve

Produktionspersonengesellschaft

Gesellschaft, die bei einer → Betriebsaufspaltung entsteht. Dabei wird eine Unternehmung aufgespalten in eine Produktionspersonengesellschaft und in eine → Vertriebskapitalgesellschaft. Die Produktionspersonengesellschaft verkauft die hergestellten Produkte zu Verrechnungspreisen an die Vertriebskapitalgesellschaft.

Produktionsplan → Produktion, → Fertigungsplanung, → Produktionsplanungsmodelle

Produktionsplanungsmodelle

Planungsmodelle des → Operations Research für den Funktionsbereich Produktion (→ Funktionsbereichsmodelle). Es geht hierbei im wesentlichen um die Mengenplanung und Mengenoptimierung sowie – nachgelagert – um die Terminplanung der Produktion. Die Modelle der Mengenplanung sind häufig mit anderen Funktionsbereichen des Realgütersektors verbunden und bilden oft eine Einheit mit → Absatzplanungsmodellen, → Beschaffungsplanungsmodellen, → Lagerplanungsmodellen etc. Ferner treten im Produktionsbereich zahlreiche Spezialprobleme auf, für die spezifische Modelle eingesetzt werden, z.B. in der Standortplanung für Maschinen- und Betriebsteile (→ Raumzuordnungsmodell), in der vorbeugenden Instandhaltung, in der Organisation der Mehrmaschinenbedienung, im innerbetrieblichen Transport, in der personellen Ausstattung von Hilfsfunktionen (z.B. der Werkzeugausgabe, → Warteschlangentheorie).

Von hervorragender Bedeutung im Produktionsbereich ist die Planung der Produkt- und Werkstoffmengen. Teilweise geht es hier um Rechnungen wie die → Stücklistenauflösung (→ Gozinto-Graph), also um eine programmorientierte Bedarfsrechnung (→ Beschaffungsplanungsmodelle). Darüber hinaus sind Optimierungsrechnungen möglich (→ Produktionsprogrammoptimierung).

Solche Rechnungen sind erstens dann sinnvoll, wenn die Produktionskapazitäten so begrenzt sind, daß sich die potentielle Nachfrage nicht befriedigen läßt (→ Absatzplanungsmodelle). Zweitens sind sie von Nutzen, wenn zwischen verschiedenen Fertigungsprozessen gewählt werden kann (→ Kuppelproduktionsoptimierung, → Mischungsoptimierung, → Verschnittoptimierung).

Die Modelle der Produktionsprogrammoptimierung bestehen zumeist aus einer linearen → Zielfunktion und linearen → Restriktionen und lassen sich mit den Verfahren der → linearen Optimierung mathematisch bearbeiten. Sowohl die meisten Restriktionen als auch die Zielfunktionen bauen im wesentlichen auf Produktionsfunktionen auf (→ Input-Output-Funktionen).

Neben den Modellen der Mengenbestimmung treten Probleme der zeitlichen Strukturierung der Produktionsprozesse auf, für die ebenfalls Modelle und Verfahren des Operations Research zum Einsatz kommen (→ Maschinenbelegungsplanung, → Fließbandabgleich). Es handelt sich dabei zumeist um Modelle der → kombinatorischen Optimierung, zu deren Lösung vor allem → heuristische Verfahren eingesetzt werden (→ Prioritätsregeln).   *H. M.-M.*

Literatur: *Kilger, M.,* Optimale Produktions- und Absatzplanung, Opladen 1973. *Seelbach, H.,* Ablaufplanung, Würzburg, Wien 1975.

Produktionspotential

mit dem in einer Volkswirtschaft vorhandenen Bestand an Produktionsfaktoren bei Vollbeschäftigung erzielbares Produktionsergebnis. Schwankungen im Auslastungsgrad des Produktionspotentials werden als Konjunkturschwankungen bezeichnet, wobei die Auslastung nach einem Konzept des → Sachverständigenrates zur Begutachtung der gesamtwirtschaftlichen Entwicklung am → Bruttoinlandsprodukt gemessen wird.

Produktionsprogramm

umfaßt die Arten und Mengen von Ausbringungsgütern, die von einer Unternehmung in einer Periode erzeugt werden (sollen). Es bildet den Output einer Unternehmung und drückt deren Beschäftigung aus. In → Kostentheorie und → Kostenrechnung gilt das Produktionsprogramm bzw. die Beschäftigung als zentrale → Kosteneinflußgröße. Erscheinungsformen werden vor allem nach der Anzahl der Produktarten (Einprodukt- bzw. Mehrproduktfertigung) und dem Grad der Übereinstimmung der Produkte (Massen-, Sorten-, Serien- bzw. Einzelprodukte) unterschieden.

Produktionsprogrammoptimierung

Festlegung der Produktionseinsatzmengen (Produktionsfaktoren, Input) und der Produktmengen (Produktionsergebnis, Output), so daß eine Zielgröße (z.B. Gewinn, Deckungsbeitragssumme) maximiert bzw. (z.B. Kosten) minimiert wird. Zur Berechnung dienen bestimmte → Produktionsplanungsmodelle des → Operations Research unter Einsatz von Verfahren der → linearen Optimierung. Die Modelle sind weitgehend aus → Input-Output-Funktionen (Produktionsfunktionen) aufgebaut (→ Kuppelproduktionsoptimierung, → Mischungsoptimierung, → Verschnittoptimierung).

Häufig werden in diese Modelle auch die Absatzbedingungen eingebaut, so daß von Modellen der Absatz- und Produktionsprogrammoptimierung zu sprechen ist (→ Absatzplanungsmodelle). Vielfach umfassen diese Modelle ferner den Beschaffungsbereich (→ Beschaffungsplanungsmodelle) und bei gleichzeitiger Betrachtung mehrerer Planungsperioden auch den Lagerbereich (→ Lagerplanungsmodelle). Sie überdecken damit den gesamten Realgütersektor der Unternehmung.

Führend in der professionellen Berechnung optimaler Produktionsprogramme ist die „Prozeßindustrie", darunter insb. die Mineralölindustrie, Stahlindustrie, Chemie und Nahrungsmittelindustrie. Hier werden regelmäßig Optimierungsmodelle mit bis zu mehreren tausend Variablen und bis über tausend → Restriktionen auf EDV-Anlagen bearbeitet.   *H. M.-M.*

Literatur: *Müller-Merbach, H.,* Operations Research, 3. Aufl., München 1973. *Williams, H. P.,* Model Building in Mathematical Programming, 2. Aufl., Chichester, New York 1985.

Produktionsprozeß → Produktion, → Produktionsverfahren

Produktionsrechnung → Gewinn- und Verlustrechnung

Produktionssteuerung → Fertigungssteuerung

Produktionsstruktur

Aufteilung der Produktion nach verschiedenen Kriterien wie z.B. Regionen, Sektoren, Wirtschaftszweigen. Als Maß für die zu strukturierende Produktion werden i.d.R. Wertgrößen verwandt, wobei vielfach die → Bruttowertschöpfung der Wirtschaftseinheiten gewählt wird, um die rechnerische Verknüpfung mit dem → Bruttoinlandsprodukt herzustellen. Die Struktur wird dann beschrieben durch die prozentualen Produktionsanteile einzelner Sektoren (→ Drei-Sektoren-Hypothese) oder tiefer gegliederter → Wirtschaftszweige. Die Produktionsstruktur und ihre Veränderungen und die hiervon weitgehend beeinflußte → Beschäftigtenstruktur sind die gebräuchlichsten Instrumente zur Charakterisierung der → Wirtschaftsstruktur und bilden zugleich die wichtigste Informationsgrundlage der → Strukturanalyse.

Anhaltspunkte für die Richtung von Wandlungen der Produktionsstruktur, ihrer Stetigkeit oder Änderungen im Wandlungsmuster lassen sich bei einer Unterteilung in schrumpfende, stagnierende und expandierende Wirtschaftszweige gewinnen. So wies in der Bundesrepublik Deutschland während der 60er und 70er Jahre kein Wirtschaftszweig innerhalb des → primären Sektors Anteilsgewinne auf, während innerhalb des → sekundären Sektors die schrumpfenden ein etwas stärkeres Gewicht als die expandierenden hatten und im → tertiären Sektor die expandierenden Wirtschaftszweige (Staat, Bildungs- und Gesundheitswesen, Banken und Versicherungen) dominierten. Der Rückgang im sekundären Sektor konzentrierte sich vor allem auf die → Grundstoff- und Produktionsgüterindustrie, Teile der → Konsumgüterindustrie (nichtdauerhafte Konsumgüter) und die → Bauindustrie. Die → Investitionsgüterindustrie und die Produktion langlebiger Konsumgüter hatten – wenn auch nicht stetig – überwiegend Anteilsgewinne. Wichtige Ursachen des Wandels der Produktionsstruktur sind technischer Fortschritt und Änderungen der Inlands- und Auslandsnachfrage.   *E. Gö.*

Literatur: *Breithaupt, K.* u.a., Analyse der strukturellen Entwicklung der deutschen Wirtschaft, Kiel 1979. *Ifo-Institut für Wirtschaftsforschung*, Analyse der strukturellen Entwicklung der deutschen Wirtschaft, Strukturberichterstattung 1980, Berlin, München 1981.

Produktionssynchronisation → Produktionsglättung

Produktionstheorie

System von Aussagen über Gesetz- oder Regelmäßigkeiten der → Produktion. Ihre Aufgabe wird darin gesehen, Hypothesen über die Beziehungen zwischen den in Produktionsprozessen eingesetzten und den erzeugten Gütermengen aufzustellen und zu überprüfen. Ausgangspunkt produktionstheoretischer Überlegungen ist die Analyse der in solchen Prozessen hergestellten → Produkte und der Einsatzgüter, die man als → Produktionsfaktoren bezeichnet. Die Produktionstheorie ist sowohl in der Volkswirtschaftslehre für die Erklärung und Prognose gesamtwirtschaftlicher Prozesse als auch in der Betriebswirtschaftslehre für die entsprechende Durchdringung betrieblicher Prozesse bedeutsam.

Das wichtigste Instrument zur Wiedergabe von Hypothesen über Input-Output-Beziehungen sind → Produktionsfunktionen. Sie bilden die Beziehungen zwischen den Produktionsfaktor- und den Produktmengen quantitativ ab. Für unterschiedliche Anwendungsbereiche der Realität sind in Volks- und Betriebswirtschaftslehre mehrere Typen von Produktionsfunktionen entwickelt worden. Diese unterscheiden sich insb. danach, ob Produktionsfaktoren gegenseitig ersetzbar sind oder nicht, ein- oder mehrstufige Prozesse betrachtet, nur statische oder auch dynamische Beziehungen berücksichtigt werden. Ein spezielles Konzept zur Analyse von Input-Output-Beziehungen stellt die → Aktivitätsanalyse dar. In ihr werden allgemeine, plausible Aussagen über mögliche Technologien und die mit ihnen durchführbaren Produktionsprozesse formuliert.

Der Verlauf von Produktionsfunktionen wird erkennbar, wenn man die Auswirkungen von Änderungen einer Einsatz- oder Ausbringungsmenge auf die Produktmenge und/oder die Einsatzmengen der anderen Produktionsfaktoren untersucht. Deshalb sind → Faktorvariationen ein wichtiger Ansatzpunkt zur näheren Kennzeichnung von Produktionsfunktionen.

In der Realität besteht besonders häufig die Notwendigkeit, Produktionsprozesse an eine geänderte Nachfrage anzupassen. Man muß den Beschäftigungsgrad variieren und die Ausbringungsmenge erhöhen oder senken. Zur Kennzeichnung der alternativen Handlungsmöglichkeiten, die eine Unternehmung hierbei besitzt, sind in der betriebswirtschaftlichen Produktionstheorie typische → Anpassungsformen herausgearbeitet worden.

Die Aussagen der volkswirtschaftlichen Produktionstheorie sind vor allem für die Analyse gesamtwirtschaftlicher Gleichgewichte, der Einkommensverteilung und des Wirtschaftswachstums bedeutsam. Die betriebswirtschaftliche Produktionstheorie stellt eine wichtige Grundlage für die → Kostentheorie und die → Fertigungsplanung dar.
                                                                    H.-U. K.

Überblick über wichtige Elementartypen der Produktion

Merkmale		Wichtige Ausprägungen (Elementartypen)			
Programmtypen • Produkt- eigenschaften	Güterart	Materielle Produkte		Immaterielle Produkte	
	Gestalt der Güter	Ungeformte Fließgüter	Geformte Fließgüter	Stückgüter	
	Zusammensetzung der Güter	Einteilige Produkte		Mehrteilige Produkte	
	Beweglichkeit der Güter	Mobilien		Immobilien	
• Programm- eigenschaften	Anzahl der Produktarten	Eine Produktart	Mehrere Produktarten		
	Übereinstimmung der Produkte	Massen- produktion	Sorten- produktion	Serien- produktion	Einzel- produktion
	Beziehungen der Pro- duktion zum Absatz- markt	Markt- produktion		Kunden- produktion	
Prozeßtypen • Struktur der Produktiv- einheiten	Organisatorische An- ordnung der Produktiv- einheiten	Fließ- fertigung	Fließinsel- fertigung	Werkstatt- fließ- fertigung	Werkstatt- fertigung
	Technologie	Chemische Verfahren	Biologische Verfahren	Physikali- sche Verfahren	Geistige Verfahren
	Mechanisierungsgrad	Nicht- automatisierte Produktion	Teil- automatisierte Produktion	Voll- automatisierte Produktion	
	Zeitliche Abstimmung	Abgestimmte Produktion		Nicht abgestimmte Produktion	
• Struktur der Stückprozesse	Struktur des Materialflusses	Glatte Produktion	Konvergie- rende Produktion	Divergie- rende Produktion	Umgruppie- rende Produktion
	Kontinuität des Materialflusses	Kontinuierliche Produktion	Diskontinuierliche Produktion Chargenproduktion		
	Ortsbindung der Produktion	Örtlich ungebundene Produktion		Baustellen- produktion	
	Zahl der Arbeitsgänge	Einstufige Produktion		Mehrstufige Produktion	
	Variierbarkeit der Operationenfolge	Vorgegebene Operationenfolge		Variierbare Operationenfolge	
• Zuordnung von Stückprozessen und Produktiv- einheiten	Zuordnung verschiede- dener Stückprozesse zu denselben Produktiv- einheiten	Wechsel- produktion		Parallel- produktion	
	Reihenfolge der Pro- duktiveinheiten je Stückprozeß	Reihenfolge- identische Produktion	Reihenfolge- verschiedene Produktion		
Einsatztypen	Anteile der Einsatz- güterarten	Material- intensive Produktion	Anlagen- intensive Produktion	Arbeits- intensive Produktion	Informa- tions- intensive Produktion
	Konstanz der Werkstoffqualität	Werkstoffbedingt wiederholbare Produktion		Partieproduktion (Werkstoffbedingt nicht wiederholbare Produktion)	

Quelle: *Küpper, H.-U.*, Produktionstypen, in: *Kern, W.* (Hrsg.), HW Prod, Stuttgart 1979, Sp. 1644.

Literatur: *Hesse, H./Linde, R.*, Gesamtwirtschaftliche Produktionstheorie, 2 Bde., Würzburg, Wien 1976. *Kistner, K.-P.*, Produktions- und Kostentheorie, Würzburg, Wien 1981. *Schweitzer, M./Küpper, H.-U.*, Produktions- und Kostentheorie der Unternehmung, Reinbek bei Hamburg 1974.

Produktionstiefe → flexibles Fertigungssystem

Produktionstypen

Formen der → Produktion, die nach einem oder mehreren Merkmalen gekennzeichnet werden. Die Merkmale können diskret oder kontinuierlich abstufbar sein. Durch die gleichzeitige Berücksichtigung mehrerer Merkmale erhält man kombinierte Produktionstypen.

Der Zweck einer Bildung von Produktionstypen liegt einmal in der Beschreibung der Realität. Jeder in der Wirklichkeit vorkommende Produktionsprozeß kann anhand seiner Merkmale einem bestimmten Produktionstyp zugeordnet werden. Hierbei versucht man, die für den jeweiligen Untersuchungszweck maßgeblichen Merkmale zu verwenden. Ferner kann die Bildung von Produktionstypen dazu dienen, die am häufigsten vorkommenden Formen der Produktion zu bestimmen. Dann ist es zweckmäßig, für diese häufig auftretenden Produktionstypen Theorien sowie praktisch einsetzbare Entscheidungsmodelle und Lösungsverfahren zur → Fertigungsplanung zu entwickeln.

Aufgrund der großen Zahl unterschiedlicher Produkte, die in der Realität erzeugt werden, ist die Anzahl an Merkmalen zur Kennzeichnung von Produktionsprozessen überaus groß. Daher gibt es sehr viele Möglichkeiten zur Bildung „elementarer" Produktionstypen. Um sie zu systematisieren, erscheint es zweckmäßig, entsprechend den Phasen von Produktionsprozessen Merkmale des Einsatzes (Inputs) von Gütern, der Bearbeitung und der Ausbringung (des Outputs) von Produkten zu unterscheiden. Damit gelangt man zu einer Einteilung der Elementartypen in Einsatz-, Prozeß- und Programmtypen (vgl. Tab.).

Unter den → Programmtypen mißt man der Einteilung in → Massen-, → Sorten-, → Serien- und → Einzelfertigung besondere Bedeutung zu, weil diese Ausprägung für die Gestaltung des Produktionsablaufes und des Gütereinsatzes i.d.R. sehr wesentlich ist. Wichtige Prozeßtypen sind die → Organisationstypen der Fertigung, die im allgemeinen auf längere Sicht festzulegen sind, und die → Vergenztypen, die für die Planung der Materialbereitstellung und den Produktionsdurchfluß maßgeblich sind. Ferner haben die → Mechanisie-

rung und das → Produktionsverfahren sowie das Vorliegen von Wechsel- oder → Parallelfertigung einen bedeutenden Einfluß auf die Art der Produktionsplanung. Eine besonders hohe Mechanisierung wird durch → flexible Fertigungssysteme erreicht. Spezielle Erscheinungsformen der Produktion sind die → Teilefamilienfertigung sowie die → Chargen- und die → Partiefertigung. Teilefamilienfertigung ermöglicht die Anwendung von Fließfertigung, auch wenn die Produkte nicht voll übereinstimmen. Kennzeichnend für Chargen- und Partiefertigung ist im allgemeinen, daß Endprodukte nur dann dieselben qualitativen Eigenschaften besitzen, wenn sie aus der gleichen Charge bzw. Partie stammen.

Aus den in der Übersicht dargestellten Elementartypen lassen sich Kombinationstypen bilden, indem man die Ausprägungen verschiedener Merkmale miteinander verbindet. So wird die Massenfertigung materieller Produkte im allgemeinen in Fließfertigung durchgeführt, die relativ hoch mechanisiert ist. Jeder in der Realität vorkommende Produktionsprozeß läßt sich anhand dieser Merkmale als spezifischer Kombinationstyp beschreiben.   *H.-U. K.*

Literatur: *Schäfer, E.*, Der Industriebetrieb, Bd. 1, Köln, Opladen 1969, Bd. 2, Opladen 1971. *Große-Oetringhaus, W. F.*, Fertigungstypologie unter dem Gesichtspunkt der Fertigungsablaufplanung, Berlin 1974. *Küpper, H.-U.*, Produktionstypen, in: *Kern, W.* (Hrsg.), HWProd, Stuttgart 1979, Sp. 1636ff.

Produktionsüberwachung → Fertigungsüberwachung

Produktionsumwege → Agiotheorie

Produktionsverfahren

bezeichnet als → Produktionstyp eine geordnete Folge von Bearbeitungsoperationen, die zur Erzeugung eines bestimmten Produkts notwendig sind. Ein Produktionsverfahren wird charakterisiert durch Art und Anzahl der Bearbeitungsoperationen, insb. durch die jeweiligen Faktoreinsatzmengenverhältnisse, sowie durch die zeitliche und räumliche Verknüpfung der Potentialfaktoreinsätze.

Produktionsverfahren lassen sich nach zahlreichen Kriterien systematisieren (vgl. Abb. auf S. 390).

In einer enger gefaßten, technisch orientierten Interpretation bezeichnet das Produktionsverfahren lediglich die Art der direkten Einwirkung auf einen Werkstoff, d.h. seine stoffliche Veränderung, während zur zusätzlichen Kennzeichnung räumlicher und zeitli-

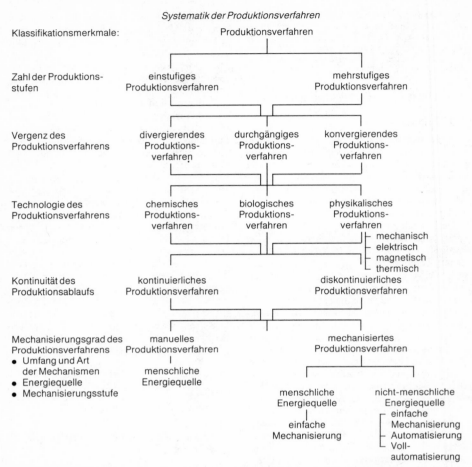

Systematik der Produktionsverfahren

Quelle: *Schweitzer, M./Küpper, H.-U.*, Produktions- und Kostentheorie der Unternehmung, Reinbek bei Hamburg 1974, S. 37.

cher Aspekte sowie der Faktoreinsatzmengenverhältnisse der Begriff Produktionsprozeß verwendet wird. *H. T.*

Literatur: *Große-Oetringhaus, W.*, Fertigungstypologie unter dem Gesichtspunkt der Fertigungsablaufplanung, Berlin 1974. *Schweitzer, M./Küpper, H.-U.*, Produktions- und Kostentheorie der Unternehmung, Reinbek bei Hamburg 1974. *Weber, H.-J.*, Produktionstechnik und -verfahren, in: *Kern, W.* (Hrsg.), HWProd, Stuttgart 1979, Sp. 1604ff.

Produktionsverflechtung →funktionelle Input-Output-Tabelle

Produktionsverhältnisse

Ausdruck des →Marxismus für die Gesamtheit der Beziehungen der Menschen, die diese bei der Produktion, der Verteilung, dem Austausch und der Konsumtion materieller Güter eingehen.

Als prägend für die Produktionsverhältnisse wird die arbeitsteilige (gesellschaftliche) Form der Produktion und →Reproduktion, vor allem aber das Eigentum an den Produktionsmitteln angesehen. Von ihm wird angenommen, daß es die Qualität aller menschlichen Beziehungen in der Gesellschaft bestimmt. Für Wirtschaftssysteme, in denen die →Eigentumsrechte an den Produktionsmitteln nur einem Teil der Gesellschaft gehören, wird angenommen, daß der übrige Teil unter Produktionsverhältnissen zu leben hat, die zur →Entfremdung, →Ausbeutung und →Verelendung führen. Gehören dagegen die Produktionsmittel der Gesellschaft (sozialistische Produktionsverhältnisse), so wird eine aus-

beutungs- und konfliktfreie → Produktionsweise erwartet.

Es ist unbestritten, daß die jeweils vorherrschende Form des Eigentums an den sachlichen Produktionsmitteln für den Wirtschaftsprozeß eine prägende Kraft hat. Die Entstehung von bestimmten Produktionsverhältnissen beruht jedoch auf Voraussetzungen, die –
im Gegensatz zur Auffassung von *Karl Marx*
– mehr von der sittlich-kulturellen und der
politisch-rechtlichen Verfassung, also von bestimmten Wertvorstellungen und Ideen einer
Gesellschaft, geprägt sind. Es widerspricht
auch jeder Erfahrung, daß mit der → Soziali-
sierung des Produktivkapitals in sozialer Hinsicht erträglichere und in ökonomischer Hinsicht effizientere Ergebnisse entstehen.

U. Fr.

Produktionsvorbereitung → Arbeitsvorberei-
tung

Produktionsweise

Bezeichnung des → Marxismus für die dialek-
tische Einheit von → Produktivkräften und
→ Produktionsverhältnissen, auch ökonomische Gesellschaftsformation oder → Wirtschaftssystem genannt.

Mit Urgesellschaft, Sklavenhaltergesell-
schaft, Feudalgesellschaft, → Kapitalismus
und → Sozialismus/→ Kommunismus unterscheidet der → Marxismus fünf verschiedene
Produktionsweisen. Sie sind nach marxistischer Auffassung nicht durch übergeordnete
Wertvorstellungen und Ideen, sondern vorrangig durch materielle Bedingungen bestimmt und unterliegen der Zwangsläufigkeit
des Geschichtsprozesses nach Maßgabe des
→ historischen Materialismus.

In vielen wissenschaftlichen Untersuchungen wurde festgestellt, daß die Vergangenheit
anders verlaufen ist. So ist z. B. der → Feudalismus eine spezifisch europäische Erscheinung. In asiatischen und afrikanischen Kulturen läßt er sich nicht in gleicher oder ver-
wandter Form nachweisen. In Rußland hat
Wladimir I. Lenin die Revolution ohne Rücksicht auf den Reifestand der gegebenen Produktionsverhältnisse, nach *Karl Marx* die unerläßliche Vorbedingung einer Revolution,
begonnen und, da rückständige Bauern die
überwältigende Mehrheit der Bevölkerung
bildeten, ohne revolutionäres Proletariat
durchgeführt; an ihre Stelle setzte er die kon-
spirative Organisation von intellektuellen Berufsrevolutionären. So wurde aus der Ideologie des Marxismus die Praxis des → Marxismus-Leninismus.   *U. Fr.*

Produktionswert

(Bruttoproduktionswert) Wert der in einer Periode von einer Unternehmung oder einem
Wirtschaftsbereich erstellten Sachgüter und
Dienstleistungen, von dem die → Entste-
hungsrechnung zur Berechnung des Volkseinkommens ausgeht. Er findet sich auf der rechten Seite der → Produktionskonten, in → Input-Output-Tabellen und im →„System of
material product balances" der COMECON-
Staaten.

Zieht man vom Produktionswert die
→ Vorleistungen ab, so erhält man die
→ Bruttowertschöpfung (unbereinigt) eines
Unternehmens oder Wirtschaftsbereiches (vgl.
Tab.).

*Produktionswerte nach Wirtschaftsbereichen
in jeweiligen Preisen, Mrd. DM*

	1970	1980	1984[1]
Land- und Forstwirt- schaft, Fischerei	39,1	63,8	72,2
Warenproduzieren- des Gewerbe	790,7	1 651,8	1 913,3
Handel und Verkehr	567,4	1 223,8	1 419,7
Dienstleistungs- unternehmen	175,3	507,1	668,3
Unternehmen zusammen	1 572,4	3 446,4	4 073,7
Staat	118,2	339,0	403,7
Private Haushalte einschl. Private Organisationen ohne Erwerbscharakter	14,1	38,4	48,6
Alle Wirtschafts- bereiche	1 704,7	3 823,8	4 525,9

[1] Vorläufiges Ergebnis

Quelle: *Statistisches Bundesamt* (Hrsg.), Fachse-
rie 18, Volkswirtschaftliche Gesamtrechnungen,
Reihe S. 8, Revidierte Ergebnisse 1960 bis 1984,
Mainz 1985, S. 32ff.

Produktionsziele → Fertigungsziele

Produktionszyklus → Losgrößenplanung

Produktivgenossenschaft

→ Genossenschaft, die Gegenstände und
Dienstleistungen auf gemeinschaftliche Rechnung herstellt und vertreibt (§ 1, 1 Nr. 4
GenG). Es besteht Identität von Mitgliedern
und Arbeitnehmern; die Genossenschaft dient
den Mitgliedern als Erwerbsquelle. Diese
Form der Genossenschaft hat bei uns, im
Gegensatz zur → Förderungsgenossenschaft,
kaum Bedeutung erlangt.

Produktivität

(technische Ergiebigkeit, Technizität) einer der arbeitsträgerorientierten, sachlich-quantitativen Inhalte der → Fertigungsziele. Die Produktivität eines Arbeitsträgers ist definiert als das Verhältnis der gesamten Produktionsmenge eines Betrachtungszeitraums zu der für die Erzeugung verbrauchten Einsatzmenge. Meßprobleme wegen mehrerer gleichzeitig eingesetzter Arbeitsträgerarten oder wegen Mehrproduktfertigung umgeht man dadurch, daß man Teilproduktivitäten ermittelt, deren Aussagekraft jedoch bei Nichtkonstanz der Einsatzgüterverhältnisse beschränkt ist. Der reziproke Wert der Produktivität ist der entsprechende → Produktionskoeffizient.

produktivitätsorientierte Lohnpolitik → Lohnleitlinien

Produktivitätswachstum

Die Erhöhung der → Arbeitsproduktivität und → Kapitalproduktivität kann Ausdruck von Substitutions-, Skalen-, Struktur- und Fortschrittseffekten sein. *Substitutionseffekte* ergeben sich, wenn die Unternehmungen bei einer relativen Verteuerung des Arbeitseinsatzes Arbeit durch Kapital, bei einer relativen Verteuerung des Kapitaleinsatzes Kapital durch Arbeit ersetzen. *Skaleneffekte* ergeben sich, wenn eine Erhöhung oder Senkung des Kapital- und des Arbeitseinsatzes mit gleicher Rate Arbeits- und Kapitalproduktivität steigen oder sinken läßt. *Struktureffekte* treten bei gleichzeitiger Produktion mehrerer Güter dann auf, wenn Arbeits- und/oder Kapitalproduktivität in den einzelnen Produktionsbereichen eine unterschiedliche Höhe haben und wenn sich die Anteile dieser Bereiche an der gesamten Produktion verschieben. Schließlich steigt die Arbeits- und/oder die Kapitalproduktivität aufgrund des → technischen Fortschritts auch dann, wenn keine Substitutions-, Skalen- und Struktureffekte vorliegen.

G. S.-R.

Produktivkräfte

(Produktionsfaktoren) im → Marxismus übliche Bezeichnung für die arbeitenden Menschen (Hauptproduktivkraft), für die Produktionsmittel nach dem jeweiligen Stand des technisch-organisatorischen Wissens und für die Naturreichtümer. Nach marxistischer Theorie bestimmen die Produktivkräfte die Fähigkeit einer Gesellschaft, die notwendigen Mittel zur Bedürfnisbefriedigung bereitzustellen. Sie wirken als Teil der → Produktionsweise auf die → Produktionsverhältnisse ein, ver-

körpern die gesellschaftlichen Triebkräfte und bestimmen die Arbeitsproduktivität, die als Gradmesser des gesellschaftlichen Fortschritts angesehen wird. Widersprüche zwischen Produktivkräften und Produktionsverhältnissen führen gemäß den Entwicklungsgesetzmäßigkeiten des → historischen Materialismus zum Wandel der → Produktionsweise. *U. Fr.*

Produktivvermögen

in der → Vermögensrechnung und vermögenspolitischen Diskussion ein nicht einheitlich verwendeter Begriff. In einigen Berechnungen zur → Vermögensverteilung wird darunter das gewerbliche Nettobetriebsvermögen der Einzel- und Personalunternehmen zuzüglich der Anteile an Kapitalgesellschaften verstanden. Bei dieser Abgrenzung geht es um die eigentumsrechtliche Verteilung der Ansprüche auf das Realkapital.

Produktlebenszyklus

„Lebensweg" eines Produktes am Markt. Er kommt in der zeitlichen Entwicklung seines Absatzes und Erfolgsbeitrags zum Ausdruck. Idealtypisch wird ein glockenförmiger Absatzverlauf mit vier oder fünf abgrenzbaren Phasen unterstellt (vgl. Abb.). Er gilt am ehesten für bestimmte Produktarten, weniger für einzelne Marken. Für letztere sind die Kurvenverläufe i. d. R. asymmetrisch und lassen sich besser durch logarithmische oder e-Funktionen beschreiben (z. B. Absatz in Periode $t = a \cdot t^b \cdot e^{-ct}$ mit a, b, c > 0, e = 2,718).

Das Konzept des Lebenszyklus bietet keine in sich geschlossene Theorie. Es wird aber durch einzelne quasi-gesetzmäßige Erklärungen typischer Verhaltensweisen der Nachfrager und Anbieter in einer weitgehend stabilen Umwelt gestützt (→ Diffusionsprozeß). Das neue Produkt wird zunächst nur von einigen, besonders innovationsbereiten „Konsumpionieren" erworben, bald aber auch von einer zunehmenden Anzahl von Nachahmern bis schließlich hin zu den wenigen „Nachzüglern" angenommen. Gemäß dem sog. Bass-Modells ist die Wahrscheinlichkeit eines ersten Kaufes durch einen Imitator – im Gegensatz zum Innovatorverhalten – vom Anteil der bisherigen Käufer am gesamten Käuferpotential (linear) abhängig. Im Laufe des Zyklus gewinnen auch Wieder- bzw. Ersatzkäufe an Bedeutung. Ein Wandel von Werten und Lebensgewohnheiten, Fortschritte in der Technik oder Änderungen bei Kaufkraft und Geschmack werden schließlich die sog. Degeneration herbeiführen.

Der das neue Produkt einführende Anbieter

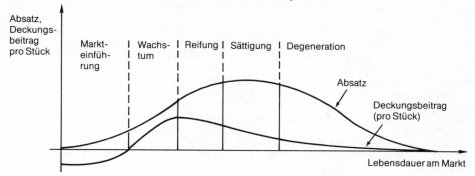

Idealtypischer Produktlebenszyklus

genießt zunächst eine Monopolstellung, zieht aber durch seinen Erfolg immer mehr imitierende Konkurrenten an. So entsteht ein → Oligopol oder gar → Polypol. Ab der Sättigungsphase werden dann viele Anbieter wegen steigender Konkurrenzintensität infolge von Überkapazität zum Marktaustritt veranlaßt. Der technische Fortschritt kann schließlich neue Produkte hervorbringen, die das alte „sterben" lassen.

Der Lebenszyklus wird nicht zuletzt auch durch typische phasenbezogene Marketingmaßnahmen des Anbieters bzw. der Anbieter selbst beeinflußt. Liegen bestimmte phasenspezifische Verhaltensweisen der Marktteilnehmer und somit auch Wirkungsunterschiede der Absatzinstrumente vor, so ist die jeweilige Zyklusphase eine wichtige Orientierungsgröße für das Marketing. Zunächst gilt es, Qualitätsmängel („Kinderkrankheiten") auszumerzen, Akzeptanz für das Erzeugnis beim Handel zu erreichen und durch Einführungswerbung bei den potentiellen Kunden Aufmerksamkeit zu erzielen sowie Kaufwiderstände und Unsicherheit abzubauen. In der Wachstumsphase werden Produktqualität, Distribution und Markenbekanntheit weiter gesteigert, die Preise u. U. gesenkt als Reaktion auf erste Wettbewerber und zur Abschreckung potentieller weiterer Konkurrenten. Im Reifestadium herrscht meist ein heftiger Wettbewerb mit Preiskämpfen und imagestärkenden Maßnahmen. In der Phase der Sättigung werden häufig → Produktdifferenzierungen und → Relaunches vorgenommen. In der Degeneration kann der Anbieter schließlich das Produkt sofort eliminieren oder langsam auslaufen lassen (→ Harvesting-Strategie), seinen Absatz aber auch erneut ankurbeln (→ Relaunch) oder seine Marketinganstrengungen auf ein niedrigeres Niveau einpendeln („Versteinerung").

Vorsicht ist bei der → Absatzprognose mit

Hilfe des Lebenszykluskonzepts geboten. Die genannten Einflüsse sind nicht immer gleichermaßen gültig; außerdem wird der Lebenszyklus von konjunkturellen und saisonalen Faktoren, Veränderungen in der Umwelt und Verbundeffekten überlagert. Ferner hängen Verlauf, Erklärung und Nutzung der Kurve von den Maßgrößen (z. B. Absatzmenge oder Umsatzwert) sowie der Bezugsbasis ab. Einzelne Produktvarianten, Marken oder ganze Produktlinien eines Anbieters haben ebenso einen Lebenszyklus wie die Gesamtheit konkurrierender Produkte, die Branche oder eine Modeströmung. Es verwundert deshalb nicht, wenn man in der Realität sehr verschiedenen Kurvenverläufen, z. B. auch mehrgipfligen oder schnell abfallenden Funktionen („Flops") begegnet. Dementsprechend ist der künftige Verlauf, ja sogar die gegenwärtige Position, nur schwer abzuschätzen.

Einige Konzepte der → Portfolio-Planung (z. B. jenes des Beratungsunternehmens *Arthur D. Little*) und der → strategischen Planung bedienen sich des Modells der Lebenszykluskurve bei der Prognose der Umsätze von Produkten.   *K. Lo.*

Literatur: *Bass, F. M.,* A New Product Growth Model for Consumer Durables, in: Management Science, Vol. 16 (1969), S. 215 ff. *Day, G.* (Hrsg.), Special Section: Product Life Cycle Concept, in: Journal of Marketing, Vol. 45 (1981), Heft 4, S. 60 ff. *Dichtl, E.,* Die Beurteilung der Erfolgsträchtigkeit eines Produktes als Grundlage der Gestaltung des Produktionsprogramms, Berlin 1970, S. 48 ff.

Produktlinie → Programmpolitik, → Preislinienpolitik

Produktmanagement

vor allem in der Konsumgüterindustrie verbreitete Form der produktorientierten → Marketingorganisation, bei der bestimmte Organisationseinheiten eine produkt(gruppen)orientierte Promotor-, Planungs-, Koordinations- und Kontrollfunktion übernehmen. Wichtigstes Ziel des Produktmanagers ist eine horizontale Koordination betrieblicher Entscheidungsprozesse, die die ressortspezifischen („innenorientierten") Ziele mit den Markterfordernissen verknüpft.

Wird der Produktmanager neben den Funktionalmanagern mit Linienvollmachten ausgestattet, was zur Steigerung der Motivation und Durchsetzungskraft sinnvoll sein kann, führt dies zu einer zweidimensionalen → Matrixorganisation. Statt von Produktmanager spricht man dabei häufig auch von Produktdirektor.

Üblicherweise besitzt der Produktmanager jedoch keine Weisungsbefugnisse gegenüber Funktionsstelleninhabern und untersteht als Stabsstelle der Marketingleitung. Trotzdem wird ihm i. d. R. zumindest eine „Wachhund"-Funktion für den Produkterfolg, wenn nicht sogar die Gewinnverantwortung übertragen. Dies führt gelegentlich zur Überforderung des Produktmanagement und zur Vernachlässigung langfristiger Marketingbelange, zumal Produktmanagerstellen häufig mit Nachwuchskräften besetzt sind. Darüber hinaus erfordern viele Absatzmärkte zunehmend eine kunden(gruppen)spezifische Bearbeitung, so daß das Produktmanagement durch ein → Kundengruppenmanagement zu ergänzen ist.   *H. D.*

Produkt-Markt-Matrix → Marketingstrategie, → Geschäftsfeldplanung

Produktmix → Marketinginstrumentarium

Produktnutzen → Grundnutzen

Produktor → Produktionsfaktor

Produktpolitik
Unter einem Produkt versteht man aus absatzwirtschaftlicher Sicht eine vom Anbieter gebündelte und am Markt angebotene Gesamtheit von Eigenschaften, die geeignet ist, dem Verwender Nutzen zu stiften, d. h. Probleme zu lösen bzw. Bedürfnisse zu befriedigen. Die Ausgestaltung dieser Eigenschaften in technisch-physikalischer wie absatzwirtschaftlicher Sicht ist Inhalt der → Produktgestaltung als erstem Teilbereich der Produktpolitik (vgl. Abb.). Sie umfaßt die Festlegung der Gebrauchseigenschaften des Produktes, also etwa der Stoffqualität, Funktionsbreite, Sicherheit, Zuverlässigkeit, Lebensdauer, Wirtschaftlichkeit oder Reparaturfreundlichkeit. Entscheidend hierfür sind die stofflichen und

konstruktiven Merkmale des Produktes. Dieser auf den sog. Grundnutzen bezogene Produktkern muß jedoch auch verkehrsfähig, d. h. transportierbar, lagerbar und am Markt identifizierbar gemacht werden. Darüber hinaus wird von vielen Produkten auch ein Zusatznutzen im seelisch-geistigen Bereich, etwa hinsichtlich ästhetischer, selbstwertbezogener oder sozialer Bedürfnisse, erwartet. Beiden Anforderungen dienen das → Produktdesign, die → Verpackungsgestaltung und die Markierung (→ Markenpolitik) als wichtige, in technisch ausgereiften Märkten oft sogar dominierende Instrumente der Produktgestaltung. Schließlich umfaßt die Produktgestaltung i. w. S. auch die Bestimmung des produktbegleitenden Kundendienst- oder Serviceangebotes (→ Kundendienst).

Neben der Produktgestaltung sind im Rahmen der Produktpolitik aber auch ständig Entscheidungen über die Marktpräsenz zu treffen. So muß festgelegt werden, ob, wann und wie neue Produkte, evtl. sogar neue Produktlinien (→ Diversifikation), entwickelt und am Markt eingeführt (→ Neuproduktentwicklung) bzw. alte Produkte aus dem Angebotsprogramm gestrichen werden sollen (→ Produktelimination). Bei eingeführten Produkten betreibt man durch Veränderung des Produktes → Produktvariation und durch Hinzufügen zusätzlicher Varianten → Produktdifferenzierung.

Beide Gestaltungsbereiche der Produktpolitik werden oft durch zahlreiche Restriktionen vor allem technischer, rechtlicher, ökologischer oder finanzieller Art eingeschränkt.

Entscheidend für den Erfolg einer den Grundprinzipien des → Marketing folgenden Produktpolitik sind die innere Geschlossenheit der Produktkonzeption und deren Abstimmung mit den übrigen Instrumenten des → Marketingmix. Generelles Ziel der Produktpolitik ist die Maximierung der Abnehmerpräferenz gegenüber dem Produkt unter wirtschaftlich vertretbaren Kosten. Da produktpolitische Maßnahmen oft lange Vorlaufzeiten, aber auch langfristige Wirkungen besitzen, kann dieses Ziel nur bei einer sorgfältigen Planung der strategischen, taktischen und operativen Maßnahmen erreicht werden. Sie umfaßt auch die Erforschung der tatsächlichen Nutzenstiftung des Produktes sowie der Nutzenerwartungen mit Hilfe der Absatzforschung. Ferner sind die wechselseitigen Beeinflussungen zwischen den verschiedenen Produkten des Anbieters zu berücksichtigen (→ Programmpolitik).

Da bei all diesen Planungsaufgaben die Koordination zwischen den eher technisch

orientierten Entwicklungs- und Fertigungsab-
teilungen einerseits und den Marketinganfor-
derungen andererseits besonders wichtig ist,
institutionalisieren viele Unternehmen diese
Aufgabe in einer spezifischen Koordinations-
stelle, dem → Produktmanagement.

H. D./K. Lo.

Die Aufgaben der Produktpolitik

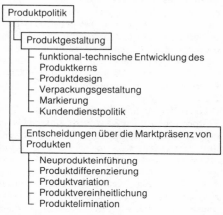

Literatur: Brockhoff, K., Produktpolitik, Stuttgart,
New York 1981. *Koppelmann, U.,* Grundlagen des
Produktmarketing: Zum qualitativen Informations-
bedarf von Produktmanagern, Stuttgart u. a. 1978.
Kotler, Ph., Marketing-Management, 4. Aufl.,
Stuttgart 1982, S. 67 ff., 321 ff. *Sabel, H.* Produkt-
politik in absatzwirtschaftlicher Sicht, Wiesbaden
1971.

Produktpositionierung

Ein (psychologisches) Positionierungsmodell
repräsentiert die am Markt angebotenen Marken einer Produktgattung in einem geometrischen Modell mit

● Produkteigenschaften als Dimensionen des
Produktraums,
● Produkten als Punkten in diesem Raum,
● Produktdistanzen als Maßstab für die von
den Abnehmern subjektiv empfundene
(Un-)Ähnlichkeit der Produkte und
● Idealpunkten oder -vektoren als Kennzei-
chen der Präferenzen der Abnehmer(grup-
pen).

Der durch Techniken der → multivariaten
Analyse auf möglichst wenige Dimensionen
komprimierte geometrische Raum kann als
Wahrnehmungs- und/oder Präferenzraum interpretiert werden (Einstellungsmessung), innerhalb dessen die Produkte eines Anbieters
optimal zu lokalisieren sind. Dieser Prozeß
heißt Produktpositionierung. Er steht in engem Zusammenhang mit der → Marktseg-

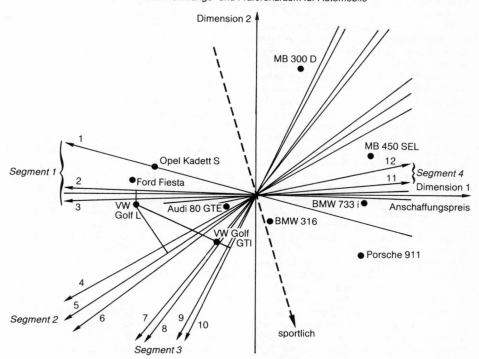

Wahrnehmungs- und Präferenzraum für Automobile

mentierung und der Gestaltung des → Image von Produkten oder Anbietern.

Die Abbildung verkörpert ein Beispiel für ein Positionierungsmodell aus dem Automobilmarkt. Die Präferenzrangfolgen für die einzelnen Automodelle bei verschiedenen Personen ergeben sich, wenn man die Lote von den Produktpositionen auf die Präferenzvektoren fällt.   H. D.

Literatur: *Schobert, R.*, Positionierungsmodelle, in: *Diller, H.* (Hrsg.), Marketingplanung, München 1980, S. 145 ff.

Produktqualität → Produktpolitik, → Produktgestaltung

Produkttest

→ Test, bei dem die subjektive Qualität eines Produktes überprüft wird. Insbesondere soll ermittelt werden, wie potentielle Käufer das Produkt beurteilen, um daraus Informationen hinsichtlich seiner Marktchancen sowie Verbesserungsmöglichkeiten bezüglich Produktgestaltung und Marketingkonzeption abzuleiten. Der Produkttest ist zu unterscheiden von technischen Qualitäts- und Expertentests, die ebenfalls vom Hersteller oder in dessen Auftrag durchgeführt, ferner von Warentests, die von unabhängigen Instituten oder Publikationsorganen zwecks Information der Verbraucher veranlaßt werden (z. B. → Stiftung Warentest).

Als Objekte für Produkttests kommen primär neue und verbesserte Erzeugnisse sowie Ergänzungen des Angebotsprogramms in Frage. Zwecks Erlangung von diagnostischen Informationen können aber auch Produkttests für im Markt befindliche Produkte sinnvoll sein. Geprüft wird gewöhnlich das Produkt in seiner Gesamtheit (Volltest). Zusätzlich, meist vorgeschaltet, werden oft Partialtests durchgeführt, die der Überprüfung von Produktkomponenten (z. B. Markenname, Verpakkung, Geschmack, Handhabung) dienen. Zur Prüfung des unfertigen Produktes (bzw. seiner Idee oder Konzeption) sind → Konzepttests gedacht.

Die Testpersonen sollten nach Möglichkeit eine repräsentative Auswahl der potentiellen Käufer bilden. Der Auswahlumfang liegt gewöhnlich zwischen 200 und 400 Personen. Diese können speziell für den Test angeworben oder aus einem bestehenden Produkttest-Panel ausgewählt werden. Letzteres ist häufig der Fall, wenn der Produkttest nicht vom Hersteller selbst, sondern von einem beauftragten Marktforschungsinstitut durchgeführt wird. Gemessen werden mittels geeigneter Befragungs- und Skalierungsverfahren insb. Präfe-

renzen, Einstellungen und Kaufabsichten. Durch offene Fragestellung wird außerdem ermittelt, was an dem Testprodukt besonders gefällt oder mißfällt (likes und dislikes).

Nach Art des Testortes wird unterschieden zwischen Studio-Test und Home-Use-Test. Als Teststudio wird häufig ein Restaurant in der Stadtmitte oder ein entsprechend hergerichteter Autobus verwendet. Die Befragung erfolgt gewöhnlich durch Interviewer. Beim Home-Use-Test kann die Testperson das Testprodukt zu Hause in gewohnter Umgebung und über einen längeren Zeitraum ausprobieren. Die Befragung erfolgt hier zumeist schriftlich, verbunden mit einer postalischen Übermittlung von Fragebogen und Testprodukt.

Nach der Anzahl der Produkte, die einer Testperson dargeboten werden, unterscheidet man zwischen monadischem Test (Einzeltest) und Vergleichstest. Beim Vergleichstest wird oft weiter differenziert zwischen Paarvergleichstest, triadischem Test und multiplem Test. Ein Vergleichstest erweist sich als zweckmäßig, wenn alternative Produktvarianten verfügbar sind. Er kann aber auch bei nur einem Testprodukt eingesetzt werden, wobei als Vergleichsprodukte die führende Marke, die Stammarke der Testperson oder alle relevanten Marken aus dem betreffenden Markenfeld herangezogen werden. Allein aus meßtechnischen Gründen ist der Vergleichstest, soweit anwendbar, dem monadischen Test vorzuziehen.

Nach Art der Darbietung des Produktes wird zwischen Blindtest und identifiziertem Test unterschieden. Beim → Blindtest erhält die Testperson das Produkt in neutraler Aufmachung. Dieser wird eingesetzt, um die eigentliche Leistung eines Produktes, unbeeinflußt durch Verpackung, Markierung und Image des Herstellers, zu testen. Letztlich handelt es sich dabei immer um einen Partialtest. Realistischer ist der identifizierte Test, der ein Gesamterlebnis des Produktes ermöglicht. Dennoch hat auch der Blindtest seine Berechtigung, insb. im Rahmen von Vergleichstests, da er hinsichtlich der Wahrnehmung von Produktkomponenten eine größere Trennschärfe als der identifizierte Test besitzt.

Der Produkttest bildet im Rahmen der → Produktpolitik eines der wichtigsten und am häufigsten eingesetzten Testinstrumente. Insbesondere zur Aufdeckung von Schwächen bei einem neuen Produkt sowie zur Auswahl zwischen alternativen Produktentwicklungen ist der Produkttest unverzichtbar. Nicht geeignet ist der Produkttest zur Ableitung von quantitativen Marktprognosen. Zur Schließung der Lücke zwischen Produkttests und Markttest (→Testmarkt) wurden daher die →Testmarktsimulation und der →Mini-Testmarkt entwickelt.   *B. E.*

Literatur: *Bauer, E.,* Produkttests in der Marktforschung, Göttingen 1981. *Brockhoff, K.,* Produktpolitik, Stuttgart u.a. 1981. *Rehorn, J.,* Markttests, Neuwied 1977.

Produkttreue →Markentreue

Produkttypologie

(Warentypologie) zum einen die Einteilung von Produkten anhand jeweils festzulegender Merkmale, zum anderen aber auch die Lehre und Methode der Bildung solcher Einteilungen. Für die Marketingtheorie relevant ist eine solche Typologie dann, wenn Aussagen z.B. über das →Konsumentenverhalten und die Wirkungen der Marketinginstrumente durch die Differenzierung nach einzelnen Produkttypen präziser und stabiler werden. Der sog. commodity approach, d.h. der waren- oder produktorientierte Ansatz der →Marketingtheorie, stellt bei absatzpolitischen Entscheidungen Produktcharakteristika in den Mittelpunkt der Betrachtung. Probleme bereitet dabei allerdings die Operationalisierung der Merkmale.

Produkte können Sachgüter und/oder →Dienstleistungen sein. Nutzen stiften und systematisch vermarktet werden können aber auch Rechte, Nominalgüter (Geld und Geldforderungen), Personen, Organisationen und Ideen; sie sind „Produkte" i.w.S.

Im Unterschied zu Konsumgütern, die zur Verwendung durch private Haushalte bestimmt sind, versteht man unter Investitionsgütern solche Erzeugnisse, die von staatlichen oder privaten Organisationen (z.B. Unternehmen) nachgefragt werden, um sie selbst zur Leistungserstellung zu nutzen oder an Dritte weiterzuveräußern. Produkte können mehrmals bzw. längerfristig genutzt werden oder nur zur einmaligen bzw. kurzfristigen Verwendung bestimmt sein. Bei Konsumgütern nennt man erstere Gebrauchsgüter und letztere Verbrauchsgüter; bei Investitionsgütern heißen sie entsprechend Investitionsgüter i.e.S. (bzw. Anlagegüter) und Produktionsgüter.

Für einen Konsumenten stellen Produkte convenience goods dar, wenn er sie häufig kauft, die betreffenden Märkte gut zu überblicken glaubt, nur ein kleines Kaufrisiko empfindet und sie mit nur geringen Anstrengungen beschafft (Beispiel: Zahncreme). Im Falle geringerer Beschaffungshäufigkeit und Markttransparenz sowie relativ hohen Be-

schaffungsaufwandes spricht man von specialty goods (Beispiel: Videorecorder). Eine mittlere Position nehmen shopping goods ein (Beispiel: Herrenanzug). Je nach dem Interesse, das der Verwender einem Produkt entgegenbringt, unterscheidet man ferner low interest (Beispiel: Schrauben) und high interest products (Beispiel: PKW).   *K. Lo.*

Literatur: *Knoblich, H.,* Betriebswirtschaftliche Warentypologie – Grundlagen und Anwendungen, Köln, Opladen 1969.

Produktvariation

Veränderungen einer oder mehrerer Eigenschaften eines bereits am Markt befindlichen Produkts im Rahmen der →Produktpolitik. Die ursprünglichen Qualitätsmerkmale werden dabei nicht wesentlich geändert. Ansonsten wäre bereits von einer →Neuproduktentwicklung zu sprechen. Ferner bleibt die Anzahl der Produktvarianten im Gegensatz zur →Produktdifferenzierung unverändert. Ein typisches Beispiel für die Produktvariation ist die regelmäßige Modellpflege in der Automobilindustrie.

Die Qualitätsmodifikationen können sich auf physikalisch-technische, stilistische oder symbolische Merkmale beziehen und sowohl den Produktkern als auch das Produktäußere oder – wie im Fall des →Relaunch – das Produktimage betreffen.

Das wichtigste Modell für Produktvariationen ist die Anpassung der Qualität an veränderte technische Standards und an – u.U. modebedingte – Wandlungen der Abnehmerbedürfnisse (→face lifting). Dabei kann das Produkt oft auch von gewissen Mängeln befreit, an wirtschaftlichere Produktionstechniken angepaßt und von Konkurrenzprodukten abgehoben werden. Nicht selten veranlassen auch geänderte Rechtsvorschriften bzw. Industrienormen oder ungünstige Warentesturteile die Hersteller zur Produktvariation. Schließlich ist nicht zuletzt auch die vermeintliche Werbewirksamkeit jeder Neuerung für viele Anbieter ein Anreiz zum regelmäßigen Modellwechsel. Die Kosten der Enwicklung und Umstellung in Einkauf, Produktion und Marketing, die Probleme der Verwertung vorhandener Bestände an alter Ware und die mögliche Verärgerung der Käufer des veralteten Modells (geplante →Obsoleszenz) lassen allzu häufige Variationen allerdings wenig vorteilhaft erscheinen. Andererseits stellen Produktvariationen oft die einzige wirtschaftlich vertretbare Möglichkeit dar, Produkte rechtzeitig an dynamische Marktentwicklungen anzupassen, ohne große Investitionen für die

Entwicklung neuer Produkte tätigen zu müssen oder die Amortisation alter Investitionen zu gefährden.   *K. Lo.*

Produktveralterung → Obsoleszenz

Produktwahrnehmung → Einstellung

Produktwertanalyse → Wertanalyse

Produktzyklustheorie

Hypothese über die im Verlauf des Lebenszyklus eines Produktes sich wandelnden → Außenhandelsursachen. Es werden damit Außenhandelsströme erklärt, die mit dem → Ricardo-Theorem oder der → Faktorproportionentheorie nicht zufriedenstellend erfaßt werden können. Zugleich macht sie Aussagen zum dynamischen Strukturwandel im Welthandel.

Der Erklärungsansatz der Produktzyklustheorie bezieht sich vor allem auf den Handel mit neu entwickelten Industrieprodukten. Charakteristisch für diese Produkte ist, daß sie sog. → Lebenszyklus durchlaufen, der z. B. in Innovationsphase, Ausreifungsphase und Standardisierungsphase unterteilt werden kann. In den einzelnen Entwicklungsphasen sind diese „Produktzyklusgüter" durch unterschiedliche Produktionsverfahren (von hoher Qualifikations- und Arbeitsintensität hin zu hoher Kapitalintensität) und unterschiedliche Wettbewerbsbedingungen (von Monopol zu wachsender in- und ausländischer Konkurrenz; von Qualitäts- zu Preiswettbewerb) gekennzeichnet.

In Abhängigkeit von ihrem Entwicklungsniveau unterscheiden sich auch die am Welthandel beteiligten Länder hinsichtlich ihrer Ausstattung mit Produktionsfaktoren (hochqualifizierte, gelernte und ungelernte Arbeitskräfte; natürliche Ressourcen; Kapital), des Ausmaßes der Technologisierung und der Nachfragestruktur. Im Rahmen der Produktzyklustheorie wird daher vermutet, daß jede Ländergruppe Verfügbarkeitsmonopole (→ technologische Lücke) oder komparative Vorteile in der Produktion von Gütern jeweils einer bestimmten Produktzyklusphase besitzt: Hochentwickelte Industrieländer werden Ursprungsländer und Exporteure neuer Produkte sein.

Mit Beginn der Ausreifungsphase setzen der Standardisierungsprozeß und die Imitation in anderen Ländern ein, so daß diese ihre Importe nach und nach durch Eigenproduktion ersetzen. In der Standardisierungsphase ist Entwicklungstechnologie nicht mehr erforderlich und die Produktionstechnik stellt bei hohem Kapitaleinsatz pro Arbeitsplatz geringe Qualifikationsanforderungen an die Arbeitskräfte. Bei entsprechendem Kapitalzufluß in Entwicklungsländer (z. B. durch Standortverlagerung der Produktion aus den Industrieländern) kann die reiche Ausstattung mit gering qualifizierten und schlecht bezahlten Arbeitskräften komparative Kostenvorteile für sich industrialisierende Entwicklungsländer induzieren, so daß das Produkt nun vorwiegend von diesen Ländern produziert und exportiert wird.

Die Grafik zeigt den Wandel in der Außenhandelsstruktur der USA bezüglich eines Pro-

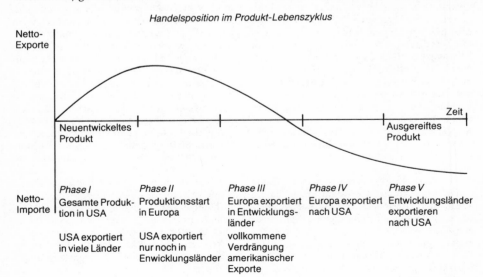

Handelsposition im Produkt-Lebenszyklus

Netto-Exporte

Zeit

Neuentwickeltes Produkt

Ausgereiftes Produkt

Netto-Importe

Phase I	*Phase II*	*Phase III*	*Phase IV*	*Phase V*
Gesamte Produktion in USA	Produktionsstart in Europa	Europa exportiert in Entwicklungsländer	Europa exportiert nach USA	Entwicklungsländer exportieren nach USA
USA exportiert in viele Länder	USA exportiert nur noch in Enwicklungsländer	vollkommene Verdrängung amerikanischer Exporte		

duktes, das von den USA neu entwickelt wurde, im Laufe des Produktzyklus, wie es im
Zuge der Imitation auch in Europa hergestellt
wird und schließlich in der Standardisierungsphase aufgrund komparativer Kostenvorteile
hauptsächlich von Entwicklungsländern produziert und exportiert wird.

Eine Bestätigung der Produktzyklustheorie
findet sich z.B. bei Erzeugnissen der Elektro-
nikindustrie oder der petrochemischen Industrie.   R. O.

Literatur: *Bender, D.,* Außenhandel, in: Vahlens
Kompendium der Wirtschaftstheorie und Wirt-
schaftspolitik, Bd. 1, 2. Aufl., München 1984,
S. 401 ff.

Produzentenhaftung

(Herstellerhaftung, Warenhaftung, Produkt-
haftung) Haftung des Herstellers für Folge-
schäden aus der Benutzung seiner Produkte,
die beim bestimmungsgemäßen Verbraucher
oder einer sonstigen Person infolge eines Fa-
brikations-, Instruktions-, Konstruktions-,
Entwicklungs- oder Überwachungsfehler eintreten.

Die Produzentenhaftung wird als Haftung
aus unerlaubter Handlung eingestuft (§ 823
BGB). Der Hersteller haftet aber nur dann für
Produktschäden, sofern der Mangel von ihm
verschuldet ist (bei Fabrikationsfehlern selten); er muß freilich selbst nachweisen, daß
ihn keinerlei Verschulden trifft. Der zu ersetzende Schaden umfaßt sämtliche Folgeschä-
den aus der Verletzung der geschützten
Rechtsgüter (Leben, Körper, Gesundheit oder
Eigentum), nicht aber einen etwaigen Vermö-
gensschaden.

Literatur: *Diederichsen, U.,* Die Haftung des Wa-
renherstellers, 2. Aufl., München 1987.

Produzentenrente

Differenz zwischen dem Marktpreis $\bar{p}$ und
dem Preis p', zu dem ein Anbieter bereit wäre,
sein Gut zu verkaufen. Da die einzelnen Anbieter aufgrund ihrer Grenzkostensituation
i.d.R. unterschiedliche Preisvorstellungen haben, entstehen unterschiedliche Produzenten-
renten. Die Produzentenrente wird durch die
Fläche zwischen der → Angebotskurve (entspricht der Grenzkostenkurve) und der Preis-
geraden ($\bar{p}$) dargestellt (schraffierte Fläche in
Abb.).

Die Produzentenrente stellt nichts anderes
als Differentialgewinne dar, d.h. Gewinne,
die auf einer Überlegenheit (Leistungsüber-
legenheit des betreffenden Unternehmers im
Vergleich zu den anderen) beruhen.

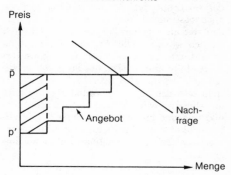

Produzentenrente

Profit → Unternehmergewinn

Profit Center → divisionale Organisation

profit lag → Lohn-lag-Hypothese

profit planning → Budgetierung

Profitquote → Gewinnquote

Profitrate

1. Relation zwischen dem Teil des → Volkseinkommens, der dem Faktor Kapital zufließt,
und dem Kapitalbestand einer Volkswirtschaft.
2. In der → Mehrwerttheorie der Quotient aus
dem Mehrwert und der Summe aus konstantem und variablem Kapital.

Prognose

wissenschaftliche Aussage über zukünftige Ereignisse, die auf Beobachtungen und auf eine
sachlogische Begründung gestützt ist. Eine
Prognose muß auf der Analyse von Beobachtungen der Vergangenheit beruhen, damit sie
empirisch fundiert ist und kein bloßes „Tip-
pen" darstellt. Darüber hinaus erfordert sie
grundsätzlich eine sachlogische Begründung
sowie die Angabe der Voraussetzungen, unter
denen sie abgegeben wird. Mit dieser Bedingung grenzt man die wissenschaftliche Prognose von der irrationalen Prophetie ab.

Der Prognosevorgang kann als → Progno-
seaufgabe formuliert werden, die folgende
wichtigen Bestandteile enthalten sollte:
- Darstellung des Prognosegegenstandes,
- Suche nach meßbaren und möglichst statistisch auswertbaren Daten (Zeitreihen),
- Entwurf eines → Prognosemodells,
- Anwendung eines → Prognoseverfahrens,
- kritische → Prognosebeurteilung.

Unter einem Prognosemodell versteht man
ein System, in dem die beobachteten Werte

der zu prognostizierenden Größe untereinander oder mit den Werten anderer Größen auch bestimmten Regeln so verknüpft werden, daß als Ergebnis Prognosewerte ermittelt werden können. Die Art der Verknüpfung wird durch das anzuwendende Prognoseverfahren bestimmt. Qualitative Prognoseverfahren, mit denen → heuristische Prognosen erstellt werden, arbeiten verbal-argumentativ und liefern, wie z.B. die → Szenario-Technik, nur eine grobe Beschreibung der möglichen zukünftigen Entwicklung des Prognosegegenstandes bei alternativen Rahmenbedingungen.

Liegen vom Prognosegegenstand Zeitreihendaten vor, so können quantitative Prognoseverfahren auf statistischer Grundlage herangezogen werden. Entsprechend der Länge des Prognosezeitraums und den Anforderungen an die Prognosegenauigkeit bieten sich folgende Varianten an:
(1) *Kurzfristige Prognose*
(a) → exponentielle Glättung,
(b) → Saisonbereinigungsverfahren,
(c) autoregressive Verfahren (z.B. → Box-Jenkins-Modelle),
(d) → multiple Regressionsanalyse.
(2) *Langfristige Prognose*
(a) Trendextrapolation (→ Trendschätzung),
(b) Wachstums- und Sättigungsfunktionen.

Der letzte Schritt eines Prognosevorgangs muß die kritische Prognosebeurteilung sein. Hier ist zunächst zu prüfen, ob das Prognosemodell dem Problem angemessen und in sich geschlossen (konsistent) ist. Darüber hinaus sollte die Gültigkeit der → Zeitstabilitätshypothese nachgewiesen werden, die besagt, daß die Gesetzmäßigkeiten der Vergangenheit im wesentlichen auch für die Zukunft unterstellt werden dürfen.

Die abschließende Beurteilung einer abgegebenen Prognose läßt sich durch den Vergleich der → Prognosekosten mit der → Prognosequalität durchführen, wobei die Qualität mit statistischen Fehlermaßen, die auf der Abweichung des prognostizierten Wertes vom tatsächlichen Wert des Prognosegegenstandes basieren, gemessen wird.

Wichtige betriebswirtschaftliche Anwendungsgebiete sind u.a. die → Absatzprognose und die → Materialbedarfsprognose. Bei den volkswirtschaftlichen Anwendungen steht die → Konjunkturprognose im Vordergrund.

K. W. H.

Literatur: *Frerichs, W./Kübler, K.,* Gesamtwirtschaftliche Prognoseverfahren, München 1980. *Hansmann, K.-W.,* Kurzlehrbuch Prognoseverfahren, Wiesbaden 1983. *Mertens, P.* (Hrsg.), Prognoserechnung, 4. Aufl., Würzburg, Wien 1981.

Prognoseaufgabe

umfaßt den gesamten Prognosevorgang und wird zweckmäßigerweise in einzelne, zeitlich aufeinanderfolgende Schritte zerlegt.
(1) Darstellung des Prognosegegenstandes: Hierunter versteht man die Definition der ökonomischen Größe, die prognostiziert werden soll, sowie die Festlegung des → Prognosehorizontes, d.h. der Begrenzung des Zeitraumes, für den die Prognose abgegeben werden soll. Ferner ist darüber zu entscheiden, ob eine → Punktprognose oder eine → Intervallprognose für den Prognosegegenstand geeigneter erscheint.
(2) Formulierung eines Erklärungsmodells des Prognosegegenstandes: Im Rahmen des → Erklärungsmodells werden theoretisch abgeleitete Hypothesen über die Beziehungen des Prognosegegenstandes zu anderen Größen, die seine Entwicklung erklären könnten, beschrieben.
(3) Untersuchung der → Zeitstabilitätshypothese: Dabei ist die Frage zu beantworten, ob sich das → Erklärungsmodell als Prognosemodell eignet und die beobachteten Gesetzmäßigkeiten der Vergangenheit in Zukunft ebenso gelten werden.
(4) Prüfung der Meßbarkeit der Variablen.
(5) Suche nach meßbaren Daten: Für quantitative Prognosen müssen die Daten in Form einer Zeitreihe (z.B. reales Bruttosozialprodukt der Bundesrepublik in DM von 1960 bis 1986) vorliegen.
(6) Test des Erklärungsmodells durch Vergleich und statistische Auswertung der Zeitreihen (→ Regressions- bzw. → Korrelationsanalyse).
(7) Anwendung eines → Prognoseverfahrens.
(8) Kritische Beurteilung der Prognoseergebnisse.

K. W. H.

Literatur: *Brockhoff, K.,* Prognoseverfahren für die Unternehmensplanung, Wiesbaden 1977. *Hansmann, K.-W.,* Kurzlehrbuch Prognoseverfahren, Wiesbaden 1983.

Prognosebeurteilung

Da jede Prognose in irgendeiner Form die Grundlage für Entscheidungen liefern soll, sind zur Beurteilung von Prognosen folgende Kriterien angebracht:
(1) Bedeutung der Entscheidung: Sie ist maßgebend für das anzuwendende → Prognoseverfahren und den einzusetzenden zeitlichen und finanziellen Aufwand für das Erstellen der Prognose. Bei grundlegenden Entscheidungen, z.B. Einführung eines neuen Produktes oder Investitionen für ein neues Produktionsverfahren, braucht man besonders gut

fundierte Prognosen und wird anspruchs-
vollere und damit kostspieligere → Prognoseverfahren heranziehen als bei Routine-Ent-
scheidungen.

(2) → Prognosekosten: Ist die Bedeutung der
Entscheidung für den Prognostiker klarge-
stellt, so sind anschließend die Prognosekosten für einzelne Verfahren zu vergleichen.
Hierzu zählen vor allem jene für Entwicklung
bzw. Beschaffung der Prognose-Software sowie für Datenaufbereitung und Rechenzeit.

(3) → Prognosequalität: Eine Prognose kann
ex ante, d.h. bevor beobachtete Werte im Prognosezeitraum vorliegen, überprüft werden,
indem man die Auswahl der kausalen Variablen, die Form der Prognosefunktion (z.B. Li-
nearität) oder die → Zeitstabilitätshypothese
auf ihre Zweckmäßigkeit bzw. Vertretbarkeit
hin untersucht.

Eine abschließende Beurteilung der Prognose ist jedoch nur ex post, d.h. durch Vergleich
der prognostizierten mit den tatsächlich ein-
treffenden Werten möglich. Für diese Prüfung
sind insb. statistische Fehlermaße geeignet,
mit deren Hilfe gute und schlechte Prognosen
objektiv unterschieden werden können.

K. W. H.

Prognoseexperiment → Delphi-Methode

Prognosefehler

Abweichung des tatsächlichen Wertes vom
prognostizierten Wert für einen bestimmten
Zeitpunkt (→ Prognosegüte).

Prognosefunktion   → Extrapolationsmethoden

Prognosegüte

Maß der Übereinstimmung zwischen prognostizierten und realisierten Werten einer sozioökonomischen Variablen. Zur Beurteilung
der Güte von Prognosen können qualitative
und quantitative Tests herangezogen werden.
Ein einfacher Ansatz einer *qualitativen* Erfolgskontrolle ist das von *Henri Theil* vorgeschlagene „Prognose-Realisations-Dia-
gramm". Ist $w_{P,t}$ die prognostizierte prozentuale Veränderung einer bestimmten ökonomischen Größe $w_{P,t} = (P_t - R_{t-1})/R_{t-1}$ (wobei R_t der realisierte Wert, P_t der prognostizierte Wert ist) und $w_{R,t}$ die tatsächlich realisierte prozentuale Veränderung dieser Größe
$w_{R,t} = (R_t - R_{t-1})/R_{t-1}$ so läßt sich eine
Zuordnung von $w_{P,t}$ und $w_{R,t}$ vornehmen
(vgl. Abb.).

Es wird deutlich, daß die perfekte Prognose
durch die 45°-Linie repräsentiert wird; A und

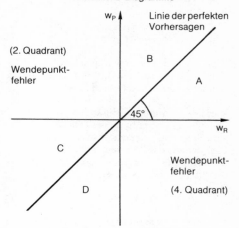

Schematische Darstellung eines Prognose-
Realisations-Diagramms

A: Unterschätzung des Wachstumsprozesses
B: Überschätzung des Wachstumsprozesses
C: Unterschätzung des Schrumpfungsprozesses
B: Überschätzung des Schrumpfungsprozesses

C spiegeln Unterschätzungen, B und D Über-
schätzungen wider. Liegen die Veränderungs-
raten im 2. bzw. 4. Quadranten, so handelt es
sich um Wendepunktfehler.

Als Ansätze der *quantitativen* Erfolgskontrolle werden z.B. der mittlere absolute Fehler

$$MAE = \frac{1}{T_o} \Sigma \mid R_t - P_t \mid$$

T_o = Anzahl der Prognosen
R_t = realisierter Wert
P_t = prognostizierter Wert
oder die Wurzel des mittleren quadratischen
Fehlers

$$RMSE = \sqrt{\frac{1}{T_o} \Sigma (R_t - P_t)^2}$$

verwendet. Häufiger werden als Maße für die
Prognose jedoch die verschiedenen Varianten
des Theil'schen Ungleichheitskoeffizienten
herangezogen. Folgende Alternative wird jedoch am meisten benutzt:

$$U = \frac{\sqrt{\frac{1}{T_o} \Sigma (w_{R,t} - w_{p,t})^2}}{\sqrt{\frac{1}{T_o} \Sigma w_{R,t}^2}}$$

Dabei ist $w_{R,t}$ die realisierte prozentuale
Veränderung in der Periode t und $w_{p,t}$ die vor-
hergesagte prozentuale Veränderung in der
Periode t.

Der Ungleichheitskoeffizient nimmt den

Wert Null an, wenn alle Veränderungen exakt vorhergesagt wurden, wenn also gilt:

$$w_{R,t} = w_{P,t}$$

Ein zunehmender Wert des Ungleichheitskoeffizienten signalisiert eine Verschlechterung des Prognoseergebnisses. Nimmt U den Wert 1 an, so bedeutet dies folgendes: Die zu testende Prognosemethode führt im Durchschnitt zu keinem besseren Resultat als der „naive" Ansatz, in dem sich die betrachtete Variable überhaupt nicht ändert ($w_{P,t} = 0$). Die weite Verbreitung des Theil'schen Ungleichheitskoeffizienten resultiert aus seiner Eigenschaft, daß sich sein Zähler in verschiedene Komponenten zerlegen läßt, die die Art des Prognosefehlers widerspiegeln:

$$\frac{1}{T_0} \sum_t (w_{R,t} - w_{P,t})^2 = A + B + C$$

Die erste Komponente (A) ist ein Maß für eine systematische Fehleinschätzung im Niveau der Entwicklung, die zweite (B) eine Kennzahl für die Erfassung der Schwankungen und die dritte ein Indikator für den zufallsbedingten Prognosefehler. *R. H.*

Literatur: *Frerichs, W./Kübler, K.*, Gesamtwirtschaftliche Prognoseverfahren, München 1980. *Theil, H.*, Applied Economic Forecasting, 4. Aufl., Amsterdam 1966.

Prognosehorizont

Zeitraum, für den eine → Prognose abgegeben wird.

Prognosekosten

sämtliche von einem Prognoseprojekt verursachten fixen und variablen Kosten. Sie lassen sich unterteilen in:
- *fixe Kosten* für die Entwicklung bzw. Beschaffung der Prognosesoftware sowie ihre Implementierung auf einer EDV-Anlage einschl. der Dokumentation,
- *variable Kosten* für Rechenzeit und Speicherbedarf für die Prognoserechnung, Datenbeschaffung und -aufbereitung, Auswertung, Prüfung und kritische Kommentierung der Prognoseergebnisse.

In der Praxis hat sich gezeigt, daß die Prognosekosten mit zunehmender Komplexität der → Prognoseverfahren und höheren Ansprüchen an die Prognosegenauigkeit steigen. Häufig kann die Prognosegenauigkeit mit der Anwendung komplizierterer Verfahren verbessert werden. Bei der Auswahl des geeigneten Prognoseverfahrens muß abgewogen werden, ob die zusätzlichen Kosten einer komplizierten Variante durch erhöhte Prognosegenauigkeit gerechtfertigt erscheinen.

Prognosemethoden → Prognoseverfahren

Prognosemodell

System, das die beobachteten Werte der zu prognostizierenden Größe (Variable) mit den Werten anderer Größen (Variablen) nach bestimmten (meist mathematischen) Regeln verknüpft, um als Ergebnis der Verknüpfung Prognosewerte zu erhalten. Man unterscheidet verschiedene Typen von Prognosemodellen:

(1) *Qualitative* Prognosemodelle verknüpfen die Variablen verbal-argumentativ und werden hauptsächlich zur Vorhersage politischer oder sehr langfristiger ökonomischer Entwicklungstendenzen herangezogen (→ qualitative Prognoseverfahren). Demgegenüber werden in einem *quantitativen* Prognosemodell die Variablen mit Hilfe mathematischer Operationen in einem Gleichungssystem verknüpft.

(2) *Univariate* Prognosemodelle beziehen nur die Zeitreihe der zu prognostizierenden Variablen in die Untersuchung ein, während → multivariate Prognosemodelle die zu prognostizierende Variable auf andere, erklärende (kausale) Variablen zurückführen wollen.

(3) *Kurz-* bzw. *langfristige* Prognosemodelle: Hier ist die Länge des Prognosezeitraums das Abgrenzungskriterium. In der Prognoseliteratur besteht keine Einigkeit hinsichtlich der Einteilung, doch kann man als groben Anhaltspunkt angeben, daß ein Prognosemodell mit einem Prognosezeitraum

bis 3 Monaten	kurzfristig,
über 3 Monate bis 2 Jahren	mittelfristig,
über 2 Jahre	langfristig

genannt werden kann. *K. W. H.*

Prognosequalität

Ex-ante, d. h. bevor beobachtete Werte im Prognosezeitraum vorliegen, erstreckt sich die Beurteilung der Prognosequalität auf das → Erklärungsmodell, die Auswahl der erklärenden Variablen sowie die Funktionsform der Beziehungen.

Ex-post wird die Prognosequalität anhand der Abweichungen der prognostizierten von den tatsächlichen Werten gemessen. Hierfür stehen verschiedene Fehlermaße zur Verfügung (→ Prognosegüte).

Prognose-Realisations-Diagramm → Prognosegüte

Prognosetechnik

Gesamtheit der qualitativen und quantitativen Methoden, die zur Erarbeitung einer

→Prognose angewendet werden. Häufig versteht man darunter die numerischen Lösungsverfahren zur Auswertung quantitativer →Prognosemodelle.

Prognoseverfahren

wissenschaftliche Vorgehensweisen zur konkreten Erarbeitung von Prognosen auf qualitativ-verbaler oder quantitativ-statistischer Grundlage.

→*Qualitative* Prognoseverfahren dienen der Erstellung →heuristischer Prognosen für sehr langfristige Entwicklungen oder für Prognoseprobleme, bei denen man nicht auf historische Daten zurückgreifen kann, wie z.B. die Einführung eines neuen Produkts. Man ist hierbei im besonderen Maße auf die Einschätzungen von „Experten" angewiesen, so daß heuristische Prognosen ex ante nur schwer objektiv nachzuvollziehen sind. Als wichtigste in der Praxis angewendeten Methoden gelten die →Szenario-Technik und die →Delphi-Methode.

Liegen vom Prognosegegenstand Zeitreihendaten genügender Länge vor, können *quantitative* Prognoseverfahren auf statistischer Grundlage herangezogen werden.

Wenn sich die Prognose nur auf Vergangenheitsdaten der Zeitreihe selbst stützen soll (→univariate Prognosemodelle), stehen für *kurzfristige Prognosen* folgende Verfahren zur Verfügung:

(1) Die →exponentielle Glättung ist das einfachste und am leichtesten nachzuvollziehende univariate Verfahren mit geringen →Prognosekosten und dementsprechend eingeschränkter →Prognosegüte.

(2) →Saisonbereinigungsverfahren bauen auf der →exponentiellen Glättung oder der →Spektralanalyse auf und dienen in besonderem Maße der Prognose saisonbehafteter oder im Konjunkturzyklus schwankender Zeitreihen.

(3) Autoregressive Verfahren sind die mathematisch anspruchsvollsten Verfahren der kurzfristigen Zeitreihenanalyse, liefern aber nicht unbedingt die genauesten Prognoseergebnisse. Am bekanntesten sind →Box-Jenkins-Modelle und das →adaptive Filtern.

Bei *langfristigen Prognosen* abstrahiert man von Konjunkturzyklen und Saisonschwankungen und konzentriert sich auf die Vorhersage des →Trends einer Zeitreihe, etwa mittels →Trendschätzung bzw. →Wachstums- und Sättigungsmodellen, die als Prognosefunktion die →logistische Funktion oder die →Gompertz-Funktion benutzen.

Den univariaten Verfahren stehen die →kausalen Prognoseverfahren gegenüber. Sie sind anwendbar, wenn es gelingt, Einflußfaktoren (verursachende Variablen) zu finden, die das Verhalten der zu prognostizierenden Zeitreihe weitgehend bestimmen. Die effizientesten kausalen Verfahren sind die →Indikator-Methode und die →multiple Regressionsanalyse.   *K. W. H.*

Literatur. *Hansmann, K.-W.*, Kurzlehrbuch Prognoseverfahren, Wiesbaden 1983. *Mertens, P.* (Hrsg.), Prognoserechnung, 4. Aufl., Würzburg, Wien 1981.

Programm

eine zur Lösung einer Aufgabe vollständige Anweisung zusammen mit allen erforderlichen Vereinbarungen (DIN 44 300, 40). Die Anweisung besteht aus einer logischen Folge von Einzelschritten, deren Ausführung mit der Erfüllung der Aufgabe endet. Ein Programm kann als Algorithmus bezeichnet werden, der mit Hilfe eines Computers realisiert wird.

Programmablaufplan

Hilfsmittel zur Darstellung von Verarbeitungsregeln (bei der Software-Erstellung) bzw. zur Dokumentation. Ein Programmablaufplan beschreibt die Reihenfolge der Ausführung von Befehlen in einem Programm bzw. Softwaresystem. Die wichtigsten Sinnbilder sind:

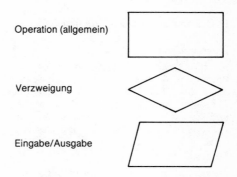

Programmanalysator →Hörer- und Seherpanel

Programmanalyse

Untersuchung der Struktur des Angebotsprogramms hinsichtlich der in der Vergangenheit erwirtschafteten und in der Zukunft zu erwartenden Zielbeiträge und deren Verursachungsfaktoren. Sie dient als Informationsgrundlage für Entscheidungen der →Programmpolitik, insb. für die Programmbereinigung. Ziel solcher Analysen ist es, Stärken und Schwachstellen im Angebotsprogramm aufzudecken und Hinweise für → Produkteliminationen zu liefern. Hierzu werden die Anteile der einzelnen Programmteile (Produktlinien, Produkte, Produktvarianten) am Gesamtumsatz (Umsatzstruktur, → ABC-Analyse) und ihr jeweiliger Beitrag zur Kostendekkung bzw. zum Gewinn des Unternehmens (Deckungsbeitragsstruktur,   → Produkterfolgsrechnung) berechnet.

Ferner interessiert die Verteilung des Gesamtumsatzes auf verschiedene Kunden (Kundenstruktur)   und   Auftragsgrößenklassen (Auftragsgrößenstruktur). Von strategischer Bedeutung sind weiterhin die Stellung der Programmteile   im   jeweiligen → Produktlebenszyklus (Altersstruktur) und das Verhältnis von Haupt- und Nebenleistungen sowie von eigenproduzierten und fremdbezogenen Erzeugnissen.   Eine   → Portfolioanalyse (→ Portfolio-Planung) liefert Anhaltspunkte für den Risikoausgleich und die erforderlichen Kapitalströme zwischen den Programmteilen. Wechselbeziehungen zwischen den Umsätzen mehrerer Programmteile können durch eine Analyse des → Sortimentsverbunds aufgedeckt werden.   *K. Lo.*

Literatur: *Dichtl, E.,* Die Beurteilung der Erfolgsträchtigkeit eines Produktes als Grundlage der Gestaltung des Produktionsprogramms, Berlin 1970. *Dunst, K.-H.,* Portfolio Management, 2. Aufl., Berlin, New York 1983.

Programmbereinigung → Produktelimination

Programmbreite

Anzahl der verschiedenen Produktlinien eines Produktions- oder Dienstleistungsunternehmens. Sie wird durch Entscheidungen der → Programmpolitik grundsätzlich festgelegt und im Wege der → Diversifikation und → Produktelimination inhaltlich spezifiziert.

Programmbudget

integriertes und umfassendes Planungs- und Entscheidungssystem, mit dessen Hilfe eine zielorientierte und möglichst konsistente Gesamtübersicht über die Aktivitäten einer Regierung und eine effiziente Leistungserstellung im öffentlichen Bereich angestrebt werden. Es wurde in den 60er Jahren unter der Bezeichnung „Planning-Programming-Budgeting-System (PPBS)" in den USA eingeführt. Mit dem Programmbudget sollen die konstitutiven Mängel der traditionellen Haushaltsplanung, insb. die ausschließliche Orientierung am Jahreshorizont, an Ausgabenplafonds und an Verwaltungseinheiten überwunden werden.

Das Programmbudget zerlegt den budgetä-

ren Entscheidungsprozeß in mehrere Phasen: In der *Planungsphase* findet zunächst eine systematische Analyse der Ziele und Zielbeziehungen der Staatstätigkeit statt, wobei der Versuch unternommen wird, die Ziele durch hierarchische Strukturen (Unter- und Teilziele) zu operationalisieren und sie schließlich mit Hilfe von Indikatoren als „Endprodukte" (Output) der Staatstätigkeit zu quantifizieren. In der *Programmierungsphase* werden detaillierte Programmpakete erarbeitet, mit deren Hilfe die Ziele realisiert werden können. Dabei werden die für das jeweilige Programm notwendigen sachlichen und finanziellen Ressourcen ermittelt und Programmalternativen mit Hilfe von → Kosten-Nutzen-Analysen bewertet und ausgewählt. In der *Budgetierungsphase* werden die Programme schließlich zeitlich und sachlich in den Jahreshaushalt umgesetzt.

Das Programmbudget ist durch fünf formale Elemente gekennzeichnet:
(1) Die *Programmstruktur* mit einer hierarchischen Gliederung in Programmkategorien, -subkategorien und -elemente soll die programmbezogenen Maßnahmen nach Zielen oder Leistungen (Endprodukten) zusammenfassen.
(2) Die *Aufgabenzuweisung* enthält eine konzentrierte Darstellung der wichtigsten Aufgaben der einzelnen Ressorts für das laufende Haushaltsjahr.
(3) *Programm-Memoranden* dienen der Erläuterung der Programmauswahl und -strategie eines Ressorts. Sie enthalten eine kurzgefaßte Darstellung und Begründung der Analysen, der geprüften Alternativen und ihrer Bewertung.
(4) *Spezialstudien* befassen sich mit breiter angelegten Analysen spezieller Problemstellungen und sollen einer vertieften Entscheidungsvorbereitung dienen.
(5) Der *Programm- und Finanzplan* enthält eine nach Programmkategorien geordnete mittelfristige Übersicht über Programm-Leistungen und Programm-Kosten. Er liefert zugleich den Ansatzpunkt für eine Transformation der Output-orientierten Programm-Kosten in die traditionellen Haushaltsvorlagen (sog. cross-walk).

Versuche, Programmbudgets in den öffentlichen Verwaltungen zu implementieren, sind insb. in den 60er Jahren in vielen Ländern, auch in der Bundesrepublik, unternommen worden. Die Erfahrungen haben jedoch gezeigt, daß integrierte Planungs-, Programmierungs- und Budgetierungssysteme in ihrem theoretischen Anspruch zu umfassend und komplex sind. Budgetreformen sind nur schrittweise und mit überschaubaren partiellen Zielsetzungen möglich.   *W. Ki.*

Literatur: *Carlson, J. W.,* Systematisches Planen, Programmieren und Budgetieren: Stand und weitere Entwicklung, in: *Recktenwald, H. C.* (Hrsg.), Nutzen-Kosten-Analyse und Programmbudget, Tübingen 1970, S. 171 ff.

Programmerneuerung → Produktelimination

Programmgenerator

Mit seiner Hilfe können anhand von Steueranweisungen und Parametern automatisch andere Programme oder Programmteile erzeugt werden. Die Eingabesprache für Programmgeneratoren ist relativ einfach, da die zu erzeugenden Programme auf begrenzte Aufgabenbereiche zugeschnitten sind. Während höhere → Programmiersprachen den prozeduralen Ablauf eines Programms darstellen, beschreibt die Eingabe eines Programmgenerators die Funktion, die das zu erzeugende Programm erfüllen soll.

Programmhilfe

Form der öffentlichen → Kapitalhilfe, bei der der Empfänger frei über den Einsatz der erhaltenen Mittel verfügen kann. Im Extremfall erfolgt die Programmhilfe ohne jegliche Auflagen; Beispiele für diese Variante sind die Waren-, die Budget- und die Zahlungsbilanzhilfe sowie als Spezialfall die → Nahrungsmittelhilfe. Die Forderung der Entwicklungsländer nach Programmhilfe resultiert aus ihrer Kritik an der projektgebundenen Hilfe. So zwingt z.B. die → Projekthilfe die Nehmerländer dazu, ständig neue Produkte in Angriff zu nehmen, um möglichst viel Auslandshilfe zu bekommen, während Projekte, bei denen die Entwicklungsländer keine Mittel für Reinvestitionen aufbringen können, häufig wieder stillgelegt werden müssen.

Programmiersprache

zur Formulierung von → Programmen erforderlich, wobei man zwischen maschinen- und problem- bzw. benutzerorientierten Sprachen unterscheidet. Zu ersteren gehört die Maschinensprache und die symbolische Sprache Assembler. In Maschinensprache geschriebene Programme enthalten Befehle, die vom → Steuerwerk strukturgleich verarbeitet werden. Symbolische Sprachen werden zunächst in Maschinensprache übersetzt.

Benutzerorientierte Sprachen abstrahieren von der maschineninternen Realisierung. Sie unterstützen die Lösung bestimmter Aufgabenstellungen durch ihre Struktur und die verfügbaren Sprachelemente. Für betriebswirt-schaftliche Anwendungen werden vorwiegend Sprachen wie COBOL und RPG eingesetzt, für technisch-wissenschaftliche Aufgabenstellungen eher FORTRAN, ALGOL und C.

Programmierung

1. (Implementierung) alle notwendigen Tätigkeiten, um die Entwurfsspezifikation eines Softwareprodukts in ein ablauffähiges → Programm umzusetzen.
2. mathematische Programmierung (→ mathematische Optimierung).

Programmkosten

alle → Kosten, die im unmittelbaren Zusammenhang mit kurzfristigen Faktoreinsatzentscheidungen für das Produktprogramm stehen.

Programmlohn → Entlohnung nach erwarteter Leistung

Programmpolitik

alle Entscheidungen im Zusammenhang mit der Zusammenstellung des sog. Leistungsprogramms einer Güter produzierenden Unternehmung. Im Gegensatz zur → Produktpolitik ist dieses also nicht auf einzelne Erzeugnisse, sondern auf die Angebotspalette bezogen. Das Leistungsprogramm umfaßt alle Produkte, die eine Unternehmung in einem bestimmten Zeitraum herstellt (Produktionsprogramm) bzw. am Markt anbietet (Angebots- oder Absatzprogramm, im Handel Sortiment genannt, → Sortimentspolitik).

Die wichtigsten Entscheidungen der Programmpolitik als absatzpolitischem Instrument betreffen den Umfang und die artmäßige Zusammensetzung des Leistungsprogramms. Bezüglich des Umfangs ist zwischen der → Programmbreite und der → Programmtiefe zu unterscheiden. Erstere kennzeichnet die Anzahl der verschiedenen Produktlinien im Leistungsprogramm, letztere die Anzahl der jeweiligen Produktvarianten innerhalb einer Produktlinie. In einer Produktlinie sind artmäßig ähnliche Produkte zusammengefaßt. Häufig herangezogene Kriterien zur Abgrenzung von Produktlinien sind eine gleiche Rohstoffbasis, Fertigungstechnik und/oder Produktfunktion sowie gemeinsame Absatzwege, Kundengruppen und/oder grundsätzliche Kundenbedürfnisse. Oftmals werden Produktlinien auch organisatorisch gemeinsam betreut (→ Marketingorganisation).

Die artmäßige Zusammensetzung des Leistungsprogramms, die im Rahmen der → Produktpolitik vollzogen wird, erfordert ein das

Selbstverständnis (→ corporate identity) und Unternehmensimage prägendes Leitbild (z. B. → Problemtreue). Es sind Grundsatzentscheidungen über die Qualitäts- und Preislage(n) der angebotenen Produkte zu treffen, um diese zu einer für die Nachfrager attraktiven Gesamtheit zusammenzufassen. Darüber hinaus stellt sich die Aufgabe, die verschiedenen produktpolitischen Einzelmaßnahmen (z. B. → Neuproduktentwicklung, → Produktvariation, → Produktdifferenzierung, → Produktelimination) zeitlich so aufeinander abzustimmen, daß sowohl den Markterfordernissen als auch den wirtschaftlichen und technischen Belangen der Unternehmung langfristig Rechnung getragen wird. Dies führt zu ständigen Programmerweiterungen, -bereinigungen und -variationen. Insofern besitzt die Programmpolitik stets auch strategischen Charakter. Dies wird vor allem am programmpolitischen Instrument der → Diversifikation sowie an der Grundsatzentscheidung für oder gegen eine Spezialisierung (Spezialanbieter) bzw. eine breite Bedarfsabdeckung (Universalanbieter) deutlich.

Die Programmpolitik bewegt sich stets in einem Konfliktfeld absatzwirtschaftlicher Ziele einerseits und kostenwirtschaftlicher andererseits. Unter marktbezogenen Aspekten ist i. d. R. ein breites oder zumindest tiefes sowie ein ständig aktualisiertes Angebotsprogramm wünschenswert, weil dadurch folgenden Belangen Rechnung getragen wird:
(1) Breite Abdeckung der Kundenbedürfnisse, dadurch höheres Kunden- und Absatzpotential,
(2) gesteigerte Attraktivität als Anbieter aufgrund besserer Auswahlmöglichkeiten für die Kunden und dadurch bedingt u. U. größerer Preisspielraum,
(3) Absicherung der Unternehmung gegen produktspezifische Absatzrisiken (Risikoausgleich),
(4) Induzierung von Verbundkäufen (→ Sortimentsverbund) und Folgegeschäften beim Kundenstamm (Wachstumsziel),
(5) langfristig stabiler Umsatz und Gewinn durch „Nachwachsen" neuer Produkte (→ Produktlebenszyklus),
(6) größere preispolitische Flexibilität und Attraktivität durch Möglichkeit zur → Mischkalkulation.

Diese Vorteile werden aber häufig durch u. U. erhebliche Kostensteigerungen erkauft, die sich nur begrenzt durch höhere Preise ausgleichen lassen. Zu berücksichtigen sind insb.:
(1) Sinkender Lagerumschlag und dadurch steigender Kapitalbedarf für Material-, Zwischen- und Endläger,

(2) höhere Beschaffungspreise durch kleinere Beschaffungsmengen,
(3) höhere Produktionskosten aufgrund eines häufigeren Produktwechsels und kleinerer Losgrößen,
(4) Zersplitterung der Kräfte des Unternehmens und stärkere Arbeitsbelastung für Einkauf, Produktions- und Lagerplanung, Marktforschung und Vertrieb.

Zur Lösung dieses Zielkonfliktes bieten sich folgende Möglichkeiten an:
• Zukauf von Handelsware zur Ergänzung und Abrundung des Produktionsprogramms,
• Angebot von Baukastensystemen von Produktteilen, die flexibel zu verschiedenen Produktvarianten zusammengesetzt werden können,
• regelmäßige → Programmanalyse und → Produkterfolgsrechnung zur Straffung und Bereinigung des Sortiments,
• preispolitische Maßnahmen zur Förderung von Verbundkäufen,
• Sortimentsbindungsverträge mit Abnehmern, insb. Handelsbetrieben.

Eine quantitative Optimierung der Programmpolitik setzt die Verknüpfung der Absatz- und Produktionsprogrammplanung sowie die Quantifizierung von Verbundeffekten voraus. Die praktische Anwendung der dafür enwickelten Modelle scheiterte bisher zumeist an der dafür notwendigen Datenbasis und den Schwierigkeiten einer exakten Prognose der Marktwirkungen verschiedener Leistungsprogramme. Man behilft sich deshalb mit heuristischen und inkrementalen Verfahren der Programmplanung. *H. D.*

Literatur: *Grosche, K.,* Das Produktionsprogramm, seine Änderungen und Ergänzungen, Berlin 1967. *Gümbel, R.,* Die Sortimentspolitik in den Betrieben des Wareneinzelhandels, Köln, Opladen 1963. *Hinterhuber, H. H.,* Strategische Unternehmensführung, 3. Aufl., Berlin, New York 1984.

Programmprüfung

Prüfung von EDV-Programmen im Hinblick auf ihre Ordnungsmäßigkeit und Sicherheit (→ EDV-Revision). Hierbei ist die Programmdokumentation als Informationsbasis von besonderer Bedeutung.

Programmsteuerung

→ Materialdispositionsverfahren, das voraussetzt, daß ein Absatz- oder Produktionsplan vorliegt und den Primärbedarf nach Art, Menge und zeitlicher Struktur ausweist. Verfügt der Betrieb über eine genaue erzeugnisbezogene Spezifikation der dafür benötigten Rohstoffe, Teile, Baugruppen usw., läßt sich der sog. Sekundärbedarf (erzeugnisbezogener Materialbedarf) genau ermitteln. Diese Form der deterministischen Bedarfsermittlung erfolgt mit Hilfe von → Stücklisten oder → Rezepten. Planungsunschärfen im Absatz- oder Produktionsplan wirken sich unmittelbar auf den Genauigkeitsgrad der Bedarfsermittlung aus. Eindeutig determiniert ist der Materialbedarf nur dann, wenn die Produktion über die Planungsperiode hinweg durch Kundenaufträge fest ausgelastet ist.

Programmstraffung → Produktelimination

Programmtiefe

im Rahmen der → Programmpolitik festgelegte Anzahl der Produktvarianten einer bestimmten Produktlinie des Leistungsprogramms. Flache Programme umfassen nur wenige, tiefe Programme dagegen viele Artikel einer Produktart.

Programmtypen

elementare → Produktionstypen, die im Hinblick auf die Produkteigenschaften sowie auf Merkmale des Produktprogramms eines Unternehmens gebildet werden. Programmtypen können nach mehreren Kriterien abgegrenzt werden:
(1) Produkteigenschaften:
● Güterart: materielle oder immaterielle Güter,
● Produktgestalt: ungeformte oder geformte Fließgüter, Stückgüter,
● Zusammensetzung: einteilige oder mehrteilige Güter (→ mehrteilige Fertigung),
● Beweglichkeit: mobile oder immobile Güter;
(2) Programmeigenschaft:
● Anzahl der Produktarten: Ein- oder Mehrproduktfertigung,
● Auflage und Übereinstimmung: → Einzel-, → Serien-, → Sorten- oder → Massenfertigung,
● Absatzstruktur: markt- oder kundenorientiert,
● Nachfrageverlauf: gleichbleibend oder (saisonal) schwankend,
● Branche: Bergbau, Maschinenbau, Energiewirtschaft, etc.,
● Stellung der Produkte im gesamtwirtschaftlichen Güterkreislauf: Investitions- oder Konsumgüter. *H. T.*

Literatur: *Kern, W.,* Industrielle Produktionswirtschaft, 3. Aufl., Stuttgart 1980, S. 82 ff. *Küpper, H.-U.,* Produktionstypen, in: *Kern, W.* (Hrsg.), HWProd, Stuttgart 1979, Sp. 1635 ff.

Progression → Steuerprogression

Progressionsstaffelverfahren

dient der Ermittlung der Mindestreserveverpflichtung von Geschäftsbanken bei der → Deutschen Bundesbank. Im Rahmen ihrer → Mindestreservepolitik legt die Bundesbank seit März 1977 für die Ermittlung der Mindestreserveverpflichtung der Geschäftsbanken das sog. Progressionsstaffelverfahren zugrunde. Dabei gelten für Sicht-, Termin- und Spareinlagen (→ Geschäftsbankengeld) jeweils drei Progressionsstufen bei der Festlegung des Mindestreservesatzes für die einzelnen Geschäftsbanken:
● Progressionsstufe 1 für die ersten 10 Mio. DM an reservepflichtigen Verbindlichkeiten,
● Progressionsstufe 2 für die nächsten 90 Mio. DM bis zu einem Volumen von 100 Mio. DM,
● Progressionsstufe 3 für Verbindlichkeiten über 100 Mio. DM.
Mit höherer Progressionsstufe steigt der Mindestreservesatz. Auf reservepflichtige Verbindlichkeiten gegenüber Ausländern wird oft ein noch über den Satz der Progressionsstufe 3 hinausgehender Mindestreservesatz angewendet (maximal 100%). Die Staffelung der Mindestreservesätze nach → Bankplätzen und → Nebenplätzen sowie nach unterschiedlichen Reserveklassen ist seit der Einführung des Progressionsstaffelverfahrens aufgehoben. *M. Bo.*

Literatur: *Dickertmann, D./Siedenberg, A.,* Instrumentarium der Geldpolitik, 4. Aufl., Düsseldorf 1984. *Jarchow, H.-J.,* Theorie und Politik des Geldes, Bd. II, Geldmarkt, Bundesbank und geldpolitisches Instrumentarium, 4. Aufl., Göttingen 1983.

progressive Kalkulation → Preiskalkulation

progressive Kosten → variable Kosten

progressive Planung

(Bottum-up-Planung) → Planungsmethode, bei der die unteren Hierarchieebenen einer Unternehmung regelmäßig Ziele, Maßnahmen und Mittel planen und die Ergebnisse der nächsthöheren Ebene zuleiten. Hier wird koordiniert und zusammengefaßt, das Ergebnis wiederum weitergereicht, bis an der Spitze der Unternehmung ein Gesamtplan entstanden ist und die Ziele der Unternehmung damit festgelegt sind. Dieses Planungsverfahren hat scheinbar Vorzüge gegenüber der → retrograden Planung, die jedoch bei näherer Betrachtung nicht sehr überzeugen:
● Die Mitarbeiter sind motiviert, sich für die von ihnen erstellten Pläne einzusetzen, allerdings nur jene der untersten Ebenen, wo

Prohibitivpreis

Prohibitivpreis 1534

die Planung beginnt. Je höher die hierarchische Ebene, desto kleiner wird der Spielraum für eigene Planungsbeiträge; die Partizipation verkümmert zur Zusammenfassung von Vorschlägen.

- Gerade von den unteren Hierarchieebenen fließen detaillierte und realistische Informationen in die Pläne ein. Da diese Wissensfragmente jedoch nicht gezielt durch übergeordnete Probleme gesucht und ausgewählt werden, fehlen u. U. entscheidende Hinweise für die Erstellung eines kohärenten Gesamtplanes, während gleichzeitig das Planungssystem viel nutzlose Informationen anhäuft und damit in seiner Kapazität belastet ist.
- Es ergibt sich bei der progressiven Planung zwar gleichsam automatisch eine Zusammenfassung der Plandetails, aber die tatsächliche Integration der Planfragmente muß als eher gering eingeschätzt werden; denn auf der jeweils höheren Ebene kann an sich kaum strukturierend eingegriffen werden. In der Realität muß freilich – in Abkehr vom Prinzip – mit lokaler wechselseitiger Koordination zwischen jeweils zwei Hierarchieebenen gerechnet werden. Die Problematik der Gesamtintegration wird dadurch jedoch nur geringfügig entschärft. Eine vertikale Integration erscheint zwar möglich, aber je besser sie erfolgt, desto schlechter dürfte es mit der horizontalen Integration bestellt sein (und umgekehrt). Der Versuch der horizontalen Integration führt dann nämlich immer zur Preisgabe einiger Apsekte der vertikalen Integration. Überdies müssen zusätzlich effektive Nachteile in Betracht gezogen werden:
- Die progressive Planung führt mit großer Wahrscheinlichkeit zu einer Divergenz der grundlegenden Ziele und Maßnahmen.
- Man muß daher mit Anpassungs- bzw. Verschleierungsstrategien rechnen, mit denen negative Resultate vermieden werden sollen.
- Mit zunehmender Anzahl der beteiligten Hierarchieebenen steigt die Wahrscheinlichkeit, daß Ziele und Maßnahmen nicht mehr koordiniert und integriert werden können. Daher ergibt sich eine Tendenz zur Reduktion der Anzahl der beteiligten Ebenen. Am Ende sind u. U. nur noch die Betriebs- und Unternehmensleitung beteiligt; von einer Berücksichtigung der „Basis" kann dann keine Rede mehr sein. *E. G.*

Literatur: *Wild, J.,* Grundlagen der Unternehmensplanung, 3. Aufl., Opladen 1981.

Prohibitivpreis → Nachfragefunktion

Prohibitivzoll → Schutzzoll

Projektauswahl

Problem der Forschungs- und Entwicklungsplanung. Das Problem ist theoretisch simultan mit der Bestimmung des → Forschungsbudgets zu lösen, wird aber in der Praxis sukzessiv nach der Budgetbestimmung angegangen. Die Auswahl erfolgt auf der Grundlage einer Bewertung. Wegen der unterstellten Knappheit des Budgets oder anderer Ressourcen wird ein Quotient benutzt, der im Zähler den Zielbeitrag des Projekts, im Nenner die Menge an erforderlichen knappen Ressourcen enthält. Dieser Betrag wird auf der Grundlage eines Projekt-Ablaufplans geschätzt. Der Nutzen muß einerseits die Ungewißheit der Projektrealisierung widerspiegeln und andererseits die Nutzenkomponenten aggregieren. Nutzenkomponenten ergeben sich aus den Zielen, zu denen Projekte beitragen können. Im einfachsten Fall wird ein Ziel, z.B. Gewinnerzielung, angenommen. In komplizierteren Fällen können mehrere Ziele angesprochen sein, insb. wenn die → Projektevaluation auf volkswirtschaftlicher Ebene erfolgt. Zur systematischen Darstellung und Verfolgung des Bewertungsvorgangs sind Nutzwert- oder Scoring-Modelle entwickelt worden. Muß die Projektrealisierung mit mehreren knappen Ressourcen abgestimmt werden, so kann dies nur im Rahmen einer simultanen Programmplanung geschehen. *K. B.*

Literatur: *Brockhoff, K.,* Forschungsprojekte und Forschungsprogramme: ihre Bewertung und Auswahl, 2. Aufl., Wiesbaden 1973. *Strebel, H.,* Forschungsplanung mit Scoring-Modellen, Baden-Baden 1975.

Projektbewertung → Projektevaluierung

Projektevaluierung

gesamtwirtschaftliche Bewertung von Investitionsvorhaben. Mit Hilfe der Verfahren zur Projektevaluierung sollen aus einer Reihe potentiell (z.B. im Rahmen der → Projekthilfe) realisierbarer Investitionsvorhaben, deren Gesamtumfang den Rahmen der tatsächlich durchführbaren Projekte sprengt, jene ausgewählt werden, die den stärksten Beitrag zur Realisierung der in der gesamtwirtschaftlichen Wohlstandsfunktion enthaltenen Ziele leisten können.

Hierzu wird in erster Linie das Instrument der → Kosten-Nutzen-Analyse eingesetzt, mit der versucht wird, die von einem geplanten Investitionsprojekt ausgehenden und beim Projekt selbst oder bei vor-/nachgelagerten Wirtschaftseinheiten anfallenden gesamtwirtschaftlichen Effekte möglichst genau zu erfassen, zu quantifizieren und zu bewerten. Durch Gegenüberstellung der verschiedenen Kosten- und Ertragsgrößen wird dann die Höhe des geamtwirtschaftlichen Gewinns ermittelt, der ein Indikator für die Vorteilhaftigkeit der untersuchten Projekte ist.

Im Rahmen der Kosten-Nutzenanalyse existiert eine Vielzahl von Kriterien zur Projektauswahl. Während einige nur auf das gesamtwirtschaftliche Effizienzziel abstellen (Investitionskriterium des minimalen Kapitalkoeffizienten, Kriterium der maximalen sozialen Grenzproduktivität), berücksichtigt das Kriterium des marginalen Reinvestitionsquotienten auch den Wachstumsaspekt. Die Einbeziehung von Wirkungen des Projekts auf die interpersonelle Einkommensverteilung erfolgt z. B. beim Kriterium der maximalen Arbeitsintensität sowie in Scoring-Modellen.

H.-R. H./H.-J. Te.

Literatur: *Hemmer, H.-R.,* Möglichkeiten und Grenzen der Gesamtwirtschaftlichen Projektbewertung in Entwicklungsländern, in: *Buchholz, H. R./ von Urff, W.* (Hrsg.), Agrarpolitik im Spannungsfeld der internationalen Entwicklungspolitik, München u. a. 1974. *Little, J. M. D./Mirrlees, J. A.,* Project Appraisal and Planning for the Developing Countries, London 1974. *Meimberg, R.* (Hrsg.), Voraussetzungen einer globalen Entwicklungspolitik und Beiträge zur Kosten- und Nutzenanalyse, Berlin 1971.

Projekthilfe

Form der öffentlichen →Kapitalhilfe, deren Vergabe an bestimmte Verwendungsauflagen, wie z. B. die Durchführung konkreter Projekte, gebunden ist. Diese Verwendungsverpflichtung besteht allerdings nur formal, wenn das Projekt auch ohne ausländische Hilfe durchgeführt worden wäre. Die durch die Projekthilfe freigesetzten Mittel können so für andere Verwendungen genutzt werden. Die Geberseite begründet die Projekthilfe vor allem mit den – im Vergleich zur →Programmhilfe – besseren Kontrollmöglichkeiten bezüglich der Verwendung der Gelder und den voraussichtlich daraus entstehenden Erträgen. Weiterhin wird auf die Möglichkeit zur Beeinflussung der Entwicklungspolitik des Entwicklungslandes hingewiesen, die u. a. darin besteht, im Rahmen einer →Projektevaluierung durch eine →Kosten-Nutzen-Analyse jene Zielfunktion für das Entwicklungsland zugrundezulegen, die von Geberseite aus als sinnvoll erachtet wird. *H.-R. H./H.-J. Te.*

Projektion

→Prognose einer Entwicklung, die von vornherein als angestrebte Entwicklung deklariert wird, z. B. die →Zielprojektion im →Jahreswirtschaftsbericht der Bundesregierung.

projektiver Test →Motivforschung

Projektkontrolle →Projektmanagement

Projektmanagement

(z. T. syn. mit Projektorganisation) Konzeption der Unternehmensführung für die Durchführung von zeitlich begrenzten Aufgaben, z. B. die Entwicklung eines neuen Produkts oder die Errichtung eines neuen Werkes. Projekte müssen geplant, gesteuert und kontrolliert werden. Die Gesamtheit dieser Funktionen wird als Projektmanagement bezeichnet.

Die *Projektplanung* umfaßt u. a. die Benennung eines Projektleiters (Projektmanager), die Planung von Projektzielen, die Ableitung von Teilaufgaben, die Planung der Abläufe, Bedarfs- und Aufwandsschätzung sowie die Terminplanung und die Budgetierung (→Projektplanungsmodell). Unter *Projektsteuerung* sind alle Funktionen zusammengefaßt, die sich auf die Anleitung und Motivierung von Mitarbeitern, die Überwachung des Projektverlaufs, das Treffen von Maßnahmen bei Planabweichungen und die Koordinierung (→Koordination in Organisationen), z. B. zwischen Auftraggeber und Projektgruppe, beziehen. Die *Projektkontrolle* wird projektbegleitend durchgeführt und erstreckt sich auf alle Aspekte der Projektplanung, wobei die Wirksamkeit der geplanten Maßnahmen überprüft wird.

Dazu kommen Aufgaben wie Einrichtung von Projektgruppen, die Zuordnung von Mitarbeitern und Beratern und die (interne oder externe) Rekrutierung von Spezialisten.

Projektmanager werden i. d. R. bei sehr umfangreichen Projektaufgaben eingesetzt, die eine laufende Koordination erfordern. Eine zweite Koordinationsmöglichkeit ist die institutionalisierte Selbstabstimmung auf Zeit. Wenn z. B. zur Entwicklung eines neuen Produkts eine Zusammenarbeit zwischen den Bereichen Absatz, Produktion und Forschung notwendig ist, so kann ein Ausschuß gebildet werden, der sich aus Instanzen dieser drei Bereiche zusammensetzt. Möglich ist auch eine Kombination beider Alternativen, wobei die beteiligten Instanzen einen Steuerungs- oder Leitungsausschuß bilden („steering committee"), der sich auf die Vorgabe von Richtlinien und die Entscheidung grundsätzlicher Fragen beschränkt. Der Projektmanager sorgt für die laufende Abstimmung, sammelt Informationen, arbeitet Vorschläge aus, die er dem Ausschuß vorlegt, und koordiniert anschlie-

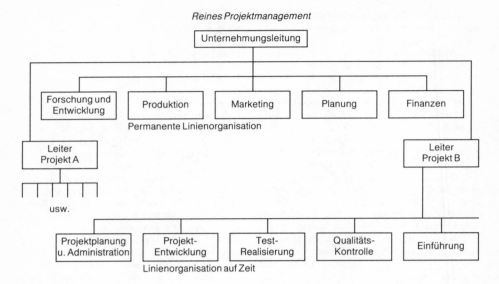

Reines Projektmanagement

ßend die Aktivitäten der einzelnen Stellen. Entscheidungs- und Weisungsbefugnisse besitzt er nur im Rahmen der vom Ausschuß von Fall zu Fall verliehenen Kompetenzen.

Es lassen sich je nach Ausstattung des Projektmanagers mit Weisungsbefugnissen drei Grundformen des Projektmanagements unterscheiden:
(1) → Einfluß-Projektmanagement.
(2) Im reinen Projektmanagement (vgl. Abb.) erhält der Projektmanager für die Dauer des Projekts das zu dessen Durchführung erforderliche Personal voll unterstellt. Der Vorteil dieser Ausgestaltung besteht darin, daß die Erreichung der Projektziele und die Einhaltung der Termine unbehindert von anderen laufenden Aufgaben in den Projektteams betrieben werden können. Der Projektleiter wird daran gemessen, und seine Intentionen kollidieren nicht mit jenen anderer Manager. Dem steht aber eine Reihe prinzipieller Nachteile gegenüber: Um die Projekte autark, d. h. unabhängig von Ressourcen innerhalb der ständigen Organisation zu machen, werden menschliche und maschinelle Kapazitäten zuweilen nicht effizient eingesetzt, Projekten z.B. oft Spezialisten oder Spezialmaschinen zugeordnet, die mit den auftretenden Problemen nur teilweise ausgelastet sind. Die Zuordnung von Personal und Sachmitteln zu Projekten orientiert sich nicht selten auch starr am Spitzenbedarf.
(3) → Matrix-Projektmanagement.   *A. Ki.*

Literatur: *Kieser, A./Kubicek, H.,* Organisation, 2. Aufl., Berlin, New York 1983. *Madauss, B. J.,* Projektmanagement, Stuttgart 1984. *Schmidt, G.,*

Organisation – Methode und Technik, 4. Aufl., Gießen 1981.

Projektmanager → Projektmanagement

Projekt-Matrix-Organisation → Matrixorganisation

Projektorganisation → Projektmanagement, → Marktforschungsorganisation

Projektplanung → Gesamtplanung, → Projektmanagement

Projektplanungsmodelle
→ Planungsmodelle des → Operations Research zur Termin-, Ausgaben- und Mitteleinsatzplanung von Projekten. Den Ausgangspunkt dieser Planung bildet die Projektstrukturübersicht, in der analog zu → Stücklisten (→ Gozinto-Graph) ein Projekt in Teile zerlegt ist.

Zur Terminplanung von Projekten wird gewöhnlich die → Netzplantechnik verwendet. Zur Ausgabenplanung werden gelegentlich ebenfalls Verfahren der Netzplantechnik angewandt, die um ein Ausgaben-Modul (häufig als Kosten-Modul bezeichnet) erweitert sind.

Schwieriger stellen sich oft die Probleme der Mitteleinsatzplanung dar, die den Problemen der → Maschinenbelegungsplanung ähneln. Zu ihrer Behandlung werden Verfahren der Netzplantechnik häufig mit → heuristischen Verfahren verknüpft.   *H. M.-M.*

Literatur: *Madauss, B. J.,* Projektmanagement, Stuttgart 1984.

Gegenüberstellung Prokura/Handlungsvollmacht

Sachkomplex	Prokura	Handlungsvollmacht
Vollmachtgeber	nur Vollkaufleute	auch Minderkaufleute
Erteilung	ausdrücklich	auch konkludent
Handelsregister	Eintragung erforderlich	keine Eintragung erforderlich
Umfang positiv	alle gerichtlichen und außergerichtlichen Geschäfte und Rechtshandlungen, die der Betrieb eines Handelsgewerbes mit sich bringt	alle Geschäfte und Rechtshandlungen, die die Ermächtigung zum Betrieb eines Handelsgewerbes oder zu einer bestimmten Art von Geschäften oder zu einzelnen Geschäften gewöhnlich mit sich bringt außer bei Erteilung einer besonderen Befugnis:
negativ	• Veräußerung und Belastung von Grundstücken (außer bei besonderer Erteilung dieser Befugnis) • Veräußerung und Einstellung des Geschäfts als solchem • Prokurabestellung • Bilanzunterzeichnung	• Veräußerung und Belastung von Grundstücken • Eingehung von Wechselverbindlichkeiten • Aufnahme von Darlehen • Prozeßführung
Beschränkbarkeit Innenverhältnis	ja	ja
Außenverhältnis	nein	ja, wirkt gegen Dritte aber nur, wenn diese die Beschränkung kannten oder kennen mußten
Zeichnung	ppa	i.V. oder ähnlich

Quelle: *Klunzinger, E.,* Grundzüge des Handelsrechts, 3. Aufl., München 1985.

Projektsteuerung → Projektmanagement

Prokura

handelsrechtliche Art der → Vollmacht (§§ 48 ff. HGB), die im Gegensatz zur → Handlungsvollmacht nur von einem Vollkaufmann oder dessen gesetzlichem Vertreter mittels ausdrücklicher Erklärung erteilt werden kann (vgl. Übersicht). Sie ist zur Eintragung in das → Handelsregister anzumelden und ermächtigt zu allen Rechtsgeschäften, die ein Handelsgewerbe mit sich bringen kann (Ausnahme: auf Grundstücksgeschäfte erstreckt sich die Prokura nur bei ausdrücklicher Erklärung des Geschäftsherrn). Im Außenverhältnis ist sie unbeschränkbar. Möglich ist die Begrenzung auf die Geschäfte einer unter eigener Firma betriebenen Niederlassung oder auf gemeinschaftliche Vertretung durch mehrere Prokuristen. Das Erlöschen der Prokura muß in das Handelsregister eingetragen werden. Der Prokurist hat mit einem die Prokura kennzeichnenden Zusatz zu unterzeichnen (meist: „ppa"). *M. J.*

Prokuraindossament → Indossament

Propaganda → Werbung

property rights → Eigentumsrechte

proportionale Kosten → variable Kosten

proportionaler Steuertarif

einer der drei Tariftypen in der Lehre vom → Steuertarif, der dadurch gekennzeichnet ist, daß für jede Höhe der → Steuerbemessungs-

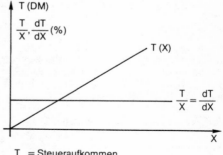

Proportionaler Steuertarif

T = Steueraufkommen
X = Bemessungsgrundlage
$\frac{T}{X}$ = Durchschnittssteuersatz
$\frac{dT}{dX}$ = Grenzsteuersatz

grundlage (X) der gleiche → Durchschnittssteuersatz T/X gilt. Der Steuerbetrag T wächst proportional zur Bemessungsgrundlage; der Durchschnittssteuersatz stimmt mit dem → Grenzsteuersatz dT/dX überein. In der Bundesrepublik Deutschland liegt ein proportionaler Tarif z.B. bei den meisten speziellen → Verbrauchsteuern vor.

Prospekt

detaillierter Bericht über einen Emittenten, der aus Anlaß der Emission und/oder der → Börsenzulassung eines Wertpapiers in Form einer Broschüre oder Zeitungsanzeige veröffentlicht wird und der alle zur Beurteilung des Wertpapiers erforderlichen Informationen enthalten soll. Die umfangreichen und differenzierten Anforderungen an Zulassungsprospekte sind in der in Vorbereitung befindlichen Zulassungsverordnung niedergelegt. Nur der Börsenzulassungsprospekt ist vom Gesetz vorgeschrieben (§§ 38, 44 Börsengesetz). Daneben veröffentlichen Unternehmen freiwillig im Interesse der Plazierung ihrer Emissionen z.B. auch Emissionsprospekte und Prospekte aus Anlaß der Einbeziehung in den → geregelten Freiverkehr.
Der Stellenwert des Prospekts wird oft überschätzt. In vielen Fällen präsentiert der Prospekt in aufwendiger Form Informationen, die schon Jahresabschlüsse, Zwischenberichte oder Presseverlautbarungen verbreiteten. Seine früher, als Emittenten nicht einmal jährlich berichteten, gewichtige Aktualisierungsfunktion ist heute auf die fortlaufende Publizität übergegangen. Der Prospekt ist daher als Anfangspunkt der fortlaufenden Publizität zu sehen und sollte grundsätzlich, was z.B. in Kanada bereits anerkannt ist, nur bei der öffentlichen Erstemission, nicht aber bei Folgeemissionen (z.B. Kapitalerhöhungen) eines Emittenten verlangt werden.   *Ha. Sch.*

Prospekthaftung

Haftung des Emittenten und der den Prospekt unterzeichnenden Banken, wenn für die Beurteilung eines Wertpapiers erhebliche Angaben im Prospekt fehlen oder unrichtig sind, insb. nach §§ 45–49 Börsengesetz.

Prosperität → Konjunkturphasen

Protektionismus

Teilbereich der → Außenhandelspolitik, der alle staatlichen Lenkungseingriffe in den Außenhandelsverkehr umfaßt, welche dem Ziel dienen sollen, heimische Anbieter oder Nachfrager vor ausländischer Konkurrenz zu

schützen. Protektionismus beinhaltet damit Eingriffe in eine am Leitbild des → Freihandels orientierte Welthandelsordnung, die Rückentwicklungen in Richtung der → Autarkie induzieren.
Der Schutz gilt in den meisten Fällen den inländischen Produzenten zur Erhaltung nicht oder nicht mehr konkurrenzfähiger Wirtschaftszweige aus struktur- oder beschäftigungspolitischen Zielsetzungen (z.B. Landwirtschaft, Stahlbranche), zum Aufbau neuer, noch nicht wettbewerbsfähiger Industrien etwa in den Entwicklungsländern (→ Erziehungszoll) oder zur Abschottung politisch begründeter Autarkiebereiche (z.B. Rüstungsindustrie). Die Eingriffe können aber auch zugunsten der Verbraucher ausgerichtet sein, indem die Inlandsverwendung von Export- und Importprodukten vor konkurrierender Auslandsnachfrage geschützt wird.
Protektionismus kann in Form tarifärer oder → nicht-tarifärer Handelshemmnisse auftreten. Unter tarifären Handelsbeschränkungen sind alle Formen der → Zollpolitik zu verstehen, nicht-tarifäre Handelsbeschränkungen sind alle sonstigen Hemmnisse des freien internationalen Warenverkehrs (vgl. Abb.). Schließlich kann auch das währungspolitische Instrument der → Devisenbewirtschaftung protektionistische Effekte erzielen.

Gestaltungsformen des Protektionismus

- tarifärer Protektionismus
  (→ Zollpolitik, → Zollarten)
  – Importzölle/Exportzölle
  – spezifischer Zoll/Wertzoll
  – Abschöpfung (Gleitzoll)
- nicht-tarifärer Protektionismus
  (→ nicht-tarifäre Handelshemmnisse)
  – Außenhandelssubventionen
    (→ Exportsubvention)
  – Produktsubvention
  – Kreditsubvention
  – steuerpolitischer Protektionismus
    – Steuerrückvergütung bei Ausfuhr
    – Steuerausgleichsabgabe bei Einfuhr
  – Außenhandelsverbote (→ Embargo)
  – Außenhandelskontingente
    – → Einfuhrkontingent
    – → Ausfuhrkontingent
    – → Selbstbeschränkungsabkommen
  – administrativer Protektionismus
    – staatliche Beschaffungspolitik
    – Qualitätsvorschriften
    – Normen

Der Einsatz protektionistischer Maßnahmen zur Strukturerhaltung oder Strukturanpassung (z.B. durch einen dauerhaften bzw. temporären → Schutzzoll) oder zur Entwicklungsförderung (z.B. durch einen → Erziehungszoll) erzeugt eine monopolisierende Wirkung für die inländischen Verbraucher durch Verteuerung der Produkte (→ Zollwirkungen). Die Umlenkung der Handelsströme im Vergleich zur Situation des Freihandels bedeutet eine Bindung von Produktionsfaktoren in relativ unproduktiven Verwendungen und hat damit negative Wohlfahrtseffekte (→ Aussenhandelsgewinn). Tendenziell erfolgt eine Einschränkung des Außenhandelsvolumens, die noch durch mögliche Vergeltungsmaßnahmen der beeinträchtigenden Außenhandelspartner verstärkt werden kann.

Die mit dem Protektionismus verbundene Störung der internationalen Arbeitsteilung führte zu dem weltweiten Versuch, den Protektionismus durch die Regelungen des → Allgemeinen Zoll- und Handelsabkommens (GATT) abzubauen (→ Weltwirtschaftsordnung). In der aktuellen Diskussion wird der sich verstärkende Protektionismus der Industrieländer gegenüber den Entwicklungsländern hervorgehoben.

Der effektive Protektionsgrad (→ Schutzzoll) ist in der Bundesrepublik für einzelne Produktkategorien sehr unterschiedlich. Geringer effektiver Zollschutz, aber hohe nichttarifäre Protektion liegen im Bergbau, Schiffbau und Flugzeugbau vor. Geringe Protektion ist im Maschinenbau und der elektrotechnischen Industrie zu verzeichnen, also in exportintensiven Zweigen. Hohe effektive Protektion dagegen liegt in der Textilindustrie, der Holz- und Zellstoffindustrie, der Metallindustrie und dem Agrarbereich vor, also in arbeits- und rohstoffintensiven Branchen, in denen internationale Kosten- und damit Wettbewerbsnachteile vorliegen. Letzteres spricht dafür, daß die protektionistischen Maßnahmen vielfach aus Beschäftigungs- und Lohnsicherungsargumenten zu Lasten sich industrialisierender Entwicklungsländer eingesetzt werden. *R. O.*

Literatur: *Berg. H.*, Außenwirtschaftspolitik, in: Vahlens Kompendium der Wirtschaftstheorie und Wirtschaftspolitik, Bd. 2, 2. Aufl., München 1985, S. 451 ff.; *Corden, W. M.*, The Theory of Protection, Oxford 1971.

Protestwechsel

liegt dann vor, wenn beim gezogenen → Wechsel der Bezogene bzw. beim → Solawechsel der Aussteller den Wechsel bei Fälligkeit nicht einlösen kann und dieser Vorgang in einer öffentlichen Urkunde festgehalten wird. Neben der Verweigerung der Zahlung muß auch die Verweigerung der Annahme nach Art. 44 WG durch eine öffentliche Urkunde festgestellt werden. Die Protesturkunde

ist von einem Notar, einem Gerichtsvollzieher oder bei Wechseln bis zu 1000 DM auch von einem Postbeamten auszustellen.

Der von der Nichteinlösung des Wechsels betroffene Wechselinhaber kann nach Art. 43 WG gegen die Indossanten (→ Indossament), den Aussteller und die anderen Wechselverpflichteten (z. B. Wechselbürgen) bei Verfall des Wechsels sowie bei Nichtannahme des Wechsels Rückgriff nehmen. Zu einem Regreß kann es darüber hinaus bei Eröffnung eines Konkurs- oder Vergleichsverfahrens über das Vermögen des Bezogenen, bei Zahlungseinstellung des Bezogenen oder bei fruchtlos verlaufender → Zwangsvollstreckung in das Vermögen des Bezogenen sowie bei Eröffnung des Konkurs- oder Vergleichsverfahrens über das Vermögen des Ausstellers eines Wechsels, dessen Vorlegung beim Bezogenen zur Annahme untersagt ist, kommen.

Der Wechselinhaber muß nach Art. 45 WG innerhalb von vier Werktagen den Vorbesitzer und den Aussteller des Wechsels, jeder Indossant innerhalb von zwei Werktagen seinen unmittelbaren Vorbesitzer von der Protesterhebung unterrichten. Der Aussteller und alle Indossanten haften dem Wechselinhaber gesamtschuldnerisch. Wenn auf den jeweiligen Vorbesitzer Rückgriff genommen wird, spricht man von Reihenregreß. Sprungregreß liegt dann vor, wenn ein oder mehrere Indossanten übersprungen werden.

Jeder Wechselgläubiger kann seine Rechte aus dem Wechsel durch Vorlage des protestierten Wechsels geltend machen. Durch den Wechselprozeß soll möglichst schnell ein vollstreckbarer Titel gegen den Beklagten erwirkt werden. Da die Frist zwischen Klagezustellung und Verhandlung hier sehr kurz ist — nach § 604 ZPO je nach Wohnsitz des Beklagten und nach Höhe der Instanz zwischen 24 Stunden und 7 Tagen —, wird dieses Ziel weitgehend erreicht. *H. Ku.*

Literatur: *Wöhe, G./Bilstein, J.*, Grundzüge der Unternehmensfinanzierung, 4. Aufl., München 1986, S. 228.

Protokoll

1. Teil der → Software zum Betrieb eines → Rechnernetzes, der für spezielle Funktionen innerhalb des Sendens bzw. Empfangens oder Weiterleitens von Daten zuständig ist.
2. Vereinbarung über → Übertragungsstandards.

Proxivariable

steht stellvertretend für die eigentlich interessierende Größe, die aber entweder unbekannt ist oder nur schwer gemessen werden kann. Voraussetzung ist, daß beide Variablen eng miteinander verbunden sind.

Soll z. B. der Zusammenhang zwischen dem Einkommen und der Berufserfahrung untersucht werden, so bereitet die Messung der Größe Berufserfahrung Probleme. Eine mögliche Proxivariable wäre die Dauer der Berufstätigkeit.

Literatur: *Maddala, G. S*, Econometrics, Tokyo u. a. 1977.

Prozentkurs

Preis einer Aktie oder Anleihe in Prozent ihres →Nennwertes bzw. Nominalwerts. Gegenteil: →Stückkurs.

Prozeßgerade

stellt im Faktorraum den geometrischen Ort der effizienten Produktionspunkte dar, die dadurch gekennzeichnet sind, daß die bei der Produktion zum Einsatz gelangenden Faktormengen stets im selben Verhältnis zueinander stehen (→Faktorvariation). Andere Einsatzrelationen führen zu alternativen Prozeßgeraden. Prozeßgeraden repräsentieren somit unterschiedliche technische Produktionsverfahren, nach denen sich die Fertigung vollzieht. Je nach den technischen Produktionsbedingungen können solche Prozesse entweder nur isoliert oder auch kombiniert zum Einsatz gebracht werden. Man spricht dann von nichtmischbaren bzw. mischbaren Prozessen.

Prozeßgeraden sind typisch für lineare Technologien (→Aktivitätsanalyse). Der Sachverhalt soll für den Drei-Güter-Fall mit zwei Faktoren und einem Endprodukt veranschaulicht werden (vgl. Abb.). r_1 und r_2 mögen die Einsatzmengen der beiden Faktoren bezeichnen, x sei die Endproduktmenge. Ausgegangen werden soll von dem Produktionspunkt $\bar{v} = (\bar{x}, \bar{r}_1, \bar{r}_2)$. Kann der Produktionspunkt $\bar{v}$ nun in der Weise beliebig in seinem Niveau verändert werden, daß eine gleiche proportionale Verminderung bzw. Erhöhung aller Faktoreinsatzmengen zur selben Verminderung bzw. Erhöhung der Endproduktmenge führt, so ergibt sich durch diese lineare Reduktion bzw. Steigerung beliebig viele neue Produktionspunkte, die auf der Prozeßgeraden I liegen. Durch eine Verdoppelung des Niveaus von $\bar{v}$ erhält man z. B. den neuen Produktionspunkt $\hat{v} = (\hat{x}, \hat{r}_1, \hat{r}_2) = 2\,\bar{v} = (2\bar{x}, 2\bar{r}_1, 2\bar{r}_2)$. Die Lage der Prozeßgeraden I im Koordinatensystem ist durch das feste Einsatzverhältnis von r_1 zu r_2 bestimmt. Andere Einsatzverhältnisse haben eine andere Prozeßgerade zur Folge, wie dies durch

die Prozeßgerade II aufgezeigt ist. Auf dieser Prozeßgeraden II mögen die Produktionsniveaus $\bar{x}$ und $\hat{x}$ an den Produktionspunkten $\bar{w}$ und $\hat{w}$ erreicht werden. Sind diese beiden Prozesse I und II nun nicht mischbar, dann ist nur ein sprunghafter Übergang von Prozeß I zu Prozeß II möglich. Sind sie dagegen mischbar, so kann man kontinuierlich von Prozeß I zu Prozeß II übergehen, was durch die Verbindungslinien zwischen den Produktionspunkten gleicher Produktionsniveaus, also zwischen $\bar{v}$ und $\bar{w}$ bzw. $\hat{v}$ und $\hat{w}$ zum Ausdruck gebracht ist. Punkte auf derartigen Verbindungslinien ergeben sich bei der praktischen Produktionsdurchführung dadurch, daß man die Prozesse zeitlich nebeneinander oder nacheinander durchführt.   *G. F.*

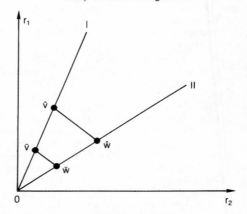

Beispiele von Prozeßgeraden

Prozeßgliederungsprinzip

(Ablaufgliederungsprinzip) Gliederungsprinzip von →Kontenrahmen, deren Aufbau bzw. Organisation dem Prozeß der betrieblichen Leistungserstellung nachgebildet ist. Der →Gemeinschaftskontenrahmen der Industrie (GKR) ist nach dem Prozeßgliederungsprinzip gestaltet, während der →Industriekontenrahmen (IKR) dem →Abschlußgliederungsprinzip folgt.

Prozessor

Zusammenfassung von →Rechenwerk und →Steuerwerk innerhalb der →Zentraleinheit einer EDV-Anlage. Prozessoren werden immer häufiger auch zur Steuerung von bestimmten Einheiten einer EDV-Anlage (z. B. Kanalprozessoren, Plattenprozessor) eingesetzt.

Prozeßorganisation →Ablauforganisation

Prozeßplanung

umfaßt die Planungsaufgaben, die die Gestaltung und Inganghaltung des → Planungssystems betreffen (→ Substanzplanung).

Prozeßpolitik → Ablaufpolitik

Prozeßrechner

speziell im Produktions- und Fertigungsbereich und bei sonstigen kontinuierlichen Prozessen eingesetzt. Daten von Produktionsprozessen (z. B. technische Größen wie Umdrehungszahl oder produzierte Mengeneinheiten) werden von Sensoren oder Meßgeräten erfaßt und an den Prozeßrechner übertragen (→ Betriebsdatenerfassung), der seinerseits Steuerinformationen zurücksendet. Prozeßrechner werden im Real-time-Betrieb genutzt, da das Ergebnis der Verarbeitung innerhalb einer vorgegebenen Zeitspanne nach Eintreffen des auslösenden Signals vorliegen muß (Echtzeitverarbeitung).

Prozeßsteuerung → Fertigungssteuerung

Prozeßsubstitution

Ausgangsbedingungen einer Prozeßsubstitution sind, daß mehrere Produktionsprozesse (→ Prozeßgerade) zur Herstellung eines Endprodukts mit denselben Faktoren existieren und diese Prozesse verschieden voneinander sind. Unter Prozeßsubstitution versteht man dann den Übergang von einem Produktionsprozeß zum anderen (vgl. Abb.).

Graphische Darstellung der Prozeßsubstitution

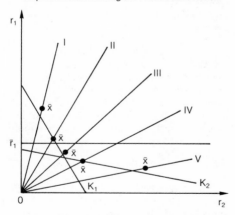

Die Endproduktmenge $\bar{x}$ kann mit den Faktoreinsatzmengen r_1 und r_2 auf der Grundlage der fünf verschiedenen Prozesse I bis V hergestellt werden. In diesem Rahmen kann es

dann zwei Gründe für eine Prozeßsubstitution geben. Die Erhöhung der Endproduktmenge mag bei beschränkter Verfügbarkeit eines Faktors die Prozeßsubstitution erforderlich machen; oder eine Veränderung in den Faktorpreisen, also in der Lage der Kostengeraden (→ Isokostenlinie), läßt eine Prozeßsubstitution ökonomisch geboten erscheinen. Bei einer maximalen Verfügbarkeit des ersten Produktionsfaktors in Höhe von $\bar{r}_1$ können Produktmengen $x > \bar{x}$ nur noch durch den Übergang auf die Verfahren III bis V erzeugt werden, während es durchaus kleinere Produktionsmengen gibt, die mit allen Prozessen herstellbar sind. Dreht sich andererseits die Kostengerade aufgrund der Veränderung der Faktorpreise von der Lage K_1 nach K_2, so wird zur Produktion von $\bar{x}$ aus Kostengründen Prozeß II durch Prozeß IV substituiert.

G. F.

Prozeßtyp → Produktionsverfahren

Prozeßvariation

(Niveauvariation) Gegenstand der Überlegungen zur Prozeßvariation ist die Frage, wie sich die Produktion auf der Grundlage eines Prozesses (→ Prozeßgerade) verhält, wenn alle Faktoreinsatzmengen mit demselben Multiplikator proportional verändert werden (→ Faktorvariation). Die Niveauvariation besteht demnach darin, daß man von der Produktion
$$x^o = f(r_1^o, \ldots, r_m^o)$$
zur Produktion
$$y^o = f(\lambda r_1^o, \ldots, \lambda r_m^o)$$
übergeht. x^o bzw. y^o sind Endproduktmengen, f ist das Symbol für die Produktionsfunktion und $r_1^o, \ldots r_m^o$ sind die Einsatzmengen der m Faktoren, mit deren Hilfe die Endproduktmenge x^o produziert wird. λ, $\lambda > 0$, zeigt den Proportionalitätsfaktor an, mit dem alle Faktoreinsatzmengen verändert werden.

Spezialfälle der Prozeß- bzw. Niveauvariation werden durch den Begriff der → Homogenität von Produktionsfunktionen erfaßt.

G. F.

prozyklische Werbepolitik → Werbebudgetierung

prozyklisches Verhalten → Stabilisierungskrise

Prüfbericht

(Prüfprotokoll) enthält das Ergebnis der → Materialprüfung und wird zusammen mit der Eingangsmeldung dem Einkauf zugeleitet. Aufgrund dieser Kontrollinformation wird der Rechnungsausgleich veranlaßt oder eine Mängelrüge gegenüber dem Lieferanten erhoben.

Prüferbehörden

als → Rechnungshöfe auf Bundesebene (→ Bundesrechnungshof) und auf Landesebene (Landesrechnungshöfe) eingerichtet. Auf kommunaler Ebene bestehen Gemeindeprüfungsämter oder sonstige kommunale Prüfungseinrichtungen. Aufgabe der Prüferbehörden ist die Rechnungsprüfung, insb. die Haushalts- und Wirtschaftsführung. Die → Jahresabschlußprüfung der → Eigenbetriebe wird grundsätzlich durch → Wirtschaftsprüfer oder → Wirtschaftsprüfungsgesellschaften durchgeführt.

Prüfprotokoll → Prüfbericht

Prüfsoftware

im Rahmen der → EDV-Revision als Hilfsmittel des Prüfers eingesetztes EDV-Programm, das Auswahl-, Vergleichs- und Rechenvorgänge automatisiert und die Befunde dokumentiert.

Prüfung

(Revision) nicht fest in den Arbeitsablauf eingebaute → Überwachung. Der Prüfer ist nicht für die Richtigkeit des → Istobjektes verantwortlich. Außerdem darf er festgestellte Mängel am Istobjekt nicht selbst beseitigen. Die Ziele und Aufgaben der internen Prüfung (→ interne Revision) sind frei gestaltbar, bei externen Prüfungen ist der Prüfer dagegen festgelegt, soweit es sich um gesetzlich definierte Pflichtprüfungen handelt. Die häufigste ist die Ordnungsmäßigkeitsprüfung, der → Aktiengesellschaft (§ 316 HGB), die sich darauf erstreckt, ob sich die Geschäftsvorfälle richtig in den Aufzeichnungen des Unternehmens niedergeschlagen haben. Sie setzt sich aus einer System- und einer Ergebnis- (Konten-, Jahresabschlußzahlen-)prüfung zusammen (→ Kontrollarten, → Prüfungsmethoden).

Meistens ist die Zahl der Geschäftsvorfälle so groß, daß nicht alle geprüft werden können. Deshalb wird eine Auswahl-Ergebnisprüfung vorgenommen. Diese ist nur sinnvoll, wenn gewisse Vorinformationen über die Struktur des Rechnungswesens und die Zuverlässigkeit des → internen Kontrollsystems vorliegen, die der Prüfer nur durch eine Systemprüfung erlangen kann. Hier werden die Regeln und Verfahren, nach denen die Geschäftsvorfälle erfaßt und verarbeitet werden, und nicht die Buchhaltungs- und Abschlußer-

gebnisse geprüft. Mit der Auswahl-Ergebnisprüfung versucht man, die Verarbeitungsergebnisse möglichst repräsentativ zu prüfen. Hierfür bildet sich der Prüfer für die ausgewählten Istobjekte (d. h. den Geschäftsvorfall, die Kontierung, die Buchung, den Kontenabschluß, die Jahresabschlußposition etc.) jeweils ein → Sollobjekt zum Vergleich. Die Prüfungsurteile werden im → Bestätigungsvermerk und im → Prüfungsbericht zusammengefaßt.   *J. B.*

Prüfung des internen Kontrollsystems → internes Kontrollsystem

Prüfungsanforderungen

umschreiben nicht allein den Prüfungsgegenstand der Zwischen- und Abschlußprüfung. Sie regeln vielmehr vor allem für die Abschlußprüfung wesentliche Elemente des Prüfungsverfahrens, wie Prüfungsfächer, Prüfungszeit, Art der Prüfung, Voraussetzungen des Bestehens und Ermittlung des Ergebnisses (→ Berufsordnungsmittel). Das Verfahren der Abschlußprüfung wird im übrigen durch die Prüfungsordnung für die Durchführung von Abschlußprüfungen in anerkannten Ausbildungsberufen geregelt, die die einzelne zuständige Stelle (VI. Teil BBiG) erlassen hat.
                                                     W. B.

Prüfungsarten

Die Vielzahl der in der Praxis anzutreffenden wirtschaftlichen Prüfungen (→ Wirtschaftsprüfung) läßt sich in mehrfacher Weise klassifizieren, u. a. nach Maßgabe folgender Kriterien:
(1) Standort des Prüfers: interne und externe Prüfung,
(2) rechtliche Grundlage: gesetzlich vorgeschriebene, gesetzlich vorgesehene, vertraglich vereinbarte und freiwillige Prüfung,
(3) zeitlicher Rhythmus der Prüfungen: periodische und aperiodische Prüfung,
(4) formale Qualifikation der Prüfer: → Vorbehaltsaufgaben bestimmter Prüfungsträger und Prüfungen, die jeder durchführen kann,
(5) Gegenstand der Prüfung: → Jahresabschlußprüfung, → Geschäftsführungsprüfung, → Konzernabschlußprüfung, → Sonderprüfung.

Die Unterscheidungskriterien sind nicht überschneidungsfrei, eine einheitliche Systematik hat sich bislang nicht herausgebildet.

Literatur: *v. Wysocki, K.,* Wirtschaftsprüfung und Wirtschaftsprüfungswesen, in: HWRev, Stuttgart 1983, Sp. 4606 ff. *Lück, W.,* Lexikon der Wirtschaftsprüfung, München 1980.

Prüfungsbericht

schriftliche Berichterstattung des Prüfers über Verlauf und Ergebnis der Prüfung (→ Prüfungsergebnis). Der Prüfungsbericht erfüllt grundsätzlich folgende Funktionen:
(1) Mitteilung des Prüfungsergebnisses,
(2) Begründung des Prüfungsurteils,
(3) Nachweis über die Erfüllung des Prüfungsauftrags.

Der Prüfungsbericht muß den allgemeinen Berichtsgrundsätzen genügen, d. h. über das Prüfungsergebnis muß vollständig, wahrheitsgetreu und mit der gebotenen Klarheit schriftlich berichtet werden (Fachgutachten 2/1977: Grundsätze ordnungsmäßiger Berichterstattung bei Abschlußprüfungen (WPg 1977, S. 214–217)). Inhalt und Form des Prüfungsberichts sind namentlich bei gesetzlichen Prüfungen fest vorgeschrieben. Wirtschaftsprüfer und vereidigte Buchprüfer sind auch bei freien Prüfungen zur Einhaltung der berufsständischen Vorschriften verpflichtet. Die Präsentation der Prüfungsergebnisse ist an keine bestimmte Form gebunden. Als zweckmäßig hat sich namentlich bei umfangreichen Prüfungen eine Untergliederung in Hauptteil, Anhang und Anlagen erwiesen. Der Hauptteil enthält die wesentlichen Feststellungen und Auswertungen der Prüfung. Im Anhang werden Erläuterungen zu den einzelnen Posten des Jahresabschlusses wiedergegeben. Als Anlagen werden regelmäßig der Jahresabschluß selbst, größere Tabellenwerke sowie die allgemeinen Auftragsbedingungen aufgeführt.

Der Prüfungsbericht ist den gesetzlichen Vertretern vorzulegen und hat als Mindestinhalt folgende Elemente zu enthalten (§ 321 HGB):
(1) Feststellung, ob Buchführung, Jahresabschluß und Lagebericht den gesetzlichen Vorschriften entsprechen;
(2) Feststellung, ob die gesetzlichen Vertreter die verlangten Aufklärungen und Nachweise erbracht haben;
(3) Aufgliederung und ausreichende Erläuterung der Posten des Jahresabschlusses,
(4) Darlegung und ausreichende Erläuterung von nachteiligen Veränderungen der Vermögens-, Finanz- und Ertragslage gegenüber dem Vorjahr,
(5) Darlegung und ausreichende Erläuterung von Verlusten, die das Jahresergebnis nicht unwesentlich beeinflußt haben,
(6) Bericht über Tatsachen, die den Bestand des Unternehmens gefährden oder seine Entwicklung wesentlich beeinträchtigen können; und
(7) Bericht über Tatsachen, die schwerwiegende Verstöße des Vorstands gegen Gesetz, Ge-

sellschaftsvertrag oder Satzung erkennen lassen.

Die unter (6) und (7) angeführte Berichterstattung, auch als nach innen gerichtete → Redepflicht bezeichnet, verpflichtet den Prüfer, nicht zu schweigen, wenn bei der Abschlußprüfung schwerwiegende Tatsachen bekannt werden. *J. S.*

Prüfungsergebnis

Über das Prüfungsergebnis hat der Prüfer regelmäßig einen → Prüfungsbericht abzufassen, der dem Auftraggeber oder den gesetzlich vorgesehenen Adressaten vorzulegen ist. Ferner ist über die Erteilung des → Bestätigungsvermerks zu entscheiden, der als formelhaftes Gesamturteil das Ergebnis einer Abschlußprüfung der Öffentlichkeit gegenüber zum Ausdruck bringt. Das Ergebnis freier Prüfungen wird bisweilen in einem → Prüfungsvermerk mitgeteilt, der dem aktienrechtlichen Bestätigungsvermerk nachgebildet sein kann.

Literatur: *Institut der Wirtschaftsprüfer* (Hrsg.), Wirtschaftsprüfer-Handbuch 1981, Düsseldorf 1981.

Prüfungsgrundsätze

(Grundsätze ordnungsmäßiger Durchführung von Abschlußprüfungen, GoA) schreiben dem Prüfer als → Prüfungsnorm im Rahmen der Abschlußprüfung ein bestimmtes Tun oder Unterlassen vor, um die Abgabe vertrauenswürdiger Urteile zu gewährleisten. Anders als die → Grundsätze ordnungsmäßiger Buchführung (GoB) werden die GoA im Gesetz nicht erwähnt. Eine gewisse inhaltliche Beschreibung dieser Grundsätze erfolgt im Fachgutachten 1/1977 (WPg 1977, S. 210–214), in dem die Berufsauffassung des Berufsstandes der Wirtschaftsprüfer in grundsätzlichen Fragen der Durchführung von gesetzlichen und freiwilligen Abschlußprüfungen dargelegt wird. Im einzelnen zählen zu diesen Grundsätzen:

- Prüfung der Einhaltung von Gesetz und Satzung,
- Prüfung der Einhaltung der Grundsätze ordnungsmäßiger Buchführung,
- Beachtung fachlicher Verlautbarungen,
- Planung und Beaufsichtigung der Abschlußprüfung,
- Prüfung des Internen Kontrollsystems,
- Prüfung von Bestandsnachweisen,
- Verwertung von Prüfungsergebnissen Dritter,
- Einholung der Vollständigkeitserklärung,
- Nachweis der Prüfungsdurchführung.

J. S.

Prüfungshandlungen

Teil der → Prüfungstechnik; sie bestehen in dem Vergleich eines vom Prüfer ermittelten Ist-Zustandes mit dem aus → Prüfungsnormen abgeleiteten Soll-Zustand, um eine sachgerechte Urteilsbildung zu ermöglichen. Bei Prüfungshandlungen wird nach der Art der Tätigkeit unterschieden zwischen:

- Abstimmungsprüfung,
- rechnerischer Prüfung,
- Übertragungsprüfung,
- Belegprüfung.

Im Rahmen der *Abstimmungsprüfung* werden Zahlen miteinander verglichen, die im Unternehmen an verschiedenen Stellen vorhanden sind, aber aufgrund systematischer Zusammenhänge übereinstimmen müssen. Nach dem Umfang der verglichenen Vorgänge kann man in Einzel-, Teil- und Gesamtabstimmung untergliedern. Beispiele sind die Abstimmung des Kassenbestandes mit Kassenbuch und Kassenkonto (Einzelabstimmung) oder die Abstimmung der offenen Debitoren mit den Kundenkonten. Eine überbetriebliche Abstimmung erfolgt häufig in Form der Einholung von Saldenbestätigungen seitens der Bank oder von Seiten der Kunden und Lieferanten.

Die *rechnerische Prüfung* gilt der zutreffenden Durchführung der Rechenoperationen (vornehmlich Addition und Subtraktion), etwa bei der Bildung von Summen und Salden in Grund- und Hauptbüchern.

Mit der *Übertragungsprüfung* wird die Übereinstimmung von Zahlen kontrolliert, die von Dokument zu Dokument oder von Seite zu Seite übertragen wurden (z. B. Vergleich der Anfangsbestände mit den Endbeständen der vorhergehenden Abrechnungsperiode, Vergleich der Anfangsbeträge eines Kontos oder einer Journalseite mit den Endbeträgen der vorhergehenden Seite).

Im Rahmen der *Belegprüfung* soll festgestellt werden, ob die Daten zutreffend erfaßt worden sind. Diese Prüfung bezieht sich auf die formelle Ordnungsmäßigkeit des Belegs (z. B. Verständlichkeit des Textes, Unterschriften), die materielle Ordnungsmäßigkeit (z. B. inhaltliche und rechnerische Richtigkeit) sowie die zutreffende Eintragung in den Büchern. Eine Belegprüfung stellt sich insoweit als Kombination von Abstimmungs-, rechnerischer und Übertragungsprüfung dar. *J. S.*

Prüfungsmethoden

(Prüfungswege, Revisionsmethoden) Teil der → Prüfungstechnik; sie beschreiben bestimmte Gesichtspunkte, unter denen ein tatsächlich geprüfter Bereich aus dem gesamten Prüfungsstoff ausgewählt wird.

Im Rahmen der Prüfungsmethoden sind zu unterscheiden:

- Formelle und materielle Prüfung,
- lückenlose Prüfung und Stichprobenprüfung,
- progressive und retrograde Prüfung,
- direkte und indirekte Prüfung,
- → Einzelfall- und → Systemprüfung,
- standardisierte und automatisierte Prüfung,
- → Ex-ante-Prüfung und → Ex-post-Prüfung.

(1) Die *formelle* Prüfung bezieht sich auf die Prüfung der äußeren Ordnungsmäßigkeit einschl. der rechnerischen Richtigkeit der Rechnungslegung. Diese „Ordnungsmäßigkeit" umfaßt die ordnungsmäßige Erfassung sämtlicher Geschäftsvorfälle in Belegen, Büchern und sonstigen Unterlagen, richtige Verarbeitung des Zahlenmaterials auf allen Stufen des Rechnungswesens und Beachtung der formalen → Grundsätze ordnungsmäßiger Buchführung.

Die *materielle* Prüfung befaßt sich mit der inhaltlichen Richtigkeit des vorhandenen Zahlenmaterials (z. B. Prüfung der Bewertung des Anlage- und Vorratsvermögens).

(2) Die *lückenlose* Prüfung erfaßt sämtliche Geschäftsvorfälle in einem bestimmten Prüffeld und Zeitabschnitt. Da eine durchgängig lückenlose Prüfung erhebliche Kosten verursachen würde, wird man sich zunächst auf eine *Stichproben-* oder Auswahlprüfung beschränken. Voraussetzung für deren Anwendung ist, daß mit der Auswahl geeigneter Elemente ein hinreichend sicheres Urteil über das Prüfungsobjekt erreicht werden kann.

Die hierfür notwendige repräsentative Stichprobe kann durch bewußte Auswahl oder (mathematisch-statistische) → Zufallsauswahl erfolgen. Bei der bewußt gesteuerten Auswahl bestimmt der Prüfer aufgrund seiner persönlichen Berufserfahrung und Kenntnis des Unternehmens Ansatz und Umfang der Stichprobe. Nachteil dieser Methode ist, daß → Validität und → Reliabilität der Daten nicht exakt bestimmt werden können. Bei einer Zufallsauswahl hat jedes Element des Prüffeldes eine von Null verschiedene, berechenbare Chance, in die Stichprobe aufgenommen zu werden. Der mögliche Fehler aufgrund einer Stichprobenprüfung wird dadurch beherrschbar, der für eine angestrebte Urteilsqualität notwendige Stichprobenumfang berechenbar.

Stößt der Prüfer bei der Stichprobenprüfung auf Verstöße gegen Rechnungslegungsvorschriften, ist eine Ausdehnung der Prüfung oder gar eine lückenlose Erfassung des betreffenden Prüffeldes unumgänglich.

(3) Die *progressive* Prüfung beginnt mit der Belegprüfung und verfolgt den Weg des Zahlenmaterials über Grundbuch und Hauptbuch bis zum Ausweis im Jahresabschluß. Im Rahmen der *retrograden* Prüfung wird ein Vorgang entgegen seinem zeitlichen Ablauf von seiner Erfassung im Rechnungswesen bis zum Geschäftsvorfall geprüft (z. B. Jahresabschluß – Hauptbuch – Grundbuch – Beleg – Wareneingang). Eine Sonderform der retrograden Prüfung ist die Wurzelstichprobe, bei der eine Buchung vom Jahresabschluß bis zu ihrer Wurzel zurückverfolgt wird.

(4) Als *direkte* Prüfung werden solche Prüfungshandlungen bezeichnet, die darauf abstellen, die richtige Verbuchung einzelner Geschäftsvorfälle sowie deren Bewertung und Ausweis im Jahresabschluß zu prüfen. Bei *indirekter* Prüfung werden keine Einzelsachverhalte geprüft, sondern die Prüfung erfolgt über Ersatzgegenstände, bei denen ein Zusammenhang mit dem eigentlichen Prüfobjekt vermutet wird. Hierzu rechnen Prüfungen mit →Kennzahlen und Richtsätzen wie auch die Systemprüfung und die Verprobung.

(5) Bei der *Einzelfallprüfung* oder substanziellen Prüfung werden die tatsächlich anfallenden Geschäftsvorfälle oder die im Rechnungswesen verzeichneten Buchungen geprüft. Im Rahmen der *Systemprüfung* oder Verfahrensprüfung erfolgt demgegenüber eine Prüfung des Systemaufbaus und des Systemablaufs sowie der systeminternen Kontrollen. Von der Fehlerfreiheit des Systems wird auf die Richtigkeit der Erfassungs- und Verarbeitungsergebnisse geschlossen. Im Rahmen der Systemprüfung gewinnen die Prüfung des Buchführungssystems bei →EDV-Buchführung (→EDV-Systemprüfung) und die Prüfung des →Internen Kontrollsystems zunehmend an Bedeutung.

(6) Durch *standardisierte* Prüfverfahren werden dem Prüfer bestimmte Prüfungshandlungen vorgegeben (z. B. standardisierte Fragebogen), um eine möglichst einheitliche Prüfungsdurchführung und -qualität zu gewährleisten. Unter *automatisiertem* Prüfverfahren versteht man alle computergestützten Prüfungshandlungen, die von standardisierten oder individuellen EDV-Prüfprogrammen übernommen werden.

Der Ausbau der Prüfungsmethoden führte zu einer immer größeren Bedeutung der System-, Stichproben- und Ex-ante-Prüfung. Besondere Methodenprobleme sind im Zusammenhang mit dem EDV-Einsatz in den Unternehmen entstanden (→EDV-Revision). *J. S.*

Literatur: *Grupp, B.*, Prüfungstechniken und Berichterstattung, in: *Haberland, G./Preißler, P./ Meyer, C. W.* (Hrsg.), Handbuch Revision, Controlling, Consulting, München 1978, Abschnitt 1.4. *Lück, W.* (Hrsg.), Lexikon der Wirtschaftsprüfung, München 1980. *UEC*, Kommission für Buchprüfung, Die Prüfung des Jahresabschlusses, 4. Aufl., Düsseldorf 1977.

Prüfungsnormen

alle Vorschriften und Regelungen, die im Rahmen einer Prüfung zu beachten sind. Die Summe der Prüfungsnormen wird auch als Prüfungsordnung bezeichnet. Prüfungsnormen ergeben sich bei freien Prüfungen zunächst nur aus dem Prüfungsauftrag; bei gesetzlichen Prüfungen sind sie in Gesetzen und Verordnungen niedergelegt. Ergänzend sind bestimmte, allgemein anerkannte Grundsätze, wie die →Grundsätze ordnungsmäßiger Buchführung und Bilanzierung sowie die Grundsätze ordnungsmäßiger Durchführung von Abschlußprüfungen (→Prüfungsgrundsätze), zu berücksichtigen. Der Berufsstand der Wirtschaftsprüfer und vereidigten Buchprüfer ist darüber hinaus zur Beachtung der „Richtlinien für die Berufsausübung der Wirtschaftsprüfer und vereidigten Buchprüfer" verpflichtet. Diese Richtlinien dienen der Auslegung und Verdeutlichung der in der Wirtschaftsprüferordnung geregelten Berufspflichten und stellen zugleich die allgemeine Berufsauffassung zu den wichtigsten Fragen berufswürdigen Verhaltens dar. Sie gelten für alle Tätigkeiten, die Wirtschaftsprüfer und vereidigte Buchprüfer im Rahmen ihrer Berufsaufgaben ausüben.

Schließlich sind für die Prüfung bestimmter Unternehmen besondere Prüfungsrichtlinien erarbeitet worden, die nähere Bestimmungen über Prüfungsumfang, Prüfungsdurchführung und Berichterstattung über die Prüfung enthalten. Besondere Richtlinien bestehen u. a. für die Berichterstattung der Abschlußprüfer von Kreditinstituten, die Depotprüfung, die Prüfung gemeinnütziger Wohnungsunternehmen und für Versicherungsunternehmen. *J. S.*

Literatur: *Institut der Wirtschaftsprüfer* (Hrsg.), Die Fachgutachten und Stellungnahmen des Instituts der Wirtschaftsprüfer auf dem Gebiet der Rechnungslegung und Prüfung, Düsseldorf 1982/84. *v. Wysocki, K.*, Grundlagen des betriebswirtschaftlichen Prüfungswesens, 3. Aufl., München 1987. *Wirtschaftsprüferkammer*, Richtlinien für die Berufsausübung der Wirtschaftsprüfer und vereidigten Buchprüfer, Stand Dezember 1977, Düsseldorf 1977.

Prüfungsordnung →Prüfungsnormen

Prüfungsorgane

Personen oder Institutionen, denen durch Gesetz, öffentlich- oder privat-rechtlichen Auftrag Aufgaben der → Wirtschaftsprüfung übertragen sind. Öffentlich-rechtliche Prüfungsorgane sind etwa die Prüfstellen der Finanzämter (→ Außenprüfung), die → Prüferbehörden mit den → Rechnungshöfen und die Rechnungsämter der Kommunen und des Bundes. Hierzu zählen auch die Kartell- und Preisüberwachungsbehörden sowie die Bundesaufsichtsämter für das Kredit- und Versicherungswesen.

Privatrechtliche Prüfungsorgane, denen vom Gesetzgeber bestimmte Vorbehaltsaufgaben übertragen wurden, sind → [Einzel-] Wirtschaftsprüfer, → Wirtschaftsprüfungsgesellschaften, → Vereidigte Buchprüfer und bestimmte → Prüfungsverbände. Zu den Prüfungsorganen ohne gesetzlich zugewiesene → Vorbehaltsaufgaben zählen alle sachkundigen und -verständigen Personen.   *J. S.*

Literatur: *v. Wysocki, K.*, Grundlagen des betriebswirtschaftlichen Prüfungswesens, 3. Aufl., München 1987.

Prüfungsplanung

(Revisionsplanung) Teil der → Prüfungstechnik; sie verkörpert die gedankliche Vorwegnahme der Prüfung mit dem Ziel, bei Sicherung einer hinreichenden Urteilsqualität eine kostengünstige Prüfungsdurchführung zu gewährleisten. Im einzelnen umfaßt die Prüfungsplanung die Festlegung des Prüfungsziels und Prüfungsprogramms (Sachplanung), die Personal- und die Zeitplanung. Das Ergebnis der Prüfungsplanung wird in einem Prüfungsplan festgehalten.

(1) Im Rahmen der *Prüfungsprogrammplanung* erfolgt die Festlegung der → Prüfungsmethoden und → Prüfungshandlungen. Im einzelnen stellen sich als Prüfungsaufgaben:

● Aufteilung des Prüfungsstoffes in Prüffelder und Prüffeldergruppen,
● Festlegung der Reihenfolge einzelner Prüfungshandlungen,
● Vorgabe der Prüfungshandlungen nach Art und Umfang,
● Bildung von Prüfungsschwerpunkten.

(2) Bei der *Personalplanung* ist zu entscheiden, wie die Prüfgebiete entsprechend der Qualifikation auf die einzusetzenden Prüfer aufgeteilt werden sollen.

(3) Im Rahmen der *Zeitplanung* werden entsprechend dem Prüfungsauftrag der Beginn und die Dauer einzelner Prüfungshandlungen sowie der Prüfung insgesamt festgelegt.   *J. S.*

Literatur: *Leffson, U.*, Wirtschaftsprüfung, 2. Aufl., Wiesbaden 1980. *v. Wysocki, K.*, Grundlagen des betriebswirtschaftlichen Prüfungswesens, 3. Aufl., München 1987.

Prüfungsprogrammplanung → Prüfungsplanung

Prüfungsqualitätskontrolle

(quality control) in der internationalen Prüfungspraxis alle Maßnahmen, die zur Einhaltung der → Prüfungsnormen und zum Zweck der Gewährleistung einer hohen Prüfungsqualität ergriffen werden. Derartige Maßnahmen beziehen sich auf die Organisation der Wirtschaftsprüfungsunternehmung und auf die Durchführung einzelner Prüfungsaufträge. Die Anforderungen an die Prüfungsqualität sind in gesetzlichen Vorschriften, namentlich der → Wirtschaftsprüferordnung, ferner in den Berufsrichtlinien für Wirtschaftsprüfer und in den fachlichen Verlautbarungen des Berufsstandes festgelegt.

Zur Sicherung der Qualitätsanforderungen sind abhängig von der Größe und organisatorischen Struktur der jeweiligen Wirtschaftsprüfungsunternehmung geeignete interne Maßnahmen der Qualitätskontrolle zu ergreifen. Diese reichen von der ständigen Überprüfung der Organisationsstruktur über Fortbildungsmaßnahmen und eine laufende Überwachung der Prüfungsaufträge bis hin zur nachträglichen Einsichtnahme in die Prüfungsunterlagen. Neben diesen internen Sicherungsmaßnahmen wird bisweilen auch eine Qualitätskontrolle durch außenstehende Dritte vorgeschlagen. Dabei kann die Kontrolle der Wirtschaftsprüfer, wie in Amerika praktiziert, durch externe Kollegen durchgeführt („Peer Review") oder aber durch ein unabhängiges Aktienamt vorgenommen werden.   *J. S.*

Prüfungstechnik

Gesamtheit der den unterschiedlichsten betriebswirtschaftlichen Prüfungen gemeinsamen Verfahrensmerkmale. Innerhalb der Prüfungstechnik lassen sich → Prüfungsplanung, → Prüfungsmethoden (auch strategische Prüfungstechnik) und → Prüfungshandlungen (auch taktische Prüfungstechnik) unterscheiden.

Prüfungsurteil → Prüfungsbericht

Prüfungsverband

Träger externer Prüfungen sind neben den freiberuflich tätigen Wirtschaftsprüfern auch Fachverbände (z. B. genossenschaftliche Prüfungsverbände, Prüfungsverbände bei gemeinnützigen Wohnungsunternehmen, Prüfstellen der Sparkassen- und Giroverbände), die die Pflichtprüfung der ihnen angeschlossenen Mitgliedsunternehmen wahrnehmen.

Träger der genossenschaftlichen Pflichtprüfung sind die genossenschaftlichen Prüfungsverbände (§ 55 GenG), denen das Prüfungsrecht von der Obersten Landesbehörde, i.d.R. vom Landesminister für Wirtschaft, verliehen wird. Zur Durchführung der Prüfung bedienen sich die Verbände der bei ihnen angestellten Verbandsprüfer. Das Berufsrecht der Wirtschaftsprüfer findet keine Anwendung, doch sollen die Verbandsprüfer im genossenschaftlichen Prüfungswesen ausreichend vorgebildet und erfahren sein (§ 55 GenG); auch sind sie nach § 62 GenG zur gewissenhaften und unparteiischen Prüfung sowie zur Verschwiegenheit verpflichtet. Zur Unterstützung des Verbandsvorstandes soll jedem Prüfungsverband ein Wirtschaftsprüfer angehören, der der Berufsaufsicht der Wirtschaftsprüferkammer unterliegt. Der Prüfungsverband hat i.d.R. die Rechtsform des eingetragenen Vereins, dessen Mitglieder eingetragene → Genossenschaften und solche Unternehmungen sind, die sich ganz oder überwiegend in der Hand von Genossenschaften befinden oder dem Genossenschaftswesen dienen.

Die Genossenschaft ist bei der Wahl des Prüfungsverbandes grundsätzlich frei. Sie ist jedoch verpflichtet, die Mitgliedschaft bei einem Prüfungsverband zu erwerben, und wird von diesem geprüft. Neben der Prüfungstätigkeit nimmt der Prüfungsverband auch die Aufgabe einer umfassenden Interessenvertretung wahr.

Für die gemeinnützigen Wohnungsunternehmen gelten bezüglich der Prüfung entsprechende Regelungen wie für Genossenschaft (§ 14 WGG). Im Sparkassenbereich werden diese Aufgaben von den Prüfstellen der Sparkassen- und Giroverbände wahrgenommen.

J. S.

Prüfungsvermerk

enthält – vergleichbar dem → Bestätigungsvermerk – das zusammenfassende Gesamturteil einer freien Prüfung (→ Prüfungsergebnis). Ein dem Bestätigungsvermerk nachgebildeter Prüfungsvermerk darf nur erteilt werden, wenn die freie Prüfung nach Art und Umfang der Pflichtprüfung entspricht.

Prüfungswege → Prüfungsmethoden

Pseudocode → Software-Entwurf

Pseudo-Zufallszahlen

für die → Simulation auf EDV-Anlagen mit Hilfe von sog. Zufallszahlengeneratoren deterministisch erzeugte Zahlen, die zwar keine echten → Zufallszahlen sind, jedoch deren Eigenschaften aufweisen.

Zur Gewinnung von Pseudo-Zufallszahlen verwendet man häufig das multiplikative Kongruenz-Verfahren, das wie folgt strukturiert ist:

$$x_{i+1} := a x_i \pmod{m}$$

Dabei ist x_i die i-te Zufallszahl, a und m sind Konstanten und sollten keinen von 1 verschiedenen gemeinsamen Teiler haben. Die Operation modulo (mod) bedeutet Bildung des Divisionsrestes. Es wird also jede Zufallszahl aus ihrer Vorgängerzahl gewonnen. Die Zufallszahlen wiederholen sich daher periodisch nach maximal m Zahlen.

Als Beispiel sei bei a = 19 und m = 17 mit $x_0 = 7$ begonnen. Man erhält die Zahlenfolge 7, 14, 11, 5, 10, 3, 6, 12, 7, ..., also eine Periode von nur acht Zahlen:

$$\frac{19 \times 7}{17} = 7 \text{ Rest } 14 \rightarrow x_1 = 14$$

$$\frac{19 \times 14}{17} = 15 \text{ Rest } 11 \rightarrow x_2 = 11$$

$$\frac{19 \times 11}{17} = 12 \text{ Rest } 5 \rightarrow x_3 = 5$$

usw.

Die so erzeugten Pseudo-Zufallszahlen sind gleichverteilt. Mit Hilfe von Verteilungsfunktionen lassen sich die gleichverteilten Zufallszahlen in Zufallszahlen einer beliebigen anderen Verteilung umwandeln.   *H. M.-M.*

Literatur: *Kohlas, J.*, Stochastische Methoden des Operations Research, Stuttgart 1977.

psychologischer Test

soll ein theoretisch begründetes, psychologisches Merkmal bei Personen empirisch gesichert, quantitativ und vergleichbar erfassen. Er dient der Beschreibung, Erklärung und Prognose menschlichen Verhaltens. Ein Test besteht aus einer Serie standardisierter Reizsituationen (Aufgaben, Fragen), auf die der Proband gemäß einer standardisierten Instruktion reagieren soll.

Die Prozeduren der Testkonstruktion zielen darauf ab, die Homogenität der Reizsituationen bzw. des provozierten Antwortverhaltens in bezug auf die zu erfassende psychologische Dimension sicherzustellen und die Reaktionswahrscheinlichkeiten durch unterschiedliche „Schwierigkeit" der Reizsituationen zu differenzieren. Dadurch wird es möglich, die Einzelreaktionen der Person zu einem Testrohwert zusammenzufassen, der die graduelle Ausprägung des zu erfassenden Merkmals numerisch abbildet und durch Vergleich mit den Verteilungsparametern einer Eichstichprobe in Normwerte (Prozentränge, Standardwerte) transformiert wird. Durch weitere empirische Erhebungen ist zu gewährleisten, daß die auf dem Testergebnis aufbauende Aussage objektiv, zuverlässig (→ Reliabilität) und valide (→ Validität) ist.

Psychologische Tests sind vor allem ein Instrument der Eignungsdiagnostik. Intelligenztests sollen das Niveau und die Struktur der Intelligenz eines Bewerbers messen. Persönlichkeitstests sollen Erkenntnisse über die Struktur der Persönlichkeit, Motivation, Temperament und möglicherweise vorhandene psycho-pathologische Merkmale liefern. Leistungstests sollen die Fähigkeit eines Bewerbers aufdecken, nachhaltig und konzentriert eine bestimmte Leistung zu erbringen.

H. M.

Literatur: *Magnusson, P.*, Testtheorie, 2. Aufl., Wien 1975.

Psychophysik → Weber-Fechner'sches Gesetz

psychophysiologische Meßverfahren

apparativ gestützte Techniken zur Messung der Aktivierungsstärke (→ Aktivierung) mit Hilfe psychophysiologischer Indikatoren. Die Aktivierung einer Person, etwa eines Konsumenten durch einen Werbeappell, ist selbst nicht unmittelbar beobachtbar, schlägt sich aber in verschiedenen physiologischen Reaktionen nieder, über die Testpersonen verbal oder schriftlich keine objektive Auskunft geben können.

Die wichtigsten Indikatoren und die zugehörigen Meßverfahren sind: Veränderungen im Muster der Gehirnwellen (Elektroenzephalogramm), Reduzierung des elektrischen Hautwiderstandes (→ Hautwiderstandsmessung), Veränderung der Körperoberflächentemperatur (→ Hautthermikmessung), Erhöhung der Herzrate (Pulsfrequenzmessung), Stimmfrequenzschwankungen (→ Stimmfrequenzanalyse).

Gegenüber der → Befragung, die ebenfalls zur Messung der Aktivierungsstärke in Betracht kommt, haben psychophysiologische Verfahren den Vorteil, daß sie auch geringe, nicht mehr bewußt wahrnehmbare oder schwer verbalisierbare Aktivierungsschwankungen registrieren. Andererseits können sie keinen Aufschluß über die Qualität einer Ak-

tivierung geben, z. B. ob sie positiv oder negativ, als Freude oder Angst erlebt wird. Im übrigen sind die Verfahren kostspielig, laborgebunden und sehr aufwendig in der Auswertung. Sie werden vor allem in der Forschung angewendet, in der Praxis jedoch nur von wenigen Marktforschungsinstituten und Werbeagenturen routinemäßig eingesetzt.

Public Choice

theoretisches Konzept zur Erfassung politischer und bürokratischer Entscheidungsprozesse mit Hilfe des mikroökonomischen Instrumentariums. Methodisches Anliegen der Public-Choice-Schule ist es somit, das Geschehen in verschiedenen Gesellschaftsbereichen auf der Grundlage einer einheitlichen Axiomatik zu durchleuchten, um auf diese Weise eine rationale Basis für die Wahl gesellschaftlicher Institutionen zu erhalten; Public Choice ist insofern Institutionenökonomik.

Die Public-Choice-Schule ist als Reaktion auf bestimmte Entwicklungen der → Wohlfahrtsökonomik zu verstehen. Diese hatte sich ihrerseits in Auseinandersetzung mit der liberalen Doktrin etabliert, die sich primär als eine Ökonomik des Marktes verstand. Die Wohlfahrtsökonomik arbeitete bestimmte Unvollkommenheiten der Marktkoordination heraus, die auch als → Marktversagen bezeichnet werden. Es lag nahe, diesem Marktversagen durch staatliche Aktivität abzuhelfen, eine Vorstellung, die im Zeitalter der „keynesianischen Revolution" mit der neuen Betonung der Rolle des Staats auf fruchtbaren Boden fiel.

Die Vertreter der Public-Choice-Schule kritisieren nun aber die mit der neuen Wirtschaftspolitik verbundene Vorstellung, die staatlichen Instanzen erfüllten ohne weiteres die von der Wohlfahrtsökonomik aufgestellten idealen Normen, d. h. der Staat trete durchweg als Vertreter des öffentlichen Interesses bzw. des → Gemeinwohls auf. Sie versuchen vielmehr, den normativen Ansatz der Wohlfahrtsökonomik durch eine positive, d. h. erfahrungswissenschaftliche, Analyse der tatsächlichen Staatstätigkeit zu ergänzen, wobei sie auf die ökonomische Theorie zurückgreifen. Zentral ist die Annahme, daß die Handlungen auch der Akteure in politischen Institutionen mit Hilfe der Figur des → homo oeconomicus erklärt werden können, d. h. man geht davon aus, daß die Handlungsträger in jeder Institution auch Eigeninteressen verfolgen, also Politiker im → Wählerstimmenmarkt (und damit bei ihren Aktivitäten in Parlament und Regierung) und Beamte in staatlichen → Bürokratien. Zusätzlich werden die

Interaktionen von Politikern und Beamten mit Interessenvertretern in die Analyse einbezogen.

Zentral ist weiter die explizite Berücksichtigung von Informations- und Transaktionskosten: Wie die Akteure im Marktsystem sind auch die Handlungsträger in politischen bzw. bürokratischen Institutionen keineswegs perfekt informiert, mit der Folge, daß allein deshalb die von der Wohlfahrtsökonomik aufgestellten Idealnormen nicht als durchweg erfüllbar angesehen werden können. Außerdem sind die Informationen im politischen Bereich nicht weniger ungleich verteilt als im Marktsystem. Schließlich fallen noch Transaktionskosten an (z.B. bei der Organisation von großen Gruppen), so daß auch hier eine Analogie zum Markt besteht.

Neben den Gemeinsamkeiten (Eigeninteresse, Informations- und Transaktionskosten) werden die Unterschiede zwischen den sozialen Institutionen Markt, Politik und Bürokratie keineswegs übersehen, im Gegenteil werden sie gerade herangezogen, um zu zeigen, daß die gänzlich anders gearteten Sanktionstypen in politischen und bürokratischen Systemen zu spezifischen Fehlentwicklungen führen können. So ist z.B. die staatliche Bürokratie i.d.R. keiner Konkurrenz ausgesetzt, was nicht nur zur Verschwendung von Ressourcen führt, sondern mangels Vergleichsmöglichkeiten auch die parlamentarische Kontrolle erschwert, da letztere auf die Informationen der Bürokratie angewiesen bleibt.

Weiterhin fördern die Organisationsprinzipien von Behörden in der Tendenz eine permanente Ausweitung der Budgets, was zum Überangebot von → Kollektivgütern und somit letztlich zu einer ständigen Expansion der → Staatstätigkeit führen kann.

Dieses Beispiel zeigt, daß die Public-Choice-Schule → Staatsversagen auf eine ähnliche Weise thematisiert wie die Wohlfahrtsökonomik das Marktversagen. Dabei wird Staatsversagen keineswegs nur aus den Funktionsbedingungen der staatlichen Bürokratien heraus erklärt, sondern auch auf die Wirkungsweise des Wählerstimmenmarktes zurückgeführt; denn es muß einsichtig gemacht werden, warum der Wähler die skizzierte Fehlentwicklung letztlich akzeptiert. Hier werden die Existenz erheblicher Informations- und Transaktionskosten und das spezifische Zusammenwirken von gesellschaftlichen Interessengruppen, Politikern und Bürokratien und die Eigenschaften bestimmter Abstimmungsregeln als Ursachen identifiziert. Insbesondere die Analyse gesellschaftlicher → Abstimmungsverfahren wird damit zu einem der zentralen Gegenstände des Public-Choice-Ansatzes.

Der Entwurf einer Theorie des Staatsversagens durch die Public-Choice-Schule bedeutet nicht, daß deren Vertreter grundsätzlich staatsfeindlich eingestellt wären. Im Grunde geht es ihnen um die Popularisierung der Vorstellung, daß es keine vollkommenen Institutionen gibt, daß es also immer nur um das Abwägen der Vor- und Nachteile von unvollkommenen Institutionen gehen kann. Gewählt werden sollte nach dieser Vorstellung immer diejenige Institution (Markt oder Bürokratie), die zum größten Überschuß des sozialen Nutzens über die sozialen Kosten führt, womit durchaus an die Intentionen der Wohlfahrtsökonomik angeknüpft wird.

Da die Institutionen unvollkommen sind, lohnt es sich außerdem, über deren Verbesserung nachzudenken. So bemüht sich die Public-Choice-Schule um Vorschläge zur Verbesserung der Organisationsprinzipien von Bürokratien, aber sie reflektiert auch über Abstimmungsmechanismen in gesellschaftlichen Systemen bis hin zur Verfassungsreform, wobei die Entscheidungsfreiheit des Individuums einen hohen Stellenwert einnimmt. *U. F.*

Literatur. *Frey, B. S.,* Theorie demokratischer Wirtschaftspolitik, München 1981.

public relations → Öffentlichkeitsarbeit

public utilities → öffentliche Versorgungsunternehmen

Publikums-AG → Aktiengesellschaft

Publikums-KG → Kommanditgesellschaft

Publizität

alle Maßnahmen einer Unternehmung, um ihre ökonomischen und nichtökonomischen Leistungen der Öffentlichkeit zugänglich und verständlich zu machen. Die *freiwillige* Publizität (→ Sozialbilanz) ist oft mit der Absicht verbunden, ein positives Bild in der Öffentlichkeit zu schaffen (→ Öffentlichkeitsarbeit). Bei der *gesetzlichen* Publizität hat sich im Rahmen der → Unternehmensverfassung mit dem Erlaß des Publizitätsgesetzes (PublG) von 1969 ein bedeutsamer Wandel hinsichtlich Zweck und Umfang vollzogen.

In der traditionellen → kapitalistischen Unternehmensverfassung ist – entsprechend dem privaten Charakter der Unternehmung – der Publizitätszweck darauf begrenzt, Sicherheit und Verläßlichkeit im Tauschverkehr zu gewährleisten, indem insb. durch das → Han-

delsregister institutionelle Merkmale der Unternehmung (ihre Firma und ihr Ort, Namen der Gesellschafter, Vertretungsbefugnisse, Kapitalverhältnisse, Satzungen) erfaßt und jedermann zur Information über (potentielle) Geschäftspartner zugänglich gemacht werden. Zum Schutze der Gläubiger kommt wegen der Haftungsbeschränkung bei der → Gesellschaft mit beschränkter Haftung und bei der → Aktiengesellschaft noch die Bilanzpublizität hinzu. Demgegenüber hat das PublG die Pflicht zur Rechnungslegung (§ 1) und Bekanntmachung des Jahresabschlusses (§ 10) nicht mehr an die Rechtsform, sondern an die Größe einer Unternehmung gebunden. Größenmerkmale sind dabei nach § 1:
- Bilanzsumme (mehr als 125 Mio. DM),
- Umsatzerlöse pro Jahr (mehr als 250 Mio. DM),
- Beschäftigtenzahl (mehr als 5000 Arbeitnehmer).

Mindestens zwei dieser drei Kriterien müssen erfüllt sein, damit eine Unternehmung unter die Publizitätspflicht fällt. Die Orientierung am ökonomischen Tatbestand der Unternehmensgröße und nicht an der Rechtsform bringt den Wandel von einem privatistischen zu einem gesellschaftlich-politischen Verständnis der Publizität zum Ausdruck.

H. S.

Literatur: *Biener, H.* (Hrsg.), Gesetz über die Rechnungslegung von bestimmten Unternehmen und Konzernen (PublG) mit Regierungsbegründung, Düsseldorf 1973.

Pufferlager

dient insb. bei der → Leistungsabstimmung im Rahmen der → Fließfertigung dazu, aufeinanderfolgende Arbeitsstationen unabhängig voneinander zu machen. Durch die Einrichtung von Zwischenlagern können kurzzeitige Ausfälle oder schwankende Arbeitsgeschwindigkeit aufgefangen werden. Die Arbeitstakte der Stationen müssen nur noch im Durchschnitt übereinstimmen. Dafür verursacht das Pufferlager zusätzliche Lager- und Zinskosten.

Pufferzeit → Netzplantechnik

Pull-Strategie → Markenpolitik

Pulsationsstrategie → Preisstrategie

Pulsfrequenzmessung → psychophysiologische Meßverfahren

Punktbewertungsverfahren → Bewertungstechnik

Punktmarkt

theoretisches Konzept der Preistheorie, nach dem Angebot und Nachfrage an einem Ort und zu einem Zeitpunkt zusammentreffen. Mit der Annahme des Punktmarktes wird also von Transportkosten und unterschiedlichen Lieferterminen abgesehen (→ vollständige Konkurrenz).

Punktprognose

quantitative Aussage, die nur die Angabe eines Punktes der Zahlengerade enthält. Beispiel: „Das Bruttosozialprodukt der Bundesrepublik wird 1985 um 2,5% real wachsen." Im Gegensatz zur Punktprognose wird bei der → Intervallprognose ein Bereich der Zahlengerade (z. B. 2–3%) vorhergesagt.

Punktschätzung → Schätzverfahren

Punktwahlverfahren → Abstimmungsverfahren

Purchase-Konsolidierungsmethode → angelsächsische Kapitalkonsolidierungsmethode

Push-Strategie

Im Unterschied zur Pull-Strategie (→ Markenpolitik) verkörpert die Push-Strategie aus Produzentensicht einen forcierten „Hineinverkauf" der Ware in den Absatzkanal, z. B. durch besondere Umwerbung, Gewährung preispolitischer Anreize oder intensiven Außendiensteinsatz, unter der Annahme, daß die Absatzmittler dann selbst für den Weiterverkauf sorgen werden. Im Zeichen einer veränderten Machtstruktur in vielen Absatzkanälen ist eine solche Strategie heute wenig erfolgversprechend; sie wird zunehmend durch ein → vertikales Marketing mit gemischten Push- und Pull-Elementen ersetzt.

Putty-Clay-Modell

unterscheidet bei den produktiven Beziehungen zwischen den Faktoren danach, ob man die Fertigungsmöglichkeiten eines Unternehmens vor oder nach der Investitionsentscheidung betrachtet. Vor der Investition ist die Menge der Produktionsmöglichkeiten (→ Aktivitätsanalyse) durch die Fülle von Technologien beschrieben, die potentiell zur Fertigung eingesetzt werden können. Auf ihrer Grundlage mögen sich dabei noch vielfältige Substitutionsmöglichkeiten zwischen den Faktoren ergeben. Nach der Investition werden diese Substitutionsmöglichkeiten jedoch durch die realisierte Technologie eingeschränkt. In diesem

Sinne wird zwischen Ex-ante- und Ex-post-Produktionsfunktionen unterschieden. Während erstere substitutive Beziehungen aufweisen, geht man bei letzteren i. d. R. von konstanten →Produktionskoeffizienten aus. Vor der Investition läßt sich der Betriebsmittelbestand noch wie verformbarer Kitt (putty) verändern, nach der Investition ist er fest wie gebrannter Ton (clay). G. F.

Q

Q-Gewinn → Marktlagengewinn

Qualifikation → Leistungsvoraussetzungen, → Berufsqualifikation

qualifizierte Gründung

Form der → Gründung einer → Aktiengesellschaft, bei der mindestens einer der folgenden Sachverhalte gegeben ist (§ 33 Abs. 2 AktG):
(1) Ein Mitglied des Vorstands oder des Aufsichtsrats gehört zu den Gründern.
(2) Bei der Gründung sind für Rechnung eines Mitglieds des Vorstands oder des Aufsichtsrats Aktien übernommen worden.
(3) Einem Mitglied des Vorstands oder des Aufsichtsrats wurde ein besonderer Vorteil eingeräumt oder für die Gründung oder für ihre Vorbereitung eine Entschädigung oder Belohnung gewährt (→ Gründerlohn).
(4) Es liegt eine Gründung mit Sacheinlagen oder Sachübernahme vor (→ Sachgründung).
   Bei einer qualifizierten Gründung muß eine → Gründungsprüfung durch gerichtlich bestellte Prüfer vorgenommen werden.   M. E.

Qualitätsbeurteilung → preisorientierte Qualitätsbeurteilung

Qualitätsgruppe → Qualitätszirkel

Qualitätskennzahlen

im Rahmen der → innerbetrieblichen Produktionsstatistik als Verhältnis der fehlerfreien Stücke zur Gesamtproduktion bestimmt. Als Ausschußquote wird der Anteil der in den verschiedenen Fertigungsstufen aussortierten fehlerhaften Stücke im Verhältnis zur jeweiligen Produktionsmenge, als Reklamationsquote demgegenüber der Anteil der erst nach dem Absatz der Leistung festgestellten Mängel bezeichnet. Letztere werden innerhalb einer bestimmten Garantiefrist ganz oder teilweise auf Kosten des Herstellers behoben.
   Die Statistik der Produktionsmängel gibt Aufschluß über Art und Umfang der Fehler im Produktionsprozeß und erleichtert die Suche nach den Fehlerursachen, sofern die Daten hinreichende Angaben darüber enthalten, an welchem Ort und zu welcher Zeit der Produktionsfehler entstanden oder entdeckt worden ist. Im Gegensatz zu dem retrospektiven Feststellen von Produktionsfehlern bietet die Qua-

litätssicherung auch statistische Methoden an, mit deren Hilfe Fehlproduktion weitgehend vermieden werden kann (→ statistische Qualitätskontrolle).   E. M.

Qualitätskontrolle

Ermittlung der meß-, zähl- und klassifizierbaren Istmerkmale (→ Istobjekt) eines Gutes und der Vergleich, ob und wieweit diese mit den aus dem Verwendungszweck abgeleiteten Forderungen (→ Sollobjekt) übereinstimmen. Die wichtigsten Felder der Qualitätskontrolle sind der Wareneingang sowie die Produktionsvorbereitung und -ausführung (→ statistische Qualitätskontrolle). Die Qualitätskontrolle ist ein wichtiges Element der Qualitätssicherung.   J. B.

Qualitätsnorm → Normung

Qualitätsprüfung → Materialprüfung

Qualitätsrente → Thünen'sche Kreise

Qualitätssicherung → Qualitätskontrolle

Qualitätszeichen → Gütezeichen

Qualitätszirkel

(quality circle, Werkstattkreis, Qualitätsgruppe) Gruppe von Arbeitnehmern, die Vorschläge zur Verbesserung der Qualität der selbst gefertigten Erzeugnisse, der Wirtschaftlichkeit der Fertigung sowie der Arbeitsbedingungen erarbeitet. Qualitätszirkel werden mit zunehmender Tendenz in deutschen Unternehmen erprobt und eingesetzt, nachdem vor allem japanische Unternehmen dieses Instrument der Arbeitsorganisation millionenfach und mit großem Erfolg hinsichtlich Qualitätssteigerung und → Arbeitsmotivation realisiert haben.
   Die Einführung von Qualitätszirkeln ist Ausdruck einer neuen Sicht des Arbeitnehmers im Betrieb und steht in direktem Gegensatz zu den lange akzeptierten Grundsätzen der wissenschaftlichen Betriebsführung, die u.a. die interpersonelle Teilung von ausführenden Aufgabenelementen einerseits und planenden und kontrollierenden Elementen andererseits vorsah. Qualitätszirkel fördern dagegen bewußt die Einbeziehung des ausfüh-

rend tätigen Arbeiters in die Planung und Kontrolle seiner eigenen Tätigkeit. In Abkehr von früheren Auffassungen wird er hierfür aufgrund seiner unmittelbaren Nähe zur Arbeitsausführung als genügend qualifiziert, z.T. sogar als noch qualifizierter als die Arbeitsplaner angesehen. Überdies wird den Qualitätszirkeln eine motivierende Funktion zugeschrieben.   *D.v.E.*

Literatur: *Kregoski, R./Scott, B.,* Quality Circles, Chicago u.a. 1982.

qualitative Prognoseverfahren

Ihnen liegt kein mathematisches → Prognosemodell zugrunde, wie dies bei den quantitativen Verfahren der Fall ist (z.B. → Extrapolations- oder → Strukturgleichungsmethoden). Sie werden insb. dort eingesetzt, wo aus Zeit- und Kostengründen quantitative Modelle nicht ermittelt bzw. nicht ausgewertet werden können, da die erforderlichen Daten fehlen. Daneben sind Kombinationen von quantitativen und qualitativen Verfahren denkbar, insb. wenn die quantitativen Verfahren Veränderungen des Prognoseprozesses nicht oder nur unzureichend zu erfassen vermögen.

Qualitative Prognoseverfahren stützen sich im wesentlichen auf das subjektive Wissen und die Erfahrung von Personen. Sie weisen damit einen ungleich höheren Grad an Subjektivität als quantitative Verfahren auf. Die Gruppe der qualitativen Prognoseverfahren umfaßt Methoden mit sehr unterschiedlichem Formalisierungsgrad und stark divergierender Systematik. Sie unterscheiden sich von subjektiven Schätzungen nicht zuletzt dadurch, daß sie in Aufbau und Ablauf nachvollziehbar bleiben.

Ihr Anwendungsbereich ist grundsätzlich nicht beschränkt. Besonders charakteristische Anwendungen finden sich in der Meinungsforschung (z.B. in Form von Repräsentativbefragungen) und bei der Prognose der technischen Entwicklung (technological forecasting, z.B. mit Hilfe der → Delphi-Methode).   *P.H.*

Literatur: *Hammann, P./Erichson, B.,* Marktforschung, 2. Aufl., Stuttgart, New York 1987. *Hüttner, M.,* Markt- und Absatzprognosen, Stuttgart 1982.

quality control → Prüfungsqualitätskontrolle

Quantitätsgleichung

(Fishersche Tauschgleichung, Verkehrsgleichung) ursprünglich die auf *Irving Fisher* zurückgehende Sicht von der Identität der geld- und güterwirtschaftlichen Seite des gesamtwirtschaftlichen Transaktions- bzw. Handelsvolumens einer Periode:

$$M \cdot V_H \equiv H \cdot P_H^l. \tag{1}$$

In dieser Transaktionsversion besagt die Quantitätsgleichung, daß ex post das reale Handelsvolumen H multipliziert mit seinem Preisindex P_H^l notwendigerweise gleich der Geldmenge M multipliziert mit der → Umlaufgeschwindigkeit des Geldes V_H ist. Damit wird der aus der Kreislaufanalyse bekannte Sachverhalt, daß sich die volkswirtschaftlichen Geld- und Güterströme einer Periode wertmäßig entsprechen müssen, auf eine analytisch zweckmäßige Formel gebracht (→ Quantitätstheorie). Die Quantitätsgleichung beinhaltet eine Definition für die Umlaufgeschwindigkeit des Geldes, d.h. die durchschnittliche Häufigkeit, mit der das Geld zu Transaktionszwecken verwendet wird.

In der modernen Makroökonomik geht man meist von einer modifizierten Form der Quantitätsgleichung aus, in der an die Stelle des realen Handelsvolumens H das mit dem Preisindex des Bruttosozialprodukts P_y^l deflationierte reale Bruttosozialprodukt y tritt:

$$M \cdot V_y \equiv y \cdot P_y^l. \tag{2}$$

In dieser Identität symbolisiert V_y die sog. Einkommenskreislaufgeschwindigkeit des Geldes, d.h. die durchschnittliche Häufigkeit, mit der die umlaufende Geldmenge M im geldwirtschaftlichen Tauschverkehr zur Einkommensentstehung beiträgt.

Der Kehrwert der Einkommenskreislaufgeschwindigkeit des Geldes ist der Kassenhaltungskoeffizient k. Er gibt die durchschnittliche Zeitdauer an, mit der das Geld zwischen den Transaktionen als Kasse gehalten wird. Unter Berücksichtigung von $k = 1/V_y$ und $Y \equiv y \cdot P_y^l$ geht (2) über in die Cambridge-Version der Quantitätsgleichung:

$$M \equiv k \cdot y \cdot P_y^l \equiv k \cdot Y. \tag{3}$$

Diese auf *Alfred Marshall* und *Arthur C. Pigou* zurückgehende und nach ihrem Wirkungsort Cambridge (England) benannte Cambridge-Gleichung ist ebenfalls nur eine Identität für ex post gemessene Größen und nicht etwa eine Verhaltensgleichung für die → Geldnachfrage.

In der → Inflationstheorie geht man meist von den dynamisierten Versionen der Quantitätsgleichung aus. Mittels kontinuierlicher (logarithmischer) Wachstumsraten formuliert, ergeben sich aus (2) und (3) die Identitäten:

$$g_M + g_{V_y} \equiv g_y + g_{P_y^l} \text{ bzw.} \tag{4}$$
$$g_M \equiv g_k + g_y + g_{P_y^l}. \tag{5}$$

Der Zusammenhang zwischen monetärer Expansion und Inflationsentwicklung geht aus der Tabelle hervor. Danach ist die Um-

Wachstumsraten von Variablen der Quantitätsgleichung in der Bundesrepublik, 1973-85

Jahr	g_{M1}	+	g_{V_y}	≡	g_y	+	$g_{P_y^I}$
1973	0,0252		0,0824		0,0459		0,0615
1974	0,1034		−0,0334		0,0019		0,0683
1975	0,1271		−0,0740		−0,0146		0,0579
1976	0,0379		0,0424		0,0543		0,0360
1977	0,1076		−0,0448		0,0262		0,0370
1978	0,1340		−0,0597		0,0321		0,0412
1979	0,0410		0,0371		0,0388		0,0396
1980	0,0375		0,0240		0,0147		0,0471
1981	−0,0080		0,0477		−0,0001		0,0392
1982	0,0673		−0,0343		−0,0097		0,0433
1983	0,0800		−0,0320		0,0152		0,0317
1984	0,0605		−0,0149		0,0299		0,0186
1985	0,0481		−0,0029		0,0238		0,0208

Quelle: *Sachverständigenrat*, laufende Jahresgutachten; *Deutsche Bundesbank*, laufende Monatsberichte.

laufsgeschwindigkeit V_H im Zwölfjahreszeitraum 1973–1985 mit durchschnittlich 1,19% p.a. nur geringfügig gesunken. Dies erklärt, weshalb die durchschnittliche Preisindexsteigerungsrate $g_{P_y^I}$ mit 4,01% p.a. geringer ausgefallen ist als die durchschnittliche Wachstumsrate der Geldmenge pro reale Sozialprodukteinheit (g_{M/y^I}) mit 5,20% p.a. Dementsprechend ist die durchschnittliche Wachstumsrate der realen Geldmenge (g_{M/P_y^I}) mit 2,96% p.a. höher ausgefallen als die durchschnittliche Wachstumsrate des realen Bruttosozialprodukts (g_{y^I}) mit 1,77% p.a.

Von der Quantitätsgleichung ist die auf ihr basierende → Quantitätstheorie zu unterscheiden, nach der zwischen Geldmenge M und Preisniveau P bzw. Preisindex P_y^I eine enge Kausalbeziehung besteht (→ Inflationstheorie).

R. Ca.

Literatur: *Fisher, I.,* The Purchasing Power of Money, New York 1911. *Pigou, A. C.,* The Value of Money, in: Quarterly Journal of Economics, Vol. 32 (1917/18), S. 38 ff. *Marshall, A.,* Money, Credit and Commerce, London 1923.

Quantitätstheorie

auf *John Locke, David Hume* und *John Stuart Mill* zurückgehende, von *David Ricardo* ausformulierte und insb. von *Irving Fisher* und *Gustav Cassel* weiterentwickelte inflationstheoretische Lehrmeinung, nach der zwischen der umlaufenden Geldmenge und dem Preisniveau bzw. einem repräsentativen Preisindex ein proportionaler Zusammenhang besteht. Sie wird zur Abgrenzung von der → Neoquantitätstheorie auch als klassische, ältere oder naive Quantitätstheorie bezeichnet.

Die Quantitätstheorie vereinigt mehrere Bausteine der klassischen Theorie:
• Im güterwirtschaftlichen Sektor werden die relativen Preise, im monetären Sektor die

absoluten Preise bzw. das Preisniveau bestimmt (klassische Dichotomie).
• Das Geldangebot ist exogen und geldpolitisch hinreichend steuerbar (→ Currency-Theorie).
• Da bei flexiblen Preisen jedes Angebot sich seine eigene Nachfrage schafft, kann es kein generelles Ungleichgewicht auf dem Gütermarkt geben, d.h. es herrscht stets Vollbeschäftigung (→ Saysches Gesetz).
• Da Geld nur für Transaktionszwecke gehalten wird und die Zahlungssitten längerfristig unverändert bleiben, ist die Umlaufgeschwindigkeit des Geldes eine strukturelle Konstante (velocity bzw. transaction approach).

Aus der auf *Irving Fisher* zurückgehenden → Quantitätsgleichung

$$M \cdot V_H \equiv H \cdot P_H^I$$

folgt mit V_H = const. (velocity approach) und H = const. (Saysches Theorem) die quantitätstheoretische Proportionalhypothese:

$$P_H^I = \frac{V_H}{H} \cdot M \quad \text{bzw.}$$

$$P_H^I = a \cdot M \text{ mit } a = V_H/H \text{ const.}$$

Änderungen der geldpolitisch steuerbaren Geldmenge M führen hiernach zu einer proportionalen Veränderung des durch den Preisindex des Handelsvolumens P_H^I repräsentierten Preisniveaus.

D. C.

Literatur: *Friedman, M.,* Money, Bd. II, Quantity Theory, in: *Sills, D. L.* (Hrsg.), International Encyclopedia of the Social Sciences, Vol. 10, New York 1968, S. 432 ff. *Rieter, H.,* Die gegenwärtige Inflationstheorie und ihre Ansätze im Werk von Thomas Tooke, Berlin, New York 1971.

quantitative Anpassung

→ Anpassungsform, bei der die Zahl der im Einsatz befindlichen → Potentialfaktoren geändert wird. Im Fall der isolierten quantitativen Anpassung erhöht bzw. vermindert man dabei die Beschäftigung einer Stelle bzw. eines Betriebes, indem man mehr oder weniger maschinelle Anlagen und/oder Arbeitskräfte in Betrieb nimmt. Die Prämisse isolierter quantitativer Anpassung bedeutet, daß nur ganz bestimmte Beschäftigungspunkte verwirklicht werden können, weil die zusätzlich in Betrieb genommenen Aggregate die gleiche Zeit mit derselben Geschwindigkeit arbeiten (vgl. Abb.). In der Realität führt man deshalb kaum isoliert quantitative, sondern → kombinierte Anpassungen durch.

Kostenverlauf bei rein quantitativer Anpassung

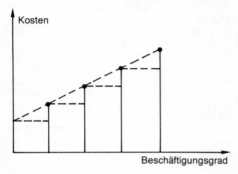

Kostenverlauf bei selektiver Anpassung

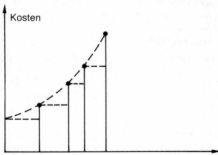

Nach den Eigenschaften der in bzw. außer Betrieb genommenen Potentialfaktoren unterscheidet man rein quantitative und selektive Anpassungen. Bei *rein quantitativen Anpassungen* sind mehrere gleichartige Potentialfaktoren einsetzbar. Daher führt der zusätzliche Einsatz eines Potentialfaktors zu einer proportionalen Erhöhung der Einsatzmengen an Werk-, Hilfs- und Betriebsstoffen. Die Verbindungslinie der Kostenpunkte einer rein quantitativen Anpassung stellt eine Gerade dar (vgl. Abb.). Dagegen werden bei *selek-*

tiver Anpassung Potentialfaktoren mit unterschiedlichen Eigenschaften eingesetzt. Man geht davon aus, daß zuerst die kostengünstigsten verwendet werden und bei jeder Beschäftigungserhöhung der nächst kostengünstige zugeschaltet wird. Umgekehrt legt man bei einem Beschäftigungsrückgang zuerst die kostenungünstigsten Potentialfaktoren still. Die Verbindungslinie der Kostenpunkte weist deshalb bei selektiver Anpassung einen nichtlinearen Verlauf mit zunehmender Steigung auf.   *H.-U. K.*

quantitative Politikmodelle

dienen zur empirischen Fundierung einer rationalen Wirtschaftspolitik unter expliziter Berücksichtigung von Präferenzstrukturen. Mit Hilfe von → Simulationen ist es möglich, durch wiederholte Alternativrechnungen eine akzeptabel erscheinende Kombination von Ziel- und Instrumentvariablenwerten zu erreichen, ohne daß Zielvorstellungen der Entscheidungsträger direkt eingehen. In quantitativen Politikmodellen wird dagegen eine Präferenzstruktur zugrundegelegt. Zwei grundlegende Ansätze werden unterschieden:

In *„Fixed-Target"-Modellen* werden die Werte für die Zielvariablen festgelegt und nach den Werten der Instrumentvariablen gesucht. Diese Ansätze gehen auf *Jan Tinbergen* zurück. Eine eindeutige Lösung existiert dann, wenn die Zahl der Ziel- und Instrumentvariablen gleich ist.

In *„Flexible-Target"-Modellen* werden soziale → Wohlfahrtsfunktionen berücksichtigt; es wird dabei eine Zielfunktion unter Gültigkeit eines ökonometrischen Systems maximiert. Meist wird dabei eine quadratische Nutzenfunktion gewählt, die unter der Nebenbedingung des ökonometrischen Modells mit Hilfe des Lagrange-Ansatzes optimiert wird. Ergebnis sind die optimalen Instrumentvariablenwerte. Sind zusätzliche Restriktionen (Ober- oder Untergrenzen) für die Instrumentvariablen zu berücksichtigen, so sind Programmierungsansätze (lineare oder quadratische) anzuwenden. Für die Bundesrepublik hat *H. P. Galler* 1976 eine empirische Studie zur Berechnung optimaler wirtschaftspolitischer Strategien auf der Grundlage des Bonner Modells (5. Version) vorgelegt; dennoch werden diese Ansätze für praktische Wirtschaftspolitik derzeit noch nicht angewendet.   *R. H.*

Literatur: *Galler, H. P.*, Optimale Wirtschaftspolitik, Frankfurt a. M. 1976. *Theil, H.*, Applied Economic Forecasting, Amsterdam 1966. *Tinbergen, J.*, On the Theory of Economic Policy, 2. Aufl., Amsterdam 1955.

Quasigeld → Geschäftsbankengeld

Quasirente → Rententheorie

Quellenabzugsverfahren → Quellensteuer

Quellenlandprinzip → Besteuerung internationaler Einkommen

Quellensteuer

Steuer, die unmittelbar am Ort der Einkommensentstehung, also an der Steuerquelle, erhoben wird. Es handelt sich dabei um eine besondere Art der Steuererhebung, das Quellenabzugsverfahren. Die wichtigsten Quellensteuern sind: → Lohnsteuer, → Kapitalertragsteuer und die inzwischen abgeschaffte Kuponsteuer.

Beim Quellenabzug wird die Steuerschuld nicht vom → Steuerpflichtigen ermittelt und gegenüber dem Fiskus beglichen, sondern von einer vorgelagerten Stelle, so vom Arbeitgeber bei der Lohnsteuer oder z. B. von einer Bank bei der Kapitalertragsteuer. Dem Steuerpflichtigen fließt ein um den Steuerbetrag gekürztes Einkommen zu. Im Gegensatz dazu steht das Veranlagungsverfahren: Der Steuerpflichtige deklariert gegenüber dem Finanzamt seine Einkünfte selbst und zahlt die Steuer entsprechend dem daraufhin ergehenden Steuerbescheid.

Vorteile der Quellenbesteuerung liegen für die Finanzbehörde in der größeren Zeitnähe der Besteuerung, in der Vermeidung der → Steuerhinterziehung und in der Überwälzung der Erhebungskosten auf den → Steuerzahler. Durch die zeitnahe Besteuerung folgt – vor allem bei der Lohnsteuer – das Steueraufkommen unmittelbar der gesamtwirtschaftlichen Entwicklung, weshalb die built-in flexibility der Lohnsteuer relativ hoch ist (→ automatische Stabilisatoren). Auch für den Steuerpflichtigen hat die Quellenbesteuerung Vorteile: Das Verfahren bürdet ihm keinerlei Entrichtungskosten auf. Zudem entstehen keine Liquiditätsprobleme, da die Steuer im Zeitpunkt der Einkommensentstehung einbehalten wird. Das Quellenabzugsverfahren wird aber dem Grundsatz der Besteuerung nach der persönlichen Leistungsfähigkeit nicht gerecht (→ Leistungsfähigkeitsprinzip), wenn bei einem Wirtschaftssubjekt unterschiedliche Einkunftsarten anfallen und ein progressiver Steuertarif gilt. Zudem können persönliche Umstände des Steuerpflichtigen nur in standardisierter Form (z. B. → Lohnsteuerklassen) berücksichtigt werden. Man wird deshalb in vielen Fällen am Jahresende nicht auf ein Ver-

anlagungsverfahren verzichten können. Auf die sich dabei ergebende Steuerschuld müssen die im Quellenabzugsverfahren bereits gezahlten Steuerbeträge angerechnet werden, so daß es zu Nachzahlungen oder Erstattungen kommen kann.   *A. D.*

Literatur: *Flämig, Ch.,* Kapitalertragsteuer, in: Handwörterbuch des Steuerrechts und der Steuerwissenschaften, Bd. 1, 2. Aufl., München, Bonn 1981, S. 839 ff.

Quellentheorie

Wird das Einkommen als wichtigster Indikator der steuerlichen Leistungsfähigkeit (→ Leistungsfähigkeitsprinzip) angesehen und damit in das Zentrum der Besteuerung gestellt, muß der Einkommensbegriff genau abgegrenzt werden, um die steuerliche Bemessungsgrundlage festlegen zu können. Zur Lösung dieser Aufgabe werden zwei unterschiedliche Konzepte herangezogen: Die in Deutschland vor allem von *Bernhard Fuisting* (1891) vertretene Quellentheorie stellt im Gegensatz zur → Reinvermögenszugangstheorie auf die Regelmäßigkeit des Zuflusses an ökonomischen Werten ab. Danach ist Einkommen definiert als die Summe der wirtschaftlichen Güter, die einem Wirtschaftssubjekt regelmäßig aus dauernden Erwerbsquellen zufließen. Der Einkommensbegriff wird also relativ eng gefaßt. Die Quellentheorie wird deshalb heute aus Gründen der steuerlichen Gerechtigkeit, aber auch unter allokations- und verteilungspolitischen Aspekten abgelehnt.

Quellprogramm

(Sourceprogram) in einer → Programmiersprache erstelltes Programm, das durch geeignete → Übersetzungsprogramme in ein → Objektprogramm umgesetzt wird, damit es auf einer EDV-Anlage lauffähig ist.

Querschnittsanalyse

wird mit Hilfe von → Querschnittsdaten i. d. R. als Partialanalyse durchgeführt (z. B. Nachfrageuntersuchungen für die Ermittlung des → Marktpotentials). Im Gegensatz zur Längsschnittsanalyse (→ Zeitreihenanalyse), in der die Verhaltensänderungen erfaßt werden, verfolgen Querschnittsanalysen das Ziel, Strukturunterschiede zu erkennen, z. B. spezielle haushaltstypische Einkommens-Verbrauchs-Relationen zu ermitteln und damit die → Haushaltsstruktur und die → Einkommensschichtung in ihren wechselseitigen Beziehungen zu analysieren.

Modelle auf der Grundlage von Querschnittsdaten sind statisch, so daß eine Aussage über den zeitlichen Verlauf ohne restriktive Annahmen, z.B. über die Ausgabenstruktur eines Haushalts, nicht möglich ist. Zur Lösung dieses Problemes bietet sich die simultane Auswertung von Quer- und Längsschnittsdaten an, um Verlaufsinformationen mit Strukturdaten insb. auf der Mikroebene der Haushalte und Unternehmen zu verknüpfen. *R. H.*

Literatur: *Krug, W./Nourney, M.,* Wirtschafts- und Sozialstatistik: Gewinnung von Daten, München, Wien 1982.

Querschnittsdaten

statistische Massen, die nach einem sachlichen oder räumlichen Identifikationsmerkmal gruppiert sind; sie sind auf denselben Zeitpunkt oder Zeitraum bezogen. Sachliche Querschnittsdaten variieren nach einem sachlichen Merkmal, bezogen auf die geographische Einheit; geographische Querschnittsdaten variieren nach einem geographischen Merkmal, bezogen auf dieselbe Sache.

Querschnittsdaten werden in bestimmten, regelmäßigen oder unregelmäßigen, zeitlichen Abständen für einen Stichtag (bei → Bestandsgrößen) oder einen Zeitabschnitt (bei → Stromgrößen) erhoben. Die Querschnittserhebungen, wie Kostenstrukturstatistiken, Einkommens- und Verbrauchsstichproben, Gehalts- und Lohnstrukturerhebungen, dienen dazu, sehr differenzierte Informationen über die Struktur makroökonomischer Aggregate zu erhalten (→ Querschnittsanalyse).

Querschnittssimulation → mikroanalytische Modelle

Querverteilung → Einkommensverteilung, → Einkommensschichtung

quick ratio → Liquiditätskennzahlen

Quote

(Gliederungszahl, Anteilszahl) drückt aus, wieviel Einheiten einer statistischen Teilmasse auf eine Einheit der Gesamtmasse entfallen. Beispiele sind → Konsumquote, → Lohnquote, → Marktanteil, Eigen- und Fremdkapitalquote (→ Kapitalanalyse).

Quotenaktie → Aktie

Quotenauswahl → nicht-zufällige Auswahl

Quotenhandel

Tausch und Handel der behördlich zugeteilten Quoten (→ Marktregulationen) zwischen den Unternehmen. Auf regulierten Märkten erhöht der Quotenhandel die Anpassungsbeweglichkeit der Unternehmen an Nachfrageschwankungen. Da die Quoten meist jedoch nur für kurze Fristen erteilt werden, ist die Flexibilitätswirkung vergleichsweise gering.

Davon zu unterscheiden sind Konzepte eines behördlich organisierten Quotenhandels, der den Kapazitätsabbau (→ Kapazitätslenkung) beschleunigen soll. Die jedem Unternehmen zugeteilten Quoten werden nach einem mittelfristig prognostizierten und angekündigten Anpassungspfad verringert. Der „Quotenmarkt" wird in zwei Submärkte aufgespalten: Auf einem administrierten Markt werden von der Regulationsbehörde zu einem festgesetzten Preis Quoten ge- und verkauft. Auf einem privaten Markt können zwischen den Unternehmen Quoten frei gehandelt werden, wobei die Behörde im „Offenmarktgeschäft" auf den freien Quotenpreis Einfluß nehmen kann. Will ein Unternehmen schneller als vorgesehen Kapazitäten abbauen, so kann es vorzeitig Quoten verkaufen und umgekehrt. Zur Beschleunigung des Kapazitätsabbaus können die Quotenpreise degressiv gestaffelt werden. *H. Ba.*

Quotenkartell → Preiskartell

Quotenkonsolidierung

findet ihre theoretische Begründung in der → Interessentheorie. Im Gegensatz zur Vollkonsolidierung werden die Abschlußpositionen der Einzelbilanzen mit Ausnahme der Eigenkapitalpositionen nur in Höhe der Beteiligungsquote des Konzerns in den konsolidierten Abschluß übernommen. Die anteiligen Eigenkapitalpositionen werden gegen den Beteiligungsbuchwert der Obergesellschaft aufgerechnet, so daß die gleiche Aufrechnungsdifferenz wie bei der Vollkonsolidierung mit Minderheitsausweis entsteht. Erfolgt die Erstkonsolidierung nach der Purchase-Methode (→ angelsächsische Kapitalkonsolidierungsmethode), müssen in Höhe des Unterschiedsbetrags quotal stille Reserven aufgedeckt und ein verbleibender Geschäftswert abgeschrieben werden. Auch in die Gewinn- und Verlustrechnung werden die Aufwendungen und Erträge nur quotal übernommen.

Die Quotenkonsolidierung ist trotz ihrer nur beschränkten Aussagefähigkeit über die Vermögens-, Finanz- und Ertragslage der Wirtschaftseinheit Konzern in Deutschland durch das Bilanzrichtlinien-Gesetz für → Gemeinschaftsunternehmen (→ joint ventures; 50 : 50 Beteiligungen) zulässig (§ 310 HGB), sofern die Konsolidierung dieser Unternehmensverbindung nicht nach dem → equity accounting erfolgt (§§ 311, 312 HGB). *W. E.*

Quotenmarkt → Quotenhandel

Quotenregelung

Als Unterform der → Marktregulationen legen behördliche oder privat verabredete Quotenregelungen die Produktions- oder Liefermengen der Unternehmen für alle oder ausgewählte Produkte mit dem Ziel einer den vorhandenen Kapazitäten proportionalen Auslastung fest. Sie werden auf der Basis von Referenzkapazitäten eines bestimmten Jahres getroffen. Die Quoten werden den in das Regulationssystem einbezogenen Unternehmen mitgeteilt.

Quotenregelungen werden z. T. trotz behördlicher Sanktionen nicht eingehalten; die Unternehmen betreiben eine Ausweitung des eigenen Marktanteils durch Quotenüberschreitung. Dies ist insb. der Fall, wenn eine faire Quotenzuteilung nicht gewährleistet ist

(„Erdrosselungsquote"), Quotenkämpfe und -revisionen einsetzen, „Opfergleichheit" und Gruppensolidarität nicht eingehalten werden.
H. Ba.

Quoten-Rückversicherung → Rückversicherung

Quotentausch → Quotenhandel

Quotenvergleich → Vergleich

Quotitätsprinzip

Verfahren zur Gestaltung von Steuern oder Subventionen. Beim Quotitätsprinzip wird zunächst der Tarif festgelegt, die Höhe der gesamten Steuerschuld bzw. Subventionssumme steht damit erst nach der Besteuerung bzw. Auszahlung der Subventionen fest.

Eine Steuer, die nach dem Quotitätsprinzip erhoben wird, heißt Quotitätssteuer. Das Quotitätsprinzip hat das → Repartitionsprinzip weitgehend verdrängt.